域外漢籍珍本文庫編纂出版委員會

# 域外漢籍珍本文庫

第二輯

經部

西南師範大學出版社
人民出版社

# 第十冊目次

# 禮疑類輯續編

# 提要

《禮疑類輯續編》三卷，朝鮮吴載能撰，韓國成均館大學藏朝鮮純祖十二年（一八一二）刊本，共三册。書高三十三點三釐米，寬二十一點四釐米。四周雙邊，每半葉框高二十二點二釐米，寬十五點九釐米。每半葉有界欄十行二十字，注文小字雙行。白口，雙花紋魚尾。卷首附徵引書目、凡例、目録及一八一二年吴淵常書跋。是編乃吴氏續補其師朴聖源《禮疑類輯》，類例一遵原編，彙輯其師所闕及後出之諸説而成。吴載能，海州人。謙齋朴聖源弟子。

## 禮疑類輯續編引用書目



## 禮疑類輯續編凡例

一原編凡例末端有曰或有見聞未接亦有未及刊行者姑不盡錄是蓋不能無待於後人者也月塘集等書近始刊行故不揆僭猥謹抄節類輯以爲原編之續焉

一四禮諸條一遵原編而彙分採錄

一原編目錄外有諸說之可攷據者別立新目

一沙溪說之見漏於問解而錄在於月塘集者逐節採入

一陶菴說始備載於原編而原編入梓時有新識多所抄刪故就其所刪取其緊要而收錄於此以爲巾衍之私云

# 禮疑類輯續編目錄

## 卷之一

卷之三

四禮常變綱目　目録

祭時服色
告利成
忌日接人之節
墓祭
參降先後之辨
先祖墓有故未祭繼葬位行祭當否
墓祭與 國忌相值退行當否
父母墓與外祖墓同岡行祭先後
祧位歲祭之節
畀幼墓祭有祝當否
墓村不安行祭當否
后土祭匙筯當設與否
省墓
省墓時哭拜當否
遞遷
庶孼奉祧主當否
長房有故不能奉祀
長房貧窮别廟奉祀之節
親盡神主嫡婦奉祀當否
不遷之位



不遷位奉安之節
支子諸禮
支子宮次奉先廟當否
妾子諸禮
妾母稱號及承重妾子題所生母主
承重妾子主所生母喪 題主之節及自孫以下世祭當否并論
妾母世祭當否之辨
祭變禮
臨祭有故
兩祭相值
先墓與卒哭相值
祭祀攝行
主人不與祭使人攝行
立後奉祀
未立後前行先祀之節
攝主奉祀
長子無嗣次子攝主
嫡孫幼次子攝主
權攝字義

婦人主祭之非
承重妾子之子祭所生祖母
妾孫出繼承重用次子祭所生祖母
祠墓遇變
失廟主還得處變之節
宗法
傳重
傳重後改題遞遷當否
立後諸節
獨子爲大宗後爲本宗立後



出繼者身死後追出禮斜
三年內立後喪出再期後撤几筵當否
三年內立後行練祥之節
前後妻沒後立後爲前妻子當否
立後受服之節禫有無見於禫條南塘說
本生父喪三年內罷繼歸宗改題[illegible]則主喪當否及撤几筵後朝夕哭練祥之節并論
所後子死更立他子兩皆無子前[illegible]
立後後所後者爲支房
襍禮

居家雜儀
上壽
師弟稱號



禮疑類輯續編目錄

禮疑類輯續編即友松吳公講載能之所纂輯也儀禮廢而家禮作斟酌損益乎古今之宜儼然爲一代之制　國朝諸儒賢之治禮者莫不宗乎是書然天下之事變無窮禮之常變隨而不齊不得不質疑論辨各有立說惟其散見而雜出莫可會一謙庵朴公聖源爲是之病廣求諸家之說裒成一書是所謂禮疑類輯也公實與聞是役嘗恨採輯之際尚或有闕遺且有後出諸說之未及入編者於是編摩多年者爲續編凡七家之說書爲四編其義例一依原編頗增其條目彙分類附纖悉無遺要之可以羽翼家禮



上達乎儀禮其於禮教豈曰少補之哉嗚呼禮爲可以徒言哉公早歲摳衣於貞菴閔文簡公之門以篤孝聞　正廟特授寢郎而嘉之卒後幾年又旌其門閭世之覽是書者庶幾知公禮學之有所本也是書成於公之中身久藏巾箱公之弟載光氏爲統師適付之剞劂徵跋于淵常淵常以宗黨末學夙慕公之行誼實有執鞭之願今於識後之役其何敢辭謹識

壬申孟秋下浣族侄嘉善大夫漢城府右尹兼同知義禁府事五衛都摠府副摠管淵常謹書

# 禮疑類輯續編卷之一

## 冠禮

### 衆子之長子冠於阼階

問衆子自爲主而冠其長子則冠者似當在於阼階上南鄉位耶金在魯 [illegible]齋曰似然

### 將東曲將北曲之辨

南塘曰宗廟在正寢之左外門在正寢宗廟之中間始入外門東行乃至宗廟之前故曰將東曲既至廟前又北行入廟門故曰將北曲家禮源流疑錄

### 長子則布席于阼階之上之義



南塘曰此既言布席而下又言筵于東序果涉重複然兩處皆不得不言上言布席承上陳設而言既陳冠服則於此固當布冠位矣下言布筵因下將言將冠者出房而先言此席以指將冠者出房立處在此冠位之邊以俟賓揖就席也家禮疏義付藏

### 賓揖將冠者出房立于席右之義

南塘曰此出房二字因上將冠者出房之語而重出當爲衍文明矣家禮疏義付藏

### 將冠者服

深衣

南塘曰深衣之義禮記深衣篇可考而其制詳具於朱子家禮獨續衽鉤邊之制用疏家舊說而未及修正然蔡揚二子或親聞先生晚年之論或親見其晚年所服之衣而并記其說焉則又無一說不具一制未備之恨矣後人不能深究其指而妄意穿究任其私智輕加損益全乖法象便成別制未免歸於詭異服妖如先生當日之所歎者豈不惜哉蓋衣全四幅以象四時裳交解十二幅以象十二月也衣一幅屬裳三幅者以象每時各統三月也衣裳接連處約圍七尺二寸者以象四時十二月又具七十二候之氣



也圓袂以象規方領以象矩領之兩末搭在衣邊者兩相對垂不成方惟領之中屈摺在衣身上者其形如曲尺所謂曲袷也曲者爲方故論語大學矩字訓曰矩者法度之器所以爲方也矩卽所謂曲尺也故傳曰曲袷如矩以應方曲袷爲半方而兩襟相掩方成全方如圓袂一爲半圓而兩相合後方爲全圓也袂口布外別出緣廣者寸半之緣少凸成方兩袂相合而爲全圓則兩緣相接而爲全方圓中含方與方領繞項徹成圓體而方中含圓者相對爲匹矣方圓本只是一體自方而沒其四角爲圓自圓而出其四

隅爲方方圓相生自相含具故方領旣交自含圓體而圓袂又包緣方以應含方之象也負繩以應直下齊以應平繩直準平又本只一體繩之直橫置之爲準平準之平縱置之爲繩直繩準相生自相含具故衣之負繩下達準平而齊之準平上承繩直以應相合之義也總論一衣之制袂圓在外領方在中以應天地衣象四時裳象十二月以應五行規矩準繩權五法皆備此聖人所以服之先王所以貴之也朱子又以幅巾方屨配爲一體巾圓而覆於上天也屨方而載於下地也以配深衣居中而衣裳相連適身直



垂左右有袂兩腋不裁平正端直以象人形者而合以應三才尤見其比物之益傳而取義之愈大也然則大帶獨無所象乎夫巾以應乾之一屨以應坤之二衣以應离之虛中帶以應坎之中連乾坤定上下之位而坎离升降於其中又豈無所象而然哉其著之於身也兩襟相對垂下而以大帶束之自無所事於小帶之繫定故不用小帶如是而後前襟後繩左右屬衽平正直垂無前挽後拽左撇右捩之患一衣之形正正方方有儼然可象之儀矣方領說所謂兩襟相掩衽在腋下者蓋以衣身寬濶有餘故以[illegible]

東之兩襟自相交掩兩衽各相向腋自成領方之形云爾非謂兩襟之交內外相重兩衽之交左右易方如時服之制也若果如是則非用小帶不可繫定也然而不用小帶則可見其言自然之形而非真謂用手牽挽左右交互也讀者於此一說不能曉解既以兩襟相重而掩之如時服之制則又嫌其裳前左右六幅皆倒揭而向上全失其準平之形故於衣身前後就添若干寸長而斜修之作一尖斜偏側不正之形而下齊前垂後褰亦失其平雖於著時暫得其平而元非真形則致直卿所謂糊塗要好看是自欺之



端者也此則丘氏之失也又有嫌其衣前二幅相重而前窄後寬左右牽拽一衣之形背不得其平故於衣身之前別加內外兩襟內衿屬裳二幅外衿屬裳四幅衣之屬裳既有多寡之不均而裳前六幅相重爲四又與後六幅者寬窄不稱矣其外便服著而內實不正者亦與丘氏無異矣此則朱氏之失也深衣篇所謂制十有二幅以應十有二月者雖以裳言而意實包衣也裳之十二幅既言其應十二月則衣之四幅以應四時者不待言而明矣全言之則衣裳袖領通爲一衣而分言之則衣裳袖領各是一物也故

家禮言衣全四幅裳交解十二幅又言衣每幅屬裳三幅裳每三幅屬衣一幅又於衣裳之外別言袖領則其以四幅爲衣以應四時十二幅爲裳以應十二月者不啻曉然矣傳所謂制十有二幅之制即上所謂制度之制非裁製之制也乃并通下文而言非只連下一句而言也蓋曰深衣之制度其十二幅應十二月袼應方袂應圓縫應直齊應平云也言裳之應十二月則衣之應四時固在不言之中而其或有闕文亦未可知也讀者不察乃以制字作裁製之制不顧其與上文相矛盾而必欲以十二幅者當一衣所



八之全數或以衣四幅袖二幅當衣六幅之數而不知衣之四幅本只二幅而袖之二幅申屈之亦爲四幅伸之共爲四幅屈之又爲八幅終不當六幅之數或於衣身二幅之外更加二幅并袖爲六以充衣六幅之數而又不知古今傳記俱無是文而徒意添著之爲不可也此諸儒之失也又與南九萬之不殺袂口布外別緣之廣崔錫鼎之製用白雲朱氏之說是皆輕肆淺妄務以立異於朱子者自其經說已然不獨此一事也又何足道哉至於家禮方領之說不言其別用布爲袷者似若可疑而袷二寸傳既明言而

不言其長長與身齊也其制與常服直領之制無異故不言之而但言其為方之義耳大帶再繚以其衣無小帶故再繚中束欲其緊固而不使衣散開也領緣二寸全沒袷二寸不見從玉藻寸半使衣領微露似是矣家禮深衣之制附註蔡楊之說本自明白而讀者輒生異見各自為制者蓋於方領之說不能深辭而過泥言語妄生穿鑿故耳附說○喪禮備要領緣註朱子大全寸半大全深衣說及答顏魯子論深衣皆無寸半之說未知何據又曰玉藻緣廣寸半不分領與裳袂丘氏說良是鄭時晦引陳註以非之恐自攷之不詳也陳註乃家禮以後說則固不足據以為古然深衣本文純邊廣各寸半通指一衣之緣邊初無領與裳袂之殊故陳註緣襟旁及下各廣寸半以釋純邊之意而所謂緣襟旁其指領緣又不啻分曉矣然則其下袷廣二寸之云又是別說袷廣與玉藻註袷曲領廣二寸之說同非指袷緣之廣也陳註本與丘說無異而鄭說據陳攻丘何其誤也玉藻深衣皆言緣廣寸半不言領與裳袂之殊則領緣之同於裳袂此可見矣然則家禮領緣二寸豈或家禮不用袷只以黑緣兼袷而用之故歟從袷之實耶○又按儀節衣身前加四寸長終



加一寸長而皆斜修之又從白雲朱氏說衣身上別加內外兩襟外襟綴裳四幅內襟綴裳一幅既與家禮不同又於古制無攷而其制偏斜奇邪不正不齊朱子所謂詭異不經近於服妖者殆謂此類耳今以家禮本文為主而續衽鉤邊用朱子晚年定論曲袷二寸緣廣寸半用玉藻舊文以補之則其制既正且合古義特後人未之深攷耳衣全四幅以象四時裳為十二幅以象十二月衣四幅各綴裳三幅四時各統三月也袂圓應規而袂口布外別緣成方圓中含方也兩袂相合為圓則兩緣相值為方其為圓中含方尤易見矣曲袷應矩而兩襟垂下繞項成圓方中含圓也曲若為方曲袷為方如曲尺為方曲袷半方又與圓袂半規相當矣此蓋圓出四角而為方方沒四隅而為圓而方圓相生也須繩應直而下接準平下齊應平而上承繩直此又直者橫而為平平者立而為直而平直相生也禮記家禮俱無小帶之文則是無小帶不綴小帶而兩襟垂下衣制寬大自相交掩大帶中束衣不散開服之於身前後左右秩然正齊規矩準繩各自呈形豈不是天然自成之法象乎比之朱丘二氏之所製裁用人巧制成偏邪者不可同日而論矣曲袷別用布一條裁入兩襟而加之其廣二寸不

言其長長與衣身齊也規矩繩準本自具於衣制之中不設曲袷則衣無應方之制兩襟相交亦見其圓未見其方也家禮方領其文不明不得不以玉藻説補之也深衣篇制十有二幅畧觀語勢似乎指一衣所用之幅而丘氏之説曲袷一條以當一幅加襟兩片又當一幅皆涉苟且龜峯之説衣身二幅之中屈分當四幅衣袂二幅之中屈只為二幅亦非自然衣身兩旁各綴一幅為袂其長僅纔齊手深衣篇本文上言袂之長短以反屈及肘為限則其不限幅數之用亦已明甚矣上文既如此則其下所謂制十有二幅者不指其裳而何家禮源流疑錄



大帶

南塘曰家禮本註再繚之文在結於前之下語勢似為倒置故讀者多疑以為家禮大帶圖法與玉藻不同只一圍腰而所謂再繚特為為兩耳言也如曰再結為兩耳云爾愚意恐不然玉藻再繚既是再繚腰者而家禮引之則其意不應有異同况繚之為言圍繚之謂也圍繚之義何取於結為耳而云爾耶若只為結為耳而下此語也則只説有結於前之文直以其為兩耳之語承之曰結於前為兩耳文義有何欠缺而必下此再繚之語以截斷而疑亂之耶其不然也必矣又有疑其為衍文者曰玉藻士帶單用繒二寸故必再繚以當大夫之四寸家禮用繒四寸夾縫為二寸則雖非再繚已當大夫之四寸而亦無欠於玉藻再繚之廣矣安得重一繚以過之耶此其説又恐不深攷也玉藻士帶註特言單用練緶緝其兩邊則大夫以上皆用表裏各四寸合縫之制可知也表裏各四寸則通廣八寸矣士帶若單用繒二寸而再繚為四寸則又何以當表裏各四寸通廣八寸之制耶竊攷之玉藻士帶用白繒廣四寸緶緝其兩邊為二寸而再繚為四寸則正當大夫表裏各四寸通廣八寸之制矣家禮夾縫之制雖與玉藻緶緝不同其用繒寸數無異則必再繚以當大夫之四寸無疑矣若使大夫之帶單用繒四寸而士用夾縫二寸則固可相當矣大夫既用表裏合縫四寸而士以夾縫二寸一繚相當云者其果成説乎因以家禮本文解之則其曰其長圍腰而結於前者槩言約帶之言其曰再繚之者申言重圍之義蓋曰圍腰結於前而必再繚云爾語意亦自分明不甚難解且圍腰結前兩語與再繚兩耳兩語為上下貼應之文上泛言圍腰而

下言再繚以申圍腰之必再繚上泛言結於前而下言為兩耳以申結於前之必為兩耳一言一申相間相應尤覺其語意之密未見其有倒置也讀者泛看嫌其再繚二字有似倒置則或疑其為衍文或強解以他說其謬又豈特如倒置而已哉附說

帽子

問再加無撤冠巾之文而丘儀有之無乃不撤冠巾而加帽其上如幅巾上着笠耶金在魯厚齋曰冠巾上加帽恐無是事也

勒帛彩屨



南塘曰勒帛以帛束脛至膝者彩屨以彩帛為鞋也喪禮有屨有襪又有勒帛勒帛之別為一物可知矣丘氏以勒帛為裹足而又與彩屨合為一物恐誤家禮源流疑錄

冠服未備代用時服

南谿曰冠禮不是難行底事寒士每以冠具未備廢不行三加冠服不必求其難得若以時服代之則何難之有尊齋語錄

冠者見父母

問冠義見於母母拜之家禮冠者拜父母父母為之起不同如此金福致厚齋曰恐是朱子斟酌古今而定之者也

冠變禮

將冠遇喪

月塘問禮云必父母無期以上喪始可行之不言當冠者何意沙溪曰當冠者雖有服因喪而冠見於雜記及曾子問故家禮不言者蓋欲行禮也

雜記曰以喪冠者雖三年之喪可也○曾子問陳澔註曰蓋齊衰以下可因喪服而冠斬衰不可○溫公曰因喪而冠恐於今難行



期服中加冠之節

問期服中加冠祭几筵時頭戴草笠身着衰裳出於南溪禮說云云沈潮南塘曰家禮大功葬後許行冠禮則追製冠經只得如來諭之云矣蓋未冠無冠既冠有冠理當如此矣服以始製為斷之說於此用不得者豈可上加吉冠而下着喪服耶無冠者服終涉苟簡不成貌樣追製冠經似無可疑矣

又曰武王崩成王冠當以喪冠冠之必不以吉冠吉禮行之也期服加冠亦以喪冠冠之則人豈非之哉世俗以吉冠吉禮行之故以為不可引成王事為證

也答沈

昏禮

不娶同姓之辨

問幼子親事欲議定於安東之金而或言金[illegible]姓則同姓而異氏也襲謬未安云云 推應 〇南塘曰云[illegible]云說如魯宋之同源魯爲稷之後宋爲契之後同[illegible]於帝嚳然姓既分而年代又遠則不復以婚姻[illegible]矣魯昭公娶於吳爲同姓諱之稱爲吳孟子爲著[illegible]女子姓者然則魯宋之不以通昏爲嫌可知也推[illegible]之通昏又何嫌乎百世婚姻不通周道也而周之[illegible]如此則尤無可疑耳

冠禮父母昏禮主昏者異同

尊齋曰昏禮註主昏如冠禮主人之法宗子有故則命次宗恐冠昏無異也且冠禮曰必父母無期以上喪昏禮曰身及主昏者無期以上喪尤丈則以爲父母主昏當通看先師則以爲父母主昏義各有異一曰父母一曰主昏其所分別豈無其意有一去夫家連遭重服其家女子年過三十餘而未嫁恐有[illegible]通昏禮必言主昏者似爲此也 答尹侍老

[illegible]潛曰冠禮言父母而不言主冠者昏禮[illegible]而不言父母義當互見宗子有期以上喪不可主冠禮父母有期以上喪亦不可婚子 家禮疏義附識

贊者

南塘曰此贊者指壻婦各在其家醮禮時贊禮者所謂壻及婦人行禮亦指醮禮而言若壻婦交拜時則自有從者相導女家婦人安得還至壻家壻家婦人亦安得遷爲新婦執其沃盥斟酒之任哉下交拜條溫公說又云從者皆以其家女僕爲之據此可見此贊者之爲在家贊禮之人若家禮本註贊者凡兩見而皆在醮條不復他見則明矣 家禮疏義附識

告祠堂

問女氏告祝云歸於某官某郡姓名所謂姓名壻耶壻之父耶 申曝 尊齋曰婦人謂嫁曰歸以歸字觀之必是指壻而言也

見舅姑

先見祖舅姑當否

南塘曰先見祖舅姑禮無其文不可義起既見舅姑舅姑以其婦見于祖舅姑之室以見舅姑之禮而有贊可矣 答李命璇

壻見婦親

見婦父母

南塘曰親迎之夕婦父出迎則固已相見矣故但言婦母親迎之夕雖已見婦父未成禮見故明日執贄見之家禮疏義附識

昏變禮

將昏遇喪

南塘曰已有大功未葬亦不可主昏言不可主昏則身之不可昏在其中矣家禮疏義附識

無主昏者自主之節

問無父母及同姓八九寸者昏書以異姓親屬主之否朴弼傅厚齋曰禮無異姓爲主者依宗子自昏則自告之禮而昏者自爲之以或無妨否

士昏記曰宗子無父母命之親皆沒已躬命之註曰命之命使者公羊傳曰宋公使公孫壽來納幣稱主人註宋公無母故自命之以此觀之昏者自爲之似無疑

廟見

南塘曰祖禰共廟如何只見禰而不見祖朱子之說如此矣古禮用菫而今不知爲何物則棗脩代之可矣答李命爽

舅姑已沒見廟之節

遯齋曰先廟見而後親屬可也答洪益來

問士昏禮舅姑沒則各祝各拜家禮止儀共祝共拜將何所適從洪益來遯齋曰不用家禮而必欲從古無乃未安乎

墳墓遭火變見舅姑退行當否

南塘曰雖與新宮火有異火及墳墓則似不可晏然行盛禮退行三日後爲宜然灾有大小火及墓庭而不及墳上則依禮行之似可矣事有難便者只執贄見舅姑不設杯酌亦不爲無妨耶答李命爽

喪禮

遷居正寢

南塘曰遷居正寢只曰疾病則非謂臨絶之時旣遷亦未必皆死也君子貴正其終馮說不可從家禮源流疑錄

設尸床

問旣絶之後無設床之文至遷尸條乃設浴床而云去簀去薦何也去薦未詳中暻厚齋曰喪大記疾病廢床又曰始死遷尸于床註曰尸初在地冀生氣之復而旣不生故更遷尸于床家禮本條註亦曰設床于尸床前然則設浴床之前已有尸床可知薦韻書藁

曰薦

正尸

陶菴曰楔綴已是見於經者而非徒此也頭面肢體以至眼睫鬚髮必令正直手足肘膝亦當以溫手按摩使其伸舒矣或因凡具未辦斂若不能如期而於斯時也或有迫忽則手拳足戾將有難言之憂必須以時入審可也孔子曰敬爲上哀次之子思曰附於身者必誠必信勿之有悔附於身者猶然況於身體乎孝子之盡其誠信尤當在於正尸之節也 四禮便覽



立喪主

父在父爲主

厚齋曰奔喪曰凡喪父在父爲主註曰父在而子有妻子之喪則父主之統於尊也喪服小記曰婦之喪虞卒哭其夫若子主之祔則其舅主之云云尤文以奔喪統於尊之義爲主而先師亦嘗從之矣 答申曝

問父在母喪父當主之而喪禮備要有孫哀子哀子之別云云 金條 厚齋曰父在母喪父爲主有朱子定論則備要祝辭註未知何意家禮書疏孫子下註曰母喪稱哀子今備要專用此註似是因此而致誤也

主喪者有故攝主

問子喪父爲主而門人在遠家有伯兄又是宗子當攝主此喪而奠後祝辭當云父在南海謫所遠未將事屬伯氏告于亡子某云耶此乃一時攝行與本無主而攝主者有異不必以攝主之意別告而只於祭時祝隨加父在以下十三字如何雖伯氏攝告而悲念相續心焉如燬二句則恐不必改用矣 朴聖源 陶菴曰從此乃以下說爲可

主婦

沙溪曰初喪時主辦喪事則當以亡者之妻主之至於亞獻則當以主喪者之妻爲之有何疑也 答月塘



易服

易服之節

遯齋問男子扱上衽註揷衣前襟之帶所謂帶是兩襟相掩之小帶耶尤菴曰前襟之之字或作於字如是看則似無可疑若以之字看則當如來教矣然如此看則所謂衣者未知指全衣而言耶

問揷衣前襟於帶或以爲此帶指衣之小帶恐不然古者深衣不綴小帶惟束以大帶而已此帶當以大帶看 韓弘祚 厚齋曰恐得之第今人鮮服深衣而扱上衽之禮又不可廢則扱於衣之小帶蓋不得已也

問扱深衣前襟於帶則去冠不去帶明矣今五服之
人並去冠帶如何成通行巍巖曰按變服旁通畐此本
十五升白衣深衣非平日吉服黑緣者則帶恐非白
繒黑飾者是白布帶也去冠服一節妻子婦妾外惟
爲本生親及爲祖爲妻則有矣五服之人豈盡去也
陶菴曰去上服一節孔子曰始死羔裘玄冠者易之
而已以此觀之則上所云改服之爲羔裘玄冠可知
士喪記註亦云爲賓客之來問病者朝服庶人深衣
今人則侍疾憂遑必不能具朝服且華飾之外無可
易之衣若不曉此義而認上服爲今之道袍直領之
屬則非矣又考檀弓疏始死則去朝服著深衣楊氏
曰始死至成服白布深衣不改然則始死所改之服
勿論大夫士庶皆是深衣而今之道袍直領可以代
深衣侍疾時改服似當以此而如不能則易服時不
惟不可去追服可也四禮便覽

服人去冠當否

問易服條服人無去冠之文而世俗無論服之輕重
皆去冠先師於此甚加非斥而謹按問解則曰云云見原編
尤菴亦曰云云見原編旣有沙尤定論依此期服
則去冠爲穩耶沈潮南塘曰家禮旣無去冠之文則先



師說恐是但不可著華美之服若緇冠布笠之屬恐
無可去之義耳

襲具

婦人冠制

問掩用練帛練帛乃白色何用白耶中曝厚齋曰士喪
禮襲條曰掩練帛古禮然也
陶菴曰掩之爲制就全幅析其兩末爲四脚先以全
幅一邊則當腦而以兩脚結順下一邊則抹額而以
兩脚結於後項中小帶結於髻前故與此不同矣答蔡
命洪
南塘曰掩以邊幅當額前裹之畐以析末處當額前
誤矣家禮源流疑錄

婦人衣帶

陶菴曰備要所謂圓衫卽家禮之大袖而俗制圓衫
則對衿後長前短又於袖端以彩帛施數層謂之燕
香袖詭異不經若去燕香袖前後無長短得與裙齊
則爲有袖背子四禮便覽
厚齋曰深衣篇註男女不嫌同服旣曰同服則帶制
想亦與男子同也答李敏坤

飯含

厚齋曰柳匙禮經無文此是俗禮也答李汝昕

南塘曰錢象天圓陽之屬也米是地產陰之屬也錢三米二升從陰陽奇耦之數也家禮疏義附識

子婦喪飯含

厚齋曰飯含一依家禮主人行之恐得之祭祝父皆主之竊攷禮書朋友亦飯含孝子不必親行可推知也答李敏坤

襲奠

陶菴曰家禮襲奠即古禮之始死奠既從古禮則此奠不設爲宜而但襲在經宿則依家禮設奠無妨小斂在襲日則有小斂奠襲奠自當闕之四禮便覽



靈座

設靈座之節

南塘曰前既言奉養之具皆如平生則靈床之具似亦已在其中而於此特言其設故讀者疑之故如玄彥明之疑上食當在奉養之具之中者矣然所謂奉養之具蓋指平日飲食如皮問之物服御如杖屨之屬玩好如簡策琴瑟之類之物皆仍而不廢一如生存之時若上食靈床乃喪禮之大節固不可一時並舉而不專於襲斂之事況未殯之前尸在床上覆之以衾則靈床之具無所容其復設矣故既殯而設靈床成服而上食豈不於事有漸次於禮無苟艱紛窒之患耶家禮疏義附識

魂帛魂帛不用箱之義見於及哭條中南塘說

陶菴曰今俗魂帛之制各殊而於禮俱無所當家禮既有結白絹之文則只當依此用結帛也四禮便覽

銘旌

問柩未成而銘旌書柩字趙翼龍陶菴曰士喪禮疏銘旌表柩不表尸故據柩而言尸雖在床亦可以言柩又曰巡將司果皆非實職淑夫人淑人之稱僭矣孺人雖亦非實然猶不害於禮窮則同之義耶



親厚入哭

陶菴曰遂吊主人一段儀節之見於備要者頗詳然此在始死日孝子哀遑罔極之中未可語此出見不出見禮恐皆難行親厚之入哭者拜靈床後還入幃內向主人而哭主人哭對無辭如是而已未親厚者徐待成服而吊慰未晚也四禮便覽

小斂

小斂日數之辨

厚齋曰按問喪曰三日而不生則亦不生矣是故聖人爲之斷決以三日爲之禮以此觀之三日前[illegible]

掩面恐非禮意沙溪說是權宜處變之道恐當并行而不相妨也答李汝㬢

一　括髮布頭𢄼

南塘曰括髮頭𢄼之制果是難曉今以本註文勢觀之則似先以麻繩束髮爲髻後施頭𢄼於其上然攷之禮經則頭𢄼卽布總所以束髮本者括髮以麻自項而前交於額上郤而繞於後如著掠頭其制蓋與布免同然則當先施頭𢄼後加括髮矣又按冠禮陳冠服註有曰櫛𢄼掠觀其文𢄼先於掠櫛先於𢄼則似先以櫛理髮合紒次以𢄼束爲髻次加以掠喪禮頭𢄼括髮與冠禮𢄼掠雖有布麻繒絹吉凶所需之不同其制若無異則其施用之節亦必無異矣然則家禮本註先言括髮後言頭𢄼者或因正文只言括髮不言頭𢄼而括髮本於禮經頭𢄼出於後俗故先言括髮後言頭𢄼而不必施用先後爲言之序耶愚於此外有所疑焉小斂時若用古禮主人兄弟加白巾環絰則憑尸後括髮將去巾絰而施括髮耶抑還施巾絰於括髮之上耶旣曰括髮則非可施於巾絰之上者而施之巾絰稍飾之下者又非袒括髮去飾甚之意也喪服小記註曰親始死子服布深衣去冠而猶有笄縰將小斂乃去笄縰著素冠斂訖去素冠括髮以麻所謂素冠卽巾絰之禮也據此而小斂時著巾絰憑尸後去巾絰加括髮至成服乃去括髮庶爲得宜而備要去巾絰在襲絰之時則又似不取小記註說抑括髮襲絰其間不遠故雖以襲絰爲言其實去之在括髮之時耶家禮疏義附識

小斂奠

厚齋曰云云答柳貴三○見遣奠條遣奠不言主人拜禮條

問卑幼者再拜註儀節孝子不拜云云李培仁

巍巖曰卑幼二字本指主人以下之文也家禮本指沙翁定論並如此而丘儀獨有云云故沙翁雖節入於此而蓋亦疑而未詳之辭耳

大斂入棺

舉棺置堂中

厚齋曰士喪禮棺入主人不哭云者非謂奉尸斂棺而入只是爲先置殯中而入耶答金在魯

高氏縮絞之辨高氏之絞縮者三蓋取一幅布裂爲三片

南塘曰裂爲三片蓋謂析其兩端爲三而非謂通身裂破也然下文裂爲六片乃謂通身裂破也上下用裂字不同其致讀者之疑宜矣若謂高氏實以縮絞

一幅亦通身裂破則此固事勢之所不行者豈高氏之智不及於此耶特其語有未瑩耳（家禮疏義附錄）

齒髮未入棺處變之節

問亾人落齒須髮斂未入棺（共勲啓）厚齋曰向見一人家以亾人平日所落齒髮納于壙中亦未知如何也

柩衣

陶菴曰柩衣之制上玄下纁而中間縫合宜矣（答李會祥）

成殯

問灰火土籠靈寢似難行之（李仁培）巍巖曰成殯本以土塈今之土籠卽其遺意靈寢何可以土籠而廢之難行之端竊所未喻



成服之節

衰服之制

問家禮小註衰外削幅裳內削幅所謂削幅何謂（月塘）沙溪曰削幅云者各除一寸爲針線之餘非削割去之也削猶殺也

婦人喪服之制

厚齋曰家禮婦人服果無絰帶參條婦人服亦不言帶則此無乃因書儀之文或用當時俗禮否楊氏[illegible]古禮補之而近世好禮家亦有用之者矣（答韓弘祚）

問婦人遭重制者世俗多不製服只以布帶成服此似苟簡矣雖期大功當以大袖長裙爲制耶（李命顯）南塘曰來說甚是若不用大袖長裙則當用上衣下裳之制矣

成服時拜禮有無

陶菴曰古之成服必於朝哭朝哭則無拜而今俗多兼行於朝奠故有拜而闕朝哭實非禮也（四禮便覽）

成服遲待齊會當否

問服人在喪次者早起各服其服不必待在遠者（成道行）巍巖曰有服之親早上約與一齊成服似好至或緩不及期則又何一一等待他恐在臨時處之耳



五服

總論

南塘曰聖人之制喪服其義不一而條理間架至爲整齊同父期同祖大功同曾祖小功同高祖緦此一義也服祖之子同於祖服曾祖之子同於曾祖服高祖之子同於高祖服兄弟之子同於兄弟此一義也服父之子不敢同於父三年之喪不可貳也故降在期（答金謹行）

爲本宗服

承重孫祖在爲母

尋齋曰父卒祖在壓屈而服母期者古今禮家之所不言故先師以沙溪說爲未安况備要輯覽兩條皆下得一疑字此沙溪疑而未决之說也禮有祖不壓孫之說愚意以先師說爲準答朴斗堂

父爲長子

南塘曰父爲長子傳曰何以三年也正體於上又乃將所傳重也盖曰何以爲此子三年也爲其正體於上又爲其將所傳重也三句皆以子之身言文義本自明白乃爲疏家所亂生出爭端其以上下句皆屬子之身而獨以中間一句屬之於父祖之身文義畧順乎正體於上既本指子之身則父祖之正體非正體非所可論也且以義理言之則由父祖而視子孫可論其正不正與體不體由子孫而視父祖又可論其正不正而體不體乎若曰是父是祖正體也當爲其傳重者三年是父是祖非正體也不當爲其傳重者三年有所輕重低仰於父祖之間則其果成義理乎只此可以定疏說之得失矣答金謹行

次子承重者服以長子當否

問長子廢疾或殤死而次子承重者尤翁謂當服三



年如何愚意則第一子死於八歲以前者則固當更立第二子亦名長子服三年其死於八歲以後而父爲之服者與廢疾不傳重者則次子雖立只當謂之庶子爲後而不得爲極服也如何任聖周　陶菴曰愚見亦如來示而但所引說出於先正安敢自信其不謬耶徐當更思之

爲所後子服三年當否

問晦可兄弟以爲繼後子不在四種之科養他子爲後云者指收養子而言此說如何任聖周　陶菴曰繼後子則正指傳重而非正體者晦可兄弟之言何故如此實未可知也

又曰所後之子以四種論之終屬正而不體盖長嫡相承則不可謂之非正然必所生然後方可謂之體父子之倫一定固無間於所生而謂之親生則未也安得謂之體也世俗往往稱所後爲養子者固無識之甚但買疏中爲後二字既是歸宿處則養字之不可看作收養也明矣答尹鳳朝

南塘曰爲所後子服三年鄙見亦同於諸賢所謂爲父子則體也非庶子則正也云者極是極是禮爲人後者著服何也爲人後者本非父子而爲父子者也

本非父子則疑於其降之於所生故特著之以明其同之於所生也然則不爲所後子著服何也所後子爲其後同之於所生則其父爲其子亦當同之於所生也此不待特著而後見也爲人後者爲之子則同其所後於所生固也父於子亦同其所後於所生何也父子一體也父之視子子之視父其義一也父之視子降之於所生則子之視父亦將有間於所生乎父子相視不如其所生則是有父子之名而無父子之實也非所以盡父子之親而極人倫之至也父之視子既同於所生則繼長子而爲後者服長子三年



長子死而爲後者服衆子期亦不待別著而見也父子之服禮之大目也爲人後者又是禮之變也豈有闕而不著之理哉特著爲父之服以見其爲子而同入於子服之條矣不別著者乃所以深著父子之義而非有所闕略矣賈疏於此有所未察而徒以世俗之情度之意其所後當降於所生而四種之說只據其所生而言故又爲其所後而言之所謂養他子爲後者是也何以知其爲所後而言也賈疏於爲長子條捨其明白之傳文而創爲別說必其四世正嫡而後許服三年則其爲三年者蓋已寡矣中間有支子

繼承者亦不許三年則其直取他子以爲後者其許三年乎此其意不難知矣疏說此等處直可斷之爲非何可曲爲之說以救其失乎尹君所謂嫡母養妾子爲後者爲嫡母後者即其爲父後者也爲父後而稱母後者固已非正名之義自父而言則乃是立已子爲後也何可曰他子乎立妾子爲已後包在立庶子爲後之中又不容別說也常夫所謂收養子爲後者所養若是同宗子則此即是所後者也若是異姓子則異姓爲後乃是後世謬俗亂倫悖禮之事初非禮經之所許也傳曰何如而可爲之後同宗則可



爲之後賈疏雖有誤處本皆據經傳而爲說則其說之陋何至若此之甚哉尹君與常夫又皆言養字不可言於所後此一句重在爲後二字養字只是言爲後之事如言立他子取他子之云耳本不可深著文學曰未有學養子而後嫁者所生子亦言養則所後子何爲不可言養字乎高明之言收養子無服此與繼父之無服於子同二子之爲其父服只爲其有養育之恩二父之於其子亦有恩之可言乎是以禮只著子爲父之服而不著父爲子之服蓋只視其恩之有無耳聖人於此果無義意而然哉若以同居之情

欲報之則亦只當用同㸑緦之文耳高明之謂無服甚是而常夫之非之亦誤矣尹君又以正體之體爲繼體之體而非父子爲體之云者亦甚誤父子爲體故孫不得爲體若是繼體之體則立孫爲後獨非繼體而子之不得爲後者亦謂之體何也正體二字本皆指子之身謂之繼體則體字屬之父尹君嫌其如此謂之繼承之體則體字雖屬於子亦不成言語矣旣爲父子即同骨血之親何爲必分骨血非骨血而強爲之說反使其父子相視猶有所間隔耶 答沈潮

後攷語類禮六喪服條卓錄曰爲所生父母齊衰



不杖期爲所養父母斬衰三年朱子蓋亦以所後父母爲養父母也卓錄下楊錄三條皆論承重所謂庶子之長子死亦服三年者蓋謂庶子之承重者也不言承重蒙上文也據此則疏說適適相承而後長子三年者可見其非矣 與沈潮

又曰近閱先師遺集其答權明仲書論所後子亦服三年不可與所生子分看得此定論深幸吾輩所見之不甚悖於禮意也 答金謹行

爲長子婦

南塘曰於子則正體傳重三事俱備然後方服三年一不備則不得三年婦是外成也元無正體之可論而只以傳重一事爲主云云 答金鍾厚

爲宗子

南塘曰所謂爲宗子及其母妻服齊衰三月指繼別之宗百世不毀者又安有不勝服之患耶繼高之宗當服本服緦若以宗子之服服之禮書當著之矣繼高以上親盡宗毀旣曰宗毀則安得猶服宗子之服耶 答朴正源

爲嫁母服

妓妾子爲所生母服



厚齋曰來示所謂以嫁母服服之者恐得之期後心喪禮有明文似不可已當時服着用生布衣敝陽子布網巾可耶其妻若子之服不見於禮書不敢知惟通典曰母子至親無絶道非母子者絶是故經文不見出祖母之服以此旁照則嫁祖母恐亦無服耶 答閔致龍

爲養父母服

至親收養服本服

厚齋曰收養之服可施之於踈族不可施之於至親以侄而養於叔父則豈可舍叔侄之本服而服收養

之義服乎為所養而服心喪則叔侄之義輕而収養之恩反重也上玄石

父母在及父卒長子降服期

問収養父母齊衰三年而又云已之父母在及父没長子則降云云孫宋基 厚齋曰自三年而降則為期可知來示所謂降服期而以心喪終之者恐得之

服制及題主帳籍之式

問三歲前収養父母服三年耶朞年耶養從孫則某養父題主何以書之耶或曰祖孫間不當題考妣此說何如其服色亦何以為之其戶口書已之四祖耶



或可書養家四祖耶鄭啓巽 厚齋曰収養之服雖不見於禮經而家禮有之三歲前収養者則視同親父母而服三年國典亦如此第國典養子之父母在則為其養父母降服不杖期仍心喪若是長子而収養於他人則雖所生父母歿後為其養父母猶不得三年矣題主則不問三年期年當書顯養考矣雖曰祖孫間而既着一養字則考妣之稱無妨也服色則蔽陽子布網巾麁布直領可也朴玄石曾如此云矣戶口則書已四祖而其下書収養父某官某収養母某封某氏可也収養異於出繼當如此而可矣

為殤服

殤喪虞卒哭當否

厚齋曰殤喪似無虞卒練而惟開元禮有虞祭矣至程朱又有立主之說然則立主行虞當無疑但開元禮既虞而除靈座未知三虞包在虞字中耶第家禮既虞之文多從初虞而言則此亦只以初虞而言耶今左右既為立主則并行三虞不至未安耶卒哭以下不行明矣答金檍

庶殤不祭之辨

問禮云庶殤不祭庶子而殤則勿論適妾所生并當



不祭耶申鼎 厚齋曰家禮不分嫡庶則從家禮行之如何

不冠笄者不論年皆為殤

厚齋曰女子十五而笄泛說女子當笄之期也若不笄則不可與既笄者同而混謂之非殤其為中殤無疑答韓師郁

殤喪不設魂帛

厚齋曰開元禮殤喪不復魂則不設魂帛無或用遺衣服之類耶曾子問曰祭殤不告利成註曰無尸故也所謂無尸者與開元禮不復魂之意似相發也立

主乃程朱之說而只言立主又不言設魂帛則亦有深意否答韓師朝

殤喪不論郎階

問人家有八歲兒以其親資窮代出通德之階據國制男子授職亦不爲殤趙翼龍　陶菴曰八歲加出已是異事通德之階本非實職豈可以下殤服期年之重乎決知其不可

冠則不爲殤

問二十前死亡者已冠則其服制如成人否若是大宗家長子則其父亦當爲斬衰三年耶朴聖源　遂齋曰喪服小記丈夫冠而不爲殤儀禮殤大功章若成人則爲之斬衰據此二說則雖在殤年而死已冠則當服之如成人其父斬衰無疑



三殤降服之圖

儀禮喪服大功章曰殤服大功九月七月

長殤中殤降一等　下殤降二等

| | | | | | | |
|---|---|---|---|---|---|---|
| | | 從祖祖姑 長緦 本服小功 中從下無服 | | 從祖祖父 長緦 本服小功 中從下無服 | | |
| | 從祖姑 長緦 本服小功 中從下無服 | 姑 長大功 中七月 下小功 | | 叔父 長大功 中七月 下小功 | 從祖父 長緦 本服小功 中從下無服 | |
| 從祖姊妹 長緦 本服小功 中從下無服 | 從父姊妹 長小功中從上 本服大功 亦小功下緦 | 姊妹 長大功 中七月 下小功 | 己 | 兄弟 長大功 中七月 下小功 | 從父兄弟 長小功中從上 本服大功 亦小功下緦 | 從祖兄弟 長緦 本服小功 中從下無服 |
| | 從父兄弟之女 長緦 本服小功 中從下無服 | 兄弟之女 長大功 中七月 下小功 | 子 長大功 中七月 下小功 | 兄弟之子 長大功 中七月 下小功 | 從父兄弟之子 長緦 本服小功 中從下無服 | |
| 齊衰之殤中從上 大功之殤中從下 小功之殤亦中從下 此主妻爲夫之黨服也 | | 兄弟之孫女 長緦 本服小功 中從下無服 | 孫 嫡孫長大功中七月下小功 衆孫長小功中從上下緦 | 兄弟之孫 長緦 本服小功 中從下無服 | 大功之殤中從上 小功之殤中從下 齊衰之殤亦中從上 此主丈夫之爲殤者服也 | |

爲妻黨服

妻亡無子服其父母

南塘曰妻亡無子謂之義絕而不服妻父母俗見無據也答朴正源

爲人後者爲本生親服

爲人後者之子爲其父本生諸親

厚齋曰出繼子之子爲本生親喪不見於禮書似以其父之皆降一等爲準敢耶所謂外服不降者本以不爲出繼者言也今欲引而用之於出繼者恐不然答韓師朝

私親爲爲人後者

問家禮服圖爲人後者其本生父母亦爲之降服不杖期凡於子并服不杖期是不當言降也這處没理會得厚齋尤菴曰既是出後則於本生父母已疎了茲謂之降者蓋亦示疎若泛説期則與衆子都滚了必須如此説

問爲人後者爲其私親皆降一等私親之爲之也亦然而惟父於子爲不杖期則與衆子期同而未嘗降一等蓋以降一等則反輕於兄弟之子也祖於孫降一等小功則與兄弟之孫小功同此則固無所妨礙



而曾祖於曾孫降一等而無服則是又反輕於兄弟之曾孫若用爲子不降之例則亦當不降而同之於兄弟之曾孫云云或人陶菴曰曾祖降一等而無服於情理恐爲不然然禮無可據而直以旁照斷行豈不爲汰哉之歸耶未敢遽以爲是

妻爲夫黨服

爲本生舅姑諸親

厚齋曰爲本生舅姑服大功喪服期及朱子説十分明白伸心喪與否禮無明文而其衣服飲食不可與例服大功者同心喪之義在其中耶頃年賤婦行心喪之制耳答金在曾

又曰朱子於本生父母既曰其妻降一等服大功以此觀之於夫之外黨降而無服可知答金在曾

南塘曰爲人後者爲其私親降一等既升舅姑服三年則出後於人者自當降一等服期父母舅姑之喪夫婦既同則心喪亦當同之家禮源流疑錄

出嫁女爲本生親服

出嫁女爲曾高祖父母及兄弟侄之妻不降

南塘曰三年之喪不可二統而自期以下則無二統



之嫌降於父母無二統也不降於祖父母曾高祖不敢薄於祖先也降於兄弟侄內夫家也不降於其妻不欲殺於兄弟侄之恩也嫂叔無服而娣姒婦相爲服亦如此雖以遠嫌而無服娣姒相爲服所以親愛其兄弟也答金謹行

又曰祖父母伯叔父母兄弟及兄弟之子同在於期而祖父母恩重義重而服輕故不降外親比他功緦之親屬近情重而服輕故不降此與男爲人後者不同爲人後有二統之嫌而女適人無二統之嫌也答金謹行

妾爲君黨服

妾爲君之子婦無服

陶菴曰婦無爲夫之庶母服則妾似亦爲君之子婦無服禮無可據之文其或以此也歟（答朴獻可）

妾爲女君

厚齋曰妾爲女君服期古禮而其後更無加服家禮入子期服條何疑焉若婢妾則禮無所據然有奴主之分恐不可與他妾同服期也（答金在曾）

妾子爲本生親服

嫡母在爲所生母



問庶孼之有嫡母者遭其母喪當降服耶伸服耶儀禮則雖云當降而家禮則不言其降陶丈則當伸服云云（李命夷）南塘曰陶菴說可疑家禮不言降父在不降母旣從時王之制故嫡母在亦不言降其母耶今當以儀禮爲正

承重妾子爲所生母黨

問庶子爲父後不過承重奉祀而已非謂如爲人後者則庶子於生邊雖不敢申服生母之爲親母外祖之爲外祖未嘗以其承嫡爲後有所變遷矣如何如何（李世弼）厚齋曰來示果似然矣但古今禮書無一言及此是未可知也

承重妾子爲君母黨（爲私親服幷論）

厚齋曰承重妾子爲君母之黨也所謂從服所從亡則已君母卒則不爲君母之黨服者其意不過以爲君母旣卒則更無可從而服則無君母卒則更爲所生母黨之服之說按儀禮緦條庶子爲父後者爲其母雖其所生之母亦不敢以母服服之況所生母之父母何敢以外祖父母之服服之乎又按家禮緦條庶子爲父後者爲其母而爲其母之父母兄弟姊妹無服也以此觀之承重妾子不爲所生母黨服十分明白（答李世弼）



承重妾子之長子爲其所生祖母服本服當否

遯齋問庶子爲父後而承重則其長子將爲祖後者爲其所生祖母當無服歟或曰父在子不得承重當服云此說何如尤菴曰妾子傳重則爲其母只服庶母之緦其子旣緦則此子之子安敢服朞年之重乎

承重妾子之諸子爲其所生祖母服本服當否

遯齋問承重妾子之長子將爲祖後者固當無服而

其群弟則當何服耶若爲之本服則其父旣緦其子服朞年之重於義有所顚錯若使之無服則與其爲祖後者似無分別云云尤菴曰妾子旣承重而於其妾服緦則爲此子之子者雖非承重之孫安敢服是妾乎

出嫁姑姊妹女無夫與子服本服

問家禮爲姑姊妹女適人而無夫與子者服期而其他不爲舉論 金在曾 厚齋曰自孫子以下無所見只當依例行之禮所不言者恐不可行也

童子服

問殤服有上中下之分童子爲諸親服亦隨其年爲之服限耶 申暻 厚齋曰童子適殤報服沙溪說也第玉藻曰童子無緦註曰童子未能習禮父在不緦父沒則本服不可遺也旣曰本服不可遺則自緦以上皆服本服明矣隨年適殤未知其如何

諸服有無同異辨

厚齋曰服制條內外兄弟不言姊妹幹嘗疑之稟于先生則曰此當攅看兩姨兄弟下有姊妹二字則內外兄弟下亦當有姊妹互看爲可 答柳貴三

巍巖曰本文從母之子舅之子此兩子字實皆兼子女而言也其論從母兄弟處則有姊妹字論內兄弟處則無姊妹字若據此以疑之則看得不免少疎舅之子女儀禮本緦也何嘗無之 答成道行

朝夕哭

陶菴曰代哭旣止夕哭當自此日入棺日始 四禮便覽

朔望行奠之節

陶菴曰士之月半奠不見於經而東俗設饌甚盛與月朔無異殊非禮意然狃於習俗猝難變改則依沙溪差減行之之說或不至大悖耶 四禮便覽

俗節

別設合設之辨

陶菴曰三年內俗節依殷奠無上食以宜 答李惠輔

上食

成服前上食當否

巍巖曰此本出五禮儀而於古今與禮皆無見文又沙溪嘗備論此一節而曰當從禮經則其所商確去就也當爲定論矣近日或有斷然行之者而獨鄙意則凡係疑文闕義非得不易之論則何敢容易創新也 答成道行

薦新

陶菴曰栗谷論祠堂薦新有曰若五穀可作飯者則當具饌數品儀如朔參若魚果之類及菽小麥等不可作飯者則於晨謁時啓櫝而單獻以此推之三年内薦新五穀之可作飯者作飯用於上食其餘於上食及奠同設爲宜（四禮便覽）

生辰

陶菴曰生忌之祭實非禮之禮先儒已斥之三年之内則有象生之義於朝上食後别設數品饌而儀如朝夕奠恐亦不妨否（四禮便覽）

吊慰

内外喪同殯入哭之節

月塘問内外喪殯於一處則似不可爲吊外喪而便入沙溪曰爲外喪入哭則雖有内喪同殯何妨也今人接親厚之客雖有室人在房内亦引入中堂何異於是

吊内喪

厚齋曰嘗聞之師吊内喪者不哭禮也但與喪人平日情親則哭之亦可（答具啓勲）

撤几筵後受吊之節

問同姓有服之喪過期後始造其廬而几筵已撤受吊無處云云（李敏坤）厚齋曰檀弓越人來吊事外未有所放但越人與同姓有服之至親有異則恐不可爲證雖期服已盡几筵已撤而主人猶在心制吊者又是屬近情親則始見之日哭吊似不能已也沙溪曰朋友情厚者墓草已宿哭之何害朋友如此況至親耶

奠酹

厚齋曰儀禮知死者贈知生者賻若只知生者而賻則恐無賻狀於靈筵（答韓弘祚）

葬期

論渴慢葬

問祖妣襄事將合窆於祖考而山運不利來月十三日外無可用之日以發討之纔間三十餘日云云一權
觀厚齋曰春秋譏渴葬

陶菴曰近日士大夫往往有踰月而葬者是固出於事勢之萬不獲已而於禮意則極未安（答許湲）

治葬具

穿壙之具

外槨用否

陶菴曰棺之有槨古禮也而家禮不用豈以灰隔爲

石之後已是無使土親膚而棺則腐爛之後壙中寬廣灰爲所固故然耶今人或有用之者或有不用者盍并著其制以備參攷 四禮便覽

發引之具

翣

陶菴曰黻翣只當論大夫士之別前喪用否恐非可論 答李寒輔

輓詞

問自經辛壬之禍不復請輓於人自有意義云云 閔遇洙 陶菴曰請輓恐亦非時且違遺意不必趂葬前爲之惟於親友中所欲請之處略致此意使之從容延輓似爲穩當

窆葬之具

玄纁

問銘旌則用綃柩衣則用紬爲討而玄纁則或言當用廣織等高品或言當用紗紬等輕品欲用輕品者欲其與銘旌柩衣相稱也二說孰得禮云玄纁用丈八尺云云 閔遇洙 陶菴曰丈八尺似是十八尺用尺則攷見家禮輯覽尺式而依朱子說爲可耶高品輕品兩說俱各有義而愚見則相稱之說似好



誌石

陶菴曰今用燔磁制極精好從俗爲宜且依俗制用片灰刻字亦可 四禮便覽

又曰若用燔誌則盛以石函而埋之或盛以木櫃以石灰拌勻者塗其上下四旁尤好 四禮便覽

題主之具

韜藉用紫緋之辨

巍巖曰紫緋乃當時所貴尚也先生既取之則便一成與遵用恐當 答安國光

告先塋

問葬時告先塋只依問解所錄矣或言告辭上下宜有頭辭及謹告字 或人 厚齋曰有頭辭者祝辭式也此告祝之所以有分也亦端謹告字書之恐宜

問启上

陶菴曰今爲某官姓名書儀云指主人若以主人名則文勢欠詳士喪禮哀子某爲其父某甫云云以此推之於此當添爲其父某官某公內喪云爲其母某封某氏 四禮便覽

啓殯

問啓殯奠在發引前一日而世俗從擇日行於祖奠

後（洪子容）厚齋曰當依家禮行之擇日拘忌之說無禮之甚也

因朝奠以遷柩告註設饌如朝奠之辨（遣奠祖奠）

（饌如朝奠之朝字弁論）

南塘曰玄明彥曰朝奠之朝朔字之誤既因朝奠則又安得云如之耶古有啓殯之奠饌品當加於朝夕常奠今此告遷之奠實當啓殯之禮則饌品亦當加古也下祖奠遣奠註饌如朝奠朝字亦皆當作朔字其說恐是（家禮疏義付籤）

朝祖

朝祖時告辭有無之卞

沙溪曰朝祖時無告辭者以死者是主人而無可告之者故也若支子死而朝祖則主人爲之告恐不違於禮意（答月塘）

朝祖時卑幼祔位降置當否

厚齋曰家禮朝祖註曰象平生將出必辭尊者也旣曰辭尊則其非辭祔位之幼少者可知況生前將謁廟時既無祔位降置之事則何可於朝祖時獨爲降置席上耶（答洪子容）

異居難行朝祖



厚齋曰宗家異居其禮難行曾見張旅軒集曰以不得朝祖之意告于宗家祠堂爲宜（答尹衡老）

朝祖不可行於祖遣後

問家廟欲於啓殯前奉遷鄉廬先行祖遣奠於京第追行朝祖禮於鄉廬有違禮經（李德命）陶菴曰朝祖一節是死生永違之際禮意懇惻有不忍闕者追行先行皆無所據家廟之前四日離發雖拘於家間事勢而明知其爲失禮則只當變而通之事孰有大於此者耶發引後始奉家廟於理爲順外此無他道矣

禰廟朝祖之節

遯齋問只立禰廟而葬時朝祖告辭請朝祖之祖字似不穩當尤菴曰朝祖之辭當從實改以禰字似宜或代以廟字或祠堂字如何

遣奠

遣奠不言主人拜禮

厚齋曰遣奠之不言主人拜禮未知何意然以家禮攷之襲奠亦無拜禮小斂奠始曰卑幼者再拜而又不言主人故丘儀曰孝子不拜大斂曰如小斂之儀云云則亦無主人拜禮豈初終之時主人悲哀荒迷不能備禮故無拜耶至朝奠乃曰主人以下再拜上

食夕奠朔奠皆曰如朝奠儀薦新曰如上食儀祖奠曰如朝夕奠儀云云則自朝奠至祖奠皆有拜禮矣惟遣奠曰饌如朝奠而已更不曰如朝奠儀儀禮遣奠圖亦只言主人踊而不言拜禮則此等處似不無微意無乃此時尸柩已載車將發則主人之悲哀荒遂與初終時同故亦無拜禮耶惟丘儀有主人以下哭拜之文 答柳貴三

遣奠設於門外之義

魏巖曰人家門闌狹窄則不得已設於門外勢也爲其鬧撓預行於室中無乃顚倒無據耶鬧撓之弊亦勢所不免惟相禮者得人則差可從容耳 答成道行



遣奠註有脯之義

南塘曰奠皆有脯此特言有脯何也蓋有所不辨則他奠或可無脯而遣奠之脯將以納苞不可無故特言有脯 家禮疏義付籤

發引

發引返魂步從乘馬之異

問發引時主人以下哭步從返魂則乘車馬豈有差殊於柩行返魂時耶 韓弘祚 厚齋曰似然

撮蕉亭之辨

問發引條所謂撮蕉亭何物 尹衡老 厚齋曰或云如今香亭子

發引日朝上食朔望奠之節

陶菴曰今人例於遣奠前先行上食或遣奠時兼設上食蓋爲路中難於設食也然奠食自有先後之序且於發引條明言食時上食則不可從俗行之也 四禮便覽

又曰發引之日質明行遣奠因而上山上山後待食時上食似宜殷奠自當幷設矣 答李惠輔

又曰遠處則途中行上食得之而哀家則至近住柩於山下望奠兼行上食而後上山豈有可疑 答李命載



窆

奠玄纁

問儀禮藏苞筲于旁註曰棺槨之間家禮神主圖式註曰竅其旁以通中又襲奠註曰夜間寢于尸旁發引章註曰主人兄弟皆宿柩旁皆是旁側之旁然則贈條柩旁之旁與此四旁字當一視而無殊矣據此則玄纁之置棺槨之間無疑或者據柩東二字置于柩上束邊甚不是云云 李世弼 厚齋

下棺無拜辭之節

問下棺掩土千古永訣主人因贈而拜餘者無拜辭云云（申暻）厚齋曰主人之拜非為永訣而拜因其贈禮而拜也餘人則當依家禮哭盡哀而已

## 題主

### 對卓置盥盆帨巾之辨

南塘曰對卓謂對硯筆墨所置之卓而設巾盆也非謂對置一卓也設卓西向而曰對卓則似設巾盆於靈座西南而又曰如前則自斂至遣皆設巾盆於阼階下饌卓之東今亦當在靈座東南矣（家禮疏義付籤）

### 衍第



問第幾云者人有親兄弟從兄弟從三從兄弟以何為準（厚齋）南溪曰三從是有服之親當以此為準

### 婦人題主書姓貫當否

厚齋曰婦人題主不書姓貫當從家禮又何疑焉先代神主既有所書則未及改題之前恐難先為拔去來示告辭改題者得之（答李士根）

### 子弟喪題主書名當否（婦人書鄉貫并論）

厚齋曰先師答或人曰告弟云弟某則書名無疑但聞近世知禮家於亡子神主猶不書名云於弟祝姑闕其名容或為斟酌得宜處耶不敢質言云云先師此言亦是疑而未決之辭未知何以則可也若不書名則已若書之稱與主無異（答朴弼周）

渼湖曰父之於子也則稱名而兄之於弟則既冠字之生時既如此祝文亦當不名所示似當（答趙克善）

南塘曰兄主弟喪書名古也不名今也兩皆無妨朱子已稱亡室則亡子亡弟之稱自是一例故室故子不成文字亡字亦著於備要從之亦可婦人書鄉貫禮無所著而書之亦何害（答趙儐）

### 皇顯字義



魏巖曰家禮今本則初無皇字又顯字是胡元之所加也尤菴於此審加去取後學當謹遵無疑矣（答李駿光）

又曰顯字不書義意雖謹恐不書為是尤翁未發此義之前人家謹則不用也既發之後則禮意當亟改無疑（答李培仁）

### 職啣字數多者書兩行當否

南塘曰主銜當單行書之字數太多則量減其無帶字數不可兩行書之（家禮源流疑錄）

### 書處士徵士別號

陶菴曰神主稱別號雖無例恐不害於[illegible]之言乎但處士之[illegible]

仕謂之處士則未也題主以諡癡菴府君爲之壙中銘於亦去處士字爲得（答閔百順）

題主奠

陶菴曰題主奠之盛設如殷奠者實流俗之弊也依家禮斟酒而已於禮得之告辭用主人名而斟酒用祝者豈非以主人哀遑之心且未及略澡潔者耶（答崔祐）

南塘曰主人以下皆當再拜獨言主人恐闕文也家禮無題主設奠之事而後俗多行之恐非禮意神主既成急於安神日中而虞始舉殷禮殷禮即爲神主新成也其間別設奠既無意義而一日再享亦涉煩瀆矣（家禮疏義付籤）



題主祝

陶菴曰祝文不焚與不櫝同義同虞祝焚之似得道變之義（答朱道性）

南塘曰祝畢不祝似嫌其有銷散飄蕩之意不焚則懷之之外無可置處矣謂之全無意義則恐未必然（家禮源流疑錄）

成墳

墓表書處士當否

間有人雖未免爲觀起發而自以用力於學問上及其殁而士友嗟惜輒以處士書其墓表去學生二字將書處士耶（申光彦）厚齋曰書以處士似好

合葬

同壙置翣之節

問內外喪同用一壙翣四則置於壙內兩箱而四則置於兩柩之間耶（李命元）陶菴曰只依於兩箱似便

前後室合祔當否

陶菴曰今俗品字之制非禮之正也元配祔繼配葬於別窆有先賢定論而鮮有行之者可歎（四禮便覽）



合葬時告先葬

陶菴曰告先葬當在於祠土地之前（答李惠輔）

反哭

神主至家櫝之之義

厚齋曰以祭禮攷之有奉櫝啟櫝斂櫝納櫝之說而此獨不然於發引曰主箱在帛後於題主曰祝出主而謂出者自箱中出也其下曰奉主不曰奉櫝[illegible]至家而始曰入就位櫝之至家以前其無櫝可知[illegible]（弘作其問目與原編　李東閩遂菴語同二）

南塘曰家禮設魂帛置椅上不用箱奉神主入[illegible]

於櫝之此皆於事有所不便故俯從始設魂帛[illegible]
箱奉主奠事即用櫝後人固當以備要爲正然家禮
之義當依本分辨說要識其正義也家禮設魂帛注
繼在箱爲魂帛置椅上不言用箱是不用箱也朝祖
注祝以箱奉魂帛可見前此之不以箱也題主註藏
魂帛於箱中可見前此之不藏於箱也始已奉帛以
箱則安得復言以之也始已用箱藏帛則安得復言
藏之耶此其始設魂帛不用箱之明驗也至於奉神
主入就位櫝之語意尤分明非復如文勢間斷字義
迂晦者則此又非前此不用櫝之爲甚明耶夫可以



箱矣而不用箱可以櫝矣而不用櫝又何也帛之有
箱猶主之有櫝也櫝所以斂藏神主也斂主藏之所
以神之也自親始死以至反哭孝子不忍死其親故
設帛也當若見其親之在其座也奉主反哭也魂帛
隨其親之復歸家也故不箱不櫝者蓋其心不忍以
其親爲死而神之也若於此時遽昧然歸之於神然
而置之所若曰吾親眞死矣眞亡矣則其於孝子之
痛哀慕不死其親之意無乃有所不忍者耶 [illegible]

虞

虞卒有故退行之節

陶菴曰姑待癘疾乾淨後行三虞卒哭似無不可第
臨時具由告於靈几而後行祭恐似得宜 答全孫[illegible]

告祝之節

問孫哀孝子之稱備要則虞祭以前稱孫哀卒哭以
後稱孝子家禮及問解則自虞至禫於先祖稱孝於
亡者稱哀二說不同 朱道浩 陶菴曰從家禮

噫歆告啓門之義

南塘曰謂以噫歆之聲啓之者三也非謂以啓門之
辭告之也 家禮跋義付籤

辭神



陶菴曰虞卒哭及小祥無還主之事故先斂主而後辭
神 四禮便覽

埋魂帛

厚齋曰魂帛依禮埋於屛處潔地爲可按家禮會成
曰俟實土將平壙鋪魂帛於內而埋之此時神已多
於主魂帛同柩而埋也後世墓所之埋想始於此[illegible]
然此恐失禮意不可從若埋於墓所之屛處潔地[illegible]
可否 答洪子容

卒哭

葛帶用生用熟之辨

巍巖曰喪大記虞變服條曰祝澡葛絰帶註澡治也治葛以爲首絰及帶云云據此則禮經已言用治葛矣然則沙溪先生於此偶失檢攷而云歟（沙溪曰禮經初不言熟疑用楄皮）變麻服葛本殺凶向吉變楄就精之義也今若變麻用楄葛則其凶其楄無乃反有甚於麻乎又無葛之鄉則用穎所謂穎者俗所謂어자괴也其色白此亦爲當用治葛不當用楄皮之一證也耶（上遂菴）

辛哭後朔望降神之非

巍巖曰凡禮所不言當深思自得其精義可也以一時意見輒增損而行之無乃未安乎（答成道行）

禮疑類輯續編卷之一



禮疑類輯續編卷之二

喪禮

祔

告廟

陶菴曰告廟告辭似當并書祖考妣而下段則云孫某將祔于某位（答李惠輔）

新舊兩主奉出還迎之節

陶菴曰按儀節行禮於他所則奉櫝時有跪告之[illegible]雖行禮於祠堂將出主恐當有告若就他所則[illegible]又當焚香奉新主時亦當有焚香請出之節（四禮便覽）

問跪告曰請主詣某所某所者何以措辭（[illegible]陶菴曰）某所當曰孫某廳事

新舊兩位進饌之節

陶菴曰喪主非宗子則宗子宗婦當進饌于祖位使喪主喪主婦進饌于新主（四禮便覽）

宗子在喪中行祀之節

厚齋曰祔祭必宗子主之雖在喪中以布直領行之或可否（答金致福）

宗子有故攝行

厚齋曰祔大祭故朋友亦有主祔之禮宗子雖無子

而死宗子之弟當攝行無疑答崔敏學

祖主祧遷及埋安後行祔之節

厚齋曰祔乃重禮雖是祧主尚在取長房而於亡者爲當祔之位則依家禮設虚位以祭之說以紙牓行之恐得之主祭未知以何者爲主以宗法爲重則宗孫主之耶奉祧主者特以長房奉祀而已若以時房奉祀而爲之主則無乃與祔祭歸重宗子之義或相反耶至於既爲埋安則又將何以處之依左右所引小記孔疏之說爲壇而祔似爲明白可據答金在曾

妾祔妾祖姑之辨



南塘曰云云詳見祭禮妾子諸禮條

告祝之節

南塘曰孝子攝宗子非喪主而言者宗子祔於父則當稱孝子孫曾玄之稱皆當隨所告之位而變㮣稱子以槩其餘宗子自爲喪主者亦當依此而改稱

孫家禮疏義付籤

亡者位設茅沙

問祔祭亡者位無設茅沙之文云云沈潮南塘曰亡者位茅沙備要圖著之當以此爲正

葬後諸節

三年設靈床之非

厚齋曰靈床本爲尸體而設尸體既葬則靈床無所用大抵家禮是未及修正之書故往往有疎略處如始喪條言奠而其後不言置奠處朝夕哭奠條言上食而其後不言撤上食時然既言奠則當置於葬前壙中矣既言上食則當撤於大祥撤靈座時矣今此靈床雖只言其設不言其撤去之時而自當撤去於尸體既葬之後明矣答李世弼

虞祔後上食時去杖

問祔祭倚杖於階下自祔以後上食祭奠不爲拄杖而哭之可也洪子容厚齋曰先師答人書據小記發虞之節虞祔後上食時以去杖爲是



葬後上墓時拜先塋

陶菴曰原野之禮不如家廟之嚴既與同麓則雖是凶服歷拜何妨答盧以亨

小祥

變服之節

衰服練否當否

厚齋曰儀禮斬衰章經曰斬衰裳傳曰衰三升疏曰衰用布三升家禮本子曰用極麤生布○按以此觀

之初喪成服用三升極麤生布
傳曰冠六升鍛而勿灰䟽曰以水濯而勿用灰六升
勿灰則七升以上故灰矣大功章註曰大功布者鍛
治之功麤沽之䟽曰鍛治可以加灰矣○按以此觀
之大功七升布用灰治矣
禮記間傳曰斬衰三升既虞卒哭受以成布六升註
曰葬後以冠之布升數爲衰服如斬衰冠六升則葬
後以六升布爲衰齊衰冠七升則葬後以七升麻爲
衰○按以此觀之虞後之衰用初喪冠布之六升所
謂冠布六升卽鍛而勿灰者

禮疑類輯續編卷之二　喪禮　四

服問曰三年之喪既練矣服其功衰註曰功衰父喪
練後之衰也雜記曰三年之喪雖功衰不以弔註曰
三年練後之衰與大功同故云功衰張子曰練謂之
功衰蓋練其功衰而衣之又曰練衣必鍛練大功布
以爲衣故言功衰功衰上之衣也朱子曰大功用熟
布○按以此觀之練後之衰用虞後冠布之七升所
謂冠布七升卽故灰者陳註所謂以冠之布升數爲
衰服者是也盖初喪用三升生布虞後用鍛而勿灰
布練後用七升加灰布其漸次降殺之意豈不十分
明白耶且練後之衰服用練布與練後之經帶用治

布者同一意也然則檀弓練衣下註正服不練者其
非爲生布可知也况檀弓註與服問雜記註同出一
人之手而服問雜記註既以功衰爲父喪練後之衰
則其必不以正服不變爲生布者尤爲分明若不以
禮經諸說合而觀之只觀正服不變四字而曰用生
布則未知果得禮意之正耶備要練後衰裳用生布
之說恐失照勘 答金在魯
問所與仲禮 卽金在魯 書所謂間傳斬衰三升至虞卒哭
受以成布者可見初喪衰服至虞已變檀弓練下註
正服不變者恐指虞後衰裳而言之之教誠爲至當

禮疑類輯續編卷之二　喪禮　五

錯乎千古無人領會及此也盖正服卽衰服而已然
卒哭時變其三升改以成布故至練不再變而只變
其經也若無虞變則練時正服固當變之矣 與中厚齋
曰所論甚明決備要曰衰裳以卒哭後冠受之卒哭
後冠卽大功七升布也其下曰以大功七升布改製
而不練夫初喪六升冠布已用鍛治者則豈有卒哭
七升冠布用生而不練耶一文字之間上下未免[illegible]
庭堅高明詳覽備要本文
南塘曰設次陳練服卽指衰裳中衣皆練者言也自
楊氏以来皆謂家禮從俗無小祥受服之節而世俗

衍者只練中衣不變衰裳恐皆考之不審也家[illegible]
以陳服易服爲禮之大節而特書之若無衰裳變[illegible]
之事則未知所陳所易之服果何服耶若非衰裳則
有服焉則又不言某服何也大祥陳禫服註歷言其
服之制者以其服制變於衰裳也此只言陳服而不
言其服制則豈不以其服制無變故不言耶特其用
練異於前故只言其練於其陳服易服而可見其有
更製之服於其不言服制而可見其衰裳之變而無
他服也若曰陳服易服只指中衣而言則又不考之
甚也中衣特衰之一襲服本非正服則何可以此
而當陳服易服之大節而況家禮初無中衣之文[illegible]
備要據古禮許令更製衰裳則可以救俗之失[illegible]
於家禮此文猶仍舊說以爲從簡無變服之節豈[illegible]
服勘耶家禮跋義付識

瀷下數有缺書更攷

斬衰緝邊之非

瀷巖曰斬衰緝邊之制玄生見於門下而來傳東謂
三年之斬變爲期斬關係非常必有經據而後先生
宗符之矣適攷經傳及註疏不得一言可據又攷沙
溪文字亦未見片辭之及於是者黃生宗河言備要
小祥之衰詳制如大功衰而布亦同此一段[illegible]

文云云東於此有未敢釋然者具稟如左○謹按小
祥之具四字并包斬齊而言制如之制的是緝邊之
說則斬固改制緝邊矣從初緝邊之齊衰至是又何
以改其制乎不然而只是單說斬衰云則其包與不
包姑不論斬以下有齊衰焉有期服焉何不曰制如
齊衰或期服而必以大功爲言乎○謹按制如大功
衰服而布亦同此十字古無其文乃沙溪先生說也
而制之一字據家禮去衰負版辟領而言也門下以
此段爲本古禮而初非據家禮云斬衰緝邊未知出
於古禮何條與經傳註疏程張朱諸先生之說終未
見出處明賜下教如何卷上逐

孝巾當練與否

問練時孝巾練否尤菴以不敢質言爲說云云金敎許
南塘曰練時冠及衰裳皆練則承冠之孝巾獨不練
恐無其義耳

葛絰

問備要練服腰絰用葛註顏或熟麻亦可顏固出於
儀禮而熟麻則何据金在魯　厚齋曰熟麻必是循俗

絞帶用布用麻

問外王父答崔奎瑞曰斬衰絞帶用布雖非古禮依

家禮大功用熟布之文練之亦可旁據此能所[illegible]曰字則老先生亦似不以賈疏變布之制為十分把畫必可遵行之禮故其言如此中瞻厚齋曰初喪衰裳冠經至虞後皆已變何獨於絞帶至練而猶不變耶先師所謂雖非古禮者蓋以儀禮無明文故也雖然家禮謂大功布用熟故其下曰依家禮大功用熟布之文練之亦可其意可見矣家禮之不言虞變者從簡之意也然丘氏務用於練時而後來諸先生皆以為是況絞帶不變之說不見於古今禮書而圖式變麻服布七升布為之之說明有可據耶



魏巖曰齊衰自齊衰斬衰自斬衰今以齊衰以下齊帶欲變經傳所不言斬衰之絞帶其說何居若從家禮則絞與帶俱不變若從備要則經與帶當俱變矣雖從備要而只依經禮變經不變帶如何上遂菴

又曰近世好禮之家父喪練時率用布絞帶蓋出於要註說而鄙意未曉其義經傳都無其說只賈疏曰絞帶虞後雖不言所變案公士衆臣為君服布帶又齊衰已下亦布帶則絞帶虞後變麻服布於義可[illegible]巽巖上此東謹案公士之衆臣雖服其公士斬衰而[illegible][illegible]殺之故布帶繩屨降而服之[illegible]義服中又[illegible]等變禮也今於父喪斬衰引此說以證之其義例輕重果相準歟鄙意此若從家禮則經與帶俱不變可也若從儀禮則變經不變帶亦可也賈說則雖經次翁之寺而上放下擬說無周公朱子之訓又其所引公士衆臣之說義例甚不倫雖闕之未妨也耶答金丙位

陶菴曰經用葛絞用布亦在儀禮先正定論如此只當遵用而已答李經齋○先正指沙溪先生

又曰斬衰練後絞帶用葛或以布布則熟也非生也變殺之節自應如此答或人

## 貧家練服之節



問練時衰裳貧不能改備云云行應道魏巖曰世人率於前一日夕哭後練之此不得已而然矣負版辟領家禮去之不無精義

## 練後晨昏展拜

厚齋曰練後几筵朝夕展拜鄙當初依退溪說行之矣禀于先師則以常侍之義謂不當行故不敢行況此事家禮則無文耶但哀平日定省時已有講定而到今遽廢有所不忍惟在哀思量處之答全搢

## 練後墓所朝夕哭

魏巖曰几筵朝夕哭亦止於練此乃聖人中制也孝

思過人無一毫勉強而聲淚俱發則雖非中制顧何時而不可哭也如其未然則聖人所不言之制後生誠難爲定論（答成道行）

問朝夕拜墓時雖祥後亦當哭耶（李灌）陶菴曰墓前異於几筵伸情亦何妨也

大祥

大祥退行上食當否

巍巖曰未祥之前上食何可廢乎（答許宙）

繼祖之宗考位祔廟之節

問繼祖之家父大祥神主入廟既無班祔之位吉祭



前又不可遞祖考而入於第四龕則當奉安於祠堂中何處而告廟祝禮當祔於祖考一句改以何語（鄭衡）

（周）厚齋曰祫祭前且依朱子說奉安于東壁下西向俟畢祫後奉入于正龕似宜祔于祖朱子以爲變禮存羊之意則恐不可不用也

父先亡妣位入廟之節

問備要父先亡母喪祥訖依丘儀祔于考龕云而又立或者之議曰父雖先入廟母喪畢祔于曾祖妣俟祫時配于父此當何從（朴宗畓）厚齋曰依丘儀祔于先考而依渼溪說俟祫祭後合櫝似有據矣至於或說結之以更詳之三字則恐是疑而未決之辭也

喪服既除後處之之節

南塘曰家禮曰斷杖棄之屛處只言杖不言喪服則喪服之不棄不焚可知也杖則無用喪服則猶有可用之故也喪服不至甚弊則散給貧者或守墓者可也破裂無餘則焚之埋之亦可也經帶方笠無用與杖同或棄或焚似可耳（答趙儀）

禫

禫日變服之節

陶菴曰除禫著吉之在於何時則無見出處只當依



小大祥之儀爲之（答李惠輔）

在外過三月聞喪及葬後期後立後者禫有無

南塘曰過期不禫者謂二十七月喪服之期已滿而是月雖有故不得行禫亦不可追行於過期之後也如在外過三月聞喪及葬後期後立後者皆當以服喪之月計之也自喪言之則二十七月之制雖過自服喪言之則二十七月之制未滿也若以喪出之月計之以爲過期而祥而即吉是已之服喪未滿二十七月而除也恐大違禮意在外踰月聞喪喪出踰月

立後其行禫亦只計自喪以來二十七月之期而不復計服喪月數者皆非也 禮疑問見錄

告祝

問立氏禫祭祝文所改八字備要不引而愼齋許用之云云 輞亭 息 陶菴曰備要不引之八字不必用告辭則用之似好

討閏之義

南塘曰禫祀討閏張子之說而沙溪從之此在家禮源流禫條 答李命德

吉祭



親盡神主不合祭

南塘曰介湖吉祭只當奉主人所奉祀之位出就正寢行事文忠公位既是祧遷之主而於主人爲遠祖則元無遂祭之禮合祀之義只得仍奉祠堂以待最長房之奉歸耳改題主亦不可於此處爲之最長房奉歸其家乃可爲矣 答金時翰

新主猶在祔位之義

問備要吉祭條只曰如時祭儀而不言新主設位之處今既改題別具祝文奠獻一如祖位豈可猶祔於考妣一列乎但問解答同春問曰吉祭時新主祔於祔位入廟後奉安正龕此殊可疑 金在魯 厚齋曰吉祭時五代祖尚未祧而高祖以下諸位皆未遷于當遷之龕則此時新主未入正龕而猶爲祔位故沙溪之說如此耶別具祝文奠獻雖姑在祔位而其體與他祔位不同故耶鄙家向來亦依問解說行之

改題告辭

問改題主告辭告先妣而某封某氏下玆以先考某君府君喪期已盡禮當遷主入廟神主今將改題不勝感愴云云未知如何神主上復書顯妣 答金在魯 厚齋曰改題告辭來示得之神主上書顯妣字文雖複



而意則明似或無妨

祔位改題有告辭

厚齋曰家禮所謂只告正位不告祔位盖以於正位有事而於祔位無事故也今祔位既有改題之事則尊無告辭未安其告無顯辭只曰先妣神主今已改題祔位禮當一體改題敢告云爾則未知如何 答金在魯

祭時服色

問吉祭時含兄係是有官當著黑團領而或言我見今在職不可以有官論 金在魯 厚齋曰伯氏所服依示爲之似好龜峯曰我國之法有官者時散通用紗

然則有官通時啟言也

## 告祝之節

### 孝子不稱其官

厚齋曰自題主祝至虞卒祥禫吉祭孝子皆不稱其官惟時稱忌墓之類有之此必有意當遵用（答金若魯）

## 埋祧主之節

### 埋主之所

南塘曰埋于階間古禮也埋于墓側後俗權宜之事也二者俱可故幷言之要使行禮之家擇而行之然一章之內未免逕庭此等處正是家禮所以爲草本而未及修改者也（家禮疑義付籤）



### 埋主時舉哀當否

問先祖忌祀哭與不哭有逮事未逮事之分則於埋主之時子孫之心雖怵惕愴感而但哭則似涉太過（李敎坤）厚齋曰家禮丘儀皆不言哭亦意恐不違於禮意

## 居喪雜儀

### 俱亡稱孤哀子之辨

南塘曰俱亡謂幷有喪也世俗前喪雖過三年而後喪猶稱孤哀恐誤也非幷有喪而稱孤哀則何以別新舊之喪乎（家禮疑義付籤）

## 心喪雜儀

### 心喪服色

問堂叔母大祥在此月弟從兄出爲伯父後故方在心喪祥後禫前服色將仍着墨笠墨帶布直領耶或謂宜用漆笠白帶白道袍云此言如何從嫂衣裳當用深靑無妨耶（黃儉仁）南塘曰心喪亦以二十七月爲限禫月前墨笠墨帶布直領之制恐無可變之義婦人深靑亦不如玉色之爲安耳

### 心喪中有服者服本服



厚齋曰禫後黑帶是心喪之制其非喪服可知遭重服而有衰裳則當着此衰裳之帶也（答韓師朝）

## 離喪次諸節

### 在外行奠之節（受弔之節幷論）

南塘曰旅館守制之節揆以情理朝夕哭斷不可已設位以爲憑依之所亦不可已家中既有子孫奉饋奠則此處不可疊設既不行饋奠則只設交倚可矣不行上食則上食兩時之哭不可依行耳客來受弔當以衰絰不可以深衣方笠深衣方笠只可暫着於出入時非受弔之服也（答金時哲）

書䟽式

問例䟽之外或有別幅慰問則當以別紙奉答而若有賻物而無賻狀或書示於䟽末則亦以答䟽中謝之耶金時準 陶菴曰別幅與謝賻只當視彼之爲而相報也

又曰省式二字不過俗例而甚偃蹇矣

禫前書䟽式

陶菴曰祥後弔狀中祇奉几筵四字去之爲宜答閔昌洙

喪中行祭

喪中行忌祭之節



陶菴曰出主告辭似不可闕答金敏材

葬前廢先祀支孫替行當否

陶菴曰宗孫未葬之前禮當廢祭支孫代行雖墓祭恐未安答吳瑋

喪中行參禮諸節晨謁幷論

陶菴曰喪中晨謁固不可行而朔望則以直領方笠瞻拜如何若是宗子則朔望參禮使服輕人替行爲當答金時準

妻喪中廢正祭當否

問以朱子於子喪不舉盛祭之義觀之宗婦之喪宗子雖存四時正祭固不可行小祥後可行耶金致福 厚齋曰横渠於叔父喪三廢時祭今宗子方在喪中也朱子於劉令人之喪廢四時正祭依來示爲之亦可耶

入廟別具布帶

厚齋曰入廟別具布帶備要說如此駭俗不必論練絞用布是本服變制之服何可仍用入廟之布帶答或人

問禮說有斬衰入廟時別用布直領方笠云云或人 厚齋曰哀示得之



三年內新山墓祭

問孫子家墓祭依要訣行之而或云三年內墓祀皆盛設云或人 厚齋曰旣於平日有備禮降殺之異則哀之所行得之

問三年內墓祭祝文只用雨露旣濡等語換以情禮似或泛然李敬基 陶菴曰三年內墓祭當單獻似無祝

厚齋曰墓祭體魄所在也几筵靈魂所在也故節祀幷設之若路遠不得幷參則當以几筵爲重如有他子姪則兩處行之答或人〻〻

問要訣喪中祭先使服輕者一獻不讀祝註曰墓祭

亦同此言祭舊墳之禮也新墳則當三獻讀祝耶 崔答
敏學 厚齋曰祭新墳三獻讀祝來示得之主神使服輕者代行可也

死者有服無服行祭廢祭之節

問妻母喪方在葬前妻忌或云援期功葬前略設之文無妨云云 尹沈 厚齋曰降服期重於本服期況出嫁女爲母實非旁親例期或葬前姑停忌祭似宜

問禮曰緦不祭所祭於死者無服則祭註云如妻之父母母之兄弟姊妹已雖有服而所祭者與之無服則可祭今俗幷祭考妣而於母有服似不可幷享止



祭一位雖禮之正而今俗行幷祭則擧一廢一情有所不安要訣有緦小功則成服前廢祭之文與此有異何以則爲得耶 李濟厚 陶菴曰合櫝幷祭之主擧一廢一極不安成服前廢祭一段遵而行之庶易行而且寡過矣

長子喪中祭祀

南塘曰長子斬衰服之至重者何可以手下之喪而行祭自如耶朱子於長子塟喪廢正祭而存俗節此見於大全矣 答權震應

喪中祭禮侑食有無之辨

問喪中祭禮侑食有無沙尤兩先生說不同 全[illegible]行
南塘曰三獻禮之正也侑食禮之加也一獻禮之殺也禮之殺先自加者始原野之禮殺於廟中故墓祭只行三獻而無侑食此其禮意可見也豈有殺於正禮而反存其加者哉沙溪說恐是

三年內凡遞時祭當否

問范伯崇書卒哭後遞四時祭日以衰服特祀几筵觀此則時祀几筵似有援 成道行 巍巖曰范書此已見問解第四冊第四十板杜氏所謂此天子諸侯之禮不通於卿大夫云云者恐當商量



五服變除

期功諸服變除月數

問喪出月晦成服在於後月初生其除服之時當以成服日計月數耶抑以喪出日爲始耶 明湖 沙溪曰喪在月晦雖祭以其月除喪則當在成服之月何必計其能也在數千里外奔喪者至喪次則乃至半年之久始爲成服而除服之限過於常定之月數也然則凡除服當以成服日爲計也

父在母喪諸節

父在母喪含贈代行之節

南塘曰父在父爲主是禮之大經則含賵等事父當主之以子代行誠爲不是父老或病不能將事則以子代行來說亦是答姜奎煥

父在母喪又遭父喪祭毋再期之節

問先妣喪餘在先考祥前二日昨年練祥皆從備禮今忽減殺事或逕庭否金敏材陶菴曰今年祭祀即三年後初忌與昨年練祥體貌自不同但依喪中行祀之例而已無別般道理

父在母喪禫祀當否

巍巖曰尤菴先生之說誠有不敢知者然此決是未定之論也其一家見行與否亦未有所聞耳答成道行



父在母喪吉祭及復吉之節

渼湖曰禫不可再行二十七月之初或丁或亥日祔酌復常可也吉祭本爲正位遞遷而行之父在母喪既非正位似不當班祔之主而設吉祭於祖先也答月塘

妻喪諸節

妻喪無子者子喪無妻子者朝夕哭不廢當否

厚齋曰妻喪重制也既具三年之體朝夕哭又是喪禮之大節目則不可不行限葬前行之於禮無攷禮有代哭之事照此而使女僕代行或無妨耶至於子弟無妻子者之喪朝夕哭有無不敢知但以年老父兄逐日晨昏哭泣於手下期服恐有所不逮答金在魯

妻喪練

問父在爲妻雖不杖不禫而猶當十一月行練祀耶尹衡老厚齋曰練不可廢也練祭一事本不係於禫之行不行

厚齋曰妻喪練除之節去首絰負版辟領衰者恐得之答金希魯



妻喪禫

厚齋曰喪服小記曰宗子母在爲妻禫疏曰宗子尊得爲妻伸禫賀循曰非宗子其餘嫡庶母在爲妻並不得禫以此觀之父在則無論大宗小宗爲妻俱無禫惟大宗子父沒而母在則爲妻禫小宗雖只有母在亦不得禫矣答姜柱龜

子喪諸節

子婦無夫與子者上食之節

南塘曰朝夕上食似當以舅姑之服爲限然本家有爲之期者則又當以此服爲限死者其情可哀苟有

可加之道雖加一日亦愈於已也答金謹行

子婦虞祭代行之節

問舅於子婦喪虞卒或有病故使其夫代祭則祝頭當曰舅使子某告云云耶其夫代舅行祭則不可拜也若拜則是代舅拜也中曝厚齋曰前期具由告之當祭之日依小記說直行夫祭妻之禮未知如何以夫祭妻恐當有拜矣

子婦喪虞卒哭夫若子主之

南塘曰按婦之喪舅夫子俱在各有所主而一統之義未嘗不嚴也題主及祔舅主之朔奠虞卒哭練祥禫夫主之蓋尊者在卑者不得主祠堂故凡主之入於祠堂及有事於祠堂皆以最尊者爲主朔奠虞卒哭練祥禫殷禮也故次尊者主之朝夕饋奠又降矣故卑者主之尊不降無于卑卑不上干乎尊此所以家無二尊而尊無二統也家禮疏義付籤



爲人後者本生親喪諸節

本生親喪位次哭泣之節

問出繼子於喪中當立於其弟之下而服盡後祭祀時則不必立於弟下耶韓師潮厚齋曰當立於弟下蓋弟爲主人故也

本生親喪慰答書式

問本生親喪答人慰狀云云趙榮遂厚齋曰先師以爲稱延先親之先字改以私字其餘自當依禮斟酌用之云云稱號當一從問解說

陶菴曰人家生親喪慰狀曾前略有變改字句矣更思之不必然今則直用伯叔父母狀例矣答尹潛

南塘曰於本生親喪稱以本生考妣自稱以喪人只是從俗爲之耳雖是俗所通行於義有害則安敢從也此則似無害於義故從之耳先儒以稱考妣爲非者蓋謂其直稱考妣無別於正統如漢宣之爲也豈謂其上加以私稱如伯叔本生等稱而猶不可稱考妣耶大抵書疏必稱以本生考妣者不忍全沒父母之稱而尋常書牘言語之間又非大義所關如廟中之稱故從俗爲之果未知何如也答沈潮



本生親喪中行所後家祭祀之節

問遭生親喪而所後親忌適在葬前芝村夫以爲不可以期服廢親忌以白笠網巾白衣白帶行祀如當儀或以爲要訣有期大功葬前略行之文云云金若書厚齋曰雖他期服在葬前則略行況生親之期服耶降服期重於本服期恩意則葬前依要訣略行而使

服輕者代行葬後則依同宮說行之似好

厚齋曰遭本生父母喪既是期服則過葬後行所後家時祭似無不可但橫渠遭季父期服三廢時祭況本生父母喪葬後即行恐似太遽依横渠事参酌行之亦似宛轉 答李世弼

南塘曰本生親喪服雖除心制未畢之前為其所後親廟不可行時祭恐當如來諭矣身居心喪而行盛服受胙飲福之節既有所不可祭而廢此儀節亦非所以重四時之正祭也姑停之似可矣 答沈潮



出嫁女本生親喪諸節

持私親喪者夫家祭祀奠獻等節

南塘曰婦人喪父母既練而歸禮之大經也雖未練而歸或初未奔喪其自處則當與未歸同未歸而在喪次者豈可與祭於夫家耶 答金時瑜

妾子本生親喪諸節

妾子所生母喪慰狀式

問為人妾子遭所生母喪先字下所稱云何 安益大

厚齋曰題主避嫡母稱亡母而不稱妣則弔狀當避嫡母不可稱夫人但所稱則禮無可據未知其如何而可也

師友喪諸節

師喪

厚齋曰父在母喪過期脫衰後為心喪遭師喪者恐亦於過葬脫麻後當服心喪也 答李世弼

又曰餘聞先師之言曰葬前用加麻之制葬後用心喪之服故餘於先師變禮過後用淡黑布笠淡黑布帶但其加麻時腰首絰皆用雙股而體小未知合禮否 答申晹

陶菴曰師喪門人之相弔雖不見於禮而恐是情義之不可已者以子貢三年畢後相向而哭一段推之亦可見也 答李猷夏



又曰喪式不過俗下所用不必用之其稱則心喪人之外似無可者雖疑於親而亦不至害義否 答李奎壯

友喪

厚齋曰先生玄石聞親舊之訃莫不為之設位望哭其中情親者并服緦制雖泛然相知之喪亦皆一日行素 語錄

國恤

服制總論

厚齋曰領台叔議曾經侍從臺侍以上皆許受杖恐

則平日未嘗以臺侍自處受扶似爲未安朱先生服議雖庶人軍民亦許絰杖以此爲據於令意如何（與金在魯）

君喪內喪輕重

問或人欲以　內喪同於私服期親而冠昏喪祭照斷欲行其說似原於退溪所謂內喪與君喪有間之說竊意　內喪雖是期年實一國之通喪尊嚴之則不可與私服期者比而同之君喪內喪雖有輕重而喪祭之行廢恐不宜異同（申曝）厚齋曰恐得之

國恤成服前私喪成服先行當否



問人遭母喪於　大喪之明日而成服在於　大喪成服前一日從村叔令退行於　大喪成服後一日云云（申曝）厚齋曰國喪時成服曾子問之說可以爲據然曾子問指有官者言也今遭喪者若是無官之人則尤無所拘未知如何同甫偕猥之言或有所據否云耶以先行爲僭則殯亦不可先行而孔子何以有之先行耶

私喪中遭　國恤饋奠行廢用素當否

問大喪成服前人家朝夕上食從村家則以素食行尹瑞膺家設食素奠於靈座如前但不舉哀不設寺燭金聖期家哭泣設饌一如常時朴尚甫則於其殯靈座全廢不行何者爲得耶（申曝）厚齋曰先師曰朝夕上食朔望奠皆行以曾子問君未殯而臣有父母之喪君薨既殯而臣有父母之喪兩條可據云云聖期家之設行蓋亦遵用先師說也

問曾子問君喪既殯而臣有父母之喪如之何孔子曰歸居于家有殷事則之君所朝夕否朔望之君所而廢私奠朝夕不之君所而伸私情可見矣今人以爲朔望奠朝夕上食不廢之證恐誤見本文之数也（申曝）厚齋曰所論精察矣第曾子問本意以有官者言



也若是無官者恐當在家而行朔望奠也明矣

國恤中私喪葬禮

巍巖曰　君父在殯之日臣民之先營私葬既不待高識而知其未安矣況葬而不虞則不成葬禮虞而略設則不成虞祭蓋問相國鎮長家初聞所以營襄之禮故老先生引不報虞之文此蓋設疑不敢質言之意而彼家後人急於私事因藉重而遂見行之自此成一俗規惜乎靜觀夫人之葬以農者之說不能有所救正也（答趙觀彥）

國恤中[illegible]禫祥

厚齋曰禮註所謂君服除後乃得行二祥者以嫡子有官者言也其下又曰嫡子在家自宜行親喪之禮以嫡子有官者言也上下二說若是明白令高明不爲分別渾合而言之何耶尤丈所謂士庶白衣冠與卿宰同者是一時義起之說也先師所謂當行者是據禮經明白之說也義起之說雖好而恐不如禮經之有據也 答申曝

國恤時練祥退行除服之節

問 國恤時私家練祥當待 卒哭而自期以下除服者亦皆留待則恐不合於計月實數之義 趙瀅



愚曰大功以下計月除之期則必待小祥而除之禮意已然中間遷就月數不當計之矣

國恤中私喪禫吉

厚齋曰婚姻是吉禮而猶行於 國恤卒哭之後況此禫祀何可不行於 國恤既練之後乎婚時既許三日借吉則禫時暫爲變時着吉以示喪禮之有終似無不可遂謂不可行禫之說無乃指卒哭前言耶傳之者不分卒哭前後故耶 答申曝

又曰以栗谷說觀之哀侍既爲喪服則自當爲有官之人 國恤卒哭前恐不當行禫祭若待卒哭後則退行不禫禮有明文當考照後從中不可[illegible]之禮設位哭除恐或無妨若或合禮則當有吉祭而方在卒哭前諸稱于祖廟待卒哭後似可 答朴子龍

國恤中禫時變除借黑當否 又見於上段 答申曝孫

厚齋曰按雜記再有父母喪者其除前喪之服也除其除服[illegible]事[illegible]曰卒事反服則其卒事之前不可不服後喪之服而除之也明矣此可以推類矣豈有臨行禫祭而無變除之節耶出入時所服君服[illegible]而禫服[illegible]似當服 君服矣 答金晉

國恤中吉祭告利成當否



厚齋曰告利成不忍受胙之處禮行之恐無妨耶 若晉

國恤中私家大小常祀

厚齋曰卒哭前時祭不可行也卒哭後朱子及[illegible]儀并許嫁娶則時祭殆無不可行者栗谷答[illegible]亦言其當行矣卒哭前忌墓兩祭有官者當廢[illegible]者略設退溪栗谷寒岡先師皆有其說而[illegible]自官下帖雖士庶家皆不敢行未知其如何[illegible]有官者當廢則雖喪家新墓若是有官者恐[illegible]行而[illegible]若先輩以不三獻不讀祝爲言其[illegible]

及大小祭奠先師於四禮變節夫論有定論故見如何（答申曙）

國葬前疏祭當否

遂齋問退溪國葬前疏祭之說可疑若不行祀則已如可行之寧有用疏之義耶尤菴曰退翁此說果爲未穩大抵象生之禮可行於葬前也至於忌祭墓祭則事之以神道久矣祭之以疏誠有可疑者矣然先正之說何敢僭易論之哉

國恤中私家冠禮

厚齋曰冠禮不敢行則已如果行之則當依朱子服



儀昏禮中所言以一月外許軍民禫後許大中大夫以上爲準分無官有官及官之高下而行之似可矣昏禮之華盛不翅冠禮而朱子猶且許之隨其等級而許行者可知先師曰將冠而遭　國恤者固當仍成服而冠矣不然當待卒哭後只冠者備禮行之參以昏禮等級尤無不可也先師此說亦以服議中昏禮爲準也（答申曙）

國恤中居私喪雜儀

陶菴曰喪人出入宜服本服況如衰布衣者豈可其疑（答鄭潤濟）

喪變禮

奔喪

奔喪所著

厚齋曰白布衫繩帶古者奔喪變服之節如此父母似無異（答韓弘祚）

南塘曰按君臣服議用布一方幅前兩角綴兩大帶後兩角綴兩小帶覆項四垂因以前邊抹額而繫大帶於腦後復以後角而繫小帶於髻前以代古冠亦名幞頭今云裂布爲之者蓋以一幅布裂其兩端爲四脚也豈以奔喪之禮急遽凶變未暇備其制耶（家禮疏義付籤）



到家後諸節

南塘曰初變服謂詣柩前再拜後去四脚巾被髮徒跣如初喪又變服謂袒括髮如小大斂也（家禮疏義付籤）

服人奔喪成服之節

問奔喪成服之禮徑意則雖輕服亦當於到喪次四日而後成服而座下前日之教則父母喪外齊衰以下皆以聞訃日爲計到喪次或滿四日雖即日可以成服更攷禮記奔喪篇奔喪者非主人章曰於又哭於三哭皆免袒註曰非主人者或親或疏之屬也齊

衰以下不及殯章亦曰於又哭免成踊於三哭免成踊三日而成服三日者註云三哭之明日也此當為齊衰以下到家四日成服之的證云云金魯若厚齋曰所示詳明當改滯吝

## 追喪

### 親喪追服變除用聞訃成服兩日之辨

同春問緦祥之禮當計聞訃日為實數而此云計成服之日極可疑月塘曰當以聞訃日計先生所謂計以成服日恐是放過而答之同春曰此非先生說乃朱子說意者其人所遭不得不隨其所遭而為之變而已先非通行之禮耶



問朱子計成服之說終未能無疑同春所謂意者其人所遭出於意慮之外不得不隨所遭而為之變非通行之禮云者似當在外聞喪便是在家遭喪之日也在家者以遭喪日為練祥而追聞者獨不可以聞喪日為練祥耶金在魯厚齋曰同春所謂是聽斷然所考證以朱子說及先師說推之在家者宗子則當以喪出日行練追到者宗子則當以成服日行練

南塘曰據禮在家遭喪者皆以喪出日除服未有以成服日除服者則在外聞喪即在家喪出之日也以是日除服無疑若在家者以喪出日除服在外者以成服日除服則除服大節何若是不一耶朱子亦曰兄弟先滿者先除後滿者後除以在外聞喪者有先後也何嘗言成服先後耶所答曾無疑書據書所言蓋別有事變異於他人今又可詳則恐難據以為斷不若從近世諸先生之定論庶幾為寡過矣禮疑見錄問

### 追喪除服後行禫當否見禪條南塘說

### 閏月聞訃者行練祥之節

問五月喪出閏五月聞訃則練祥以明年六月為斷耶閏月既非正月以本月喪出日行練祥似合禮意



沈潮南塘曰閏喪雖在閏月既在喪出月外則當以次月變除若以本月變除則不免為短喪矣只當計閏喪月數與死在閏月者以本月為忌者不同

### 親喪追服與在家兄弟先後變除之節

問人以染患遭喪而其時渠亦患染出避病無論月始通訃成服矣此人有兄先亡無子只有兄嫂故渠方攝主兄嫂則在家遭喪前頭練祥何以為之或云兄嫂既係主婦以本忌日行練祥渠則待聞訃日哭而除之或云兄嫂雖是主婦異於男子渠雖應在方為攝主則不可只為婦人行練祥云云金在魯厚齋

曰宗子婦在而次子攝主則已自題主虞卒時次子
皆為攝行矣然則練祥之祭恐亦當為宗婦攝行而
祟則以追服日哭而變除似不失於重宗統之義

追服退祥者本祥日行事前期告由之節

陶菴曰按聞訃在後月於忌日別設祭奠則當單獻
無祝如朔奠之儀而前一日不可不因上食告由（四禮便覽）

追喪禫祭

厚齋曰自追後成服之日計十三月退行練祥又計
二十五月退行祥事則當以二十七月退行禫事吳



退行也非過時也若不行禫則是二十七月之數未
滿也何可謂之過時乎所謂過時不禫者以二十七
月之數已過者而言與此退行者不同矣（答或人）

立後追服之節

問三年內為人後者拜哭几筵云云（李世弼） 厚齋曰立
案到後散髮易服等節一依初喪而行之家禮初終
條易服在於既絕乃哭立喪主之下而被髮在其時
聞喪條易服在於始聞親喪哭之下此可據以為證

親喪中出繼改服之節

問有人遭父喪未葬宗母死仍為宗母繼後立案既
出後即當奔哭於宗母之喪被髮四日成服而成服
之後又當哭於生父几筵脫斬衰改著期服齊衰耶（閔呂洙）
陶菴曰此一節固是變禮之大者而如來示外
恐無別般道理

親喪中出繼改題所後主時服色

問南溪云告改題用深衣方笠（此指親喪中出繼改題其所後主時所著者也） 此與問解時祭不著方笠之說相違（徐永後） 陶菴曰
南溪說恐未是

期功以下稅服當否

厚齋曰曾子曰小功不稅則是遠兄弟終無服而可



乎曾子之說如此韓文公辨說又曲盡人情則後學
之道稅服亦可耶緦服則當依例不稅矣雖緦小功
而亦有稅者喪服小記曰降而在緦小功者稅之註
曰凡降服重於正服（答申[illegible]）

出繼人追服所後祖當否

問有人父喪小祥前得繼後子欲令追服其父之[illegible]
文以為據稅服例追服盡月云云鄭大憲齊斗以為
當服其殘月云云金副率載海以為孫與子有異既
無明據似當無服云云（宋基孫） 厚齋曰以愚見言之第
一說似優第三說似失禮意不可從

出嫁後夫黨諸親追服當否

問內弟李炳數昨始後娶其妻於慈母喪當爲小功而月數未滿今始追服否若追服則只服殘月耶抑後追服一如舊禮喪服以出繼子追服例斷定而輕重不侔云云（金操淳齋問）既嫁之後以夫家歸重而又在月數未滿之內又是夫之親始則從賀鄭說稅服恐無妨只服殘月則非功緦又似可疑所謂小功不稅者在月數既滿之外恐非今日之證

又問叩諸金仲和答曰生不及祖父母諸父昆弟而父稅服己則不服鄭氏以爲不責非常之恩於人所不能矣此亞[illegible]之期而責以不逮事而不爲追服況於未逮事之夫之姑而可以追服乎云云屛溪曰稅服小記稅不及祖父母諸所謂不責非常之恩於人所不能者以年月已過者言也今日之事乃爲月數未滿者言也註說既以年月已過謂不稅則年月未過其所當稅可知矣以不責非常之恩謂之爲言則是以年月已過之禮用之於月數未滿之日恐未爲當況此註說亦[illegible]猶疑矣小記不言沙溪亦以爲可疑則先輩之言又可見矣

代設



父死喪中子代服（祥在葬前則退行諸父不敢先除及書疏稱哀孫并論）

月塘問祖喪未葬又遭父喪則長孫當主其兩喪但祖喪既出於其父生時則孫已服期未知以期服仍爲將事於祖喪耶父死後既爲承重而以期服將事似爲未穩沙溪曰退溪先生雖未見儀禮通解而其立言亦不違但宋敏求期年後不追服之說未知合當與否

儀禮通解曰石祖仁祖父中立死未葬其叔從簡爲父後而又亡祖仁請追服博士宋敏求議曰服可再制明矣已葬未葬用再制服折衷情禮云則適子凡追服祖父者父亡再期內已服未除則因變服節未葬之虞既葬之卒哭期之練宜成斬衰以盡餘月若期已除而吉服宜用女適人被出已除本宗降服不得追服之義明矣○退溪先生曰父死服中子代其未畢之喪此事古今多有而古無言及處未知何故而爲說亦難矣但若以追代其服爲不可則其未畢之喪或葬或虞祔祥禫爲孫者豈可付之無主而坐視不行耶如既代其服則返魂及祥禫之祭恐不得不服其服而行其禮

也原編所載沙溪答同春條引通解及退溪說而與此頗不同大意則同

厚齋曰嘗聞先師曰古者受服有節必在葬後及小祥時故宋服制令曰小祥後申心喪蓋以小祥已過無受服之節故也今則退溪使於朔望或朝奠行之尤文亦以爲後喪成服後翌日即受代服爲可答李世弼

南塘曰祖喪中父死適孫代服者雖在練後父喪成服後即爲祖喪成服服其餘日通服三年而除之與諸父同祖祥若在父喪未葬之前則當退行於葬後而諸父亦不敢先除有故退行與聞喪先後不同也禫則期不過則祭之過則不祭此亦諸父同之書疏



當稱哀孫答李命奕

父亡在喪中承重題主之節

沙溪曰改題主祀之名恐宜在三年喪畢後不敢死其親之意蘊在其中矣無經可據不敢自以爲是答月塘

問祖喪中父死其孫代服神主旁題既以父名而其祖大小祥稱以孤孫不亦未安乎韓師朝　厚齋曰具由先告

代服齊衰改製當否

問代服齊衰朴丈天健力言當仍服亡親舊衰實合於有所不忍之意云云崔學敏　厚齋曰代衰改製無妨朴說難從亡人舊衰見問解襲條服中身死下小註退沙兩先生之說已卯諸賢之說甚詳攷而行之如何

父喪中遭祖父母喪代服當否又見并有喪條南塘說

沙溪曰所謂父死未殯而祖父死服祖以周之說愚嘗疑之承重祖服只服期年是無大祥又不行禫祭若無後之喪可乎然古人之論如此何可輕議答月塘

同春曰通典虞喜云服祖但周則祖無倚廬傳重在誰庾蔚之曰父亡未殯同之平存是父爲傳重正主



已攝行事事無所闕虞喜所謂無倚廬乎云云詳此上下文勢虞喜之論正如先生所疑而據庾說大祥及禫孫當攝行不可闕也答月塘

月塘問其父服祖父喪未沒喪而死則祖父之喪爲無主之喪其虞祔練祥之儀當何以爲耶練前則雖以所服期服行之而練以後則期服已除其可以無服行祭乎或言父未沒喪而死則無論練前後不可不追服承重之服以終其喪云云沙溪曰儀禮通解宋敏求論練後則更不製祖父母之服可疑三年喪有祥禫而期服則無之若如宋敏求之言則有承重

孫而不行祥禫如無後之喪其可乎
同春曰通典云禮大功者主人之喪猶爲之練祥再
祭兒諸孫亦若周既除則以素服臨祭依心喪以終
三年云云據此雖以素服終三年其行祥禫無疑矣
答月塘
月塘問祖喪中父死代服之節先生一條之答以追
服爲主第二條第三條第四條之答以不追服爲主
第五條答妻父之說又以追服爲主前後所答似無
歸一沙溪曰鄙說前後有異者拘於父喪未殯前祖
死不敢死其親服周之說宋敏求之練後服吉服則
不爲更製祖父服之說終始有疑不得折衷三四次
所答終未恰當至於中知事之問改前見答之亦未
知是否



并有喪

父母偕喪成服先後

沙溪曰疊遭父母喪於一二日之內者後喪未入棺
之前不可遽成前喪之服後喪入棺後服前喪之服
又翌日服後喪之服似亦爲得 答月塘

所生所後兩喪魂輿不可作一行

月塘問所生親喪過期[illegible]道所後親喪已[illegible]
喪葬欲奉兩几筵回京不可以所後之廟[illegible]
生之親無他兄弟未知如何處得沙溪曰所生親[illegible]
已除則不可猶謂之返哭所後體重雖所生親在不
可以服而入見既無他兄弟雖以重服行之似不至
大妨但兩喪作一行未安所生魂輿則作一行似[illegible]

父母偕喪設几筵之節

沙溪曰父母並在殯則殯於一處葬後設几筵亦如
之奠卓而祭爲當若共卓而饌不各設苟簡之禮也虞
卒哭據禮本當先重祭母奉神主出就他所祭文仍
在白如 答月塘



承重孫并有父母及祖父母喪時服[illegible]

同春問按通典文勢祖母服雖重而既葬母服[illegible]
而未葬其服母服似無可疑母已葬則還服祖[illegible]
母服既練則還服母服母服既練則還服祖母[illegible]
服既除則還服母服以終喪此意分明在[illegible]
號則不可變改故從初稱哀孫似宜[illegible]
當

南[illegible]菴曰包特無服之制見於問傳小記兩皆以[illegible]
大小之同爲節則斬衰受葛之後至齊衰卒哭[illegible]
猶可以行其制矣[illegible]

原書漫漶不清

又相懸矣更安用無服之制哉大抵孝子之心於此者有可以伸其情者則雖一日猶愈於已而今既多所窒礙則恐難率意而行之矣愚意竊以爲古禮受服既不可復行而包特無服之制亦無所施則只當依家禮并有喪之制常持重服而祭時各服其服以伸其情者庶幾爲寡過矣答或人

父喪中承重祖母服者持服

遜齋問父喪既殯又遭祖母喪以服制論之則斬重齊輕而以承重論之則齊反重於斬似當常持齊服未知何如尤菴曰昔年從兄時瑩之孫奭錫遭此變



禮士友多會論議紛然蓋以是齊也是爲父而代者也奭錫常持齊服此乃無於禮而得其中者耶然答不敢決定其得失也

南塘曰以分之尊卑言則祖尊而父卑以服之輕重言則斬重而齊輕輕附於尊重在於卑先尊則後重先重則後尊以此權衡誠難低仰第有一言可以斷[illegible]而尊卑輕重不須論也爲祖母服齊是父之服而已代之也爲父服斬是已之所服而自父視之則非所急也然則先代父而後已服其義較然矣[illegible]

父喪中母亡服母（父喪中服祖并論）

問父死繞殯而母亡或曰既在父死後當伸三年或曰父喪三年內同之乎存宜服期年云云厚齋尤菴曰在古禮可攷儀禮疏曰父殁三年內母卒仍服期要父服除後遭喪乃得伸以此觀之當服期

南塘曰父卒三年內母卒服期父死未殯服祖周之說雖是不死其親之義而推之太過愚意雖父母同日死當服母本服父祖同日死當服祖三年蓋於此而不死其親之義輕而母服從輕祖喪無主其爲人子之所大忍者大矣所謂不死其親者蓋謂行其禮奏其樂敬其所尊愛其所親不敢有所改於父之道



是也至於服母服祖喪制大節人子至痛處乃謂以不死其親之義而有所不盡於母與祖可耶且[illegible]要沙溪先生取舍之意則其同於愚說可見矣答[illegible]

母喪中父亡仍服母期（題主及祖喪中父亡服祖及父喪中承重）

祖母喪并論

南塘曰期制已定於父在之日則不可以父亡而有所改也雖服期而葬時題主稱妣亦有何難處之義耶祖喪中父亡服祖以終三年其義與此自別母服三年已所服者也祖服三年父所服者也已之服母已屈於父在之日而父死而伸是死其親也父之服

祖未畢而云則代父而服是卒父事而遂父孝[illegible]以不死其親也如父喪中承重祖母喪者常持祖母服而不持父斬者亦所以先父所服而後已所服也 答沈潮

父母同葬行虞之節

厚齋曰父母偕葬者母之虞祔行於父之虞祔畢後無疑矣剛柔日相錯非所論也先生嘗以爲如此則其間日子幾至十餘日之久此似未安云矣近來申相國翼相家遭此事兩喪虞祔並行於同日而母於行祭時先行父虞後行母虞卒哭亦然蓋問于尼山而行之云 答柳貴三



所後喪未除不可參所生親禫祭

月塘問所生親之禫在所後喪衰絰之中云云沙溪曰禫吉祭也身有重服不可參也

妻喪葬後行親喪吉祭

厚齋曰父喪畢後遷遷改題禮之大節孰葬既過卒哭後行之惟當祭不著純吉之服從事不行受胙之節略示其變方似合宜 答姜宗壽

本生親葬前行所後親祥祭當否 行禫當否幷論

問先妣小祥即二月十九日也榮遂方在所生父喪勢不可行祥事云云 趙榮遂

厚齋曰雜記曰父母之喪將祭而昆弟死既殯而祭如同宮則雖臣妾葬而後祭註將祭將行小大祥祭也適有異宮兄弟之喪則待殯訖乃祭今哀家後喪既是期服而又是異宮則依雜記說小祥恐當行之

又曰生母喪是期年服也所後承重禫祀恐當行而不可廢也 答韓天路

後喪殯後前喪饋奠之節

問後喪殯後前喪饋奠明有可據而朔望殷奠不當行耶 許宙

巍巖曰饋奠二字已包朔望言之



父喪中遭祖父母喪其父靈寢改凶服當否

遜齋問父喪未殯遭祖父母喪則於其父象生時不以神道待之者禮也而或者以不忍死其親之義雖之父喪既殯遭祖母喪則其父靈寢改以凶服云何如尤菴曰若如此則所謂白銘旐素轝而後可者也

父喪中遭祖父母喪其父祭奠用素當否

尤菴曰全然用肉似未安素饌則可用也 答遜齋

異宮喪成服前前喪上食之節

陶菴曰衆子喪異宮未成服前三年內朝夕上食則

既是象生時以三不食再不食之義推之亦或有斟酌停廢之道耶未敢知也 答吳璘

後喪中前喪朝夕哭之節

問父母喪中子死則成服前朝夕哭亦當幷廢耶 盧以亨

陶菴曰當幷廢

臨葬遇喪

問二母葬日隔宵家親又遭重制入棺在今夕下棺時甚早家親過成服而至則下棺時已過不待喪主而下棺則有違於主人贈玄之義 金樂道

陶菴曰喪家入棺之在夕猶是不幸中幸耳下棺時刻如有推移之道少退則固優優而雖非然者成服例在朝哭斂不至甚晚依時刻下棺而差待主人之來始行贈玄之節恐不妨臨究一慟情理又豈可已耶

母喪纔葬遭父喪行母虞祔之節

沙溪曰幷有喪者待父虞祔後爲母設虞祔禮也今母葬纔畢又有父喪而母之虞祔待父葬後則當在三月之後不可闕然無安神之奠但喪人遭斬衰不可爲母行虞祭以他親代行初再虞待父葬行三虞卒哭祔祭似合於情禮 答金獻一

幷有喪前喪禫祭行廢



問嫡孫父母喪中不可行祖父禫矣但沙溪先生所答不同 盧以亨

陶菴曰當從前說 謂當廢

問承重孫遭祖父母喪及父母喪者後喪大祥後禫祭前亦不可行前喪之禫耶 李道載

厚齋曰以雜記說觀之後喪中行前喪小大祥蓋以同是凶禮故也以此旁照則後喪禫中行前喪禫祭恐無不可蓋此不惟同是吉祭恐亦有合於雜記註所謂以示前喪有終之意且不行禫祭則已若行則似不可不暫着前喪之吉服未知如何

厚齋曰以沙溪說觀之後喪中前喪禫祭不可行矣但禫祭雖不可行而禫服恐不可不除設位哭除以示前喪之有終即反後喪之服似或可耶 答尹衡老

承重孫父喪中未行祖喪吉祭者諸叔父復寢之節

問吉祭而後復寢禮也嫡孫父喪中祖父禫後吉祭既不設行則諸叔父復寢當待禫月終後爲之耶 盧以亨

陶菴曰雖不行吉祭過盡吉祭當行之月而後復寢似合自盡之義

期功服葬前重喪吉祭行否

問吉祭期大功葬前依忌祭例略設行之耶退行於

葬後耶權震應陶菴曰吉祭雖是凶餘變吉之禮過葬後行之恐爲穩當

喪中身死

喪中死者祭奠用酒當否

巍巖曰備要象生用素義極精矣若用酒則何可謂素也農巖曰無酒不成祭無或有經據耶然虞而神之之前代以玄酒似有情理而終未敢知其必然答成道行

喪中死者發引之節

問喪轝不可純華亦不可純素以淡青布爲蓋雖如何答許巍巖曰前未有攷不敢質言而淡青布之云無乃得宜耶

亡人喪服撤後設禫服當否

巍巖曰孝子於不忍致死之節用意固宛轉惻怛而蓋亦略存其大體爾喪服則固生時所受者故虞而神之之前不忍撤去至於禫服則乃生時未嘗受之服而又設之不惟於禮無所攷恐於義亦無所當答許宙

南塘曰服中死者喪服至其所喪喪畢而後撤似宜然練祥時去絰等事一如生時亦太拘執此等處

當從略處之存其大綱而已家禮源流疑錄

嗣子未執喪適孫幼次子攝主詳見祭變禮攝主奉祀條

嫡子癈疾次子傳重當否

問人有兩子長則以盲癈不娶死后不得已傳重於次子次子先逝而有母喪長子與次子子執主或人

厚齋曰儀禮喪服篇曰嫡婦不爲舅後者姑爲之小功註曰夫有廢疾若死而不受重者小功庶婦之服也凡廢疾與先死而無子者同次子之子當主之

問家兄癈疾已久生父在時意欲傳重於舍弟今當大故當從治命而不無人言如何趙徽陶菴曰癈疾代以次子此在古禮無可疑者不知者雖或有言何足顧也

無適嗣

無適嗣喪

無適嗣以宗婦題主

問人之喪嫡長服重者當主喪而今無男丁只有嫡孫婦及衆子之子嫡妻子則何者爲主耶或云雖衆子之子有爲祖父承重者云云金得炳陶菴曰禮到窮處不得不通變婦人雖不宜主喪此等處似當以嫡孫婦旁題矣

次子不當以遺命奉祀之義

問有遺命用兄亡弟紹之禮（或人）厚齋曰即有遺命而兄亡弟紹又載於　國典則以次子奉祀似無不可第宗統甚嚴長子立後以承其統此實禮正義至愼獨齋曰宗法立長不易之禮雖有遺言決不可從以此觀之遺言雖重或有所不可從處

適嗣死喪中練祥權主

問有一人其長子先死長孫承重而死於喪中當大小祥時長孫婦當主祭耶次子代主耶長孫弟主之耶（宋錫龜）陶菴曰次孫主喪之說恐是大抵婦人無主喪之義未立後之前當先告以某親權主之由而葬祭諸節皆權行之告辭則當於朔望殷奠爲之



無後喪

無男主者婦人奉祀題主

厚齋曰周元陽祭錄一無男主而後婦人主之然則亡人神主其勢不得不以亡姑書之旁註沙溪先生既不斷定則姑闕之無妨耶（答金在魯）

過期之禮

過期不葬者期功諸服變除之節

厚齋曰久而不葬期服之人月數已足則依小記之說於初忌略設祭奠之日準禮除服恐無不可（答金墪）

過期不葬者初再忌行祀之節

問再周而葬者其於初朞再朞之日祭祀何以爲之（朱道性）陶菴曰朞日雖不備儀一獻無祝爲可

過三年始葬題主行虞祔之節

潛冶曰三虞專爲神主初成而設也似不可廢也但其祝辭曰夙興夜處哀慕不寧乃是喪中之辭也去喪已久無此情似當改之曰不勝永慕也卒哭則不可的知其當行與否也但卒哭祝曰明日躋祔于祖考云云祔祭決不可廢也祔祭不可廢則卒哭亦不可廢也祔祭則家禮曰若喪主非宗者而與繼祖之



宗異居則宗子爲告于祖而設虛位以祭祭訖除之此說蓋謂亡者繼祖之宗子爲告于亡者祖廟而使君設虛位而主之也祝板曰亡者繼祖之宗子使某云云可也某謂君名也衣服則當以家禮忌日變服條祖以上之服行之也哭泣之節考妣則哭盡哀云云祖以上則似不哭矣題主處當於墓前爲之也題主之禮亦當與常時題主不同墓前設盞盤及果後題主奉置于神位焚香再拜灌地再拜以降神又斟酒再拜訖主人立于香卓之南祝執板立于主人之左讀之祝辭亦當有變敢昭告于某親之墓神主既

成伏願尊靈降臨是憑是依餘不改讀畢主人再拜
辭神再拜後奉主就舉焚香以行初虞祝辭亦有變
裁昭告于某親形歸于土塊無憑依禮敢忘本追遠
興感不勝永慕謹以後不改但改哀薦祫事之哀字
爲祫字再虞三虞則不改但改夙興夜處哀慕不寧
爲不勝永慕及易以祇字而已卒哭則云日月不居
虞事既成祇薦成事云云 答閔光熽

追改之禮

誤成服追改之節

問族侄家初喪時喪服失制竊擬先儒因葬時追行
改制之例並其節次似在啓殯之後而或云當在虞
祭時云云 李慎夫 遂齋曰因其葬制服儀禮經傳通解
說分明可據矣朱先生論喪服劄子亦有明據此並
因葬改制之據乎或說未知據何書爲說也



染患中喪禮諸節

染患中虞祭退行之節 見虞節

以染患重病追行練祥

問祥祀在今三月故練祀當以正月行之家中適有
病憂尚未行祀將以三月祥日爲練則又以五月爲
祥乎然則禫何爲乎或曰過時不禫云云 李魯亭

曰按喪服小記曰三年而後葬者必再祭註如此月
練祭則次月祥祭今日之禮恐當引此爲旁照蓋十
一月之練既已差過而退行於十三月祥祭之日則
祥祭勢當以次退行矣三月行練四月行祥恐合於
小記之說也至於十五月禫祭自當准禮行之蓋五
月是十五月當禫之月不可以過時論也若過五月
則不禫

親患中喪禮諸節

親患中權止几筵哭泣當否

問親患自遭憾一倍添劇蓋四時哭聲每每提覺而
然也一家諸議皆以止哭力勸又引古例即李相尚
眞老病時其子喪室不哭行饋奠之事也此果如何 俞彦鏶



陶菴曰三年內几筵不哭雖於禮無據所宜有
在一時權止於生死之情俱安亦何傷也在座一人
曰問者只當參酌其輕重而處不必問於禮家答者
亦不當輕許以啓後弊所謂後弊者李相家故事已
成俞家之計俞家之事又安知不爲他人之計耶方
今喪紀大壞簡便成習此不可不念也此言亦有理
故吾爲之稱謝矣并爲奉聞惟在裁處

被罪家喪禮諸節

銘旌題主

厚齋曰 朝家既以重罪處之而自己之至冤亦莫之伸白則依來示不書官銜姑以某府君書之陷中據丘儀書以 有明朝鮮故某公諱某字某則如何張旅軒答人之問有此禮 答金采 問云云 閔百順 陶菴曰云云 見題主條



禮疑類輯續編卷之二

# 禮疑類輯續編卷之三

## 喪變禮

### 改葬

#### 告廟之節

潛冶曰告廟時以衰服行之而祭禮則出主于寢當與忌祭同也告辭則以家間禍敗遷葬恐非禮經之意朱子曰擇地不祥既懼體魄之不獲其安云以此爲辭恐爲禮也祝辭當曰某年月日孤哀子某敢昭告于某親某官府君昔年營宅不獲地師卜地不祥既懼體魄之不獲其安乃求名師卜地于某地某原



將以某月某日移奉于其地敢以清酌庶羞用伸虔告尚饗 答李禮吉

#### 告墓

潛冶曰告墓祝當曰宅兆不吉將以移奉於某地某原今日開破封塋敢以酒果用伸虔告謹告 答李禮吉

問啓墓告辭改曰云云前既權奉于茲今將還祔于顯考某官府君伏惟尊靈不震不驚几筵告辭前祝改曰茲以顯妣某封某氏前行窆禮出於一時權奉將卜以是月某日祔葬于顯考某官府君云云後祝則改曰今以顯妣某封某氏前行權窆已於今月某

日祔葬于某親某官府君云云爲宜耶或人陶菴曰凡遂前告辭稱以今以顯妣云云恐未安返哭後一用祝辭例前祝則用告辭去兹以至某氏如何

問新喪未葬不得澡潔云云鄭銳陶菴曰凶服入廟自告當依沙溪定論而既不得澡潔則用題主時例使人焚香斟酒似宜

又曰家廟告辭如有輕服可以攝行者則使之攝行啓墓祝辭則喪人自爲之似宜答金時鐸

祠后土同岡内移葬只一行祠后土之義并論之

問遷葬時破墓開塋各有祠土地之節而罪弟則於



一岡之内似無再行之義只一行之而改措辭曰某親某封某氏權厝岡内今將祔葬於某親某官爲宜耶或人陶菴曰似然

又問初喪祠后土只稱某官改窆則別稱某親而又立主人自告之一例所以別於初喪也然三年内遷窆則不必自告只當使服人行之耶陶菴曰考墓則喪人自告方恔於人情土地則况是三年内矣使人代之似宜

改葬妻告祝之辭

問先妣緬禮家君主之則告廟祝先靈之先字改以尊字如何夙夜靡寧啼號罔極改以何語中暐厚齋忌祭祝改諱日爲亡日題主亦云亡室或改以亡字無妨否備要虞祝告妻云悲悼酸苦不自勝堪張旅軒告妻祝曰悲悼之懷不自堪任於此二者商量用之如何

改葬服

潛冶曰啓墓奉出尸柩後服緦設奠答李禮吉

南塘曰改葬服在家者破墓時成服追到者出柩時成服似宜○緦服雖用練麻絞帶不練正服既用練則其它衣帶固無不練之義而從俗用生布亦何妨



○婦人應服三年者服緦亦當受正服不可只受布帶燕居衣服恐亦不可但去華盛耳答李命爽

父在母喪改葬服緦當否

厚齋曰父在母喪改葬之服禮既不言不敢妄論第杖期之中實具三年之體而又申三年心喪之制則改葬服緦恐不可已答金在曾

父喪中改葬母之服

陶菴曰母葬如又出柩則不可不爲母別製緦服而至於行祭時亦當各衣其服然所引并有喪持重服之義亦通答閔昌洙○按此以父喪服後而言

母喪中改葬父之服

遜齋問母葬時改父墓合葬則似當服父改葬之緦而葬事未畢之前恐不可變也或云啓父墓發引時服父改葬之服啓母殯發引時當服母齊衰之服云此說何如侍生竊謂當祭父尸在殯宮未忍變之義令其父柩未掩藏之前不當變父改葬之服未知何如尤菴曰父喪未葬前則祭母時猶服父服禮也今此緦服異於初喪之斬則當各服其服耶已見父柩服雖輕而當與初喪不異耶不敢質言

問母喪中改葬父發引及下棺時所服愼齋云當服緦尤翁云當服母服沈潮南塘曰愼齋說似是

三年內改葬服緦當否

厚齋曰還葬服緦蓋以親見尸柩不忍無服也今在父母三年之內則以齊斬之重服見父母之尸柩何必更製衰輕之緦服乎況既服齊斬又服緦麻則是一人之喪葬而爲二服也既不別製緦服則雖在練後其不當獨製緦絰而特加於首矣第今還葬適與祥月相値若還葬時不別製緦服而至祥日又除衰麻則非但三月之後更無可除之服其在三月之內便作無服之人此其難處或謂大祥之後追製緦服以續其餘服而足其三月之數云以愚言之亦有可疑者還葬緦服本爲親見尸柩則尸柩既葬之後方始製緦於禮無據謹按丘氏儀節曰葬後釋緦麻服素服而還云云金鶴峯曰在途素服則還家當何服而終三月乎退溪曰仍素服又曰葬時服緦既葬易服更無服緦節次耶先生曰既葬非如見柩時而仍服麻似無漸殺之意故服素會素而持緦服之意在其中云云今依丘儀及退溪說大祥後仍禫服以素衣素帶終其緦月之數後月朔日哭除素衣帶受吉服庶不至大悖否答李普濟

舊山遷祔新葬時服緦行虞之節

潛治曰以緦隨柩謂遷葬行喪而行至山所與先夫人同殯而後釋緦服衰蓋以輕服重服相幷捨輕取重也實土及半題主喪主奉新主及歸室堂留子弟監視成墳成墳後似當以子弟行奠也喪主方行虞祭虞祭爲重奠爲輕也答李禮吉

厚齋曰虞祭前喪人禮無執饋獻之事而今舊山遷葬與新喪合窆則朝夕饋奠之節當依新喪几筵之禮主人兄弟只可哭拜而已況偏喪遷葬條只曰上食哭奠如初喪而已未見喪人躬執之文耶並有父

母喪若葬前亦無躬行饋奠之禮似可推此而決矣答李泰壽

問父喪葬時遷母合葬則以祭先重後輕之義先行父虞於正堂就幙所行母虞可也然反哭而復就幙所似涉煩瑣云云李畈孜厚齋曰先行父虞後行母虞得之

巍巖曰以新改幽宅禮畢後虞之文新喪題主奠後設行於舊喪靈座似合禮意而未有所攷未知禮家已行之規果何如耳答申大一

陶菴曰遭新喪遷舊喪合窆者當其懷祝反虞之時不可參於墓奠恐宜反哭行虞於新喪而復至墓所待事畢奠而歸爲可四禮便覽

問母喪中改葬父虞愼齋曰改葬虞先行後題新主即返魂尤翁以爲母喪題主後即澡潔行父虞畢返魂沈潮南塘曰尤翁說似是然據朱子說則改葬畢奠於墓而歸出主祭告爲可丘氏儀次行虞恐非禮之正者近見得此意便遽未及詳禀

設靈寢當否

巍巖曰退陶說只靈座上食而沙翁又添朝夕哭奠處喪禮之義亦已稍矣今何敢撞撞拖長若可以意添補則凡燕養櫛頮之具亦非止靈寢而已矣答申大一

改斂改棺之節

陶菴曰改棺改斂不可輕易萬一少忽使骨節錯誤則孝子之痛當如何哉必須預擇便習經事之人使之改斂而極其詳審勿之有悔且舊棺腐爛至於無可奈何而後不得已改之容有可堪之勢則不當改隨其朽敗之如何或匣棺或漆布爲可四禮便覽

出柩殯于舊第有祖奠當否與新喪同殯祖奠之節并論二

巍巖曰既殯舊第葬期稍遠則不容無祖奠祝亦用原辭而但此并無經據惟在商量行之耳答申大一

陶菴曰虞蔚之曰若墓遠至家復葬則當有祖奠遣奠今若還家則用自他所歸葬例行日但設朝奠告以還家之由至葬時乃設祖奠爲可四禮便覽

南塘曰禮曰飯於牖下小斂於戶內大斂於阼殯於客位祖於庭葬於墓所以即遠也故喪事有進而無退謂有進而向外無退而返內者也故改葬之禮亶自舊山奉柩就新山而無返家之文今舊喪奉還室中與新喪同殯未免失之矣既同殯而一祖一不祖情禮固未安然因此又設無於禮之祖奠則是因誤而重誤之也愚意葬前一日因朝奠只以遷柩告舊

喪載轝設奠徃即新山幕次留人守之是夕依禮設祖奠於新喪云云（答李詮）

破墳出柩異日有更告當否

問云云南溪禮説有焚香更告語若更告則何以爲辭（或人）陶菴曰南溪説似委曲而終是疊告恐不必然

改葬虞

虞祭無祭神之辨

厚齋曰見柩後自有常侍之禮依初喪虞祭行之恐得之先師改葬儀虞條亦無祭神（答韓師朝）

三年内改葬行虞之節

問一虞之三獻辭神并不舉哀殺於喪虞之意而三年内改葬則其禮恐當與喪虞同（或人）陶菴曰既是三年内則一用喪虞禮恐亦無害

改葬後告廟

潛冶曰祝辭當曰孝子某敢告云云某月某日奉柩移安于某地某原襄事既成夙興夜處哀慕不寧敢以清酌庶羞哀薦成事尚饗○出主于寢時告曰孤哀子某有事于某親某官府君敢請神主出就正寢恭伸奠獻（答李禮吉）

問尤翁意以只行歸家哭奠不行一虞爲是而若行一虞則以歸家哭奠爲可闕未知如何（或人）陶菴曰似然

問告廟出主無告辭此祭即告廟之祭而再告煩猥故無告耶（鄭濟觀）陶菴曰似然

南塘曰葬畢奠於墓既曰奠則當一獻矣虞祭又不可遂廢當行於返哭時此有朱子説可據矣語類曰須告廟而後告墓方啓墓以葬葬畢奠而歸又告廟哭而後畢事方穩行葬更不必出主祭告時却出主於寢此蓋始事既告廟則畢事又當告之節目咸備情禮曲盡當以此爲正矣語類或疑神已在廟久矣何得復虞者恐是察理未精也神魂之與體魄本合爲一體死而雖分其相感之理則未遽亡也銅山西崩靈鐘東應此理不可誣也既葬其體魄復祭以安其神神理人情恐不可已也朱子答或人之問以爲便是如此者恐是一時偶未思量既有定論不當復以此爲拘也葬畢辭墓安得不哭禮止一獻則祝無所哭矣反哭之虞當有祝仍用丘辭似亦無妨禮畢終虞謂禮畢於終虞也終虞謂葬終而虞也（答沈潮）

除服之節

陶菴曰設位哭除既有明文當以此行之而墓近則

雖於墓行之亦無所妨（答李命元）

權厝未完窆者服緦之節（未權厝及權厝三月內永窆幷論）

南塘曰改葬緦既行權厝則滿三月而除之他日永窆時又爲受服更申三月之制乃可耳權厝若具葬禮尤無可言雖未備禮加土成墳又撤朝夕上食則亦不可以未葬處之矣惟不行權厝者雖過三月不可除服必待葬畢而除也永窆若只在權厝三月之內則因前受服計三月而除之又不可更申三月矣（答姜奎煥）



## 祭禮

### 班祔

祔位稱號

沙溪曰無後喪神主祔于宗家宗子主之其主之稱號從父則稱顯伯父仲父叔父兄則稱顯兄弟及子侄則但稱弟及子與侄也子侄之妻則稱子婦從子婦兄弟之妻則稱嫂及弟婦何如古禮無明據只據他禮文錄送耳（答月塘）

祔位不論正位之不遷

厚齋曰祔位只當以終兄弟之孫爲限豈有同爲不遷之理哉（答金在魯）

妾主別處之說

南塘曰妾祔廟中夫拜庭下者爲未安則凡宗子之卑幼者皆不可祔廟耶（家禮源流疑錄）

祔於高祖者祖喪後移祔

厚齋曰班祔當初既用中一以上之禮而到今祖死喪期且盡則待祖主入廟措辭告由祔于當祔之位（答具啓勳）

無後本生親班祔

厚齋曰當爲本生父母立後而若不得立後之人則一依問解說處之爲宜（答李士秀）



沙溪曰本生無後則兩家相議歸宗古有其例兩家父死則子不可擅自罷繼當以本生爲班祔

### 晨謁

衆子獨行晨謁當否

月塘曰主人之晨謁與支子出入拜廟之節似異主人不在之時支子擅開廟門獨自參謁恐未安（答同春）

### 參

正至朔望晉行當否

沙溪曰宗子若出則正至朔望薦新支子代行可也恐不害於禮也（答月塘）

餕品 主人斟酒主婦正筯之節并論

陶菴曰茶是中國所用而國俗不用故設茶點茶等之一併刪去若別有餕品則各設筯楪於盞盤之間主人斟酒訖主婦升正筯主人主婦分立於香卓之前東西北向再拜爲可 四禮便覽

獻拜之節

南塘曰參則禮簡故主人皆自行之祭則禮繁故執事贊之 家禮源流續錄

婦人四拜之辨

南塘曰禮拜成於再婦人四拜以當再拜故此云再拜據禮成數而言實則包四拜之禮在其中矣他凡言婦人再拜者皆倣此 家禮疏義付識

外執事之辨

厚齋問家禮序立圖既有子孫立位又有執事立位分明非子孫尤菴曰吾所未曉

南溪曰吾常未曉中朝人必有家丁此似是家丁之類也 答厚齋

南塘曰此執事恐是子孫男子婦女贊禮者也考位則子孫男子贊其禮妣位則子孫婦女贊其禮諸親之內執事外執事也或[illegible]之屬女僕之立[illegible]主人之後固無可嫌男僕則在平昔非有大故不入中門入中門婦人必避之今於祠堂考妣同享之事得與於序立之末已是可疑又與主婦諸婦女分庭序立尤爲未便 家禮疏義付識

俗節

俗節增刪

陶菴曰家禮本註有中元而是佛家所尙朱子晚年亦自不行故今刪之 四禮便覽

南塘曰嘗聞成仲之言曰七月十五日即中元之節本註許用之然則此所謂不用者謂不用浮屠設素餕之禮耳 家禮疏義付識

餕品

問正朝設餅而又設餅湯似未免重疊 鄭存中 陶菴曰歲時餅物重在時食雖或涉於疊牀亦何傷哉

時祭

卜日告廟之節

沙溪曰時祭定日告廟之禮不可不行吾家窮甚且鄉居祭物未備恐不得以告廟之日行之故前一日告廟未知是否也 答月塘

考妣各卓

問各設四代或至十餘分貧家合設亦不爲無據（宋基孫）厚齋曰合設違於禮意也朱子有時祭飯一器羹一器之說愼齋各位前設石魚一尾而行之愚伏以粟飯各一器行之凡祭只當致其誠意而已豈約非所論也禮曰行潦潤芷亦可以薦上帝

饌品

問鮓似是食醢脯醢之醢似是殹（宋基孫）厚齋曰韻書鮓藏魚也以鹽米釀魚爲葅醫書湯液篇鮓殹今以韻書觀之鮓亦似食醢而醫書以爲殹未知古者作殹以鹽米釀魚而爲葅耶

魏巖曰脯與佐飯元是一物必要別設則先脯次佐飯或可耶醢菜詩註淹漬以爲葅菜文已明矣（答金昌佐）

陶菴曰家禮有脯醢蔬菜各三品之文食醢魚醢幷用何妨若用一品則食醢當去之耶

又曰醬是食之主似不可闕家禮只有醋楪而無用醬之文栗谷沙溪始以淸醬據古禮添入於蔬菜脯醢之中今以淸醬代醢一品用之爲宜（四禮便覽）

問祭用生魚肉如何（李基敬）陶菴曰鄙家亦用生矣

問祭不用膏煎物云云（朱進性）陶菴曰如藥果之屬略設何妨



祭時服色

問尤齋同春以幅巾深衣行祭云云（宋基孫）厚齋曰笠子乃我國之制也既着幅巾恐不必又着笠子

降神兩再拜之義

沙溪曰退溪有答人說而恐或不然也焚香再拜求神於天也酹酒再拜求神於地也在彼乎在此乎求神於陰陽有無之間兩再拜爲可（答月塘）

祝板尺數之辨

月塘問家禮祝板長一尺高五寸此尺何尺沙溪曰以周尺爲之

祝立主人右之義

南塘曰祝所以承事祖考交接神明者故其位必在主人之上凶禮尚右在右吉禮尚左在左此之在右主人西向而立以北爲上故祝在其右也（家禮源流疑錄）

亞獻終獻諸父當行與否

問禮不許諸父亞獻而南溪云姪爲初獻叔爲亞獻云云（於永後）陶菴曰當從禮經

獻祔位之節

問家禮曰祔位酌獻如儀既曰如儀則獻禮當一如正位有再拜矣（金若曾）厚齋曰當以家禮爲正

受胙（福酒温服當否并論）

問繼禰之宗時祭受胙祝似當曰考命工祝又當曰來汝孝子（孝字恐衍也）厚齋曰得之

陶菴曰福酒温服以不留神惠之義言之雖暫時亦似未安而其視強飲而添病多傾而虛惠則遠矣盞盤則即受而略啐之旋置温湯中卒飲恐好（答閔昌洙）

告利成

問告利成後在位者皆再拜主人不拜何義（宋基孫）厚齋曰主人旣出笏俛伏興再拜故立於東階上而不與在位者再拜



諱嫌名不告利成之非

巍巖曰以嫌名不告利成義理恐未然（答成道行）

行祭遲速

問尤春行祭時遲速各異尤翁則尚速春丈則尚遲（宋基孫）厚齋曰尤春行祭之遲速仍來喻始聞之矣然若得其中則尤好

齋素中時祭當否

厚齋曰伯父之忌比考妣有間而其行素之節減殺之懷與平常之日不同則男女盛服受胙飲福等節節節有碍設祭之各在異處非所可論恐不如退行

中丁（答申載）

附土神祭

厚齋曰朱子土神祭祝文見於大全先師亦有上神祝鄙家亦行之（答申暻）

禰祭

豊昵之辨

問禰祭有豊昵之嫌云云（或人）厚齋曰朱子以繼四世之宗每行禰祭於季秋

忌祭

考妣并設單設（并祭者并祭前後妣并論）



厚齋曰聞之師曰晦齋引程氏并祭考妣之說而以程氏祀作程子看沙溪又引晦齋說然程子集中未有并祭之語近方考得所謂程氏即 山程氏果非程子也（山上一字忘未記）

沙溪曰程氏之并祭人情所近恐未害於禮也栗谷少時從先世并祭考妣而年長後只設一位後來又改之并設兩位吾嘗稟之答曰只設一位未安故并設云（答月塘）

陶菴曰忌祭止設一位禮之正也然旣并祭則於前後妣亦何可區別耶（答蔡命洪）

祭時服色

陶菴曰忌日變服橫渠栗谷說之載於備要者盖指曾祖以下矣來示欲於高祖以上印例而行之就此而略有等數似好（答安鳳陽）

又曰寒岡留禫服一襲遇忌日服之之問退溪先生雖以為太過然好禮君子行之為好（四禮便覽）

告利成

問告利成當依時祭例祝以下再拜而主人不拜耶當偕行再拜耶且虞祭條只行告利成而無再拜之節此則似出於殺禮之節忌亦喪餘依虞祭例只告



利成而不行拜禮耶（宋基孫）　厚齋曰無所考不敢詳知末端說似然

陶菴曰忌祭利成一款中古以後諱日始設祭非如四時正祭之為重雖減殺亦自無害於義况朱子家禮告利成入於受胙條中而忌祀既曰不受胙則利成亦當不行如何（答閔昌洙）

忌日接人之節

問忌日待客與否揚氏及退溪說不同何以則得中（朱道性）　陶菴曰忌日不見客甚合禮意

墓祭

參降先後之辨

南塘曰家祭降神後進饌而墓祭先進饌原野之禮從簡也既先進饌則又不可立視故先參而後降古侑食亦從簡也丘儀補入進饌侑食要訣先降後參恐皆未安（家禮源流錄）

先祖墓有故未祭繼葬位行祭當否

問宗家以喪葬不得設祭則同山所子孫當一併停止耶合祔墓亦在一山而在三年之內似或有異否（或人）　厚齋曰既是異宮又非宗家所主若墓在別所則行之可矣既在先塋一山之內則獨為設行未安



墓祭與國忌相值退行當否

遂齋問寒食與國忌相值國忌與墓祭似無嫌不必退行耶尤菴曰似無嫌礙而莫若不行之為寅心寒食前一日亦清明節日豫於前一日行之無妨耶

父母墓與外祖墓同岡行祭先後

沙溪曰父母與外祖之墓同托一山至近之地則先享父母於神意似為未安退溪先外祖之說恐為得也（答月塘）

祧位歲祭之節

遜齋問高祖親盡一年一祭似當三獻用祝而或曰一獻無祝云云尤菴曰觀於家禮初祖先祖祭儀或說之得失可知矣

甲幼墓祭有祝當否

厚齋曰忌祭既有祝則墓祭似有祝矣墓祝見備要（答金致福）

墓村不安行祭當否

南塘曰墓祀以墓村不安廢祭似未安聞前輩亦皆行之云矣傍位同在一山者雖在本位子孫所處不必以此爲拘也若在祖先位則宗孫不能行祭於備[illegible]行之可也祖位不祭而獨祭下位非所可論也[illegible]

后土祭匙筯當設與否

南塘曰匙筯之設爲其有飯羹也先生戒子書[illegible]有飯茶湯之語則土神之祭其有飯羹無疑矣[illegible]（付鑑）

省墓

省墓時哭拜當否

遜齋問先正有常時上父母丘壠必哭云是鄭[illegible]耶鄭寒岡耶尤菴曰在宋則南軒先生也我國[illegible]松江相公也



遷遞

庶孽子奉祧主當否

問長房死則事當埋安祧主而若有庶叔庶祖則情不忍埋（韓朝師）厚齋曰長房之子姑爲奉祧主于別室以俟庶叔庶祖之亡似可

長房有故不能奉祀

沙溪曰最長房事勢有不能奉安則當設別位而奉之四代後仍奉於廟背不可爲也若退溪先生祭奉狄之說亦無妨長房既不奉祀則恐不可以是人爲主也（答月塘）

厚齋曰長房貧窮無以奉祀則遞遷位諸子孫合勢祭需可也宗家替行之說未知得當

陶菴曰最長房貧甚決不堪奉祀則告辭似不可[illegible]而但越房遞奉極爲未安不可不審慎處之也（答[illegible]）

長房貧窮別廟奉祀之節

陶菴曰最長房貧甚而不能尸祀別立祠於大宗之側蓋有先賢之論近世士夫亦多行之然愚見謂此事終涉未安所謂別廟子孫合力營建而勿於宗[illegible]側必就最長所居而行祀時又合出力助之則[illegible]有主香火不缺此於禮意實爲[illegible]

又曰別廟既非宗子家又非在墓所而只於諸族相聚處爲之者在禮固無所據然成事勿說且以已成後處之之道言之豈當留待萬萬不得已時矣（答金泛）

親盡神主嫡婦奉祀當否

問親盡神主當埋安而若夫人在世則問解雖婦人已許其奉祀矣以此義推之嫡子婦及嫡孫婦曾所奉祭之人在而泣請終其身奉祀則亦當許之於禮不得耶（崔祐）陶菴曰嫡婦奉祀於禮雖無可據然揆以人情似難强咈若堅請則許之亦恐無妨



不遷之位

不遷位奉安之節

厚齋曰沙溪說則高祖位別立一廟而遷奉之爲當禀于尤丈則不遷位依家禮別廟于墓所爲當禀于先師則依古者官師一廟祖禰共享之說而行之爲當蓋三先正皆以祭五代爲嫌也欲從沙翁說則諸議以爲代未盡之高祖遞遷於別廟情理所不忍且朔望節日時忌祭與家廟一體行之則名雖別廟而實則祭五代也欲從尤丈說則諸議以爲不遷位與家禮所謂始祖親盡藏主於墓所而歲一祭之者其禮不同且朔望節日時忌祭往來行祀事多拘礙守護亦難欲用先師說則諸議以爲祖與禰同一龕則一卓上祭饌排列必患苟艱各設倚卓則是又祭五代也惟劉歆宗不在數中之說朱子是之我　國五禮儀及大典亦曰親盡祖爲功臣不遷則代數之外別立一室而祭之是鄙家從前已行之例幹更禀先師則答曰君家事亦有所據云云蓋此則古有劉歆宗朱子說我　國有時王之制近世則有三先正說就其中從長遵用而已（答朴弼周）

陶菴曰不遷之主奉於第一龕若如沙溪所論則墓奉之義固盡矣而祭祀之以遠近爲疏數古禮則然百世之間大小祀事一同祖禰恐失之過尤翁藏主墓所之說既據家禮無容別議墓所遠近非所可論而或有失墓者則此最難處只當別立一室於宗子之家此則在於大典時　王之制在所當從至於別廟之名終覺僭未敢遽論也（答柳乗）



南塘曰士大夫家不遷之位沙溪以爲云云（見原編）此從韋玄成說也尤菴以爲云云（見原編）此從劉歆宗說也從韋說則始封功臣宗子之外不復相宗矣從劉說則累世功臣皆祭而宗亦不可廢也既在正法數

之外則雖多亦何嫌也尤菴一從朱子之意故韋劉之取舍亦如此耳沙溪尤菴說取攷其本文如何一廟祭五代誠爲近僭別立一廟稍大其制以奉不遷之位似爲得之○答李命徙又曰天子諸侯之廟制不在正數中私家之有功臣不遷亦猶天子諸侯之有宗有廟則祭之不限多少本無嫌於僭也天子諸侯之有世室不仍正廟而別立廟則功臣不遷者亦當別立廟矣人家功臣若有數世以上而拘於祭五代之嫌只祭始封功臣而第二以下不祭則是子孫於先世有所取舍而亦非國家待功臣之本意也高祖親未盡而出廟既未安祭於別廟亦何免於祭五代之僭哉家禮源流疑錄



支子諸禮

支子官次奉先廟當否

南塘曰祠宇奉安於支子任所乃是一時權宜雖非正禮亦無大害況扳輿奉往祠宇同往自是人情之所出亦何必深較計也答金謹行

妾子諸禮

妾母稱號及承重妾子題所生母主

厚齋曰庶子祭所生母只得稱母則略有別然則其子只當稱子而已似不當稱孝耶承重子之題所生母主書以庶母亡母并似可疑禮書無攷不敢臆對答金致福

承重妾子主所生母喪題主之節及自孫以下世祭當否并論

厚齋曰承重庶子於所生母之喪雖無他子之可主祭者不可又爲循禮奉祀三月以前只當以緦服奉饋奠于別室三月後心喪行饋奠以終三年似可耶祝文稱子不見於禮經然但稱子某恐未安若以孝嫡子某之類爲稱或可耶題主不書旁註亦示恐遵之自孫以下隨代改題而稱亡祖母亡曾祖母亡高祖母者未承重之人世祭與否余子猶疑之況承重之人乎依禮經於子祭於孫止之說或可耶答中曝



妾母世祭當否之辨

南塘曰妾母不世祭妾祔妾祖姑者出喪服小記不世祭則無祖姑矣有祖姑則是世祭也一書二說殊可疑妾母不世祭恐是謂妾母無子者祭於嫡子而祭止於嫡子之身也家禮源流疑錄

祭變禮

臨祭有故

月塘問忌日乃人子終身之喪遭功緦輕服而緣已未成服不祭甚未安沙溪曰要訣所著合於情禮

問期大功葬後卒祔之間有親忌朔參祭而夕行忌祀無害於致齋之道否（盧以亨）陶菴曰旣不得致齋則使人替行祀事已則暗哭伸情似當

南塘曰五服未成服前服雖輕在喪側則準禮廢祭爲可至於遠外緦麻之親晩後聞訃者因此廢其一年一行晏餘之祭情有所不忍成服若在致齋前則固無可議若在致齋後則祭畢行成服似亦可矣（答安約）

兩祭相値

陶菴曰一日兩忌只可先尊後卑次第行之時祭之例不當援用（答李德暉）

先忌與卒哭相値

問亡者親忌適在卒哭之日云云先忌日行卒哭恐不當用肉（柳乘）陶菴曰廢祭只是葬前卒哭已是葬後似無可廢之義然是日則卒哭爲重當於過卒哭後方行忌祭先儒論喪中行祀謂几筵殷奠當先於家廟參禮此亦可證子先父食之嫌恐非可論也葬後則雖卒哭之前用素行祭恐亦未安

祭祀攝行

主人不與祭使人攝行



陶菴曰孔子曰攝主不厭祭不假不歸肉若主人遠遊或疾病使子弟代之則可略去闔門啓門受胙等節（四禮便覽）

又曰主人若有故使人代之則不歸胙於親友餕止會食不行慶禮爲可

立後奉祀

未立後前行先祀之節

問未立後之前不得改題則時祭何以爲之（李命元）陶菴曰時祭似不可行忌祭則單獻不讀祝而使一家人攝行

攝主奉祀

長子無嗣次子攝主

厚齋曰禮必須一無男主而後不得已用女主今若有次子（嫡子之弟）則以顯舅題主云者非禮意次子攝祀題主以待長孫妻立後恐得之頃年熹子尤丈則若答如是矣旁題某攝祀上只書孫不書孝（新從題主旁註子字）嫡子嫡孫之主姑闕旁註幷俟他日立後（答徐上亦不書孝字）（竹則）

嫡孫幼次子攝主

問嫡孫承重方在襁褓仲子當攝主祀事（吳道任）厚齋

曰當用兒名爲祝辭曰孤哀孫某幼不能即禮孤哀子某攝事敢昭告于云云自虞依此行之

權攝字義

問尤菴謂次子主祭則當用權字玄洗馬尚璧亦以攝字爲不可云云 尹晷啓 陶菴曰尤翁之論以攝改之義觀之無所當回知此矣然字書曰攝假也左傳曰攝官承乏此則其義恰當惟所見如何耳旣以此意題則亦何必改爲然終以此爲未安而改之則言祭時猶可耶雖不稱孝而奉祀二字甚覺惶猥加權字差勝而此亦文勢不雅云云



婦人主祭之非

南塘曰嫡子死無後次子奉祀題主嫡長立後復歸宗祀理順事便有何不可乎婦人主祭大義已失其節目之間事事窒碍婦人旣主祭則當爲初獻而諸子亞獻則是嫂叔共事而有內外官之嫌若引此而諸子不得奠獻則非人情也婦人主祭而仍就西階位則豈有主祭而在西階之賓位者乎若就東階之位而衆婦女隨之諸子就西階位而衆男子隨之則男女易位不可之大者也次子主祭初獻而在東階次婦亞獻而在西位嫡長婦位於次婦之上則位當

名義秩然不亂 答沈潮

承重妾子之子祭所生祖母

厚齋曰承重妾子於其親母猶服緦況其子之於祖母乎若無主喪則以白衣帶行朝夕上食或無妨耶涉淺旣以心喪期爲言則靈筵之撤當以期爲限耶 答尹衡斗

妾孫出繼承重用次子祭所生祖母

問始復祖母有二子長子爲承重子次子奉祖母祀即始復所生父而始復又以獨身出繼伯父後生父身後兩代祭祀生母主之矣始復方有二子次子觀



夏當還繼生父之後而繼序有欽不敢以繼後爲定侍養奉祀禮所不言所生祖母神主班祔於宗家者違禮經何以則合於情理耶尤菴曰爲人後者之子爲其所生祖爲從祖而服小功依此題以從祖服以小功耶所生祖母於觀夏之子爲高祖母稱之以族高祖耶 復全始 南塘曰立後班祔事來說皆已得禮之正爲人後者之子爲其所生祖只從所後家親屬遠遠而服之則出後於無服之親者其將爲族祖無服耶通典曰出後者及子孫還服本親於所後者有服與無服皆同降一等愚意足說爲得也從祖族祖字之

親之稱也所生祖母非旁親則爲其子孫何可以族稱之耶朱子曰避嫡母只稱亡母而不稱妣今亦依此只稱亡祖母恐爲得之

又曰或使次子奉其祭祀而自主其題主祝文則於所生祖父母稱以從祖從祖母孫於所生曾祖母只稱曾祖母不稱妣亦無害於大義耳

祠墓遇變

失廟主還得處變之節

問家廟失主改造而得故主云云或人厚齋曰故主無損污則似當安故主而埋新主如或損污則不得已仍安新主而埋故主但或安或埋之際並當別爲告文各告其由



問有人失先代神主依新宮火之例哭臨三日造主奉安後三月得舊主粉面漫漶或云舊主改粉面還安新主則告由埋安爲可或曰仍奉新主舊主則埋安爲可鄙意乙說爲長未知如何權震應南塘曰曾有人以此來問鄙所對政如乙說

宗法

傳重

傳重後改題遞遷當否

南塘曰老而傳子代父行事也改題遞遷是存亡易世事也代父行事則可而父在易世則不可本不可作一事行之也父有廢疾子代之執喪義亦同此朱子與趙丞相論祧廟書曰今太上聖壽無疆方享天下之養而於太廟遽虛一位略無忌諱何禮也此可爲傳重而不遞遷之證家禮源流疑錄

立後諸節

獨子爲大宗後爲本宗立後

厚齋曰哀雖生家獨子既爲出繼大宗又無兩邊父母則決不可歸宗哀之子於亡人爲從孫也以從孫無禰位而直繼從祖後又未安不如求宗中侄行立而爲主不然則以妾子主喪方可答鄭瀣



出繼者身死後追出禮斜

問李參判時楷孫益弘無子取十二寸弟益隆之子應昌爲後而欲與所後母之姪女結親故未及禮斜而成親後即遭所後祖母之喪權宜服喪矣旋即身歿又取十八寸兄緗之子方繼應昌之後應昌既未禮斜故應昌系子雖禮斜李益弘以上兩代不敢遽然旁題應昌既以服喪則雖無君命亦可繼緒而旁題耶既無可據之前例則別爲之立後亦合於禮經

耶李益龜　陶菴曰無君命而任自繼序固所不敢兩世旣立後而一則已服喪公然罷繼別求他人又豈人情事理之所忍爲者耶愚意則亡者至親或門長以未及禮斜而身故之由亡者又立後出案以其所後父無禮斜之故以上兩世不得旁題之狀據實陳籲則近世多故後追出禮斜亦或有之該曹如覆　啓許施則出案之後可即改題此爲正當道理也

三年內立後喪出再期後撤几筵當否

問三年內立後者再期雖過几筵不可撤而上食則似無仍行之義玉溪則云几筵雖不撤上食則當廢



寒泉以上食亦不廢爲當云云沈潮　南塘曰几筵亦不可不撤只於舊日几筵所設處設虛位朝夕哭臨變除之節亦只哭而除之神主旣入廟則服喪而已祭則無謂也士能以爲几筵撤後廬墓以終三年其言尤是矣三年入廟神道之常也服喪三年子道之常也禮之大閑不可踰越愚見如是未知是否

三年內立後行練祥之節

南塘曰三年內立後者母自行其練祥禫子不可復行若母亡則無人主其祭初再期只行忌祭待子之喪期滿後方行練祥禫而告廟出主祭之似或得宜

答沈僩

前後妻沒後立後爲前妻子當否

南塘曰子生之前母亡雖有十母皆爲前母子生之後得母雖有十母皆爲繼母爲後於子亡之後而以其母爲繼母是子生之前先已有繼母也先師答洪益彬書曰前後妻俱亡立後者當以父之後妻之父爲外祖父之前妻稱以前母先師平日篤信師說而獨於此說不同於尤翁亦或有所聞於尤翁者耶答金時喆

立後受服之節禫有無詳見於禫條南塘說



問有爲人後者始於初朞受練衰云云李命爽　南塘曰云云當初大段失禮今難爲說矣大抵禮曹公文到日即當發喪成服今於初朞始受服而再朞除之則是不服三年也服之練與不練又不暇論也如欲追補自初朞始受服日爲服衰之始計滿二十七月而除之再朞前雖有數日更製麻衰而服之再朞日受除受練服三朞日受禫服或近之然此出於臆見何敢欲人行之耶

本生父喪三年內罷繼歸宗改制斬衰長子則主喪當否及撤几筵後朝夕哭練祥之節并論

南塘曰云云既絕於所後父又不能斬於所生父是有父而無所於斬之也無所於衰之則是無父也此人倫之大端也據此則父喪三年內罷繼歸宗者改制斬衰無可疑矣若是長子則改題神主主喪以無疑矣女子被出而反者終是已嫁之女則既練而已之於情於義無所未安者不可以此而準之於罷繼之子也但不知追服之期當如何裁限也愚意前日之服服以旁期不可仍此而爲親喪也自追服之日復計三年而畢喪似合盡倫之義未知如何若計前服以滿三年之期則半齊半斬不成喪制而亦豈



有斬而止服月數者耶且前服已除三年無哭之節今爲追服者中間間斷之日已多矣亦何以接續成喪耶禮宜從厚斬又至重以薄爲禮終未安此與伯叔父喪三年內爲後者同其子前固已服伯叔父之服然自爲後之日自當改制斬衰以盡三年不可追續前日之服以短今日之制也蓋以期三年之服不可以相合也三年內立後爲其子未終喪之前凡祭當撤與否前輩多疑之未有定論愚意人死三年而喪畢神主入廟禮之大經不可違也凡祭皆撤待主入廟其子居廬行喪自當如禮[illegible]

所爲好如此尤善矣朝夕哭臨練祥之節亦哭而行之但不設祭奠矣答沈潮

所後子死更立他子兩皆無子前所後子立後後所後者爲支房

南塘曰所後子死而無子更立他子以爲已後則其父在時固已移其宗於後所後者而絕其統於前所後者矣其父既死矣又孰可以追奪已移之宗而還續既絕之統乎爲其後所後者立後以承其父所傳之重事理當然無可疑矣後所後者既立後繼統則前所後者只得以旁親班祔於廟矣後所後者縱未



立後亦當班祔於所後家之廟父子在時上告於君而定其爲父子則父子俱亡之後又孰可以罷其父子之倫而歸之本宗乎千萬不是矣答金謹行

又曰前所對後所後者當立後後來思之甚誤二子無子而皆有妻二妻各欲爲其夫立後則爲夫立後大義也不可一禁而一許也二妻皆立後則前所後者之子爲長子之子後所後者之子爲次子之子矣長子之子自當承重奉祀此是理勢之自然非可容私意於其間矣前者所後子死不爲立後而更立他子爲後者蓋用兄亡弟及之禮到今二子俱立後則

又當以宗法爲重閒寒泉之説當爲前所後者立後而後所後者罷繼歸宗罷繼歸宗未知其可而爲前所後者立後其説甚是後所後者立後則别爲支房不能則班祔於所後家之廟亦無難處矣大抵立後事不聞於朝而私相立後者罪也不聞於朝而私自罷繼者亦罪也與金謹行

襍禮

居家雜儀

上壽

南塘曰伏願某官備膺五福此一節子弟稱父兄以官爵果可疑官字或親字之誤耶家禮疏義付籤

師弟稱號

南溪曰從學之人或稱門人或稱門下生余初不分别近以古人事攷出門人者挾册受業之人門下生者平日出入門下者也其稱自不同厚齋語錄

禮疑類輯續編卷之三

# 禮疑續輯

# 提 要

《禮疑續輯》二十四卷，附録四卷，朝鮮李應辰撰，韓國成均館大學藏一九一二年刊本（新鉛活字本），共三冊。書高三十三釐米，寬二十點三釐米。四周單邊，每半葉框高二十六釐米，寬十六點四釐米。每半葉十六行五十一字，注文小字雙行。白口，上花紋魚尾。是編乃李氏依朴聖源《禮疑類輯》及其門人吴載能續編，彙集李朝金長生《喪禮備要》、李縡《四禮便覽》諸家論著與己説而成，門目則依原編而略有增損。卷首附一八七八年李氏自序、凡例、徵引書目及目録等，卷尾附題署壬子（一九一二）後學宜山南廷哲、門下生月城后（人）金商五二人跋文。卷中漶漫不清多處。李應辰（一八一七—一八八七），字公五，號素山，完山人。哲宗時文科及第，歷任禮判、吏判。師承梅山洪直弼，有文集遺世。

## 禮疑續輯序

東國士禮有沙溪喪禮備要陶庵四禮便覽是爲常禮繩尺至禮之變則有朴氏禮疑類輯誠博攷而詳載矣其後吳氏韓氏續而編之頗有增補而卷秩尙少吳爲朴氏門人韓亦吳氏近輩則類輯後新出書目宜其無多矣天下事變無窮而前賢論說有及有不及不有後賢之指南處變者何以免冥墻哉雖就一事言之前說之晦後賢明之前說之差後賢正之如水火鹽梅相須而成不可以有前賢說而廢後賢說也審矣續編後七八十年諸先生論禮文字散在諸書莫究同異不可不會通爲一余故不揆僭妄覃思五六年合續編與近世諸賢說彙爲二十八卷門目則依原編而畧有增損疑難則附己說而微見從違名之曰禮疑續輯噫禮豈易言哉必也沿流溯源由近及遠折衷乎三禮方爲完備有據而此書只載東國禮說必也秤分毫釐度析分寸停當於情文方爲精切不差而今以庬心膚見妄論得失博洽者必笑其沽謹嚴者必譏其汰可懼也已或曰吳氏韓氏所編自可單行而子合而輯之無乃掩前人之迹乎曰此如地爲不能五十里則附於諸侯非三四十里之長不賢於五十里之子男也多寡之勢異也吳氏二册韓氏合而六之韓氏六册吾又合而倍之如有繼我者雖合而十百之可也此吾之望也吳氏韓氏之望也亦朴氏之望也

戊寅初秋下浣完山李應辰述



## 禮疑續輯凡例

一禮疑類輯續編續禮疑類輯者也此書續禮疑類輯續編者故以禮疑類輯續編爲首諸家禮說雖在續編以前引用書目置之續編之後

一此書門目一從原編而如喪禮諸具之別立門目上下懸隔不便考閱故刪之襲歛諸具入於歛襲條殯葬諸具入於殯葬條以就簡要

一人家事變無窮有原編續編所無之變禮則別立新目

一續編中一說見於兩處者較其緊漫只屬一處當在此條而入於他條者移錄於此故與本文次序或有不同

一此書是續編則原編所引諸賢不必更舉而其說之見於他書者不載於原編則採入

一中國禮書依原編例初不編入而或見於我東禮書可資考據則取之

一書法有書號書氏之異從本集而有號則書號從所編書而無號則書氏如備要補解五禮考證之類皆無號者也

一諸家文字多有未及刊行而待刊行則汗靑無期欲棄置則遺珠可惜故一體抄錄

一原編續編蒐輯諸家說使觀者自擇而不立己見固出謙讓之意然衆訟無辨靡所折衷故同異之際或附按說非敢自是所以設難也

一原編有引用書目此書亦有引用書目而續編中書目若以引用之引用刪而不錄則中間斷絕無以考見世次且不成一通文字故雙行細書以接上下之序

一四禮之外如鄉飮鄉約學規倉契皆所以立教行法厚風善俗鄉居君子不可不知故綴於附錄之下

# 禮疑續輯引用書目

禮疑類輯續編 叅峯溪能始編二冊 韓始裕合編六冊

附引用務目

月塘集　文貞公姜碩期所著
遜齋集　諮議朴光一所著
陶庵集　註見原編
艇巖集　文正公李東所著
家禮源流疑錄　上同
附說　上同
陶庵集
屛溪集　文獻公尹鳳九所著
櫟泉集　文元公宋明欽所著
鹿門集　寘賓正任聖周所著
家禮集考　上同
禮疑問答　上同　門人李定載所錄
雲坪集　執義宋能相所著

潛冶集　執義朴知誠所著
厚齋集　文敬公金榦所著
四禮便覽　上同
南塘集　文純公韓元震所著
家禮疏義附籤　上同
禮疑問見錄　上同　以上吳氏所引
南塘集
渼湖集　文敬公金元行所著
貞庵集　文簡公閔遇洙所著
本庵集　掌令金鍾厚所著
集考附錄　上同
棗山備要記疑　判官俞肅基所著
備要紙頭私記　上同

閒靜堂集　翊衛宋文欽所著
竹庵集　敎傅尹得觀所著　以上韓氏所引
栗谷全書　註見原編 以栗谷集原編
黎湖集　文敬公朴弼周所著
近齋禮說　文獻公朴胤源所著
家禮增解　叅奉李宜朝所著
五禮考證　處士安叢所著
老洲集　文元公吳熙常所著
梅山集　文敬公洪直弼所著
錦溪集　崇政正李秀所著
疑禮正解　都事李敏行所著 號經說 其曰疑官 李敏 都事 號其曰洞山 經筵官號
五服名義　逸軒 所著
繹鈫酒禮笏記考證
禮書類編　撰 所著

陶庵集　註見原編
三山齋集　祭酒金履安所著
性潭集　文敬公宋煥箕所著
禮書劄記　參奉 所著
備要補解　處士南紀濟所著
剛齋集　文簡公宋穉圭所著
穎西集　贊善任所著
華西集　李恒老所著
學禮識小　監役 所著
獄齋雜服考　文翼公朴珪壽所著
常變通攷　掌令柳長源所著



# 禮疑續輯目錄

禮疑續輯目錄　二





禮疑續輯目錄　三

禮疑續輯目錄 六



禮疑續輯目錄 七

禮疑續輯目錄　八



禮疑續輯目錄　九

禮疑續輯目錄



卷之十三



禮疑續輯目錄

一 喪禮

禮疑續輯目錄　十二





禮疑續輯目錄　十三

卷之十七

喪變禮

並有喪下







嗣子未執喪



無後喪



卷之十八

喪變禮

過期之禮



追行之禮

禮疑續輯目錄　十八



卷之二十一



禮疑續輯目錄　十九

# 禮疑續輯目錄



二十二



二十三

原書缺第二十五

禮疑續輯卷之一

冠禮

總論

問冠而著代則當行於禰廟蓋所代者此廟也 俞定中 竹庵曰以喪禮有禰廟則先朝禰之義推之恐冠於禰廟 鄭錫 續編

老洲曰古人重禮雖成親於他鄉行親迎於所館親迎猶然況冠禮乎大庭如未還次令伯氏承親命而行之豈悖於禮耶 答趙秉惠

筮日

家禮會成按後漢志正月甲子丙子爲吉日加元服獻帝興平元年正月甲子帝加元服建安十八年正月壬子濟北王加冠此皆以正月冠也夏小正記二月冠子之時博物記漢昭帝冠辭曰欽奉仲春之吉辰始加昭明之元服此皆以二月冠也王彪之曰禮冠自卜日不必三元也禮夏冠用葛屨冬冠用皮屨此四時皆可冠也 禮書箚記

南氏曰冠者人道之始故冠於一年之始而用正月正月未冠冠於夏之始秋之始可也四時冠者必用孟朔則雖未盡得一年之始然猶得一時之始也庶合必用正月之禮意也 禮書箚記

冠禮主人

老洲曰士冠禮筮于廟門註云廟禰廟 滾氏禮書曰筮必於廟者昏也廟必於禰親親也 士昏記云受諸禰廟古者冠與昏行事俱以禰廟爲主也且士冠禮主人註云將冠者之父兄蓋廟既爲禰廟主人又是父父兄則繼禰者冠昏其子弟自爲主可知也至家禮斷以繼高祖之宗子主之者乃是尊祖重宗之義也其不及於繼別大宗者儀禮疏曰若天子諸候皆冠於始祖之廟繼別大宗有始祖之嫌故耶 答權歆之

洞山曰將冠者爲繼祖之宗則其父爲主自有廟故也 疑禮正解

柳氏曰祖在爲冠主則有適子者無適孫亦當如衆子冠位 常變通攷

告祠堂

梅山曰冠禮前期告廟者冠者家廟也　繼高祖之宗子雖主冠禮若是異宮則不必先告也冠畢當先見于廟次及尊丈宗家廟遣則從便處之不可云先後倒置也 答任憲晦

又曰後世冠昏并舉與古者二十冠三十有室不同則一時預告豈悖禮意 答朴元得

又曰祖主孫冠則告祠堂當云某之子某之子某 答炎文老

又曰冠禮告廟不直宗子之子介子之冠其子亦然前期三日主人當告于祠堂既冠主人以冠者見告辭當曰某親之子某今日冠畢敢見 答趙丈鎭翼

又曰將冠者當前期三日告廟而前二日朔參告由亦不害理 答李禹成

將冠者服

勒帛彩履

南塘曰勒帛以帛束脛至膝者彩履以彩帛爲鞋也喪禮有履有襪又有勒帛勒帛之別爲一物可知矣丘氏以勒帛爲裹足而又與彩履合爲一物恐誤 類輯叢編

渼湖曰勒帛乃帶也丘氏知爲行縢沙溪辨之於輯覽而於此未及勘及改可恨 類輯續編

李氏曰以葉氏說及蘇詩觀之勒帛乃是繞帶之物卽帶也按儀初加易服云無四褛衫止用彩勒帛云則此言衣與帶也又勒帛素履往妨時多綵彩履將冠可以素履云則此帶與履也 家禮增解

四褛衫

梅山曰四褛衫制度不見於禮軍服志曰褛衣裾分也通鑑輯覽曰爲周上議請襴袖襈褾爲士人上服開胯者名缺胯衫庶人服之今四褛衫也家禮爲將冠者之服今世好禮家遂用者也其制則祇是四幅而不合縫故曰四褛其濶狹長短亦宜稱身黑緣則象深衣領表裡各二寸其餘則表裡各一寸半而度用指尺恐宜 答金書基厚

三加冠服

總論

南溪曰冠禮不是難行底事恐士每以冠具未備廢不行三加冠服不必求其難得若以時服代之何難之有 類輯續編

竹庵曰用色中衣爲童子服初加幅巾深衣再加軟巾襴衫三加紗帽團領蓋長兒婚日冠禮故從便如是 類輯續編

老洲曰冠禮器服初加緇巾深衣再加幞頭襴衫三加草笠道袍卽近世通行之規然記曰三加彌尊論其志也釋之者曰始加緇巾不忘本也再加皮弁朝服也三加爵弁祭服也不忘本然後能事君能事君然後能事神也今夫緇巾深衣古制也幞頭雖非古之弁猶是宋　明遺制也草笠則不過俗制之最賤者倡優接隸太僕所養之所著也豈宜於禮儀從事之地而尙何論志之可言哉迷兒之冠首也議于一二長老三加用金冠朝服襴衫之後繼以朝服正合彌尊之義耳 答權敬之

李氏曰有問於尤庵曰再加笠子服常服既得聞命云云則尤庵許用常服矣常服恐指世俗道袍也 家禮增解

梅山曰三加服色須以程子所云好將古服而冠了不常著是爲也須用時之服爲準三加皆袍草笠是爲時之服然非禮服也初用深衣幅巾再用襴衫幞頭三加彌尊故洛下用朝服而非窮鄉所有用公服紗帽亦得也 答蘇致寬

緇冠

李氏曰緇冠古有大小二制其大者具頍項組纓而無笄有似喪服之冠故檀弓陳註云首絰象緇布冠之頍項是也其小者僅容撮髻故詩緇笠緇撮朱子註曰緇布冠其制小僅可撮髻云而其笄之有無則不可考家禮緇冠蓋是古緇撮之制而有笄矣 家禮增解

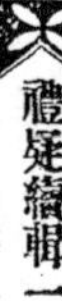

深衣

南塘曰按儀節丘氏衣身前加四寸長後加一寸長而皆斜殺之又從白雲朱氏說衣身上別加內外兩襟外綴裳四幅內襟綴裳二幅旣與家禮不同又於古制無攷而其制偏斜欹仄不正不齊朱子所謂詭異不經近於服妖者殆謂此類耳今以家禮本文爲主而續衽鉤邊用朱子晩年定論曲袷二寸緣廣寸半用玉藻衽文以補之則其制旣正且合古義衣全四幅以象四時裳爲十二幅以象十二月衣四幅各綴裳三幅四時各統三月也袂圓應規而袂口布外別緣成方 寸半之緣少凸成方 圓各含方也 兩袂相合爲圓則兩緣相爲方其爲圓中含方尤易見矣 曲袷應矩而兩襟下垂繞項成圓方中含圓也 曲袷方四袷爲方如出尺爲方曲袷半方又與圓袂半規相當 此蓋以圓出四角而爲方方沒四隅而爲圓方圓相生也負繩應直而下長準平下齊爲平而上承緝直此又直者擴而爲平平者立而爲直平直相生也禮記家禮俱無小帶之文則是無小帶 綴小帶而兩襟垂下衣制寬大自相交掩 交掩而成衽當旁 大帶中束衣不散開服之於身前後左右秩然正齊規矩準繩各自呈形豈不是天然自成之法象乎曲袷別用布一條裁八兩邊而加之其廣二寸不言其長長與衣身齊也家禮方領其文不明不得不以玉藻說補之也袂之長短以反屈及肘爲限則其不限幅數之用亦已明甚矣 類輯續編

又曰玉藻緣廣寸半不分領與袂丘氏說良是鄙時晦引陳註以非之恐自攷之不詳也陳註乃家禮以後說則固不足據而爲古然家禮領緣二寸豈或家禮不用袷只以黑緣兼袷而用之故改從袷之廣耶 仝上

竹庵曰按儀禮首絰大搤註盈手曰搤搤扼也中人之扼圍九寸疏大指與大巨指搤之朱子論尺制皆取此說然則於一扼之數 九寸 添九分之一當爲一尺矣試以搤指 엄지가락 長指 장가락 伸而按則於一扼之數卽添九分之一也八其尺則兩臂相去止長指末卽其

數而又與身長齊子游曰三分帶下紳居二焉此之謂也蓋周之尺寸以中人之拇長指相去爲度而深衣之制必著尺數者示其準則也其長短廣狹當視其人之長短肥瘦固不可膠守不變矣大率周尺一尺當今針尺四寸

竹庵深衣制度曰裁用白布度用周尺衣幅中屈下垂前後共爲四幅其長視脇之當肘處約爲二尺二寸衣背當中連裳直下之縫謂之負繩裁入兩肩上各六寸 卽給衣 向前至幅末斜摺之別用布一幅廣表裡各六寸 廣六尺二寸 綴圍之直負繩上廣縫 卽左右各六寸處 爲尺二寸者謂之袷 音劫 自袷以下左右交鉤 各二尺五寸 者謂之衽當腋兩旁衣袂分界處謂之袼 音各 袂廣如衣之長屬衣左右長以反屈及肘爲度縫合其下圓殺之以至袪袪經尺二寸裳六幅每交解爲二片一頭廣 尺二寸 一頭狹 六寸 以狹頭向上而連綴二片當衣身二幅 衣後兩旁各綴二片半前兩裳亦然共爲十片第二片則綴於兩衽爲 當兩衽下兩邊交掩 卽所謂鉤邊也 其長短取中於服着腰圍七尺二寸齊圍丈四尺四寸○緣袂口裳下衣裳之邊廣各寸半具父母大父母以繢 畫文也 具父母以靑孤子以素若齋祭服則以緇○深衣三袪縫齊倍要衽當旁袂可以回肘 玉藻十九章 竹庵曰袪袖口深衣三袪謂深衣之要三倍於袖口之圍也下文曰袪尺二寸圍之爲二尺四寸三其二尺四寸則七尺二寸也或以縫字爲句亦通齊裳之下畔倍要丈 十尺也 四尺四寸也袷以下謂之衽左右交鉤當於身旁故曰衽當旁可以回肘論袂之廣而衣長可推也長中繼揜尺肘二寸袪尺二寸緣廣寸半 玉藻十二章中去聲 竹庵曰長中繼揜謂深衣之長取中於繼揜者以衣裳繼屬而言其揜餘於身也 本註長衣中衣釋者非是 尺袷二字倒錯當作袷尺二寸袷卽曲領

古者深衣蓋有制度以應規矩繩權衡短無見膚長無被土續衽鉤邊要縫半下 深衣篇一章 竹庵曰深衣雖短無至見膚雖長無至被土卽玉藻長中繼揜之義也續衽鉤邊謂衽續衣裳交鉤兩邊卽所謂衽當旁也要縫半下與縫齊倍要同義

袼之高下可以運肘袂長短反屈之及肘帶下無厭髀上無厭脇當無骨者 深衣篇二章 竹庵曰袼衣袂分界處也袼可運肘與袂可以回肘之意互表裡袂袖也肘臂中曲節也制有十二幅以應十有二月袂圜以應規曲袷如矩以應方負繩及踝以應直下齊如權衡以應平 深衣篇三章 竹庵曰十二幅通上六幅 衣四幅及內外衽也 下六幅也袷尺二寸則兩衽相掩而袷自有如規之象矣負繩及踝謂衣背之縫下及于踵上圍背也

故規者行舉手以爲容負繩袷方者以直其正方其義也故易曰六二之動直以方也下齊如權衡者以安志而平心也五法已施故聖人服之故規矩取其無私繩取其直權衡取其平故先王貴之故可以爲文可以爲武可以儐相可以治軍旅完且不費善衣之次也 深衣篇四章 竹庵曰六二之動直以方也者言深衣之繩承袷方應易之文也方氏曰制有五法故曰完其質則布其色則白故曰不費吉服以朝祭服爲上燕衣則居其次焉故曰善衣之次也

具父母大父母衣純以繢具父母衣純以靑如孤子衣純以素純袂緣純邊廣寸半 深衣篇五章 竹庵曰呂氏云純袂緣純邊三事也謂袂口裳下衣裳皆純也記曰明衣裳緇純

又曰袷二寸註袷曲領也其廣卽二寸接袷尺二寸而有左右衽也左右有衽而兩邊交鉤矣蓋袷與衽爲一衣之肯綮而定其尺度者也本註以只八字之倒在袷字上故以繼揜尺爲句長中二字以長衣中衣釋之文不通暢語無倫理由是袷之尺度不得傳袷之尺度不得傳而失衽之制失衽之制而續衽鉤邊不得其說正所謂毫釐之差千里之謬也

又曰余嘗讀家禮深衣制度試其法製出一衣則爲制不中於穿着不合於方領之註仍又考之諸書而論說不一無可以的從者矣今年 丙辰 春玩曲禮註於蔡氏說 見家禮曲裾小註 得鉤邊之說遂取前製之衣而以後裳之在左右邊各一幅鉤其半使衣一幅屬裳二幅有半則彊之相當者各出衣外自成交掩之制而兩邊狹無附麗處乃別用布一幅視狹頭之實以爲領其裁綴之法則蓋如平常所着之服焉於是兩襟相持衽在腋下而合方領之註矣參之以玉藻深衣二篇則亦無不緊當其義者但禮記只云緣廣寸半且袷與緣自是二物而家禮以領緣二寸當袷二寸此其爲說不可得遂虛心玩釋忽有以悟焉則玉藻袷二寸卽袷尺二寸也尺字之在袷字上而句之以繼揜尺者誤也蓋袷尺二寸而衽廣六寸衽廣六寸而裳之邊幅狹頭之爲六寸者續於衽裳續於衽而兩旁相連之制自如蔡說然則不知尺袷之誤而徒以續衽鉤邊爲難者亦末矣始知領緣二寸之云只是因循註疏之謬者而裡之有緣袂口之布外俱非經據也

又曰喪服疏釋袪袂口也則曰袂末接袪也者失其義家禮深衣袂口布外云者蓋襲此疏之誤也

又曰始也以鉤邊之邊釋之以身邊蓋據蔡說也其後熟玩深衣一篇則緣制云純邊者明是爲衣裳之邊也奚獨鉤邊之邊爲身邊哉且前後鉤連蓋亦成說而曷若以裳之邊幅續衽而兩邊交鉤者謂之續衽鉤邊者於經義尤襯切也今見嚴陵方氏說 見深衣篇第一章小註 曰衽衿 本文作襟 也與裳相續故謂之續衽居裳之邊曲而鉤束焉故曰鉤邊豈不足爲一證乎惟彼失之於續衽之義者以袷尺之未及歸正也

又曰昔者余以深衣說奉質于黎湖先生則賜印可之語又敎以從來註家之失在於以裳爲衽衽獨言續者蓋以續衽最在後言衽則一衣見故也其時不敢奉教者直以拘於禮記扱上衽之文也近更思之深衣篇以續衽鉤邊對要縫半下爲說者只見其續綴衣衽交鉤兩邊之義而已以之謂裳幅之續於衽亦無着落始覺先生之說有不可易也若扱衽云者只爲裳邊爲衽下之幅故古之俗語似是通稱爲衽耳又何足拘也

又曰袷緣廣二寸者無經據是緣玉藻袷二寸之說而爲此耳 顚錯損補

近齋曰所示深衣說添入一段此意恐不可汲然朱子晚年深衣下無續衽三字當改以去曲裾蓋楊氏未嘗云朱子晚年深衣無續衽只謂以裳前後不可開爲續衽而去其曲裾云耳今日求衽於身兩旁故不知裳兩旁之爲續衽恐未必然且語意殊欠明瑩改之如何楊氏既先家禮裳兩旁曲裾別用布一幅之爲續衽又見晚年深衣去家禮曲裾之制不從家禮而從晚年之制度者以此也實非見其曲裾而不知爲續衽也蔡氏淵是親登朱子之門者則必當目擊晚年深衣楊氏之取信固宜矣且彼以爲司馬深衣不得古意故朱子病之亦必矣晚年定論而然則今不可以家禮深衣之本於書儀保其制度之無謬亦不足以爲斥蔡楊之斷案幸更考家禮本註復加商量如何 答成人



梅山曰解衽爲襟鄭氏亦有然者喪大記左衽註衽向左是也蓋衽字累見於經而鄭氏解之各不同曲禮請衽何趾注作臥席檀弓衽每束一註作小要至續衽注又作裳幅交裂者此因字儀隨文而異其爲斟酌分畫各有精義非可以後儒一時之見率然攻破也衽字既作交襟則覆縫之云無所施故不得不爲此句摺之說耳

裁破之說不唯戾於家禮雖以古經言之可以運肘者謂袼之寬大可以屈其肘而出入 玉藻袂可以回肘者亦氏說 非但欲其便於脫着之意也故注肘不能不出入疏袂二尺二寸肘尺二寸故可以運肘之云俱不可廢也

禮記之爲書乃是漢儒衆取擧人之言每篇自爲一義也豈有次第綱條之可言哉以愚論之非獨深衣在前玉藻後錄之說自歸落空抑亦玉藻爲經深衣爲傳之論未知其必然也

衣前小幅昉於朱氏別用布之說後儒亦多有喜其便身而欲遵用之然要之非古經之制則明矣

內外衽云者卽上文所云內外襟也表理交掩故云爾也繼衣而交掩之論係是自家剏說安問明證之有無就如其說亦有多少掣碍處衣身之長二尺二寸 見此解制十有二幅條小註 則一方之聯衣者當亦爲二尺二寸裳之狹頭每幅爲七寸餘 此亦見十二幅條小註 而衣前小幅當與裳二幅則一方之綴裳者當爲一尺四寸餘安得謂兩旁俱爲一尺耶是未可知也

經但言曲袷如矩而不言服時裁時則彼亦將以家禮兩襟相掩後其會自方之說爲創出大抵深衣之論所以不一者只在於看得衽字之如何於此不合則自餘枝葉穎出與否有不足論耳

此只欲論袂緣之在於布外與否袷制之不及論何足惟 答沈景昭

李氏曰白雲朱氏說於衣身上加內外兩襟之制雖無丘氏及葵岡之所取既非家禮之制而沙溪尤庵皆駁之補註非之是矣然其綴小帶於右邊而左掩其右則明是家禮之制據下兩襟相掩兩領自方之文可知也補註乃以深衣爲對襟之制蓋謂左右兩襟相對而直下垂之如宋時婦人之服而反以左掩其右者謂非古制此時則大違家禮之旨矣 家禮增解

梅山曰深衣小帶雖不見於家禮備要而家禮補註曰今人又裁破旋下而綴今之綴小帶於右邊如世俗常服之衣非古制也雖曰非古小帶之所由來久矣爾雅衿謂之袸註云衣小帶而喪大記左衽結絞註生向右左手解抽帶便也此所謂帶卽是小帶特以爲物小無所見耳 答金尙九

深衣可用綿布

梅山曰深衣家禮本註只云用布不分綿麻故禹慶善云當用麻布金而精云當用綿布質諸遇溪答曰未知是何布然綿布勒無乃好乎今俗皆用細麻布而通用綿布亦甚便宜以窮者之所易辦也色必用白者以上下吉凶通用之服故取用之色也 答任憲晦

李氏曰東俗製深衣多用北布其廣洽滿二尺二寸而精細也然北布不可易得則不得已以常布製用而其幅甚狹臨裁須用變通可中程式以廣布裁之則當用布二十尺許以狹布裁之則當用布三十三尺許此以今俗所用布帛尺言之 家禮增解

大帶

南塘曰家禮本註再繚之文在結於前之下語勢似倒讀故讀者多疑以爲家禮大帶制法與玉藻不同只一圍腰而所謂再繚如曰再結爲兩耳愚意恐不然玉藻再繚既是再繚腰者而家禮引之則其意不應有異同者以再繚爲結耳而下語也則上既有結於前之文直承其下曰爲兩耳文義有何欠缺而必下此再繚之語以截斷而疑亂之耶其不然也必矣又有疑其爲衍文者曰玉藻士帶



單用緇二寸故必再繚以當大夫之四寸家禮用緇四寸夾縫之爲二寸則雖非再繚以當大夫之四寸安得重一繚以過之耶此又恐不深攷也玉藻士帶註特單用練緶緝其兩邊則大夫以上皆用表裡各四寸合縫之制可知也表裏各四寸則通廣八寸矣士帶若單用緇二寸而再繚爲四寸則又何以當表裏各四寸通廣八寸之制耶竊攷之玉藻士帶用白繒四寸緶緝其兩邊爲二寸而再繚爲四寸則正當大夫表裏各四寸通廣八寸之制矣家禮夾縫之制雖與玉藻緶緝不同其寸數無異則必再繚以當大夫之四寸無疑矣若使大夫單用四寸而士用夾縫二寸則固可相當矣大夫既用表裏各縫四寸而士以夾縫二寸一繚相當云者其果成說乎以家禮本文則其曰長圍腰而結於前者槩言約帶之言其曰再繚之者申言重圍之義蓋曰圍腰結於前而必再繚云爾圍腰結前兩語與再繚兩耳兩語爲上下貼應之文上泛言圍腰而下言再繚以申圍腰之必再繚上泛言結於前下爲兩耳以申結前之必兩耳一言一申相間相應尤覺其語意之密未見其有倒置也 類輯續編

竹庵曰帶君用朱綠大夫用玄華士用緇其長圍腰而結於前再繚爲兩耳耳長四寸垂其紳與裳齊廣二寸

又曰素帶辟垂古之施於朝服者非深衣之帶也雜帶士緇帶喪禮襲用緇帶之文用緇帶服則未有所攷欲因常時所着履子之制而黑質白飾以爲用夏則用葛履而未及造 類輯續編

近齋曰大帶玉藻所謂參分紳居二履下四尺五寸之說有行不得者誠如所論矣溪丈惟以此與裳齊爲言尺數似無定限如賓家見樣不知所據且患過長決不可從也一弁深衣年前嘗果試着而大帶用布者亦再繚帶之矣再繚之說尤翁非之固嘗溪丈亦以再繚爲非是乃本諸尤翁說耶大夫帶兩耳亦緣禮之所以分士與大夫者只在此而再繚則明見於禮之玉藻篇矣 答舍弟

白絹雖得甚可歎布雖稍細不可用添丈以爲常着則代用明紬無害而至於襚具人情必欲其備綃既易蠹勢當用紗然觀意欲用布而布之不可如上所云何以則爲好耶士帶亦宜緇不宜布 答舍弟

大帶廣卽四寸而不言尺數者只取下與裳齊 答[illegible]

梅山曰大帶古制則似是單緣而家禮有夾縫之文今皆遵用所謂夾縫之者是謂中摺而合縫之也 答朴元復

又曰大帶玉藻大夫四寸士二寸而再繚爲四寸蓋其再繚之義欲以士帶二寸亦爲四寸也大夫之帶本爲四寸矣又豈有再繚之理哉來數通用云者竊恐未然 答朴元得

梅山曰玉藻再繚四寸註士練帶惟廣二寸而再繚腰一匝則亦是四寸尤翁亦謂是再繚腰之義其下兩耳自是別事南塘云圍腰結前兩語與再繚兩耳兩語爲上下貼應之文上泛言圍腰而下言再繚以申圍腰之必再繚上泛言結於前而下言爲兩耳以申結於前之必爲兩耳兩賢說恐得正義 答任憲晦

剛齋曰家禮之再加三加皆用革帶豈以其所服之皆當用革帶耶今則三加必用㒹彩而自有其帶則自不當用革帶矣 答曹景中

㒹彩

竹庵曰馬周㒹彩之制非古非今青質黑緣亦無意義今於道袍爲緣具父母以青具大父母以績孤子以素倣深衣之制則未必不愈於㒹彩也且㒹彩帶尤爲杜撰 類輯續編

帽子

問再加無撤冠巾之文而丘儀有之無乃不撤冠巾而加帽其上耶 金在厚　厚齋曰冠巾上加帽恐無是事 類輯續編

掠

竹庵曰冠禮陳冠服註掠是何物黎湖曰掠卽掠頭如今網巾之類 類輯續編

玄冠委貌



竹庵曰古者庶人著幅巾王公貴人幅巾上加玄冠或委貌今之軟巾卽古玄冠之遺制而委貌卽今之紗帽是也紗帽宜有纓緌而今纓緌爲角古今之異也 類輯續編

陳設

閑靜堂與鹿門書曰士冠禮陳冠服東領北上其下舒服與冠皆以爵弁爲先玄端爲後而北上註云先服卑故取便也其意似謂卑服在南則從外取用爲便然家禮圖深衣在上㒹彩在下似非本旨冠則緇冠在下幞頭在上冠服既陳又不經見今欲以㒹彩幞頭皆陳於上未知如何 類輯續編

南塘曰此既言布席而下又言筵于東序巢涉意似然而處皆不得不言上言布席承上陳設而言既陳冠服則於此固當布冠位矣不言布筵因下將言將冠者出房而先言此席以指將冠者出房立處在此冠位之邊以俟賓揖就 類輯續編

竹庵曰序立之儀室中則東面房中則南面堂上則北面階上則東西面恐是正位故毋論冠昏祭禮房中如位皆南面耶 類輯續編

問衆子自爲主而冠其長子則冠者似當在阼階上南面之位 金在厚　厚齋曰似然 類輯續編

竹庵曰適孫之父於祖既爲適子若適孫復行適子之禮則誠有二適之嫌按喪服傳有適子無適孫然則是適子不可已適孫只當視以庶孫使其父爲主而以庶子禮冠之恐爲得之 類輯續編

李氏曰或曰雖族人之長子行禮於宗家而宗子主之則以衆子禮行之此說恐未然雖族人之長子當行禮於其家而宗子就而主之耳恐未必行於宗家且其父共主其禮則又恐不必以衆子禮行之 家禮增解

渼山曰冠禮同宮則宗子主之異居則父主之支子之長子亦冠於阼階而宗子主之則不然 疑禮正解

問妾子冠禮 朴聞道　渼山曰妾子冠禮與衆支子無別 疑禮正解

迎賓

南塘曰宗廟在正寢之左外門在正寢宗廟之中間始入外門東行乃至宗廟之前故曰將東曲既至廟前又北行入廟門故曰將北曲 類輯續編

本庵曰開元禮主人揖賓賓報揖主人入賓從入按儀禮凡揖無答文而以士冠與賓揖及鄉飲酒禮賓主皆揖復席鄉射禮交于階前相揖之文則揖之有答可知惟士冠揖贊者鄉飲揖衆賓則贊者衆賓止是隨從正賓而主人既殺其禮似皆無答冠禮賓揖將冠者及昏禮主人揖婿則導而非讓亦似無答也自書儀贊者從開元報揖而賓則無報揖此却可疑今依開元補之 類輯續編

李氏曰若從古禮當宿贊者一人如戒賓儀或但以書致辭如宿賓 家禮增解

竹庵曰讓者以言辭遜之謂與揖固不同 類輯續編

三加行禮之節

竹庵曰賓升西序時贊則不隨賓而升乃適洗位之西盥洗訖還由賓首而升立于房中也 類輯續編

又曰冠禮之贊卽飲禮之介飲禮不言介盥于洗西冠禮不言賓於洗南北面恐當參看 類輯續編

南塘曰此出房二字因上將冠者出房之語而重出當爲衍文 類輯續編

梅山曰三加祝辭中兄弟俱在之兄弟恐是親兄弟之謂拖及於緦服昆弟南溪說未見其的當如座下之無緦免之親者則兄弟俱在一句如何 答姜文老

醮禮

竹庵曰致禮辭當在賓受醴筵前北面之時致醮辭當在卒洗升酌之後參之家禮醮辭其儀如此 類輯續編



又曰所論醮有巵酒醴無巵酒之義得 仝上

本庵曰士冠冠者卽筵在受脯薦脯醢之後此書 家禮 本書儀升席受盞質在席外而冠者席上受盞得無未安 類輯續編

問降筵坐降自何方 答金汝中 竹庵曰卽筵自筵西祭醴與坐筵北則其降筵當自北方坐於筵外之地矣 類輯續編

閑靜堂與庵門將曰醮後冠者拜賓後儀禮家禮俱無拜禮之文今見行儀節多有之不知昉於何書 類輯續編

老洲曰三加時皆脫冠纚櫛後只加笄纚此時容儀未成而且方有事故因其坐而致祝辭因其勢也若醮祝字祝則在於三加畢後儀容已成始可立而聽受也 答鄭在綱

梅山曰家禮冠禮醮但言贊者酌酒于房中而已不言脯醢何哉祝曰嘉薦令芳嘉薦卽脯醢也旣載諸祝辭則與酒并設可知已 答西綱

字冠者

老洲曰士冠禮賓位在西序 乃坐冠賓位皆曰賓位西序東面 而字冠者儀曰賓降直西序東面冠者立于西階東南面賓字之據此則字冠者時賓自西序降在西階上冠者亦在西階頁益冠者之位漸進者加有成也冠義曰醮於客位加有成也據此則字於西階之客位亦所以加有成也耶 答鄭在綱

又曰三加及醮俱有加冠者醮冠者之節故勢必相對而致祝至於字冠者時則禮已成只致祝辭故各因其位蓋賓從東向之初冠者依南面之儀也 答上仝

梅山曰古禮名字者不以日月日月猶不可名況天乎人之用天字爲名者多矣蓋不識上天之尊者也 答朴

李氏曰每一加每降一等而致敬故字則不得不降立於階下 家禮增解

冠者見父母

問冠畢見父母拜之家禮冠者拜父母父母爲之起其不同如此 答金致 厚齋曰恐是朱子酌古參今而定之 類輯續編

竹庵曰醴辭坐取脯降自西階適東壁北面見于母卽禮之不可缺者而家禮闕焉母或歸寧或疾病則如疏說使人受脯可也而母或已死則闕取脯之儀否 類輯續編

問母雖不在受脯一節亦在字之之先耶有繼母則此一節將奈何 答金仲 竹庵曰上疑當然下疑則繼母如母勿非可疑 類輯續編

梅山曰受冠者之拜嚴若南向父當西面 答姜文老

李氏曰有長者祖父母或伯父伯母諸尊於父母者也蓋此堂中之位則專爲父母設而父母爲最尊故諸尊於父母者皆并坐則坐於父母之上養不便又不可坐於父母之下故皆就其室拜之據上文只舉叔父叔母之文可知也昏禮見舅姑亦然 家禮增解

潤山曰冠禮迎賓三加則父爲主而祖在他席故先拜於父若父與祖同席則先拜祖父母者父以其子見於祖父母也 疑禮正解

醴賓酬賓儀

問醴賓酬賓束帛儷皮節次當何如 竹庵曰設醴當在禮薦脯醢之下而既畢主人答拜賓卽筵坐賓糧于薦左興贊者奉幣出于房主人受幣賓之席前以幣進賓再拜受從者主人拜送于阼階上醴賓贊者但不設俎酬贊者各有差賓降筵坐脯授從者乃出主人送于門外再拜醴賓醴贊一獻盞言酬賓以幣而不以酒但一獻醴於賓之云耳 類輯

又曰凡不曰再拜三拜而單言拜者可知其爲一拜 類輯

李氏曰儀節序立之位欽承之儀與不詳蓋三醮後無拜禮入而考察研究行逐席有曰恐當再傚飲禮酌酬之儀行之於冠禮云而黨坪先師亦嘗曰略倣鄉飲禮成一儀故謹附之此

執事者設卓子于堂上房西室戶東置酒尊玄酒尊各一酒注一盞盞各二於其上玄酒在酒尊西脯醢各四楪於房中又設賓席



於戶牖間南面設主人席於東序西面贊儐席於西序東面北上又設贊儐位於西階下當西序東面北上 右陳設 ○主人出就賓次揖賓而入贊儐從之揖讓如初升主人阼階上北面立賓西階上北面立贊儐隨至西階下當西序東面北上立 右迎賓 ○主人詣卓前斟酒于盞執而指賓席前西北面立賓西階上北面再拜主人少退賓進受盞復西階上位主人阼階上北面答拜賓少退執事者薦脯醢于賓席前賓升席自西方跪坐執盞右祭脯醢遂祭酒興席末坐啐酒西階上北面坐卒飲奠盞再拜執盞興主人阼階上答拜 右獻賓 ○賓執盞詣卓所斟酒于盞執而進立於主人席前東南面立主人阼階上再拜賓少退主人進受盞復阼階上位賓西階上答拜主人少退執事者薦脯醢于主人席前主人升席自北方跪左執盞右祭脯醢遂祭酒興席末跪啐酒降席自席前適阼階上北面坐卒飲奠盞再拜執盞興賓西階上答拜 右酢主人 ○主人執盞詣卓所斟酒于盞執而指賓席前北面立賓西階上拜主人少退主人進坐奠盞于薦西賓辭主人退復位賓進取盞興復西階上位主人阼階上答拜賓進北面坐奠盞于薦東 右酬賓 ○主人揖降賓降階立于階西當序東面 右主人 ○主人阼階下與贊揖讓而升主人阼階上北面立贊西階上北面立主人詣卓所斟酒于盞執而指贊席前西北面立贊西階上北面再拜主人少退贊進受盞復位主人阼階上答拜

答拜主人揖賓贊僎坐進酒隨其徵饌賓贊出主人出門外主人再拜賓贊不答拜 古州答問 出○家禮增解

總論

附笄禮

三山齋曰女子笄如欲行之曾子之制今不可攷代以長衣居衣之屬恐或無妨笄制只依內則註縚髮作髻之法而揷笄於其中冠則未有恰好者闕之亦可古者婦人不冠故耳 答尹

近齋曰髻花冠不便者何事尤翁嘗令夫人用花冠送其制於沂川洪公與諸大家行之夫豈不可而尤翁行之故至於髻未知先輩雖有行之者而以近來言之遐遯金尙書行之笄溪兩金與士行之君如欲行之斷然勿疑可也此二制不便之如似以長服一節而此則爲居用短服祭祀燕會與接尊賓時則用長服長服一具雖貧者猶似可辦何可以此而爲難行乎 答李

又曰特髻沙溪以爲假髻而無首飾者蓋假髻卽大髻而大髻卽中國之髻非我國之冠髻也曰大衣似是大袖長裙之類淡黃帔之帔諸家說不同或謂之裳或謂之被披首飾如詩云被之僮僮是也以會通所載一品以下霞帔燕民霞裳黨霞帔觀之又似衣服非徒婦人所著沙溪於此亦未的斷當更詳之 答梅山

又曰族頭里不知自何代始而戊申頒下節目 時上教有用夏變夷之語 聖學高明必有所據嘗從之也花冠似出於漢晉時而未能詳昔聞老爺講花冠於中國以來雖非古制亦華制也周禮副刑人之髮爲髲髢卽髢然也古之髲髢與今之髢髻不同今之髢髻是趙夏縣先生所謂舁尾以冒首飾同者也大抵拇繁婦首見於家禮然假髻制度不似非一二尼門仕公書中所謂饋綵繇爲機者不知果合本制度也鄙家曾前亦用此髻矣今則雖有勝於族頭里者既有時王之制何可獨用他制 答梅山

李氏曰未笄成昏固甚無謂而笄禮節文甚簡昏又必以初昏成禮則笄昏同日而行之而先笄後昏則先後之序順而又便於事矣



家禮增解

笄禮諸節儀節

儀節戒賓書式忝親某氏（非親則云 段文見冠禮）拜啓某親某封（非親則改夫人孺人）粧次笄禮久廢茲有女年適可笄欲舉行之伏闍吾親閑於禮度敢屈惡臨以敎之不勝幸甚月日某氏拜啓復書式忝親某氏拜復某親某封粧次娶不棄召爲笄賓自念粗俗不足以相盛禮然旣有命敢不勉從謹此奉復月日某氏拜復 家禮增解

儀節賓主各就位侍者布席將笄者出房賓者以備篦之類置席左賓以手導將笄者卽席跪侍者亦跪解髮梳之爲之合髻賓降階主婦亦降洗訖主婦請賓復位侍者以冠笄盤進賓詣將笄者前祝辭云云賓跪加冠笄興復位笄者興適房易服出房立乃醮乃字主人以笄者見于祠堂告辭曰某之第幾女某今日笄畢敢見乃醴賓皆如冠儀 家禮增解

澗山曰四禮便覽笄禮祝辭始加祝云云此未甚今定之曰吉月令日加爾元服棄爾幼志順爾成德壽考維祺以受遐福爲辭與字辭則以女儀作文論之可也主人以笄者見于祠堂家禮所無而出於丘氏儀節亦拖長闕之無害耶 答趙正來

冠變禮

將冠遭喪

近齋曰因喪而冠有小記之文但謂不縫視市南兪公以成服日因喪服而冠爲是矣 答梅山

梅山曰年長未及冠而遭父母喪者曾按禮記喪冠者雖三年之喪可也之文以成人之服成服而若過成服亦當遵武王崩成王旣葬而冠卒哭而冠恐爲從禮也鄙處成日遭喪冠月則成服因冠非冠月則待變除卒哭而冠蓋古者必正月而冠所謂非冠月非正月之云也卒哭後加冠不爲無稽而吉凶相錯終不如吉祭後卜日行之 答徐釴

服中冠禮行廢

月前問禮云父母無期以上喪始可行之不言當冠者何書沙溪曰當冠者雖有服因喪而冠見於雜記及曾子問故家禮不言者蓋欲行禮也

本庵曰禮凡言服中冠子嘗子只父言而不言母此書家禮之併舉母亦從宜耶然古禮之意蓋以家無二尊而婦人私服不可干於夫家也若母之私服期以上喪則其父在者冠昏皆可行蓋冠之見母檔殺其禮昏之婦見醮饋與戒女父可獨行也其無父者昏則無爲之見舅姑遣女者恐不得行而冠則可行矣但從服舅姑若長子三年則葬年之後雖無服冠禮亦不當行否抑以大義則不必然耶 續輯雜錄

又曰言父母則伯叔尤可知亦可推廣於主冠之人 並上

問大功之末可以云云張子以大功以下十二字爲衍而以小功爲大功父大功則是已小功之末也此說爲近 愈定中 竹庵曰當從張子說其必因父者蓋見母雖有期功服冠子娶婦無所拘也曰已者恐是孤子蓋孤子則雖於小功之輕服亦必過卒哭可以冠娶也 續輯雜錄

渼湖曰心喪人主冠昏云云冠有迎賓速賓之禮昏有醮子受饋之儀蓋皆所以周旋乎筵几席之間而爲禮之盛者豈可以心有重喪而抑而行之尤翁之論 見疑 恐亦有難從者 續輯雜錄

又曰大功未葬行冠賓以家禮不爲主人之儀則恐未安雖知有尤翁說不能決然行矣 續輯雜錄

本庵曰冠成王之頌出大戴禮及家語而其辭詞示有君也此非可通施於私家者重服既葬雖許酒肉曾子問言有服不可助人之祭況於吉禮乎 言不可爲冠賓 恐只做不得主冠之法爲是 續輯雜錄



問期服中加冠者婚兒經時頭戴草笠出入者衰麻相妨南溪禮說云云 沙溪以塘曰家禮大功葬後許行冠禮則追製冠絰只得如末論之云矣服以始製爲斷之說於此用不得豈可上加吉冠而下著喪服耶無冠著服終涉苟簡追製冠絰似無疑矣 頑耕答鄭

南塘曰武王崩成王冠者以喪冠冠之也不以吉冠吉禮行之也若服加冠亦以喪冠冠之則人皆非之故世俗以吉冠吉禮行之故以爲不可引成王事爲證也 全上

李氏曰主人於期服中不得行吉禮則賓亦安可以重服從吉禮乎此與緦服有異 家禮增解

近齋曰冠禮期服內大功葬前不許行之矣女子之笄與男子之冠同則婦人之加髢亦不可行耶或云髢是隨制不可以冠論雖於葬服內大功葬前行之無妨至於髢既用古制當遵禮意此說未知何如或云雖男子之冠無不備禮而行之 如不爲三加而無醮辭 則期服內大功葬前亦無碍女子笄則無三加古禮加髢雖有賓祝之節今除此節目則服中葬前亦無不可行之義婦人無冠 花冠出於後世 笄髢與男子之冠不同不必以期大功服爲拘也 答李廷仁

按近齋曰今人卒哭多不行三加之儀只束髮着笠子而已則重服中行之何妨雖喪人亦有因喪而冠之例以此論之冠非純吉之禮可知也近齋說雖如此其不行三加只束髮着笠子則只是冠禮中備禮不備禮之分而其爲吉事則一也重服中行之未安

至若因喪而冠則別是一義不可並論於冠禮也

老洲曰禮記大功之末可以冠子嫁子註疏以末爲卒哭後陳澔以末爲服之將除陳說曰大功卒哭後尙有六月恐不可言末小功既言末又言卒哭則末非卒哭明矣市南雖取此說竊意曰卒哭後至除服前統謂之末也末字不必深看卒哭除服之間豈有將除一層節耶且古人文字變文而互見者多孔疏所謂此文云旣卒哭明上云末者並卒哭後也者儘得之矣

又曰家禮冠禮章必父母無期以上喪始可行之雖以宗子爲主恐非禮之正也 答朴命璧

李氏曰古禮則因喪而冠其別冠故有期功喪冠嫁娶則以行喪禮者故不許期喪 [illegible]
老洲曰今俗嫁而後笄大失禮意嫁後之笄不可以笄禮言因不過以笄之事則雖大功未葬前揖其服飾亦或於當時而行之恐無不可且語所云大功之末可以冠子者蓋指依時之冠若不備禮則雖亦有許行於服中 [illegible] 時亦可備芳照耶 [illegible]

按因喪而冠者雖恭服當以喪冠冠此冠之變非禮之常大功葬前恐未可援以爲例也

梅山曰大功之末以卒哭當之雜記註待變除卒哭而冠是爲變也降服 功者備禮祭而冠子則一說大功已 [illegible]

又曰從雜記則小功卒哭始可娶婦適吳范註亦云冠昏輕故之於大功之末昏吉禮故行之於小功之末揖讓今昏中 功皆卒哭冠娶而朱子斷以大功未葬者有服喪者存昏不過時者遵古禮退以小功卒哭異退其期以致婉晚者 [illegible] 行之 [illegible]

按降服大功亦是大功卒哭可以冠子而雜記已雖小功既卒哭可以冠娶婦下殤之小功則不可陳註下殤小功則 [illegible] 降本服重故不可冠娶然則降服大功亦以本服而降恐不可冠娶於家禮無區別耳

孤子冠禮諸節

本庵曰士冠禮曰若孤子則父兄(諸父諸兄)戒宿冠之日主人(即孤子)紒而迎賓拜揖讓立于序(東序)端皆如冠主禮於阼凡拜北面于阼階上賓亦北面于西階上答拜 [illegible] 戒宿以父兄迎賓以主(孤子)若各有其親兩 [illegible] 儀父兄並主迎賓則 [illegible] 之 [illegible] 家 [illegible] 父 [illegible] 自主則 [illegible] 如何也 [illegible]

竹庵曰孤子自爲冠主則在阼階上初無房中南面之事賓揖主人自阼階就冠席也此見三禮儀 [illegible]

柳氏曰溫公以孤子自爲主人爲難行而以諸父諸兄主之然宗子年既長成賓祭之事皆得自主則獨此冠禮不可使人攝之此家禮所以使得自主歟 (常變通攷)

簡便行禮儀

儀節按鄭氏家儀有或因事故有簡便行禮之儀今恐人家有力不能備禮者倣其儀云云 是日夙興告祠堂稱親爲一人 [illegible] 子弟一人爲贊一爲禮生主人立東階上賓立西階上再拜執事者布冠者席於主人後少北贊冠者即席 [illegible] 冠笄賓受之行至冠者前祝辭 [illegible] 始加之辭賓跪加巾與復位冠者興改 [illegible] 服 [illegible] 降西階立少頃 [illegible] 主 [illegible] 階 [illegible] 冠者 [illegible] 用前冠 [illegible] 見于祠堂 [illegible] 長 [illegible] 如上儀 [illegible]

禮疑續輯卷之一終

# 禮疑續輯卷之二

昏禮

議昏

梅山曰一年 [illegible] 此則俗忌非禮家所知也

老洲曰 [illegible] 定實有違於陰陽偶陰 [illegible] 遺嫁之弊 [illegible] 於俗習人莫有犯之者今 [illegible] 于女成婚而旣欲行親迎之禮當先 [illegible]

[illegible] 不可同日以喪祭之辰與合巹之禮雖之大防存焉是則非所 [illegible] 日亦不可行也 [illegible]

又 [illegible] 會所云合巹同牢 [illegible] 未可與昏禮異 [illegible] 則雖 [illegible] 日不可 [illegible]

[illegible] 大防所關故也 [illegible]

[illegible]

[illegible] 竹庵曰雖男子三十而娶女子二十而嫁易 [illegible] 所不 [illegible] 男女異序 [illegible] 不 [illegible] 嫁

梅山曰所示 [illegible] 中 [illegible] 兄云者安知非爲第三兄耶 [illegible] 所倒 [illegible] 非 [illegible] 於事勢而 [illegible]

[illegible]

[illegible] 女少而女先嫁非但竹庵以爲無嫌尤庵亦引男子三十而有室女子二十而嫁以爲女子雖少而嫁先於男者理勢然也

[illegible] 之娶乎故禮曰男女異序大賢所論雖如此後世旣不行二十嫁三十有室之禮而少女之先於長男恐行不得惟當以

[illegible]



原書漫漶不清

柳氏曰東俗同姓異貫之昏有或行之雖有尤庵南溪之說然我國族姓之別與中國大異如全州之李青海之李可昏也光山之金慶州之金雖百世不可通也如松京田氏全氏之類有本於王氏豈可謂以異姓乎 學稽小識

主昏

尤庵曰祖與父主昏此恐隨人而異如鄙家則孫兒之昏隆侄主之而醮子見婦醴婦等事皆其父主之祠則只在於其室而其父以婦見則見之而已雖有服恐無妨行之義若如隆侄家則渠爲宗子隆之二叔子之時隆不主之而其父主之豈不節節有礙乎 五疑考答

厚齋曰昏禮註主昏如冠禮主人法宗子有故則命次宗恐冠昏無異也且冠禮曰必父母無期以上喪昏禮曰身及主昏者無期以上喪尤丈則以爲父母主昏當通看先師 南溪 則以爲一曰父母一曰主昏其所分別無甚殊一土大夫家遵遵爲服其子之女無過三十而未娶此合有變通昏禮必言主昏者似爲此也 類輯

竹庵曰冠既可臨喪而冠無失其時而昏有過時失倫之弊故舍父母而言主昏以廣其路 南溪答 者得之 類輯

南塘曰冠禮言父母而不言主冠昏禮言主昏而不言父母義當見宗子有期以上喪不可主冠禮父母有期以上喪亦不可主冠子昏 類輯

近齋曰當昏者之從祖既是支子又非一門之長無必可主昏之義松齋自是繼高祖之小宗則當主其弟之昏 答三從姪

性潭曰家禮宗子自昏則以族人之長主之魏氏令反云孤而無族者其母舅主之無母舅者父執皆可今其昏將所主稱者亦無族人之長則恐當遵會成說而婦人無外事則其舅主之無妨 答欽

老洲曰士昏禮曰宗子無父母命之親皆歿則己躬命之然家禮昏禮章曰凡主昏如冠禮主人之法但宗子自昏則以族人之長爲主 冠禮宗子自冠則自爲主人 蓋婚嫁之禮務廉遠嫌之義爲重故昏禮曰初以媒交接若婿自爲主人而具書於婦家則豈發廉之義耶且母主



之禮女子無門外之事夫歿稱未亡人之婦審納采豈禮之正乎家禮之不用古禮必以族人之長爲主立文意恐有稽度彼家雖無至親如有稍疏遠之族則可使主之耶 答沈靜而

李氏曰南溪所謂嫠婦無礙者以有宗子主昏也尤庵所謂心甚退昏嫠者以已自主昏故也 家禮

梅山曰雖非宗子無父兄族屬則自命之夫婦於嫠也吉凶之禮不可使主之已躬命之似欠審廢遇疑之意然於其不甚而周公言之致何休釋春秋公羊傳宋公使公孫壽來納幣並而日禮有母母當命諸父兄師友稱諸父師友以行之公羊非矣使命之辭窮故自命之自命之則不得不稱使此恐可證也 答朴元祺

納采問名

儀節今擬稽溪嫠納采問名皆對之告辭當作某郡某官某鄉事伏承尊慈不鄙寒微曲從媒議以令愛貺室僕之男某 若某親之子某 茲有先人之禮謹專人納采因以問名敢請令愛爲誰氏出及其所生月日將以加諸卜筮伏惟尊慈俯賜鑒念不宣年月日某郡姓某啓 [illegible]氏曰依此禮記無問女所生月日之文儀節所言恐是俗例 增解

李氏曰士昏禮主人稱賓對禮主人醴賓致牘反命而無報以幣之儀舒本姑闕元堂古禮不用幣恐宜奉賓客尤宜厚之 家禮增解

納幣

竹庵曰安幣儀曰主人設席于戶西西上右几 右設 使者至入廟門外更衣服 [illegible] 侯者出門外西向立賓於門右 東面立侯者致辭於賓曰敢請事賓曰 [illegible] 主人出迎于門外西面再拜賓不答拜主人揖入賓報揖幣從入主中門相揖入中庭揖分庭主人向阼階賓向西階至于階相揖主讓賓升賓讓者三主人升自阼階西面賓升西階東面致命曰致納幣者以幣由西階升授閾間南面立賓進以幣授主人賓侍者贊之主人受幣某于楹間賓降出幕次主人降授以幣入主人醴賓

逡撤几改席東上以卓子設于房中設醴觶醢匙柶盤于卓主人使儐者出致辭於賓前曰吾子從者賓對曰某既得將事矣敢辭儐入告主人又出請命於賓曰先人之禮固敢以請賓前曰某辭不得命敢不從也儐者導賓入主人迎于中門外揖讓如初主人升賓升西階主人阼階上北面再拜賓西階上北面荅拜主人命從者取復舊親自奉迭賓前以授賓賓受主人退復位北面拜送賓以[illegible]命從者[illegible]面答[illegible]酌醴于盞加匙其上以授向面 [illegible] 出于房主人受醴柄向面 [illegible] 進賓之席前 [illegible] 西北面立賓西階上北面拜受主人少退賓進席前受醴復位 [illegible] 主人阼階上北面拜送賓答拜主人醴賓醴于席前賓升席自西方席上坐南面[illegible] 以匙祭醴三賓降席西方 復西階上位北面坐啐 醴建匙于盞興坐奠盞遂北面拜主人阼階上北面答拜賓遂升席自西奠盞于醴醢之左 降席自西就席前北面坐取脯主人辭親徹賓對降以脯授從者退出主人送門外再拜 儀節

竹庵曰女之主人出見使者女氏亦宗子爲主宗子或衰老不能將事則女之父代之乎抑否 [illegible] 曰恐當如此 [illegible]

沙溪曰昏儀[illegible]記大逸用家之文而去納采一節嘗者以彌文殺之然去納采而直行納幣者無漸次而少委曲之意且昏禮告廟在於納采之時[illegible]只存采幣者竊恐以是也向來從兒之昏前一日納采翌朝納幣繼以行親迎事勢自不相擊矣且[illegible]不用一獻之禮而以[illegible]雖[illegible]定制[illegible]於古禮特豚饋所以明婦順也[illegible]好故俗所謂[illegible]以特豚[illegible]存羊之義[illegible]記聞是[illegible]長者所節約則必有去取之權度按而行之自可遂通耳 與李子由

李[illegible]曰[illegible]昏禮[illegible]五兩是字三玄二纁是合兩卷爲一兩數之一兩爲一匹三與二合爲五匹也 [illegible] 增解

又[illegible]儀節納采條云今國朝定制庶民昏姻許用豬羊雞酒果品之類又曰行古禮則過於落莫云則昏用羊酒果實蓋是宋時俗禮至明時猶然而又并用納采矣 家禮增解



[illegible]納幣[illegible]不同日 [illegible]朔日[illegible]一月納幣[illegible]之以[illegible]不可[illegible]也則行於同日非禮也犯禁也

[illegible]其日如何[illegible]日先行未知[illegible]何時而卽所以占[illegible]矣 [illegible]

昏書式

某[illegible]名[illegible] [illegible] 某之子某[illegible]年既長成未有伉儷[illegible]納采之禮伏惟[illegible]不宣[illegible]月日 [illegible]

先[illegible]昏[illegible]先人之[illegible]第四女[illegible]

[illegible]而[illegible]叔時[illegible]未就[illegible]叶授室之[illegible]之稱[illegible]只欲成用納之禮[illegible]而老[illegible]

劉[illegible]之[illegible]財[illegible]斯[illegible]問究 [illegible]

[illegible]古訓[illegible]男女有家室之願[illegible]有

[illegible]之[illegible]六禮之[illegible]克答于歸

[illegible]

[illegible]一姓之好方[illegible]六禮之[illegible]私心[illegible]

[illegible]有誓令於[illegible]之[illegible]何時

[illegible]任[illegible]之[illegible]了湖名[illegible]昌[illegible]兌元

[illegible]之舊子[illegible]好之更修朱陳之義吾何敢[illegible]凡茲[illegible]宜 [illegible]

[illegible]六[illegible]兩家之[illegible]一[illegible]結親逑合二姓之好內愧非偶仰荷不[illegible]伏承令郎秀才[illegible]早著復圭之

原書漫漶不清

行禮當授室爰求友之逑而吾某第幾協之女資性甚凡有愧閨房之秀訓飭無素雖宗婦道之修乃誤采於葑菲遽辱貺於皮幣

兼寵命寔賁光榮門繫幸篤歎敢忘古義惟此悃欵莫能敷宣（五禮考證）

竹庵曰某郡姓某白某郡某官執事伏承嘉命許以令愛貺室僕之男某（或某親之子某）玆有先人之禮敬遣使者行納幣禮伏惟鑒照正月

日某郡姓某再拜皮封上狀某官執事（仲謨輯補）

梅山曰昏書式年既長成未有伉儷八字恐不當施於再聘且丘儀昏書即沙溪之所援用而元無此八字是則通初再娶而云爾也（答李孝叟）

親迎

婿服飾

本庵曰五禮儀有職者不拘時散公服文武兩班子孫與及第生員紗帽角帶庶人笠子縧兒（五禮儀皆正此）此近於古禮爵弁而合乎程朱

命服之意當從之今俗則製紗袍非禮而帶一品之犀帶則過僭矣（類輯續編）

後漢書高句驪昏姻皆就婦家生子長大然後將還（家禮增解）華西曰朱子力主借館親迎之議則後人當從之而本庵力主越境親迎踰

家合卺之議至有路次易服之說詳見家禮集考（答金平默）

醮子

本庵曰書儀註曰祖父在則祖父命之愚按祖在者以有適子無適孫之義則恐合無醮（類輯續編）

又曰朱子答李繼善受命於母然而但醮本父事以母代行無乃非宜耶恐當以此（家禮）爲正李光錫謂支子父殁宗子當醮命也

更詳之（上仝）



李氏曰家禮本文既曰非宗子之子則宗子告于祠堂而其父醮于私室云則醮是其父之事非主昏者之事則其祖雖主昏恐無醮

孫之義矣書儀亦有祖父醮孫祖父母醮孫女之文可疑（家禮增解）

奠鴈

判昏禮用鴈朱子曰士昏禮謂攝盛蓋以士而服大夫之服乘大夫之車執大夫之贄（常變通攷）

女家告祠堂

竹庵問奉者以告祠堂若納采納幣同日同使則告禮當行於納幣之曉而但其日送女又有告儀則一日再告不煩瀆否杞園曰納

采送女告辭雖或同日條貫各異一日再告有何煩瀆之嫌乎恐不可廢其一也（類輯續編）

問女氏告祝云歸于某官某郡姓名姓名指婿耶指婿父耶（申顯）厚齋曰婦人謂嫁曰歸以歸觀之必是指婿也

婦服飾

竹庵曰俗制紅長彩即古禮純衣纁袡之遺意而失其制齊賀紅綠之說載尤庵集中今雖不能備此儀者以圓彩紅裙代純衣纁袡

而副之則此諸紅長彩之不緩亦以有開首飾用今所用大首或圓髢俱無不可見舅姑時則古用纚笄宵衣今之族頭里鳳釵唐衣

即其遺意（類輯續編）

又曰從者袗玄以長衣代之（上仝）

按我國昏禮婦服色非俗制則元制不可謂之法服愚意用深衣則大善其次褘衣亦可無已則家禮所載大衣長裙猶賢於今制

也

梅山曰周禮內司服有王后六服皆不言帶故或疑婦人無吉服之帶而內則曰女鞶絲又曰婦事舅姑衣紳註曰鞶帶也又曰紳大

帶也據此則男女無二帶也階之婦人用大帶而兼用革帶庶之婦人大帶隨衣色而帶似不宜於婦人而大帶之隨衣色亦異於玉

藻用素若練之文也宋人不言帶故家禮所以只載大袖長裙而已（答金尙九）

按衣不帶則豈彼男女無異焉有禮服而無帶者乎雖大衣長裙恐當有帶

醮女

竹庵曰賓（婿也）至門外儐者出請事賓對曰某親使某以玆初昏將請承命儐者對曰主人固敬具以須賓入俟于次儐入告主人設席

于戶西西上（西右也）凡女盛飾立于房中南面姆在其右（西也）女從者皆盛服在其後母房外南面立女出立于母左（東也）侍者布席（即醮女席）于

女左（東也）奠鴈席在醮席之南（奠主人前）賓者酌醴加匙諸女前女拜興受醮贊者以脯醢薦于女席（即醮女席）前女升席（自西）坐（南面）左手執盞祭右

手祭脯祭醢以匙祭醴三興降（自西）坐（北面）以盞奠于薦左（東也）啐醴興拜侍者撤薦姆導女進詣父前父命之曰戒之敬之夙夜無違舅姑

之命正衣若笄女復位（類輯續編）

李氏曰纁袡者取陰氣上任之義與婿服緇袘陽氣下施之義相應矣然則必婿服緇袘然後方可婦服纁袡不然則徒用纁袖不免

半上落下矣（家禮增解）

本庵曰書儀註祖父在前祖父母醮而命之按此（家禮）不言祖主之禮豈文闕歟嫁女蓋於取婦以古禮女在廟之義則以祖主之

是也（類輯續編）

又曰李光錫謂以士昏記醴女在廟及敎于宗室之義則無父者宗子可幷主其醮恐未然（旣無父者不可醮女○上同）

迎婿

竹庵曰迎婿時奠鴈所設於內堂然後當如禮醮女之母親以女授壻且有西階上戒女之儀外堂則非便也蓋階分東西主人由東

階升大廳北壁西向立母則大廳北壁南向立新婦立於父之左（東也）醮女席設於女之左（東也）奠鴈席置醴席之南而直阼階之北筵几

設位（設位）席在大廳北壁直西階之北蓋婿由西階升堂向奠鴈所北面奠鴈於主人之位（前也）即奠鴈之席之東也男賓當立主人之左

（西也）女賓當在主母之右（西也）女從者當在主母與女之後而堂窄則從便立于西壁或階下也竊曰婿執雉請見除禮以常禮迎見未爲

不可（類輯續編）

竹庵迎婿儀曰主人迎賓（婿也）主門外賓出次東面立主人西面再拜賓東面答再拜賓從者以鴈進于賓賓執鴈主人揖入賓從知中

門揖入中階揖主人就東階下賓就西階下主人請賓升賓讓至三主人升阼階上西面立賓升西階上進詣房外席前北面坐奠鴈

主人侍女受之嫡與少退再拜稽首興降自西階姆以婦從降母至西階上施衿結帨戒之曰勉之敬之夙夜無違閨門之禮母不降

送某人不降送有庶母則送于中門內施鞶命之曰敬聽爾父母之命夙夜無愆視諸衿鞶婿舉轎簾姆辭曰未敎不足與爲禮也婿

乃[illegible]乘其馬先俟于門外（類輯續編）

[illegible]曰[illegible]禮[illegible]之[illegible]西[illegible]鴈曰免家鴈曰寫不能飛猶如庶人之終守[illegible]也適竊旣有雛庶人不用匹之說世或以

[illegible]鴈[illegible]矣（家禮增解）

送女儀

丘儀[illegible]父母因拜辭親歸遂位各因拜其有父之[illegible]爲先一日父母導之就其室辭（[illegible]）

竹庵曰今俗[illegible]爲婦乘公翁主將夫人之所乘不但婿寡而夫卑不成威儀寒士之家決不可當此盛禮新婦見舅姑後再見時今

從丙乘六人轎替婢前之其餘隨後此合於古禮女從者畢袗玄在其後之文依此治送如何（類輯續編）

李氏曰同年設儀之式士昏禮則甚詳而家禮則不然故今世所行家家不同然欲從古禮則不宜於今故今以士昏禮家禮五禮儀

三禮儀諸書卷五按定耳如禮書則士昏之既肯家禮祭饌之體樣而其在右者卽士昏在右爲便之義也飯亦從士昏與家禮其飯在左羹在右古今人意其之規而士昏設殽於醬南之意也匕筯盞置從家禮麪食米食及脯從三禮儀魚肉炙肝從士昏蔬果從家禮矣五禮儀而其沉菜及醢則士昏之菹醢也大體一從家禮之祭饌卽是士昏疏所謂從祭法之義也 家禮增解

又曰士昏禮陳三鼎于門外饌于房中待婿婦入室同牢之時設饌及俎於婿婦前畧似特牲少牢等祭禮而與曲禮主人進食之禮絕不同矣家禮此條先設蔬果於卓上而其下就坐飲食條乃曰斟酒設饌恐亦是朱子從家禮中祭禮先設蔬果後薦饌之規也又按婦饋舅姑亦先設蔬果後薦饌恐是當日饋饗間常行之禮而因以爲祭禮故朱子亦循俗而著之於家禮之祭禮耳 家禮增解

問士庶之家豚鼎魚腊兔不備則奈何 人彘 竹庵曰雖然今俗通行代豚用之何害兔腊代以雉雞乾者鮒魚用秀魚等他魚不害爲庶人之禮耶 類輯續編

梅山曰士昏牢席婿西婦東西者爲東面也東者爲西面也疏云取便亦是也昏儀註曰古人尙右今人尙左須從俗 金本庵駁之曰不祭古禮之意不在尙右也且古之席爲就座也而昏儀則坐以椅故席止爲拜耳所以婦席亦不得在設饌後此言亦有意也古者實坐次位皆以向爲主婿向東婦向西順陰陽之位不必疑其方而從禮之文也 上同

又曰王制同牢註曰牢者謂所以能有所畜故所畜之牲皆曰牢昏義共牢註曰共牢而食同食一牲不異特然則牢之非器可知也 答鄭完植

響西曰家禮同牢設兩卓之義此是朱子參酌損益之意蓋嚴男女之分楊氏不知家禮損益同異士昏禮設饌圖亦分兩卓故本庵辨之辨之誠無怪但不識朱子夫婦分別之精義而又欲合設祭饌恐失之太遠也 答徐平默

婿婦交拜

南門曰昏禮婿婦拜謁禮婦人與丈夫爲禮則俠拜俠拜者婦人先再拜丈夫答再拜婦人又再拜古禮箇箇如此今只當依此行之婦再拜婿答一拜婦又再拜婿又答一拜雖見語類決是記錄之誤恐難遵行 類輯續編

竹庵曰昏禮交拜本非古禮家禮已言之而家禮交拜之儀若是婿婦之席各設東西而拜後卽於其席就坐飲食而已今者既設席於同牢卓之東西又於其南別設交拜席而一席之上婿婦並其兩端行拜尤非禮意雖行交拜之禮只依家禮所稱從俗之云以行之可也古昏禮婿婦之有拜只以既食而飲所以行酳禮所謂酳 音胤以酒漱口之名 是也其儀婿卽席婦北壁下南面立贊設饌於婿席前饌具之[illegible]設豚俎三俎又設黍稷湆[illegible]設對醬菹醢黍稷湆亦各乃布對席贊啓會婿揖婦卽對席婿婦皆坐皆祭[illegible]各器傍贊移黍於前又以肺脊授婿婦以湆醬食蓋其升豚于鼎也所食肺脊各一而又有祭肝二也皆三飯卒食贊洗爵酌酳主人主人拜受贊戶內北面答拜酳婦亦如之婿婦皆祭左執爵右執肝[illegible]之祭[illegible]肝于菹豆卒爵皆拜贊答拜受爵再酳如初三酳用卺亦如之贊下又[illegible]酌于戶外尊入戶西北面奠爵拜婿婦皆答拜坐祭卒爵拜皆答拜興之儀然後婿出說服于房而今之行禮殊草率與禮不相似 類輯續編

又曰贊酌主人 婿也 主人拜贊答拜贊酌婦婦拜贊答拜卒爵皆拜贊答拜 仝上

又曰婿婦交拜各二爵一卺也贊用二人無疑 仝上

又曰婿婦交拜擬以古俠拜之禮則當婦先一拜婿答再拜婦又一拜而已 仝上

又曰古禮無論男女一拜再拜女子則前後各一拜也後世不然前後各一拜之禮合而一時爲再拜之禮一時再拜之禮仍爲前後各再拜之禮前後各再拜而轉爲丘儀一時四拜之謬規 仝上



問男子再拜女子四拜何義 雜著 老洲曰取陰陽剛柔義也凡拜以再爲禮爲一其再者取陽之義也兩其再者取陰之義也且如臣拜君必四拜者臣地道也其義亦然是耳

李氏曰伊川儀雖從禮而參損從俗中婿婦交拜後有婿舉婦蒙頭之儀而朱子所撰趙婚親迎禮亦有之恐皆從俗 家禮增解

結髮之非

集覽按韻會結編今世昏禮取夫婦髮合而結之古無有也伊川曰昏禮結髮甚無義欲去久矣伊川既言非義而至今未能革豈非習俗之久未易遽革歟 五禮考訂

贊昏婦人

南塘曰此贊者 [illegible] 指婿婦各在其家醮禮時贊禮者所謂姆及婦人行禮亦指醮而言者婿婦交拜時則自有從者相與安婦人安得遽至婿家婿家婦人亦安得遽爲新婦贊其沃盥斟酒之任耶下交拜條沃盥之云從者皆以其家女僕爲之據此可見此贊者之爲在家贊禮之人若家禮本註贊者凡兩見而皆在醮條不復他見則明矣 類輯續編

渼山曰昏禮婿從者亦傔 疑禮正解

見舅姑

竹庵曰見舅姑則宵衣紅裳爲可宵衣今之唐衣 類輯續編

五禮儀棗脩無則用時果服脩無則用乾肉 五禮考訂

問見舅姑用棗栗脩而今俗只用棗與乾雉云云 人彘 竹庵曰只用棗不用栗禮未備也乾雉卽所謂腒古者士相見用腒見舅用之亦其苟然[illegible]俗未易備則代用亦恐無於礙也腒與脩亦二物今或用國家所用片脯亦非古且私用片脯有邦禁矣 類輯續編

李氏曰古禮婦贄六者棗栗段脩不過采俗則士昏禮婦贄但用棗栗段脩者正也家禮之兼用贄幣從俗而乃用男贄之大者於禮如何世俗之兼用贄幣得古義 家禮增解

儀節按說集禮舅姑並南面坐堂中今人家如此 類編

竹庵曰婦見舅姑舅姑坐於堂上東西相向云者與儀禮舅席于阼西向姑席于房外南面者不同 類輯續編

又曰舅姑同席而坐則婦拜禮時皆姑皆舅侯舅未變恐當以周公之禮爲正 仝上

本庵曰昏儀註曰古者拜于堂上今拜於堂下[illegible]以爲合有貴賤故拜於堂下又于主恩無貴賤故拜於堂上若婦於舅姑亦是婦合有貴賤故拜於堂下恐家人之禮與朝廷別況婦人有事不下堂則今之拜下恐異乎也 類輯續編

李氏曰士昏禮舅席在阼卽主位也姑在房外南面非禮則舅姑席在西而舅則不與主位駁姿爲禮者也 家禮增解

問儀禮婦見舅姑[illegible]婦拜一[illegible]授人云云而家禮則舅姑不拜[illegible]竹庵曰朱子以儀禮爲重恐折以周公之禮雖孔子之言有不敢從恐無誤古凶禮一以周公爲禮者在乎得朱子意也

按儀禮婦拜者但單拜一拜今可遵行而註者疏無此文退溪則曰男子以再拜爲禮女子以四拜爲禮此似有據庶以今世皆從之也

竹庵曰少儀云婦人吉事雖有君賜肅拜肅拜只如今婦人常時拜[illegible]古者婦人與男子行禮爲節後[illegible]俠拜也[illegible]見子昏禮時新婦揖拜亦用古禮從朱子遺意有然者故也今婦人禮拜跪伏如男子之拜則自周官帝而又爲四拜尤不近古 類輯續編

又曰婦人奠拜而但扱之拜則俯伏如男子拜亦只再拜不用四拜 仝上

問婦見舅姑有本生舅姑則亦當用幣否（尹士）黎湖曰本生用幣禮無所見

杞園曰本生舅姑用幣若論禮意則不宜一幣幷舉（類輯）

老洲曰本生之禮別嫌之際雖少事不可放過古者卑幼之見尊者雖皆有贄近俗新婦見舅姑外雖伯叔父母之尊亦無贄者況本生父母之受贄終涉如何矣（答趙）

梅山曰本生舅姑旁親也雖曰世父之尊其非正統則一也固當如見伯舅姑之禮而用贄則非禮也（答洪）

老洲曰妾子之於其母不過有匹嫡之嫌受贄於私室豈有嫌礙耶（答稼山）

見尊長

尤庵曰既曰同居有尊於舅姑者則舅姑以婦見於其室如見舅姑之禮據此則先見舅姑次見祖父母可知矣其上儀有見舅姑之禮其下有諸尊長之文此所謂尊於姑舅者其爲夫之祖父母可知矣（五禮）

南塘曰先見祖舅姑禮無其文不可義起既見舅姑舅姑以其婦見于祖舅姑之室以見舅姑之禮而有贄矣（類輯）

屛溪曰舅姑受贄畢率婦見於尊於舅姑者則尊長同坐一處受拜似便穩傍禮則似無贄姑舅之父母皆有贄所生父母亦不可廢也（類輯續編）

黎湖曰尊於舅姑者所包恐廣蓋禮道其常而已孫娶婦時祖父母鮮有在世故闕之歟（答竹庵）

問大父非宗子卽先見宗子夫婦據此則舅姑有父母則婦當先見而若推之以見舅在共牢後之義則見舅姑父母之禮似當在見舅姑之後矣但以壓尊故俗禮不能然耶（尹士賓）黎湖曰俗禮雖先尊而據禮則恐當爲緣於舅姑者而見於舅姑之後矣

竹庵曰所詢禮疑昔年奉稟于黎湖則教以婦事舅姑父母凡禮固無不同而但其姑見用幣只爲於舅姑則恐不用幣是本生舅姑亦然據此則見宗子不用幣本生舅姑之廟亦不當奠菜（類輯續編）

又曰所示尤翁說云云恐是權以得中者來教欲用幣於祖舅姑者亦自爲可也而本生舅姑則無幣之爲是矣（仝上）

又曰見祖舅姑若有贄則儀禮必言之而其不言者以其當無贄也（仝上）

本庵曰今俗舅之父母與舅姑同受婦見則舅姑於其父母之前儼然坐受子婦之禮豈得於尊者之禮哉（答安）

三山齋曰同居尊於舅姑者尤翁說終是可疑家禮同居之尊姑見於祠堂章而乃指曾孫玄孫長同居者其以一[illegible]之尊而混稱同居尊長其必不然且父祖而在則父祖是宗子而其舅則爲宗子之子孫而已子孫旣正當見婦而父祖則退處[illegible]亦安有是理雖記婦見舅姑之下繼曰見諸父於其寢鄭註以爲旁尊也家禮之文恐亦如此（類輯續編）

近齋曰孫婦見大舅無贄雖無明文家禮曰尊於舅姑者如見舅姑之儀此是引而[illegible]豈當用幣云云此似當而[illegible]以家事任長之義推之不[illegible]贄於大舅姑恐亦不[illegible]（答[illegible]山）

類語曰昏禮新婦見翁家禮註說各有意義細推之可見尊於舅姑者[illegible]婦見於其室如見舅姑之禮[illegible]見舅姑之禮而有贄之謂也還拜諸尊長則以爲如冠禮無贄此則專上文舅姑以婦見於其室大有[illegible]其下與宗子同居則詣其堂上拜之如舅姑禮此則特下拜之二字於如舅姑之上者可知其拜之但如[illegible]贄之可言者乎但有一事旁疑而未決者祖父母家之[illegible]泛稱尊於舅姑者與舅姑之伯叔父兄[illegible]至於伯叔父見[illegible]受其贄不已煩乎亦可疑本生舅姑但當以伯叔父之禮見之尤爲遠避之義也（答梅山）

洲山曰新婦見舅姑異於男子必先見舅姑南塘說是也雖同席當如是者新婦之禮爲見舅姑而來也（疑問正解）

梅山曰新婦之見于夫家內外親禮也而近俗推及於夫之姊妹夫姑姨夫無防閑所戰非禮之禮也（與李在寬）



楊氏曰先師（李大山集說）曰舅姑之於婦其尊無對者以祖父母臨之則舅姑有所壓而不能專其尊故舅姑東西主壁而受其拜然後舅姑以婦見於其室禮意宛轉儀有曲折如從祖父母同居則亦用此禮還見諸親親於東西序（家禮增解）

按新婦見舅姑之父母禮無明文諸先生所以致疑也今以愚意設爲問答曰新婦見尊於舅姑者又見諸尊長而不言舅姑之父母何也曰包在尊於舅姑者不明言舅姑之父母而只云尊於舅姑者何也曰禮從其常孫娶婦時祖父母未必皆存故以爲尊於舅姑一位而不質言耳舅姑之父母若存當坐正堂受孫婦之拜而今在其室待舅姑之以其婦見何也此所以尊親也昏禮與冠禮不同冠禮之子天屬之親而主乎恩雖有高祖曾祖尊者爲主昏禮之婦異姓之親也主乎義其見夫家親屬由夫而達於舅姑由舅姑而達於舅姑之父母理勢然也且舅姑不可以己受婦見敢請尊者同坐一堂故見婦後以其婦就其室而見之也後世舅之父母與舅姑同受婦見[illegible]於情勢恐非禮意也蓋家禮註尊於舅姑者下云舅姑以婦見於其室如見舅姑之禮還拜諸尊長于兩序如冠禮無贄[illegible]儀於舅姑者則有贄而尊長則無贄也昏禮之贄只可奠於正統之尊不可施及於伯叔父兄故還拜尊於舅姑者惟舅姑之父母可以當之伯叔父兄則統於諸尊長也

饋舅姑饌品

竹庵問冢婦饋于舅姑其饌品有可據否杞園曰致之家禮本註及儀節則似當具飯羹魚肉炙一如當時盤床而別設蔬果酒壺則當在執饌升薦之前耳

按魏氏堂曰子婦新昏設饌使知事親敬長之禮何冢婦介婦之別乎若介婦不饋適足以長其驕慢之氣此不可泥古但於饋時使冢奉酒於兄介婦奉酒於冢婦以此爲別可也此殺不爲無見

問舅沒則姑獨受饋否（或人）竹庵曰婦饋之禮特豚合升側載註云左胖載之舅俎右胖載之姑俎據此則豚用一胖以饗姑而一胖無[illegible]禮是宜姑不忍受饋而人子亦不忍行是禮也此禮與奔贄尤別不可行也雖奔贄其不行亦勝於行也（類輯續編）

[illegible]山曰家禮婦見舅姑條冢婦則饋于舅姑註舅飲畢又拜按又字疑衍拜字下脫升字愚伏以爲又拜之拜疑升[illegible]則婦於舅無拜只饋於姑耶（疑禮正解）

[illegible]氏曰或曰有祖父母者饋禮只當於舅姑蓋祖父母則其姑已行之矣此說恐是且以見舅姑嘗之婦見於舅姑後舅姑以[illegible]婦就見於尊於舅姑者之室卽祖舅姑也蓋以婦道所宜專主於舅姑故也（家禮增解）

[illegible]又曰古昏禮[illegible]饋之節[illegible]家具盛饌之文而[illegible]俗饋姑有之隨俗而然也非禮之正也從婦饋是終發之常[illegible]

[illegible]婦以飲食之道致之於舅姑舅姑以爲[illegible]不知[illegible]其婦[illegible]

[illegible]之文也

婿見婦親

[illegible]曰親迎之夕婿父[illegible]則[illegible]已有見矣故但當婦母親迎之夕雖見婦父未成禮見故明日執贄見之

[illegible]曰[illegible]子不取伊川昏禮親迎時婿見婦家廟者只以婦示舅見而婿先見婦廟爲未安也非以見婦廟[illegible]可

又曰或曰婦則有子道焉所以先見舅姑而後宗子婿則如客禮焉所以先見婦翁爲宗子之主昏者（家禮增解）

按[illegible]以宗子主昏自初禮書往復皆與此人爲禮故先見之

李氏曰此[illegible]婦母答拜之文者特文不備者儀節亦然然婦父尙跪而扶之則婦母豈有立授之理士昏禮有婿[illegible]拜之[illegible]

[illegible]

將昏遇喪

梅山曰有臨娶而遭外祖喪者愚引雜記已雖小功既卒哭可以冠娶之文俾待卒哭矣其人又舉冠禮必父母無期以上喪始可行之之文以母有期喪爲難於愚論服中冠娶昏以父言而不及母卽以家無二尊而婦人私服無與於夫家也家禮并稱父母疑書儀也冠之見母檀敎其禮昏之婦見醴饋惟父獨行而已若無父者昏而無爲之見父若則恐當待母之除服已矣私服心喪中恐無不可嫁子之義而醴饋恐難準禮未知旣解如何 與樸溪

服中昏禮行廢

南塘曰已有大功未葬亦不可主昏則身之不可昏在其中矣 類輯續編

又曰改葬緦服中子女昏使一家無故人代行主禮來說似得之 仝上

按改葬緦雖貫於他緦亦[illegible]而已矣子女昏似可行若不可行則南塘旣曰昏禮主昏與父母當通看雖使一家無故人代行主禮不亦未安乎

問父在母喪十五月禫後在室女子有心喪而鄕人往往使之冒哀適人乃以尤翁說爲口實 或人 竹庵曰尤庵答玄石云已嫁者旣許其歸夫家則未嫁者之嫁恐無異同其再答尤爲明的據此在室女父在母喪禫後行昏禮恐不可謂非但尤翁未及卞破禫後心喪之名之非則旣曰心喪而行昏禮此爲可疑 類輯續編

梅山問在室女母喪心制中出嫁尹敎傳從觀氏引尤翁說以爲不可謂非竊恐承訛襲謬壞了大防老洲曰尤翁答南溪問誠甚可疑夫嫁女已嫁女父在母喪雖同降爲期未嫁女以父在而降已嫁女以適人而降未適人者其持喪之節當與男子無殊男不可持心喪而娶則女獨可持心喪而嫁乎已嫁女之除服歸于夫竊恐未可比擬爲言而尤翁說如此莫或隨問隨答之際偶失照檢而然耶宗於尹敎傳說則援尤翁說而主人尤力顯令喪紀斁敗之時此論恐爲口實老兄之憂之誠是矣大抵爲親心喪非有見於古禮而只有袒弓爲師心喪之文後賢參酌義起要使人於情爲禮屈處以此自盡此是天理之不容已而百世莫能改者也豈可以其非而措説耶

老洲曰金士[illegible]子昏將行於新婦期服中不覺驚歎雖未知事勢之如何而此係禮之大防期猶不可行況祖喪乎此非但關士心一二家毋失亦足以觀世教所以憧憧往來于中而不能遽釋也 與閔[illegible]

問女兒昏已過時還以直祖俱明秋練後行之否 [illegible] 老洲曰家禮昏禮章云身及主昏無期以上喪乃可成昏此與冠禮章立文少異尤翁陶庵以爲互文而當通看至石以爲各是一義家禮旣因於古儀而舊昏異於冠兩家互相有故輾轉蹉跌失時良只實有如此者李鏡菴所問著故非儀立文之異蓋寓乎此欲稍闊擴宜一路家禮之仍之恐亦此意也故先輩議論亦多還執於其間然尤陶兩賢之論實合古禮如非迫不獲已恐不可遽違也

老洲曰大功之末可以冠子嫁子之文正指本服大功而言降服大功者恐不可援而爲例也況自冠曰昏尤有異於冠子嫁子者乎本生舅姑之服雖降爲大功實有心喪三年之體豈可受賀饗乎以其大節處禮也故不可常也 答梅山

梅山曰家禮以身及主昏者無期以上喪爲成昏之期非服猶然况三年之喪乎昏法期喪嫁娶者至被勘治　大明律所兄姊喪而嫁娶者杖八十然制之降爲大功者猶不可行也今俗不知三族不虞之戒忘哀借吉事紀大壞雖[illegible]昏不失時而忽於守經哉惟願之會未可[illegible]試測而惟平盡者是遵者無乃者乎 答李[illegible]

又曰近世父母喪中不拘子女冠昏極害理令從孫女旣除服舅丈亦除服主昏則進厚齋竹庵諸説行之或不爲無據然父喪中以不自主昏而昏子者恐欠守經務不見其可行之説也 答[illegible]

禮疑續輯二　十

又曰凡有生育之恩而未行三年之喪者皆伸心喪母無衰絰而心有哀戚所以居喪則同也父在母喪禫後心制在身詎可輕到於嫁娶乎尤翁雖引已嫁者許歸夫家爲未嫁者行昏之證恐難從本生親喪心喪中決不當成昏在室之女豈可之乎爲有識同歎 答[illegible]

老洲曰外祖父母小功雖以外服而屈其殺且切果何如也方其尸柩在殯之時遽行昏娶實非情理之所安也假使接不[illegible]哀禮[illegible]行昏移涉重難矣 答李任汝亮

按雜記曰已雖小功既卒哭可以冠娶妻況外祖父母服小功中殤服也未葬何可昏娶乎

柳氏曰禫前嫁娶不見於禮者俗所謂借吉之事豈君子所言乎明史可據 [illegible]

明天順三年瀋王靑淳奏季父廣王存日擇李剛女爲弟永年王妃李曾爲妹及平鄂主儀賓已受冊封未及成昏而父王薨今父喪已越大祥陰陽家謂明年弟妹昏不利乞允今年擇日嫁娶禮部奏服內成親律有明禁乃忍於除服之際復有所請也命長史司俾待闋服成禮上曰是長史不能輔導之罪執問如律

受幣後變禮

梅山問受幣後壻死處變近齋曰古者娶女有吉日而壻死則女以斬衰往吊旣葬卽除而今則婦女無改嫁法不得如古禮行之矣豈有處變之義耶

梅山問納幣後婿死處變近齋曰采段何可仍留耶當自婿家還推之若仍留而娶他家女則有再聘之嫌故也

梅山問受兩家采者處變近齋曰二采中一采則誤受矣雖先受者何可因誤成眞耶婿家推[illegible]之采女家還[illegible]受之[illegible]而女家堅執不還則爭端起矣

見舅姑

先塋火見舅姑退行當否

南塘曰雖與新宮火有異火之塋域則似不可晏然行盛禮退行三日後爲宜然火及墓庭而不及墳上則依禮行之似可[illegible]

見舅姑不設杯酌無妨耶 類輯續編

前室子婦見繼母

問續絃之家有前室子婦則於其繼母入門之後前室子婦執贄見繼母乎 [illegible] 澗山曰不執[illegible]

服中行婦見

三山齋曰長子喪中見新婦之禮吉凶相錯恐未可行必有不得已之故則主人暫着生布衣布笠麻絞帶 尤翁所定也又見於此 新婦去其紅紫華盛之飾只行階下四拜而不用贄爲可耶此是廳見不敢質言其入廟時服色則有朱子深衣幅巾之規而今人於除亦未嘗如此只依上布衣布笠而帶則以布易麻似不妨新婦廟見時亦如此而已 答洪文榮

近齋曰南溪曰其婦雖未見姑平日嘗問候訊旣用姑婦之節矣今當姑服喪之日乃以初見之故不行吊哭未知於義何如也此爲姑服喪中婦初見者言也據此則吊哭之節不可以初見而闕之也 答梅山

梅山問父母喪中見舅姑近齋曰如可待三年則三年後備禮爲之不然則以旣練而歸之義用心喪服色而往拜之無妨

梅山曰見舅姑爲禮其盛非可以無幣行之者父喪服吉贄禮行之爲宜如不得已以旣練而歸之義待除喪服當用心制服色往拜又不得已則卒哭後以衰衣參見而已廟見準禮則當待三月而今也無幣見舅姑旣是權宜則亦於見舅姑之翌日衰服見廟用酒果告由恐宜然是乃處變非禮之經也 答申[illegible]

禮疑續輯二　十一

梅山問葬大功葬前可見子婦否老洲曰見舅姑是吉事葬大功葬前恐未安然終與昏禮差殊葬之前殯已經月而葬期不知在於何時則待下入事亦無許久拖過廢其儀節方便行之豈云大悖耶 答梅山

梅山問嫁女未本家父母心喪中當受子婦贄幣否老洲曰出嫁女不可以本家之喪廢夫家大事[illegible]而不行之疑以示與似宜耶

梅山曰持之私服葬以上喪則其父在者冠昏皆可行而新婦見舅姑不可即席受幣如不時亦不可以姑不受幣而遂行見禮否贄盥饋等禮恐當獨行於舅也心喪雖與持喪差殊豈可心有重喪而抑而行之歟見舅禮畢見姑于房室而贄則[illegible]不行恐宜 答梅山

穠溪曰受贄盥饋等節非若私服中可以為而服君雖食亦難獨行所以尤翁有無姑者區別之教[illegible]禮有時乎相須[illegible]外既醴婦[illegible]本宗[illegible]等親亦將特直者不[illegible]從厚之[illegible]未知如何 答梅山

按婦見舅姑有私服者盥饋行廟之節梅山[illegible]以義也穠溪說緣於情也然婦[illegible]私服不可[illegible]夫家則[illegible]有私服而不行見禮若行見禮而姑雖不得受幣舅何可從而不受乎彼是大節饋是燕禮恐舅受幣而不受饋[illegible]情禮得矣

梅山曰舅服中行子婦禮遂已之禮宜不當備禮受幣受饋[illegible]宜用俗所云解見[illegible]之禮而初見子婦不可[illegible]是[illegible]耳 答[illegible]

又曰舅姑[illegible]行亦當贄於中堂而但不[illegible]而[illegible]也朱先生答婦盥饋之問曰假若有服則不[illegible]行[illegible]尤翁設[illegible]饋之禮與贄[illegible]盥饋非[illegible]可行者而[illegible]服恐宜 全上

問[illegible]梅山曰昏[illegible]可以[illegible]也

禮疑續輯二　十二

問新婦于歸而遭本生舅姑喪[illegible]之時先見所後舅姑可乎先哭本生舅姑殯可乎 梅山曰所重在所後家先見所後舅姑[illegible]本生姑殯也

廟見

問必待三月如[illegible]曰今俗[illegible]時[illegible]三月又似太久[illegible]直是[illegible]方見[illegible]不可[illegible]

東亞[illegible]方[illegible]酌[illegible]

竹庵曰問見[illegible]今[illegible]通用[illegible]同[illegible]見[illegible]大非禮[illegible]

梅山曰新婦廟見[illegible]之[illegible]入[illegible]見[illegible]曰[illegible]之婦[illegible]見[illegible]可也

成昏後廟見

屏溪曰見舅姑[illegible]日廟見[illegible]只以[illegible]見世[illegible]禮[illegible]之

梅山曰古禮三月而廟見者以[illegible]少[illegible]成[illegible]家[illegible]大[illegible]三[illegible]見[illegible]以三日[illegible]見舅姑[illegible]日拜[illegible]可[illegible]不[illegible]

答任叅文

舅姑[illegible]見之[illegible]

遜齋曰先[illegible]見而後[illegible]可也

問士昏[illegible]舅姑[illegible]則各[illegible]各拜[illegible]丘儀共廟共拜[illegible]何適從 遜齋曰不用家禮而欲從古禮乃無妨乎

竹庵曰舅姑沒則婦入三月乃奠菜奠菜也菜是何物相國曰菫既不知其名則依家禮本文用酒果似宜

竹庵曰舅沒姑存則只奠菜于舅而拜[illegible]不行亦可姑沒舅存則姑當祔于祖姑見廟之時當滿奠菜之禮也

又曰[illegible]之[illegible]生時則當[illegible]行之[illegible]只見[illegible]以親舅[illegible]之其禮似如是矣

按[illegible]見奠菜[illegible]事之也舅姑別西面[illegible]生時見新婦之儀則非所以事亡又非[illegible]可也

南溪曰[illegible]何只見[illegible]而不見祖朱子說如此古禮用堇而今不知是何物則[illegible]代之可矣

問[illegible]舅姑[illegible]用菜乎 竹庵曰於祖舅姑[illegible]

[illegible]曰新婦廟見時[illegible]有舅姑沒[illegible]奠菜之文[illegible]至於[illegible]上位則並行[illegible]所[illegible]有[illegible]之嫌蓋雖一櫝中或飲或否[illegible]各有主似無未安之端

又曰[illegible]不可[illegible]生死[illegible]其[illegible]也

[illegible]

人[illegible]之節[illegible]初見[illegible]非事死如生之[illegible]

[illegible]終[illegible]不許奠菜則[illegible]亦不可行耶

[illegible]

見[illegible]似可矣

[illegible]曰[illegible]非[illegible]之正至於本生[illegible]舅姑[illegible]之於[illegible]可也

禮疑續輯二　十三

[illegible]

又曰[illegible]

[illegible]

問制士大夫喪亡者三年後改娶若因父母之命或年四十無子者許期年後改娶 常變通攷

屛溪曰尊上牽二老人權行再娶之示婆期具三年之服不輕而重先儒之期後許娶已是權宜制禮上用謂不成道理也則大賢所
難變而通之也至於卜姓亦不可幾之於期前 類輯續編

問喪服傳父三年然後娶達子之志也今俗期年後娶恐爲失禮 人或 竹庵曰三年然後娶之云見於父在爲母之傳者蓋謂子服似
續三年之後父乃改娶也此實爲妻期年之後過㷊而娶也若必待再期三年則爲妻必喪三年也寧有是乎 類輯續編

近齋曰凡期服期年內尙不得嫁娶況妻喪乎今人多以老親在嗣續急爲辭葬後卽爲繼娶吾未見其可也時俗所行輒以事勢不
顧義理曷嘗有據哉 答舍弟

又曰卜娶與再娶不同不必以達子之志論之而禮曰妻喪終喪不御於內然則期年內不近𥧥御何可卜娶於此時當於期年後牽
畜也 答梅山

梅山曰先儒有云妻喪必三年而娶禮當然耳非專爲達子心喪之志也所以終胖合之義焉若謂惟主於達子之義則妻之無子而
死者其夫可以不俟三年娶乎斯言誠嚴而恐違喪服傳文正義亦有行不得者也有子女則當待三年無子女則待期已矣尤翁長
孫殷錫氏以三世鰥居有難待三年呈文禮曹禪除而娶乃有不得已也恐難爲後人法耳 答任憲晦

按妻喪而再娶者如竹庵說子服只禮三年過期而娶則期服除服前元不得嫁娶何必別爲立文乎喪服傳特言三年然後娶者
達子之志也言適達子三年悲哀之心也然則有子者期後改娶斷非禮意也

禮疑續輯卷之二終



# 禮疑續輯卷之三

## 喪禮

### 總論

近齋曰尤翁楚山時命門人治終事以家禮爲主而參用備要然備要乃是斟酌家禮與儀禮而損益者則後人當從備要 答梅山

### 初終

#### 遷正寢

本庵曰凡有疾病皆居正寢而齋焉蓋人有疾神氣既損宜益加持愼也疾若差則復燕寢若病者也則仍得正終耳自書儀不能從古
之有疾必齋而至疾病始遷正寢則勢有至難所以鮮克遷者也此須依古始疾卽遷正寢或未及遷而至於病則亦必遷爲宜又或
未遷而終者做喪大記內子死於下室遷尸于寢註小斂後遷其正寢之法行之亦可其未具正寢者只得以居室之坫正者擬之而
內外異處也 類輯續編

南唐曰遷正寢只曰疾病則非謂臨絶之時既遷亦未必皆死也君子貴正其終愚說不可從 類輯續編

近齋曰臨絶之人遽遷于寒廳非人子之所忍昔有人以此問於遂庵遂庵曰此說恐近之南溪曰當以病者之命而進退之就此兩
說酌行之但病者所居爲偏褻之室則恐亦未安或可遷於他房之不踈冷處耶雖非正廳何妨 答梅山

又曰死於私寢則何可追用遷居正寢之禮 仝上

#### 男女不相褻

屛溪曰古人知正終之禮者必屛出婦人然妻之於夫亦何異也若子女之於父母弟姪之於姑姊外孫男女之於外祖父母似不必
用此禮矣 類輯續編

問父母臨絶子女不得見未知如何南溪有恐非父母之說則子女亦當如是 柳仰叟 渼湖曰南溪說似是子女共亦當如之 類輯續編

問不絶於婦人男子之手兩手字以御者持體而言男不用女御女不用男御而已此已爲正終之義若母子不相褻夫婦不相見則
於情理未知如何 李正鉉 竹庵曰手字以持體看正得本意 類輯續編

近齋曰男子不絶於婦人之手婦人不絶於男子之手此非指父母而言 類輯續編

按男子不絶於婦人婦人不絶於男子雖似指男御女御然男子正終與婦人尤不同非但喪服雖嬖女子婦之親只令一缺還入安
靜而俟絶可也

#### 旣絶

本庵家禮襲斂只士喪禮命赴訖入坐床東親者在室大記亦云哭尸于室而至此書家禮無改惟沐浴有出今俗則皆出外大遠禮
不可不正之或慮人在室則戶閉閉致風觸尸可論禮除帷也 類輯續編

### 復

#### 復衣 侍者並論

本庵曰喪大記惟哭先復復而後行死事註既絶則哭哭而復復而不蘇可以爲死事疏哭訖乃復愚按不言發哀者恐爲復之急也

愚伏曰人有死而復生者或言魂氣始出猶戀形體欲還入宅之而怕人哭叫不得入云 類輯續編

又曰此書家禮凡禮主男子之常而於女喪則要在隨宜如士喪記將喪則內御者浴周禮后之喪女御持襲皆不引言矣但復則古無
可據要以升屋非婦女事且招魂與有事於尸不同故歟若其受衣衣尸者則似有通變也 仝上

雲坪曰禮復而後行事何忍旣絕卽以衾覆旣哭之後卽使平日親近者一人着死者上衣升屋北向仰呼於天俯呼於地呼於所
聞推冀神之反依於斯降而衣尸庶乎其復生其爲禮至重且大也東俗於復時必先作長竪而引之斯則可矣但其謂以爲持衣去
是非招徠之意也鄙悖無謂而士大夫多不致察專委於奴隸亦何心哉 類輯續編
按家禮云復用侍者則男喪用男女喪用女可知也升屋雖非婦女事女喪不可使男子復且女喪女復男喪男復非但事理當然
各從氣類庶冀復生本庵說恐未深思也
雲坪曰勿論堂之向背當升自前榮北面而呼降衣於南方也 類輯續編
又曰國朝東俗嫁時之服於斂不可以爲復當用平時祭祀之服若世所謂唐衣者類可也 同上
近齋曰皐復升屋中霤而呼禮也世俗多有行之於兩階間者蓋婦人之喪當令侍婢爲之女婢升屋爲難故登於兩階間爲之因此
而并與男子喪亦然恐非禮之正 決疑
又曰招魂用上衣禮也而今人多用小衫不可從婦人則近世婦女多不着上衣雖用小衫可也男子則決不可不用上衣有官者官
服無官者道袍爲宜 同上
又曰復衣之奠與埋皆是俗也古禮置諸靈座葬後藏之廟中然藏廟一款恐是難行者葬前置于靈座葬後從俗埋之未爲大悖矣
之則不可矣 答洪文保
南溪曰復衣當並置於遺衣服中神主親盡後若遷于長房則隨主並遷可知矣 五禮答問
老洲曰喪大記曰惟哭先復復而後行死事家禮亦此意今或不然者似以方冀其生而遽死之爲嫌也然孝子親死啼哭禮旣許之
雖復奚之 答南大任



問有死於谷地至一月之久而親屬始來始欲皐復則魂已飄散仍不皐復亦有所不忍 人或 洞山曰過時不復當以祭奠安神者經一
日則猶可以復矣 疑禮正解

設幃床遷尸正尸

家禮設幃及床遷尸註以幃障臥內備要白布幃 禮記補
南氏曰家禮不言帷堂而爲位哭條註言別設幃以障內外異姓丈夫坐於幃外婦人坐於帷外是指別設之幃爲幃指障臥內之幃
爲帷上設幃及床遷尸是帷堂之幃明矣 禮書劄記
本庵曰士喪記曰設床第當牖衽下莞上簟設枕遷尸註病臥狀至是設之祀臥席於是幃用斂衾疏復而不蘇乃設床於南牖下
喪六記旣正尸註兩首按此復卽行而自書儀移之沐浴之時今旣從古疾病東首於北牖下則須於此時卽遷尸而綴以楔齒綴
足蓋此與哭擗並作而立喪主易服旋隨其後 類輯
同旣絕之後無設床之文至遷尸條乃設沐床而云去薦未詳 中 厚齋曰喪大記疾病廢床又曰始死遷尸于牀註曰尸初在地
冀生氣之復而旣不生故更遷尸于牀家禮本條註亦曰設床于尸床前然則設浴床之前已有尸床可知 類輯
陶庵曰楔齒已見於綴者而非徒此也頭面肢體以至眼睛類必令正直手足肘膝亦當以溫手按摩使其伸舒或因凡具未辦
斂不如期而於斯時也或有泛忽則手拳足戾將有難言之虞必須以時八審可也孔子曰敬爲上哀次之子思曰附於身者必誠必
信勿之有悔附於身者猶然況於身體乎孝子之盡其誠信尤當在正尸之節也 類輯
南氏曰楔齒者爲其飯含也飯含不過孝子不忍虛其口之義而楔齒經時因不合則其於孝子不忍之義又何如也楔齒之禮從俗
不用恐無大害矣 類輯

梅山問皐復後遷尸時無告由否近齋曰雖或自此遷彼始死之時豈有告由之節乎
洞山曰初喪無拜尸者以待之以尙存而未起也未起不拜是古俗 疑禮正解

始死奠

本庵曰士喪禮綴足用燕几下奠脯醢醴酒升自阼階奠于尸東疏脯醢無過一豆一籩醴酒用其一記曰卽牀 尸牀 而奠當腢 肩頭 用吉器
疏尸南首則設在床東 尸右肩頭也 愚按始死卽奠其義微矣考政和禮大明會典皆如士喪而國朝喪禮補編亦据先正之議遷之今猶
之 類輯續編
又曰古禮正尸後奠爲位帷堂皆相隨至書儀節次遷退今依古奠在此時而易服爲位設帷從之 仝上
渼湖曰始死奠決不可闕 類輯續編
櫟泉曰始死奠誠有微意以古禮則士喪與喪大記無異是天子庶人一也而開元禮之分別五品六品已無意義家禮謂之襲奠而
移諸正尸之後亦恐非本意然何敢議到乎 類輯續編
閒靜堂曰始死餘閣之奠禮意稍微而或至闕却多日則尤有所不忍若欲行之當直從古禮 類輯續編
雲坪曰按士喪記卽床而奠當腢用吉器若醴若酒無巾柶所謂始死之奠在襲前又喪大記大喪之奠在楔齒綴足之前蓋急於依
伸也世有貧窶之士緣於無衣或以他故有數日不爲襲者所當從古也 類輯續編
竹庵曰古者有始死庋閣之奠而襲後無別奠大斂後無奠只於成殯後設奠此見始死也小斂也成斂也三大節拍 類輯續編
南氏曰士喪記檀弓文則始死奠不覆以巾註不惡塵埃故無覆其意何在意者以餘閣爲奠以冀精魂之憑依而復之也若巾而覆之則
恐其無以識別故必覆巾耶今俗多有不巾者雖似違於家禮巾覆而反合於古禮也 禮書劄記



洞山曰備要之有襲奠而不立餘閣奠一條雖是從家禮家禮之外多用古禮而於此見漏恐未免疎略 疑禮正解
按始死奠實有精義而書儀退在襲後不已緩乎況貧家之襲未易及時乎當依古禮正尸後卽設奠而襲後不卽小斂則改設新
奠宜矣

立喪主

厚齋曰奔喪曰凡喪父在父爲主註父在子有妻子之喪則父主之統於尊也喪服小記曰婦之喪虞卒哭其夫若子主之祔則其舅
主之云云尤丈以奔喪統於尊之義爲主而先師亦寄從之矣 類輯續編
屏溪曰禮父在父主之雖孫婦及曾玄孫婦必高曾祖舅主之主喪者主題主祝文其夫與子主之者小小饋奠先師 陶庵 有子婦與孫
婦喪先生皆題主而祝文亦主之 類輯續編
閒靜堂曰喪主指長子長孫也與賓客爲禮者非喪主也喪主荒迷而賓客出入無與接應則宜有人以主之若父之主子夫之主妻
則旣爲喪主又可以主賓客矣 類輯續編
按家禮喪主註凡主人謂長子無則長孫承重以奉饋奠其與賓客爲禮則同居之親且尊者主之觀此則所謂喪主指長子長孫
無則立嗣子嗣孫爲後父爲子夫爲妻雖主題主祝文可謂之主喪而不可謂之喪主也何以明之奔喪曰凡喪父在父爲主註與
賓客爲禮宜使尊者此見父之爲主專在於賓客爲禮非謂不立長子長孫爲喪主也然則立喪主與同居之親且尊者主之云者
自爲兩義也
問父在母喪父當主之而喪禮備要有孤哀子哀子之別云云 朱全 厚齋曰父在母喪父爲主有朱子之定論則備要祝辭註未知何意
家禮喪禮孤子下註曰母喪稱哀子備要全用此註似是因此而致誤也 類輯續編

三山齋曰凡喪父在父爲主鄭註云與賓客爲禮宜使尊者此義自確若以此爲仍主其祭則於父之爲宗子者則亦得矣若是支子已本無廟安所祔其子孫而祭之乎然禮喪主與祭主未必是一人如曰大功者主人之喪有三年者則必爲之再祭朋友虞祔而已曰凡主兄弟之喪雖疏亦虞之曰東西家里尹主之此等是喪主而非祭主也如曰殤與無後者祭於宗子之家此則祭主而非喪主也又有雖爲喪主而亦不主喪中之祭者如已婦之喪虞卒哭其夫若子主之曰主妾之喪至於練祥皆使其子主之者是也惟適子爲父母適孫爲祖父母持重宗子爲妾子乃得兼爲喪祭之主今但據爲主二字不問其宗子與否而槩使之主喪與祭則恐考之未詳也 類輯 續編

又曰父不主庶子之喪自服制以降鄭賈諸儒蔵無異義其說累見而不一見獨凡喪父在父爲主一語若不能無違而孔疏異宮同宮之論又足以遂之蓋庶子喪本不合主其喪特以喪在同宮則家無統焉自不得不主耳若曰無論長庶子喪在同宮異宮皆父主之則禮意未敢知將置服問諸說於何地耶 答從弟信安

問凡喪父在父爲主則妾子不得爲其母主喪而其父主之然虞卒哭練祥祝辭不可與告妻同 同註

三山齋曰若從凡喪父爲主則只得如此然事多礙碍世亦未聞有行之者矣

梅山曰君主妾之喪當爲其主行其禮雜記所謂自祔者以其祭于祖廟故自爲之也士虞禮婦之喪祔則舅主之亦此意也雜記所謂練祥使其子主之主是主饋奠之謂也小記婦之喪虞卒哭其夫若子主之亦同此意也或曰虞卒或曰練祥互文也不以不主虞卒而不主婦喪則何可以不主練祥而不主妾喪乎妾雖卑賤得主之者以其攝女君也且凡喪父在父爲主則庶子在父之室甚敢自主其喪之虞乎虞卒練祥皆在於維非尊者所可與故使其夫若子主之主之云者非主其喪也主其饋奠而已此是古禮也饋奠亦當自主於尊者以尊長坐哭之文而知其夫皆不與也 答鄭應孝文

又曰喪服小記曰父不主庶子喪又曰父在庶子爲妻以杖卽位疏舅不主庶婦故也雜記爲妻父母在不杖亦是庶子而云不杖者謂同宮者也奔喪曰凡喪父在父爲主註與賓客爲禮宜使尊者疏按服問主夫人妻大子適婦者適命士以上父子異宮者也此言父在主則亦主庶是同宮者也竊說互見未定于一未若從先儒說勿論適庶同宮異宮父皆主之之爲得統尊之義也然則異宮支子婦之喪自爲之主矣 答朴瀅

又曰雖凡喪父在父爲主此以同宮而言若父子異宮則庶子各主其私喪今作堂室內喪則以亡室庶子主非矣禮也今不可以同宮而改題以其結果異廟則亦宜用題祔之禮也

又曰奔喪曰凡喪父在父爲主疏曰子有妻子喪則其父爲主之云然後可無疑礙之患然先生考論此禮而不分婦之適庶宮之同異而統主之云矣則周時對案大夫不主庶子故庶子各主其子後世不然故論長庶皆其父主之揭此例少屈之喪尊丈當主之只以孫爲主祖客異哉[illegible]七十[illegible]禮則今見其主喪否則倚丈準禮主之恐宜 答李月九

按禮父不主庶子之喪則奔喪云凡喪父在父爲主者似指同宮而言然後世所謂異宮乎古之命士以上自爲一宮者不過析產而居或隔墻分戶或家貧出贅非周時異宮之義則一依同宮之禮父皆主之然後禮順正矣

主婦

沙溪曰初喪時主婦喪事則當以亡者之妻主之亡者之妻無則當以主喪者之妻爲之有何疑也 類輯 續編

漢湖曰雖父祖主賓而主婦則當以亡者之妻其孫承重則其妻雖姑在亦當爲主婦 類輯 續編

尹溪曰初喪亡者之妻爲主婦而主治亡者衣衾初虞以後喪人之妻爲主婦而共承祭事矣 類輯 續編



黎湖曰凡所謂主人主婦皆指夫婦而言然在喪初重在亡者故先言亡者之妻檀弓註不必疑 答竹庵

近齋曰主婦本是孤子主喪者之妻之稱也至於父與祖之主子孫喪者雖謂之主人無母與妻則不可謂之主婦於此等之喪則主婦之位闕之可也且父在母喪其子不得爲主人則其子之妻不成爲主婦矣 答梅山

三山齋曰家禮主婦雖不分初喪與葬後成祔以後祭祀之禮必夫婦親之云者按以禮義斷無可疑夫豈不審而沙翁質言如彼乎 答鄭致汝

老洲曰主婦謂亡者之妻者此指喪主而言也凡喪祭與主並外則亡者之長子爲喪祭之主矣凡係喪事及與人爲禮以尊者主之之義亡者之妻主之也至於祭祀則子爲主祭而爲初獻則以母之尊豈可爲亞獻乎 答李元信

梅山曰妻爲主婦則主婦之喪無主婦父在父爲主則子婦不當行主婦之禮亞終獻主人之子若孫爲之恐得矣 答李退甫

按主婦對主人而立文則當是長子之妻共主奠祭者也亡者之妻卒日雖是主婦夫亡而有子則當爲主母何可謂主婦乎然論無論葬前後長子妻爲主婦而亡者妻若存則以統尊之義當主治喪事也若斷以長子妻爲主婦則雖父祖主子孫之喪夫主妻之喪主婦之位自在特不爲亞獻而已

問儀要云初喪則亡者妻當爲主婦虞祔以後凡祭祀之禮必主婦親之精蘊云成服以主人之妻爲主婦何如 洞山曰精蘊說是 疑禮正解

李氏曰長子死無後大子承重則雖有長婦喪主妻當爲主婦 家禮增解

護喪司書司貨

本庵曰檀弓杜橋之母之喪宮中無相以爲沽疏云孝子悲迷須人相導而杜家不立相於禮疏略也丘儀別立相則得古義矣 類輯 續編

近齋曰改相以護喪是古今不同處蓋相之爲稱吉禮亦有之如端章甫爲小相之類是也故後世喪禮不稱相也歟 答梅山

又曰子弟既無可以護喪者則用外家何妨叔之於嫂雖有遠之義護喪則恐無不可 同上

司書司貨子弟吏僕皆可互用子弟似指主喪者之子弟若亡者之子弟則殺喪之初號擗之中何以任書貨等事耶 同上

易服

遂菴問扱上衽註扱衣前襟之帶所謂帶是兩襟相掩之小帶耶尤庵曰前襟之之字或作於字如是看則似無可疑若以之字看則當如來教矣然如此看則所謂衣者未知指全衣而言耶 類輯 續編

問插衣前襟於帶或謂指衣之小帶恐不然古者深衣不綴小帶惟束以大帶而已此帶當以大帶看 鄭弘 厚齋曰恐得之今人雖服深衣而扱上衽之禮又不可廢則扱於衣之小帶蓋不得已也 類輯 續編

問扱深衣前襟於帶則去冠不去帶明矣今五服之人并去冠帶如何 成玹 巍巖曰按變服易通圖以本十五升白布深衣非古吉服黑緣者則帶恐非古緇黑飾者矣是白布帶也去冠服一節妻子婦妾外惟爲本生親及受服重喪則有去五服之人皆盡去也 類輯 續編

陶庵曰去上服一節孔子曰始死羔裘玄冠者易之而已以此觀之則上所云改服之爲羔裘玄冠可知士喪記註亦云爲賓客之來問病者朝服庶人深衣今人則侍疾處必不能具朝服且華飾之外無可易之衣若不曉此義而認上服爲今之道袍直領之屬則非矣又考檀弓疏始死則去朝服著深衣楊氏曰始死至成服白布深衣不改然則始死所改之服勿論大夫士庶皆是深衣而今之道袍直領可以代深衣侍疾時改服似當以此而如不能則易服時不惟不可去道服可也 類輯 續編

鹿山曰初終易服條既曰去上服而小註因士喪禮服深衣之說深衣獨非上服耶且深衣在古則未必爲上服而後世看作盛服則初喪喪人之服之也有乖於去飾之義然則今世喪人易服時必著道袍者未必爲非也耶道袍雖曰今俗上服比之深衣不啻有間

故也（儀節）

李氏曰易服[illegible]也不[illegible]之[illegible]也（輯覽）

又曰[illegible]有男子[illegible]以白布[illegible]女子[illegible]以[illegible]今人[illegible]日所不服被髮

哀[illegible]今人[illegible]似今[illegible]去冠[illegible]時始去之似亦閒古

意（輯覽）

[illegible]易[illegible]冠之[illegible]冠先[illegible]曰[illegible]沙尤定路依

此[illegible]去冠[illegible]南塘曰家禮[illegible]去冠之文則先[illegible]不可[illegible]冠[illegible]笠之[illegible]可去之歟耳

[illegible]入去冠之[illegible]今之布笠[illegible]吉冠[illegible]從之

[illegible]曰古[illegible]小[illegible]不去冠[illegible]以[illegible]祖[illegible]

[illegible]父母[illegible]去[illegible]冠[illegible]今[illegible]笠之[illegible]也[illegible]以[illegible]

[illegible]入去冠[illegible]文[illegible]不可行此[illegible]

[illegible]曰[illegible]去冠而[illegible]子[illegible]不[illegible]以下當不去冠

[illegible]上[illegible]有[illegible]去冠非[illegible]人不

可去[illegible]一[illegible]事也

爲位

本庵曰寢大紀書既正尸子坐于東方盖以別男女序親疏爲急也書儀於遷尸然後言爲位[illegible]以哀遽不暇而且旣不別室中



堂上之[illegible]今[illegible]尸不遷[illegible]而今位[illegible]此時尸[illegible]位

[illegible]

又曰[illegible]尸而[illegible]以[illegible]尸[illegible]之宜也自書儀一切移之沐浴後[illegible]之[illegible]今[illegible]正（同上）

[illegible]後遷尸而[illegible]之[illegible]士喪之文[illegible]

告喪

[illegible]

[illegible]

[illegible]

[illegible]

[illegible]曰[illegible]

[illegible]

[illegible]死[illegible]尸之後告[illegible]

[illegible]

[illegible]日[illegible]死於[illegible]本[illegible]告[illegible]

若生[illegible]告[illegible]死亦當告且不告[illegible]不可無[illegible]而[illegible]無告[illegible]之文可疑

[illegible]近齋曰今[illegible]若以某之[illegible]內[illegible]之則亡人名字[illegible]之[illegible]十歲[illegible]知[illegible]冠名則以[illegible]大

夫人[illegible]之[illegible]宜而[illegible]之[illegible]知之[illegible]以[illegible]行主[illegible]之[illegible]之日[illegible]

沐浴

本庵曰士喪禮曰沐巾一浴巾二[illegible]用[illegible]浴衣[illegible]浴巾二[illegible]上下[illegible]也[illegible]浴[illegible]之如今[illegible]

[illegible]按古之浴也巾以拭拓衣以[illegible]身自書儀以浴巾當浴衣今宜從古並具浴衣未具則又浴巾二[illegible]之可矣

雲坪曰家禮沐浴之制太簡恐以儀禮[illegible]浴行[illegible]以尸[illegible]上[illegible]于床[illegible]盆[illegible]於其下而沐之浴以[illegible]巾[illegible]水而[illegible]拭之拒以浴衣如[illegible]

日用汗衫單袴可也

本庵曰菊子[illegible]日不沐[illegible]三律而止[illegible]浴[illegible]巾三式而止[illegible]理髮也[illegible]此蓋[illegible]世多不[illegible]也[illegible]此可[illegible]

[illegible]不可下手者之[illegible]歟

問沐浴[illegible]曰大夫以[illegible]士以[illegible]今士[illegible]用之[illegible]也[illegible]　老洲曰沐浴[illegible]古[illegible]用於[illegible]

士庶用之[illegible]也[illegible]之[illegible]何可用耶

南塘曰病時衣及復衣已去於沐浴時而[illegible]之不復用於[illegible]也

本庵曰士喪[illegible]沐浴餘[illegible]水巾[illegible]浴衣[illegible]之於此時[illegible]而不埋[illegible]巾[illegible]埋之[illegible]水[illegible]巾[illegible]

[illegible]以埋之矣未知[illegible]何以[illegible]之今[illegible]巾[illegible]埋之爲宜

設冰

近齋曰夏節亦冷雖不如禾士喪不可設冰

襲



近齋曰以襲記襲之衣之襲[illegible]於身上之[illegible]

按程子曰有死而復蘇者故禮三日而殯然[illegible]十日[illegible]蘇[illegible]食其[illegible]不[illegible]故未三日而殮[illegible]有殺之之理[illegible]於此[illegible]不

能[illegible]死者未必[illegible]死日[illegible]二日[illegible]則[illegible]生[illegible]故衣衾[illegible]備過三日後[illegible]則[illegible]有[illegible]之[illegible]

[illegible]之[illegible]而[illegible]可[illegible]而不能[illegible]此[illegible]

深衣[illegible]道袍

[illegible]曰深衣[illegible]用[illegible]不[illegible]用此

問[illegible]用[illegible]用深衣者不用[illegible]

[illegible]上[illegible]不可[illegible]用[illegible]小[illegible]

以上衣下裳[illegible]一[illegible]用道袍[illegible]爲可

李氏曰[illegible]今[illegible]之[illegible]用之[illegible]士[illegible]則以此代之

[illegible]氏曰[illegible]用[illegible]士[illegible]深衣者用之[illegible]可[illegible]

今之[illegible]深衣[illegible]小[illegible]於死[illegible]上[illegible]下至士[illegible]用而[illegible]也[illegible]是以[illegible]亦[illegible]用[illegible]

並用於[illegible]　亦不可[illegible]也[illegible]用[illegible]官[illegible]用[illegible]則亦[illegible]之[illegible]也

明衣裳衣

本庵曰古者衣皆身二幅袂一幅而不破腋下故以明衣之袂而裹大紀亦云[illegible]是也後世衣不全幅且破腋下而襲衣又[illegible]袖故

[illegible]一法而皆有[illegible]今若一從古制則於事亦便若[illegible]則[illegible]衣如俗制[illegible]手[illegible]上至[illegible]亦可

男女同然（類輯續編）

竹庵曰以單衣袴代明衣終似苟且以周遊衣倣深衣制者代用之襲以上衣如何（類輯續編）

裹肚冒

近齋曰沙溪以裹肚爲包裹腰腹之物（答李載毅）

又曰冒當於襲後用之仍爲小殮然今俗或用或不用（同上）

老洲曰古者襲斂不同日襲而不設冒則惡其形也今則襲後即殮且殮時籍首補肩夾脛等節皆不俟先襲已言其難用矣（答洪大任）

婦衣冠衣帶

問掩用練帛練乃白色何用白耶（中腰）厚齋曰士喪禮襲條曰掩練帛古禮然也（類輯續編）

陶庵曰掩之修制就全幅析其兩端末爲四脚先以全幅一邊則當腦而以兩脚結頤下一邊則抹額而以兩脚結於項中小帶結於髻前故與此不同矣（類輯續編）

南塘曰掩以邊幅當額裹之以析末處當額誤矣（類輯續編）

梅山曰女喪當用掩掩制載士喪禮而不言掩色則可知是白蓋反太古冠布之義也女帽通俗之所用而其出無稽蓋可舍禮服而從俗制乎（答李稚度）

近齋曰女帽不知出於何時而非古禮也乃俗禮也古禮則用掩然從俗用女帽何妨（答李載毅）

陶庵曰備要所謂圓衫即家禮之大袖而俗制圓衫則對衫後長前短又於袖端以彩帛施數層謂之燕香袖詭異不經若去燕香袖前後無長短得與裙齊則爲有袖背子（類輯續編）



厚齋曰深衣篇註男女不嫌同服既曰同服則帶制想亦與男子同也（類輯續編）

近齋曰婦人襲圓衫之制果無所考若依諸先賢說用深衣則已不然而用圓衫則勢將如近俗所制而用之（答梅山）

梅山曰圓衫近俗婚喪之所通用而其制無所考或云是皇明命婦之服未知是否圓衫長衣衣裳相屬有古禮服遺意而終未若深衣之有經據耳（答李稚度）

本庵曰家禮纂考曰士喪以下不言婦人襲服竊意婦人褖衣與男子爵弁服相對則此當用褖衣大帶以此書之例則應用大帶長裙也今宜一遵祠堂章所服惟唐衣於送終則太簡可代以深衣婦人深衣曾子問可考也（類輯續編）

雲坪曰尤庵曰婦人襲亦當用深衣大帶愚以爲衣用青純（綠也）帶用錦純可也是乃古之彩衣且不大違於俗（類輯續編）

又曰尤庵曰紅長衫乃東俗嫁時服禮嫁時服不以襲愚按此論雖未有古之明文甚得禮意記婦人復不以袡蓋事鬼神當以祭服故也於襲亦可乎（同上）

又曰闕俗圓衫乃嫁時服長襖子又是繭袍之縫縫者僭之衲之類也皆不可以爲襲（同上）

又曰尤庵曰闕京中內喪以青黑色製衫爲襲無乃爲宜耶愚按黑衫即今之褖衣（同上）

竹庵曰婦人服古無殊裳今圓衫與長衣有古之遺意圓衫是皇明命服之制則無官者之妻襲用長衣何害有官而用圓衫者並襲長衣似有說（類輯續編）

又曰婦人喪從深衣今之長襖子恐其制之遺意也帶則未聞其用也（同上）

雲坪曰古禮無袗袴之文有明衣裳在襲內今以明衣只用於浴後而襲時撤去則甚無謂今汗衫（衫韵）單袴即明衣之遺法也新製明衣之新者汗衫單袴用之可也外喪亦可通用（類輯續編）

問遂庵曰男女通服深衣雖有古文然家禮常時男女各有盛服送終之節似不可通服而無別也先師於女喪一番用深衣恐亦閤之云似亦從古之義耶（泓）芝湖山曰女喪不當用古之所謂用深衣者男女衣服皆同故也（疑禮正解）

設襲床

本庵曰士喪禮商祝襲祭服褖衣次註襲衣於床床次含床之東衽如初疏喪事所以即遠故知襲床次含床之東按此書儀設襲床在浴床西蓋以室戶不盥如故（類輯續編）

男喪束髻女喪繫組

近齋曰桑笄今人不用何必泥古安於之制男喪束髻女喪繫組盤髻而已（答高興濟）

襲不冠

近齋曰冠是戴於頭者爲物甚偉非臥時所宜着死者長臥故不加以冠耶孔子之喪冠用章甫既見於儀禮經傳而古者人死不冠又有沙溪說兩相不合可疑然沙溪之所考據則有之輯覽襲條引士喪禮疏而曰死者不冠下記其母之喪髽無笄猶丈夫之不冠也此豈非明證耶然則所謂古者即周時而周以前則死者用冠冠用章甫乃殷禮孔子本殷人故公西華治喪兼用三代之禮以殷禮用冠耶家禮備要既曰加幅巾則只當遵此而已幅巾可以代冠不可直謂之冠冠重而巾輕也（答梅山）

右衽不紐

本庵曰大記小殮大殮皆左衽此書亦於小殮言左衽則襲固右衽矣但衣係之小帶不屈紐似宜據背子無鉤帶註鉤所用弛張今不復解脫故不設者可見（類輯續編）

梅山曰喪大記小殮大殮皆左衽者以死則向左示不復解也襲亦宜無異同而必爲之右衽者不忍遽死其親也以故家禮主小殮



始言左衽者實有精義鄭註之見斥於沙溪者宜也（答李子馨）

上衣不穿袖

本本庵曰今俗諸衣與袴皆穿疊爲一通以便衣尸當從之惟上衣之袖勿穿以從此書末若深衣之意似宜（類輯續編）

服中死者襲用吉服

老洲曰服中死者襲殮用吉服已有沙溪之定說著於備要不須他疑（答南大任）

襲殮執事

近齋曰襲殮之節既無執事則主人兄弟勢當躬行（答梅山）

徙尸床置堂中間當否

本庵曰書儀註曰今窄室難古故遷堂中間取容男女夾床哭位也按古禮小殮始奉尸侇堂而今遽從書是從權恐失孝子之心[illegible]遠矣依古小殮徙尸爲宜或慮觸風以生浮氣則雖大殮後可也其堂有門者不至俟大殮矣（類輯續編）

襲奠（飼日襲明不別設奠而反所設始死奠於尸東床上）

輯覽按士喪禮疏廟饋酒疏小殮一豆一籩大殮兩豆兩籩始死俱言亦無過一豆一籩而已然則當奠酒一盞而至虞始具三獻之禮　本朝五禮儀則襲殮奠皆進奠三爵未知何據（五羽禽稷）

陶庵曰家禮襲奠即古禮之始死奠既從古禮則此奠不設爲宜而但襲在經宿則依家禮設奠無妨小殮在襲日則有小殮奠襲奠自當闕之（類輯續編）

[illegible]之奠食左脯右醢襲奠右脯似誤（類輯續編）

本庵家禮集考曰據士喪小殮奠酒在南豆則醢也特牲少牢禮籩在右則脯在酒豆之間矣此書則右脯如古而惟酒北脯醢之西略如祭禮矣今俗平日左脯右醢則凡喪奠恐合象之 類輯續編

又曰檀弓曰奠以素器以生者有哀素之心也註哀痛無飾也凡物無飾曰素哀則以素敬則以飾疏奠謂始死至葬之祭名以其無尸奠置於地故謂之奠哀謂葬前敬謂虞後故士虞禮不用素器也愚按士喪始死奠用吉器小殮奠乃素俎則檀弓蓋據小殮以後言也書儀於始死已用素則似不然惟靈座椅卓以今魂帛白綃之列則當亦是素而爲近於古置右袵之義然則奠器亦難獨吉今自設靈座以後用素器爲宜但酒器僉鑞雖近於古禮吉凶通用角觶之義而恐太華耳 同上

竹庵曰家禮襲後設奠卽士喪禮始死奠也設魂帛時添設酒果蓋以當小殮奠之具如士喪禮饌脯醢醴酒於設置置銘之厥明者也 類輯續編

近齋曰襲殮奠按圖及父只有脯醢至成服後朝奠始兼設果矣始死奠脯醢因其餘閣而襲殮奠脯醢似是新設者矣 答舍弟

問襲奠用脯醢而今俗以家中所乏只奠粥如何 南大任　老洲曰始死奠脯醢古所常有今或所乏故備要云無則隨所有書儀亦言無脯醢則食物一兩種可也

按始死奠自書儀移爲襲奠故老洲引始死奠答襲奠之問而襲奠實與始死奠不同不宜大略也

飯含 祖並論

南塘曰錢象天屬陽之屬也米是地產陰之屬也錢三米二升從陰陽奇耦之數 類輯續編

雲坪曰今俗之飯含用糯米者豈有取於秫灰辟濕之意耶 類輯續編

近齋曰士喪禮用稻米後世用秫米無乃俗情以秫爲貴而然耶 答梅山



老洲曰飯含用珠卽古用貝之義上下同之禮律俱許何可以香水之僭比而同之 答南大任

厚齋曰柳匙禮無經文此是俗禮 類輯續編

洞山曰飯含柳匙俗例也用銅匙豈爲不可 疑禮正解

本庵曰家禮集考曰按士喪必出而袒者避襲也書儀亦然此書不言出者蓋文闕也觀下言執箱入可知也 類輯續編

黎湖曰據飯含時始袒可知易服時不袒尋常無意如此不意偶合於高明之見也家禮固不逐處說袒而既於小殮表出袒括髮一節則亦不可謂其皆略之矣 答朴師伯

問飯含左袒儀禮疏謂取便檀弓袒括髮去飾之甚也有所袒有所襲哀之節也之文左袒似非取便之意且主人盥手近不見此禮 尹士貢　黎湖曰取便云者以用左手扱故也凡禮事無問吉凶皆袒左與所謂哀之節也不相碍盥手恐不可廢

梅山曰飯含主人之事惟主喪者左袒餘人無可袒之義主人若老病不能而子孫替行則替行者當袒 答任楚翔

又曰士喪禮主人必左扱米者尸方南首而主人由足西牀上坐東面奉從立乎牀西在右左手不便於用而乃用之者由下飯含之順也主人東面坐用右手則必反用其椀且加手於死者之面非孝敬之道故不爲也或云舉巾以右手不得不用左手扱米此說亦通 同上

又曰士喪禮笄浣栖鬊于米家禮揮匙于米盌栖髪而爲匙匙髪而爲柳匙今俗用柳未知何据而從俗亦宜 同上

雲坪曰主人左袒之時可收髮暫爲繫髻 類輯續編

梅山曰按備要小殮憑尸哭擗後括髮免髽遷尸後襲絰則飯含時不殮髮可知也 答朴元衡

本庵家禮集考曰按古禮婦女宜少肸于西此書衆男女肸于東蓋含畢復位而但古今併文略矣 類輯續編

雲坪曰米貝在主人之右 類輯續編

南氏曰家語孔子之喪含以疏米註疏粳米也粳米卽糯米 禮書箚記

問子婦喪飯含 李敏坤　厚齋曰一依家禮主人行之恐得之祭祝父皆主之 類輯續編

梅山曰士喪禮只云布衣瑱幅不鑿而已雜記只云鑿巾而飯而已註疏家因鑿與不鑿文勢之不類叔言大夫士之別蓋推說也士則親含大夫則不親含不少概見於禮特鄭賈輩自爲之說耳飯含本爲孝子不忍虛口之義則豈容使賓大夫之貴恐乎可施乎註疏決不可從也公羊賈鑿巾而飯是嫌惡也安得免不孝之刑乎尤翁使客云云亦襲註疏未敢信及當覺遂儀禮家禮本文主人自爲之可矣不當使祝使祝則恐尸爲祝所惡耳奉珠與祝佐而行之者與使賓何異哉 答宋穉深

近齋曰飯含近世或有不行之者非也蓋出於惡見之義而違禮則大矣角柶之不用固無妨而仍廢飯含豈不極未安乎飯含是禮之重者本以人子不忍虛其口而設也古者庶人猶用錢其禮之不可廢也如此且襲時旣襲而但未著幅巾深衣履以待飯含後卒襲始加幅巾著深衣納履則飯含爲襲小斂中間大節何可去之乎 答沈鍛

南氏曰直臣李東彥方在時患危重不省之際遣其父喪不能親自飯含使人代行以此構成不孝之罪瘐死獄中金三淵寃惜之仍命子孫勿用飯含之節 備要補解

按飯含是送終大節而近世人家或有不行之者非惡見而然也米入口中隨卽腐爛有傷體膚非深藏之義錢貝堅硬及其旣久骨肉化而錢貝不化亦甚不便古者棺用鐵釘而後世不用棺釘猶然況在口中乎恐不宜一切非之也

柳氏曰袒有三將含而袒旣含而襲不待尸卒襲一也小斂旣卒而袒奉尸夷堂而襲二也大斂將始而袒以至奉尸塗殯而襲三也家禮含而袒旣含而襲旣小斂而袒而更無襲之之文恐是闕文 常變通攷



卒襲

問幅巾充耳深衣大帶握手納履等節必在飯含之後有徵意歟南溪曰士喪禮先含而後襲家禮先襲而後含故必有卒襲一節不然將無以行含矣 五禮答問

結大帶

雲坪曰大帶結於前再繚爲兩耳之文出自家禮家禮自書儀未知其何義也丘義與尤庵之論皆以用古制再繚腰爲當 類輯續編

設握手

屛溪曰以右手掌置於握之搂中先以拇指邊一端由拇指間掩手背以其系繞擥 掌後節也 一匝還從上 拇指邊向上 自此又以季指邊一端復掩手背以其系由拇指間經掌心由手表出拘中指 拘之如又字樣 復由拇指間入又經掌心由手表出與先係者結於掌後節也 屛溪 左手亦如之 類輯續編

襲日小斂之非

問諸議皆以爲今日日熱如此今日襲後仍爲小斂爲便老峯曰於禮爲渴如何未知有何難行之患耶 五禮答問

雲坪曰世人或有衣服未備至死一日後始爲襲者乃以同日小斂大非禮也未襲之前襲事未始雖至十日是非死者所當與人子喪其親一日而爲襲斂豈可忍哉 類輯續編

按襲在死日而同日小斂則渴不可若襲在二三日而小斂又退翼日則孝子之心豈不悶迫乎此與大小斂之不可同日成殯成服之不可同日不同斂形爲急故也

本庵家禮集考曰此時賓客之弔拔經恐只在位哭（主哀）而主人因事出則拜也開元政和禮弔皆在成服後若禮儀則未成服前護喪接賓惟親友入哭則在設靈座後耳此殺之設靈座後親厚人入哭者做書儀而若護喪接賓一節則於親厚者之於未設靈凡賓之於未設靈只自外致問而已歟此恐已疎可略倣古禮入位於親戚後而哭歟其不知死者可自在賓位而不哭歟然此擬主人在室者言耳其出在堂者恐不得不相向哭如下親厚人入哭儀也（類輯 續編）

靈座

雲坪曰家禮本文靈座設於幃內尸床之南大殮後則設靈座之前蓋鬼神尙幽暗也備要圖設在幃外非是家禮圖則靈座在幃內但尸北首亦失之（類輯 續編）

問復衣似當置於靈床云云（郭拱辰）雲坪曰復是招魂也復衣之置靈座靈床皆無不可（同上）

雲坪曰葬前燈盒同在饌卓者喪事遽未備也（同上）

又曰始死惟以悲哀爲主人無二心是以只設奠以依神蕪褻饋羞湯沐之具皆不能爲此三代之所未改也今於此無靈牀象生之具而遽設櫛類進退無據恐不可從（同上）

李氏曰古禮大殮奠有席至虞有几几筵方備始以神事家禮自襲已有靈座與古不同（家禮增解）

魂帛（附重並論）

輯覽俗制以白紙裹初終時復衣納諸小箱中又裁白布三四尺作神主形於上下以剪白紙一片束之書上字於其上又納箱中（五禮考證）

南氏曰魂帛有箱發引前則家禮無明文或曰發引時亦無箱遺奠奉魂帛升車亦依靈座例實之以主箱置其後及題主奉神主升車魂帛箱在後後之魂帛箱卽前之主箱也只是一箱題而已故主註始言藏魂帛於箱中蓋既出主於箱題主畢乃藏魂帛於箱示不復用矣觀其文勢可知此言亦有理（箚記）

陶庵曰今俗魂帛之制各殊而於禮俱無所當家禮既有結白絹之文則只當依此用結帛也（類輯 續編）

雲坪曰古者大夫士凡主於附束帛以代重所以温公用之於靈座也至於同心結出於後世其制怪怪褻不可用也且世人既用束帛而因此若簡結之圖而立之又非禮也結則既象人形猶之可也束帛無頭面手足何可立之不敬甚矣（類輯 續編）

按重主道也魂帛代重者也重與主皆不臥設而魂帛獨臥設者恐無意義立置而覆以帕恐宜

竹庵曰魂帛之制備要圖式束帛與同心結俱取寶之遺意而皆非古制則近日用紵布周尺一尺二寸許粘疊左兩側及上下爲之者似勝於束帛同心結（類輯 續編）

梅山曰束帛始見於雜記聘禮而家禮結絹非古束法而云束帛者只以結束言其用白則似如處主以粟之義其制假此同心結肖人形則俗之用布爲神主樣者不經五禮儀

大喪用白綃一疋加泰圓安於校椅而綃多小既欠定數姑依聘禮丈八尺其結之做于蔡傳三帛圖而結之之綵用白恐宜（答李秤庵）

李氏曰魂帛當依温公說用束帛可也此所謂結白絹儀節雖云結制無可考愚則以爲朱子正以束帛言也蓋結者束之意也白絹若帛也其下引温公說以證結絹之爲束帛也（家禮增解）

梅山曰漢湖夫人喪禮魂帛用束帛之制當時不覆蓋不覆帕是亦可還而但神道尙幽覆蓋覆帕恐不悖理奉靈床只安衾上是爲得正（答任憲晦）

問設靈床於入棺日則雖成服前魂帛可出入靈床否（金仲杓）樸泉曰尸在床則其衣衾猶生也既入棺而殯於階則須別設衣衾以象生也（類輯 續編）

篆山曰成殯條雖無奉魂帛入就靈床之文然以下朝奠條奉魂帛出就靈座之文觀之其自成殯之夕已有夕哭而奉魂帛入就靈床可知世俗必自成服之夕始行此禮誤也（類輯 續編）

屛溪曰奉魂帛安於被薦之間恐太泥（類輯 續編）

黎湖曰靈床之設是爲出入魂帛是象生而欲其魂氣之憑依也雖似褻瀆恐不可廢（答尹士毅）

鹿門曰魂帛之出入靈床太近猥褻而古禮殯宮（室奧）與下室處所既殊事件各異（魂帛殯宮之事 靈床下室之事）以彼合此終涉阿固未知如何也（類輯 續編）

竹庵曰今之魂帛既古之重重無臥置之禮魂帛立置或爲近耶以重出入靈牀未聞也魂帛出入蓋後禮也（類輯 續編）

老洲曰古者既殯尸柩不見形神斯分於是室奧設奠而依神下室饋養以象生後生塗殯廢而下室亦廢家禮靈座所以倣室奧之依神也靈牀所以倣下室之象生也奠與饋遂皆設於靈座而以食時上食立文別於朔夕奠是乃參酌定制而今之魂帛古之重也靈座靈床以神形而分焉則以魂帛出入靈床不但無義亦涉褻瀆好禮家廢此一節爲得正耳（答沈解而）

按孔子曰之死而致死之不仁不可爲也之死而致生之不智不可爲也今以依神之帛朝夕出入於被薦之間非但有違敬禮豈非致生之不智耶

老洲曰魂帛之出納如神主雖似無義饋奠之時覆帕不爲開動恐大昧然矣（答梅山）

問上食時魂帛立置人或非之（李秀英）洞山曰立置爲可（疑禮正解）

南氏曰士喪禮註繫治也治木如牌上有孔橫鑿以繫鬲鬲是鼎也重是縣鬲之具鬲是依神之具經禮問答以爲鑿木如鼎既鑿木如鼎縣鼎其上恐非古之重制（禮書箚記）

柳氏曰士喪禮既大殮將奠祝執巾席從設于奥東面註爲安神位委巾於席右疏委於席右以巾當神故也然則今魂帛雖取設重之遺意亦合於古人設巾之意（常變通攷）

銘旌

陶庵曰巡將司果皆非實職淑夫人淑人之稱皆爲孺人雖非實然猶不害於禮窮則同之義耶（類輯 續編）

近齋曰禮書文武官妻而不別於蔭官妻則蔭官堂下妻從夫職封誥當與文官妻同士之妻當曰孺人文武九品官妻亦稱孺人卽禮窮則下同之義（答梅山）

又曰銘旌職銜之不書鎭管出於近俗云愚則未嘗聞也若以不書爲誤則壙中銘旌不可不稱之况題主當稱鎭管銘旌與題主何可異耶（同上）

渼湖曰銘旌不書鄕貫爲是（類輯 續編）

篆山曰沙溪曰氏所以別其姓也庶孼雖賤稱之何嫌召史之稱不典或曰書以某姓之柩無妨云然則庶孼婦人只當以某貫某氏之柩書之孺人二字則不可加也（類輯 續編）

問柩未成而先書柩字（趙鎭）陶庵曰士喪禮疏銘旌設柩不表尸故據柩而言尸雖在床亦可以書柩

近齋曰銘旌之直書柩上愚則不取非但古禮所無恐近於褻故也然近俗多行之若以緞帛嫌其腐朽不用則勢將從俗不[illegible]問也（答梅山）

篆山曰銘旌始立於靈座之右而成殯後則當立於幃內柩之東靈座之西兩間也按圖可見而世俗雖於成殯後猶依於幃外靈座之右非是（類輯 續編）

老洲曰士喪禮立銘在沐浴前置于西階上蓋預置以待用至襲後設重取銘置于重自書儀以帛代重而復設魂座以爲其體之所家禮置靈座設魂帛依書儀立銘倣士喪行在襲後而其用則設奠自小殮立銘自殮後此俗禮所以與家禮小異而實無妨於禮意耳 答南大任

不作佛事

本庵曰今俗始死作飯讀庭謂之使者飯鄙俚尤甚宜痛破之 類輯續編

近齋曰俗所謂使者飯卽佛事中之一也此當於平日著爲家訓若詔之曰以此事送我則非吾子孫子孫誰忍犯之且令愚迷之奴婢知其不可行則必無臨喪錯誤之患矣 沈悅錄

按今俗大小殮婦女僕御以梵字佛書置於衣衾中所當痛禁也

親厚入哭

陶庵曰遂吊主人一段儀節之見於備要者頗詳然親始死孝子哀遑未可語此出見不出見恐皆難行親厚入哭者拜靈座後還入韓內向主人而哭主人哭對無辭未親厚者待成服而吊未晚也 類輯續編

竹庵曰親厚入哭或伏或立或哭且拜得失如何黎湖曰伏立皆無妨於亾者有長少兼亦初喪悲遑不能盡同惟拜而後當撤哭儀節序哀止在於平仲後者可見 類輯續編

南塘曰家禮無拜賓之節爲其難行也丘儀添入恐不可從也 類輯續編

禮疑續輯卷之三終



# 禮疑續輯卷之四

喪禮

小殮

無紞之紞

彙山曰小歛具無紞之紞以註所疑被識云者觀之則是衾領也或誤認爲絮不是 類輯續編

近齋曰小殮衾以複大殮有絮禮之本意未詳或言綿絮漬水則輕低小殮衾近於尸體易有所濕濕則頓且重用絮無益故只用複大殮衾方有絮未知果然否今俗之小歛衾有絮似以厚於近身之意大殮衾薄亦無害故或小用絮或只用裌耶 答舍弟

陳衣

本庵曰檀弓季康子之母死陳褻衣敬姜曰婦人不飾不敢見舅姑將有四方之賓來褻衣何爲陳於斯命撤之愚按男子則士喪小殮陳衣有散衣大記有袍是褻衣亦陳之惟明衣裳士喪於襲言不在筭則不備陳矣婦人恐須兼用褻衣但不以陳而藏於箱篋之陳衣側 類輯續編

近齋曰上衣實故不倒下衣賤故倒所謂上衣如團領直領之屬是也備要小註可考 答舍弟

梅山曰喪大記註絺綌紵者褻衣也襲尸重形冬夏用袍及殮則正服絺綌紵褻衣故不入陳云云蓋古人以絺綌作褻衣若吾東單袴衫不作上衣故不入於陳衣也若作上衣如吾東青白紵布之類則曷可以紵而不用乎用與不用係服之正褻不係乎絺紵禮意郎然而今俗不解此意凡係紵屬雖正服不用可歎 答蔡漢

環絰

問環絰之環字何義 池光翰 芸坪曰環回繞也用麻一股周迴纏繞之名非若素絢之繞耳不曰要絰而曰弁絰只施於首而加於弁可知耳 類輯續編

竹庵曰雜記曰小殮環絰公大夫士一也環絰是古者平時吊服所用禮所謂弁絰是也小殮時不去冠而以環絰加於冠以殯至襲絰去之也今無吊服之環絰而只言小殮後襲絰則雖不用環絰恐非太失 類輯續編

近齋曰環絰用於襲後斂時小殮時頭需用於憑尸後括髮時括髮卽小殮後事來視何以謂殮前括髮也若以襲後環絰東髮爲括髮耶東髮與括髮異矣 答舍弟

老洲曰小殮環絰家禮所無故備要雖補入先輩之論皆欲從家禮蓋其繁文難行不用此禮則麻束髮本後無以殮依俗而已 答南大任

梅山曰小殮時白布巾環絰家禮之所不言而備要言之以古禮之不可廢也沙溪擧儀禮用補家禮之闕曷敢不遵耶 答任元彥

屛溪曰小殮時白布巾本非行者故家禮不擧論且古禮不袒髮只去冠故小殮時着白布巾後世袒髮未及括髮之前何以着巾世之必用白布巾者不知禮之古今異宜也 類輯續編

白巾 服人服并論

又曰鄙人前日治喪皆不用白巾環絰小殮絰帶矣 類輯續編

漢湖曰小殮時主人歛髮着白布巾環絰憑尸哭後去白巾着孝巾加括髮免於其上 類輯續編

近齋曰白巾親殮本是孝子之事尤翁雖欲推用於衆服人而恐難從黑布笠之非吉冠既有遂庵說姑着黑笠於小殮前小殮後始用巾絰爲宜 答宋宗洙

設小殮床於襲床東

本庵曰檀弓曰飯於牖下小斂於戶內大斂於阼殯於客位祖於庭葬於墓所以卽遠也故喪事有進而無退白虎通義曰奪孝子之思以漸也愚按古禮小斂於席其西坫之床本無殮後儀堂具也而自書儀就其床而布絞衾豈以小殮不時結絞故歟今殮依古於疑床之東殮後又遷于其東以附卽遠之義似可 類輯續編

大小殮布

近齋曰我國布幅既狹連幅用之無妨當從沙溪說 答李栽毅

左衽不紐

竹庵曰左衽不紐據喪大記本文則左衽指大小殮散衣而言也不紐謂小大殮布絞而言而襲衣則右衽如生時先王送死之禮曲有精義 類輯續編

近齋曰喪大記註曰衣衽生向右死向左示不復解 答李栽毅

又曰來示衣幅周裹之際必令向左云者似然 答舍弟

又曰餘衣指散衣也不紐之文家禮與喪大記不同姑從家禮以不結小帶爲定如何 答李栽毅

小殮未結絞

厚齋曰按問喪曰三日而不生則亦不生矣是故聖人爲之斷決以三日爲之禮以此觀之三日之前結絞掩面恐非禮意沙溪說是權宜處變之道 見原編 恐當並行而不相悖也 類輯續編

梅山曰開元禮小大殮無結絞書儀小殮陳衣註曰今俗無大小殮家禮附註高氏說有云今之喪者衣衾既薄絞冒不施懼夫形之露也遂結于棺爲小殮盖棺爲大殮則是小大殮皆廢據此則唐宋以還小大殮具失古禮溫公好禮故採儀禮而行殮絞大殮則文缺家禮本書儀大斂之無絞亦襲書儀也小殮鋪絞至將入棺而始結之則似合兩殮而爲一恐非有精義家禮未及再修故此等處不更正不當以出於朱子膠守無改 與金正宅

免髽 括髮頭窃並論

屏溪曰家禮父斬括髮以麻母齊以下皆免以布不用小記之母齊亦麻之言當從家禮 類輯續編

竹庵曰免卽今之布頭巾禮所謂不冠者之服是也斬衰衆主人及齊衰以下同五世祖之親皆免冠而以布巾掩髮是爲免 類輯續編

又曰古人免則露髻袒則見肉若其袒衣而不露肉免冠而加以布者恐中古之禮也盖考之古禮免只是脫冠之謂惟服問曰免者不冠者所服也服問之說其出於中古乎嘗見漢書皇帝登遐百官皆衣白單衣白幘不冠盖今之頭巾卽白幘也而襲註疏之謬別以布繞髻作免 類輯續編

問同五世祖者皆袒免于別室據此小殮後雖緦親與同五世祖之親皆當袒免而今不見此禮 尹士賓 黎湖曰五世袒免是大傳文也既曰齊衰至同五世祖云云則其皆袒免何疑

近齋曰免之制備要註考之可詳然近俗未見有加免者從簡不用亦可 答金宗書

儀節布頭窃註所以括髮者用略細布爲之長八寸以束髮根垂其餘於後所謂總也今謂之孝帽 禮書劄記

黎湖曰頭窃之註以家禮附註丘氏儀節備要輯覽諸書而見之則盖布總之束髮根而垂於後者耳同春說恐不爲無據 同春以頭窃爲斬衰以布頭窃爲齊衰非是 蓋以斬衰之麻齊衰之布各有所當也慎齋之答尤明白然玄石則又以布窃爲斬齊之所同是以家禮爲主也 答趙弘海

南塘曰括髮頭窃之制果是難曉以本註文勢觀之似先以麻繩束髮爲髻後施頭窃於其上然考之經禮則頭窃卽布總束髮本者括髮以麻自項而前交於額上卻而繞於髻如著掺頭其制盖與免布同然則當先施頭窃後加括髮矣又按冠禮陳冠屐註曰緇窃



按鄭其窃先於掺楠先於窃則似先以掺理髮合式以窃束爲髻此加以掺喪禮頭窃括髮與冠禮窃掺雖有布麻緇絹不同其制若無異則其施用之節亦必無異矣然則家禮本註先言括髮後言頭窃者或因正文只言括髮不言頭窃而括髮本於禮經頭窃出於後俗故先括髮後頭窃而不言施用之序耶又有所疑小殮時若用古禮主人兄弟加白巾環絰則憑尸後括髮時去巾絰而施括髮耶抑施括髮於巾絰上耶既曰括髮則非可施於巾絰上者也喪服小記註曰親始死子服布深衣去吉冠而猶有笄縰將小殮乃去笄縰著素冠殮訖去素冠括髮以麻所謂素冠卽巾絰之禮也據此而小殮時著巾絰憑尸後去巾絰加括髮至成服乃去括髮庶爲得宜而備要去巾絰在襲絰之時則又似不取小記註說抑括髮襲絰其間不遠故雖以襲絰爲言其實去之在括髮時耶 類輯續編

又曰括髮髽在憑尸之後又於別室則圖之於憑尸時已括髮髽者誤矣 同上

又曰親死數日之內易服環絰節文太繁家禮略去環絰襲絰二節恐不可改 同上

竹庵曰飯含主人袒率事襲小殮憑尸後主人袒括髮衆主人免于房此士喪禮也麻繩撮髻盖所以爲括髮者所謂頭窃詳丘儀固非布巾而今布巾恐是免之遺制 類輯續編

又曰髽以字義是抵挂其髻盤繞頭上對男子之免以爲制者也註疏煩亂皆失經旨而後禮襲謬恐難盡從 同上

又曰括髮是露髻而以麻繞之惟斬衰主人爲之 同上

近齋曰儀禮疏髽有二種之說詳考本文未見其爲制二種之云如俗稱二件之謂盖制樣則一而用則有二也小殮髽成服亦髽以一髽而易一髽也露紒似是以麻布繞紒不全覆紒露出紒形也男子成服括髮婦人至紒猶髽者未詳其義然男子重首故去括髮婦人不重首故不去其髽耶 答趙有書

老洲曰括髮窃免及髽古制今皆不可詳備要以麻繩擬用於斬衰括髮及髽以免擬用於齊衰繞髻及髽布頭窃擬以總以束髮皆以古禮擬似而實與今俗不同今括髮齊斬皆用麻繩束髮本而撮髻窃免只代以頭巾五服同用婦人則以麻繩布總擬俗唐紒以斂髮盖撮髻依家禮而頭巾自丘儀按古禮括髮爲父爲母皆用以麻而家禮斬衰亦用布窃則今之括髮者麻以撮髻而加以頭巾同用於父母喪未爲全無所據矣男子窃免既代以頭巾則婦人之代以唐紒者何以通於男女耶 答南大任

梅山曰婦人之笄卽男子之冠也以故小記云男子免而婦人髽是謂男子去冠而免則婦人去笄而髽也齊衰以下始喪不去笄者至小殮而去之亦審儀引檀弓榛以爲笄之文爲小殮髽而髻之證然據喪服經及註齊衰以上婦人之髽至成服著笄而猶不改則檀弓髽笄亦據成服後而言也家禮從書儀故乃爾當從古禮 答李在寬

南氏曰家禮言被髮而不言斂髮何也括髮卽髻之繞麻者也有髻則已斂髮矣故略之不言 禮書箚記

小殮後絰帶

屏溪曰小殮後絰帶古禮盖漸次之意而家禮去之成服始有之朱子每言古禮多煩瑣似以殮棺前宜專意送死之節生人服制不暇致意而然也 類輯續編

雲坪曰母喪主人兄弟皆免當在襲絰之時 類輯續編

老洲曰小殮襲絰帶之節備要從古禮補入此等無難便之端則只當從禮 答南大任

拜賓

近齋曰小殮後拜賓古禮也家禮雖闕既已收入於備要則當行無疑哀告餘而禮不足固可貴而若一向如此則初喪哀遑時幾無可行之節文矣襲殮大事實籍諸賓來助之力不可不拜而謝之於此益見孝子之心也 答舍弟

又曰備要小殮後主人拜賓襲絰條下無賓答拜之文賓不答拜似未安當起立避席耶抑俯伏而已耶 與鹿門

梅山曰拜賓所以謝之而致其哀也古禮自好而家禮不載者蓋書儀也瓊山諸人儀節亦從而襲謬儒家要得禮意當謹從記文小殮

大殮皆殯皆拜 答李在[illegible]

李氏曰備要曰衆主人從云則是衆主人亦從而同拜之意也然考之經文衆主人則降階後先即位且據士喪記有君命衆主人不

出註不二主又奔喪云奔喪者非主人則主人爲之拜賓然則衆主人當不拜 家禮增解

小殮奠

沙溪曰儀節襲小殮奠皆設於尸東當以家禮小殮奠設於尸南又曰奠尸東乃古禮而自朱子始設于尸南 讀禮箚記

南氏曰家禮小殮乃奠註舉饌至靈座前並靈座設尸南故曰設于尸南 讀禮箚記

問卑幼者再拜註儀節孝子不拜云云 答李七 懶齋曰卑幼以下本指主人以下之文也家禮本旨沙翁定論並如此而丘儀獨有云云

故沙翁雖節入於此而蓋亦疑而未詳之辭耳 類輯續編

本庵家禮源流曰禮小殮奠於尸旁爲尸猶在則不忍離之也當以此爲正至大殮則且從此奠耳 設於靈座 又按香火已見通禮祭古禮

凡喪奠無拜書儀大殮奠卑幼再拜如小殮奠卑幼則主人在其中矣今小殮奠於尸旁則自無焚香與拜矣大殮奠於靈座則

須焚香惟拜則俟成服後爲宜歟 續輯

遁門曰小殮奠家禮卑幼皆再拜則孝子亦當在其中今當依家禮行之古禮則無拜 續輯

愚谷曰卑幼皆再拜則所謂家禮未定之本也尸方在床主人未飾志憊氣塞擗踊無算安能再拜所以丘氏只教得孝子不拜然

孝子不拜誰敢拜之 續輯

竹庵曰小殮奠卑幼皆再拜經所不言只視與執事拜恐爲是也孝子不拜丘儀已言之 續輯



又曰小大殮奠禮無焚香再拜之節不獨襲奠然 仝上

老洲曰家禮卑幼皆拜孝子似亦在其中矣儀節言孝子不拜然以是時孝子哀遑罔極且括髮無容不可行禮故耳然古禮饋奠無

拜而家禮有拜孝子不拜家禮無文故備要引儀節而並詳之疑之也惟在行禮者擇之 答兪六任

又曰古禮自小殮奠用牲饌而家禮始用酒果脯醢者今既無饌則依家禮而無可用處饌則雖不如古用牲依他奠略設可也 仝上

按小殮奠卑幼再拜不見經文而元非不可已之禮節而若主人在其中則當云主人以下皆再拜何可只言卑幼者再拜乎此時

尸猶在床孝子哀遑未飾不暇行拜禮故只言卑幼耳

李氏曰按士喪禮則葬前奠無拜禮只有哭踊 家禮增解

梅山曰襲奠設於靈座卓上待小殮而撤更設酒果醴與小殮不同日則非一日兩奠也設於時而襲者仍爲小殮朝同日兩奠亦非

可已則然一日不再設奠可哉然不然也 答[illegible]

代哭

老洲曰士喪禮代哭不以官註人君以官尊卑士賤以親疎爲之指此則代哭使人明矣 答兪大任

南氏曰士喪禮代哭不以官於小殮後註謂始死孝子哭不絶聲已二日則有傷生之慮是以代哭在小殮之後今俗代哭每於始死

之日安在其爲孝子之禮耶 讀禮箚記

殮以其妾之從者哭[illegible]

梅山曰有人於此死而殮以其妾之在因喪子木說曰啓殯可出之可也愚意有所不忍主喪者以已失奠迫之意告祀而告於靈座

禮可耶 答[illegible]

大殮

大殮衾褥

閒靜堂曰大殮衾二禮經本如此似是一自下抱一自上覆而共殮之天衾出於俗制不干於此 類輯續編

近齋曰沙溪所云初死所覆之衾似非病時之衾無不潔之嫌故大殮時欲以承薦耶 答李毅敎

南氏曰地褥之制見於開元禮天衾未知自何代始也曰天衾地褥則各用玄纁之色似合禮意 備要補解

縮絞裂爲三片辨

南塘曰裂爲三片蓋謂析其兩端爲三而非謂通身裂破也然下文裂爲六片乃謂通身裂破也上下用裂字不同其致讀者之疑宜

矣若謂高氏實以縮絞一幅亦通身裂破則此是事勢之所不行豈高氏之智不及於此耶特其語有未瑩耳 類輯續編

大殮入棺分爲二節

南塘曰家禮以大殮入棺合爲一節蓋從簡也大殮一節當依丘說補入 類輯續編

屏溪曰家禮從簡故無大殮布絞衣服只設衾于棺上而納尸而已今用布絞衣服一如古禮而旋殮反用家禮棺上之文彼此無當

依古禮床上大殮後入棺誠得矣 類輯續編

雲坪曰若用古禮大殮又一床則當先撤小殮床殮畢入棺後撤大殮床棺在小殮床之西 類輯續編

大殮奠

近齋曰入棺後設奠非入棺奠乃大殮奠何謂大殮無奠也若用古禮床上大殮則大殮後入棺前設奠似當 答[illegible]

小大殮之異名



檀弓子游曰飯於牖下小殮於戶內大殮於阼殯於客位祖於庭註士喪禮小斂衣十九稱大斂三十稱方氏曰衣衾之數有多小故

有小大殮之名 讀禮箚記

入棺

棺槨之制

問油杉士杉何木喪大記君松槨大夫柏槨士雜木棺槨亦當視此家語桐槨三寸左傳季孫樹六檟欲自爲櫬可考雜木爲棺而今

只用松板何也 答[illegible] 黎湖曰朱子[illegible]此杉字只作松看而第下松脂則宜作松[illegible]皆引他人說故存之不改然杉則今之익갈然

否雜木爲棺今人亦或有之而大抵都不如松故如是純用歟

按[illegible]木白邊[illegible]黃腸則歲久不朽如不得黃腸全板須盡斫去白邊連[illegible]板爲好雖用全板猶[illegible]何嫌於猶

板之縫乎此說有理孝子所宜留意也

近齋曰貴俗所貴既用松板者我國人無士大夫之別而松亦一類取其堅固故也 答梅山

又曰漆棺恒取其光潤而止度數數有定限 仝上

雲坪曰後世用鐵釘非孝子也晉孝王氏以喪大記裹棺用牛骨鑞爲不可從愚於家禮四鐵環亦云爾 類輯續編

又曰設釘非古也且歲久之後不待[illegible]鐵釘損於骨骸之間此甚不便今世八多不用 仝上

棺中枕褥

梅山曰草席以棺中爲席在禮無考我國則沙溪曰開元禮有之五禮儀六喪條亦有之此無僭逾之嫌用之似佳按開元禮大夫士

喪人之喪大殮條云棺中之具茵褥枕席之類皆先設於棺內據此則不獨褥席亦當有枕而備要大殮具中只書褥席而不及枕者

何以因此而不用枕者有之然用之爲當 類輯

尤菴曰釋只有爲上以外有底[illegible]者[illegible]而尸[illegible]底者當向七星板[illegible]與不轉矣似[illegible]當[illegible]以其外[illegible]尸[illegible]其內[illegible]七星板[illegible]是[illegible]易釋之裏裡也其可乎 答徐[illegible]

按[illegible]開元禮大殮於棺中故枕釋設於棺內若依古禮大殮於床上則枕釋當入於大殮絞內棺中則只鋪席而已

入棺後解絞布之非

寒溪曰大殮納棺後解絞者以家禮無絞之之文也然古禮已有大殮而實絞之自不當復解 類輯

[illegible]氏曰世俗[illegible]棺後便解絞布一節以家禮無絞布之文[illegible]證一則以爲大記結絞[illegible]紐之文[illegible]誤矣若以家禮爲證則何不初不用絞者以大記[illegible]則不結絞不作紐而[illegible]之[illegible]結爲不結而便解之可矣殮者欲其尸[illegible]閉之[illegible]則[illegible]解而不閉[illegible]知合於禮否 問要補解

齒髮忘未入棺者處變

[illegible]亡人齒髮忘未入棺[illegible]既殮[illegible]向見一人[illegible]亡[illegible]平日所落齒髮納于壙中亦未知如何也 類輯

入棺後哭慰之節

[illegible]菴曰殮殯入棺後追[illegible]當入哭盡哀而[illegible]不必哭只以悲辭[illegible]慰[illegible]可 答[illegible]

按入棺[illegible]追[illegible]者[illegible]自[illegible]喪[illegible]者[illegible]則於[illegible]自當哭弔

成殯

殯與古禮

[illegible]氏曰[illegible]棺[illegible]於[illegible]戶[illegible]之而[illegible]棺[illegible]西[illegible]之[illegible]西之[illegible] 家[illegible]

[illegible]氏曰[illegible]殯之[illegible]於[illegible]令人[illegible]之也古[illegible]如[illegible]今[illegible]

殯衣

[illegible]衣[illegible]而[illegible]遂[illegible]所[illegible] [illegible]

南溪曰殯衣之制上下之下[illegible]中[illegible]宜矣 類輯

[illegible]曰[illegible]已[illegible]之[illegible]人所[illegible]衣[illegible]也 類輯

[illegible]不用[illegible]

[illegible]繼用[illegible]以[illegible]者是[illegible]也 [illegible]

[illegible]

[illegible]

殯[illegible]留婦人守之

[illegible]

[illegible]

[illegible]有以[illegible]其[illegible]所依向之魂而招來[illegible]安之道其義精矣 [illegible]



靈床

本庵[illegible]日古禮始死設奠於[illegible]在尸[illegible]之[illegible]止[illegible]之[illegible]尸[illegible]不[illegible]神之[illegible]其設[illegible]于下室者不忍[illegible]事[illegible]之禮非以求神也開元乃以下室爲求神之所而名以靈[illegible]於下室者設之殯東而[illegible]則室與下室皆無所事而於求神象生之意兩失[illegible]於尸[illegible]移[illegible]之[illegible]則[illegible]遠矣此者則姑沿襲而未之定耳 類輯

又曰士喪記下室[illegible] 只[illegible]饋[illegible]不及床几者[illegible]自在故 [illegible]時之 也開元特設[illegible]之[illegible]以[illegible]之所無設亦於斯至此[illegible]又別出床帳屏枕移作靈床 以象下室 而[illegible]近柩東[illegible]其[illegible]衣[illegible]而[illegible]之 上

厚齋曰靈床本爲尸[illegible]而設尸[illegible]既葬則靈床[illegible]所用大抵家禮是未及修正之書故往往有疎略處如[illegible]而[illegible]後人[illegible][illegible]庵朝夕哭[illegible]上食而不言撤上食時[illegible]既[illegible]當[illegible]於葬時壙中[illegible]食則當撤於[illegible]時[illegible]言其設不言撤去之時而自當撤於尸體既葬之後矣 類輯

成殯日夕哭奠上食當否

[illegible]門曰士喪禮爲夕哭奠之儀見於成服之下故疑者[illegible]疑成服日始有朝夕哭奠[illegible]朝夕哭奠[illegible]在一時故[illegible]以[illegible][illegible]中今[illegible]之夕 只行夕哭不設夕奠[illegible]殯犯夜則食時已過廢之亦可 類輯

[illegible]庵[illegible]哭[illegible]朝夕哭[illegible]哀[illegible]乃哭不代哭也按士喪朝夕哭包[illegible]而[illegible]朝夕哭[illegible]大殮之[illegible]夕無[illegible]哭也[illegible]既[illegible]則神[illegible]之[illegible]門而后須[illegible]乃入若朝夕哭奠與下室[illegible]殯之[illegible]日[illegible]以[illegible]死三日之內未忍備禮從容也其在大哀至而哭則自無拘於朝夕矣 類輯

南庵曰代哭既至 入棺成殯日 夕哭當自與日始 類輯

[illegible]曰成服前上食本出五禮儀而於古今典禮皆無見文[illegible]沙溪常備[illegible]此節[illegible]去[illegible]近[illegible]故有[illegible]行之者而[illegible]見則凡係疑文闕義非得不易之論何敢容易創新之 類輯

[illegible]曰[illegible] 既言奉養之具皆如平日則[illegible]之具似亦已在其中而於此 靈床 特言其設[illegible]之[illegible]上食當在奉[illegible]之具之中[illegible]所[illegible]奉[illegible]之具[illegible]平日[illegible]如[illegible]之物[illegible]之[illegible]存之時也若上食靈床等則喪禮之大節目也固不可一時[illegible]而不[illegible]於[illegible]等之事也[illegible]未殯之前尸在床上[illegible]之具無所容其復設故既殯而後設靈床成服以後設上食者豈不於事有漸次而於禮無苟艱[illegible]之忠耶 類輯

又曰親始死舉家號痛[illegible]之外[illegible]他節目內禮亦言三日不舉火[illegible]三日之內[illegible]

家禮[illegible]正 上

屏溪曰[illegible]禮[illegible]於成服日始言上食故備要仍之冠[illegible]奉養二字以爲成服前上食之[illegible]亦[illegible]矣上食雖爲[illegible]者[illegible]方其[illegible]殮棺殯哀遑罔措此事[illegible]故[illegible]未暇及於上食耶情理雖似不安聖賢制禮之意有在今何可變改耶 類輯

[illegible]曰成服前未有朝夕哭上食[illegible]枕[illegible]而不[illegible]復[illegible] 類輯

[illegible]山[illegible]成服前上食近[illegible]日上食所以象平時也死[illegible]大變之初死者魂氣[illegible]不定生者[illegible]哭[illegible]無[illegible]此時只[illegible]以[illegible]可矣上食以象平時非所處大變也退溪設深得禮義矣

按[illegible]日夕哭[illegible]上食[illegible]門以爲可行[illegible]溪[illegible]皆以爲不可行以爲不可行者從家禮備要之文此[illegible]

自始死沐浴襲殮至成殯此屬亡者事所謂死與往日也成服與朝夕奠上食此屬生者事所謂生與來日也各有定限不宜相干成殯前雖有奠此因始死與斂襲而設非爲象生也象生饋奠當自成服日始

成服上

衰裳之制

丘儀曰禮疏綴衰於外衿之上既有外衿則必有内衿矣世俗綴繫於兩衿之旁遂使衰不當心殊失古制今擬綴繫帶四條一如朝祭等服以外衿掩於内衿之上則衰正當心矣 常變通攷

竹庵衰裳制度裁用布斬衰三升齊衰四升降服五升正服六升義服大功七升降服八升正服九升義服小功十升降服十一升正服十二升義服緦麻降正同十五升去其半 去七升半之縷 有事其縷 謂煮治其紗縷而織 無事其布曰緦 [illegible] 度用周尺 周尺見冠禮條 衣二幅中屈下垂共爲四幅其長二尺二寸縫合其背二幅裁入兩肩上横縫各尺二寸者謂之適自適以下左右交掩處謂之衽衽長各二尺五寸帶下用縱布一尺 高上也 屬於衣横繞於腰以腰之濶狹爲準 約七尺一寸 前當心有衰用布長六寸廣四寸背有負廣尺四寸 長尺六寸 袂用布二幅如衣之長屬衣左右縫合其下漸圓殺之以至袪袪綃尺二寸凡縫削斬衰外向齊衰内向○裳六幅前後裳各三幅襞積腰中以爲袧凡縫削斬衰向内齊衰

竹庵曰衰裳制度儀禮喪服文義甚明而鄭註賈疏家傳誤之楊氏遂湊合註疏之誤而強說爲於是乎衰裳之制無復先王之舊矣記曰衰與其不當物寧無衰衰不當物其有甚於此乎噫其寧無衰也已夫滋正其註以俟知者 [illegible]

凡衰外削幅裳内削幅幅三袧若齊裳内衰外 喪服一章 竹庵曰凡猶言大槩總括一篇之旨以發端也 附 衰謂喪服上衣以其綴六寸之衰於心前故亦曰衰 [illegible] 削猶殺也言衰裳之制衰則外殺其幅裳則内殺其幅 [illegible] 幅爲三也 [illegible] 袧謂襞積其腰中之謂也蓋前後裳合爲六幅而襞積無定數也 附 齊緝也 註 裳内衰外當作衰内裳外蓋上文言斬衰之制而此言若夫齊衰則衣其衰之殺幅而裳則其殺幅外之也不言削幅者省文也 附

負廣出於適寸適博四寸出於衰衰長六寸博四寸 喪服二章

竹庵曰負在背上者也 註 適領也與深衣之給一物而二名 附 博廣也衰博四寸廣衰當心 註 而適博四寸出於衰外則適博皆尺二寸也適博尺二寸而負廣出於適寸則負廣爲尺四寸也衰博四寸而負廣尺四寸則衰長六寸而負長之爲尺六寸亦可知也 附

衣帶下尺衽二尺有五寸袂屬幅衣二尺有二寸袪尺二寸 喪服三章 竹庵曰衣帶下者腰也 註 言衣身長二尺二寸而帶以下綴布廣尺者 附 掩裳上際也 註 若横而言之不言尺寸者人有麤細取足爲限也 註 衽衣襟自領以下交掩左右者也衣二尺二寸而衽二尺五寸者以斜裁也總左右衽與適凡用布六尺二寸袂袖也屬連也謂以二幅布如衣身之長各連衣左右以爲袂也衣二尺二寸袂亦如之 附 足以容人中肱也 註 衣身與袂二尺二寸倍之四尺四寸 註 凡衣身與袂八尺八寸 [illegible] 袪袖口 [illegible] 尺二寸足以容中人之并兩手也 註

又曰衣二尺二寸倍之四尺四寸兩之八尺八寸則袂亦兩之八尺八寸合爲十七尺六寸 [illegible] 不曰衣三尺而衣與帶下分而言之則可知其帶下尺之別綴也凡衽與帶下總用布八尺八寸而 [illegible] 衰出於衽負出於帶下則尙有餘布可以爲裳之腰帶衣之細系也 [illegible] 計一衣之布總爲三十五尺二寸 [illegible]

又曰去年春講深衣說乃復參攷乎儀禮喪裳之制則其曰適博四寸出於衰者其文勢謂辟領之廣四寸出於衰之外也下文旨衰長六寸博四寸則衰四寸當心而辟領左右出於衰外各四寸然則辟領之廣爲六寸合適而爲尺二寸 [illegible] 只是一物而二名耳註說二適博爲四寸而釋出於衰曰不著寸數者可知 [illegible] 出於衰二寸何必更下出於衰三字耶第疑衽自肩至帶下頭長爲二尺三寸而不合於二尺五寸之文 [illegible] 布綴領計袷尺二寸之數又計左右各二尺五寸之數合用布六尺二寸斜綴于二尺二寸之衰衣則適足無餘欠 [illegible] 尺三寸者蓋腰衽之懸而殊未覺其於二尺三寸之長又加二寸而後方如法也裁綴而見之然後知其 [illegible] 言者吾知其辭乎得矣夫然後鄭氏所謂燕尾都無著落遂去之

又曰輻三袧註袧者謂辟兩側空中央也祭服朝服辟積無數凡裳前三幅後四幅 [illegible] 不下可知矣何所引據而乃曰前三後四邪裁袂辟積只爲中束腰而別無取義則不必裳之辟積 [illegible] 衰裳制度於喪服一篇揚悉無遺則 [illegible] 六幅也

又曰按鄭註衰衣非交掩之制而曰衰廣袤當心則似將衰四寸之廣綴衣之旁犯衣二寸而餘二寸則 [illegible] 上云云者未知何謂若如經文之本旨則適左右各六寸合爲尺二寸自當爲交掩之制衰之 [illegible] 本說曰 [illegible] 儀禮雖私服無去衰負辟領之文 [illegible] 而言負積也衰則其五服皆有可知況衰所以遂名斬衰以至錫衰疑衰者則何得去之 [illegible] 斷而輯衰之論亦確矣

屏溪曰不用衰負版辟領於旁親者雖楊氏之說此本也註 [illegible]

竹庵曰經文斬齊皆曰衰則衰之爲名五服皆同既曰衰服則豈有不綴衰之服乎有衰則有負可知 類輯

月塘問削幅何謂沙溪曰削幅云者各除一寸爲針線之餘非削割去之也 類輯

李氏曰喪服卽古玄端之制而玄端之袂縱横皆二尺二寸而正方故得端名喪服亦然故雜記云端衰者以此是 [illegible] 袂不削焉闕殺也 家禮增解

近齋曰衰者摧也取哀心如摧之義也外削內削卽指衣裳所縫向外向內而言也 答李定觀

又曰斬亦衰之名云云不曰便是而直曰亦則於本字義似不協恐易以致人之辨 [illegible]

又曰喪服袷制儀禮正文及家禮圖式雖無之儀禮註及備要註皆有之詳考如何所謂袷卽加於 [illegible] 者非如今簡定矣 [illegible]

梅山曰儀禮衰裳鄭註衰衣非交掩之制而曰衰廣袤當心則似將衰四寸之廣綴衣之傍犯衣二寸而餘二寸 [illegible] 曰綴外衿之上固未詳其義而若依經文則適左右各六寸合爲尺二寸者自當爲交掩之兩衰之綴於外衿者是也竹庵 [illegible] 公說 [illegible] 分曉可按而知內外衿相掩之際當有小帶內外並綴爲四條只綴外衿則爲兩條俾之克衣稱身而衰自當心則雖不中不遠矣 [illegible]

老洲曰兩衿相掩凡禮服莫不皆然喪服何獨不然而世或於際相接處設繫交結不使兩衿相掩誤 [illegible]

梅山曰喪服記首以凡衰袂五服而言負適衰則其五服皆有可知綴通解疑其於旁親皆不用而家禮亦從楊氏 [illegible] 論之定者然恐當斷以喪服記已矣齊衰有杖朞不杖朞之 [illegible] 而杖朞之齊衰無所 [illegible] 至大功條始云無負版衰辟領則 [illegible] 服之不去負版衰辟領可知已非直朞服爲高祖三月曾祖五月同是齊衰故不去當以家禮爲正楊氏說恐不可從耳 [illegible]

李氏曰功緦以下去負版辟領衰以家禮之制而書也古禮則五服皆同 家禮增解

近齋曰大小功之功字史記作紅與女紅之紅同紅者治絲之名蓋大小功以所服之布升數麤細而言緦者思也夫時一小 [illegible] 思

其以常服經三月禮記已云 山答梅

中衣直領之制

屛溪曰中衣本代深衣深衣之制雖斬衰所服皆有緣俗制中單衣直領亦究其本制其不可斬邊也明矣 類輯續編

近齋曰中衣卽古之深衣而俗用中單衣制其制與深衣不同斬衰之中單衣似可不緣邊然愚意承衰之深衣旣以中單衣當之則中單衣便是深衣也雖斬衰之中單衣亦緣邊無害且觀人家多如此行之矣更按類輯尤庵南溪皆有斬衰中單衣不當緝之論愚於此未敢自信已設但承衰在內者與正服不同恐不必用不緝之制也出入時直領亦俗制而稱之爲深衣者卽俗之所以强名焉耳此則當不緝以爲表出之義南溪說似爲得之 山答梅

剛齋曰直領之緝邊與否尤庵說有曰不敢質言而鄙家自前皆緝邊 答鄭謙

梅山曰斬衰不緝以衰服而言中衣則承衰者當緝邊出入服之布深衣則當不緝所以著斬齊之別也 答林光鎭

屈冠之制

渼湖曰衰冠外畢之制自內向外一屈爲是俗之一屈後又反屈之恐非外畢之義 類輯續編

近齋曰屈冠之折而作尖亦不害爲屈此等不必泥 答李叔毅

首絰

稗山曰首絰之左本在下右本在上本卽麻本也蓋首絰之制納糾合爲一糾則其爲本末易知而世俗每以單糾中屈而合之則本末不可分矣然其兩端各合者必有一從麻本則可謂本也若中屈處則不可謂本也 答[illegible]

朴氏曰五服首絰其制之異有七斬衰苴麻齊衰以下牡麻小功緦麻澡麻一也絰皆有纓二也斬衰下本在左齊衰以下右本在



上三也大功以上不絶本小功以下絶本四也纓小功澡麻不絶本成人小功澡麻斷本五也斬衰繩纓齊衰以下布纓六也大功以上有纓小功以下無纓七也腰絰之制其異亦有七苴麻之於牡麻澡麻一也大小之差二也絶本不絶本三也男子散垂婦人不散垂四也男子五十不散垂五也大功以上散垂小功以下不散垂六也斬衰絞帶齊衰以下布帶七也 [illegible]

腰絰

竹菴曰小功以下首絰無纓可也腰絰無纓不可着 類輯續編

屛溪曰腰絰散垂見尸柩則散不見則絞古禮小斂散帶絰成服因散垂[illegible]蓋其時[illegible]然則啓殯則[illegible]見柩故小斂後宜散但本哭後當絞而家禮無之似闕文矣 類輯續編

近齋曰散垂是帶之紳也三尺之數南溪亦云未詳 答李叔毅

又曰大功以上腰絰散垂者絞之[illegible] 答梅山

梅山曰家禮只有散垂不著其絞卽闕文也當從古禮大功以上成服而絞啓殯復散垂[illegible] 答李[illegible]

絞帶

寒岡曰絞帶象革帶按玉藻革帶二寸大帶四寸則絞帶似當半於腰絰矣 問解續編

陶庵曰古之革帶與今常同絞帶又何必小於絰帶故喪服說曰如絰帶 類輯續編

又曰布帶紳長四寸出於儀非古也士之革帶二寸喪服何異於吉時 上同全

苴杖

梅山曰苴杖家禮圖及五禮儀皆作六節而沙溪曰據禮只齊心而已無六節之文然則世俗必用皆六節者誤矣 問答續編

近齋曰竹杖圓而象天故父喪杖之桐杖方而象地故母喪杖之桐之爲言同也父母之喪同也禮記問喪篇註可考 山答梅

與齋曰先師答人書據小記殺哀之節虞祔後上食時以去杖爲是 類輯續編

屛溪曰自虞以後祭奠時主人以下不得持杖矣 類輯續編

又曰虞祔以後上食不以杖卽位墓祭亦不可杖矣 上同

近齋曰禮有杖輯而不拄之文父兄之則輯杖似宜 山答梅

老洲曰喪大記曰哭殯則杖哭柩則輯杖鄭註云哭殯謂旣塗也哭柩謂啓後也然則旣塗則以不見尸柩而杖啓後則以見尸柩而輯杖杖之輯不輯以尸柩之見不見而哀殺隨時輕重以此推之葬前饋奠執事者行事於堂上而主人位於堂下故杖葬后主人升堂參饋奠故不杖靈座之前致敬無異於尸柩之見耳至於朝夕哭雖葬后位於堂下則可杖矣 答李兄一休

按小記曰[illegible]杖不入於室祔杖不升於堂註祔殺哀之節也然則葬後不杖於堂上非但以靈座致敬當與尸柩等亦漸次哀殺也

梅山曰葬前饋奠哀殺饋奠香於殺之之主人只在階下 今之[illegible] 故以杖卽位及虞主人始卽位于堂而行奠獻故倚杖于室外杖者所以輔病也非可施於尊者之前以喪大記大夫有君命則去杖內子有夫人之命及有事于尸則去杖之文而可知也 答李存慶

方笠

近齋曰方笠之制未知何人所刱而或云新羅時下吏藍所着然否 山答梅

婦人喪服

屛溪曰婦人喪服家禮大袖長裙則失之時制而朱子載之家禮矣是以禮家皆用喪裳之制蓋制如男子衰而以十二幅上屬於衣者又如深衣但無衽矣帶下尺矣 類輯續編



南塘曰家禮婦人服制與禮經不同而備要兩存之男子服制旣用古禮則婦人不可獨異當以禮經爲正 類輯續編

厚齋曰家禮婦人服無絰帶[illegible]婦人服亦不言帶[illegible]此無乃因時俗之文或用當時俗禮否參古禮者之而近世好禮者亦有用之者矣 類輯續編

屛溪曰婦人絰帶杖似不可無者而蓋未時不用故家禮因書儀而仍之備要取古禮婦人當從 類輯續編

鹿門曰婦人不杖喪婦爲舅姑蓋古禮婦爲舅姑齊衰期當降夫一等爲杖期而乃爲不杖期故子夏設問而發之非婦人皆不杖之謂也喪禮夫妻之君女子在室爲父母及母爲長子皆爲其杖則杖之文尚明載於大記小記則婦人何爲不杖耶特爲舅姑不杖期而今旣升爲斬衰三年與夫同服則同其服而獨異其杖豈不半上落下乎以三年之過而不從則已矣今旣從之則何可獨去其杖乎 類輯續編

三山齋曰婦人喪服[illegible]只於[illegible]喪服[illegible]者[illegible]非[illegible]亦無[illegible]行只今人不肯爲而行之耳如欲從俗則髮頭新令之後固皆以白色髮額[illegible]斬衰[illegible]用竹齊衰用木以插於後髻而已 答[illegible]

又曰髮額只是[illegible]女子之笄[illegible]但男子貢服不用[illegible]此制之始行也出嫁女之有父母喪者例以皂色[illegible]不用黑而用白[illegible]欲別之於[illegible]一時士大夫皆[illegible]遂通行規但以此承絰則不成爲喪服又不可空首戴絰否[illegible]自[illegible]多少[illegible]而係是令甲之外[illegible]禮事不在禁條中不必甚拘否 答近[illegible]

問婦人喪服今世或制如中單衣仍綴負版辟領衰故成服時從俗爲之然心甚未安欲改定則有人言服不可中改今欲因練時改製如男子衰裳如深衣裳之制 李在[illegible]

梅山曰婦人服制一遵古禮用布六幅交解爲十二幅如深衣之制否則從家禮爲大袖長裙而已若俱失於兩者則仍舊變改制如深衣恐宜服不中改流俗之舊苟其失禮何拘而不改乎

又曰楊信齋曰儀禮不殊裳衰如男子衰下如深衣無帶下又無衽夫衰如男子未知備負版辟領與否丘瓊山曰婦人亦有衰服但衰與裳相連而無帶下與衽今雖可據不敢爲負版辟領之制按此兩說則雖一遵男子衰制而似無負版辟領婦人質弱少變故特殺於男子之服歟若爲大袖長裙則尤無負版辟領之可言縱令有之練變則當從男子去之 同上

近齋曰婦人服腰首絰皆有者儀禮也腰首絰并無者家禮也有腰絰而無首絰者丘儀也當以儀禮爲正 答沈致錫

又曰儀禮婦人杖一款古禮舅姑服之不杖者則婦人於夫與長子之外皆當杖之疑於皆有夫孫皆主而杖女乎疏說甚可疑 答起有

又曰婦人之杖儀禮有之而童子不杖惟當室者杖禮也童子不杖則童女可知也 答閔

問婦女還喪制只以帶成服似於禮雖兼大功亦以大袖長裙抑有他制之合禮者耶 答李 南塘曰婦人服制來說甚是若不用大袖長裙則當用上衣下裳之制 答韓 續編

近齋曰婦人服制雖於朞年以禮之本意則當具衰服人家之不具衰者亦不能備故也雖不爲三年衰服則用大袖長裙之制似宜 答李

屏溪曰嫁娶如何服并役人上衰故婦人以此指而一幅既不可降衰則用三幅之制似好矣 續編

### 童子衰服

近齋曰童子服制備要按註曰今俗加絰非禮也蓋以不冠則不絰也非當室則不杖禮有明文又何可疑 答舍弟



又曰童子有杖無絰蓋首絰非免而是缺項不冠則無缺項故也此見於問解成服條 答林

梅山曰雖童子不冠故五服受服不加巾絰朞功服中成人者當追加巾絰或有以再成服爲拘然有衰裳而無巾絰是皆冠者之服所以不容不追成耳 答洪

禮疑續輯卷之四終

# 禮疑續輯卷之五

## 喪禮

### 成服中

#### 五服

##### 總論

南塘曰五服之制衰服其義不一而條理則爲至爲整齊同父朞同祖大功同曾祖小功同高祖緦此一義也服祖之子同於祖服曾祖之子同於曾祖服高祖之子同於高祖服兄弟之子同於兄弟此一義也服父之子不敢同於父三年之喪不可二也故降在朞 答鄭 續編

### 爲本宗服

#### 父在爲母

屏溪曰宋制不拘父在父殁皆服母齊衰三年家禮從時王制而無父在爲母杖朞之節 續編

#### 承重孫祖在爲母

厚齋曰父卒祖在而服母朞者古今家禮之所不言故先師以沙溪說爲宋安說備要輯覽兩條下皆下得一疑字此沙溪疑而未決之說也禮有祖不厭孫之疑愚意以先師說爲準 續編

南塘曰祖不厭孫孫不降父之喪則母不可獨降父卒祖在恐當服母三年 答尹 續編

問沙溪以爲嫡孫父卒祖在爲祖母更詳之尤菴以爲承重孫母死祖雖存不可降蓋祖不厭孫也當從何說乎 大南

任老洲曰今皆從尤菴說爲正

梅山曰祖不厭孫故不降父之喪不降於父而獨降於母可乎禮不當降故古今禮書不少槩見非闕文也夫喪父子一體之親同室之內夫獨降獨故甚焉爲父屈而不敢伸同父服而不敢適者與婦與宗祖與父異世安得引而爲例同春說得此義眞正當從不易之論也 答宋



### 爲高曾祖父母

近齋曰高曾祖正服爲齊衰故不得小功緦而曰齊衰五月三月蓋服之制度有衰故也 答止

### 爲五代祖

屏溪曰禮高祖以上共謂之高祖雖五六代以上祖傳子孫者亦可無服而尊祖之義當服齊衰三月孫亦當服齊衰三月禮意斷如此 續編

又曰五代祖孫爲五代孫當服齊衰三年盡主當以五代孫名稱之此亦皆無有實而義起者精當 續編

漢湖曰獨有五代孫當則其爲五代祖承重似不容已 續編

問有人遭五代祖喪云云 宋必 櫟泉曰朱子曰如今老人苦使見十世孫也惟端境是自己骨肉云云祖之於孫如此則孫之於祖亦豈不然乎爲五代祖承重則養生送死當如父母之服制抑亦王者之心及爲三年喪耶子孫皆已遞遷則恐當埋主矣 續編

三山齋曰長房子孫皆已先亡而有五代孫則其在嚴宗統之義恐當使此孫主喪喪畢即遷遞于次房子孫而禮無明據不敢質言 續編

虎門問陶菴答黃甥書不當爲五代祖承重其說如何木主之遷遷於長房已無[illegible]矣[illegible]五代前[illegible]在

而從喪殺之禮可乎此知不可則三年之內亦何得處以殺服之禮乎 雜錄

虎門曰所謂承重者非從中[illegible]統承之也其重必有所自來父之重自祖祖之重自曾祖曾祖之重[illegible]高祖高祖之重又豈不自五代

祖乎今若爲五代祖不服喪則是不知重之所自來也前日爲曾高祖服喪者是果何名耶無本之重何名爲承重耶且五代祖宅[illegible]

則曾高以下四世神主當皆以五代祖爲主而以亡子亡孫[illegible]之今於五代祖之喪五代孫主喪服衰麻[illegible]行吉祭以其名改題然後

方可遞遷之[illegible]而[illegible]可遷於未[illegible]之前乎且夫亡[illegible]遷之[illegible]三年[illegible]無[illegible]有子孫而作無主之魂有此

理否[illegible]不可不以此五代孫爲主[illegible]

亦有此理否 續錄

江[illegible]曰五代孫承重[illegible]見[illegible]之先生說以爲當然[illegible]見陶菴[illegible]則不得稱

祭一[illegible]陶菴兩說之間折取合於五代之孫[illegible]可乎凡

人之[illegible]後取族人之子爲後[illegible]之[illegible]之不絕[illegible]乎[illegible]其父

而服則不亦[illegible]於人倫乎[illegible]有兒於是故爲五代承重之[illegible]陶[illegible]賢

有不可從者其說以長房主之[illegible]以終三年而服則只當服大[illegible]三年而奉而

理安此殊可疑[illegible]長房與宗子其不服喪則一也何以曰終三年乎不服[illegible]有終三年之義乎所謂終三

年只是設几筵行饋奠以過三年之制耶[illegible]不知[illegible]之爲[illegible]也

土遷以祭五代爲嫌而此有不然者於喪三年之後因而祭之[illegible]爲祭五代[illegible]三年內[illegible]

禮疑續輯五　二

謂其與時皆同而謂之五代乎 答任

老洲曰[illegible]所引諸說[illegible]世以上凡[illegible]皆服三月之說[illegible]有[illegible]宗子之[illegible]

總凡說於五服外者亦皆只三月[illegible]

[illegible]無有[illegible]不能[illegible]大宗不可容[illegible]只[illegible]親盡[illegible]

南氏曰五代祖[illegible]齊衰三月[illegible]三月[illegible]

門之[illegible]五代[illegible]三月[illegible]

李氏曰或曰五代孫承重服[illegible]則其[illegible]

梅山曰五代[illegible]

其[illegible]

則[illegible]

[illegible]

雜錄

按五代[illegible]宗子[illegible]服[illegible]三[illegible]

血[illegible]

矣

通典晉徐[illegible]人問殷仲[illegible]曰[illegible]孫持[illegible]祖[illegible]

[illegible]

宋氏曰宗人爲[illegible]宗服大宗子齊衰三月以祭祀[illegible]則遠祖齊衰三月尤更[illegible]疑 稽疑

夫爲妻

問曾教以有子之妻杖今父在妻亡而有子則杖乎 李厚生

竹菴曰當杖但不以杖即位 續編

又問父不[illegible]而妻亡[illegible]子削杖乎竹菴曰已爲長子而是齊服[illegible]姑[illegible]或[illegible]先祭則雖[illegible]于杖否[illegible]有子[illegible]後杖[illegible]禮[illegible]也 續編

又曰妻[illegible]不杖[illegible]大夫之嫡子[illegible]自士以下則凡[illegible]服皆杖古禮與家禮同而亦須子有服[illegible]然後乃行此禮[illegible]所[illegible]行

也 同上

屏溪曰爲[illegible]父在[illegible]服不杖[illegible]周公之[illegible]子[illegible]之傳[illegible]家禮之不論父在父不在一例杖[illegible]

具三年之[illegible]是一串事若不杖[illegible]不[illegible]則不能具三年之道而[illegible]亦無之矣 續編

虎門曰[illegible]服[illegible]云嫡子父在則爲妻不杖以父[illegible]之主[illegible]服問曰君所主夫人妻大子嫡婦[illegible]小記曰父在[illegible]子爲妻以杖即位

[illegible]庶子[illegible]杖[illegible]父[illegible]自[illegible]傳[illegible]皆以嫡庶[illegible]斷[illegible]同宮與[illegible]許[illegible]

[illegible]庶子[illegible]云天子[illegible]庶[illegible]父皆不爲庶子之妻[illegible]喪主故夫皆爲妻杖也自[illegible]傳[illegible]

[illegible]答曰父[illegible]庶子[illegible]主喪非禮也[illegible]今[illegible]

[illegible]之[illegible]可[illegible]也[illegible]子父在爲妻不杖則[illegible]行否如何曰父在爲嫡婦主喪則其父[illegible]而不[illegible]杖不杖[illegible]不得其三年

之[illegible]禮[illegible]不杖[illegible]則[illegible]與父在[illegible]不杖則[illegible]父[illegible]世叔父[illegible]不杖而行祿

[illegible]杖[illegible]

禮疑續輯五　三

問嫡子父在[illegible]不杖[illegible]而[illegible]則不得伸[illegible]不得已之禮也[illegible]之不論父在父亡[illegible]杖[illegible]

是[illegible]亦[illegible]使其[illegible]杖[illegible]見陶菴亦有此論可疑 李定來 本菴[illegible]示定合[illegible]見[illegible]之[illegible]不及 續錄

[illegible]服[illegible]不同[illegible]父在父爲主[illegible]庶子婦之喪同宮[illegible]也[illegible]父不[illegible]庶子[illegible]庶子

之[illegible]宮[illegible]同宮[illegible]父之[illegible]不爲主[illegible]則二禮自不相礙矣然近世[illegible]說以[illegible]同宮[illegible]用父[illegible]父爲主之

[illegible]之[illegible]皆[illegible]主之故人[illegible]多[illegible]行之[illegible]則當不杖今[illegible]之以不杖[illegible]爲[illegible]得之[illegible]則[illegible]得伸三年而

[illegible]三[illegible]至[illegible]則[illegible]在之日[illegible]自主[illegible]不可得伸之義故[illegible]服杖[illegible]古[illegible]之意

如[illegible] 答[illegible]

[illegible]也[illegible]父在而杖[illegible]父不[illegible]乎[illegible]可知[illegible]不[illegible]父在

[illegible]已通[illegible]不[illegible]三[illegible]之[illegible]立[illegible]陶[illegible]從[illegible]亦從家[illegible]之文[illegible]之[illegible]雖如此終不能無[illegible]也 答[illegible]

[illegible]而[illegible]杖[illegible]也[illegible]家[illegible]而從家[illegible]爲不易之正[illegible]也[illegible]矣[illegible]不可以其父之[illegible]

而不[illegible]不[illegible]乎[illegible]之[illegible]大功[illegible]三年[illegible]父[illegible]祭[illegible]子[illegible]以杖[illegible]位[illegible]入於

[illegible]故也 答[illegible]

按[illegible]

已[illegible]可行也此與父[illegible]母[illegible]二[illegible]不同也

虎門曰[illegible]所謂杖而不[illegible]者[illegible]不可從且父歿母在爲妻杖而[illegible]凡長子皆然 續編

屏溪曰[illegible]不[illegible]孫不降其母由此觀之父歿祖在爲妻杖恐[illegible]矣 雜錄

父爲長子

屏溪曰雖稱長子有未立適者不可爲稱雖庶子而立適則亦稱嫡子亦不可爲稱長子適子同多有異同者皆成服後或稱[illegible]致稍有其說一也類輯續編

渼湖曰非繼祖之宗不得爲長子三年不三年則當無譏類輯續編

鹿門曰喪服傳庶子不得爲長子三年不繼祖也小記則曰不繼祖與禰也據此二說則繼祖與禰然後方得爲長子三年若非繼祖與禰之宗不得爲長子三年明矣類輯續編

屏溪曰尙後人已雖出後於人旣承其祖禰之重則嫡嫡相承之正固在於我而將所傳重於已之長子矣尤菴之引程子仁宗濮王子之說謂不可異看者正得傳者之意與已爲所後子之非禮者義各別焉今父爲人後者爲其長子服依老先生說當服三年爲所後子則當從四種說不可服三年矣類輯續編

南塘曰父爲長子傳曰何以三年也正體於上又乃將所傳重也三句皆以子之身言文義本自白乃爲疏說所亂生出爭端以其上下句皆屬子之身而獨以中間一句正體於上一句屬於父祖之身文義果順乎正體於上旣是本指子之身則父祖之正體非所可論也且以義理言之由父祖而視子孫可論其正不正體不體由子孫而視父祖又可論其正不正體不體乎吾只是祖是父正體也當爲傳重者三年是觀是父非正體也不當爲者三年有所輕重低昂於父祖之間則其果成義理乎只此可以定疏說之得失矣類輯續編

鹿門曰尤翁因伊川所謂陛下仁宗之姪子云云者以爲雖爲人後者亦可謂嫡嫡相承之統蓋泛論宗統之傳則雖旁支承重皆亦可謂之嫡子如武王爲文王之嫡英宗爲仁宗之嫡是也推本經旨而適言嫡庶之分則必須親生長子方爲正體若武王爲文而不正英宗爲傳重非正體矣類輯續編



雲坪曰傳曰何以三年也正體於上又乃將所傳重也其意蓋以爲子孫是先祖之遺體白虎通義曰遺女於禰廟者重先人之遺體不敢自專也而嫡子乃爲正也以是將爲傳者宗統之重也此讀之旨與下章傳所謂父子一體者義各不同而所以自看長子何以三年之問也疏家乃不解而專從父身上看釋是故嫡嫡相承之說正而不韙之解乃旨不成義理且不能直解註家之意而自說道處亦多不照管所謂雖承重不得三年與正體不得傳重果是一事否良可笑也類輯續編

鹿門曰禰雖已三世中雖或有繼後者旣成之爲正體而日月已久則正所謂嫡嫡相承而亦世子孫所[illegible]可追貶耶武王與王季皆所謂體而不正者如宋示謂[illegible]成王之於康王亦不得爲[illegible]均皆以次子承重而將其長子服斬人不以爲非矣正體於上正體字正指[illegible]答[illegible]

三山齋曰爲後者之於[illegible]嫡嫡相承之[illegible]小記注父云[illegible]嫡子[illegible]重及爲他子爲後者也如以此兩說爲不可[illegible]尤翁所引程子[illegible]中嫡子之[illegible]嫡孫或不同未必爲確說也所論王季武王服斬云云此則父非繼後者之比非愚之所敢知也類輯續編

按[illegible]曰南塘云正體傳重者[illegible]子之身若正體於上旣指子[illegible]旣爲父之正體則於祖禰亦豈不爲正體云者尙本義也[illegible]嫡相承三世然後服斬尤翁不俞[illegible]喪服本文而改見非被塘鹿兩說緊重而然耳答安[illegible]

李氏曰爲人後者固於衆子則其所後父之不爲服斬固是正體也至於爲人後者爲[illegible]所生長子死[illegible]則[illegible]是傳所

[illegible]者之智孫繼後其父乃始服斬者有是理類輯續編

間長子廢疾或殤死而次子承重者尤翁謂當服三年如何愚意則第一子死於八歲以後而父爲之服者與廢疾不得立者則次子雖立只當謂之庶子爲後而不得備體服也往復問蹊[illegible]曰愚見亦如此示而但所引說出先正[illegible]其[illegible]類輯續編

雲坪曰父爲長子疏第一子死是爲死於殤年者何以知其然也不杖期章嫡孫注云凡父於將爲後者非長子皆期[illegible]家乃以長服小記注曰凡父爲長子爲殤於嫡[illegible]不得重於嫡又將傳重者非嫡服之[illegible]衆子庶婦也[illegible]也將傳重者非嫡者據所[illegible]第二子以其兄殤疾故[illegible]後[illegible]不正之庶子同一義理[illegible]蓋父宗尊也斬衰重服也以者行而反服至重於臣子今故爲此節於上又乃將所傳重[illegible]可故第一子殤成人而有故而死爲其父[illegible]已承重然[illegible]而[illegible]之服[illegible]適子庶子[illegible]乃今以第二長子爲當斬衰由是而所謂第一子死者亦於殤年而不成[illegible]嫡長[illegible]矣類輯續編

近齋曰繼禰之宗服長子斬衰不須繼傳而後然也尤菴之說只是奉禰則服斬無疑矣答[illegible]

老洲曰已亥[illegible]尤菴[illegible]學[illegible]年[illegible]昭[illegible]服[illegible]不以爲三年其說於被[illegible]已亥[illegible]說亦從以種說與尤翁同而[illegible]先正[illegible]不[illegible]雖取四種說正體二字[illegible]長子[illegible]者[illegible]

[illegible]本[illegible]

業以致發說[illegible]二[illegible]長子[illegible]之相稱此乃[illegible]之端[illegible]是諸儒[illegible]者或取[illegible]或取[illegible]



最著我東諸賢亦於[illegible]取[illegible]不及而沙溪既採入備要行之已久有[illegible]則[illegible]其師之[illegible]疑而已然儀禮正文既[illegible]上下而備要則[illegible]今論　王[illegible]明白之經文[illegible]而[illegible]

又曰四種說非有見於經而疏家[illegible]之耳[illegible]傳長子[illegible]正[illegible]三者本爲子之身立文[illegible]父子[illegible]一體必三有[illegible]而然始可爲斬[illegible]所以[illegible]而[illegible]也[illegible]之[illegible]之傳重[illegible]正體[illegible]之數[illegible]事理俱[illegible]疏[illegible]子之[illegible]其當斬而不[illegible]者則法有三[illegible]有四種[illegible]長子[illegible]正而不[illegible]庶子[illegible]而不正也[illegible]不盡合於經文本[illegible]疏家之失[illegible]

鹿門曰[illegible]兄弟[illegible]後子[illegible]他子[illegible]後云者指取[illegible]子[illegible]此[illegible]者[illegible]兄弟之論何故如此未可知也類輯續編

又[illegible]所後[illegible]正[illegible]長[illegible]不可[illegible]之正然[illegible]所生[illegible]後方可[illegible]之偏一[illegible]而[illegible]之[illegible]中爲後二字[illegible]不可[illegible]取[illegible]也明矣全上

竹[illegible]曰所後子[illegible]以[illegible]同[illegible]先生[illegible]後出於人者[illegible]同於衆子則其不得爲長子斬[illegible]所後之故不得[illegible]長子[illegible]後之[illegible]爲三年[illegible]問[illegible]服[illegible]所謂正體於上[illegible]父子皆[illegible]不干於祖[illegible]疏所云[illegible]諸[illegible]耳所[illegible]所傳重只是嫡長子雖死而他日已之傳重有所也有子之[illegible]之長妾見於[illegible]之長子亦爲一[illegible]有此[illegible]子[illegible]死[illegible]有干服之[illegible]方[illegible]所傳重其事[illegible]以此說則雖已出嫡子則不爲三年況爲後者之同於衆子耶類輯續編

南塘曰爲所後子服三年者[illegible]謂爲父子則正也非庶子則正也云者極是禮爲人後者當服何也爲人後者本非父子而爲父子者也本非父子則疑其降之於所生故特著之三年以明其同於所生也然則不爲所後子著服何也所後子爲所後父同於所生父則其所後父爲所後子亦當同於所生子也此不待特著而後見也父子一體也父之視子猶子之視父其義一也父之視子降於所生則子之視父亦將有間於所生乎父子相親不如所生則是有父子之名而無父子之實也非所以盡父子之親而極人倫之至也父之視子同於所生則無長子而立後者爲其子當服三年長子死而立後者爲其子服期亦不待別著而見也特著爲父之服以見其爲子而同入於子服之條[illegible]賈疏不察[illegible]此而徒以世俗之情度之意其所後當降於所生而四種之說只援所生而言之故父爲其所後而言之所謂養他子爲後是也賈疏於[illegible]長子條捨其明白之傳文而創出別說必其四件正體而後許服三年中間有支庶繼承者亦不許三年則其直取他子以爲後者其果[illegible]三年乎此其意不難知[illegible]說[illegible]可斷之[illegible]何可爲之說以採其失乎

又曰近聞先師[illegible]遂集其答[illegible]說[illegible]後子亦服三年不可與所生子分看得此正論深幸吾黨之見不甚悖也

按所後子服不見於經假是同人於養服何爲長子條[illegible]賈疏所謂養他子爲後[illegible]服三年假指收養者若是所[illegible]者則當[illegible]取族人子爲後不應泥稱養他子也又按後漢順帝初謂中宮以養子爲[illegible]亦爲養子非族子一證也

屏溪曰取兄弟之子而傳[illegible]之[illegible]則正也[illegible]四種[illegible]之則正而不[illegible]爲[illegible]子不[illegible]服斬衰[illegible]後[illegible]有所生子[illegible]所謂庶子也所後子死後雖立此子爲後以四種說言之則體而不正不得服斬三年者當服期而已

近齋曰繼後子不在四種之科賈疏養他子之說[illegible]收養者[illegible]見本[illegible]如此然出後於人者同於衆子既有尤翁說惟當遵而行之

梅山曰所後子服南塘有云所後子爲後父同於所生父則其所後父爲所後子亦當同於所生子不待特著而後見者斯言[illegible]宜若可遵而竊詳傳文[illegible]正體傳重三者咸備然後始許三年其嚴可知也所後子大倫既定則正與傳重因無間於己出亦不可謂所生以故只當以正而不[illegible]是則非苟於疏說也尤翁陶菴皆許以衆子服農翁亦論閔彥暉繼後子之服而[illegible]不得與正體長子同而同於支子承重愚亦不敢信已而信三賢已矣

屏溪曰繼禰之宗長子雖已冠未娶而死則不得傳重只當服期

近齋曰爲長子斬只當論[illegible]之[illegible]體與否不當言已[illegible]之有子與無子[illegible]說[illegible]之[illegible]後[illegible]字作於不受重二字蓋其長子死無子而未[illegible]統[illegible]嫡故謂之[illegible]不受重[illegible]不立後[illegible]而[illegible]斷不立其後可[illegible]此[illegible]之以[illegible]不立後[illegible]可也[illegible]世[illegible]長子[illegible]服重[illegible]生子而[illegible]服三[illegible]則[illegible]是[illegible]禮之[illegible]者

又曰高見欲以適子無子者直同於[illegible]之[illegible]非[illegible]不立後[illegible]立後[illegible]生子[illegible]非不受重者也何可不服三年乎至於[illegible]蓋無子不立後[illegible]不受重者故同於[illegible]則其[illegible]三四世之重其子之有無不當[illegible]也經[illegible]既有正文何敢[illegible]說[illegible]從之[illegible]所指亦不如此者乎[illegible]可矣

三山齋曰賈疏四種說沙溪說之備要至[illegible]所以[illegible]而不受重者亦不三年一段則[illegible]不[illegible]其[illegible]可[illegible]古禮於此既無明證而今[illegible]則夫[illegible]有以[illegible]子不受重者[illegible]何可不爲之三年乎[illegible]氏[illegible]不當以[illegible]爲[illegible]之[illegible]則準以父祖適適相承之義其[illegible]無所礙耶此事[illegible]論不一更[illegible]詢而[illegible]之

近齋曰殤后喪[illegible]長子斬衰一段尤翁答朴士元[illegible]似不可[illegible]於人[illegible]尤翁[illegible]答之[illegible]從之而不[illegible]矣尤翁於[illegible]前後兩說後說[illegible]所引朴受汝[illegible]前後說之不同[illegible]可疑而[illegible]說入於[illegible]不入[illegible]有取舍之[illegible]故愚[illegible]以[illegible]



[illegible]且如[illegible]子[illegible]由[illegible]子爲[illegible]父子之大服[illegible]是一義不足爲的證鄙翁非不見之猶有未決之疑故不得從[illegible]所[illegible]既有[illegible]說[illegible]然用尤翁後說及遂菴說繼後者亦服[illegible]不可耶

鹿門曰長子無子而將爲之立後而傳重則當服三年將不爲之立後而傳於次子則不當服三年雖有子而將不以重傳之如程太中之於明道似亦不服三年

又曰廢疾老傳之子爲長子似不服三年蓋有適子則無嫡孫爲父後者方爲長子服斬故也

又曰廢疾不傳重而次子承重亦不得爲次子三年蓋雖不傳重而猶稱爲正體不[illegible]嫡子之名故也

楊氏曰此不得三年者[illegible]移宗於他子耳若廢疾者之子傳重則其祖之爲是子恐不得不三年

老洲曰祖[illegible]爲[illegible]則一體[illegible]世[illegible]可[illegible]也有[illegible]子無嫡孫正可援[illegible]服三年沙陶[illegible]不可[illegible]

近齋曰祖父主喪則亡者之父爲其子只當服朞而已禮曰有適子無嫡孫[illegible]也父[illegible]已爲父之長子己又[illegible]之子爲長子則家豈有二長子乎父在者服長子斬愚未之聞

又[illegible]曰[illegible]父在則爲長子不服三年非經文也喪服傳庶子不得爲長子三年疏曰周之道有適子無嫡孫[illegible]適孫之[illegible]適子死後乃立嫡孫乃得爲長子三年是[illegible]父後者[illegible]長子三年也喪服小記疏又曰雖有適子[illegible]適孫[illegible]已[illegible]正[illegible]在則已未成[illegible]嫡則不得重[illegible]重長必是父後者故云[illegible]後者然後爲長子三年也云云所[illegible]孫[illegible]重在子而不在孫所以雖名[illegible]孫而不得爲適孫也故服大功如庶孫必須適子死後長孫當承重[illegible]是[illegible]也[illegible]子者於己[illegible]之[illegible]重於子[illegible]之不[illegible]重者雖長子不可[illegible]嫡子服不杖朞如庶子[illegible]後[illegible]三年[illegible]重也沙溪[illegible]而爲之說遂之已矣

近齋曰服色雖[illegible]三年之[illegible]子[illegible]太[illegible]亦[illegible]布笠近[illegible]而不必然者[illegible]笠[illegible]長子斬衰既不解官則何至不著漆笠耶

廢疾長子未成服者服

通典晉劉智釋疑曰今有狂癡之子[illegible]年過二十而死者父當正服邪以爲殤耶曰[illegible]於禮[illegible]多[illegible]外[illegible]而得之[illegible]母[illegible]之威不盡理而仁人[illegible]深不忍不服[illegible]禮不爲[illegible]降殺[illegible]得[illegible]也[illegible]劉[illegible]雖[illegible]長而有[illegible]既[illegible]永[illegible]服否曰不以[illegible]降也[illegible]不[illegible]後是[illegible]傳重之加[illegible]服[illegible]理[illegible]

服嫡承重孫

鹿門曰小記[illegible]四種[illegible]不在斬衰四種之[illegible]嫡子廢疾庶子爲後[illegible]孫[illegible]後[illegible]也[illegible]於[illegible]大功[illegible]式[illegible]嫡孫亡[illegible]後[illegible]子之後[illegible]得[illegible]孫之[illegible]父[illegible]三年[illegible]不[illegible]之[illegible]孫服[illegible]不得[illegible]也此[illegible]

李氏曰[illegible]嫡孫[illegible]爲[illegible]孫者[illegible]爲大功[illegible]服[illegible]正[illegible]也

又曰喪服[illegible]以妻子列於[illegible]以此推之[illegible]孫承重[illegible]當[illegible]庶孫承重同服

爲長孫

竹[illegible]曰今孫之亡令孫[illegible]適[illegible]則令孫與庶孫同而大功[illegible]孫服令胤亦不得[illegible]三年於其子矣

爲長子妻

屏溪曰[illegible]庶子之長子婦亦可謂[illegible]婦[illegible]服制則必於服斬之長子[illegible]始服朞矣

齊衰曰於子開正體傳重三事俱備然後方服三年婦是外成也无傳正體之可論而只以傳重一事爲主 類輯續編

鹿門曰小記嫡婦不爲舅後者姑爲之小功注云凡父母於子舅姑於婦將不傳重於嫡及將所傳重者非嫡服之皆如庶子庶婦也以此則廢疾者承重者皆不可爲三年 其妻之不爲者亦可知○續輯類編

近齋曰曾見禮問解崔碩儒問爲嫡婦小杖期是指繼二言者乎何齋答曰當如來示雖然此則嫡婦服非長子當爲斬衰三年者之妻也支子則雖長婦當服大功矣衆子婦同矣今見尤翁說允分曉恨尤南先生說如此則惟當遵而用之復何疑乎

梅山曰喪服小記嫡婦不爲舅後者姑爲之小功故家禮嫡婦不降小功條而賈疏爲大功則移載大功條無疑

李氏曰據小記注庶子承重之婦反爲他子爲後者之婦服皆當爲大功妻子承重者之婦恐亦同 家禮輯解

鹿門曰嫡孫傳重者無嫡孫孫婦亦如之注適婦在則亦爲庶孫之婦 家禮 庶孫之婦小功條云爲庶孫之婦服非曾玄孫之當爲後者之婦其姑在則否蓋出於此 類輯續編

梅山曰儀禮喪服傳曰有適子則無適孫孫婦亦如之注嫡婦在則亦爲庶孫之婦開元禮小功爲嫡孫注曰有適婦則無適孫婦曾孫玄孫爲後者服其婦如適孫婦家禮所云其姑在則否者即斯義也然此以適子生存者而云爾若適子死而嫡孫將承重則適孫之婦亦將從夫服舅矣若是者不可以有嫡婦而不爲嫡孫婦也然則爲祖舅者當以嫡孫婦之服服以小功姑在與否不須論也 答吳某欽

按通典傳有嫡子者無適孫孫婦亦如之此文易解以有嫡子者又孫其爲嫡孫其孫婦亦不爲嫡孫婦云則不成文義何者其孫不爲適孫則孫婦之不爲嫡孫婦不言可知何必下文乎故鄭註以爲婆婦在則亦爲庶孫婦鄭意蓋謂祖在其孫婦不爲嫡孫也若在則其孫婦亦爲庶孫婦也

禮疑續輯十五　八

孫女被出而歸當如庶孫服

梅山問喪服經傳只言姑姊妹而備要闕並及孫女何也愚意孫女被出而歸則服之當如庶孫矣顧西曰經只言姑姊妹而備要并及孫女者祖之於孫止於一而服是以後賢之一例之實合人情被出而歸當如庶孫服死而無夫與子亦當還服本服如姑姊妹之禮耳

姑母

姑梅山曰役服以期而降雖除服末忍即吉姑不服華盛服用白絲衿期而純吉矣 無不可否 類輯

嫂叔

梅山嫂叔無服推遠之義是禮之正也唐太宗引同爨緦之文而制嫂叔無服非爲得宜徵載曰若推而遠之爲是則不可生而共居生而共居爲是則不可死同行路唐太宗言其生而共居而嫂服小功是出於同爨云嫂叔無服先王之制後學有作雖有疑議亦可也朱子亦云嫂叔推而遠之縣是合有服但安排不得故推而遠之若有若愛敬心自住不得如何恐不可易也 答徵

宗子

南塘曰所謂宗子及其母妻服齊衰三月指繼別之宗百世不遷者又安有不服其服之恐也繼高之宗亦服本服緦麻以宗子之服服之禮書必著之矣繼高以上親盡宗毀則安得猶服宗子之服耶 類輯

竹溪曰宗子死而宗子之母妻當亡則當服宗子之母又宗子無後而死未及立後者不當服其妻蓋孫未立之前宗祀絕也無所謂重於婦人也 類輯續編

問宗子服有服者服本服無服者服齊衰竊謂齊衰重於功緦則以同堂以下諸親序立於遺寸之後誠爲可疑 李尚先

屏溪曰大宗子服齊衰重則重矣此室正服之外也不當加於正服緦功之上矣 類輯續編

問再從三從之妻若宗子妻則服緦耶 李洪錫 鹿門曰若是大宗子之妻則當服齊衰三月不然則無服 類輯續編

老洲曰古禮既有爲宗子齊衰三月之制後世宗法不講雖不得一遵古禮近世一二知家禮亦有免於十寸內者況吾家奉不祧位今番宗子之喪祖忠貞公者雖屬絕服用袒免之制以寓尊祖敬宗之意如何 答士

從高祖

梅山曰遠無從高祖者未可以服盡而昧然無事三日袒免成服其吊服加麻臨喪畢則用之旣葬而除恐宜 答

爲兄弟之子婦

竹溪曰喪服本不言兄弟之子婦服大功若姪丈夫婦人報此言姑之於姪 兄弟之子女 男女同服也唐魏徵奏云衆子婦小功請與兄弟之子婦同服大功蓋錯以姑姪字通用作世叔從子看也 類輯續編

祖免降而無服 並論

屏溪曰凡服遞代而降一等父之族爲曾祖之族爲大功曾祖之族爲小功高祖之族爲緦此爲親親之殺也五服盡於緦而同五代雖無緦不忍恝然無事三日袒免禮意之厚也五代祖生存與否亦不計也 類輯續編

樸泉曰袒免者素帶三月云云爲有服者緦則恐過矣五世之親及出繼出嫁降而無服者似當具吊服加麻成服後隨之臨喪事則用之至葬用之出則否 類輯續編

禮疑續輯十五　九

問靜堂曰降而無服者麻與朋友麻三月不同與袒免則似只宜帶於初終及葬時而不宜用三月之例平居則依舊吉服而已 類輯續編

又答鹿門曰吊服加麻皆與左右論當用緦之服首經矣 同上

竹菴問本生從祖姑情義之篤如親祖孫而其喪無服以黑笠視其棺斂甚覺缺然若爲白巾如丘說則情禮似不悖黎湖曰爲五代親之白巾而行之極好 類輯續編

問出後者於本宗外兄弟之喪降而無服悵然欲從降則未有所據 李克 老洲曰婦人降本宗無服者旣有其指出嫁女而言也男子之出繼者其降服之義與出嫁女一也則於本宗外兄弟降而無服者是可援此例也云云見樸泉此說明白可喜樸泉曰五世之親出繼出嫁降而無服者似當具吊服加麻云云

柳氏曰高祖兄弟曾祖從父兄弟祖再從兄弟父參從兄弟身之四從兄弟此乃親盡之親也據禮則有是五者而已至唐宗定堂姨舅祖免者非禮之正也 學林

爲嫁母出母服

檀弓伯魚之母死朞而猶哭夫子聞之曰誰與哭者門人曰鯉也夫子曰嘻其甚也伯魚聞之遂除之 東氏出母無服非必除○通典晉賀循云出母服在杖條杖者必居廬居者必除○吳徐整問出妻之子爲其母當有服否射慈曰喪除墨衰不如親子○開元禮出妻之子爲母服 通典

通典晉步熊問已出爲人後而母在後見出有服否已出、後而所後之母出後則繼母出嫁亦同否復與親母同耶父亡已爲祖後親母出出服之云何祖父亡與在服之有異否答曰禮爲人後者爲所後者若子則不能復服親母出以厭所後者之祭也爲人後者若子繼母如母夫言若齊如者明其制如親其情則殺也撤爲人後者若子母出亦當爲父後者不得服出母則是朝祖後母子至親無絕道則非母子者出則絕矣是以經文不見出繼母之服若爲服則無所亡

[illegible]氏曰[illegible]有而[illegible]若是父卒[illegible]後者則[illegible]無服之文者所後父在者則[illegible]出母之服不降於父存者[illegible]

[illegible]出母[illegible]

服則此也恐不當更論生己與否也 [illegible]

本[illegible]日通典曰後漢長沙人王毖[illegible]許至京師值吳蜀分隔毖妻子在吳[illegible]爲魏黃門郎更娶妻生昌毖卒後昌爲東平相[illegible]

[illegible]元年吳平時毖前妻已卒昌聞求去官行服東平王上[illegible]議博士許猛云夫更聘[illegible]

[illegible]不二[illegible]之外[illegible]

[illegible]之有絕無絕宜絕不宜絕而既已改娶則[illegible]於出而已[illegible]

[illegible]王毖[illegible]妻[illegible]子[illegible]道[illegible]

[illegible]

服可否不當入於出母條也

[illegible]

[illegible]

據則恐與出母無異矣

[illegible]氏曰[illegible]服小記[illegible]後[illegible]出母無服[illegible]矣[illegible]爲父後猶爲出母嫁母齊衰三月豈爲母子死同路人無三月之服反

不知[illegible]子之爲無母有子者情理之所不忍故劉氏此說似合人情然經文所戴何敢違之而從劉說也 [illegible]

[illegible]曰[illegible]出母亦[illegible]則出外祖母有服明矣據此則出祖母無服似未安云云出外祖有服而出祖母無服[illegible]祖母之[illegible]義

[illegible]絕[illegible]於自[illegible]故可以無服外祖母服本輕而只當言其恩不當言其義何[illegible]出與不出哉 [illegible]

[illegible]之[illegible]所謂[illegible]之母乃父之不[illegible]之妻當服以嫁母[illegible]則[illegible]爲之降

[illegible]不[illegible]子[illegible]服[illegible]本生嫡母無[illegible]殊當如之何[illegible]要嫁母圖[illegible]日爲父後者不服[illegible]以承嫡者[illegible]而承嫡

[illegible]降等而已不當從[illegible]承嫡與否也[illegible]則若可以只降一等而無別於本生嫡母則[illegible]出嫁女[illegible]嫁母大功之例服大功

[illegible]氏曰[illegible]母出無服則前母出無服可知也 [illegible]

[illegible]與[illegible]之[illegible]服出嫡母徐邈者[illegible]出妻之子[illegible]母明非所生則無服也又答范寧問曰若但言出母嫌妾子亦服故言出

[illegible]三[illegible]恐宜 [illegible]

妻之子 [illegible]

出母爲女適人者

[illegible]禮降服大功女服同○[illegible]氏曰此母降女一等而女降母二等恐未安 [illegible]

父殁繼母自出而爲價尼者服有無

梓山曰父殁繼母自出而爲僧尼則是絕於父也所謂子無絕母之理者以有生育之恩也雖出雖嫁當服杖朞至若繼母恩不出己



[illegible]絕於父不服已矣 [illegible]

出母嫁母不可養於家

大全[illegible]不[illegible]母[illegible]不可養於家[illegible]婦[illegible]或舍其側而養之無害則[illegible]外可也 [illegible]

南氏曰[illegible]之服出母[illegible]非但非禮迎而還家亦非也父既出之雖父沒何以私自迎還若出母貧窶無依則備給臧獲以安其身

而已 [illegible]

出母還亡繼母子當服與否

通典晉征西[illegible]公[illegible]氏生公[illegible]出之[illegible]娶王氏生公[illegible]父終之日[illegible]公[illegible]曰公[illegible]母少必更嫁可迎還汝母王氏果嫁[illegible]

氏更來祭[illegible]不[illegible]姑亡不服[illegible]氏卒公[illegible]父[illegible]亡勅還公[illegible]母公[illegible]幼少在[illegible]母懷抱長至成人[illegible]於所生

[illegible]母之亡[illegible]古今[illegible]之有[illegible]子迎母[illegible]是[illegible]之私[illegible]不用[illegible]服[illegible]當服矣

[illegible]

[illegible]

然此以遺棄子反同宗[illegible]無服者而言耳若有服之親當服本服服盡後爲之心喪用報鞠育之恩是可舍本服而服收養之服以自趨於薄散昔韓[illegible]以養於兄嫂爲服加等橫渠譏之曰族屬之喪不可有加若爲嫂[illegible]使以有恩而加服則是待兄之恩至薄無母不養於嫂更何處可養若爲族屬之親有恩加等則待已無恩者不服乎斯言得禮之正也爲再從收養者亦當服緦緦盡後中心喪三年而今也則不然[illegible]於舉哀而[illegible]以顯[illegible]則昭穆失序名義不正白[illegible]易以侄孫[illegible]後而[illegible]爲後者服斬近世老嫁齊僉公爲族祖侍養而祇尸厥祀而已今其人覺其非而反之正則事係大倫縱刻雖淹即日當告由改題 紡[illegible]不書　何待節祀乎又是其長子則當[illegible]爲[illegible]立則[illegible]祭止其身恐得改題時告由錄在下方 答朴[illegible]

雖設汝云云族從孫其[illegible]從祖父某官府君[illegible]族從祖母某封某氏收養小子思添生育[illegible]尸祀敢云報德至若題寺題[illegible]昭穆失序[illegible]不得不及速以正今方以養祖父養祖母改題[illegible]稱以侍養孫非敢處薄所以[illegible]情[illegible]降[illegible]以酒果用伸虔告謹告

李氏曰人有一子出爲大宗後取其仲孫名以侍養及其喪後服大功而心喪恐當 答家[illegible]

近齋曰庶祖母之收養者[illegible]一[illegible]照[illegible]母本服緦乳養已則服以小功觀於備要小功[illegible]之庶祖母之收養者服以緦麻似當[illegible]庶祖母本[illegible]服故[illegible]可以報收養之恩過此則太重恐不可爲也如或以緦麻[illegible]未足則緦麻服後[illegible]心喪若干月無妨 答[illegible]

南塘曰[illegible]之[illegible]收養父於收養子無服與繼父之[illegible]服於子同二[illegible]之爲父服只爲其有養育之恩二[illegible]之於[illegible]子亦有恩之可[illegible]乎[illegible]以禮只[illegible]子爲父之[illegible]之服[illegible]只[illegible]其恩之[illegible]耳若以[illegible]之情欲報之則當[illegible]同爨緦之文 [illegible]

[illegible]日[illegible]無服[illegible]宋[illegible]定[illegible]三年[illegible]　[illegible]加[illegible]三[illegible]而[illegible]孝[illegible]



錄　經典仍附喪者以三歲而收養也家禮緦麻[illegible]養母服圖出於元儒而備要仍之非朱子意乎[illegible]必死爲人收養者當爲[illegible]父在繼母之服[illegible]

[illegible]

父母收養父母

南塘曰養父母只以私恩[illegible]不服母之養父母以外祖父母服之則父之養父母亦當以祖父母服之[illegible]

爲收養母之父母

李氏曰收養之服[illegible]三年恐過矣或[illegible]同服之緦耶 [illegible]

繼父同居 [illegible]

問繼母[illegible]三十餘而[illegible]如何 [illegible] 渼山曰當服三年[illegible]三歲[illegible]收養者[illegible]服三年則今此未生前[illegible]其世三年不亦宜乎 [illegible]

南氏曰[illegible]

[illegible]

能自[illegible]

德喪服記曰女子子適人者爲父齊衰三月今爲服齊衰三月稍嫌折衷 答[illegible]

渼山曰同母異父兄弟之服家禮著小功而後儒多言大功者非也夫制服異姓無大功父之父爲期而母之母爲小功父之兄弟期而母之兄弟爲小功子爲期則母之子自當在小功 疑禮正解

爲慈母庶母祖庶母 爲父之慈母並論

屏溪曰父以他妾之子慈於無子之妾者禮所謂慈母也其死爲齊衰三年而已爲其所生母亦當服其本服與爲人後者之禮不同矣 疑[illegible]輯[illegible]

梅山曰禮喪服曰慈母如母傳曰妾之無子者妾子之無母者父命妾曰汝以爲子命子曰汝以爲母若是則生養之終其身如母死則服之三年如母貴父之命注曰不命則亦服庶母慈己服可也慈己之服即小功也令庶弟若受命而被養於令庶母則當服齊衰三年不受命則雖有養育之恩祇服小功已矣纔服三年不當被髮行練祥禫一遵三年喪禮段恐宜行三年而[illegible]所以與親母差殊也庶子之妻不服慈姑[illegible]從夫尚不服則其子之無服亦可知已 答徐[illegible]

又曰所謂慈母庶子無母而命他妾之無子者慈己也以故爲之齊衰三年縱令有母而被育於諸母亦當爲所生母三年以不倚乎出繼無降服之義也 答李[illegible]

按[illegible]妾之無子者[illegible]之無母者父命妾以爲子命子以爲母[illegible]慈母則有母者雖以[illegible]於庶母恐當服庶母慈己之服必無母者於慈母服齊衰三年方合於禮義意耳

[illegible]閔厚[illegible]九歲丁內艱庶母[illegible]養之恩無異於乳已今依家禮欲爲義服小功何[illegible]答家禮圖指庶子之無母者非庶子而爲慈己者至小功無乃過乎 [illegible]



雲坪曰儀禮緦章只云士爲庶母今必謂有子者豈以父之不服子不敢服故耶 [illegible]

近齋曰有子非特指生存之子也父妾既生子矣則雖未及殤而夭當以有子論何可不服緦乎雖無子若攝女君而主饋與同居年久者當用同爨之緦例矣卿大夫之不服庶母似是貴貴之義而我國大夫士無甚分別士之禮亦可通用於大夫且沙溪云我國之嘉善大夫可以當中國大夫然則通政以下不可以大夫論豈以通訓奉列命資階自處以大夫不服庶母服乎庶母慈己者小功雖只言士而亦可通用於大夫禮疑從厚正指此等處耳 答梅山

問妾爲君之衆子不杖期則他妾之子非其出者亦當用君之衆子例矣然則庶子爲父之他妾亦當用報服沙溪只據通典[illegible]妾之子相爲庶母疑報之則據以服制無所屬若以名服則反有己出之嫌故沙溪之據通典而斷以緦者恐以此也

梅山曰爾雅曰父之妾爲庶母子妾之於父妾亦當從君而曰庶母而已禮兩妾子各呼其父之妾曰庶母此其證也禮子之妻妾於父之妾無服無服者蓋別於餘姑也若以從厚之義苟欲相報則[illegible]同爨之緦而已然[illegible]稱謂但如[illegible]俗之所呼[illegible]用此例[illegible]謂則當云[illegible]可也近世或稱姑[illegible]妾子之妻稱其所生姑[illegible]別故焉有死無服而生呼姑之理乎服事之[illegible]致敬盡禮可矣 [illegible]

渼湖曰庶祖母之有恩者如不忍終於無服則以同爨之服服之猶爲近之耶 答趙[illegible]

老洲曰庶祖母服經無所據季氏令既有慈己之恩則昧然無用[illegible]情誠[illegible]缺然縱有爲庶母慈己者服小功[illegible]似可[illegible]然祖庶母而[illegible]庶母之服亦未安當世或有爲庶母無子而情重者服同爨之緦依此服緦恐不至大悖耶至於令郎雖有鞠養之勞豈可以[illegible]服於禮制之外耶此則決不可矣 答金[illegible]

渼山曰記曰爲慈母後者爲庶母可也爲祖庶母可也註以祖庶母者父妾有子子死爲無子故命己之妾子爲後亦服三年此妾孫可承重之明驗也 疑禮正解

柳氏曰爲父慈母之服後典當觀可考而庾氏之說宜從 續輯 小註

通典[illegible]以慈母之服服之可也不得復重三年同於親母

也　庾蔚之曰小記云慈母之父母無服今子服慈母如母猶無所從況可得服慈祖母乎且先儒所云婦人不服慈姑婦

從夫而猶不服則子不從明矣

慈母爲慈母

柳氏曰恩義之服只有仰報本無俯施故有乳母服無乳子服有繼父服無繼子服[illegible] 續輯 小註

通典徐邈云從妾之子服[illegible]則今爲慈子恩義雖絕恐亦可也 續輯 小註

殤服

陶菴曰殤有三等服制有二等何謂三等上中下也何謂二等降服爲一等從上從下爲一等蓋大功之殤降等則長爲五月中爲三月下則無服緦入者其無服者中從上同爲五月下方爲三月小功降等則爲三月長殤獨有服中則從下而無服以其恩輕也齊衰降等以正服論之長爲九月中爲五月下爲三月而以其恩重也故中則用七月五月亦從上之義也 類輯 續編

厚齋曰女子十五而笄泛說女子當笄之期也若不笄則不可與既笄者同而混謂之非殤其爲中殤無疑 類輯 續編

問二十前死者已冠則其服制如成人否若是大宗家長子則其父亦當爲斬衰耶 朴[illegible] 沙溪答曰喪服小記丈夫冠而不爲殤婦人笄而不爲殤[illegible]大功章曾成人則當之斬衰推此則雖在殤年而死已冠則當服之如成人其父斬衰無疑季氏曰或曰家禮男子已娶則不爲殤適子雖冠在殤年而未娶則似在不杖傳重之科恐不當三年也 家禮 輯覽

問八歲[illegible]爲殤 [illegible] 陶菴曰八歲代加已是異事通[illegible]



下殤服期年之實決知其不可 類輯 續編

南塘曰殤之殤八年者日月雖少既及八年則何可不服乎且計年以年何以月數 類輯 續編

近齋曰長子當服三年者死於長殤降服年茅雖有旅軒說而考儀要殤條小註引古禮疏說有曰長嫡者成人則當服斬衰而殤死則如殺未熟嘗入殤大功條也云云當以疏說爲正 答李廷仁

屏山曰[illegible]年過長殤雖未嫁娶親成之服[illegible]如成人據此則外孫女年過長殤未笄而夭者服緦恐無可疑 答徐[illegible]

又曰小記云丈夫冠而不爲殤婦人笄而不爲殤[illegible]人不當[illegible]

梅山曰[illegible]易月之制以服之月言也恐說不可從

閒靜堂曰[illegible]大功之殤中從上本爲至親皆重而爲此制則似當皆指本服 [illegible] 今有出嫁女其弟爲人死於中殤當以本期之殤降之爲緦否 [illegible] 抑以小功之殤降之而無服否 [illegible]又若爲門巳先降已之出嫁[illegible]大降出後[illegible]當不明甚而來論只曰爲其昆弟云則是本是期親情重雖殤而小功[illegible]可從[illegible]如大功十月亦爲不忍實服之達輕降大功升數之較粗[illegible]有微意若用此儀當爲緦麻 同上

禮疑續輯卷之五終

# 禮疑續輯卷之六

喪禮

成服下

為母黨服

雲坪曰魏高堂崇曰外服不過緦外祖父母以尊加大功乃重於外祖父母此先賢之過又張子曰小功服之可也以是家禮降爲小功今補服之說不當更論也 類輯 續編

南塘曰外黨只有母道而無父道故舅之妻從母之夫無服父母之名皆無所屬也舅亦有父名云者可疑 類輯 續編

本生母黨 妻爲夫本外黨並論

閒靜堂曰儀禮喪服外祖父母傳下注有雖外親亦無二統之語不知可證否 類輯 續編

陶菴曰夫爲人後而爲父之本生外祖父母又服緦則是貳統也此等處宜以禮割情如何 類輯 續編

厚齋曰朱子於本生父母既曰其妻降一等服大功則於夫之外黨降而無降可知 類輯 續編

近齋曰於本生外黨降服一等問解有之備要雖不言似皆包在於爲本親皆降一等之中矣外親無二統有徐氏說何可降耶至於或人之降外祖而不降舅甚無意義外親無出入降非指出繼者似與外親適人不降之文同一義也 答李廷仁

又曰爲人後者於外親降服一等亦足以避外親二統之嫌何必全無服而可乎人於外親外繼亦當降服 假如內則出嫁則降小功爲緦內則出繼則降緦爲無服 蓋已之出繼與外親之出繼其無二統則一也至於外親無出入降之文本指出嫁女爲外親及丈夫之爲外親出嫁者言與外親適人不降之文同一義非指外親出繼者言也問解論出繼者服外親而所以因出母條論外親無二統之文非爲直準其例蓋欲皆



折衷而已出繼者與出母之子似有異焉蓋出母之所出也與族絕無殤及之道故於其黨無服 [illegible] 本生母巳之所降也雖服所后而降非絕族也有殤及之道故爲其黨降服出母之黨與本生母之黨其有外親無二統之嫌則一也而其服之或無或降似爲是耶 答任[illegible]

剛齋曰無出入降之出入指女子而言也若男子出後者於其所後母黨服又不降於生母黨則豈非所謂二統耶 答[illegible]

顯西曰本生母黨服則雖降而屬稱則皆有他稱只當稱曰舅而編之者亦然 答梅山

梅山曰爲所后者道其本生親女出嫁者從降緦乎無服乎今後出嫁恐當再降而外親本服[illegible]故雖[illegible]降等則本生親女未出嫁與否只當降緦 答[illegible]

渼山曰爲人後者爲本生黨服沙溪南溪芝村以降一等爲當而陶菴以不服爲當陶菴說正當爲服外母黨伯叔父母則外親亦無之不得服不其然乎降小功以緦矣本宗之親名可施也外祖父母名所不及而[illegible]諸外親無二統之義益知此 答[illegible]

李氏曰本生外祖父母爲出後外孫當無服蓋本服緦而降而絕故也其本生從母[illegible]當降一等緦[illegible]

近齋曰外孫出繼則於其外孫婦當無服奈喪服疏有云[illegible]爲其祖父母內則[illegible]不降本服也[illegible]而此 答[illegible]

又曰出繼者內外兄弟兩姨兄弟皆當不服緦後說疑乎緦服不降之說本非禮文 答梅山

按渼湖[illegible]爲本生母黨服[illegible]有明文至[illegible]外親無二統之說而降一等此則[illegible]證外孫則有二統之嫌故爲本生母黨不得已降一等而其外黨則無此嫌恐當依據姑姊出入降之說[illegible]

[illegible]

按先生外黨爲出繼外孫服本服則私親之爲之也亦然八年何以服之出繼子非所后家則皆私親本宗外親[illegible]

本生親亦宜如姊妹之二統何爲不服本服乎檀弓曰姑姊妹之薄也蓋有受我而厚之者也云則出繼外孫之薄亦有受我而厚之者也若本生外黨所后外黨皆服本服則出繼子何其偏厚也柳氏雖以被出女子之子爲證亦有不然子雖以母出而以不服其爲外祖之外孫自如也外孫之出繼者爲他人之外孫何可比而同之乎異姓無出入降亦以不出繼者爲外親出嫁者而言耳

爲舅之女

近齋曰此是家禮闕文以人情言之四寸何可無服故遂庵春翁質于以尤庵以舅女服緦爲定 答梅山

外親適人不降

近齋曰外親服本自從輕若以適人而降之則輕而益輕或幾乎無故不降 答梅山

梅山曰沙溪答外親適人者當降之問引喪服疏而曰外親雖適人不降惟爲人後者爲本生母黨降一等爲是然則爲本生母黨皆豈可不降服乎是所謂私親之爲之也亦然也或者以外親雖人不降之文爲出繼者仍服本服之證其義服之義何如皆所謂不降云者以內外從出嫁者云爾 答趙[illegible]

柳氏曰喪服爲甥傳曰何以緦也服之也唐太宗加舅小功高宗又加甥小功至於甥女不見於喪服者以子兼男女之稱蓋子甥女同是小功雖然外親本緦降之則太薄故馬氏以爲異姓無出入降 喪服小功章丈夫婦人報註引此說 而從母丈夫婦人報以小功名加故也若與甥女無名加本不過緦今旣小功則降亦有服而瀨翁以外服不降者不知其可也況出繼之舅降其本生甥服而爲其甥者設有不降者已非相報之義而至於出嫁之甥女旣有可降之緦而與甥同服者豈非執而不通歟若使馬氏之說出於舅姑有服之後則無出入降之下又必有所辨矣 學禮小識

不爲繼母黨服 前母嫁母並論



三山齋曰母出則爲繼母之黨服母死則爲其母之黨服爲其母之黨服則不爲繼母之黨服鄭氏註曰雖外親亦無二統[illegible]出母之子則不爲母之黨服可知至於前母之黨禮雖無可據以小記辭於親者之意推之則亦當只服其母之黨[illegible]之黨又服前母之黨是亦二統也可乎 答金士久

李氏曰喪問母出則爲繼母之黨服註云雖外親無二統以此推之後母之子其母若在則似當爲前母黨服[illegible] 家禮增解

南氏曰妾子於父妾禮嫁出母其服旣同其母之服則獨於其黨豈有異同之理乎服則皆同其服矣不服則同其[illegible]

梅山曰嫁母之黨絕族而不服然旣爲前母繼母之可稱外黨者則皆試卷當考外祖是審之不得已[illegible]

妾子爲嫡母黨服 [illegible]

厚齋曰承重妾子爲君母之黨之所謂從服所從亡則已君母卒則不爲君母之黨服者其意不過以爲君母旣亡則其黨[illegible]別論其卒而更爲所生母黨之服之說按家禮緦麻庶子爲父後者爲其母黨服所生之母[illegible]以外祖父母之服服之乎又按家禮緦麻庶子爲父後者爲其母而爲其母之父母兄弟姊妹無服[illegible]母黨服十分明白 類輯

同春曰庶子之爲嫡母黨服只視嫡母之存沒似無于於無二統之嫌矣 答梅山

梅山曰質諸問於徐逸曰禮逮母爲徒從適母亡則不服其黨今旣不自服所生外氏亦以適黨[illegible]之黨故以嫡母黨爲徒從今庶子旣不自服其外黨而叙嫡母之親則宜以名而服應推重也庚齋之亦已嫡母之黨[illegible]雖沒猶宜服之數黨公且云庶子從君母而服惟止於兄弟不及昆弟之子者爲父後則服之益與爲人後者同推衍幾也承嫡者於

君母之黨不可服以徒從矣 答[illegible]

柳氏曰旣服君母之黨乘己之外黨服疏說如此而凌氏之論亦不無見惟在後人斟酌行之 學禮小識

凌氏 曙 禮說曰馬氏曰鄭曰君母者母之所君事者從母爲君母之姊妹也妾子爲之服小功自降外祖服緦以例推之馬氏說是也喪服記曰庶子爲後者爲外祖父母從母舅無服不爲後如邦人服問傳曰母出則爲繼母之黨服母死則爲其母之黨服爲其母之黨服則不爲繼母之黨服註雖外親亦無二統若云兼服是有二統趙商問鄭玄曰禮母亡則服其黨不服繼母之黨以外氏不可有二也賈疏兼服不知何據讀禮通考徐氏取之抑又何耶按凌氏說雖知此君母黨從從外黨屬從不可不兼服

李氏曰適母之父母兄弟姊妹則恐無相報之義敬齋公說亦然 家禮增解

梅山曰喪服疏曰君母在旣爲君母父母或亦兼服其母之父母馬氏則曰君母不在乃可申於兩者何居焉禮先君母服妾子之文故妾子不以君母之在而降服其母推此義也疏說得之也記庶子爲後者爲其外親無服不爲後則如邦人所謂如邦人者不論君母在否而言然則馬說恐非是 答[illegible]西

李氏曰庶子爲後者旣不敢服其母黨適母卒又不服嫡母之黨則承重妾子適母卒終無母黨服可疑 家禮增解

外先服窮者加麻可否

老洲曰奔喪所謂降而無服者是原有服者也外先服窮者是原無服者也以此至證恐不倫陶庵之斥以役文未爲過也無已則禮有五世之親許袒免者此若可以相授然終與本宗有異未敢質言 答梅山

爲妻黨

宋庶齋之說夫妻一體之親而謂妻之父母徒從失之甚矣或疑外氏無二統則妻之父母亦不宜二說以妻母之服三[illegible]



之三四於己猶一非其例也 常變通攷

南塘曰妻亡無子謂之義絕而不服妻父母俗見無據也 類輯

鹿門曰妻之嫡母繼母當依尤翁說爲之服緦恐可可疑 類輯

梅山曰家禮緦麻條爲妻之父母下文係之曰即妻之親母雖嫁出服也夫外服有正無義如舅之妻無服是也經傳通解親屬記曰妻族二妻之父妻之母其所以區別言者以妻母之親不係於妻父故也推斯義繼外姑似當無服而退溪則謂不可不服沙溪尤菴皆以妻之嫡母而以爲當服沙溪則又謂當依服禮而其夫無服未安不論禮意之如何服妻之適母繼母一如親母不害爲從厚之道固所通用而竊詳家禮本旨初無親妻有服而爲之服之義未知如何 答[illegible]

按家禮明言妻之親母則婿之所以服在於一親字非親母則無服可知也

雲坪曰謹按禮爲父之母及母之母嫁出並無服而今獨爲妻之母 嫁出者 不亦悖乎此家禮未定之論也 類輯

李氏曰嫁出猶服特言妻之親母則其妻之繼母嫁出則不服可知 家禮增解

近齋曰爲妻之妻父母總禮所不言蓋其妻所受鞠育之恩宜無推及於其夫之義況人之於親族贅己者只服本服惟心喪若干月以報其恩有先賢定論妻之五寸七寸叔妻旣不服三年則夫何可服緦耶 答梅山

梅山曰緦服之不與衰服雖緣贅莫爲方而亦可見喪紀之壞也妻父母服即服問所謂從重而輕者緦服之重也另可從俗而不服衰乎 答朴[illegible]

爲人後者爲本生親服

爲本生祖父母 出嫁子之女出爲本生並論

樸泉曰李器前問某人出後於其堂叔父其堂叔父本以疏遠無服之親出繼乎某人伯祖故爲堂叔父而無子身死某人爲其後某人於所後父之所生父祖兄弟既非所生親又非所後親而以本服則爲無服之親其相親當如何而死則當有服否遂堂曰所後父即其父也其父所生之親及兄弟皆當降一等服大功如何 顯錫 鎔輔

屏溪曰父子皆出後於人者生父之所生父所後父皆爲其生祖俱宜服大功 顯錫 鎔輔

問有人出後於人數年之後其本生父又爲出後而遭其所後父之喪或云此人雖先出後於其本生父之所後父當以生祖父一例服之或云子先出後則本生之親宜以伯叔父母稱之其於伯叔父之所後豈有祖孫之義而服之乎二說何者爲是 趙台彬 三山齋曰下說恐得之若如上說則設使所生父又有所生之喪此子當何以服之大凡服制恩與義而已此服既無所後之義又無所生之恩將何所名而爲服乎

問有人出后後其生父出爲人後則是本生有兩祖也服制以已出後前祖爲本生祖耶以生父所后父爲本生祖耶或謂經無本生祖服信然耶 宣士 老洲此便是兩身各出也當用不再降之文並服兩祖以大功何論已之出後前後耶爲人後者爲本生祖父服古今喪服果無言及以是宋崔顥以爲經文爲人後者爲其父母周爲其兄弟降一等此指爲後者身不及其子則當以其父所後之家還計其親疏爲服此皆雖似有據然若使父所後者或五服之外則本生祖將無服骨肉如路人是豈人情所安耶本生諸親降服一等是以明所後之重又可以存不絕本生之義可并行而不悖崔顥說不可從矣

問爲人後者之子爲其本生祖父母應服大功而渠又出繼則當何服 李厚老 竹從曰亦當服大功 顯錫 鎔輔

陶菴曰出嫁女於父母降爲期不二斬也祖以上不降服以正統之服不降故也而出後者之不同於出嫁女者以其承統之所後故也 答[illegible]

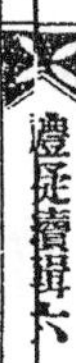



又曰既后於宗家而欲行三年喪於所生祖母則是承其生父之重而爲二本也情服云云禮無其文鄧攸事豈足爲援據耶且念三歲前收養於人者服收養三年而若是有服之親則不爲之三年者蓋以族親收養理所當然而不可以收養之恩爲重故也今令族孫之所欲行爲其無主喪則是二本也爲其收養則是以恩服而爲薄反甚豈不大悖禮義耶 答韓永禔

近齋曰父之生父與生父之父其爲生祖則一也服當同是大功而或言父之生父與生父之父不同不可服生祖服當只計其父所後家遠寸數以族大父服服之若如此說計其寸數而爲服盡之親則其將不服矣人於父之生父無服豈不甚薄耶 與尹麗門

剛齋曰出繼者所重專在於所后若不服其所后者之生則可謂不父其所後矣豈不悖於理也 答朴嘉榮

渼湖曰出繼者之女出嫁而遭其本生祖父母喪當服小功是 答閔益烈

華山曰渼湖答出嫁女爲本生祖降服小功之疑姑無明據但出嫁女不降祖父母服朞則以出繼故降一等服大功恐宜 答金平默

按此服當以出繼出嫁再降至若出嫁女不降祖父母服非當論於父之所後父母不當言於生父母也

爲本生諸親 爲本生父之本生諸親 爲父之本生諸親並論

近齋曰本生親之姊妹小功則本生親之本生姊妹降而爲緦自在其中何必以無三降之文爲疑耶此似與兩男各爲人後不再降者不同矣 答李命杰

又曰此是年前答人問者而其家依此言服姑以緦矣其時未得先賢說可據者只以義理推言而今見尤翁說有所云云甚恨當時考之未博也然尤翁說終有所信不及者蓋雖比之於兩男各出繼同作一例而以愚之恐似有不同然不敢信己而信其師當從尤翁說 同上

尤翁答宋元錫書曰兩男各出繼兩女各出嫁者不再降出繼人子孫復出繼亦不再降惟出繼而出嫁然後再降矣

梅山曰疏遠而推行或繼親而疏故因其見而知其不見者經之例也故爲人後者爲本生祖父母世叔父母姑適人者皆不著於經而亦服大小功者即用疏殺爲本宗降一等之文也若至爲昆弟大功而不舉世叔爲姊妹小功而不舉其姑固似可疑而昆弟疏曰昆弟降一等故大功於本宗餘親皆降一等然則因昆弟而可該世叔也姊妹注曰不言姑者舉其親者而輕者降可知然則因姊妹而可該其姑也以不言姑而明不降姑者爲融說不通恐難從也出后降服上自高曾祖父則自昆弟以下云者無乃未思乎喪服經於爲人後者之爲本親及本親之出適人者咸以昆弟姊妹發例其爲祖曾又當以父母推之推類而可該其餘 答李[illegible]

厚齋曰出繼之子爲其本生諸親喪不見於禮書以以其父之皆降一等爲準故耶所謂外服不降者本以不爲出后者言也今欲引以用之出繼者恐不然 顯錫 鎔輔

問所後父之生家兄弟之喪有服乎 李敬祭 渼湖山曰無服可矣 答徐[illegible]

近齋曰儀禮爲人後者爲本宗降服圖曰從祖姊妹嫁無從祖姊妹即再從祖姊妹也尊堂叔既出繼則其女適人者之喪尊之無服也明矣 答[illegible]

私親爲人後者

厚齋問案禮服圖出繼者亦服不杖朞與諸子同而韓之降說理合得尤庵曰既是出後則生生父母已疎了茲謂之降者蓋亦示疎若只設朞則與衆子都混了必須如此說 顯錫 鎔輔

問爲人後者爲其私親者降一等報私親之服也亦當爲其衆子亦不杖朞則與衆子同未嘗降一等則反輕於兄弟之子也祖爲孫降一等服小功則爲兄弟之孫同其無服而曾孫爲曾孫降一等而無服則又反輕於兄弟之曾孫若用爲子不降之例亦當不降而同於兄弟曾孫云云 人或庵曰曾孫降一等而無服理恐不然禮無可據而以義斷行豈不汰哉 顯錫 鎔輔

南塘問出繼子降其所生父母則所生父母安得不降其子也此亦禮之意也然出後子爲所生父母以伯叔父母服之故所生父母亦以兄弟之子服之子爲兄弟之子其服本同故也服雖不降猶同降也 顯錫 鎔輔

陶庵曰凡服正統之外皆有之報於夫之本生父母大功而本生舅姑似當如之矣難之者曰衆子婦爲大功而出繼子婦亦爲大功服是非降等之殺也曰衆子是不杖朞出繼子亦不杖則是亦非有降等出繼子不得爲正統 如兄弟之子也 故必報之子既如是婦何獨不然婦服只當爲私親看降一等私親之妻之亦然而五服圖降下不分屬言莫圖之惟言兄或與此一意耶 顯錫 鎔輔

近齋曰出繼子之婦不服小功而服大功者蓋古者婦服本生舅大功故與夫亦爲之大功是報也父於出繼子服朞者亦是報也所謂報者即依從子例之意 [illegible]

又曰子婦服後世升之庶婦爲大功故兄弟之子婦亦服大功矣雖子雖出繼本生父之服之也旬兄弟之子故服以不杖朞則當服出繼子之婦與大功如兄弟之子之婦矣來論云出繼子降爲大功云者豈引古禮而言耶古禮今雖用之矣 答趙亦善

梅山曰服爲孫以大功降皆降一等服而無孫婦以小功而又降一等而緦者以別於適孫婦也既爲衆孫婦緦則爲出繼孫之婦當爲而緦服而服出繼孫以兄弟之孫故之小功其婦則無再降之義也 上[illegible]

長湖問南塘爲緦紀以爲出繼子降一等之說則當爲小功而故云本生父母爲出繼子既報服朞則祖父母亦當服大功此說如何先師曰本生祖父母爲出繼子既報服大功其親兄弟之子也服於之爲之也只合報本服降一等恐不必親其父母之服而爲之增損也 答[illegible]

從爲夫繫服

蔣氏曰婦人於夫黨從夫服降一等若幼與夫服同於兄弟從有服而無服於姊以從無服而有服於姑姊妹降一等此云皆降

一等爲其大疑耳至宋乾德以後爲舅姑與夫同服斬衰（常變通攷）

爲舅姑

屛溪曰不貳斬之義重故古禮爲舅姑期聖人制禮之意至矣家禮因時制從斬衰（類輯續編）

竹窓曰婦爲舅姑只當服期而後唐劉岳加隆爲三年非周公本意而後世之無改可恠也見歐陽公所引劉岳書儀昏禮女坐婿之馬鞍父母爲之合髻者可笑也岳之禮卽五代之禮陋而已曾謂周公不如岳乎（類輯續編）

老洲曰婦爲舅姑不杖朞則從夫降一等之制古禮雖如此至唐加隆爲三年宋諸賢未之有改也今則行之已久豈可容議於其間耶（答李寬溥）

爲大舅姑

近齋曰大舅姑服只當依圖式服大功（答李毅穀）

爲夫之高曾祖

柳氏曰夫之高曾祖服禮無明文至開元禮始爲緦宋猶因之段氏說甚明（學禮疑小）

段氏玉裁曰婦人爲夫之曾祖父母之服不見於經　馬融云服緦不服按緦麻三月得爲齊衰三月之從服加族曾祖父母服緦於曾祖父母齊衰三月爲殺也何以傳曰曾祖父母何以服齊衰三月也小功者兄弟之服不敢以兄弟之服服至尊也記曰小功以下爲兄弟然則小功緦麻皆兄弟服夫不敢以兄弟服服至尊妻乃敢以兄弟服服夫之至尊乎故婦人此服不見於經蓋不敢而不敢以兄弟之服輕至尊也夫爲曾孫緦婦人亦無從服上治下治一也

承重孫妻從服及母與祖母服本服

木庵曰攝與宗廟之謂祖服自以姑爲嫡婦所謂有嫡婦無適孫也祖以嫡統惟一故子孫尙存孫婦猶以庶服之孫婦自隨夫服祖降一等也以是義則如曾孫承重而子婦孫婦俱在者孫婦與曾孫婦皆不得以嫡論（類輯續編）

雲坪曰婦者從夫義服也夫不及重而死婦乃服嫡無理復可疑乎世人有爲重服者乃曰退溪沙溪之論皆如是其悖倫無據甚矣（曾子婦曾孫婦當服重而孫婦不可服重○類輯續編）

竹庵曰承重曾孫婦之服朞（爲曾祖姑服）然以舅姑服本朞而後世加隆三年只宜於舅姑則於承重曾孫婦仍襲加隆未免拖長也雖於曾孫承重者其姑在則所謂斷然爲是從禮宗子妻之服齊衰三月而宗子母在則不爲宗子妻服蓋宗子之母以宗婦見在故也一統之義亦是合同故此則承重者之母若祖母在則是夫之子婦當爲承重孫婦矣爲承重孫若承重曾孫之妻者恐不得自以爲適而遂爲承重服也只合服本服也然舅有適子者無適孫婦亦如之此又爲明據（類輯續編）

又曰承重祖父母喪其母在而其妻不得爲承重服實禮意而近見文獻備考載其說矣更無可疑但服本服以終歷三年似得（仝上）

近齋曰承重孫妻夫已死從服當否問變難論決辭而解自有定論而辯說附錄于左（答李）

沙溪曰其夫雖亡傳重之義猶在設令以孫承祖服之婦者無繼序傳重之義則中間代序斷而不續其孫亦令孫雖死未服衰服也必孫婦者曾孫婦皆服正統服然後代序如繼而尊重有本退溪所引爲從雖沒也服一段實是的確恐不容他議

此禮先儒議論異同未有的定至沙翁方始大定大寄首皆以從服爲主只當遵用無疑

又曰寄小注其夫未及承重而早死者固是其夫死於祖父母俱在之時而其注既曰如何處之卽商量未決之辭也今示何爲直斷之以元無從服之義耶且以小記所從雖沒亦服之文及問疑夫服者服之通禮之無論夫在與夫亡夫之已承重與未承重皆當從服無容更商（仝上）

老洲曰曾孫承重者其妻從服而其母於亡人爲孫當服何服退陶所引屬從者雖沒也服之文儘爲明的然其夫在時已承重而其妻亦從服三年者尙可援此服重若其夫已死於父在之時曾服其祖期年而未嘗承重者到今祖母之喪其妻亦可援此服重耶竊詳所謂從者政對從立文則雖服以本服固不害爲雖沒也服之義矣若以其夫若在當承重而加服則終有所不敢知也大抵傳重當以男子爲重婦女只從夫不可以傳重也沙溪所謂雖非前日從服之婦必皆服正統之服然後代序是繼傳重有本云竊恐推之太過設令其父夫妻俱沒無服重者其將謂代序斷而不繼耶曾所從服三年者後亦服三年曾所從服大功者後亦服大功以從小記之文統序之義終恐不可以婦女之服有所輕重於其間也（與梅山）

穎西曰傳重有自安有其姑服輕其婦服重之理若十世孫承重而其間九世皆有未亡之婦恐當一齊服重（答梅山）

梅山曰家禮只云夫承重則從服不言姑在則否據此則從夫服重恐宜無拘於姑在與否也此與家禮少功條爲嫡孫若曾玄孫爲後者之婦姑在則否之義不合而尊長之服卑幼當別嫡庶卑幼之服尊長不可處輕所以其義不倫也（答□溪）

按曾祖承重喪有母與祖母若用有嫡子無嫡孫孫婦亦如之之文則其母當服大功而第恐此文爲祖服孫若孫婦而立文非爲孫婦服祖舅而發也正統相承之地不可不以尊服服之所接祖重而終夫斈也且其母服大功而其妻從夫服重則同是正統尊服而一家之內近輕遺重不合事理沙尤諸先生服重恐是

問承重者曾祖從者自當從夫服喪而其母（謂亡人之孫婦）亦當服喪乎（洪若直）洞山曰當服喪（家禮正尊）

陶谷曰從服與承重皆是兩項事夫承重則從而加服有宋以前爲期有宋以後則爲三年自是統於尊哀樂與同之義與承重之服者有等別不可以其姑與祖姑在否其間也夫承重而其姑存則妻雖從服而不害爲庶婦遂婦之名依舊在姑其承曾高祖之喪者皆然則其服乃庶婦之服非承重之服也（常變通攷）

爲本生舅姑祖舅姑

厚齋曰爲本生舅姑服大功喪服記及朱子十分明白伸心喪與否禮無明文而其衣服飲食不可與例服大功同心喪之意在其中耶頃年賤婦行心喪之制耳（類輯續編）

陶庵曰爲人後者之妻爲本生舅姑備要之大功爲斷正合禮意雖有退溪說（從夫服朞）不必更生疑難（類輯續編）

問儀禮婦爲舅姑期夫爲人後者其妻爲舅姑大功而唐以後婦爲舅姑三年則本生舅姑之服從退溪說伸以爲期似合於情文（尹士質）黎湖曰爲本舅姑服期故其婦降服大功此自有義不可加隆

竹庵曰舅姑服本期年故本生舅姑服爲大功是也（類輯續編）

南塘曰爲人後者爲其私親降一等既升舅姑服三年則出後於人者自降一等服朞父母舅姑之喪夫婦同則心喪亦當同之（類輯續編）

屛溪曰本生舅姑服朞爲宜（類輯續編）

問爲人後者之妻爲本生舅姑大功從夫降一等之義也而爲夫兄弟之子與夫同服而不降夫兄弟之子反有重於本生舅姑者何歟（尤靜而）老洲曰喪服傳爲人後者爲本生父母降在不杖朞抑之與同伯叔父母故其妻降一等服之昆弟之子進之與同己子故其妻亦不降而服之此當各以進抑之義看得矣

梅山曰宋禮陞舅姑三年有乖不二斬之義朱先生載諸家禮者爲時王之制非禮之正也禮婦從夫服降一等夫服本生父母朞則婦從大功宜也曷可比例於舅服三年而從夫服朞乎兄弟之子之婦服夫之伯叔父母大功則服本生舅姑亦如之此固相準而制服者也家禮備要一遵儀禮曷敢低昂於其間哉雖則大功除服後當心喪三年（答朴宗壽）

老洲曰鄙家婦人於本生舅姑雖服大功服色則一用降朞之例服中用素服除後用玉色之至淺以終二十七月退溪之升以經情

疑不敢信矣 答尚山

洞山曰出繼人之子於本生祖父旣降大功其婦似當小功何云降二等耶南溪說未安 疑禮正辨

服夫之庶子如衆子

梅山曰數鑑公曰士妻爲妾子亦期按此則嫡母之服妾子一視衆子已矣妾子服適母如親母則適母安得不服妾子如己子乎答

乎退溪之言曰古人雖殷於適庶骨肉之恩則適庶無異故不分差等國典亦一遵古禮也 答趙秉賢

庶子爲父後者之妻爲夫所生母

李氏曰喪服雖有衆子者長子之弟及衆子之文然此則凡嫡母之於其夫之妾子服當與衆子同服矣 家禮增解

通典賀循曰庶子爲父後者爲其母緦麻三月庶子之妻自如常禮尊所不降也自天子達於大夫皆然○孔瑚曰愚謂庶子之妻不得如禮也其記[illegible]者以爲[illegible]以別尊卑故也其婦服[illegible]降一等[illegible]則人情所許愚謂不得以公子爲例 五服名義

爲夫黨諸親

近齋曰古者[illegible]從服[illegible]亦因制也於夫之從祖兄弟不可有服乎此推而遞之之義也夫之從祖兄弟之子則有服者以有子道也大抵制服於[illegible]之親有以從夫而服者有以婦道而服者聖人制作之意至精矣婦從夫婦降一等指其本有服者而言也若之於夫之從祖兄弟無服何論降夫一等乎 答[illegible]山

梅山曰爲夫伯叔父母大功則是本服期當爲少功乃一降也非再降也若夫所服大功者婦同服大功則是不然爲降夫一等故 答[illegible]

又曰備要[illegible]圖中夫從祖姑即夫之同堂五寸姑也而婦之從姑姊妹也其服雖不見於儀禮家禮而儀節與國制俱有服緦沙翁又數之何嫌亦出於厚之義 答[illegible]

李氏曰婦於夫之祖父母及伯叔父母大功者降於夫一等也於夫之姪子期者從服也 家禮增解

又曰[illegible] 家禮增解

爲夫嫁母繼母收養父母

顯正曰[illegible]

其妻[illegible]

梅山曰古禮[illegible]夫之嫁出母雖不可降服之[illegible]必服大功已矣 同上

又曰凡以私恩服之不於其夫之受恩者不服[illegible]及於妻子之義則爲夫之收養父母[illegible]師服三年而[illegible]沙溪許從夫服恐難從也[illegible]從尤翁說服[illegible]恐爲得正 答李[illegible]

又曰所生之[illegible]婦人不服慈母婦從夫尙不服則子不從亦[illegible]矣沙溪則爲慈母亦從夫服服則當期年乎更按通典周捨曰賀彥先稱孫母子不服[illegible]之爲婦又不從夫而服少功無從故也[illegible]從夫服則三年或期矣而以其不從[illegible]故服少功云[illegible]通典說服少功可乎 答[illegible]溪

出嫁女爲本生親服

南塘曰三年之喪不可二統而自期以下則無二統之嫌降於父母者二統也不降於祖父母曾高祖不敢[illegible]於祖先也降於兄弟姪內夫家也不降於其妻 兄弟姪之妻 不欲殺於兄弟姪之恩也嫂叔雖以遠嫌而無服娣似相爲服所以親愛其兄弟也 答[illegible]



又曰祖父母伯叔父母兄弟兄弟之子同在於期而祖父母恩重故重而服輕故不降外親 兄弟姊妹之子 比他功緦之親屬近從重而服輕故不降此與男爲人後者不同爲人後者有二統之嫌女適人無二統之嫌也 同上

近齋曰出嫁女爲父母降服期以其爲夫服斬故不貳也 答尚山

三山齋曰女適人者不降正統之服與爲人後者異者南塘所謂無二統之嫌已自得之觀爲人後者稱其所生爲伯叔父母女適人者不然可以明之矣爲兄弟之妻不降別是一義其說具於喪服小功章夫之姑姊妹注疏 答金[illegible]

近齋曰出嫁女爲祖父母不杖期儀禮傳曰正期故不敢降也古禮爲姑服則朞年故大功姑降一等爲大功此所以本宗祖父母之服加於大功姑也 答尚山

老洲曰出嫁女於本宗服不降有二稱爲祖父母[illegible]服不降之義昆弟之爲父後者期有歸宗之義而不自絶於族類也 答李[illegible]

梅山曰出嫁女爲昆弟爲父後者父沒然後服期 答[illegible]

無夫與子者與私親相服

屛溪曰無夫與子者當歸依於己之兄弟姊妹故還服本服而於父母則不貳斬之義重故不敢服其本服 類輯

南塘曰無夫與子者非見絶於夫家者旣爲夫斬又爲父斬是二斬也 類輯

又曰丈夫之身固多有斬爲君斬爲父斬爲長子斬是也但於一時之喪不貳斬猶爲君斬不爲他君斬爲父斬不爲所生父斬爲長子斬不爲衆子斬是之謂不二斬也婦人之身只有夫一斬而已更無斬故不貳天 同上

又曰無夫與子者隨其夫附食於宗家所主之祠則何嫌無祭主也其爲其親主祭以爲祭主而不忍降也 同上

鹿門曰問解續云夫之前室子雖非己出當服期 兄弟姊妹服報 繼後子亦同是降服期有前室子及庶子者不可謂無祭主 亦不可謂無祭主可疑 類輯

又曰姑姊妹女子子無主者沙溪云有女子則不可謂無主也此說所妻子無子者以其無祭主也有女恐不可謂有祭主可疑 同上

雞山曰以儀禮圖無主祭則服期之文觀之則雖有女子若無之子則不可謂有主祭者也雖無己出子若有前室子或庶子承重者則亦未可謂無主祭者 類輯

雲坪曰出嫁女[illegible]之爲兄弟姊妹姪[illegible]乃[illegible]不自絶於族氏也 類輯

問家禮姑姊妹女適人而無夫與子服期其他不[illegible]舉[illegible]曰[illegible]孫以下無見禮所不言恐不可行 類輯

老洲曰姑姊妹女子子適人無主者之服本服期者[illegible]其夫絶之意故無祭主云者無夫若子也非泛指夫家諸親也且禮喪父在父爲主祭則[illegible]子主之以此[illegible]之此祭主之文亦[illegible]以夫若子看矣[illegible]以無夫若子立文爲疑之說[illegible]矣亦未嘗言婦姑爲主而不服本服者至於服其於夫者只有主之[illegible]而已豈可以將來[illegible]後而論耶 答[illegible]

顧[illegible]曰喪服姑姊妹女子子適人無主者[illegible]以[illegible]子解之[illegible]其[illegible]可知也所以至親爲祭[illegible]而還服大服也有祭主祭與夫與子之爲主故不同[illegible]以此而[illegible]同也 答[illegible]

又曰餘親則服之還服本服[illegible]所不言是豈無以也[illegible] 同上

爲昆弟爲人後降服

近齋曰出嫁女爲昆弟爲降服一節[illegible]不言似之文以[illegible]以少功[illegible]中爲人後者爲其昆弟之[illegible]中[illegible]之文[illegible]則出嫁者降服亦當爲一例 答金弟

[illegible]服中出嫁不降服

近齋曰女服其本親服未盡而出嫁當遂之凡服以始制爲斷故也遂之文見於古禮尤翁亦嘗引此以答人問據此則雖緦服既已服則出嫁之後不可降而爲無也 答俞滄九

妾爲君黨服

厚齋曰爲妾爲女君服朞古禮而其後更無加服家禮入於朞服條何疑焉若婢妾即禮無所據然有奴主之分恕不可與他妾同期服 類輯續編

問女君之喪妓妾及自己婢妾服制似不同 未必健 櫟泉曰妾自當服主母之喪公賤爲妾則與良妾無別 類輯續編

近齋曰妾爲女君服齊衰不杖朞當從備要之文世有爲齊衰三年者則未見先賢說果何所據也 答金履復

又曰妾爲女君服既是不杖朞則似不當被髮家禮備要既不言他禮書亦不之見則恐非可疑蓋婢妾之於家母喪與衆婢同爲被髮以有奴主之名也至於良妾賤則其於女君有適庶之分而無奴主之名何可被髮耶 答俞滄九

梅山曰妾爲女君不杖朞雖自喪服而家禮備要之所載恐不可易也傳雖曰妾之事女君如婦之事舅姑此以服勤而云爾未可以婦服舅姑之服三年而亦爲女君三年也老洲嘗云雖婢妾既御於君則當免賤而不爲女君三年也祗服不杖朞則被髮非可議到也 答趙秉德

老洲曰雜記女君死則爲女君之黨服云云一個則字果有待生則無服死則有服然小記疏曰惟女君雖沒猶服女君之黨看這雖字猶字可知其生死俱服來諭所謂則字輕看然後可通者儘得之矣大抵古之此禮即爲媵妾故其曰雖沒猶服朞防覬覦者蓋指如姪娣之女君姊妹者耳非從古卜妾之謂朱子沙得之不採入家禮備要者功恐以是也 答朴□山

梅山曰此是小記從服者所從亡則已疏曰四從之中惟女君雖沒妾猶服女君黨服此揆雜記文而言也徒從之禮可施於生不可施於死所從既亡則止而不服者人情之宜也禮者緣情而制宜服死女君黨宜於情乎宜於禮乎決知其無義小記不可違而雜記不可從則小記疏可知也況已經朱先生勘定乎祗當從家禮罔論女君存亡不服已矣 與□溪

老洲曰庶婦爲適子婦服先輩已有是疑貲行淺則以爲妾與女君尊卑不同則服其夫黨何敢同於女君哉其服之所以止於君及君之父母子而不及於子之婦者非有關於禮文也陶庵則以爲婦無爲夫之庶母服則妾亦爲君之子婦無服禮無可據之文其說以禮貲行淺之主尊卑爲說恐未知必然陶庵之主相報爲說正合商量然儀禮即有女爲君之黨服得與女君之文雖是疏家說不害□理□□彼得尤翁一說曰傍期以下雖猶相報之義然其女君既從夫而服則妾又何敢殺於女君乎恐當以儀禮爲至見此則尤翁亦主疏說 答閔□□

妾爲其子服

近齋曰備要妾服圖爲其子齊衰不杖朞此當是衆子言 答□山

妾子爲本生親服

妾子父在爲所生母

竹庵曰父在庶子爲其母皆如衆人言父在服其母杖朞 類輯續編

近齋曰庶子父在適所生母喪不致同於正嫡子父在母喪之禮似當不杖朞不被髮然於前日果有此說而此一節家禮備要所不言故從當禁之其後考見古禮於雜記小記得可爲杖朞之文於是始改前見未及使座下知之今聞令庶從兄服所生母不杖朞云此是從□前日之說而與雜記小記之不合恐易改今不可追改且近來人家多如此行之則便一今禮也從俗何害歟然禰初期後當伸心喪耳服色則平涼子布網巾布深衣得之矣或說平居服白布笠白直領恐太輕矣 答□山



老洲曰猶有杖而不禫者小記曰庶子在父之室則爲其母不禫疏云此謂不命之士父子同宮者也如異宮則禫之如下行則亦得杖也禫爲服外故微奪之耳禫既久不主其喪則子得伸而杖具練祥而禫則微奪而不得伸矣雜記曰主妾之喪自祔練祥使其子主之旨練祥而不言禫則可知其有練祥而無禫然則兩記之文雖若不該實相通也且小記又曰宗子母在爲妻禫注云宗子之妻尊也疏云若□宗子母在爲妻禫則其餘適庶母在爲妻皆不得伸也蓋杖正服也練祥正祭也禫則服外也餘哀也故同宮而厭者在當則無論父與母俱不敢伸也 答□山

妾子嫡母在爲所生母

問妾子之有適母者其所生母儀禮云當降家禮則不言降陶文則當伸服云 李台原 南塘曰陶庵說可疑家禮不言降父在不降母既從時王之故適母亦不言降其母耶今當以儀禮爲正 類輯續編

近齋曰適母在不敢降庶子爲其母父先亡則當服三年以適母在而降服則無義矣 類輯續編

竹庵曰君母在不得降其母大夫士之子同 類輯續編

近齋曰古禮庶子適母爲其母期年而喪無適母不在乃得伸三年至朱子家禮勿論適母有無幷許三年陶庵答人問以從家禮爲答見此方始無疑 答□□

妓妾不得當之子爲其母

問妓妾之不得當者其子當服何服 或人 櫟泉曰既無明據恐當依嫁母服 類輯續編

近齋曰來示所謂以嫁母服之者恐得之期後心喪有明文似不可已常時服着用生布衣白陽子布網巾可耶其妻若子之服不見□禮書惟喪服曰母子無絕道非母子者絕是故經文不見出祖母之服以此觀嫁祖母恐亦無服 類輯續編



渼湖曰從母子之服母當行朞服伸心喪三年如嫁母之服恐無疑 類輯續編

近齋曰從母既適他人則父死後雖歸于其家只當依儀禮嫁母服而杖朞似不可加服三年如有同母異父弟當服三年者則使之主祭而則已主之而服朞則朔夕饋奠當期年而撤其出入時所着似用平涼子布直領 答趙□大

問曰人家庶子之庶其母於嫁出之間者當服杖朞既非父在母喪之禮也旣用降服之義則練禫之備三年之體者毋論父在父亡在所非可許惟其被髮一節或有不行父在母喪之時者以此推之尤無可論愚意則服雖降子之於母恐不可以練祥之不備並與被髮而已耶 答□山

近齋曰出嫁者之妾子爲母當服出母嫁母之服無論父在與沒齊衰杖朞蓋義雖絕而恩不可絕也朞後當申心喪以終三年可矣其妻則只依婦從夫服降一等之文服大功而已不必伸心喪至若其子尤無可服之義 答趙□西

問人或以嫁庶女爲與所生母喪而其母則初非嫁者又是改適者其女服喪果何爲之 洪伯能 三山齋曰禮所爲嫁母定指父卒而後嫁者以今人之正室也今人指嫁者固與此不同然嫁何所名而可也不過曰嫁母而已然則其服喪之禮又豈異耶但家禮圖女適人者爲嫁母大功於義能不安否此是大倫所關非有聖賢成說時王定制則不可以元儒一圖率爾斷行也

近齋曰庶女在室者爲其所生母杖朞 與任持周

承重妾子爲所生母

寒洲曰儀禮庶子爲父後者爲其母緦麻三月傳曰與尊者爲一體不敢服其私親也是以晉書禮志興寧元年哀帝章皇太妃薨帝欲服重嵩啓先王制禮應在緦服詔欲降朞嵩又啓厭屈私情所以上嚴祖考於是制緦麻三月此不易之正理公羊傳母以子貴之說范甯譏之以爲是適可得以齊也庶體自與傍支繼立爲四親不同 類輯續編

梅山曰凡未行三年之喪者雖几筵當撤以主喪者之除服則承重妾子於所生母雖几筵亦當以緦服除日爲限是爲得禮之正然情殺心喪行饋奠以終三年者亦出於情勝恐不可從也 答趙秉惠

又曰庶子爲父後者爲其所生母服以庶母者承父之體不敢伸私也雖則服緦三月中當盡居喪之禮出入當服布深衣除服卽受心制服墨笠墨帶棟布直領以終二十七月之期而卽吉是爲不可易者也 答洪在周

剛齋曰庶子旣以父命承適而於其私親服袒如例則適妾之分紊矣其可乎禮經之斷以服緦者聖人之意截嚴蓋以名分不可紊而私恩不可顧也喪旣獨主而承適則私喪之主喪主祭極有疑慮者而旣承適則只用適子主庶母喪例矣若服緦則月數旣滿之後因朔望除之而已從前有吉時除緦後心喪服色似無異於出後後爲本生心喪矣 答金鄭鈺

梅山曰承重妾子不可廢四時之祭故不敢伸私親之服禮只許三月不擧祭此所以因時服緦也除服後祭如平時而時祭使人受胙以身有心制也 答洪在周

老洲曰喪服緦章庶子爲父後者爲其母疏云父死庶子承後爲其母緦傳又云有死於宮中者則三月不擧祭因是以服緦也由是觀之父死然後承重而爲宗廟主始可以服其母緦父在則不成爲承後豈可以將承適而服緦所妾子爲其母父在則旣以至尊厭屈禮在者無三年不可再易禮經第一子與第二子俱服父在母喪之期固當爲得禮若記所謂公子爲其母練冠麻衣緦經傳疏之明指諸侯妾子攝制此服不可比例矣 答沈子純

雲坪曰妾子父死承重而後爲其母緦父在則只爲父在母喪之杖朞而已何可以將承重而不服母喪耶喪服不杖朞章女子之適人者爲兄弟之爲父後者[illegible]故父後者雖[illegible]服盡其宗廟之祭祀父主之父不在不得爲出母服者以宗廟之祭祀子主之爲後者之名指父死未指父在云云此一段亦可爲照而父在當服杖朞矣 答小補

後妻適宗有鼓於繼禰曰庶子爲父後則爲所生母服緦後不撤几筵以喪服祭三年乎有如次庶子則喪三年而主其祀乎若曰長庶子爲父後則不可〇主母喪雖賤人不可無主祀則次庶子以三年服主其喪而奉其祭未爲不可觀此文勢所謂次庶子者卽及庶子之弟而其母之次子也此說亦載禮疑類輯而近有承妾子遭所生母喪疑看此說欲以其第二子服三年主喪如承重之後乃毫非而服朞也

妾孫爲其父所生母

梅山曰問承重妾子之長子將爲祖後者爲所生祖母當無服耶或曰父在子不得承重當服云如何尤庵曰妾子傳重則爲其母只服緦其子之緦其子旣緦則此子之子安敢服朞乎 答朴興

又曰妾子旣承重而於其母服緦則爲其子之子者雖非承重之孫安敢服朞乎 答崔[illegible]

[illegible]曰[illegible]承適妾子之長子亦將承祖而爲其父所生祖母何可服其服宜[illegible]服朞而主其喪 答[illegible]李

[illegible]曰[illegible]子之子[illegible]祖後者[illegible]服[illegible]

[illegible]之孫[illegible]爲[illegible]

適母則其不得便成適子嫡孫之義亦可知也 答家趙

與湖曰庶子之子雖其父沒不得爲父之母承重只服本服朞而已 答[illegible] 又曰庶子之子爲父之母不杖朞而其父之母若嫁出則父之所降子亦不得不降 答[illegible]



竹陰曰妾子之妾子之承祀其所生祖母則亦當以緦服 承重服之沙溪答說 三年恐非爲失 答[illegible]

[illegible]者[illegible]孫出母服朞而其孫則何以爲之 尹東昇 應門喪服傳曰絕族無施服親者屬之答 [illegible]

出於祖母無服否亦無分於承適與否

梅山曰庶子之子父死後代爲其祖母代服三年者以無承重之可承也承重者承祖之重也不妾祖之重者詎可承妾祖母之重乎妾祖母於孫有可承之重乎故尤翁有云凡孫之爲祖父母三年是重故也今其祖母是祖之妾則其孫豈可謂承重而服三年乎不可尤翁之說乃據[illegible]今由禮[illegible]越[illegible]當服本服朞期喪畢而埋主是爲妾母不世祭之義也 答洪在周

[illegible]亦可命己庶子爲後[illegible]父[illegible]後故呼日[illegible]庶母之稱[illegible]後者所稱而旣是庶出名[illegible]祖庶母以其無他可稱耳 答[illegible]

[illegible]之則似[illegible]後者所稱子雖是庶出[illegible]故所稱如此耶且若無[illegible]庶子恐亦有[illegible]己妾[illegible]有子而今無者乃可命爲之後辞疏說可知耳

[illegible]曰[illegible]子[illegible]有兒出后伯父承[illegible]當心喪三月否徐邈答[illegible]庶祖母服[illegible]條往年臨川王服大妃已[illegible]今[illegible]人後[illegible]本[illegible]宜制大功九月〇宋庾蔚之謂庶子爲父後不得服其所生以廢[illegible]故也已出[illegible]生[illegible]子 答[illegible]

祭[illegible]服

[illegible]亡不[illegible]三[illegible]之[illegible]不[illegible]以[illegible]外[illegible]姊[illegible]月[illegible]之服耶又以謝沈所言舅爲外舅[illegible]云舅本[illegible]與外舅之服[illegible]爲三月[illegible]云[illegible]如[illegible]母[illegible]而[illegible]以[illegible]爲重[illegible]所謂以[illegible]爲重[illegible]天下何可[illegible]乎 任[illegible]之[illegible]以[illegible] 答[illegible]

[illegible]不[illegible]爲祀有[illegible]子[illegible]云六[illegible]奚從母[illegible]於無[illegible]名者[illegible]與他姓[illegible]則宜服從[illegible]嫁於他姓之服[illegible]

[illegible]

檀弓曰六[illegible]著布深衣

[illegible]之服[illegible]子[illegible]子無[illegible]

[illegible]可[illegible]則自[illegible]以上皆服本服[illegible]未知[illegible]

[illegible]子[illegible]則豈可以未成人而遽減爲長殤之服乎[illegible]如本服

[illegible]則他服不可獨異

[illegible]小功[illegible]服其本服[illegible]

[illegible]故[illegible]所[illegible]

[illegible]童子[illegible]如[illegible]服喪

雲坪曰童子於成喪當服其服成者之說有三不可父母之喪通天下一也童子乃曰吾未成人而自爲殺喪則悖理亂常如何也此

其不可一也童子用心固不能一然十五以下志學之人其良知良能不能自已者愛親敬長何詎不若冠者而獨欲奪情亦不可得二也凡云執服皆爲其恩義本踈而有感人之施者已者吾亦不可降殺而往來相報以從厚也未有逆人之當降於我而先自處以其薄者此其不可之三也大抵降之誠是也周公何爲不齊乎 類輯續編

顯西曰童子服制雖以備要言之旣觀識二統又載或說於其下而有更詳二字盖其取從違之意可見矣況禮注有本服不可違之文備要或者之說恐未然也 答梅山

按長者爲童子服有三殤遞減者以其未成人也童子於長者服以何名降服乎

又按喪服斬衰三年章女子子在室爲父注在室者謂已許嫁疏謂適也適已許嫁也女子子十五許嫁而笄與丈夫二十而冠同則同成人矣身既成人亦得爲父服斬也注說是疏說不是盖女子子在室雖不滿十五當爲父斬而雖已許嫁姑未適人則不降而服斬疏說則笄而成人故服斬若未成人不服斬乎黃勉齋曰在室姑之爲侄在室姊妹之爲兄弟在室女子子之爲父母及其餘親其服並當與男子服同觀此女子子在室則服本服不論成人未成人也

諸服有無同異辨

厚齋曰服制條內外兄弟不言姊妹幹嘗疑之質于先生則曰此圖横看兩邊兄弟下有姊妹二字則內外兄弟下亦當有姊妹互看爲可 類輯續編

巍巖曰本文從母之子舅之子此兩子者皆兼子女而言也其論從母兄弟處則有姊妹字論內兄弟處則無姊妹字若據此而疑之則看得不免少疏舅之子女獨無本親何容疑之 類輯續編

渼湖曰尤翁答之以規書以爲家禮既於從母兄弟姊妹之下以從母之子也五字釋之而其下所謂舅之子姑之子當並舉兄弟姊



妹而言也據此則內從姊妹服緦可知 類輯續編

緦不降當否

竹庵曰緦不降禮雖無文依禮窮則同之義勿降似合情理幾部曰不可輕議 類輯續編

梅山曰緦服不降本非禮之文莫無因喪服疏外親雖適人不降之文而有是說耶外親本服從輕若以適人而降則輕而益輕或幾乎無故不降此不可施於本宗耶 答孫渼

畏壓溺而死者成服其服 罪死者追並論

梅山曰畏壓溺而死者禮但云不吊而亦不禁受服故服其服程子所云宗族親死則無服者即凶陵伏誅悖天地所不容而以大義滅親者也昔裴航薨緦骨肉兄亡而不制服發哀故其從兄裴冕上表乞絕航喪服議者以爲五服之制本乎親屬故實不加崇惡不降禮至引公孫敖事而日亂道之義猶不發喪况既以囚忿命卒骨所哀行過于仁喪過乎哀未宜絕也斯言也遂就於情禮而不失從厚也資宗三母女之一時並死死無其名既遂不致自遂之義又欠無獨下堂之我不可謂無罪而出自窮陰迫切無知妄作則不當處以滅倫悖常而至絕其服也餘親固當乃備況父兄絕子之理乎 答李道寬

柳氏曰親屬爲僧道而死或言當降服或言不當爲服可考 學禮證小

宋史禮志進士黃價有叔父僧服無明文陳可曰禮爲叔父外繼者降大功以此爲僧當服大功〇讀禮通考徐氏乾學曰僧道不爲親屬行服則爲其親屬者亦不當爲僧道行服矣

奴婢從主服

近齋曰奴婢服何謂無見處疑禮喪服疏曰士無臣故僕隸爲吊服加麻儀禮載此文而不言其巾絰衣服之制考見如何 答梅山

[illegible]

李氏曰僕隸以治臣之義言之天子之喪有畿內民庶及陪臣之別則亡之奴僕與子婦之奴僕恐當齊等儀禮爲君之父母不杖朞恐當承用 家禮增解

按記曰近臣君服斯服已恐當按此其主服則從而服也

成服之節

問服人在喪次者早起各服其服不必待在遠者 行成服

巍巖曰有服之親早相約與一齊成服似好至或緩不及期則又何一一等待他恐在臨時處之耳 類輯

屛溪曰因朝哭成服待日出時朝奠禮也或事故掣時朝哭朝奠雖或差過而朝哭朝奠不可廢行先成服而後朝奠上食則待食時爲之可也世俗或成服日則朝哭朝奠朝上食一時兼行而或多以殷奠行之大非禮義不可襲謬也 類輯

陶庵曰古之成必於朝哭朝哭則無拜而今俗多兼行於朝奠故有拜而闕朝哭實非禮也 類輯

本庵曰按相吊如儀並如開元禮子孫就祖父母諸父母前哭與然古禮所無恐不必行也 類輯

竹庵曰服人相吊禮之未失義吊是賓主之禮而五服之親則哭而非吊南溪說五服相吊儀禮所無家禮所刪欲廢而不行云者恐當衷云 類輯

問成服相吊儀 朴錫夏 渼湖曰只是相向而哭 疑禮通解

問生與來日死與往日南溪曰蓋生者以來日數故自死之明日至第四日即三日成服也死者以往日爲數故自死之日至第三日亦三日而殯 五禮考證

近齋曰四日成服者三日大斂故也明乃成服即禮所謂死與往日生與來日 答梅山



老洲曰成服因朝哭而無別奠今因朝奠而又具盛饌後俗之未野耳 答府大任

近齋曰成服無拜因朝哭故也既非行奠又非受吊則拜之何所當耶哭出於哀非出於敬衰絰之服本爲表其哀心則只當哭而受之何必拜而受之乎 答宋能

又曰成服前期大功之親雖有三日不食之文何以全然廢食恐是行不得主家如禮不舉火則重服人炊爨於他處以得食便矣 答梅山

又以喪家過期未成服則日數雖多凡有服之親似不可獨先成服蓋以尸未入柩情有所不忍故也 答洪乘般

禮疑續輯卷之六終

# 禮疑續輯卷之七

## 喪禮

### 朝夕哭奠 附望奠

廬門曰依家禮分朝夕爲兩項(備要則分爲朝哭朝奠夕哭夕奠四項) 以朝哭奠夕哭奠爲[illegible]而朝哭奠下[illegible]每日晨[illegible]主人[illegible]服其服[illegible]位[illegible]
尊卑幼立哭侍者設盥櫛之具于靈床側哭止乃奠(此四字出士喪禮記)執事者設蔬果[illegible]主人以下再拜哭[illegible]
下則曰如朝哭奠儀侍者設枕衾之具于靈床上(魂帛不入) 今分作四項故今俗多於朝哭[illegible]出[illegible]入[illegible]
失禮意而哭奠次序公然倒錯(夕奠哭而倒夕哭奠之次)豈非未安之甚乎(備要[illegible]下[illegible]朝夕[illegible])
竹菴曰家禮朝夕哭奠每日晨起主人以下皆服其服云云者此士喪禮朝夕哭儀也夕奠如朝奠云云[illegible]其儀也每日[illegible]主人以下[illegible]
服其服入就位尊長坐卑幼立以備夕哭而因設奠也但如朝奠儀四字下有[illegible]主人以下奉魂帛入[illegible]哭[illegible]
奉魂帛出置座當在奠之先而夕奠則奉魂帛入靈床當在奠之後此有不同於朝奠儀故退而出之也[illegible]下哭[illegible]三[illegible]
禮儀去此三字爲得今夕哭在夕奠後是失[illegible]此蓋申義慶之錯見而沙溪未及改正也[illegible]哭之[illegible]
備要之文而失之又甚也(類輯箚錄)
又曰朝夕哭與奠[illegible]本非兩項事至於家禮[illegible]之又亦然而近者私禮僞作兩項事(類輯箚錄)
又曰今俗朝[illegible]奠[illegible]時夕[illegible]日[illegible]日入時無去相遠恐不知失禮朝夕哭即奠時入就哭位也夕哭之[illegible](類輯箚錄)
[illegible]
哭奠矣(類輯箚錄)



近齋曰朝夕哭與奠儀禮哭與奠本爲兩項事而家禮爲一項事是從簡也曾聞任鹿門欲主一項事而愚意則兩項事[illegible]
夕哭象生時之晨省昏定也檀弓朝奠日出夕奠逮日若以哭與奠一時行之則鷄鳴時之晨省果可行於日未後耶[illegible]之[illegible]
果可行於日未暗之前耶以此知朝夕哭當與奠各行(答梅山)
又曰夕奠與夕哭自是兩項事不可兼行朝夕哭不出魂帛爲宜(答李敦敘)
[illegible]氏曰士喪禮葬前[illegible]至葬皆無拜尸柩而只有拜賓之節喪儀朝夕奠始有卑幼再拜之文亦不言主人以下至下[illegible]魂帛時始有
主人再拜[illegible]者哭[illegible]而家禮自朝夕奠始有主人再拜之節(禮學小識)
[illegible]曰哀於[illegible]時雖行[illegible]拜[illegible]朝夕哭則不可拜平日之過於禮者因喪而改之爲[illegible]何必以前後[illegible](作[illegible]夕[illegible])
渼湖曰葬後朝夕哭不得盥櫛恐未然自虞以還已許沐浴則自與未葬時有異矣(類輯箚錄)
近齋曰喪人朝哭只着巾畢衣吾曾令兒子時或爲之蓋取簡便也終不如衰麻之爲嚴正也然中單衣即古深衣之制則朝哭時只
着中單衣何至大未安耶(答金[illegible])
又曰葬後夕哭何以燭長繼暗室行哭似無妨(同上)
又曰小祥只朝夕哭之文在於祭訖之後則臨祭時設蔬果之前當有朝哭無疑(答徐有會)
梅山曰卒哭祭日朝哭有無[illegible]未及按而儀禮士虞禮門內位條曰宗人告有司具遂請拜賓如臨入門哭婦人哭注曰臨
朝夕哭[illegible]朝夕哭時門外[illegible]入門男子婦人共哭此當爲虞祭日朝哭之證推與卒哭祔練而皆然家禮備要出主後入哭
即沿士虞之入門哭爲可謂是日無朝哭乎(答宋正[illegible])
按小祥後無朝夕哭大祥時亦有入哭則入哭而自是祭時事與朝哭不干當別有朝哭

老洲[illegible]朝夕哭各服其服[illegible]是家禮之文則何可取簡便而廢禮耶蓋常侍之服只指[illegible]拜一節[illegible]
生時有不盥櫛不冠衣而敢以褻服見之者乃流俗之悖習則豈可以此比論於孝子[illegible]之[illegible]
固無冠櫛之可議而葬後則必也冠櫛具經帶而行之爲宜(答李[illegible])
梅山曰自從弟喪之日洛下士大夫有喪者之家皆廢哭而行奠饋斯事於禮有可[illegible]不[illegible]
溪(答[illegible])
本庵曰退溪曰子弟有故親執(主人)奠可也寒岡曰喪人洗手親祭決不可也無族人[illegible]
不可從[illegible]子問朋友奠不足則取大功以下之喪則雖至葬後奠饋亦不宜主人之[illegible]
疑(類輯箚錄○以下[illegible])
問夕奠則主人以下奉魂帛而移奠則侍者奉之未詳南溪曰夕奠恐文未[illegible]夕[illegible]
問奠具設香爐於卓上無所設香案之文至虞祭始有之然則葬前無香案耶(答[illegible])
近齋曰溜茅[illegible]祭禮[illegible]亦爲之不[illegible]祭故葬前只焚香不[illegible]茅[illegible]
恐未必然(答李敦敘)
又曰朝夕奠[illegible]一[illegible]貧家亦[illegible]設或設[illegible]否亦[illegible]時又[illegible]
不可[illegible]故[illegible]人[illegible]或有不[illegible]只設[illegible]如此恐無妨(答[illegible])
[illegible]曰士[illegible]
近齋曰朝夕奠物易致腐爛者曾撤無妨(答李敦敘)



[illegible]

留[illegible]守之猶[illegible]之代奠乎
[illegible]
[illegible]月[illegible]時也(類輯)
[illegible]月[illegible]不見[illegible]而東俗[illegible]月[illegible]
(類輯箚錄)
[illegible]卒哭後朔望[illegible]不[illegible]以一時[illegible]行[illegible]
問朝夕[illegible]奠而[illegible]再拜而已之乎[illegible]尤庵曰[illegible]
問三年內[illegible]用[illegible]如何[illegible]竹[illegible]朝夕奠[illegible]李[illegible]
[illegible]
之並設亦[illegible]只[illegible]設奠[illegible](類輯)
渼湖曰夫人[illegible]月半[illegible]奠(類輯)
近齋曰禮大夫有月半奠此大夫指亡人耶孝子耶若以中庸喪以大夫之義推之似是指[illegible]

原書漫漶不清

也則亦似不可以祭從生者之義看而遂謂大夫非指亾人而言未知如何（答任靖周）

老洲曰月半奠朱先生所行足以爲法故鄙家並舉朔望奠而望日則特減於朔日矣（答梅山）

梅山曰古者士無月半奠然備要則望日亦用果一盤不設酒不出主依此行之爲當（答朴宗炎）

又曰士無月半奠故家禮備要只許朔日則於朔奠設饌士喪記疏大夫以上始許月半奠士行大夫之禮無已僭乎附解望奠差減於朔奠以從俗情勝恐難遵也（答李公睦）

按先生前後二說不同當以後說爲正

三山齋曰脯醢之生死異設於古無見儀禮朝夕奠正是右脯左醢楊氏圖甚明玄石所謂象生時左脯右醢者何所據而發言如彼耶不惟脯醢爲然魚肉亦未見異設觀於士昏禮及特牲饋食禮可知二者既然則飯羹恐亦一般旨意依沙溪說只易飯羹之位似當其說在問解卒哭條更與元吉議之如何（答李蒼長）

剛齋曰朴南溪曰左脯右醢乃象生時之義恐此爲是其右脯左醢者似是誤寫此說恐然（答宋叔任）

梅山曰左脯右醢生人之禮也葬前饋奠當象生而備要襲圖之右脯左醢恐失照檢遷襲圖則左右得正也虞而神之則自從處祭當右脯左醢也蓋脯屬陽醢屬陰故生死之饌左右乃翻也（答任憲晦）

近齋曰三年內祭奠用燒酒則犬豬肉當用之況犬則古禮薦廟用之者乎至於桃鯉雖三年內未見其必見用也（答梅山）

問祭不用鯉者何也（朴訥正）澗山曰唐姓李故背同鯉而祭不用（疑禮正解）

梅山曰四月八日西俗佛所謂日也東俗懸燈出自勝國崇佛之餘習識者當廢懸燈甚可因宴樂而薦先靈乎凡薦新物亦當先寢廟而後几筵況寢廟所不可舉獨舉於靈座乎未可以象生而行非禮之禮也（答權遜齋）



陶庵曰三年內俗節依殷奠兼上食似宜（類輯）

近齋曰節日別設於上食之後雖有問解之文兼行上食似簡便（答金協淳）

雲坪曰按尤菴論俗節亦當如朔奠兼上食行之（類輯）

朔望奠與虞祔祥日同

近齋曰虞卒祔練值朔日則以一日不再祭之義朔奠當不設蓋朔奠雖非三獻實殷奠故也士喪禮朔日不饋於下室疏曰殷奠自有黍稷不復饋食之云古禮朔奠之有上食明矣不與上食則不成朔奠是日既行卒哭又舉朔奠則是疊行朝上食也朔奠之不設無疑（答老洲）

老洲曰祔祭與朔奠相值則恐當援一日不再祭之義而廢朔奠來示所謂略設行之者行廢兩所無當徒褻而已矣

剛齋曰卒哭與朔日相值則恐不當設朔奠所引虞祭兼上食之說似得之矣（答人）

梅山曰三虞值望日則望奠恐當廢以一日不再祭之義也（答鄭任衡）

又曰返虞至家若值望日則以行者殊食之義舉朝食上於所館至家而舉殷事夕上食恐當兼設若行三虞則當廢望奠以一日不再祭也（答柳弘根）

又曰虞卒祔練若值朔望則奠禮當廢而節奠與朔望何異乎愚意則廢而已矣（答祿溟）

又曰質明行小祥是日行朔奠俱是殷事則恐近於瀆朔奠廢之恐宜大祥入廟之日若值朔參則并行於新位以朔參酒果之非殷奠也（答李綱默）

老洲曰三年內饋奠值先忌日則用素否先輩以虞前後區別虞前則以象生之義用素虞後則以神道事之不必用素有定論矣至於端午日祭品先忌在於端午後一日則端午非先忌當日也近俗之祭前行素特推不忍之義非禮訓所載也然則苟非先忌當日用肉恐無不可（答金子純）

上食

屏溪曰禮上食雖無設酒之文今俗多飯酒之例酒者事神中不可無者上食設酒何必廢之（類輯）

南氏曰世之貧不能每日辦酒者例用玄酒上食既象生時則與祭有異酒則可用而玄酒則無義無酒則闕之不必用玄酒也（備要補解）

近齋曰朝奠有斟酒之文而上食條曰如朝奠之儀上食之有酒可知矣朝奠雖殷奠亦只單獻退溪奠三酌之說恐不可從（答梅山）

樣溪問酒禁中上食用醴用茶用玄酒云云梅山曰吾東之進熟水中國之點茶也豈進水又點茶恐無義當設醴而已玄酒雖敎人不忘本陳而不酌以其味淡無可歠也雖於上食不可用已

近齋曰上食時焚香斟酒之後在位者皆與主人再拜此見於備要朝奠注闔櫝當在撤饌之前（答梅山）

又曰朝脯饋奠時葬前則執事者焚香再拜而喪人亦當再拜耳（答李憲敎）

又曰今人生時食案用匙楪則上食何可不用乎（答梅山）

剛齋曰扱匙禮只言西柄絀扱雖有飯奠說恐不必從退溪上著于羹之說沙溪以爲未然雖三年內上食恐當正之匙楪于中矣（答）

樣泉曰事神右設雖不詳其意而家禮既有明文不可不從上食則象生左設爲是雖虞後亦左設（類輯）

三山齋曰飯羹之設異於生時者神道尊右故也三年之內則象生時故東飯西羹（答文立中）

梅山曰曲禮食居左羹居右而特牲禮黍稷居東是羹在外家禮之右飯卻如少牢之角黍右之羹居酒左如特牲之酌奠鉶南而沙溪云恐出當時俗禮家禮從書儀未改者似得其實也虞以後生事畢鬼事始故其設饌用祭禮飯右羹左上食當象生從曲禮飯左羹右是先儒爲定論也（答許東）

近齋曰虞卒練祥備禮之祭不當抄飯至於上食取象生之義抄飯爲宜（答梅山）

梅山曰抄飯非見於禮者然上食象生之義重不必以非禮而已之至於虞卒練祥則勿爲恐宜矣（答梅山）

問備要一食九飯之頃云云（李道實）

饋食注云食大名小數曰飯疏又云一口謂之飯五口謂之五飯據此則食與飯有大小之分蓋一食之間有一三五九飯之小數也

問父喪中遷葬祖父母者父之朝夕奠上食當用素否（金相戊）樣泉曰用素用肉恐當似在殯在虞分之（類輯）

竹庵曰朝夕上食是象生之意則雖在葬後値其父母忌日用素饌恐當（類輯）

南氏曰三年內値先忌者上食用素祭則用肉上食象常時故也祭者葬後事神之故也（備要補解）

近齋曰葬前遇先忌上食用素先賢說非止一二當據而行之葬前既有象生之義前俗節奠雖與上食有異亦不當用肉常時先忌齋日行素則非禮之正也以是日也不食肉之文惟於當日用素似合禮意矣（答李克愿）

梅山曰虞以後雖事以神道上食即象生之饋則父母喪日恐不忍用肉此雖無於禮者亦宜從厚用順孝子之心可也忌日則與大小祥有間不宜用素（答朴宗炎）

近齋曰葬後以神道事之雖遇親忌上食不宜用素（答梅山）

梅山問母喪中外祖父母還葬時用素云云近齋曰禮所謂有事則非並指婦人本親家吉凶大事而言也然則几筵雖與廟中不同亦不必告既不告本親改葬則出柩下棺日用素於上食又何論乎神道事之之義於此亦然

近齋曰上食無齋戒產故雖不潔不當停廢有喪則服成服當廢此見於備要上食條注（答梅山）

梅山曰殯是猶以故思其不死而侍奠者有之是則似然而至閉殯生之儀或行矣而不絶香不舉哀其於殯則埋則至矣獨不念死靈之赫臨乎頤花所歎昧永於本而致曲於末者豈不僭哉 答李在嚴

又曰雜記曰有殯聞外喪哭之他室入奠卒哭出改服卽位注云有殯父母喪未葬也外喪兄弟之喪在遠者也據此則異宮兄弟之喪未成服前上食無可廢之義也昔有問遂菴曰喪中遭昆弟子姪之喪雖異宮於未殯前上食當廢否答以不當廢是爲定論也家禮期九月之喪三不食生者三不食則死者亦當停三時上食此以同宮者而云爾 答宋穉

又曰孝子侍几筵無異侍疾故朝夕哭奠上食無祭神一節也上食斟酒後再拜非祭神也爲進酒也 答李公敎

又曰三年內上食無祭神辭神者蓋以常侍之義也異宮期功之親無常侍之義來奔饋奠者恐當行祭神辭神也 答李白圭

又曰兄弟同宮異爨者弟死葬後兄妻殯前弟之上食不當廢 上仝

上食合祭考妣之非

問朝夕上食世多有合祭兩親者已在廟之主還奉於靈所或有設虛位不主者何如退溪曰合祭非但無文可考吉凶並行非禮無疑況忌日尙只祭當祭之主當喪而豈可合祭乎廟主還處所固無理桑木假主三年後隨之亦稱孝子知禮者不爲並行則答矣 答變通致

按鑽兩風俗至退溪時尙未免今猶有此非禮之間可謂一大笑之恥也 兩後之說遂謂化行久成今則似於變者雖在當時禮之君子豈爲是哉

喪中薦新

陶菴曰栗谷語錄堂新薦有曰若五穀可作飯者則當具饌設品儀如朔奠若魚果之類只薦小麥之不可作飯者則於晨昏時啓櫝而單獻以此推之三年之內薦新五穀之可作飯者作飯用於上食及朔望同設爲宜 答金[illegible]

梅山曰喪中薦新似當並設於上食而家禮喪禮有新物則薦注曰如上食儀饌要注曰饋以大盤陳饌盤前卓子可知其各設然薦兩兩旣待朔望有新則另薦几筵則有一日兩祭恐不必各設也 答洪[illegible]

生辰

陶菴曰生日之祭實非禮之禮先儒已斥之而三年內則有象生之義朝夕上食後別設數品饌而儀如朝夕奠恐亦無妨否 答[illegible]

漢湖曰生日設奠三年內一如事生姑行之無乃可乎 答[illegible]

竹塢曰生朝不過後俗之生時所尙其設薦與否一從亡者生時之意恐合於情禮 答[illegible]

近齋曰禮非朔奠則不稱殷奠几筵不稱朔矣生日奠只當設於几筵不可並設於墳墓 答李[illegible]山

又曰生辰祭三年內則當設之而但朝夕上食並設似過上食後別設爲得此有先賢說 上同

梅山曰生忌之祭用生時早飯例則設早飯於殷饌之前者爲得如其不然則從朝奠於上食後則設饌如朝夕奠恐宜 答[illegible]

按生日設酌所以宴樂也死而用生時宴樂之禮殆無謂也故孝子[illegible]是日[illegible]恐不可也三年[illegible]與生時有不可同處矣

弔慰

雲坪曰靈座在帷內與殯主人當[illegible]於靈座之東[illegible]哭[illegible]於[illegible]主人出而[illegible]於[illegible]之東南[illegible]向拜賓賓亦[illegible]而[illegible]哭進而致辭弔[illegible]揖而出主人從哭而入[illegible]其位[illegible]止下[illegible]而[illegible]位[illegible] 不是卑禮主客之位[illegible]於堂下家禮則不然觀於本文可見且旣於位靈床側當南上主人出而拜賓之時於主人亦當依古禮隨出而位於主人之後哭而不拜旣出則北上然則婦於主人殯位如何之日婦於卑在於靈座東西 [illegible]

[illegible]曰[illegible]弔[illegible]拜[illegible]古[illegible]不[illegible]拜[illegible]云者

內喪之賓無入哭之節[illegible]主人初無拜辭之儀[illegible]當[illegible]拜以[illegible]之意 [illegible]

李氏曰尙禮[illegible]賓本來[illegible]執[illegible]事非行賓主之禮[illegible]主人[illegible]拜不答[illegible]有賓則拜之賓亦答拜是也 [illegible]

三山齋曰弔禮之[illegible]拜[illegible]何[illegible]也[illegible]不知[illegible]禮[illegible]主人[illegible]欲行禮[illegible]者往往[illegible]失措不成禮[illegible]先[illegible]當[illegible]爲與其如此寧從俗一拜客[illegible]後[illegible]答拜[illegible]行[illegible] 答[illegible]

近齋曰弔[illegible]致[illegible]則主人[illegible]拜[illegible]再拜[illegible]一[illegible]拜[illegible]再拜[illegible]一拜而述之[illegible]行[illegible]拜[illegible]入[illegible]拜[illegible]一拜[illegible]之[illegible] 答[illegible]

老洲曰主[illegible]再拜如[illegible]只[illegible] 答[illegible]

近齋曰[illegible]不以[illegible]更[illegible]雖[illegible]一[illegible]入而主喪[illegible]則奉祀以[illegible]爲[illegible]人[illegible]者[illegible] 答[illegible]

南氏曰古者[illegible]主人[illegible]拜[illegible]賓[illegible]拜[illegible]孤[illegible]不分[illegible]拜不至其答[illegible]子而不敢[illegible]拜[illegible]也 [illegible]

近齋曰禮凡賓主人皆揖[illegible]不[illegible]拜[illegible]拜不拜[illegible]爲[illegible]然[illegible]主人拜則[illegible]子之不拜[illegible]在[illegible]主人哭而[illegible]當不拜[illegible]再拜[illegible]有[illegible]

恐是流俗之不失也[illegible]知[illegible]子[illegible]不可無拜[illegible]在[illegible]已矣賓爲禮當[illegible]賓故也此[illegible]日[illegible]拜[illegible]拜[illegible]乎且主人適[illegible]下[illegible]故衆子受弔則衆子之最長者當拜賓 答黃[illegible]五

梅山曰[illegible]主人拜賓[illegible]主人之[illegible]不可[illegible]拜 [illegible]

問大夫之[illegible]子不[illegible]子[illegible]故不在[illegible]不[illegible]卑賤[illegible]有[illegible]大[illegible]爲後者不在則有[illegible]拜[illegible] [illegible]

問[illegible]位[illegible]子[illegible]依[illegible]不[illegible]

近齋曰喪[illegible]於卑[illegible]不拜[illegible]似不當拜之 答[illegible]

問凡[illegible]入[illegible]拜[illegible] 梅山曰不[illegible]拜[illegible]交乎 弟[illegible]不拜 [illegible]

竹塢曰[illegible]不[illegible]於[illegible]不可[illegible]之者拜而拜[illegible]也 答[illegible]

問[illegible]之[illegible]已[illegible]上[illegible]拜[illegible]則入[illegible]拜[illegible]男女之[illegible]恐不可無拜[illegible] [illegible]曰有[illegible]不[illegible]之喪不拜矣 [illegible]

梅山曰先儒於其弟姪之喪不拜不施於死者可施於生乎受[illegible]卑幼之弔者哭而已矣 答[illegible]在[illegible]

婦人受吊

疑西曰受吊禮云婦人迎送不下堂據此則婦人受吊可知尤菴曰受吊如儀儀則男子受吊儀但不下堂耳 答朴[illegible]

吊而不傷傷而不吊

南塘曰檀弓朋友之墓有宿草而不哭焉況朋友之有親喪乎朋友情契之重者則雖不知死或婦人喪豈不可哭乎又若於死者情契厚者雖不知生既哭靈座哀情未已出見孝子舉哀在衰服之中向我而哭則安得無哀情之動乎如此者雖不知生哭吊可也若於死者情契不深而又不知生則既哭靈座吊見孝子哭之雖過吊之可也 類輯

未葬前拜[illegible]而不知死者則不傷[illegible]哭而吊之施於生者而亦哭則知其哭無關於傷與不傷也若開元禮先言吊賓進哭而其下言有親故哭殯者引入升堂則其不哭殯者之於吊生亦哭明矣 類輯

[illegible]曰[illegible]之喪而哭拜[illegible]之[illegible]哭出西向再拜則是以前日偶未相見漠然不顧而出殊乖古人一見如舊之義 家禮增解

梅山曰曲禮[illegible]曰吊傷皆謂致[illegible]辭也[illegible]此說則傷者[illegible]生者致辭之謂也蓋賓吊主人之時知死則致其傷悼之辭知生則致其吊慰之辭非以傷爲哭也類輯哭死曰傷[illegible]而不傷只吊於喪人而不入哭於靈筵傷而不吊只入哭而不請吊於主人也據此則[illegible]皆哭也[illegible]乎[illegible]氏亦有近[illegible]近俗之[illegible]識者[illegible]可不傷不吊乎 答[illegible]

月[illegible]内外[illegible]似不可[illegible]入沙溪曰[illegible]於[illegible]外喪之哭[illegible]今[illegible]按親厚之客雖有[illegible]入在堂中亦[illegible]入中堂[illegible]於是 [illegible]

厚齋曰[illegible]之先師吊內喪者不哭禮也但與喪人[illegible]哭之亦可 [illegible]

竹醉曰[illegible]似不可不哭 [illegible]

服人受吊

[illegible]

[illegible]也 [illegible]

死[illegible]不[illegible]

[illegible]

[illegible]東國通鑑新羅法興王時梁遣使賜王香君臣不知所用偏問于曰焚此則香氣芬郁可以致誠於神聖東國用香始此 增解



[illegible]曰古之祭[illegible]之所[illegible]故[illegible]求神[illegible]也[illegible]

也[illegible]孝子上下求神之義[illegible]用香自梁[illegible]監初[illegible]是出自佛家法故朱子曰[illegible]以香代[illegible]子[illegible]記[illegible]亦有端矣

[illegible]記[illegible]日[illegible]祭[illegible]曰[illegible]始升爲酒爲醴曰有[illegible]其香古所謂者如此[illegible]五禮[illegible]云祭祀用香古今無文[illegible]

[illegible]之[illegible]所以[illegible]今用香其義一也孝之無據故開元禮不用

[illegible]而不[illegible]主人[illegible]主人[illegible]拜恐無義 答[illegible]

[illegible]先生[illegible]公[illegible]祭文[illegible]不[illegible]文[illegible]不可闕也 答[illegible]

[illegible]之[illegible]朋友之喪[illegible]三年已[illegible]不可[illegible]人[illegible]

[illegible]之[illegible]賓[illegible]代行恐宜 答[illegible]

[illegible]不[illegible]年如朱子之於熊登子劉[illegible]士尤翁之於朴思庵乃其一也 答[illegible]

[illegible]拜[illegible]也[illegible]有[illegible]主人以下[illegible]之[illegible]其[illegible]

[illegible]則[illegible]可[illegible]用於受祭也 [illegible]

[illegible]賓之[illegible]其[illegible]之[illegible]

[illegible]不可[illegible]

[illegible]之[illegible]公乎私乎[illegible]私祭則器可以[illegible]出於公廳廢於私乎[illegible]自異致[illegible]何所[illegible]不[illegible]

[illegible]則[illegible]祭以虞易[illegible]而祭不成儀可乎[illegible]不[illegible]物猶曰不[illegible]況儀物[illegible]何以成享哉又有一事可證古者公[illegible]主[illegible]賻[illegible]外別有主人[illegible]而並[illegible]壙亦不以公私相混爲嫌[illegible]然況安神之祭乎 答[illegible]

[illegible]期

[illegible]以[illegible]之[illegible]三十餘日[illegible]日春秋譏渴葬 類輯

[illegible]曰[illegible]士大夫[illegible]有[illegible]月而葬者[illegible]於事勢之不獲已而於禮意則極未安耳 類輯

[illegible]三月[illegible]正[illegible]之以二月葬爲[illegible]葬[illegible]哭必待三月者以從家禮而然耳 類輯

[illegible]三[illegible]之事必待大時一小[illegible]而行之恐無義 答[illegible]

[illegible]一[illegible]六七月[illegible]吉[illegible]之爲宜[illegible]非吉朔五月[illegible]古[illegible]士踰月之文以四月行之

[illegible]之也 答[illegible]

[illegible]月之[illegible]用已非古[illegible]葬則[illegible]士踰月之制[illegible]哭則待三月[illegible]大夫之制亦似斑駁然近

[illegible]三月[illegible]則二月而葬者終是[illegible]又[illegible]以老親之在或以山運之拘不待三月而葬而嫌於渴葬輒引古

[illegible]月之[illegible]踰月而葬特因事勢而藉以古禮爲證也 答[illegible]

[illegible]古者士踰月之[illegible]是大夫則不待三月而葬終有未安不如以禮月權厝而更待吉年之爲宜

[illegible]

[illegible]古[illegible]朱子[illegible]不別大夫士而以三月爲葬數之家禮故雖近世知禮之家未聞引踰月之制以葬其親惟娶

子以下之葬或有引此爲援者豈不於班駁乎蓋葬期有緩速者疏家雖以遠近赴葬具辦備爲言然以義則三月者三年之小數也



原書漫漶不清

以時則三月而天時一變迨此數死殆其時也家禮之不別大夫士而一以三月載之者抑以斯歟今也當以家禮爲正而若或拘於
事勢不得過待三月者[illegible]以渴葬論既斷以渴葬則虞當赴虞卒哭當待三月若陶庵說竊嘗疑之有不敢信矣 [illegible]
[illegible]也曰王制曰大夫士庶人三日而殯三月而葬注曰大夫三月同位至士踰月外姻至疏曰左傳大夫言三月士言踰月此總云三
月而葬者以降二爲文故總云三月左傳細言其別故云大夫三月士踰月其實大夫除死月爲三月死數死月爲三月政是踰越一
月故云踰月據此則所謂士踰月葬者數死月則爲三月而踰一月故曰踰月今人不解斯義以死之翌月爲踰月而葬恐失三月之
裂一時之義也士虞記[illegible]家禮備要並無大夫士之別而皆三月葬若不滿三月者報葬也事勢所拘若難停喪姑出殯於舊所
以待禮月恐宜 答李
寒西曰葬擇陶庵說告于[illegible]恐無[illegible]禮家皆遵已該此義矣 答李

葬數閏

公羊注葬以閏數　通典東晉戴[illegible]曰葬月數閏 常變通攷

擇地 附后土

問[illegible]葬註程子說地之美則神靈安子孫盛謂之魂魄安 [illegible] 黎湖曰體魄與魂氣一升闔一降而然有相感召之理不然則程子必
不爲是言矣朱子亦以爲形[illegible]安得
[illegible]曰風水之說其來甚久[illegible]未能[illegible]俗習而其說皆主擇地安厝之義云於[illegible]所謂得善地而葬之可以復其魂氣
[illegible]
明之故也 [illegible]

[illegible]之體魄也數吉[illegible]則[illegible]之體廢矣 [illegible]
[illegible]主人[illegible]北面北面免絰今從者一人在主人之右東也 筮者東面[illegible]策兼執
之[illegible]命右旋北面指中封而筮之卦者
[illegible]則不宅筮 [illegible]
[illegible]子之禮而以后土爲僭則雖以稱后地其祭地則一也獨非僭乎 [illegible] 黎湖曰地
[illegible]之所謂社也是蓋后土之祭而[illegible]若土地則只[illegible]可
[illegible]以之[illegible]乎
[illegible]此即古人中霤之祭而今所謂土地者如[illegible]取財於地取法於天是以尊天而親
地[illegible]者言之非如天子諸侯祭皇天后
土之[illegible]也但朱子於家祭則曰土地墓祭則曰后土有未敢知者爲其深官
[illegible]不[illegible]以土地者恐不可易南溪說恐[illegible]耳 [illegible]
[illegible]神位退溪則以爲此簡[illegible]山[illegible]地而[illegible]子神位未知何如
可[illegible]則不必拘泥於地[illegible]溪說似好矣 [illegible]
[illegible]
[illegible]人[illegible]爲其父[illegible]云云以此推之於此當稱爲其父某官
某公丙穸云某得某封某氏 [illegible]

問[illegible]稱亡父某官某公丙穸告[illegible]亦不稱姓名只稱某謚或別如何 [illegible] 黎湖曰而告不可不舉其名拜告[illegible]
[illegible]
[illegible]曰[illegible]某官姓名下註主人也謂爲主人者[illegible]其親宅兆欲諱亡者名故其文如此然曲禮云廟中不諱註如其事於高祖則
不諱曾祖以下[illegible]二也以此推之[illegible]亡者名於土神[illegible]耶家禮則直稱亡者姓名矣 家禮增補
[illegible]曰[illegible]土地必[illegible]亡者之名[illegible]之義也以子孫而告神則不敢呼父祖之名餘人則不可諱也方營建宅兆而不舉其名則何以
[illegible]
[illegible]若[illegible]哭再拜士喪禮北面云云 [illegible] 老洲曰士喪禮筮殯前北面哭註易位而哭明非常號曰朝夕哭當
在阼階下西面今筮宅東北面哭者急易位非常故也

同塋有故塚者告辭

[illegible]云云[illegible]何代何人[illegible]依[illegible]葬[illegible]今茲[illegible]兆于塚之前時雖從先宅同後先一原卜隣並居無間幽明無猜嫉相
[illegible]不[illegible]永保[illegible]一酌[illegible]告于神神之聽之歆我芯芬 常變通攷

穿壙

尤庵曰[illegible]有土則有虫虫之害[illegible]可畏也又[illegible]有土獸故古人[illegible]中設鐵以避之此等說[illegible]不[illegible]也朱子葬其
[illegible]棺底三四尺知[illegible]於北[illegible]虫獸之侵逼也 類輯
[illegible]曰[illegible]多[illegible]光[illegible]家葬[illegible]自來只用石灰世守之以[illegible]力不逮不能用 [illegible]
[illegible]曰[illegible]穿土之說亦不可不[illegible]家禮則壙底所用之灰與四方所築其厚皆同矣 [illegible]



[illegible]外灰沙因水泉滲漏不能堅結而槨內則隔濕易以堅結也朱子[illegible]許用之而後人亦多遵行者詳見
[illegible]
陶庵曰[illegible]之有槨古禮也而家禮不用者以灰隔成石之後已是無使土親膚而槨則腐爛之後壙中寬廣反爲所害故然也今人或
[illegible]其[illegible] 類輯
[illegible]之數大小隨人所爲今用全木則無許大木可以爲槨故合葬者只同穴而各用槨也此只爲時
[illegible]可也今[illegible]成爲一箇義理無識者因合衆材必爲異槨極可歎也若爾則不惟悖於禮使壙中濶大後慮
不小又以此爲[illegible]者或於[illegible]間[illegible]灰隔絶是亦昧同穴之義也 類輯
[illegible]之[illegible]於壙上地面而穿之壙之深而止乃以三物拌勻者壙之四塡隨築約高於棺四五寸而止留
[illegible]作內[illegible]四圍準槨之長廣中取容棺安於灰土之上復穿其灰土如穿壙之法而但穿之不盡小留數寸灰乃
[illegible]上以安棺後[illegible]以厚板蓋其上以其所掘灰土加於蓋板之上而築之蓋此制較於用槨去其四墻
之[illegible] [illegible]
[illegible]曰[illegible]依朱先生[illegible]法不用明器退溪則欲依禮用之然朱子既言其不用之意於家禮又曰無益有害其意可見 [illegible]
[illegible]間[illegible]之義近齋曰史記[illegible]於便側之處非正室沙溪以爲便房亦便側之義據此則便房是於地室偏側處爲
[illegible]用地灰[illegible]近齋曰禮家之論地家之說果孰爲正耶此則惟在所擇何以問爲
[illegible]闔壙之[illegible]之文左傳[illegible]註[illegible]以[illegible]壙王禮也云則天子乃用[illegible]士[illegible]禮[illegible]無用石灰之文用石灰疑
是後世所爲也 家禮增解

啓殯

問啓殯奠在發引前一日而世俗從擇日行於祖奠後（洪子容） 厚齋曰當依家禮行之擇日拘忌無稽之甚也（類輯續編）

南塘曰玄彥明因朝奠以遷柩告訃設饌如朝奠之朝字朔字之誤既因朝奠則又安得云如是耶古有啓殯之奠而饌品有加於朝夕之常奠也今此告遷之奠實當啓殯之禮則其饌品亦當如古有加於常奠也下文祖奠遣奠註饌如朝奠之朝字亦皆當作朔字其說恐是（類輯續編）

按遣奠如朝奠之朝字當作朔字者恐未然朔奠殷奠也靈輴既駕之後奠儀匙遽何暇備殷奠乎殷奠則有黍稷而發引條云會時上食不亦疊乎遣奠之非殷奠明矣蹇山是也

李氏曰朝字果可疑然朔奠則比朝奠加盛矣此下祖遣奠尙云饌如朝奠則此遷柩奠必不與朔奠同矣然則此如朝奠者亦指上初喪時朝奠饌品而言也蓋所以爲下祖遣等奠凡例而發也（家禮增解）

竹庵曰啓殯奠三字本非經文開元禮删朝奠一節則自無朝奠故啓殯後於殯宮中升柩於席而奠之是爲啓殯奠蓋變禮也而五禮儀仍之（類輯續編）

梅山問告遷柩時設奠如朝奠近齋曰設奠如朝奠之云蓋言饌品如朝奠非謂朝奠之外更設饌也若是更設饌則豈曰因朝奠乎

近齋曰禮有啓殯而無破殯破殯曰家說也不拘時行之無妨（答李穀）

梅山曰禮啓殯遷柩自是一事故啓殯告以遷柩如從俗破殯隨其日時則當別設奠用遷柩告辭恐宜發引前日不宜疊告也（答吳子範）

近齋曰啓殯後散髽一節當行之而免則喪初既未得行畧之可也（答金宗善）

發引至山下復殯後啓殯之節

南氏曰復殯於山下則又其啓殯時當別有告文其辭曰葬期尙遠復殯山下今以某日定行某禮啓出靈柩敢告（備要補解）

按發引至山下復殯則必有告文有告文則啓殯時葬期尙遠復殯山下八字當删之

朝祖

渼湖曰考之儀禮但有朝祖朝禰之文而於辟則闕焉記又曰喪之朝也所以順死者之孝心也蓋朝祖恐只出於平日出告之義則宜其施於祖禰而無及其辟也（答洪純謨）

本庵曰天官內竪曰王后之喪朝廟則爲之蹕又按曾子問並有喪疏焦氏引此以爲母喪亦朝廟之證矣但婦人於夫廟義似不必朝而愼齋答尤庵朝夫几筵之問曰得之李光錫亦引尙書大傳后夫人御於君雞鳴告去賀明入庭立與魯語舂婁縱弁而朝之語謂生既有朝死何不然當更詳之（類輯續編）

竹庵曰儀禮有稱廟則朝稱無朝辟之文朽淺云云恐不必從朝祖之朝字本是廟名出祖之祖亦以辭於廟而始行故名言也（答徐聖鎬）

又曰朝于夫廟未聞（類輯續編）

近齋曰婦人之喪將朝而家中只有夫廟則朝祖之禮何以爲之朝祖本乘卑者之出必辭尊者則婦人之於夫亦當朝廟而但告辭請朝祖之祖改以何字耶用顯辟之義稱以朝如何尤庵先生曰古人謂廟曰祖稱廟亦當稱祖然則夫廟亦稱似無害（答吳尤常）

又曰婦人外喪者也其喪也不可往朝於本親廟雖廟在隣比恐不必行（答梅山）

梅山曰妻之朝辟及出嫁女之死于父家而朝祖二者先儒皆不許以平日出告之義非配體及外戚者之所可爲也爲人弟者事兄以父又是同宮則固當朝于几筵而是亦旁尊恐涉情勝情勝則非禮未若已之也（答金王善）



按記曰喪之朝也順死者之孝心則妻之於辟弟之於兄其可曰順孝心乎朝祖之祖字殿置不可以他及矣

遜齋曰問祖禰則請祖朝之祖字似不當尤庵曰當從實改以禰字似宜或代以廟字或祠堂字如何（類輯續編）

竹庵曰有禰廟則先朝禰蓋由禰而有禮故也造禰則造祖之在其次可知（類輯續編）

近齋曰祖字爲廟之稱尤庵先生已云蓋支子之只奉禰廟者不曰朝稱而曰朝祖於此可見（答梅山）

三山齋曰祖禰廟在同宮之內則當依古禮先朝祖後朝禰只朝於禰則其告辭當曰請祖禰（答奇學殷）

李氏曰祧廟與家廟隔墻奉安朝祖時似並朝祧廟（疑禮增解）

砥山曰既夕記疏上士二廟則啓日朝禰明日朝祖又明日乃葬云則其先禰後祖明矣（家禮增解）

沙溪曰朝祖時無告辭者以死者是主人而無可告之者故也若支子死而朝祖則主人爲之告不違於禮意（類集續編）

屛溪曰朝祖時似有祠堂告辭孝子雖不可告服輕者口告似得宜宗子生三月既有告見之禮其死也豈不告廟其絜歸而朝祖也亦豈告無辭耶（類輯續編）

問以平日遠出告祠堂之義言之當其永歸豈可無告耶（愈漢楨） 渼湖曰生時之告皆自告也死者不能自告故只以柩就辭耶禮所不言只得不行而已（類輯續編）

南氏曰臨葬而不告於廟無端朝祖恐未安禮雖無文當有告廟之節或曰至廟前正柩後服輕者跪告曰孫某今朝祖敢告（備要補解）

近齋曰朝祖告由祠堂禮無明文似以已告始死故也其間雖已日久不必更告哀慌中禮有所不備則雖有味然之嫌闕之何妨（答李穀）

又曰靈座前告辭以移動柩與魂帛故也（答梅山）

老洲曰魂帛代朝丘氏爲人家狹隘者就此苟簡之禮蓋不得已也又言屋宇寬大者宜如禮云（答南大任）

梅山曰魂帛神魂之所依將返以木主者也尸柩體魄之所在一往而不回者也朝祖者以體魄之永辭也以神魂而代體魄豈非失朝祖本意哉人家祠屋狹隘難於遷轉故往往廢禮丘儀亦以魂帛代柩謂非古禮而猶愈於不行沙翁之戰諸備要者用備一說非謂其可從也（答李窺在）

竹庵曰古者忌日之哭亦計之哭皆於廟門則朝祖時壓尊不可哭之說委巷之論不足說（類輯續編）

問朝祖時卑幼祔位降置如何（洪子容） 厚齋曰家禮朝祖註曰象平生將出必辭尊者也既曰辭尊則其非辭祔位之卑者可知況生前出特謁廟時既無祔位降置之事則朝祖時何可獨爲降置耶（類輯續編）

南塘曰丘儀奉奠及倚卓先行則自當設於魂帛前東向矣不言設者蒙上文非去之也（類輯續編）

竹庵曰朝禰時因用宿奠是家禮從簡之文而緣禮則朝祖時柩在祖廟徹宿奠設新奠名爲朝祖奠而其儀只柩楹間主人柩東西面奠則柩西東面恐虞祝適于祖以饗之義已見于此（類輯續編）

又曰朝祖奠只屬新死者之神而與祖考之神元不相關則當設奠於柩東若小斂奠之奠尸東何乃爲柩西東面之位乎（同上）

人曰啓殯即遷于祖廟奠仍其舊隨柩于廟質明設新奠曰朝祖奠（同上）

按古禮啓殯而遷于祖廟自祖廟發引故設奠如此家禮則啓殯而朝祖朝祖而遷於廳事晡時設祖奠與此不同

本菴家禮集考曰按此遷柩時不以靈床從則靈床蓋撤也始下室燕養起於既殯不見柩之後則柩啓而止可知檀弓虞而立尸有几筵卒哭而諱生死畢而鬼事始已註不復饋食於下室雖此虞卒言之其實蓋自啓殯而然也開元靈座乃古下室之禮而隨柩設壙中則失之矣書儀自啓不設者得之唯朝夕之饋朱子許其終喪今別論焉其狀帳衣被之等以古下室則當自啓殯去之若此書

之隨柩在正寢則理須柩出亦撤而其衣之合作遺衣者且盛于櫝置故靈座處之東北以做後寢藏衣冠之義終歸之祠堂其餘及衣被之屬可做檀弓子柳賻餘班諸兄弟貧者歟 類輯續編

李氏大斂曰殯時柩在堂西而靈座設於堂中則在銘旌與靈床之前而不在柩前矣及此遷于廳事靈座設于柩前則是靈座與柩皆在堂中靈床不復設矣然則葬時雖無撤靈床明文而靈床之自此時已撤可知蓋自正寢遷于廳事已是卽遠之漸故不復用奉養之禮 家禮增解

厚齋曰宗家異居難行朝祖之禮曾見張旅軒集以不得朝祖之意告于宗家祠堂爲宜 類輯續編

近齋曰異宮朝祖之禮勢不可行尤翁所論並告廟與柩因似宛轉而旣曰有義起之嫌南溪亦曰更設恐未見其的確必可行也且已以始死告廟則其祝當及於喪出宮次之由矣其不得行朝祖之意自在先靈之諒悉雖不告似無味然之嫌未知如何 答洪文榮

梅山曰朝祖同宮之禮也支子異宮之喪恐不可行紹路若出宗家門前回柩向宗家用寓朝祖之義同春亦云有哀痛惻怛之意雖無於禮亦何所妨是爲可遵也 答任憲晦

又曰士喪旣合計在始死遷尸之後告廟亦當在此時而旣不告廟遽行朝祖恐涉逕庭稱廟在宗家則亦不可奉魂帛往朝使服人替告恐宜告辭當云維歲次云云某親某敢昭告于某親府君某親孫子以某月某日喪逝禮宜告廟而悲遽不遑今日啓殯亦宜朝祖而以喪在異宮罔克行禮謹告几筵亦當告由告辭云今日當行朝祖而廟在異宮罔克成禮謹告 答沈友澤

按朝祖象生時出必告廟也支子異宮者出必何嘗告宗家之廟乎生不告廟則死不必朝祖旣不必朝祖則恐不必使人告由矣

問支子來留宗家病死朝祖行廢 金大伯 老洲曰支子朝祖禮無可據廢之恐宜

鎌溪曰支子死於宗家者 朝祖之禮記者仲舅氏之自京引歸也沈錦山丈力主當行之論邱隅公力主當廢之論弟亦參坐以丘隅之論爲經法此際老洲翁來吊與弟言無異愚見何足有無而湖翁之意以爲生死幽明不可不參殊以觀而使宗法御嚴故也 答梅山

梅山曰儀禮代哭如初註云棺柩有時將去不忍絶聲然初喪代哭止於未殯爲柩見也推斯義也啓殯而哭至窆而止恐爲得禮第今俗所謂破殯與遷柩不同日則未可謂已啓殯而代哭代哭當時遷于廳事然今也則無遷廳一節朝祖後行之訖于下棺如何 答吳子範

渼湖曰設饌卽遠飯於牖下小斂於戶內大斂於阼殯於客位遷柩於廳事皆卽遠之意也雖所殯非平日所居而殯旣啓則似不可去遷廳事一節依丘氏畧移動之說行之如何 類輯續編

李氏曰禮朝奠日出而旣夕禮朝祖則在朝奠前而時尙早故有二燭至正柩設奠然後爲正明而滅燭家禮因朝奠告遷柩後行朝祖則妥用燭哉 家禮增解

南氏曰家禮以柩朝祖席上南向儀節以魂帛朝祖席上北向者何也祠堂神位南向則柩入當北向而嫌其足之向神位故反北首南向魂魄則無此嫌故卽北面向神位各有義意 禮書箚記

柳氏曰喪大記曰哭柩則輯杖然論殯與廟其爲哭柩則一也家禮輯杖之文恐當通看於入廟時也 常變通攷

祖奠遣奠

渼湖曰夫人喪禮朝奠遣奠不當設

問朝奠於后土祭世有以盛饌行之如何 尹鎭寬 櫟泉曰饌品豐約不妨隨力濶狹但凡云奠者皆無飯羹矣 類輯續編

屏溪曰問解有夕上食後設奠別設之語故鄙於前後喪依此行之祖遣奠不可異同故亦於遣奠於食時行朝上食 類輯續編



渼湖曰祖遣之前先行夕上食知禮家皆如此遣奠後朝上食無論道路與墓所食時行之無疑 類輯續編

本庵曰奠饌曰朝奠饌如朝奠之朝 當作朔按書儀祖遣言如殷奠虞言如朔奠而此書祖遣虞皆言如朝奠據虞祭陳器有匙著祝詞有牲菜又卒哭進饌言麵米食羹飯如虞祭則是正同朔奠矣旣如朝奠則祖夕遣朝不復上食 類輯續編

竹庵曰祖夕遣朝不別設朝夕奠而上食則當別設 答趙鎭達

又曰沂禮祖遣奠兼設飯羹如朔奠則不別設上食勢恐然矣 類輯續編

近齋曰祖奠以家禮如朝奠之文觀之當只設酒果脯醢而考儀禮自大斂奠始設殷奠至朝奠曰如大斂奠據此朝奠具餠麵魚肉飯羹可知令西河先生以朝字爲朔字之誤得之 決疑錄

老洲曰朔日殷奠不復饋于下室古禮卽然而至於祖遣奠各有其義與朔日常奠自殊恐不可比而同之然近俗多援此爲兼向之證從俗行之不妨歟 答梅山

按喪奠只是酒果脯醢惟朔望設殷奠者以朔日也祖遣奠非朔奠則恐不可設殷奠河西雖以如朝奠之朝爲朔字之誤然無明據不敢從近齋雖云儀禮自大斂設殷奠然考儀禮大斂奠只有魚肉酒果而無黍稷恐不可以此爲祖奠兼上食之證也惟書儀祖遣奠如殷奠此似可據然家禮因書儀而不曰如殷奠而曰如朝奠則朱子之意可見矣且朝奠兼上食則是闕夕奠也遣奠兼上食則是闕朝奠也尸柩將發之際孝子哀慕之極而饋奠之節反減於常時豈理也哉

厚齋曰遣奠之不言主人拜未如何意然以家禮考之襲奠亦無拜禮小斂奠始曰卑幼者再拜而又不言主人故丘儀曰孝子不拜大斂曰如小斂之儀云云則亦無主人拜禮皆以初終之時主人悲哀荒迷不能備禮而然耶至朝奠乃曰主人以下再拜上食夕奠朔奠皆曰如朝奠儀薦新曰如上食儀祖奠曰如朝夕奠儀云云則自朝奠至祖奠皆有拜禮惟遣奠曰饌如朝奠而已更無曰如朝奠儀儀禮遣奠圖亦只言主人踊而不言拜禮則此等處似不無微意無乃此時尸柩已載車將發則主人之悲哀荒迷無異初終之時故亦不暇言拜禮耶惟丘儀始有主人以下哭拜之文未知有所據之云耶 類輯續編

屏溪曰遣奠不言斟酒焚香哭拜蒙上諸奠而不言也升車後焚香是別件節次故言之 類輯續編

微齋曰人家門闕窄狹則不得已設遣奠於門外勢也爲其鬧擾豫行於室中無乃顚倒無據耶鬧擾之弊亦勢所不免惟祖禮者得入則差可從容耳 問上

南塘曰奠皆有脯此特言有脯何也他奠或可無脯而遣奠之脯將以納苞不可無故特言有脯 同上

李氏曰遣奠饌如朝奠卽家禮從簡之義然古禮旣爲葬奠加一等用少牢則用殷奠從俗恐不妨又雜記註云無黍稷則上食日不當兼設 家禮增解

按雜記喪奠脯醢而已且無黍稷則雖加一等不見名爲殷奠矣

近齋曰遣奠行于大門外非但中庭狹窄然而似以時俗路祭名而致誤 答舍弟

梅山曰家禮納大轝於中庭施扃加楔載畢始設遣奠而今也則人家當患狹隘就轝門外旣乖禮意路次行祭尤非其所大門內如可容轝設於中庭恐宜如不可爲卽小轝加素錦褚出門而就大轝仍設遣奠事勢之所使然也遣奠是爲送死之終奠故必行於靈輀旣駕之後者精義在焉以其所則當行中庭以其饌則當設於大轝縱失其所當從其禮且近世因地勢皆施於路次故亦名路祭亦已成俗從宜已矣 答[illegible]

近齋曰遣奠祝出於高儀非朱子家禮也故或有不用行論而愚意不然祖奠祝雖已告今奉柩車而遣奠又告以靈輀旣駕自分居節非宜疊也書所不備今乃追補無妨何可以高儀而輕之不用乎 決疑錄

柩自他所歸及自京還鄕祖遣奠之節

貞庵曰旣寶京家大歸鄕里祠宇喪行同時移發則發引前日夕奠告以明日大歸鄕里之意告于殯所翌日曉啓靷還鄕臨葬上山前一日行朝祖其夕設祖奠上山時設遣奠恐宜自京發引時朝祖遣奠恐無意義 類輯續編

本庵曰或問家廟欲於啓殯前奉還鄕廬祖遣奠先行於京第追行朝祖於鄕廬如何陶庵曰發引後始奉家廟於理爲順愚按此似合倣家禮祖奠註溫公說柩自他所歸葬之例行之也 同上

近齋曰愼齋荅人問曰込人雖是京洛之人旣以扶餘爲家自京發引歸於扶餘則似不當設祖遣奠至家往卽幽宅之時乃可設也據此則自京發引時祖遣二奠不敢爲宜行日依溫公說只設朝奠而行似可 答洪文榮

又曰祖遣奠旣不可再行葬日因朝奠行告儀當如同春說而告文措語無見處當云今以吉辰將行葬禮敢告 同上

問柩自他所歸近家者祖遣奠 宋錫明 竹庵曰城門外停柩處雖是旅邸家旣密通宗族聚會遺奠當行於此矣祖奠則元不當設恐不在正寢禮有不備勢也朝祖然後方有祖奠五禮儀無朝祖而有祖奠恐異禮儀 類輯續編

問遣奠設於城外則靈輀旣駕已自官次發引行時到今此告似不襯 宋錫明 竹庵曰遣祝非家禮之文不用無妨問靷向墓下葬期未定者祖遣奠設否 安國光 屛溪曰祖奠蓋祖道之意送葬之行可以設今雖引向墓下葬地未卜期日未定雖或卜定日月猶遠則中間人事未可知預行此奠未安臨葬時上山前一日行之似得 類輯續編

問喪行直到墓下則當設祖遣奠否旣闕朝祖似得朝墓 宋錫明 竹庵曰直到墓下則設遣奠於墓下可也朝祖之禮以其柩之辭家廟也若於先廟則柩來祔葬朝墓無義也無朝祖則無祖奠已有前答矣 同上

問祖遣溫公註若柩自他所歸葬時行日但設朝奠哭而行至葬乃備此及下遣奠禮此似指初喪時行喪而言也然小子將以初一絜襯遝還成殯于滄院里舍十日以爲永窆之計則自寓所發引時備右諸禮而自所館奉柩向葬所時又備行喪器具矣此時全然無告似未安老先生所謂啓殯發靷已告遷柩則在途停柩何可每每煩告也觀此則再備右禮亦如何雲坪曰先君所論不可更容他議溫公說本爲客亡路死者設也 類輯續編



近齋曰前期發引之家祖遣奠祝靈辰不留往卽幽宅云云似無太預之嫌安用添入措語自京第旣行祖遣奠則山下停柩雖多日臨葬時不更必告皆前已以往卽幽宅告之矣有何更告之語耶 答成人

又曰溫公說指喪柩自客土而歸也如用溫公說則祖遣兩奠皆不行之可也而今欲祖奠則行於此遣奠則行於彼愚不知其可也洪川雖曰故鄕旣無屋廬喪行停柩不過墓廬家村人家而今乃用自他所至家之例無乃誤乎喪旣在於京第發靷當此具儀文而今乃不設遣奠但設朝奠而行哀意雖以遣奠祝往卽幽宅之語太預爲嫌而此不必拘愚意祖遣奠皆如禮行之於發靷前而自洪鄕停柩所臨葬又發靷時不必再設愼翁說有可據也 答金歸行

梅山曰家禮祖奠註溫公曰柩自他所歸葬則行日但設朝奠至葬乃備此及下遣奠推此義也先期發靷停櫬於墓下者似當及葬時奠祖及遣而喪在於洛下本第卽非他所也雖先期啓殯旣越月踰時矣祖遣兩奠不容不行已行矣不可以淹遲丙舍而再行以歸于瀆也 答朴宗興

又曰京宅寄也鄕宅歸也歸鄕弟閱月而窆則祖遣兩奠旣不可經行又不可疊設發引前日夕奠以明日下鄕之意告于几筵翌曉啓輴還鄕臨葬行朝祖其夕設祖奠上山時設遣奠爲宜告辭云明日啓引向于鄕舊弟用待葬期謹告 答任憲晦

禮疑續輯卷之七終

# 禮疑續輯卷之八

## 喪禮

### 發靷

撥蕉亭

問發靷條所謂撥蕉亭是何物 尹衡老 原齋曰或云如今香亭子 類聚續編

翣

陶庵曰黻翣只當論大夫士之別前喪用否非可論 類輯續編

近齋曰黻翣所畫者亞形也兩已相背取其辨也 答梅山

又曰亞翣在前雲翣在後蓋亞重於雲故也此有南溪說可據而耳 答旋孫明壽

又曰官階通訓則葬用四翣世多有之似以我東與中國不同古今亦有異宜矣我東多士用大夫之禮如祭四代與三月之葬之類是也奚獨於翣以四爲嫌耶惟無官者與有官者未離耶階者不得用四而通訓則可用矣然猶以通訓屬之士而尤翁以士之用四翣爲僭則從俗用四恐亦未安只用雲翣爲正耶 答洪文榮

問內外同壙四翣依於壙內兩箱而兩則置於兩柩之間耶 李命元 陶庵曰只依於兩箱似便 類輯續編

溪湖曰翣屬家禮之不言入壙似是不用明器之意 類輯續編

近齋曰喪大記註翣在途則障車入槨則障柩其意於障柩爲重不可只作障車之用而不爲納壙也 答任靖周

又曰行喪翣則以木匡爲之不便納壙故別用錦畫翣縫附柩衣而用之卽世俗通行之規也 同上



潁西曰翣爲障柩而設則不入壙內宜矣家禮乃窆下不言翣恐非闕文 答梅山

梅山曰喪大記註曰翣在途則障車入槨則障柩而掩壙則無惡見其死之義故自書儀至家禮止而行柩不入壙是爲可從 答任憲晦

功布

近齋曰功布依柳西厓說焚之墓上似宜 答洪文榮

輓辭

貞庵問自經辛壬之禍不復請輓於人之云陶庵曰請輓恐亦非時且違遺意不必趁葬時爲之惟於親友中可請處畧致此意追挽爲當 類輯續編

雲坪曰挽歌之生始於斥苦而其辭則專以慨傷人死者不可復回降自唐宋漸以誄行之具是亦出於黃鳥惜賢之遺意初不害義其流之弊卒至於喪家冒請而褻甚不復自爲焉則殊失古道然今之世如畧丐於族姻契舊當如丘儀而主喪者自發耶求其情禮儀有所未安故香竊以爲此統於相護喪之職而經自私家行之今有非之者未知如何 類輯續編

近齋曰先輩文集中多見婦人輓詩則內喪請輓有其例矣然虞殯之歌見於左傳而未必是聖人所制之禮不用何妨 答梅山

又曰輓章焚之爲正 同上

南氏曰國恤中死者若用輓幅則親喪中死者亦可用之仁宗國恤出於　中廟喪中而當時名賢多作輓辭據此則喪中死者用輓亦無甚害 備要補遺

方相

雲坪曰方相玄衣朱裳禮也圖本誤 備要圖方相朱衣玄裳發引之具方相註則玄衣朱裳 類輯續編

近齋曰後世士喪之不用魌頭從簡也此等禮不可獨異於衆 答梅山

發引日先行上食

陶庵曰今人例於遣奠前先行上食或遣奠時兼行上食蓋爲路中難於設食也然奠食自有先後之序且於發引條明言食時上食則不可從俗行之也 類輯續編

又曰發引之日質明行遣奠因而上山上山後待食時上食似宜殷奠 日值朔 自當幷設矣 類輯續編

又曰遠處則途中行上食得之而哀家則至近住柩於山下第奠兼行上食而後上山豈有可疑 類輯續編

近齋曰發引日當先行朝上食亦所以象生人早行晨飯之意何必以非飯時爲拘兼行於遣奠耶甚不可 答李毅叙

按生人早行雖或晨飯生死異宜不可援用奠後上食禮有次序恐不可違越也

發引時尸首所向

兼山曰按塗殯時北首啓殯後南首朝奠時北首遷于廳事時復南首八墓時復北首夫啓殯後入墓前皆南首而獨北首於朝祖者檀弓謂順死者之孝心註曰既言朝祖不可以足行之則其意爲可見矣但朝祖時北首以首爲向禮固有明文而就輿時尸柩所向則禮無所論獨輯覽答柩行尸首所向之問引開元禮宿止條靈車到帷門外迴南行柩車到入凶帷停於西廂南轅到墓亦然入墓始北首之說以爲是時尸當南首而轅以南向首在前可知也據此今俗柩行時必以尸首爲前者未爲無據也但若是則勿論北首南首皆當以首爲前可也獨葬後返虞坐向則必以足所在爲前者未知何意極可疑也 類輯續編

問紐前經後緇紐是何物降奠當前束是奠在足與即床奠當牖不同 李在徽 竹庵曰紐今之喪車服色所謂絡緌也人不知設緌之本意 卽上下之意卽上緇下經 經緇準緇而遂無以足向前之事當前束即是當尸牖也註疏已及此意又問前經之前前束之前何以異看曰前束

以棺束言前緌以棺飾言 類輯續編

又曰飾柩前後緇經有明文而楊氏圖亦有此意則柩行時前其足更無可疑蓋自襲斂至朝祖則前其首其載車而祖也前其足此所以祖爲行始也苞牲取脛骨鄭註言象行雖以此等說觀之柩行以足可知以此推之斂殯至朝祖前其首者以非行路時故也 同上

又曰先王制禮玄纁之用象天法地試以士喪禮言則初喪設冒經殺掩足且儀矜沙溪用下纁之制則柩行之時前經後緇之爲前其足斷然無疑 同上

又曰行喪前其足據經文前經後緇其義自明若始生先首非所當引如人俯伏而行則必當前首若仰臥而行而前首則却是倒行也此理甚明 同上

近齋曰遷尸南首猶用受生氣之義至葬始北首以地受下陰也 答梅山

又曰發引時尸柩出門先首先足之分鐵論紛紜其欲先足者爲象生時也然尸之臥行有不得象生時者且先首禮已言之而人特不考耳家禮輯覽答人問曰按開元禮宿止條靈車到帷門外迴南向柩車到入凶帷停於西廂南轅到墓亦然入墓始北首以此觀之是時尸當南首而轅以南向首在前可知沙溪所論如此當從無疑 [illegible]

按發引時尸首所向既有輯覽說則當以首爲前而如此則行者前却是倒行亦有竹庵說恐意開元禮宿止條靈車到帷門外迴南向迴南向則初非南向迴然後南向其下所謂柩車到入凶帷停於西廂南轅亦初非南首入帷後南首耶 證行則前足宿止則前首似各有義至於入墓始北首云者永爲北首也

發引時男女哭從 返魂時並論



近齋曰男女哭步從者禮也而墓遠及病不堪步者諸子亦乘惡車去墓三百步皆下家禮註如此備要亦然 答梅山

問發引時主人以下哭步從返魂時則乘車馬豈有差殊於柩行返魂時耶 韓弘祚 厚齋曰似然 類輯續編

梅山曰行者哭婢宜隨男女哭從白幕夾障之外而近世在喪車之前有若引路然者行之已久何妨從俗耶 答任憲晦

南氏曰從柩必步者何也或曰古者喪車驅之不疾恐尸柩有搖動也車行徐則步者能從矣今俗主人以下皆乘走馬以喪車疾馳則爲能事不獨有乖於步從之意尸柩動搖不以爲念未知如何也 備要補解

路奠

問家禮停柩奠是親賓之奠而世俗因謂之路奠雖無親賓之奠自主家設奠南溪曰此漢中所無但五禮儀親賓駐柩而奠註云即路祭似因此而誤也況路祭本 國恤所行其在士大夫尤不可自家別設以犯僭逼之患 禮書答記

賓客

丘儀賓客皆柩前哭再拜 備要 聞 五禮考證

南溪曰既往會其葬則臨壙而哭固當拜則惟新到者或辭退者有之但家禮有賓客及甚辭歸之文與今俗不同未詳其義 五禮考證

窆

轆轤

近齋曰古今不同且禮有通上下用之之具沙翁之以轆轤載於備要或以此耶 答梅山

柩衣用否

渼湖曰偯矜柩在殯則無更設之文至啓殯即更設然則喪之用矜以其形之露耳在殯而形不露則不用啓殯而形又露則用之棺之入壙宜與在殯時同故往歲見喪審不用 類輯續編

竹庵曰偯衾見士喪禮農巖語錄謂不用 不用於葬 爲宜恐得禮意 類輯續編

近齋曰柩衣近日人家多不用之從俗何妨 答梅山

玄纁

貞庵曰銘旌則用綃柩衣則用紗爲計而玄纁則或言當用廣織等高品或言當用紗綃等輕品欲用輕品者欲與銘旌柩衣相稱也二說孰得禮云玄纁用丈八尺云云陶庵曰丈八尺似是十八尺周尺則考見家禮輯覽尺式而依朱子說爲可耶高品輕品二說俱各有義而愚見則相稱之說似好 類輯續編

黎湖曰諸先生之有說固亦知之而其敢不輒從者以其於開元禮奠於柩東之奠字與家禮奉置柩傍之奉置字皆爲說不去故耳柩槨之間以其狹則間不容寸以其深則甚底而止苟以柩矩柩傍認爲柩外之隙地必入玄纁於其間則是落陷之而非所謂奠與奉置矣 答洪師伯

三山齋曰玄纁說古今禮制不一而先人則每以儀禮實于蓋中之文爲主故家間所行於柩上中半處右玄左纁以奠之 答兪擊汝

問公贈玄纁是命士之禮則不命之士與庶人雖闕贈禮未爲失耶 徐有晉 竹庵曰以古禮則然 類輯續編

又曰丈八尺舊制周尺一尺當今針尺四寸弱蓋其長針尺七尺許 同上

李氏曰既夕疏幣用玄三纁二而家禮用倍數者蓋古禮二端爲一疋而玄三疋則六端也纁二疋則四端也合十端是爲十制而爲一束家禮則直以端數言之而謂玄六纁四然則文雖異而實則同也 家禮增解

屛溪曰主人贈玄纁後再拜者爲贈而拜也如尊爵則拜也餘人則不敢拜也在位者皆欲哭拜則無於禮之禮後人任自擅行非謹

殿之道也 類輯續編

問下棺掩土于古永訣主人因贈而拜餘無拜辭云云中略 厚齋曰主人之拜非爲永訣因其贈禮而拜餘人則當依家禮哭盡哀而已 類輯續編

李氏曰既夕禮主人襲贈者以贈下棺有袒故也家禮則既無袒又無襲而今人或有臨贈而袒者誤也 家禮增解

陶庵曰贈玄纁時盥手世俗例多行之或云喪禮備要別本有之云未知信否

問儀禮藏苞筲于旁註曰棺椁之間家禮神主圖式註曰竅其旁以通中又襲奠註曰夜間寢于尸房發引章註曰主人兄弟皆宿柩傍皆是傍側之房然則贈條柩旁之房與此四房字當一視而無殊矣據此則玄纁置之棺椁之間無疑或者據柩東二字置于柩上東邊甚不是 李氏衡一 厚齋曰證辨明白 類輯續編

本庵曰尤庵曰玄纁置柩旁蓋棺椁之間也若置柩上則何論旁按既夕禮贈不言所置自開元爲靈座於柩東帷內柩東而幣從之書儀言柩旁而不言左右備要沿開元而言柩東尤庵之釋柩旁爲不可易又按玄纁是束帛則自當同束玄加纁上耳 類輯續編

雲坪曰柩上是何等嚴敬地而可以物薦之也只當從禮納于柩之東旁椁內也 類輯續編

竹庵曰士喪禮公贈玄纁實升實于蓋柩上蓋 窆時只應如此置于柩蓋上敬君賜也今則主人私贈也置之柩東隙地似亦有說 類輯續編

近齋曰玄纁之用綃固近禮而不侈不儉實無妨矣魯人贈玄三纁二蓋取三天兩地之義用五數而玄則奇纁則耦也後世各用一者似是從約也 答梅山

老洲曰贈玄纁一節固可疑然既夕禮公使宰夫贈玄纁束君贈也贈用制幣玄纁束主人贈也而賈疏却以主人爲重君物遂打成一片令人眼眯愚意後世宰夫之贈廢而制幣之贈獨存家禮特揭主人贈恐亦以此然未見先儒之說可據故不敢自信已見近著



讀禮通考有盛氏說與鄙說相總始知前人亦有如此看得者無論疏說之得失朱子既以主人贈載之家禮我朝諸先正亦未之或改到今不可擬用乎勢於其間反爲鐵讖矣 與玄甫

又曰玄纁之奠諸說不一而惟柩上東玄下纁恐或可據故鄙家依此行之而至如束帛之云即玄六纁四各以色絲束之之謂恐非謂同束也 答梅山

剛齋曰奠玄纁吾先子主家禮而以柩上之說爲無據鄙家遵而行之而但於柩東上玄下纁從開元禮也 答鄭

李氏曰玄纁若以陰陽言之則玄屬陽當居左纁屬陰當居右以上下言之則當玄上纁下矣尤翁所謂玄右纁左只主於上下之義而言也蓋地道尚右故也 家禮增解

梅山曰玄纁位置家禮所云柩旁之旁未見其爲棺椁之間奠于柩上之東則庶乎同符儀禮家禮之文從尤庵說分奠玄纁柩旁左右恐不害理而棺椁之間非奠幣之所且欠來歷未敢信及者殆以此也 答李欽倍

又曰雜記魯人贈疏曰贈謂物送亡者于椁中也然則贈幣爲亡者也拜爲贈幣也斯禮也恐無與于后土之神 同上

又曰士喪禮曰公贈玄纁束又曰主人贈用制幣即制幣二字而可知君贈主人之界分自異也賈疏以主人贈爲君物者其言無稽士喪禮襲飲陳衣必區別庶襚君襚明非主人所俱豈有君贈而混稱主人哉且禮拜衆賓而不拜棺中之賜許人自致其情也君命實幣柳中自合以之納壙是存君恩也豈容主人還出之柳中而拜而贈之爲若已之所具哉君贈親賓贈之外別有主人贈無疑此家禮所以特書主人贈也 答林宗七

按玄纁從儀禮則實于蓋上從家禮則奉置柩傍而棺椁之間終恐非奉置之所則無寧從儀禮之爲寡過也

銘旌隨柩

竹庵曰銘旌之隨柩入地禮有其文雖或從俗書於柩上銘旌則不可燒當置柩旁

誌

續事始齊太子穆妃將葬儀立石誌王儉曰石誌不出禮經起顏延之爲王彌作墓誌遂相祖習魏侍中繆襲埋文父母墓下以千載之後陵谷遷變欲後人聞知但記姓名歷官祖父姻婭而已若有德業則爲銘文王戎墓銘有數百字漢杜子夏臨終作文命刊石埋墳墓前墓誌因此始陶庵曰今用燔磁制極情好從俗爲宜且依俗制用片灰刻字亦可 類輯續編

又曰若用燔誌則盛函而埋之或以木櫝盛之以石灰拌勻者塗其上下四旁尤好 同上

李氏曰古則不諱父祖之字故於此母誌舊父之字而云某甫今世則名與字諱之則同恐未必舍名而書字 家禮增解

梅山曰始葬及改葬誌石當埋於天灰上近南而追埋者若值改莎則封墳中奉安恐宜是家禮所云壙內也若難待改莎則埋諸墳前家禮所云壙南也家禮用磚下鋪上覆而追埋者恐不必用磚燔磁缸覆蓋斯爲通行之例也埋安時不宜告地神只告當位 答尹致麟

又曰埋誌在葬時藏明器之後實止於前故家禮備要之無告辭卽以此也埋在追後則措辭告由近世之所通行也告辭頭辭當依原祝式其下當曰墓誌銘受某官某公之文事力不逮今才燔燒謹埋壙南用寘泉途謹以酒果用伸虔告謹告 答徐舘修

丑時下棺朝哭奠

近齋曰昏後奉柩上山則上山後當爲夕哭下棺雖在丑時待丑正而爲之則自丑初朝哭朝奠可以連行何至掣礙耶露寢一節除之恐無妨 答金敬欽

毛髮落齒追埋

梅山曰問亡者手髮落齒追埋近齋曰當埋墓側



葬時在家人望哭

梅山問葬時在家人望哭之節近齋曰望哭之時設虛位則當有拜禮

葬時拜賓

老洲曰葬時拜賓禮則然矣若非主賓皆知此禮之當行者亦難强責 答南大任

李氏曰既夕禮乃窆條主婦亦拜賓註拜女賓也云則古者女賓亦會葬 家禮增解

又曰家禮柩至賓客卽退與古待盈坎從反哭之禮不同可疑 家禮增解

題主

李氏曰據公羊疏則古者練主用栗蓋以周制社主既用栗故廟主亦用栗耳然則夏殷松栢亦然歟 家禮增解

韜籍

巍巖曰紫緋乃當時所貴尙也先生既取之則便一成典遵用恐宜 類輯續編

竹庵曰韜籍書儀所載而朱子於家禮不取丘儀祠堂本章下亦無韜籍之說則今之必用此者蓋彌文也 類輯續編

梅山曰韜籍合縫之留末不縫者欲令幷韜其趺也斯義也沙溪載諸家禮輯覽而今人或祇距趺面不幷韜者爲非 答任憲晦

題主處所

竹庵曰墓所題主雖載家禮而朱子曰今喪禮須當從儀禮更合商量發引時有倚重於廟門之文重卽今之魂帛也重不隨柩則返哭而立主如開元禮實合經禮之意 答李在徽

又曰開元禮返哭主人以下出就次沐浴以俟虞虞主用桑木云云此禮頗近古返哭後題主卽行初虞恐得 同上

又曰殯宮設几筵處是神之所依也如使古之爲士者立主則雖非殯宮從設几筵處題主 類輯續編

問到家題主亦有題主奠乎 成人 竹庵曰題主而即虞 類輯續編

題主時雜儀

南塘曰對卓置盥盆帨巾謂對洗筆硯所置之卓而設巾盆也非謂對置一卓也設卓西行而曰對卓則似設巾盆於靈座西南而又曰如前則自欽至遣奠設巾盆於阼階下餠卓之東今亦當在靈座東南矣 類輯續編

行第

厚齋曰第幾云者人有親兄弟從再從三從兄弟以何爲準南溪曰三從是有服之親當以此爲準 類輯續編

近齋曰第幾神主云者中國每稱行列次序如韓昌黎所謂十二郎之類是也東國則不然能既於男喪不用則況於女喪乎只書故某封某氏諱某字某神主爲宜 李載璉

皇顯字當否

尤庵曰加顯字於考妣上者胡元制故吾家避胡之制於神主粉面不書顯字書只考妣字祝文依家禮文加故字於考妣字上陷中不書第幾 類輯續編

魏嚴曰家禮今本則初無皇字又顯字是胡元之制也尤庵於此審加去取後學當遵無疑 類輯續編

又曰顯字不害義意嚴謹恐不害爲是尤庵未發此義之前人家諱則不用也既發之後則當亟改無疑 類輯續編

雲坪曰家禮本文考與祖皆稱皇考皇祖考至元時省郎禁止皇字故元儒作家禮圖代之以顯有國諸賢或以爲元制不可從於神主只書屬稱或以爲顯之言出於古朱子祭先祖亦嘗稱之不可以胡元之故並廢其文愚按究觀顯字雖出於禮記然乃古人之廟號所謂考廟王考廟皇考顯考廟者是已曲禮祭辭曰王父曰皇祖考王母曰皇祖妣夫曰皇辟此與他經記同其爲周公之禮可必也以故朱子從之彼虜不識義理縱自令於其國安有士君子行禮不從周公晦翁之言必從胡元之令者也余觀前賢古祭文多稱皇考何故不以題主而獨有稱於文也然有欲變古之俗而從其禮者如非庶子之子始在親喪之日即以題主也其勢亦不可得耳 類輯續編

屛溪曰皇與顯皆明字意但顯字出於胡元故韓陽先生不用之第顯字自韓魏公用之用亦不妨雖不用顯字直書考妣字乃家禮也何可謂之未安 類輯續編

近齋曰禁皇字用顯字雖是胡元之制而顯考之稱既見於古禮又於朱子吾先祖祝文有惟我顯祖之稱則非胡元所創顯字亦無所嫌故備要加顯字耶尤翁雖欲只稱考妣而此恐有難行者姑且從俗用顯何妨 答梅山

老洲曰皇顯二字俱出於古禮而皆是美大之義也故家禮舊文稱皇考皇妣朱子祭先祖又稱顯祖然則皇與顯俱朱子之所取也胡元之禁皇字不得用只稱考妣者誠陋矣 皇明以顯字定制著於會典而我東遵之若謂胡元之創而不用恐是考之未詳也 答支吉

李氏曰周元陽祭錄云稱所尊皆皇今避皇之號言顯可也又韓魏公位版亦用顯字然則顯字之用流來亦久然考諸祭法顯考本是高祖之稱曾祖以下不宜稱之皇考是曾祖之稱而皇字又爲通稱之語士虞記稱祖曰皇祖士昏禮曰皇舅皇姑曲禮云祭王父曰皇祖考王母曰皇祖妣夫曰皇辟朱子亦稱父爲皇考然則家禮舊本之用皇字爲是而胡元大德年間禁用皇字故改顯字丘儀亦遵用之然家禮題主條及時祭以下祝文皆只稱某親而都不用皇字故字尤庵答曰好禮之家嫌於胡元之制從家禮別本只稱考妣云而尤翁家亦依此論只書屬稱矣



梅山曰顯考之稱雖是胡元之制而既出於古禮又有朱子祝文非胡元之創行沙翁所以載諸備要也尤翁雖欲祗稱考妣亦無可稽遵備要用顯字恐非可易也 答或人

按胡元之改皇爲顯果無依據則 皇明御字當用夏變夷而以其出於古禮故著之會典以爲定制則便是 皇明之制恐當遵用也

考妣之考字 府君之稱

問考妣之考字 李定載 本庵曰考成也見爾雅疏 類輯續編

雲坪曰府君漢以後俗稱耳 類輯續編

陷中

近齋曰陷中甚窄字數多之職啣雖容盡書則鎭官勢將不書 答梅山

又曰生卒年月日時書於陷中愚未嘗聞也從俗謂以久遠圖之多創禮所不言之事恐甚未安 同上

又曰婦人神主陷中書諱禮也若不知諱則當闕 同上

又曰婦人神主陷中只書名諱而不書某人妻者書名可知爲某人妻蓋古者婦人以名行與男子無異故也今之婦人名字常時不呼喚故左右有此疑也 答黃鍾五

書處士徵士別號

陶庵曰神主稱別號雖無例恐不害於義況有程了之言乎但處士之稱不答於已仕之人雖曰處郷不仕謂之處士則未也題主以府君爲之壙中銘旌亦去處士字爲得 類輯續編

先實職後贈職

竹庵曰書銘題主及表石先實職而後贈職無妨耶黎湖曰先贈是俗失 類輯續編

老洲曰行職生時所踐歷也贈職死後所追贈也先行而後贈以前後爲序也先贈而後行以君恩爲重也兩說俱可據而愚見則如銘旌題主似當先贈職耳 答李元信

梅山曰行職贈僻俱是公朝之賜則先贈後行實無意義退溪所謂先後倒置者以此也宋朝則先行後贈故朱先生於吾先文字亦然沙溪尤庵之所爲遵也然先贈後行已成通行之禮戶籍試封則不容不從俗不爾則易歸於違格告祝及題主則先行後贈仰述朱子恐宜 答李升淵

按生而行職死而贈職則先行後贈於理爲順無論先後一贈字可著君恩之重何必倒書而後爲重耶

婦人之從夫職各有封號國典也特淑夫人以上有誥命以下無贈誥今以無贈誥而不題當稱之封號烏有其從夫職之義哉改題時措辭以告而題之恐不違理矣 答閔泰鎬

剛齋曰除命若在生時則當者雖未及聞知告由而題主似無不可而若在死後則恐不當用之葬前葬後之或說未知有據而朱子待制之命又非可援而爲說者也 答柳命基

梅山曰曾經假注書者去假字於銘旌題主將作官上恐不必加假字非可書于移事者也 答金幼書

婦人題主

厚齋曰婦人題主不書姓貫當從家禮又何疑焉先代神主既有所書則未必改題之前恐難先爲拔去來示告辭者得之 類輯續編

問前後娶姓貫封贈一一相同則疎遠後孫無恠其先後亂次陷中以前妣繼妣書之如何 尹聚東 竹庵曰陷中不當書考妣字書前妣

僭稱號

漢湖曰婦人題主不書貫尤翁有定論遵而行之有何不可 類輯續編

梅山曰古者不娶同姓故婦人不書姓貫東俗娶異貫之同姓故書貫以別之旣是異姓則當不書貫用遵古禮且買妾不知其姓則卜之豈有知其爲同姓而爲妾者推此義也妾喪尤不宜書貫雖無封爵只書姓氏恐是 答李文義秉瑶

子喪題主 與下題主祝參看

竹庵曰子喪題主愚意有官則從同春只書官無官則從沙溪只書名然後有實職然後方可謂之官以有耶資而不書名恐非 類輯續編

近齋曰亡子題主據禮則當書名而近來人家多有不書名者未知如何 答朴景宇

又曰題主則書名嚴愚於此不敢不從春翁說耳 答老洲

梅山曰子有長衆之名題主則統稱亡子不分嫡庶至若妾子則當加庶字以別之苟非然者相混於嫡妾所生之支子故也 答尹光演

子婦喪題主

三山齋曰題主只云子婦則與亡室亡子類例不同謂之亡婦則可矣而婦字兼兩儀今人皆稱子婦鮮有稱婦者其在別嫌之道未若直以亡子婦題之若以子在而恐加亡字於子上則世俗無理見也何足拘也 答近齋

近齋曰子婦喪題主不書亡字而只書以子婦某氏神主有寒水先生說依此書之似當 答尹書大

又曰子婦雖有嫡庶題主及祝文不當書第幾蓋稱以某封某氏則亦可分別不必言冢介也

又曰無論同宮異宮父皆主之者尤翁有定論右說亦然舅主婦喪則題主與祝文皆子婦書 答谷弟

老洲曰題主以備要所載考之則當以亡長子婦書之故鄙家則曾以亡子婦書之矣近俗慝書亡字於生存之字之上或只稱子婦某氏或稱冢婦雖非饒正之道旣有他家已例擇取如何 答書餘

梅山曰先妣喪先祖考主之循近齋說以亡冢婦題主矣 答李文義秉瑶

弟喪題主

近齋曰兄主弟喪題主據古禮某甫之文則似當書字而近來則多不書字蓋古者不諱字後世諱字故不書字亦不名尊神之意耶此正所謂古今異宜者也父之於子題主當書名而近世亦多不書名云以此推之兄之於弟題主亦不書字似無妨矣只書某官無官則以通德耶學生之稱書之宜矣 答金治淳

殤喪題主

近齋曰殤喪題主陶庵欲於亡字下添一童子童子下當書名耳近世亡子題主或有不書名者而童子則題名何妨 答朴景宇

旁題

屛溪曰宗子之葬其子雖在乳下當成名而題主既以此兒題主則便是承重祖題練祥之時亦以此兒主祝以爲孝孫某年幼不得將事于某敢攝昭告云云可矣 類輯續編

老洲曰禮有以衰抱之文亡人既有八歲兒已過抱衰之年矣豈可拘於俗忌不以此旁題而用攝祀之制耶苟欲以禮從事則拘忌二字若不得不須問人矣 答朴康壽

問人之名孝孫者其孫旁題何以爲之 尹聚 竹庵曰或去孝字只稱孫耶

三山齋曰旁題奉祀字人家皆於奉字上空之今從之似宜 答金聚汝

單行書之

南塘曰主御當單行書之字數太多則畫減其衆稱字數不可兩行書之 家禮汲流疑錄

題主奠

陶庵曰題主奠之盛設如殷奠者實流俗之弊也依家禮斟酒而已於禮得之告辭以主人名而斟酒用祝著豈非以主人哀擄之心且未及畧淚潔者耶 類輯續編

南塘曰主人以下皆當再拜獨言主人恐闕文也家禮無題主別設奠之事而後俗多行之恐非禮意神主旣成急於安神日中而虞始舉殷禮殷禮即爲神主新成也其間別奠既無意義一日再享亦涉煩瀆矣 類輯續編

剛齋曰題主獨言主人再拜者似是告者是主人故也然神主初成衆主人以下有不得不拜此所以有儀節之文而備要引之耶 答鄭

渼湖曰夫人喪禮題主不別設奠只改斟酒 類輯續編

近齋曰無奠斟酒禮儀甚妙神主初成憑依之前不可行祭故無奠祝辭不可徒讀故斟酒其義豈不精覈耶故無奠祝辭無尙饗二字何疑 答梅山

又曰題主奠非禮也尤翁說謹嚴當從旣曰非禮則何以爲情禮之不可已者乎 同上

老洲曰題主殷奠俗禮也飯羹尤無義 答兩大任

洞山曰題主後返魂時亦以題主奠所用之脯納置于要輿而相接設之 疑禮正解

顧齋曰題主奠時主人拄杖向神位而哭恐非禮意禮曰哭柩則輯杖哭殯則杖又曰奉柩朝祖之時主人及衆主人歛杖不拄地自殯至葬主人兄弟宜悲迷惻怛哀勝於敬而當見柩出柩之際必輯其杖矧惟送形九原迎精成主於爲上哀爲亦之時反復向神位拄杖而哭無乃非禮意乎 常變通攷

題主祝 告子弟祝並同

陶庵曰祝文不焚與不犢同義同處祝焚之似得通變之義 類輯續編

南塘曰祝辭不焚似嫌其有鎖散飄蕩之意不焚則懷之之外無可處置矣謂之全無意義則恐未必然 類輯續編

老洲曰書儀凡祭祝讀畢懷之而起家禮因之而他祭皆畧其文惟題主祝獨存懷之之文書儀未出之前先輩或有疑其別有他義因此而有主人懷之者耶 答兩大任

柳氏曰懷祝之文始見於書儀如昏禮告辭小祥卜日及時祭皆云懷辭或云卷辭懷之家禮盡去其文而獨存於此者抑有意深於其間耶 常變通攷

厚齋曰先師答或人曰告弟云弟某甫則書名無疑但聞近世知禮家於亡子神主猶不書名云於弟祝姑闕其名容或爲參酌得宜處耶不敢質言先師此言疑而未決之辭若不書名則已若書之祝與主無異 類輯續編

潛冶曰父之於子也則稱名而兄之於弟則既冠字之生時既如此祝文亦當不名所示似當 類輯續編

南塘曰兄主弟喪神主書名古也不名今也兩皆無妨朱子已稱亡室則亡子亡弟之稱自是一例亡字亦去寄於備要從之亦可也 類輯續編

雲坪曰備要兄之告弟父之祭子皆名之周元陽祭錄則曰兄祭其弟云弟某甫同春先生題其子之主曰亡子某官神主是三者相異蓋某甫字也二十冠而字禮則固未字之且然率吳而鬼事始備故冷神之主字可從之亡之意雖冷比幼神之祝亦名也然兄之告弟自八歲以上何可名之也若父之祭子則成人固可以字之某官之稱不暇於太簡乎雖然古今異宜亦未有明言父於殤子亦造字而祭之未有字者雖名亦何害也至於亡子父與兄弟與子皆當稱故 類輯續編

題主後趺傍坼傷者處變題主

三山齋曰神主既成因趺傍之有傷旋復改造甚未安無已則只改趺傍爲得耶蓋趺傍只以安乎主身自輕重固不同也以趺傍譬人之肢體者似不審古人作主之意欲神之憑依乎此而非象神而爲之也既非象神又何肢體之有其說近於白撰矣 答金毅集

在鄉造主題面京中族亦爲造送

近齋曰禁之可也若置之以俟後用則恐有預凶事之嫌 答梅山 預凶事之嫌故禁之可也 答黃州吳在斑

當以紙榜行虞卒非禮

梅山曰紙榜行祭祗可施於支子家祔祀而已用當神主仍行虞卒是爲非禮且神主既成云云非可行於紙榜者題主奠當廢已矣 答尹致羲

穎西曰紙榜設祭朱子亦嘗之其來久矣此非出主也乃設位也當稱神位無疑 答朴宗興

成墳

近齋曰墳墓崇四尺之制自吾夫子始而必用四尺其義未詳 答梅山

留子弟監視

南氏曰防墓崩孔子流涕曰古不修墓或問伊川曰孔子爲墓何以速崩曰孔子先反修虞事使弟子治弟子誠敬不至爲之不堅固故也據此則可知古人先反留子弟監視也而子弟誠敬不至或有墓崩之弊則不如孝子之親自監視此可爲孝子親監之一證也 禮書箚記

墓左奠

竹庵曰禮葬入舍奠于墓左 四平之祭 蓋祭體魄者而後禮體爲山神祭 類輯續編

又曰墓左奠三拂壙後直其壙左設奠即位哭行事如常禮而已 同上

又曰墓左奠是爲墓祭之始註家謬說爲山神祭鄙家從前平土後直於壙左設奠而無祝柔示所謂墓左欲無祝其亦出於此意否 同上

又曰家禮后土祭原於喪儀而喪儀引檀弓舍奠墓左之文然舍奠墓左實墓祭之始而非祭后土也若祭后土則地道尙右當於墓右不當於墓左也却緣註說之謬以創後世之繁文 仝上

又曰近世墓祭必墓前此爲疑古者飯含可米從尸南不留足朝祖奠留西階避其足今祭墓前直當尸足左古人則恐不然則曰舍奠于墓左云者爲祭墓之始而奠于墓左者其以東向之位與墓一體歟 仝上

按竹庵以墓左奠爲祭體魄以註疏所謂祭地神爲非豈以葬禮祭地神不見於經文耶然墓祭亦非古禮則何可以墓左奠斷爲祭體魄乎檀弓曰有司以几筵舍奠于墓左反日中而虞又曰虞以立尸有几筵則此几筵似皆爲亡者設可爲一證耶

讀祝時告者立

問讀祝時告者立可乎凡祭讀祝無主人以下跪伏之文祠堂章亦云立於香卓之南南溪曰讀祝時主人跪者出於儀節故家禮無此文 禮書箚記

碑碣

問人自少用力學文及其沒而士友嗟惜稱以處士其墓表特書處士 申光秀 厚齋曰似好

厚齋問曾見靜庵趙先生祖墓有短碣是南袞所撰爲靜庵後者似當曳而仆之尤庵曰此既靜庵所立今難曳仆舊碣者誰耶厚齋曰字畫漫滅故不能記尤庵曰因此漫滅改立他石似好 類輯補編

黎湖曰表碣之設或說得之無官之人雖或有有碣者然必有贈職然後方爾若並贈職而無之則恐不得立碣矣撰人官職則當從其撰時矣 答申光遠

又曰苟是有學行名聞人則墓表以其號齋之古今必多有之處士之稱亦無不可家禮以處士題主可作旁照 同上

朴醇問碣面或有直書姓名者或有只書某公之墓者何者爲得乎旅軒答我國古人之墓亦有直書姓名者而涉於未安故今人只書公字錄其名於碑陰 禮書類編

南氏曰墳前表石書大字於面者似昉於季子墓前夫子所篆延陵季子之墓程子墓前文潞公所題明道先生之墓陳同甫墓前朱子所題龍川先生之墓者也此所以表其墓故曰墓表其背有文則非古 禮書箚記

梅山曰古者宮廟皆立碑以識日影而辨早晚宗廟則又繫牲祭義所以牲入麗於碑也秦漢以來刻石記功德而曰碑蓋始於李斯之嶧山頌耳後世墓道碑碣無尊卑之別大曰碑小曰碣而其體則一也國典只許二品以上神道立碑而位當建大碑者亦用碣焉是則出於嫌約可遵也贈二品者不許立碑既係邦憲又有尤美兩賢成訓曷敢有越乎尊門贈職既是亞卿則舍碑取碣恐爲得禮也朴松厓贈以正卿則用大碑固也大碑用否惟係所贈二品正從之分耳若經府尹則雖未躋亞卿亦用大碑以府尹之爲二品也 答金平默

又曰神道之名緣自霍光傳楊震碑首題太尉楊公神道碑銘地理家以東南爲神道因立碑其地而名也國制二品以上得爲神道碑以下則爲碣碣者卑碑體而孝小槩雖致位公孤者或不以碑而以碣從約也家禮通貴賤只用一碣是爲貴得同賤賤不得同貴也墳前石柱石床亦通貴賤而賤者則不敢立石獸也石人只樹於陵寢而大夫士庶之墓不用久矣 答金平默

近齋曰山靈木怪所接云云俗忌也石人備要有之家禮無之用亦可不用亦可 答梅山

李氏曰今俗貧不能具設石及石物者或有設床石而稍高其制橫刻其額之文於其前面者矣 家禮增解

高氏曰殿記王石人四 文二武二 石虎石羊石馬望柱各二 一二品石人二 文官用文二武官用文一武二 虎羊馬柱上同 三品無石人而餘上同 四品無羊有虎馬柱 五品無虎有羊馬柱 六品以下並無又按我東士夫不敢用石獸疑於僭也而用石人望柱石人必象金冠朝服士庶人墓前何可有金冠朝服者左右侍立乎視國制五品之禮用石獸望柱不用石人似可 禮書箚記

問冢柱石世以爲繫牲者有據耶南溪曰繫牲之說出於古今銘辭蓋依廟中有碑而言於墓則未知有據 五禮考證

合葬

前後室合祔當否

陶庵曰今俗品字之制非禮之正也元配祔繼配葬於別處有先賢定論而人鮮有行之者可歎 類輯補編

屛溪曰品字墓考位奉于中則前配右而後配左 同上

梅山曰二妻祔者男位居中左右祔焉者世俗通例而品坤以兩婦挾夫爲雙夫一位婦一位左右既分雖三五婦當同一位斯言恐爲得禮 答趙秉

又曰所謂合葬者以婦祔於夫也故曰百歲之後歸于其室今人生存而合前後妻之葬葬何所祔乎虛其中而兩配雙墳則可矣前配舊墓告辭夫當主之而用改葬祝不當云合葬新葬位亦不可既及元配夫在無兩配合窆之義故也 答李道用

又曰兩配下柩當在一時耶元配先葬則事易盡墓繼配甄虞當不出是日以先重後輕之義先奠元配墓恐宜 同上

合葬時告先葬

陶庵曰告先葬當在於祠土地之前 類輯續編

樸泉曰只行合祔則無告廟位備要只告於舊墓而祝曰云云今爲顯妣某封某氏合祔玆宅將毀旁左旁云云問解父喪中改葬母告墓許主今自告則今曰告明矣 同上

竹庵曰合窆告先葬告辭云云黎湖曰年月日孤哀子某使子某敢昭告于顯考某官府君之墓今爲顯妣某封某氏將行合窆之禮不勝感痛謹以酒果用伸虔告謹告若以服輕者替行則直以孫某敢昭告云云亦何不可耶南溪禮說未見喪人之必爲自告 同上

梅山問父喪告先葬母墓既無宗族代行者則當用異姓之親而不可以異姓之親屬稱而告之故主人自告告辭曰云云孤子某使某親敢昭告于顯妣某封某氏之墓先某官府君以某月某日捐世禮當合窆云云如是措辭未知如何老洲曰來示恐得之矣

合葬者當夫右婦左 通穴并論

梅山曰地道尙右故合窆者當夫右婦左而或拘形家之論易其左右之祔者多矣葬祭設饌祇當尙右尙左者乃所以正祔左之失也 答金正洙

近齋曰通穴一節雖不見於禮以此而驗舊壙災害有無則行之無妨 答趙大鎭

雙墳時舊山告由

近齋曰歲月日干支敢昭告之下曰某親某封某氏不幸於某月某日捐世禮當合祔而年運有拘將行雙墳之制不勝感愴謹以酒果云云者當用親族之人 答李敎穀

祔葬

先塋告辭



渼湖曰告先塋當以最尊位爲主 類輯續編

問葬時告先墓只依問解所錄矣或言告辭上下宜有頭辭及謹告字 或人 厚齋曰有頭辭者祝辭式也此告祝所以有分也末端謹告字書之恐宜 類輯續編

近齋告先塋時當以新塋及還祔之意并告而葬地遠近同則告于最尊位遠近不同則當只告同穴之尊者是南溪說依此行之所造先墓位若是宗子家所主則當以宗子名書告辭宗子雖不得躬往當用使某之例 答金敎

又曰告辭問解所載似太簡畧南溪說茲錄呈依此用之如何告子或尊位及當合窆之位爲宜 答三從弟鶴源

年月日某親某 從告者屬稱 敢昭告于某親某官府君之墓考妣列書今以某親某官 或某氏 祔葬先塋謹以酒果云云 右告先塋

年月日某親某敢昭告于某親某官或某封某氏之墓某親 隨所稱 已於某月某日捐世將於某月某日行合葬之禮不勝感愴謹以酒果云云 右先葬位告

又曰祔葬時告先塋不但於最尊位遍告同岡累代諸位耶葬子婦於先塋內而舅姑墓則不當告耶既曰告先塋則舅墓似不當告而但亡妻於新葬者爲姑葬婦於姑側而不告其姑似涉昧然未知如何 答三山齋

梅山問祔葬先塋則當告最尊之位而新塋之上又有次尊位則亦將并告耶穎西曰祔葬先塋則諸尊位皆當告梅山曰葬地遠近同則告于最尊位遠近不同則只告同岡之尊者通行之禮而先塋只是一位則相距雖遠恐不容不告也先葬位雖未行祔左之禮恐亦當告告時或用服輕者而喪人躬往則亦宜自告以與廟事不倫故也 答鄭俊衡

三山齋曰先塋告辭當書亡者之名蓋於祖先之前不敢有所諱也年月似亦依祠土地例而備書之 答金敎政

近齋曰告祖先書亡人名諱祠土地亦然今俗或有不書名字而非禮之正也○亡人官啣飜書不必書此亦有先賢已行之例 答金遠石

又曰祔葬祠后土告先塋當同日行之而此與墓祀時不同當先行祠土地之禮 答梅山

梅山曰葬時告由用酒果在墓則薦在廟則不薦不薦者爲殷祭也薦者爲營窆也各有其義也 答尹饗善

父子並死同葬一山者先塋告辭

梅山曰祔葬先塋者當告最尊位而父子並時而死同葬于一山則亦當一祝並告告辭當云維歲次云云今爲某孫某官某某孫某官某營建宅兆謹以酒果用伸虔告謹告恐得若是則無一日再祭之嫌 答李[illegible]

殤疾人不祔先塋之非

近齋曰或說殤疾者不許入葬先塋之論似因三不吊之說然昔有人問三不吊之喪無服與否於沙溪沙溪曰不服之言則未之見也蓋不欲言因不吊之文而不服其喪也今此祔葬一節亦何可因不吊之文而不許入葬乎且以兄亡弟及之禮言之長子有殤疾雖不承統亦入於班祔之有殤疾者旣祔於先廟則何可不祔於先塋耶 答金偕淳

反哭

反哭時辭墓當否

問反哭時辭墓沙溪斥以非禮意陶庵亦以沙翁說爲得謂不可從俗而大抵禮雖不言人情之所不得不然者則南溪說亦可據耶 李定收 本庵曰禮之無文既有義又有沙陶正論而必欲從南溪不敢知 類輯續編

樸泉曰雖云急於反虞若道遠則不可不哭辭於墓南溪說恐是禮家亦從此說矣 類輯續編

老洲曰反魂時辭墓沙溪云恐非禮意陶庵亦以爲然若以人情則南溪說有不可厚非者樸泉嘗從之若以辭墓爲是則何以成墳與否而有間也 答南大任



按反哭時辭墓既無文沙陶諸賢亦以爲不可當遵無疑第以禮意言之則迎精而反雖爲時急而以情理言之則哭辭於墓恐非可已蓋緣禮無文者爲其專意於神主也後人或行之者爲其暫時哭辭無害於反虞之速也

反虞諸節

厚齋曰以祖考之有奉主靈櫝斂櫝納櫝之說而此獨不然於發引日主箱在帛後於題主日祝出主所謂出者自箱中出也其下奉主不曰奉櫝至家而始曰入就位櫝之至家以前其無櫝可知 類輯續編

南塘曰家禮設魂帛置椅上而用箱奉神主入就位始櫝之此皆於事有所不便故備要始設魂帛即用箱奉主升車即用櫝後人因當以備要爲正然家禮之意當依本註解說要識其正義家禮說魂帛註結白絹爲魂帛置椅上不言用箱是不用箱也朝祖註以箱奉魂帛可證前此之不以箱也題主註藏魂帛於箱中可見前此之不藏於箱也始已奉魂帛以箱則安得復言以之也始以用箱藏帛則安得復言藏之耶此其始設魂帛不用箱之明證也至於奉神主入就位櫝之語意尤分明非復如文勢間斷字義迂晦者則此又非前此不用櫝之證耶夫可以箱矣而不用箱可以櫝矣而不用櫝何耶帛之有箱猶主之有櫝也櫝所以斂藏神主也斂主藏之所以神之也自始死以至反哭孝子不忍死其親故設帛也常若見其親之在座也奉主反哭也疑若其親之隨而歸家也故不箱不櫝者蓋其心不忍以其親爲死而神之也若於此時遽昧然歸之於匱斂而藏之其於孝子至痛哀慕不死其親之意無乃有所不忍耶 類輯續編

渼湖曰夫人喪返魂用靈車不用轎 類輯續編

梅山曰近世返哭時有位者設杆轎無位者設鞍馬用做王朝返魂儀者無已僭乎祇用靈車恐爲得禮 答老洲

南氏曰返哭升堂返諸其所作也主婦入于室反諸其所養也檀弓曰此堂室皆廟中返哭於祖廟也蓋發引時朝祖告行故反哭時

哭廟告返也今俗返魂無哭廟之節當依古禮奉神主於故處主人入哭於祠堂門外復詣靈座哭盡哀可也 備要補解

返哭時吊

問靜堂曰古者返哭而受吊故記曰返哭之吊也反而亡矣喪矣蓋反於家而眞志其亡其悲益切故受吊如顏丁既葬而歸慨然如不及其反而息則何得於路次受吊耶古老人言數十年前無此事近日此風尤盛云然此等處每有不免從俗者若情厚者出迎於遠地隨歸於家而吊之似爲得宜而且又未易行者主人若不審禮歸家而不受吊則又爲半上落下之歸不如從俗之爲勝耶 類輯續編

近齋曰對哭非禮而反哭時路中受吊今已成俗客既請吊主人何以辭之 答梅山

又曰杞梁妻之說已見於左傳對哭不可爲也南溪云雖出郊而迎至家行吊得之然則非但賓客雖有服之親亦當如是而俗習已痼難變無已釐正矣 答梅山

梅山問對哭非禮而反哭郊吊已成俗習原野之禮在所從畧哭而無拜耶老洲曰原野之禮從畧雖宜人之剏見者莫以爲簡慢否既從俗則亦從俗拜之未知如何

按禮所不言後賢義起而行之者出於人情之不能已也若反哭時路中行吊非禮文也非後賢之義起也非人情之不能已也何爲靡然成風遂爲不可廢之禮節乎義分深者會下可也吊於其家可也

雲坪曰反哭之吊吊位在階下非是衆主人幷肩尤非矣蓋反哭之吊哀之至也反而亾焉失之矣於是爲甚賓乃外自西階曰如之何主人拜稽顙是禮也 類輯續編

老洲曰反哭之吊禮有其文雖翼日以後苟以吊禮見則豈可無拜耶 答梅山

路中行上食



近齋曰上食既設於旅舍則何可不哭朝夕哭亦不當廢 答梅山

又曰路次逢朔望節日固當行奠但事勢不便道中且饌具難亦恐不精潔雖權停何妨若以全闕爲缺然則只設酒果似可矣 答黃鍾五

廬墓

屛溪曰魂返室堂故奉主于生時舊居孝子之不忍於體魄之遠離者或廬於墓下而蓋非禮之正也以朱子朔望往來於几筵觀之可知几筵則奉於舊第也栗谷之教蓋以後俗禮法不嚴居家守喪類多不謹則反不如廬墓之爲愈也非謂初不返魂而廬於墓也喪人身獨廬於墓則朝夕上食當令家人替行曾見芝石說以身在墓下不得參朝夕上食爲大不安矣 類輯續編

李氏曰或曰獨子而奉筵無人則不可廬墓云者不然朱子遭喪居寒泉朱子非獨子乎 家禮增解

近齋曰廬墓朱子亦嘗行之則後學遵用固無不可然終是廟重于墓長守墓側不如奉几筵日行上食未知如何 答梅山

又曰父在則有所壓且不可離父側而守母墳上 士問

按廬墓不見于經真非正禮可知也或以朱子亦嘗行之爲援而此與今時不同檀弓卒哭而諱生事畢而鬼事始已註謂不復饋食於下室特儀卒哭註檀弓曰是日也以虞易奠則既虞斯不奠矣今人或猶有朝夕饋食者各從其家法然則朱子依古禮卒哭後無饋食無饋食則無所事乎几筵故處於墓下依近體魄之藏猶有說焉今則三年內不撤上食喪人何可捨几筵而依邱壠乎

廬墓不返魂節祀只行几筵

問解朱子居寒泉望朔來奠几筵似於朔夕奠之日並能上食例行殷奠歟似於几筵

宋氏曰祠堂及丘墓俱行節祀先儒之所許雖墓在廬下未嘗以祠堂之近墓節祀只行於祠堂不行於墓所也若以廬墓之几筵近墓祀於几筵廢於墓則未知如何尤翁之意蓋不欲兩處並行節祀也 見類輯○殷書劄記

禮疑續輯卷之八終

# 禮疑續輯卷之九

喪禮

虞

問葬時晚未及復土於日未晉之前題主當於明日耶愚伏曰檀弓曰葬日虞不忍一日離也鄭氏曰虞者安也柩已去恐父母精神彷徨無所依故祭以安之也然則未實土而先題主其未安小實土而待翌日其未安大愚意當看日勢雖未及復土不得已先爲題主依朱子所言行虞祭於所館似得 常變通攷

鹿門曰家禮虞卒哭條有數處可疑按士虞禮尸入主人及祝拜安尸與饋食禮無異而家禮無參神士虞禮祝位於主人之左讀祝時亦在此位而家禮讀祝在主人之右 朱子以喪禮虞卒哭讀祝左右之異爲深得禮意恐偶失照勘 士虞禮主人在堂上東面反哭之位故祝西向告利成卒哭亦仍此而家禮卒哭告利成却東向曾子問斬衰不與祭鄭註以爲虞卒哭時則卒哭主人主婦不當執事而家禮進饌用主人主婦士虞禮尸飯不侑而家禮有侑食此等處不可不知 類輯續編

近齋曰虞是安神之義而卒哭則終其哭之事也葬前哀甚有無時哭卒此無時之哭於葬虞後故曰卒哭 答梅山

梅山曰家禮凡祭皆位于階下而惟虞卒練祥禫序立於堂上即本之士虞禮即位于堂而以喪中之祭歟祔祭則宗子主之而爲所祔祭而設故用階下之位 答任憲晦

戌時下柩初虞之節 亥時下柩並論

屛溪曰禮之意人之始死也神魂猶依附體魄及其形歸窀穸則神魂飄蕩無所依倚故纔平土題主虞而安之雖戌亥時下柩者固不住壙沒即題主行虞祭則翌與虞雖隔日相去遠近與日中而虞無異祝文則當以行虞日爲之矣 類輯續編



梅山曰亥時下柩者曷可行虞祭於是日耶若欲行之草率苟簡恐不成禮只當事辦而行之要使窆與虞相近可矣日辰則當用翌日干支不必以不出是日爲拘也 答柳穀仲

老洲曰亥時葬者題主之延至明日勢也初虞亦將隨此轉退行之於明日而不可一日再祭則再虞到家後待柔日行之如或以返家當日無安神祭爲嫌則有尤翁說可破此疑者曰再虞於道中遇柔日則當於所館行之至家之後隨値剛日而行三虞不可以至家爲斷也 答李長卿

再虞不待反哭 三虞剛柔日幷論

梅山曰體魄歸土魂氣飄散故初虞之不出是日再虞之必於道中或於所館以不忍一日離而無所歸也再祭而安之不待反哭于家自有精義存焉反哭而行再虞流俗之出於占便也曷可舍禮而從俗乎

近齋曰至家日爲剛日則當卽行三虞於是日內而先蹔或以有違質明之文爲疑欲退行於後剛日然愚意恐不然 答李毅叔

按至家而不設安神祭甚未安若今日是柔日則明日卽剛日猶可遲待若今日是剛日則何可不祭而更待剛日延至數日之久乎質明之云指當日反哭再三虞在家設行者也與三虞日至家者不可並論矣

柳氏曰卒哭而祔故取其動必用剛日三虞之亦用剛日似無其義吳氏王氏說詳矣 學禮識小

吳氏廷和儀禮章句曰卒哭他用剛日謂惟卒哭用剛日他別也謂柔之日外別用剛日也蓋卒哭之明日卽祔祔祭重于卒哭當用柔日故卒哭不得不用剛日也又曰鄭氏合三虞卒哭作句義謂其皆用剛日又以他爲不及時而葬者其說支離故正之○王氏引之經義述聞曰三復記 士虞記 文三虞二字當在皆如初 再虞下 上寫者錯亂在下耳再虞三虞是兩事故曰皆如初若止再虞一事則但云如初何得焉皆乎然則再虞皆如初當爲再虞三虞皆如初明甚鄭不悟三虞爲錯亂在下之文以三虞卒哭連讀於是用

柔日之三虞誤以爲用剛日矣

東茅不以素絲

梅山曰東茅聚沙始見于家禮通禮而截茅八寸束以紅絲則載諸始祖祭小註必用紅絲者取其文也士虞禮已不用素器則以虞爲喪祭而用素絲東茅其可乎 答李子善

設蔬果

李氏曰按士虞禮兩籩棗栗棗在西註尙棗棗美據此棗當設果行之首而栗次之 家禮增解

序立

問家祭序立男子處東西上婦女處西東上何義 朴致夏 洞山曰男處陽位女處陰位而陽以陰貴陰以陽貴故男處東西上婦人處西東上且祭祀夫婦共之故西上東上相近行禮諸親在稍遠無嫌 疑禮正解

倚杖

雲坪曰古禮設奠於堂中而主人在於堂下故可杖今則靈座同在於一堂之中而爲位亦在於堂上固不敢以杖而升此無去杖之文乃家禮疎漏處也 類輯續編

本庵曰葬前常在阼階下執杖覺有倚法自虞始有室中行事而以次倚之 類輯續編

柳氏曰虞杖祔杖皆謂喪主也未葬主人位在堂下故杖至虞乃有饗神酳獻諸禮不以杖入辟之祭主於敬也至祔則祭及所祔之祖敬稱多矣故不升鄭氏註哀益殺者恐未然蓋自虞至祔爲日無多哀何有殺乎 學禮識小

進饌之節



竹菴問虞祭進饌如朔奠云而考朔奠無其序之可據當依時祭進饌之序否黎湖曰依時似有可推 類輯續編

鹿門曰虞以後生事畢鬼事始故其設饌用祭禮飯右羹左上食則當象生從曲禮飯左羹右之設 類輯續編

李氏曰大羹之設特牲則用神禮而在薦北是爲左設矣士虞則象生人而在鉶南是爲右設今當據此二禮喪祭則當右羹羹右則飯左矣時祭諸禮則皆當左羹羹左則飯右矣家禮虞祭陳饌雖無明文此既曰設如朔奠則初喪朔奠尙用象生之禮其飯左羹右明矣備要所載沙溪所論並從時祭而左設恐失儀禮及家禮之旨矣 家禮增解

老洲曰備要要設之設饌不同備要依家禮而多出於古禮要設依五禮儀而多出於俗禮其不同處當以備要折衝然若是先世所行雖或小違於禮無大害於理者只當姑以喪祭從先祖之義處之況有三年無改之道乎 答李在慶

又曰湯之名雖是家禮所無而東俗行之已久亦難猝廢用與不用只依家中已例恐宜矣 同上

又曰佐飯食醢雖不載於備要亦皆東俗之所重則不可一切不用設之于菜醬之行恐宜而要設之佐飯卽備要之脯也或以佐飯合之于脯爲一器亦似無妨也 同上

洞山曰魚東肉西者魚陽而牲陰故以左右分陰陽且魚輕肉重而神道尊右故肉在西果品是助味非正食故還而在末酒是餚奠故在前俗皆脯在果品之上而吾家祭禮與果品同列者以非正餐也然愚意食醢與蔬菜當同列而不必同於果品 疑禮正解

酌獻之節

竹菴曰士虞禮無尸則竈是單獻不備禮而祝辭則有之矣 虞卒祔不得備禮者用此儀○類輯續編

按單獻則不成祭禮虞卒祔喪之大祭而不成祭禮則何以安神何可曰成事乎若以無尸而單獻則後世無三獻者矣竹庵說不可從也

問虞祭三獻無從質所未曉然有叔無終從並闕禮甚敢以慾祝之 尹東遜 鹿門曰從古禮改之正朱夫子之意 類輯緒編

本庵家禮集考曰先光錫上士虞曲厭之饌同特牲禮開元書儀饌如殷奠殷奠則同時祭而此奠則朔奠止言肉魚麵米食飯羹不言時祭之炙今於虞言如朔奠而獻酒無從以夫祥禮得無太略歟丘儀具炙併設進饌時恐意炙既補闕而不從於獻恐非其儀須從士虞具肝一串肉二串並陳饌標一如時祭每獻從之也 類輯續編

又曰匙著家禮凡祭無落法落之者玄石之論也 同上

又曰亞終獻不撤炙而就添之古禮有可做者 同上

老洲曰凡獻肝從之禮甚重人家三年內無論虞卒練祥必合炙稱嘗疑之鄙家則自虞每獻用肝之禮矣 答梅山

又曰每獻輒有肝從古禮也備要虞祭進饌止具炙一盤進於酌獻之前者或失於照檢而後人莫之改歟 與李兄道實

退溪曰攝主妻似不得代亞獻而行亞獻然嫂叔之嫌未知當避與否 常變通攷

梅山曰無主婦者滌器潔釜鼎具祭饌當使衆婦女爲之而亞獻則決不可攝行以嫂叔舅婦之不宜持爵爲禮也然終獻與亞獻不倫無攝主婦之嫌故朱先生許弟婦爲終獻弟婦猶然況子婦乎子爲亞獻子婦爲終獻恐無害於盡敬盡禮無主婦之家往往乃爾也 答李稚存 又曰家禮虞祭初獻條主人跪執事者亦跪進盞主人受盞三祭於茅束上俛伏興亞獻條曰主婦爲之禮如初則儀節所謂不跪不俯者未知何據而云爾也抑皇明婦人之爲禮然歟受盞祭茅等節非可以立而行之者亞其哀處從便則內外之宜應無不同而男子跪伏婦人不跪伏者恐不成儀節而不可從 答李子春

又曰主婦亞獻時無他婦女可以執事者則主人庶母與庶姪母之助主婦執事似不得已以衆子庶母於主婦前之嫌推看則恐不可行而衆翁所行已有牛翁兩賢所議則恐不當取則也女僕之不可爲執事宋示得之 答朴允言



又曰家禮亞獻以子弟而無伯叔父母爲之文然嗣以有事爲榮則固可以逮賤亦不可以逮貴乎諸父之終祭無所事誠甚缺然退溪說愚無間然矣家禮本意似爲主尊者而不與然以尊祖敬宗之義爲宗祝有司之職者豈降屈哉 同上

按主婦亞獻子弟三獻以夫婦父子常禮而言也若無主婦或無子弟則諸父亞獻何可已乎且喪祭忌祭廷爲主人奠酌而已不得一獻於父母之祭者情體俱缺雖有子弟諸父恐當一獻

拜哭之節

渼湖夫人喪禮虞卒三獻者皆外不哭 類輯續編

渼湖曰主人以下皆哭乃丘氏説非禮意也 類輯續編

竹菴曰祭必致要神之降歆也故雖於喪祭之非吉而敬在其中如虞而沐浴與哭之必在闔門後其義甚明後禮如忌祭纔進酌即其神阜前行哭大非禮義 類輯續編

近齋曰家禮虞祭初獻無主人以下皆哭之文而備要小註有之蓋錄丘氏儀節也然年前渼翁葬時吾參虞祭三獻只獻者哭餘人不哭先生平日定論不欲從小註故如此行之云矣此一節雖或從小註初獻主人以下皆哭亞終獻則餘人似不當哭蓋禮如初之文只謂獻者奠酌哭拜之節非謂主人以下哭亦如初獻也忌祭則初獻主人以下皆哭非此時則無以洩哀故也喪祭則出主後與辭神時皆有哭初獻不必哭故也 答徐孺

梅山曰家禮既云哭再拜復位哭止則可知其此哭且拜也哭且拜本自開元禮而開元禮一獻輒遂闔門故於此內外皆哭至書儀則三獻用古事神之禮而獻必哭但無餘人哭也亞獻條曰禮如初但不讀祝四拜既云如初而特書其不祝與四拜則哭亦在如初中矣且以歸祭特書三獻皆不哭者推之亦可見自虞及祥終獻之人皆哭如初矣 答李仁高

又曰成服日八就位然後朝哭之文推之則虞卒祔練入哭卽兼朝哭而言非朝哭於外而入哭於內也 同上

又曰主人以下入哭註尊長坐卑幼立據此則坐哭立哭○各有次序而以初獻註曰主人跪以下皆跪而無主人以下俯伏興之文立哭者當伏哭哭止復位辭神則當立哭祝與置祝板伏哭亦無不可近例然矣朱文亦云伏哭居瘠者伏哭亦宜 同上

按忌祭則初獻後主人以下皆哭虞祭則只獻者哭雖似班駁各有其義丘氏恐因忌祭儀而添入也渼湖所行近齋所論明白可從矣

告祝之節

問備要則虞祭以前稱孤哀子卒哭以後稱孝子家禮及問解則自虞至禫於先祖稱孝於亾者稱哀二說不同 朱道浩 陶庵曰從家禮 類輯續編

竹庵曰虞祝不欲專用古祝則用備要祝辭而哀薦祫事虞事成事之下添適于顯祖考某氏九字恐得 類輯續編

又曰古者祝式三虞卒哭亡哀子某哀顯相夙興夜處不寧敢用潔牲云云自祔至禫祥曰孝子某孝顯相夙興夜處小心畏忌不惰其身不寧用尹祭云云吉祭如饋食禮只曰孝子某敢用柔毛云云此載朱子通解則雖有前鑿云云恐當一遵朱子之意 同上

又曰普淖似謂鉶羹普薦盖指粗醢註普淖添稷云而上言香合曲禮黍曰香合則註說恐誤 同上

問虞祭祝立於主人之右 文立中 三山齋曰凶事尙右吉事尙左陰陽之義然也

本菴曰在朔日者朱子致仕告家廟文只稱辛酉朔而不繫以日云 類輯續編

近齋曰初吉行祭者不必疊書朔干支雖未見先賢所論以文理推之疊書無義來示取先而審朔似宜 答朴景學

剛齋曰月朔祝文當曰幾月干支朔日再擧干支不成事理 答曹景中



老洲曰古人重朔上干支表朔也下干支識日也文雖疊而意各有主重書何妨耶 與朴元得

又曰祭日値朔日則祝文之朔與日並書與否先輩說未能記得而愚見則並書實合謹重之意未知如何 答梅山

按古人未有朔日干支疊書者恐當依朔日辛卯之例只曰朔某干支近齋曰三虞卒哭之並稱成事者三虞則以禮成於三也卒哭則卒有成終之義 答李穀穀

老洲曰三虞成與虞事之成也謂其合先祖以安之事成也卒哭成事祭祀之成也謂其以吉祭易喪祭也檀弓䟽所謂祭以吉爲成是也 與李道實

開元禮兄云告弟某悲慟猥至情何可處弟云弟某昭告某兄悲慟無已至情如割 常變通攷

近齋曰舅告子婦祝備要果不載當略改措語用之而遂翁說祭孫婦虞卒祝曰悲念酸苦不自勝堪此祝辭通用於子婦喪無妨 答黃鍾五

梅山曰祭妾祝何可書名如祭妻乎但云君告于亾妾某氏可也統尊之義妻妾何異以亾妾題主然後可以得禮之正 答李文兼

柳氏曰家禮虞祭無焚祝之文而有事告註曰凡祝畢則揭而焚之凡祭皆當蒙此文 常變通攷

稱孤稱哀之別 與成式恭書

問母先亡而有繼母者父歿稱孤哀子乎 士寬 老洲曰母雖亡旣有父之繼室則母道且在是稱俱亡之稱或未安因念備要題主祝孤子某之下云母亡稱哀子俱亡稱孤哀俱亡乃指並有喪非先後喪而俱亡也何者凡母喪父在父爲主而母亡題祝之稱哀子者豈非先亡乎世皆不察於此認爲永感人之通稱母論父母先後之相距久遠若是永感人則輒稱孤哀竊恐禮意不如是矣

老洲曰父亡稱孤子母亡稱哀子只是分別當時見遭內外艱之稱當如慰疏之稱大至孝一例看也至如俱亡稱孤哀乃是一時俱亡之訓非以不論時之久遠先後喪而曰俱亡也 答任得汝

又曰孤哀之稱古禮非特無分亦無並稱之文士虞記云哀子某哀顯相云云雜記曰祭稱孝子孝孫喪稱哀子哀孫此不分父母喪而爲言也至開元禮始各分稱而溫公書儀取之朱子書曰父喪稱孤子母喪哀子溫公所稱蓋因今俗以別父母不欲混並之也家禮因書儀備要從家禮皆取諸是義則曰孤曰哀旣居喪所稱而隨其所遭而異稱者令引舊遠之舊喪與特服之新喪並稱非但無情意自不知者見之則是特父喪乎是特母喪乎安在其不混並之義哉 同上

讀祝時主人不跪

南氏曰諸禮皆不言主人之跪備要補以跪果得禮意歟又按題主條亦補以跪但於有事告條主人立香卓南祝主人右跪讀下不補以主人跪亦有意義耶 禮書箚記

侑食不拜

屏溪曰喪祭侑食執事爲之喪中禮簡故執事代之執事有食故無再拜之節矣 類輯續編

闔門

李氏曰士虞禮有尸則迎尸之前先爲陰厭卽記所謂旣饗祭于苴祝等禮是也尸出之後更爲陽厭卽更設饌於西北隅而贊闔牖戶是也無尸則無綏祭以下九飯三獻等禮只有饗祭祝卒而祝因闔牖戶如尸九飯之頃是通前後但爲陰厭而已無復設饌西北隅闔牖戶之陽厭矣家禮之三獻是象有尸之獻尸禮也闔門如食間者是用無尸禮也其陰厭陽厭之義陳氏所謂迎尸之前祝酌奠釋辭此時在室奧陰靜之處故云陰厭也尸謖之後徹尸薦俎設於西北隅得戶明白之處故曰陽厭是也 家禮增解

啓門噫歆



南塘曰謂以噫歆之聲告之者三也非謂以啓門之辭告之也 類輯續編

進茶不撤羹 抄飯並論

本庵曰按茶羹書儀時祭居匙箸之左此書豈亦然歟要訣從俗以熟水代茶而撤羹則熟水當設羹位而差於書儀厚齋曰進茶進羹是兩項事不相關則茶非撤羹而進之物也

李光錫曰熟水以代茶而至以撤羹代處則遠古甚矣備要無撤羹無以得歟 類輯續編

老洲曰抄飯非見於禮者然上食象生之義稟不必以非禮而已之至於虞卒祥禫備禮之祭則勿爲恐宜矣 答梅山

按茶與熟水皆是俗禮非古禮也古禮只有三獻告利成尸謖事畢而已欲古禮則茶與熟水不必進旣進熟水則抄飯恐無不可也

歛主後辭神

陶庵曰虞卒哭及小祥無遷主之事故先歛主而後辭神 類輯續編

樸泉曰三年內則主常在座故歛主後辭神自祫以後則奉主於西階卓上而出主於座故辭神後方納主於櫝其勢然矣 同上

梅山曰三年中有常待之義則無所事于辭神而虞祭特言之者是日也以虞易奠備一初祭禮故要見其祭終也陶菴說雖名曰辭神只是告撤饌之意者恐得精義 答李穉度

告成之節

黎湖曰利成告而尸謖則新禮之爲尸而設固也然至後世尸法廢而禮家仍存告利成之節者非特主於存羊而已蓋未暇他引只就見存之祭儀育之額皆爲行之於尸者如獻之爲獻尸侑之爲侑尸受胙之致嘏尸之命者 小宰暇辨

是已苟以其無尸而當廢則右項諸禮亦當在所不行何獨於告利成一節必去之乎答姑夫金公萬增

近齋曰虞祭之西向告利成自卒哭東向告利成者其取義於陰陽而分吉凶大略如來示蓋卒哭純用祭禮答兪鳳柱

梅山曰告成時祝與主人相拜非禮所不言亦無意義洛下知禮者只相向而揖已矣答任憲晦

潁西曰告成即饗成也饗不可施之於手下則祭畢而闕之似宜也答梅山

南氏曰虞祭讀祝時祝已在主人之東西面而讀故於告成不變其位卒哭讀祝時祝已在主人之東西面而讀故於告成位亦不變蓋凶事尚右吉事尚左禮書箚記

虞夕虞朝不上食

本庵曰尤庵曰日中虞則夕時自當上食遂庵曰虞若於晚後夕上食不須別設愚按過日中斯爲晚矣此據士喪記朔日不饋下室之意也若質明虞再三虞也則自不設朝上食矣類輯續編

埋魂帛

厚齋曰魂帛依家禮埋於屏處潔地爲可按家禮會成曰從實士將平壙鋪魂帛於內而埋之此時神已移於主魂帛同柩而埋也後世墓所之埋想始於此矣然此恐失禮意不可從若埋於墓所之屏處潔地或可否類輯續編

竹庵曰窩處埋帛有尤庵說而既非廟門外則終使未安勢恐不得不用魏說也魂帛同埋於葬時是魏氏堂說也乏石畢而問之而尤庵不取之同上

鹿溪曰魂帛魂之所依也瘞必埋於家亦魂返室堂之意也是以古禮埋之於兩階間矣三虞後埋之時雖出於丘儀而家禮言埋之於屏處潔地故即今士大夫家初虞即埋於墓後類輯續編



老洲曰魂帛之埋既難用古禮而埋於正寢兩階間則惟墓所最宜故近世人家率多埋諸墓側答梅山

卒哭

朱子曰百日卒哭乃開元禮以今人葬或不能如期故爲此權制王公以下皆以百日爲斷殊失禮意古者士踰月而葬葬而虞虞而卒哭自有日數何疑之有但今人家諸事不辦自不能及此期耳若過期未葬自不當卒哭未滿一月則又自不當葬答常遍致

渴葬卒哭

近齋曰踰月而葬者用報葬之例卒哭必待三月而行之爲宜陶菴說恐難從矣答老洲

老洲曰渴葬而報虞卒哭則當待三月故向以宜用來月初丁爲言矣更思之凡擇日之祭雖用丁日士虞禮云三虞卒哭用剛日然則丁日柔日也更取上旬剛日中宜祭祀日行之尤菴時祭亦用曆書宜祭祀日似合禮意矣與致愚

又曰卒哭之三月初遇剛日行之何疑有事故亦當退行答梅山

卒哭前朔望俗節墓祭

李氏曰士虞記三虞卒哭他用剛日註小記曰報葬者報虞三月而後卒哭然則虞卒哭之間有祭亦用剛日其祭無名謂之他據此設卒哭前朔望俗節若不與虞祭相値則恐無不可行之義且與檀弓其變而至吉祭註疏所謂虞後未祔遇剛日遷接其不忍其親一日無所歸之義相合矣惟墓祭則似無與於遷接其祭之意然尤庵以爲三虞後新墓之祭行之無疑恐當參酌行之家禮增解

卒哭退行

剛齋曰卒哭剛日其義無異於三虞有故退行者亦當用剛日祝辭不可以退行有所改但祭之前日因上食告由似穩答崔慶現

閏月卒哭

老洲曰所詢閏月葬者卒哭不可用閏月將待來月正朔行之之說深所未喩曾見尤翁集人有問以人家窮期不可用閏月耶答曰吉凶大事不可用閏月云者非是近世知禮之家率多以有尤翁定論不拘閏則不可以渴葬論也答沈明中

進饌主婦附論

問卒哭主人主婦進如何答李邦彥　竹菴曰斷以經禮則三年內喪祭無主人主婦進饌之禮類輯續編

櫟泉曰立酒自卒哭始用以後雖或不言自當引用同上

問進饌魚肉鷄犬產故主人奉奠米麵食飯地產故主婦奉奠耶朴觀瓦　洞山曰似然疑禮正解

卒哭祝

近齋曰雜記卒哭稱孝子恐是註說之誤當以儀禮家禮爲正答徐有曾

又曰祔與隮通用而隮字似近古字須考字書也答朴景字

又曰凡稱祖考以顯字是告者之辭今此祝中祖考從亡者而言故不稱顯似無可疑來日隮祔云云當係之於哀薦成事之下同上

祔

總論

黎湖曰非特次入廟之人而行祔恰類虞文然經傳言祔處未見其有分別宗子支子入廟不入廟之人言之至如妾與殤子之賤且殤焉而亦無不祔者是其大義在於祭必祔祖以從其昭穆而不使死者未有所歸也夫然故家禮則以喪主非宗子之文到底表以出之今以疑於處告而經闕直祭揆諸人情恐未甚安與金正萬增

屏溪曰尤翁曰古時祔必抱孫死而神靈相合無間於宗支支孫與宗孫異居則宗子主而行之可也禮記妾祔於妾祖姑祔之不可不行如此以支子之必竟不入廟無繼序與祔祖之事而不行祔祭則大失禮意類輯續編



竹庵曰按禮祔祭本爲諸出祔主祖考妣祔主之祭只爲祖孫一氣有相合之理故虞卒則告於主祝曰適爾皇祖某甫饗祔則適爾皇祖某甫下添入隮祔爾孫某甫六字並一祝中既告亡者而仍告隮祔之意於所祔之祖也故經禮則只用一尸合設饌別無從子主祔之禮矣以此意則古人於祔祭後小祥大祥一用此祝也此義之晦而不明已久而祔失本意請出先廟主又必宗孫主之各卓設饌各祝以告所謂祔之之意爲若知此義則可見祔祭與小大祥之一例而雖哭而行事無底等之嫌也類輯續編

渼湖曰卒哭明日祔爲不忍一日無所歸也若欲待練而後祔則其於不忍一日無所歸之義無已太殺乎尤翁亦有明日不能祔則又明日無妨之語矣類輯續編

近齋曰殷祭雖有夫子善殷之訓而宋子以爲凡喪祭行從周禮而獨於祔用殷禮不可故以卒哭明日而祔載於家禮然既不及行於卒哭之時則練而祔無疑答梅山

老洲曰祔祭行於練後則練祝亦告當如卒哭之爲矣若在數日後則恐當別告矣答李正夏

梅山曰祔若或拘於事不及行於卒哭之明日則用追行之禮而卜或丁或亥日恐宜否則當在小祥之明日否則追祔於大祥之前亦宜不祔祭而遽入廟恐涉逕庭必趁未入廟而行之答李鉉玉

問曾宗之喪未卽祔祭而將趁大祥矣今又喪繼室將行祔祭或謂因此事會當並行兩處祔祭如何兪展汝　老洲曰卒哭而祔周禮也練而祔殷禮也[illegible]之久乎

南塘曰士不得祔於大夫周禮如此嫡孫當入廟者亦以其爲士而不得祔於其祖之大夫者祔於旁祖之不入廟者終是行不得處類輯續編

近齋曰祔祭之事並設祖考妣位禮既有文何爲別生新見耶此與忌祭考妣不並祭之禮不同矣

又曰以祔事將祭之[illegible]設則不設妣位之文觀之亡者是男子則祔祭並設祖考妣位無考亨而妣從也

梅山曰今孫婦祔祭當進中一之饌于祖考位而祭祖妣位以未克定閱用單獻之禮然祔事爲婦位設故禮三年喪中略設

先忌而祔祭則所祔位及新位並三獻有祝並祀者之禮行祔事亦當備禮恐無干統之嫌與後日同恐不必拘也

問婦未廟見而死亦當祔廟否　華西曰亦祔廟

所祔位

尤庵曰其祖生存則中一而祔于高祖禮也祔于曾祖則是亂昭穆也

竹庵曰婦人喪祔祭祖考在而有前祖考則恐當祔於前祖考不必祔於高祖姑

三山齋曰祖妣二人以上則因當祔於親者而今親者生存則何可舍前祖妣而必援中一不得已之變例也前祖妣又有二人則恐當附元妃

老洲曰雜記云王父死未練祥而孫又死猶是祔於王父據此則孫婦雖先死既未行祔以王母死恐當先行王母附祭次行孫婦附祔於王母几筵矣

三山齋曰雖無他行祭之處以祖考神位降就於其孫之几筵有坐班之嫌無已則姑奉几筵於別所待行祭後還安如何

南氏曰最長房奉祀高祖者若最長房死而廟遷則祔於高祖此禮宜之道也長房三年後遷奉他處而長房妻死則勢當祔於祖妣矣或曰夫婦不可各祔異位此恐不然最長房之祔於高祖者三年後埋安其高祖則其妻死婦其將祔於異位仍不行祔祭乎

梅山曰雜記曰王父死未練祥而孫又死猶是祔於王父也疏曰王父無廟孫祔就王父所祔之中而祔於王父也推斯義也既有當祔之位而用中一之例恐未安乎既祔者非專爲祔食爲其神之始欲其上附乎祖考昭穆之次有所依歸也所謂中一而祔者祖父母生存則祔諸祖父之祖父當高祖之孫亦同昭穆故也以長房而祭高祖則當祔食於高祖尤菴亦嘗云祔然亡者祖廟既在宗家支子當用紙榜行祔祀于宗家而宗子主之祔期告由于祖廟恐宜祥後入廟當用中一之禮祔于亡者之高祖以祧主之遞遷在家也祔廟與祔祭之不同各有其義

梅山問人有孫婦死當祔於其亡室而亡室尚在祔位雖記王父死未練祥而孫又死猶是祔於王父則祔於亡室恐無可疑而時祭亡室既無祔食則祔位無祝可告乎少窺禮有如此者老洲曰祔於祔位驗看雖似艱殆而無姑者正位之婦則豈有不可之理至於時祭亡室雖無祝自有祔告於所祔之位則其祔告中並連措語亦似無害

梅山曰孫婦之祔于祖妣者祖妣有二人祔其親者而舅是繼子則當祔於祖舅之元配也舅雖移養於所後然終不可以移養而祔之也

南塘曰妾孫婦承重則當以嫡祖母爲親者而祔之不可以所生爲親也

梅山曰朱先生嘗云適婦祔於妾祖姑未安然不得已且從祔於親者之文舍此杜撰不得所謂適婦既承嫡之子婦也承嫡子婦恐當祔於嫡祖姑宗子恐難從也妾孫祔於庶孫則其妻必祔於遠祖姑名義乃正不宜從其親者祔之也

櫟泉曰喪服小記妾祔於妾祖姑無則中一以上而祔又曰妾無妾祖姑者易牲而祔於女君可也疏云上言無則中一以上而祔今又無高祖則易妾之牲而祔於女君女君爲適祖姑也易牲士祔於大夫則易牲　疏云祖爲大夫孫爲士死祔祖則用大夫牲士牲卑不可祭尊者也推此則以妾而祔於適祖姑恐當稱豐其饌耳



又按小記本疏[illegible]曰而[illegible]其爲壇祔之副妾祖姑之文自不與不世祭之說相礙朱子說恐傳失然勤然　同上

梅山曰雖易牲所祔於適祖姑適祖姑不可祔就於庶孫之家也禮既不得設實若以紙榜行於其家則援於之中又有援於尤爲所不敢耳

又曰凡禮之嘗祔皆不分適庶親疏距可以妾孫而厭之援以易牲而祔之文則以卑援尊非可緣者妾孫祔祖亦當用易牲之禮所祔位稍加饌品恐宜

近齋曰妾孫婦之祔於祖妣以其夫之祔於祖考例之無待於言何謂非經據耶祔於親者之文的指前後祖妣也若祔於妾祖姑則恐非禮意矣

按妾孫婦恐不可以其夫之祔於祖考爲祔於適祖姑之證其夫舍祖考則無可祔位不得不祔於祖考其婦則有妾祖姑當祔何可舍當祔之祖者而祔於適祖姑乎雖承嫡者之婦朱子猶謂當祔於妾祖姑況非承適者乎小記云妾祔於妾祖姑無妾祖姑則易牲而祔於女君可也禮之嚴於適妾之分如是矣

祔主祧遷及埋安者行祔之節

厚齋曰祔乃祭祀之事是祔主尚在最長房而於亡者爲當祔之位則依家禮設虛位祭之說以紙榜行之恐得之主祭未知以何者爲主以宗法爲斷則宗孫主之當祔主者特以長房奉祀而已若以時方奉祀而爲之主則無乃與祔祭歸其宗子之義相反耶至於既爲埋安則又何以處之依小記孔疏之說爲壇而祔似爲可然

問有高祖母承重者六代祖妣神主埋安已久其祔宗或曰告于墓所以紙榜行之如何　南門曰祔祭不可廢神主雖埋安禮有爲壇而祭之文似當以紙榜行事亦不須告於墓也

問有人服曾祖母承重喪而當祔之位已埋安則祔祭何以爲之　洞山曰當祔於從祖母從祖母亦已埋安則又於再從祖母而祔之先儒之說紙榜行祔者誤矣再從祖母已埋則當於先妣祔之矣　疑禮正解

按喪小記士大夫不得祔於諸侯祔於諸祖父之爲士大夫者疏禮孫死祔祖今祖爲諸侯孫爲士大夫則不得祔祖當祔祖之兄弟爲大夫士者夫既不得祔祖故妻亦不得祔於祖姑而可以祔諸祖姑若祖無兄弟亦祔宗族之疏據此則祔於從祖母再從祖母亦可而祔祭名義專主昭穆祔於先妣未知其必然也

告廟　紙榜並論

櫟泉家儀曰支子家以紙榜行祔則宗孫告于祠堂

陶庵曰告廟告辭似當並告祖考妣而下段則云孫某將祔于某位

竹庵曰孝孫某今以從弟某以某日干支將行隮祔之禮于顯祖考某官府君顯祖妣某封某氏配行祀于南門外第敢告

渼湖曰祔祭支子孫雖與宗家同隣既是異居則不可奉主于喪家只以紙榜行之可也

竹庵曰兄弟既居一門之內祔祭猶重於亡者之祖位則就宗家廳事而行之恐無不可出祖考神主一節援周公之禮未見其然而自宋儒以來未之有改亦何敢別議出主或設位推從從俗行之耳若所謂周公之禮則諸祭初獻者卒各獻之事自[illegible]以後大小祥將祔大祥入廟則無新廟告辭此意甚好而未聞有行之者

畢齋曰宗家遠在不能告廟實是欠缺然卒哭後日已是祔祭日恐可以此退行祔事乎尤庵答人以爲夫及告祖廟則勢當闕此一款然不可仍此無事追後具由告之似爲周詳只在主家商量行之矣

問祔祭宗孫有期服而[illegible]遠永阻塞不得更告於宗孫而前告之日已過姑闕宗孫更告而自[illegible]以宗孫名[illegible]行如何

李蓍元 漢湖曰先以定日告之而葬期有改地遂日追不及申告則只得隨時行事似無害（類輯 續編）

問問解有前一日酒果告所祔龕之文倘要無之猶可行之乎（答金致汝）三山齋曰問解此說蓋爲宗子爲支孫行祔者而云爾若喪人是宗子則不必然（類輯 續編）

南氏曰告廟告辭宗子前一日以酒果就廟中所祔龕之前告曰年月日孝某孫某敢昭告于顯某祖考某官府君顯某祖妣某封某氏明日以某親某官某來（主人宗子則改來日將）祔于顯某祖考某官府君（女則某親某封某氏來祔于顯某祖妣某封某氏）謹以酒果致告若宗家遠而紙榜行祭則明日以某親某官某行祔祭于顯某祖考某官府君而以紙榜行禮於某所謹以酒果致告行祔祭後追告則云某月日以某親某官某已行祔祭于顯某祖考某官府君而以紙榜行禮于某所謹以云云（備要補解）

近齋曰支子家行祔祭宗家祠堂告辭當曰維年月日干支孝曾孫某敢昭告于顯曾祖妣某封某氏將以來日隮祔孫婦某封某氏喪在異宮當設虛位（一云當設曾祖妣紙榜）行祔祭于喪家謹告（答朴泰學）

梅山曰與宗家異居設虛位行祔者前一日告所祔位固有問解說而雖先期預告亦不害禮然則預告紙榜降神用初祖祭告辭恐非無據亦用宗子名恐得（答趙秉恕）

剛齋曰祔祭宗家在遠宗孫年幼亦必有代攝之人須以相議以紙榜行事之意告于當祔之龕而行之如何主祭則宗孫爲之宗孫有故則使人代行（答朴升鉉）

梅山曰祔祭曷可以宗子死而闕其禮哉主人旣攝行宗子之事則當以其名先告曾祖後行祔祭喪家恐爲得正也告辭歲次云云曾祖某敢昭告于顯曾祖考云云顯曾祖妣云云以某日干支將隮先考府君隮祔之禮于某所異宮行祀方設紙榜且宗子當主祔事而宗子死無後嗣不肯攝行其禮謹以酒果用伸虔告謹告



柳氏曰先師曰未葬前則使總服子弟代告于廟而行祭於喪家祝辭以孤哀孫某惸然在疚使某云云而以其喪人代行（常變通攷）

潁西曰祔禮神主就而祔於祖龕則今此比屋通墻而居者設祖位於宗家廳事神主恭詣行祭恐合禮意（答梅山）

梅山曰反哭襁褓以卒三年者當援異宮之喪紙榜行祔之禮而宗子之禮與支庶迥別家廟及几筵三年內若來一室則姑練後待所祔位始舉祔祭恐爲得正如不能爾則卒哭而祔于紙榜亦不爲無說也祔祭前日當告于所祔位告辭云維歲次干支孝曾孫某使子某敢昭告于顯曾祖考曾祖妣將以來日隮祔孫某官而喪在丙舍當設虛位行祔祭于喪所謹以酒果用伸虔告祔位則已舉於卒哭祝末恐不宜別告（答李在毅）

洞山曰祔祭行於宗家禮也俗以紙榜行於其家不得已之事也旣近宗家又何爲不行於宗家乎（答姪正學）

祭時服色

近齋曰九庵以爲祔祭時五服之人各服其服南溪亦云祔祭服色家禮不爲別言以衰服行之無疑按此則凶服入廟似無未安何論諸新位與諸祠堂時乎於此不用冠絰之嫌者蓋祔祭本爲亡人設故也（答三從弟能源）

降神（茅沙附）

問祔祭祭神只祭祖考妣降神則並行於神主否祔祭闕亡者前無香案茅沙可疑（答金孝汝）三山齋曰降神則並行於新主而所謂並行者亦非各焚香酹茅之謂也然則亡者位前不設香案固宜茅沙則有祭酒之節不可不各設闕中恐偶闕之

問祔祭祝辭旣云在外而紙榜祔行祀依儀則恐祭統文先降神後參神耶新主位參降何以爲之（答朴宗燮）潁西曰紙榜先降後參禮意極精微祔祭當依此行之而祔祭參降皆屬祔位更無有事於新主矣

梅山曰祔祭時祔位茅沙考諸家禮及祭儀備要圖而且不載陶翁所錄圖式則正祔位各有者未知何祔位不別設香案者以之祔爲之義可援於位但降神卒然而皆爲祔禮茅沙不可設此於所祔位茅沙恐當別設已矣家禮要時祭圖降神茅沙在香案前茅沙在祭位前此爲可證也（答朴元得）

新舊兩主奉出迎之節（光泰）

陶庵曰祔儀節行禮於他所則奉櫝時有跪告之文雖行禮於祠堂將出主恐當有焚香就他所則告時又當焚香奉新主時亦當有焚香跪出節（類輯 續編）

問跪告曰當主皆某所何以措語（續編）陶庵曰某孫隮事（類輯）

問祔祭詣祠堂出主初無告辭儀節亦只跪曰請主詣某所而不言某事請某位之主實所未安故則樽告辭曰今以先妣某封某氏卒哭已過敢請當祔某位主出就廳事恭行祔事告辭則立於階下使長兒焚香跪告奉主而出奠不得於禮否（續編）漢湖曰跪告辭儀節雖無之然恐亦不可已之義（類輯）

尼門曰祔祭告出主時若告以將隮祔某孫奉主出就某所之意無妨若行事于祠堂則無告辭新主則已告於卒哭祝不必更告（類輯）

近齋曰古者祔祭皆行於祠堂故無出主告辭而行於他處與正寢事則當曰將主請某所云而告辭甚略雖用陶庵有所製告辭曰孝孫某今以隮祔先考某官府君敢請顯曾祖考某官府君顯曾祖妣某封某氏神主出就正寢以此告祝主祭者隨有隮祔及祖考妣幾代之稱當隨其所祔之位而稱之（答李元）

潁西曰祔祭初無告出主跪辭蓋古禮行於廟故也文儀始有跪告請酯之文備要錄之今做此行之似好陶翁所製非不明白而祔祭主時主人雖俱在旣以凶服未能親爲奉主使祝代之實禮從簡而只跪語某所亦非有礙爾若之稱者孫似亦有意恐非曾字之落也（答朴元得）



梅山曰新主則卒哭祝末辭旣云明日祔于祖考故正儀亦無告辭而若練而祔則不可昧然無告告辭當云祔事用殷禮退行于練之翌日敢請顯考神主出就正寢祔位與新祔位告由措當焚香（答任憲晦）

問祔儀詣祠堂奉神主出就于座云云而無拜拜之文或闕文耶（答朴永）洞山曰有拜無疑（答正鎮）

進饌獻酌之節

陶庵曰喪主非宗子則宗子宗婦當進饌于祖位使喪主喪主婦進饌于新位（類輯）

昔庵曰古者神道有所尊屬祭祖則孫祔而食則孫祭祖與其墮我與敗事之嫌則不受祭而於饋其理微矣自先妣喪始行祔祭設一分一祝昨年孫婦喪亦然（類輯）

按祔祭有祖主新主二位則一卓合設未安雖今卓合設祭於一處則無害於合祔也但祝文從士虞記只用一祝告祔新舊兩主實協於鄭註所謂欲其祔合兩告之義也

梅山曰士虞卒哭祝之以饗者一如虞者祭初始有饋食禮而疏曰祔祭主婦薦家禮卒哭進饌已以主人主婦者恐因檀弓吉易喪之文推之太爲也家是喪祭故親進饌卒哭吉祭故主人主婦進饌是爲喪禮之變而祔祭視卒哭尤吉而進饌以親如虞者恐是不然以凶喪而親將於祖考也若主人非宗子而宗子主之則宗子夫婦進饌當如時祭之儀而爲喪家而設故姑用喪人獻或云三年內喪祭斷以古禮無主人主婦進饌之節斯言恐得蓋哀遑不能執事也（答金俊宇）

又曰士虞祔祭只用尸一祝兩位祝詞一九用几儀并論祖考而相孫曰祭則祖位之用孝及亡者位至哉始用各祝家禮備要之所治要也家禮祔祭初獻酌讀祝喪考妣初獻祝後次讀亡者祝云則祔位獻酌讀祝之並先於新位而仍行再拜可知也不特再拜者包在並同卒哭之中也（答任憲晦）

又曰殿內外固爲喪紀之大防而臨祭則主人主婦各率其禮非所可拘自虞卒至祥禫皆用主婦亞獻則何獨於祔祭而嫌其共事哉 答趙乘憲

祝文

問維歲次年月日孝子某夙興夜處小心畏忌不惰其身哀慕不寧謹以淸酌庶羞哀薦祔事于顯考某官府君適于顯曾祖考某官府君尙饗從士虞記改新位祝如此如何 答尹東遇 鹿門曰古者考妣合祭一几一尸祭饌亦如一從祖祔食亦應然今此祔祭亦必如此故祝亦用一而兩告之其理微妙矣今旣各設位則不可不各祝而各用屬稱何可混稱孝子乎但士虞祝辭兩告首句則告新位下句則告祖考各有意義而書儀家禮祝辭於祖考並用兩句則適于二字突兀未瑩恐失照管今略改之於祖考則曰謹以淸酌庶羞隮祔孫某官于顯曾祖考某官府君云云而於新位則用此改正之祝似當 類輯續編

竹庵曰古者祔祝亦云成事祔祭之異於虞者只是祝詞中適爾皇祖某甫之下添入隮祔爾某甫六字而已爾孫之爾指新亡者也爾之者親之也註家誤認稱於皇祖遂有兩告之云其實單告新主而元無出祖主各設饌之事也故祔祝只曰孝子而孝曾孫之稱出於後儒之杜撰李友商穆曾以此意編入其所撰禮記進註鄭君曰煥曾於其妻喪行祔禮如此矣 類輯續編

問祔祝年月日孝子某云云薦此成事于顯妣某封某氏適于皇祖姑某封某氏隮祔孫婦某封某氏尙饗如何 答李在徽 竹庵曰用儀禮祝則當如是而用備要祝則隮祔下當無孫婦二字以避語疊 類輯續編

又曰祔祭祝干支夫某謹以潔牲柔毛粢盛醴齊哀薦成事適于祖妣某封某氏隮祔孫婦某封某氏尙饗柔毛醴齊隨所用改以翰音淸酌 同上

又曰家禮祝式出於儀禮一從家禮豈不爲得夙興夜處以下十四字儀禮自祔有之虞卒則無若告妻與旁親自合不用此[illegible]語句

要註取諸家說只備一說何必一祔遵用耶 同上

屛溪曰祔祭祝不書亡人名而若子侄則似當書名 類輯續編 南塘曰孝子據宗子非喪主而言若宗子祔侄於父當稱孝子孫曾玄之稱皆當隨所告之位而變也舉稱子概其餘宗子自爲喪主者亦當依此而改稱孫 類輯續編

三山齋曰告曾祖祝辭書儀則以孝孫書之而家禮改以孝子丘氏儀節又云孝孫誠應所適從然孝子之稱實本於儀禮其文曰孝子某孝顯相夙興夜處小心畏忌不惰其身哀慕不寧用尹祭嘉薦普淖普薦溲酒適爾皇祖某甫以隮祔爾孫某甫尙饗其疏曰欲使死者祔於皇祖又使皇祖與死者合食故兩告之是以告死者曰適爾皇祖某甫謂皇祖曰隮祔爾孫某甫二者俱饗云據此則祖孫初不各祭共用一祝某稱孝子固當而今則旣各祭而又各祝猶冒孝子之稱於告祖之祝未敢知如何然以朱子之審於取舍夫豈無義而特改前人已定之禮以誤世後耶蓋祔祭本爲亡者設故其服則以衰麻行事其共祭之祝不曰孝孫而曰孝子其意可見矣今雖各祭此義不可全沒此朱子所以有所斟酌從違於其間者歟沙翁備要亦謹守而無貳辭愚意於此恐不容議 答權敬汝

老洲曰敖氏繼公曰兩告之而以孝子爲稱者主於祔也此實精義所在而其後分爲二祝蓋自晉賀循書儀家禮從之 答李殷深

老洲曰卒哭祝文末端曰隮祔于祖考云者主孫祔祖之義而從亡人爲屬稱祔祭祝中曰適于曾祖考云者主行祔祭之人而從曾孫爲屬稱意各有當也 答李敬敷

李氏曰或曰古禮以一祝並告祖孫之位欲行其祔合而合辭兩告家禮始分二祝而於曾祖亦稱孝子者似因儀禮本文而未及修潤其說恐是 家禮增解

南氏不書其名而只曰隮祔孫云爾則不知何孫來祔也南溪曰儀禮有某甫 音輔 字而今之不用未詳逸庵陶庵竝曰書亡者名似宜雖非家禮之文書名爲是 備要補解



梅山問古禮祔祭新舊兩位合設故士虞禮祔祝稱孝子以告祔位其下句則告所祔位各實有精義而書儀始分爲兩祝家禮備要暨書儀所祔祝仍用孝子之文則上下屬稱不合所祔位當稱孝曾孫老洲曰祔祭新舊位旣各祝則不容不各以其屬稱之盛示恐得之矣

梅山曰祔祝恐當並舉顯曾祖妣而古禮及家禮只舉顯曾祖者以男子之主祔於皇祖故也沙翁說恐出於斯義耳 答金幼奢

又曰祔祭祝只稱孫者子以諱父也若宗子主之則當稱孫某況宗子之告祖考何可諱旁親之名乎 答任憲晦

又曰士虞禮卒哭猶稱哀子雜記祭稱孝子孝孫疏曰祭吉祭也自卒哭以後之祭也通解續曰卒哭是吉祭而曰哀子者不忍忘其哀主祔乃稱孝也據自此後祔祭始稱孝子 答金正奢

又曰祔祭祝始稱孝子故所祔位亦稱孝曾孫不拘於未改題是禮家所通行也 答鄭文老

近齋曰子喪祔祭告祝哀薦改以陳此爲宜 答朴景平

又曰宗子行祔祭亡人是從弟則雖卑祝辭當自稱其名而稱亡人則從弟之下只書某官不可用府君之稱 答李載毅

老洲曰祝文告嫂當俱書姓名薦此用於妻弟以下之喪則此云虞薦祔事恐好耶 答朴元待

宗子有故攝行

厚齋曰祔祭必宗子主之雖在喪中以布直領行之或可否 類輯續編

又曰祔大祭故朋友亦有主祔之禮宗子雖無子而死宗子之弟攝行無疑 類輯續編

近齋曰祔祭不必門長主之愚意不但虞卒雖祔祭主婦亦當主之蓋身爲宗子之婦故也然或以婦人主祔爲嫌而如可立後於三年內則姑不行祔祭待立後練後祥前行之亦似無妨 答吳允常

近齋曰祔祭之行於卒哭明日預使我知之然後可以告由於祠堂吾旣不能往則祔祭當用攝行之禮所祔位以紙榜設行祝文云維歲月日干支孝孫某在京有病使弟某謹以淸酌庶羞適于顯祖妣某封某氏隮祔孫婦某封某氏尙饗祔位祝文云維歲月日干支朴某在京有病使弟某謹以淸酌庶羞薦事于弟婦某封某氏適于顯祖妣某封某氏尙饗 答于合弟

又曰親盡宗子不可主祔祭長旁似當主之 答任靖周

竹庵曰今此光州從氏祔祭旣無宗子可以主祭則光州之子因主之似可宗婦攝主雖有南溪說恐不可從以周公經禮則祔祭只孝子主之一祝中並告亡者之祖初無各設饌之事矣今雖不免於各設祝然以孝子名主祭則猶爲近古 類輯續編

梅山曰祔祭宗子之事而宗子旣死喪期未盡宗子之子於所祔位爲五代孫則宗已毀矣恐無祔主之義也儀禮祔祭只孝子主之以孝子名主祭恐爲近古孝子之則所祔位祝去孝字祗稱曾孫某或玄孫某恐宜祔位當因上食告由云維歲次云云哀孫某敢昭告于顯祖妣某封某氏來日祔祭宗孫當主之而宗子喪期未移所祔位神主未祧宗子之子親盡宗毀故謹遵古禮不肖自主祔事謹告支子家行祔祭宗家祠宇當前期告由所祔位未祧之前五代之孫宜主其事告辭云維歲次云云五代孫某敢昭告于顯五代祖考某官府君顯五代祖妣某封某氏將以來日隮祔孫婦某封某氏喪在異宮當設顯五代孫妣紙榜行祔祭于喪家謹以酒果用伸虔告謹告 答尹養耆

祔祭不哭

近齋曰祔祭不哭新主非但陶庵說自來禮意本以嚴肅爲重故也 答李紀敎

梅山曰祔祭專主所祔位故於祔位亦不哭嚴尊故也今焉行祔於王父几筵則當哭而將事凡有事几筵未有不舉哀而行禮故也 答李周九

又曰喪主哭而先行云者以祭於祠堂者而言耳宗子將祔新主于龕中喪主則不待宗子卒事卽奉新主于靈座故不容不先行耳 答金復亨

焚紙榜

近齋曰依歛主先尊之義紙榜先焚爲宜 答李景愈

祔祭不可行於墳庵

近齋曰祔祭不可行於墳庵恐非禮意古者祔祭直於祠堂中行之後世行於正寢而大抵孫祔於祖重昭穆之義也當行於家廟非可行於墳庵且紙榜行祔祭卽支子之家不敢奉祖廟來故宗子爲設紙榜于喪家而行之者也如尊宅自是繼高祖之宗何爲不行祔祭於木主而行於紙榜耶既有京第則墳庵何必視之如家耶 答黃鍵五

按支子之紙榜行祔不得已也宗子奉四世祠版而用支子異宮之禮非重宗也非致慤也恐神不歆矣

葬後諸節葬後椅卓用素可否

陶庵曰葬後用色幔世俗多如此而非禮也禮曰奠以素器以生者有哀素之心也此意正合天理人情床卓帷幔之屬幷當用素 類輯續編

本庵曰士虞記註豆不髹籩有滕檀弓疏虞不用素器愚謂際椅卓筵席外當用吉器也 類輯續編

近齋曰虞祭旣用祭禮故靈座前床卓變素用染卽趨吉之義不但床卓帳帷亦然 答梅山

老洲曰葬後床卓用素器皿用吉雖云有據終未犂然於心故鄙家則幷用吉矣 答梅山

又曰椅卓器皿葬前用素據檀弓奠以素器之文表生有哀素之心也葬後用吉據士虞禮不用素器之文有自凶變吉之義也 答沈靜節



頴西曰檀弓曰奠以素器以虞易奠以吉祭易喪祭上下三節反復詳玩士虞所謂凡草席猶屬喪祭之禮而自卒哭從吉祭之儀也蓋士喪表素俎虞菜几皆以哀而不文惟祭祀之禮主人自盡祭祀卽吉祭也吉祭卽卒哭也哭用吉祭之器帷幔獨用喪祭之禮恐無是也 答梅山

梅山曰虞祭用祭禮故床卓變素用染卽趨吉之義也非直器皿床卓帳亦當用吉帷幔始爲障柩而設則葬後似當去之而神道尙幽且靈座所奉之處每患淺露恐當仍舊不撤 答姜善之

按檀弓奠以素器而虞祭非奠則似用吉器然虞是喪祭故奠以素器疏哀則以素謂葬前敬則以飾謂虞後據此則卒哭宜用吉器也

喪後上食當否

頤庵曰家禮罷朝夕奠而不及上食朱子使之仍行無疑 五禮考證

朔日先參祠堂後奠几筵

近齋曰葬後既行參禮於祖廟則當先祠堂而後几筵愚意亦以尤庵說爲可從 答李敍毅

老洲曰朔望曰祠堂參禮尤庵曰先祠後殯無可疑當先行祠堂參節與參禮無異先祠堂而後几筵可也墓祭恐亦無異同也 與兩大任

梅山曰子雖齊聖不先父食大中小祀何獨不然朔望先行几筵之論發自沙溪同春兩賢故陶庵亦嘗云爾然春翁所重在几筵者終沙翁聽瑩旣擘廟事則尊卑之序甚嚴當以先祠後殯無可疑者爲不可易也 答權溪

柳氏曰先師曰朱子曰卒哭之後有四時祭日以衰服特祀於几筵用墨衰常祀於家廟可也又先生有子喪就祠內致用深衣幅巾祭畢反喪服哭奠子前說先殯而後廟後說則先廟而後殯蓋以喪有輕重也 常變通攷

葬後饋奠時主人哭位

近齋曰喪人葬後親行饋奠當哭於靈座前不必哭於廬次以虞祭主人入哭杖不入於室之義推之可知矣 答梅山

三年內几筵時祭行否

問范伯崇卒哭後遇四時祭日以衰服特祀几筵觀此則几筵時祀似有據 成達行 鏡巖曰杜氏所謂此天子諸侯之禮不通於卿大夫云云者恐當商量 類輯續編

葬後上墓

問葬後省墓時拜先墓 處以亨 陶庵曰原野之禮不如家廟之嚴既與同體則雖是凶服展拜何妨 類輯續編

老洲曰喪中展先墓雖云壇墓異於廟中如非父喪中母墓母喪中父墓雖祖父母墓恐不可施哀況修歲時事尤豈可哭而行事乎 答梅山

梅山曰喪中哭先墓曾高以上及旁尊則不必爲也雖當哭之地葬後則止以存新舊之分執事處之得矣至於父喪中母墓母喪中父墓雖葬後當哭 答溪

問父喪中哭母當否 趙鎭大 近齋曰新舊山所處不同則舊墓省時似不當有哭位之節明文卒難考然問解既只許合窆處哭泣則各葬處可知也如以情不可抑則省舊墓時哭拜亦似無害而行節祀時則不可哭耳

竹庵曰三年內改封築只設奠哭不以文告恐無妨 類輯續編



成

慶尚南道咸陽郡安義面馬洞朴敬文丹

禮疑續輯卷之九終

# 禮疑續輯卷之十

喪禮

小祥

作主壞廟

穀梁作主壞廟有時日於練焉壞廟壞廟之道易擔可也改塗可也〇註親過高祖則毀其廟以次而遷將納新神故示有所加〇勉齋黃氏曰按張子曰祔者告新死者以將遷此廟也既告則復主於寢而祖亦未遷至練乃遷其祖入他廟或夾室而遷新主于其廟今按既因練而遷則必易擔改塗而後遷但練雖遷主于廟祭訖復反主於寢 常變通攷

忌日行祥

問三虞卒哭爲一例祔練祥禫爲一例虞卒祝遍稱皇祖祔祥禫則並告隮祔嗣孫以此見忌日行二祥而並告于祖非禮意然日行祥不可已也但忌日者在晦間則無餘日可以行祥忌前先行而變服有礙俗見人或竹庵曰若直從朱子通解之禮則忌日自忌日祥祭自祥祭先行祥祭追哭忌日本無所礙但習俗難變以從簡易 類輯續編

柳氏曰卜日而祭古禮也自書儀從忌日而猶言或則非以忌日爲限也而家禮因爲定制矣蓋忌日是終身之喪以此日變除終涉未安好禮之家以卜改行之似穩 學禮識小

齋戒

近齋曰練祥齋戒當與忌祭同散齋二日致齋一日矣時祭盛祭齋日數最多矣 答金宗善

質明入哭

老洲曰家禮北朝夕哭在小祥後則小祥質明入哭恐是朝哭出主後似當又有入哭一節矣大祥則無質明之哭而只有出主之哭矣 答梅山

變服之節

衰服練改當否 負版辟領衰去否斬衰緝邊並論

渼湖夫人喪禮冠深衣練祭服易而不練絰則葛 類輯續編

渼湖曰練服儀禮則用大功布改製而衰裳不練衰負版辟領並不去葛絰布帶惟冠及中衣用練家禮則衰裳用練布改製衰負版辟領皆去熟麻絰帶冠及中衣亦并練其從儀禮與家禮惟在行者所擇而吾家則當從儀禮冠之纓武及頭巾練否退溪說亦似好尤翁所謂似當在其中者恐亦指澡麻而言耳 類輯續編

櫟泉曰練服備要用功衰改製用儀禮之文也家禮仍舊衰而去負版辟領衰用書儀之文也貧家不能備禮者從簡用家禮亦自無妨冠與中衣當練雖與衰裳異色禮意卽然有何可疑頭巾亦冠當練腰絰用葛漸輕之義也無葛則代以熟麻亦俗例也 類輯續編

蟹坪曰小祥變服力有餘者更製練服以從古禮其不贍者則從家禮之簡仍舊服只去負版衰辟亦有所據然衰服雖仍舊而衰辟領負版尙有變殺之節在首則去絰易冠而獨於腰一切存初喪之服者誠爲斑駁且葛非貧者之所難改製絰帶 葛絰葛帶 以從古禮及丘氏之論似無師心去取之嫌絰帶易葛則三重四股一切從禮或謂絰無三重之制者恐考之不審耳 類輯續編

竹庵曰祥祭一從古禮則改制受衰固宜而今於忌日移用小祥祝文因爲變制蓋用後世從便之禮則練舊服既有橫渠說可據矣新製而練非古非今得無未安乎 類輯續編

問練時衰裳貧不能備 或道行 寬巖曰世人率於前一日夕哭後練此不得已而然負版辟領衰家禮去之 類輯續編

禮疑續輯十 一

厚齋曰儀禮斬衰章疏曰斬衰裳傳曰衰三升疏曰衰用布三升家禮朱子曰用極麁生布按以此觀之初喪成服用三升極麁生布〇傳曰冠六升鍛而勿灰疏曰以水濯而勿用灰六升勿灰則七升以上故灰矣大功章註曰大功布者鍛治之功麁沽之疏曰鍛治可以加灰矣按以此觀之大功七升布用灰治〇禮記間傳曰斬衰三升既虞卒哭受以成布六升註曰葬後以冠之布升數爲衰服如斬衰冠六升則葬後以六升布爲衰齊衰冠七升則葬後以七升布爲衰按以此觀之斬衰虞後之衰用初喪冠布之六升所謂冠布六升鍛而勿灰者也〇服問曰三年之喪既練矣服其功衰註曰功衰父喪練後之衰也雜記曰三年之喪雖功衰不以弔註曰三年練後之衰與大功同故云功衰張子曰練謂之功衰蓋練其功衰而衣之又曰練衣必鍛練大功布以爲衣故言功衰功衰上之衣也朱子大功用熟布按以此觀之練後之衰用虞後冠布之七升所謂冠布七升卽故灰者也 加灰治之 陳註所謂以冠之布升數爲衰服者是也蓋初喪用三升生布虞後用鍛 水濯 而勿灰布六升練後用七升加灰布其漸次降殺之義豈不十分明白耶且練後之衰服用練布與練後之絰帶用治葛者同一意也然則檀弓練衣下註正服不練 或作變 者再非爲生布可知也況檀弓註與服問註及記註同出一人之手而服問雜記註既以功衰爲父喪練後之衰則其必不以正服不變爲生布者尤爲分明備要練後衰裳用生布之說恐失照勘 類輯續編

問所與仲禮書所謂間傳斬衰三升至虞卒哭以成受布六 升 者可初喪衰服至虞已變檀弓練下註正服不變者恐指虞後衰裳而言之之數誠爲至當惜乎千古無人領會及此也蓋正服卽衰服已於卒哭時變其三升改以成布故至練下再變而只變其絰也若無虞變則練時正服固當變之矣 申曉 厚齋曰所論甚明快備要曰衰喪以卒哭後冠受之卒哭後冠卽大功七升布也其下曰以大功七升布改製而不練夫初喪六升冠布已用鍛治者 但以水不用灌而灰 則豈有卒哭七升冠布用生而不練耶 類輯續編

本庵喪服斬衰傳冠六升鍛而勿灰其疏又曰既葬衰六升 卽虞後衰 冠七升小祥以又其冠爲受衰七升冠八升齊衰以下差等可知服

禮疑續輯十 二

問曰三年之喪既練矣期之喪既葬矣則服其功衰註爲父既練衰七升雜記註斬衰之喪練皆受以大功之衰 間傳曰大功七升八升九升 疏升數與大功同故云功衰愚按小祥功衰功之爲鍛灰服傳衰疏詳矣其冠中衣之練據字書練本以絲帛得名而練絲帛之法具在周禮慌氏則冠中衣雖是用布不比功布之麁沽而爲禰吉故舉其吉者以名小祥也既言功衰則斬衰亦須緝邊而自卒哭六升時已然通典晉魏休寧言斬者舉大數之名中祥宜緝其衰虞喜云斬衰因喪之稱非謂終三年也註云喪應變降使終喪服斬釋斬便縞非漸殺意朱達蔚之云昔賀循以爲服緣情而制故情降則服輕其虞哀殺故以齊代斬爾若以斬衰命章便謂受猶斬者則疏衰之受可猶用疏布乎始知斬疏之命本於始服不謂終其日月不變也此諸說確矣中衣同冠言練則蓋亦八升也男婦帶絰禮雖不言如大功而從可知也葛帶三重四股疏絞帶虞後服布練則又當與冠中衣同八升也婦人雖除乎帶猶應存絞帶蓋不容全無滯也屨當同男女也 繩屨 又按齊衰喪服記受冠八升練則又當以冠爲受齊八升冠九升而婦人之衰若總從之矣 斬衰婦人齊七升總八升 絞帶中衣皆同冠七升也惟男婦之葛絰帶猶視卒哭之所變麁細歟蓋經無累等齊衰卒哭與練之變俱在大功之內禮窮則同也其餘功 齊功 練 冠及中衣 之制及繩屨當同斬衰矣 類輯續編

屏溪曰衰既練則直領亦當練矣既曰斬衰則其義只當斬其衰矣 類輯續編

南塘曰冠及衰裳皆練則承冠之孝巾獨不練無義 類輯續編

晉魏休寧云以大功之衰易既練之服是中祥宜緝其緝衰也若不爲重大功不得奪之魏凱云服相易奪正以升數輕重不係衰之齊斬寧休又云三年之喪苴杖不易其餘皆變中祥緝衰是輕之也魏凱又云雖言餘皆易不言減斬除緝曰凡喪服雜變備載經記而變斬以緝都無明證此服之大節豈記者所遺蓋本無其制也禮稱斬衰三年此不易之文也 類輯續編

巍巖上遂庵書曰斬衰緝邊之製玄生見於門下而來傳東謂三年之斬變爲期斬關係非常遍攷經傳及註疏不得一言可據又考

沙溪文字亦未見片辭之及於是審黃生宗河言備要小祥之具註制如大功衰服而布亦同此一段是明文云蹠按小祥之具四字幷包斬衰而言制如之制的是緝邊之說則斬固改制緝邊矣從初緝邊之齊衰至是又何以改其制乎不然而只是單說斬衰云則其包與不包姑不論斬以下有齊衰焉有期服焉何不曰制如齊衰或期服而必以大功爲言乎制如大功衰服而布亦同此十字乃沙溪先生說也而制之一字據家禮去衰負版辟領而言也門下以此段爲本古禮初非據家禮云斬衰緝邊未知出於古禮何條歟 顧錄

鹿門曰斬衰三年練之功衰用大功布製爲衰裳如大功之制故謂之功衰者只用其布而不用其制則何可謂功衰乎 經文云大功布衰裳功衰 如註疏之說矣 顧錄

本庵云云既言功衰則斬衰亦須緝邊而自卒哭六升時已然云云 顧錄

二字首出於此 家禮練服去負版辟領衰則制亦從大功可知也不緝其邊而去負版辟領衰則不倫甚矣既曰惟杖屨不易則其餘皆易當然

竹庵曰小祥變服從古禮不必去衰負只去俗所謂辟領恐爲有說 顧錄

本庵家禮集攷曰負版辟領衰之自大功不具始於齊儀今此家禮時去之蓋亦用時之功衰 顧錄

牲潭曰衰裳之改製而不練雖無違於古禮而橫渠用練之說亦豈非可據寄不改製而仍其舊者古今人亦多有之只去其負版辟領衰而已 答李文伯

近齋曰練與不練既有先賢兩可之論漢翁亦云惟在此行之者所擇令姪哀與他有異當從漢上用儀禮之法故前已告之矣至於負版辟領衰宜去之云蓋欲正服不練則從儀禮負版去之則從家禮參合古今而用之矣更思之此似爲半上落下之歸不如一從古禮不去負版辟領衰如何正服不練則布紋亦不必少練矣 答洪樵宅

又曰功衰之易爲只以布縷數升而言則恐於備要本文偶失照勘沙翁說既曰制如大功衰服而布亦同云則布亦同者升數也制如制卽制棣也似幷包緝邊在其中故據此而緝之者多矣然魏巖以爲制如之制只言去負板辟領非謂緝邊亦如之未知如何也 答李廷仁

又曰小祥功衰去負版辟領衰家禮有之而備要因之當去無疑不可違引儀禮而有所疑也來論以備要不練衣裳從儀禮去負版辟領從家禮疑若半上落下而沙翁之意實欲參合二禮用之也後學何可不遵行乎且備要雖先言不練衣裳而然字下又引橫渠用練之說則備要亦未見其必不練也故人家往往有署練者矣 答金宗審

又曰喪服本傳自斬衰止菅屨者雖無三年字而下章三年通上看虞卒變除只言受成布不言去斬 此恐之致編 而後賢立文恒以斬衰三年與齊衰三年對言 通解圖式家禮亦然 似若三年仍斬者則人之以斬齊爲父母喪之定分者亦未可專斥以世俗之見也執事之意雖以爲斬衰三年之文蒙始初言然齊衰三年非蒙始初而言者兩三義例不侔矣 如曰疏衰三年則疏衰固非終三年者而既曰齊衰三年則齊衰自衰初用緝至易功衰而亦可曰齊衰云云[illegible] 三年無半止之嫌斬衰三有半止之嫌此殊可疑然則儀禮虞變不言去斬者安知非仍斬之意而後賢之恒以斬衰三年立文者亦安知非有見乎此耶 盛說雖以爲斬衰下苴絰冠繩纓菅屨既皆變而從輕則何獨於斬而不變此恐有不然衰裳與冠絰屨帶雖似同是件數而其實衰裳卽其綱領也冠在首者而不先言必先言衰裳者何也衣是衆服之主冠絰屨帶皆屬於衣故衰居先綱領其大者故特表父喪之重至虞練而不改耳然冠絰屨帶皆變而斬獨不變者豈無其義哉盛說又以爲斬衰非有別於苴絰菅屨亦可苴絰三年菅屨三年苴絰菅屨豈終三年者乎此恐又不然既不曰苴絰三年而曰斬衰三年則其義必有以也喪服本傳曰爲父者何以斬衰也曰至尊又也曰不二斬也恒只舉斬而爲言則斬衰豈年非異於冠絰帶屨者乎執事亦謂舉其重者而所謂重者安知非因以爲父喪三年之制乎盛說又以爲斬本象心心如斬故服亦斬至虞而孝子如斬之心不能不殺心不斬則服亦不得爲斬是則似然然斬固是心如斬之謂而心如斬者以父喪無二也則便是無二尊之義如曰至尊也不二斬可見然則至尊無二之義果至於期年乎魏巖之說亦可再思也盛說又以爲斬與苴爲一而絰之苴者既變則衣之斬者當變斬非斬於苴而獨可不殺此於苴杖仍舊爲矛盾之說也 不待竹圓象天如溪丈之即此苴杖之一苴者可以爲斬字不變之例 苴有不殺則斬亦有不殺矣苴惡之心既殺而杖之苴者猶仍則是杖也亦爲浮失之物矣何獨於練後斬譏其爲浮實乎孝子之心無窮既祥禫而猶云外除期年而猶有如斬之心存焉則練後服斬有何不可竊所最疑者古禮既有虞卒變除矣虞後受成布而便去斬則是斬衰止於三月也期年之斬魏巖猶以爲不可況三月之斬乎此愚所以大疑而未能處釋者也盛說雖以爲既授以大功衰成布七升則獨留不緝極凶之制甚不相稱然聖人制作至精安知非功以向輕斬以表專兩義並行而不相害者耶然安知非三字未定之辭也非敢保其必如是也 答任靖周

又曰中衣既用黃裏縓緣而衰獨不緝果不相稱然中衣則本自喪初用緝固與正服有間者而只就一衰服內言之功以向輕斬以仍重尤似不稱聖人於此制作自有深意而微妙難見耶 答鹿門

又曰雜記之文愚於其說不能無恐夫以大功之麻絰易練服之葛絰者麻重於葛故也至於衰練服之衰與九月之衰同而無麤細之別何爲而以九月之衰易三年之練衰耶既曰同是繩屨故屨不易則同是功衰衰當不易而易之者何耶此義勘破然後可論其爲的證與否 答鹿門

又曰曾見栗谷別集有衰斬練服似當緝邊之說 見松江日錄 而恐非先生定論 與鹿門

又曰去衰負版辟領既已從家禮則練布之用亦從家禮方爲無參差 與鹿門

又曰欲不練功衰者以爲大功服未嘗用練布小祥衰亦當不練愚意如功衰之如特言去衰負版辟領而已非謂練不練必同也欲練衰裳者以爲衣裳不練則殊非行練之義愚意此亦不然冠與中衣既練則衰裳雖不練何處違於練之意二說恐皆局泥惟當以



朱子所定家禮爲主沙翁所著備要爲據並練衰裳似爲參酌得中之道 與鹿門

又曰橫渠斧衰博六寸之制於七升布之上是兼用向輕仍重二義未知古聖制禮亦或有如此者否 答任靖周

又曰緝邊一節諸儀皆以禮疑從厚四字爲主方以不緝決定 答任靖周

又曰斬衰練服緝邊與否本來愚見欲守魏巖說故前日奉質諸禮時此一疑獨不提稟矣近聞任成川丈欲一從功衰向輕之義力主緝邊未知意下於此勘定如何斬衰之服練而緝之誠有如魏巖所譏期斬之嫌而任丈以爲斬衰三年之文特蒙始初而言非三年仍斬之謂此是此禮肯綮乞賜剖示 上金鍾樂 寄用誠

又曰正服既練則俗制直領宜無獨不練之義 同上

又曰正服雖不練布滲衣當依中單衣例練之 答金宗齋

李氏曰備要成服有生布直領出入時所着而小祥無練直領之文恐是闕文 家禮增解

老洲曰練服竊嘗疑之蓋小祥之稱練以其練也而重實在於正服若練冠與中衣而不練正服則惡在其練之義乎且練冠而不練服則冠衣不相稱亦何所據斯禮之致此紛論由於疏家正服不可變之文而變字既非練字則又何足爲不練之的證耶況其下既按以中衣非正服但承衰而已故小祥而爲之黃裏縓緣則所謂正服不變莫或指負版辟領衰之不變而惟中衣有黃裏縓緣之變故牽連而爲說與至若正服之練則經文章首一練字已總之不待更說而自明故只舉中衣而立文耶然家禮陳練無不練之文是朱子不取疏說也備要則雖先言不練衣裳其下又引橫渠說沙溪亦兩可之也 與梅山

又曰斬衰練服緝邊經無其據而鹿門力主蓋衣裳之緝不緝乃齊斬大分衰雖殺而向輕大分豈可不察乎所說功衰者卽指其麤升數已矣至如去負版辟衰是家禮參的定制者非可爲緝邊之證當以魏巖說爲正 同上

又曰齊斬只當論於正服承衰之中衣俗制之直領俱非可比於此服則雖練前可緝練中衣則直領亦當練 答梅山

穎西曰練時衰裳鹿翁力主緝邊說愚亦稔聞之矣然緝邊二字不見於功衰之名以七升布之同於大功也備要制如字可見其制之亦同然其制以去負版辟領衰三者之制爲同耶並與緝其邊而如之耶愚意終恐不緝之爲寡過前日行之如此矣至於負版辟領衰三者古禮五服皆有之又如橫渠之說練服功衰之上亦不去當心之衰書儀練服去此三者家禮從之大功之去此三者亦自家禮始備要制如云者從家禮言其三者之去如大功云耶未敢質言 答梅山

又曰古禮練服只言冠衣不言衰圖式雖並言冠衣與衰曰練冠曰練中衣惟於衰不曰練而但曰以卒哭後冠受其衰卒哭後冠七升布也以此推之練之爲名在冠而不在衰可知也來諭以七升布之不練者改造衰裳正合禮意至於大功章鍛治云云鍛與練不同成服之冠已鍛矣至小祥而練其冠既鍛而變之爲練其鍛其練豈不有間乎若從註說功衰雖可湮而不可練何可援之練小祥之衰裳乎問解大功布元無用練之說從經文也家禮以熟布爲大功之服從註疏也然熟與練亦似微不同 同上

洞山曰衰負版辟領隨五服而皆有之服之制度自如此也故於始初言之而終無言及於三年之外不施之者也苟三年以下亦皆施之則練後之不當去明矣 疑禮正解

冠

近齋曰練冠纓家禮備要雖不言冠如初喪之制則斬衰冠纓雖練時亦當用繩而但其繩似當以熟麻爲之蓋腰絰既用熟麻則冠纓不可獨用生麻故也 答兪漢石

又曰斬衰練冠備要但云如初喪之制而不言改纓與否

南溪曰從本冠改之斬衰練冠之纓不可用布而腰絰既已變葛則冠纓之仍用生麻亦似不可然則腰絰用葛冠纓亦以葛爲之腰絰用熟麻冠纓亦以熟麻爲之 與尼門

絰

巍巖曰喪大記虞變服條曰祝澡葛絰帶註澡治也治葛以爲首絰及帶云云據此則禮經已言用治葛矣然則沙溪先生偶失檢攷而云歟 沙溪曰疏經初不言熟葛用㬥皮 變麻服葛本殺凶向吉變麁就精之義也今若變麻用麁葛則其凶㬥無乃反有甚於麻耶又無葛之鄕代用纇者俗所謂어자괴也色白此亦爲當用治葛不用㬥皮之一證 類輯續編

竹庵曰間傳只言葛帶三重若四股之云只信註說之謬以三條絞而帶恐非失禮 類輯續編

渼湖曰嘗聞遂庵沉葛於水出而搗之則麁皮自脫而其裏之薄皮留而不去去骨而用之視麻則不嘗爲輕而亦不至有光鮮之嫌也 類輯續編

問備要練服腰絰用葛註纇或熟麻亦可纇固出於儀禮而熟麻則可據 金在魯 厚齋曰必是循俗 類輯續編

黎湖曰練絰之或葛或熟麻固無不可而若備要云云則盖從古禮卒哭之變麻爲葛以爲之節其意有在今何據而必知其但備參考而已耶布交帶亦爲儀禮卒哭後所受故並時著之備要都難容議 答趙鳳徵

近齋曰練時腰絰三重四股如麻絞帶之法而但於兩端相結處各絞細繩則其形如哀卽今所帶腰同而其體差小矣 答兪漢石

又曰練服腰絰雖不散垂似當有絞而垂之者蓋腰絰卽大帶也垂卽紳也豈有無紳之大帶練絰之與初喪絞帶同云者只指三重四股也非謂兩頭不存本也愚故每以爲練絰當有所垂然南溪答或人之問曰既無待三日絞之之文則自無當行之節是欲使無垂也果可從否 答徐有曾

又曰葛帶有兀絺之說尤翁以爲不宜用於喪服用麁皮畧加漚治則不至於似脊云矣 答金宗壽



又曰葛帶三重間傳註疏明指腰絰而溪丈之必欲作絞帶何也盖疑布絞而然也然葛帶似終非絞帶盛說所謂絞之三重自麻而然何必更言於葛者恐得之矣葛帶比初喪腰絰差小之文見於間傳註間解引之而執事以爲差小實非古制者何也既以向輕之義用葛代麻則其制宜亦差小去五分之一 與任靖周

又曰葛帶之制既一從間傳註不言絞垂依此欲已之 同上

老洲曰絰散垂當卽絞之而絰之有垂如帶之有紳 絰雖以練而差小垂則恐不必減三尺之制圍腰相結處似當變麻用布矣 答梅山

剛齋曰葛絰之三重四股如成服時絞帶但無彊子 答金公世

絞帶

尤庵曰練後絞帶之或用熟麻禮無所據熟麻之文只見於家禮緦麻章矣 五禮攷證

問外王父答崔奎瑞曰斬衰絞帶用布雖非古禮依家禮大功用熟布之文練之亦可竊按雖非古禮四字似不以賈說變布爲必遵故其言如此 申暻 厚齋曰初喪衰裳冠絰至虞後皆變何獨於絰帶主練而猶不變耶先師所謂雖非古禮者儀禮無明文故也雖然家禮謂大功布用熟故其下曰依家禮用熟布之文練之亦可其意可見矣家禮之不言虞變從簡之意也然丘氏移用於練時而後來諸先生皆以爲是况絞帶不變之說不見於古今禮書圖式變麻服布七升布爲之之説明有可據耶 類輯續編

巍巖上遂庵曰齊衰自齊衰斬衰自斬衰今以齊衰以下布帶欲變絰傳之所不言斬衰之絞帶其說何據若從家禮則絰與帶俱不變若從備要則絰與帶當俱變矣雖從備要而只依經禮變絰不變帶如何 類輯續編

又曰近世好禮之家父喪練時率用布帶盖出備要註說而經傳都無其說只賈疏曰絞帶虞後雖不言所變案公士衆臣爲君服布帶又齊衰以下亦布帶則絞帶虞後變麻服布於義可也 賈說止此 又謹案公士之衆臣雖服其公士斬衰而以其卑賤之故布帶繩屨降而殺之此盖義服中又是一等變禮也今於父喪斬衰引此說以證之其義例輕重果相準歟 同上

陶庵曰絰用葛絞用布亦在儀禮 賈疏 先正 沙溪 定論如此只當遵用而已 類輯續編

又曰斬衰練後絞帶布葛或以布布則熟也非生也變殺之節自應如此 同上

屏溪曰斬衰練時布帶終可疑賈氏之取於公士衆臣之服爲子爲父臣爲君正服之變者未知何義雖以常禮推之布以布變麻以麻變禮似得宜今以布代麻則布麻所以別齊斬者其義安在此等界限則變改不難竹何不代桐繩何不代以布勉齋之取用賈疏者不知何據 類輯續編

竹庵曰父母之喪腰絰之外又布絞帶見儀禮經文而其布變改他無見處盖此二帶服之於小斂憑尸之後三年無變而只爲疏家創說至有斬衰絞帶虞後變麻服布之說矣且儀禮曰絞帶者繩帶也此與齊衰之布帶其名言自不同而後禮文字混稱布帶爲絞帶耳 類輯續編

又曰繩帶元無改之之文則改用布帶疏家之謬勉齋圖式未及改正至於齊衰布帶則其變改尤無可據 同上

雲坪曰儀禮喪服斬衰章絞帶疏以爲虞後變麻服布於義可也愚意以爲同絰帶變葛可也 類輯續編

近齋曰絞帶備要既以布爲是則當從備要蓋麻絞之論巍巖之所力主而亦有難行者矣 答三從弟能源

又曰布絞既有賈疏冠布纓有崔氏變除之文而獨此緝邊無明文所以難決耳 同上

又曰巍巖說今雖從備要而依經禮變絰不變帶云此亦難從腰絰重絞帶輕腰絰既已變葛顧而絞帶獨仍生麻則似有輕反爲重之嫌未知如何 與尼門

又曰絞帶用全幅蓋布帶以廣爲故也 答金宗善

又曰功衰緝邊當否布絞麻絞之問愚何敢臆決乎鄙意則緝衰布絞爲是故昔年於先人喪練時如是行之 答館源

又曰腰絰用葛絞帶用布卽古虞祭變服之禮而移用於小祥故也斬衰之喪練時或有用麻絞者此是競嚴之論蓋欲不從賈疏變布之文也然儀禮經文所未備者當用疏說則賈疏恐未可棄且文元先生旣載於備要則雖斬衰練絞亦當變布腰首絰以無葛用潁之義葛若難得則代用熟麻何妨 答尹善大

問成服時絞帶三重四股絰則兩股相絞至練絞帶變爲布帶而絰爲三重四股何也 李兄一休 老洲曰三重四股微有飾意故練之絰視成服之絞帶其亦漸殺之意歟

又曰絞帶麻布所以存齊斬之分也斬衰練後絞帶變麻用葛與絰相稱頗好而備要旣取賈疏以布絞爲制行之已久且帶輕於絰雖變布無損於六分耶 與梅山

梅山曰斬衰絞帶練後之變麻服布出自公士之衆臣而卑賤之故布帶繩屨降而屈之此是義服之變禮也賈疏之見取圖式之見較爾有所不敢知者而沙溪先生旣編諸備要行之已久則難變也腰絰旣變葛則絞帶亦當變若嫌服布之無分於斬齊則熟麻亦可用布則當練而不緝邊也絞帶旣用練布則冠之纓武無差殊也 答林來卿

按練服變除其說紛紜一則衰裳練否一則負版辟領衰去否一則衰服緝邊與否一則絰帶用麻用葛與三重四股一則絞帶用麻用葛也小祥之名爲練祭以其練也若只練冠與中衣而不練衰裳則何足謂練祭耶中用黃裏縓緣而衰裳仍舊不變則無亦斑駁乎古禮斬衰三升旣虞卒哭受以成布六升冠七升今無卒哭變服而至練又不變則豈衰殺從輕之義耶蓋正服不變非經文而出於賈疏有不敢信老洲辨之詳矣古禮五服皆有衰如斬衰齊衰功衰以至緦衰疑衰皆以衰名者以其有也練服稱以功



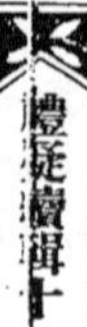

衰而去負版辟領衰則不成服制誠爲可疑練服之去衰負版始於書儀而家禮從之恐是宋之俗制非有據也橫渠云練服功衰上亦不去當心之衰觀此則宋時君子亦不盡從俗制矣喪服傳云斬衰不緝齊衰緝此爲齊衰定分則斬衰仍其不緝而練齊衰仍其緝而練以終齊斬三年之義似可矣斬衰之喪期而緝邊則幾嚴期斬之譏不其然乎功衰云者似專指升數未必謂緝也若始制不緝旣練而緝則此是喪之大節傳記註疏豈無明文耶古禮卒哭後變麻服葛則絰無可疑無葛則代用熟麻亦可終不如用葛之爲得禮意腰布始麻兩股相合易葛則三重四股差小於前五分去一恐是彌飾之義也絞帶雖輕於絰斬衰以麻齊衰以絰各有定制若於小祥以麻易布則豈非半斬半齊乎賈疏所引公士衆臣之說無當於義絞帶恐亦用葛而差小於前耳

練屨

近齋曰屨必從禮則當用繩屨而近世士夫家鮮有行之雖仍菅屨何傷繩屨之制則曾見其樣非俗之麻屩與菅屨無異用麁熟麻爲之 答金宗善

婦人練服

本庵曰齊衰喪服記受冠八升練則又當以冠爲受衰八升冠九升而婦人之衰若總從之矣 續輯

近齋曰婦人練服男子服不練則婦人服亦當不練備要之欲用稍麁熟布者出自家禮蓋大功服是稍麁熟布而練服卽功衰故也旣非長裙則裁之之文無所施也 答金宗善

老洲曰婦人練服當依備要稍麁熟布爲之如貧不能辦則練舊服而用之何傷絰與帶俱同男子家禮備要旣無所分別雖有小儀婦人有除無變之文恐不必從 答梅山

行祭後易服

竹庵曰儀禮卒哭尸出賓出之後丈夫脫絰帶于廟門外入徹則變服當在行祭之後家禮變禮儀而失於經旨也若醒齋爲除喪設而去其喪服吉亦當然也 續輯

又曰因朝奠變服者亦於朝奠行後脫服 同上

告祝之節

近齋曰大小祥同是祥而祥是吉之稱則大祥爲主故祝文於大祥稱祥事小祥則稱常事以別於大祥也常字之義似是歲周而殺喪練變卽禮之常也 答梅山

問亡妻虞卒祝既下致添入適于顯祖姑之文祔祭直用古禮明日練祭祝式當如何 尹常東 竹庵曰維年月日夫某官謹以潔牲醴齊薦此常事適于顯 氏祔孫婦某封某氏尙饗古禮蓋自祔至祥禪一例矣 續輯

近齋曰子婦大小祥祝辭他無見處以尤翁所定祭孫婦祝辭換而用無妨 答梅山

鹿門曰儀禮祔祭祝有小心畏忌不惰其身之語而小大祥皆蒙此則小祥大祥皆當用此八字 續輯

竹庵曰小心畏忌不惰其身八字通用於祥禪非但家禮之意爲然儀禮自祔已用此祝古禮然矣 續輯

陶庵曰小祥祝小心畏忌備要雖載此文士大夫家不用者多鄙人嘗亦未敢用矣 續輯

近齋曰小心畏忌等語大祥祝不可用者鄙說非別有所據亦非專主南溪說南溪欲只用於小祥而愚意雖小祥亦不必用蓋以漸次殺哀之意言之三祥祝宜無加於三虞而夙興夜處哀慕不寧八字至矣何必添用他語且如醒齋小心畏忌則小心畏忌等字豈非下得重耶愚故竊嘗疑惑及見陶庵所論曰備要雖載此文士大夫家多不用之鄙人亦不敢用於是深信此說家間年前所行不用矣小祥則用之矣皆見但知其心於小祥未見其通於祥禪然庵於此以爲有脫陋先鑑亦已疑之矣 答李廷仁



潁西曰夜處下八字書儀自小祥至大祥家禮從之備要錄此於虞祝之下故下小祥則三字非謂大祥不用 答梅山

老洲曰祭稱孝子孝孫喪稱哀子哀孫虞而卒哭以吉祭易喪祭故祔與練祥皆稱孝子備要立文恐以是也哀旣於代服之時告以受重則練祭稱孝豈云未安耶若以練祭之行於祔前因稱孤哀恐無據矣 答李正夏

近齋曰童子八歲以上則省事者也小祥祝文中夙興夜處四字有何不穩此則不必以不勞不苦而拘礙也 答俞彥柱

小祥受吊

近齋曰練日受吊固無甚礙行然反哭受吊今人皆行之而忌日受吊廢已久矣小祥雖異忌日主客皆知此意然後可行祭訖而與衆祭諸賓相向而哭有何不可 答任靖周

老洲曰忌日古人猶行吊況練祥豈容無吊今俗雖鮮有行之哀兄斷然行之則豈非禮義由賢者出耶 答梅山

練後諸節

上食哭泣有無

屏溪曰小祥後上食不哭退溪說見於備要小祥條而沙翁亦疑之似難從未除喪而先廢哭豈孝子之心耶 續輯

柳氏曰朝夕哭奠殯宮晨昏哭也練而止所以哀殺哭殺也上食是古人下室象生之設而旣葬去之者也書儀從簡設於靈座而後賢引而至於三年從厚之意也與朝夕哭條例不同旣是從厚則不必蒙止朝夕哭之文 常變通攷

晨昏瞻謁

厚齋曰練後几筵朝夕展拜謁當初依退溪說行之矣寡子先師則以常侍之義不當行故不敢行況此事家禮無文耶但哀平日定省時已講定而至到今處廢有所不忍惟在哀思量處之 續輯

渼湖曰練後朔夕無特謁自有其義行之雖亦近厚而猶可入更思 類輯續編

問練後几筵退溪以爲晨昏展拜可從古否 金謙光 渼湖曰禮既無文雖未行恐未爲失愚居憂時未嘗行之矣 類輯續編

陶庵曰小祥後展拜終未安鄙人所嘗行者小祥後侍立移時而退以禮言則所謂瞻禮者是也 類輯續編

李氏曰龜峯所謂入伏陶庵所謂侍立恐未有據惟家禮居家雜儀男子平日有父母前晨昏唱喏而會成云唱喏是揖時聲節李徐先生每晨具公服揖其母云瞻禮之文亦在祠堂章而丘儀亦以唱喏言之瞻禮亦是揖也然則晨昏入几筵當鞠躬作揖而退矣 家禮增解

近齋曰小祥後晨昏展拜几筵恐終非常侍之義愚嘗從晨翁說只行瞻禮而不拜矣 答梅山

老洲曰揖禮之行於父兄乃宋禮而我朝先輩亦有行之者練後晨昏瞻禮之行揖不爲無據然愚居憂時以嘗未行於生時而行於几筵趦趄而不得行之矣 答梅山

潁西曰止朝夕哭後晨昏拜禮恐違常侍之義而只侍立而退亦甚昧然鄙於前日不免行拜矣 答梅山

梅山曰朝夕哭雖練而止不可闕然無事恐當行瞻禮瞻禮侍立而不拜也晨謁祗言朔而不言夕夕亦不可廢也當從陶庵說並行於晨昏故嘗質諸近翁而行之 答[illegible]溪

哀至則哭

問小祥後止朝夕哭而古人有泣血三年者然則雖過小祥似當哀至則哭 安國光 屏溪曰聖人制禮使賢者俯而就之不肖者企而及之泣血三年禮所謂高於人一等者然孝子之心節哀順變無至滅性是中道矣 類輯續編

布深衣追製



近齋布深衣喪初未製練後追製何妨 答金宗善

上塚哭

巍巖曰几筵朝夕哭亦止於練後此聖人中制也孝思過人無一毫勉强而擗淚俱發則雖非中制顧何時而不可哭也如其未然則聖人所不言後生誠難爲定論 類輯續編

問朝夕拜墓時雖祥後亦當哭耶 李濂 陶庵曰墓所異於几筵伸情何亦妨也

奴婢練帶

近齋曰行者哭婢斬衰服所帶生麻帶小祥後當改以熟麻或葛耶當改以布耶 上金[illegible]

大祥

陳禫服義

屏溪曰黲布冠服卽大祥日所受之服故大祥日陳禫服白布衣冠本是丘儀而五禮儀從之故東俗大祥服白布衣冠禫日始受黲布衣冠 類輯續編

鹿門曰記曰縞冠素紕既祥之冠也 答玉溪 又曰大祥縞素麻衣 傳謂 此喪服之大節也孔安國曰縞白繒毛萇曰縞白色無以縞爲黲色獨詩素冠疏誤引記間傳註云黑經白緯曰縞 間傳本註黑經白緯曰纖非縞也引之者誤謂縞也 而朱子采之於集傳家禮之以縞色爲大祥服者蓋出文此而栗谷沙溪皆以白黑雜色爲祥服一字不明之害乃至於是今欲以白布爲網巾用白笠白笠直領爲出入服白布巾布深衣爲平居服則酌古通今行之無礙也 類輯續編

又曰祥縞禫纖服色判異而家禮進禫服於大祥禮則仍闕變服之節備要於禫直陳吉服蓋亦以禫服之誤陳於大祥故耳今既定祥服則當依經冠之文以黑笠黑帶爲禫服矣 同上

本庵曰雜記註祥祭亦朝服既祭乃著縞麻衣疏於祥祭著朝服縞衣素裳其冠則縞也既祭著縞麻衣者間傳文以祥祭奪情故朝服祭訖哀未忘故麻衣也從祥至吉凡服有六祥祭朝服縞冠一也祥訖麻衣二也禫祭玄冠黃裳三也禫訖朝服綅冠四也踰月吉祭玄冠朝服五也既祭玄端而居六也間傳曰大祥縞冠麻衣註麻衣十五升布深衣謂之麻衣者純用布無彩飾也玉藻曰縞冠素紕既祥之冠也註紕緣邊也已祥祭而服之疏縞生絹近吉祥祭縞冠祥後微伸哀情故加以素紕素重於縞也陳註縞生絹素熟絹曾子問縞總註縞白絹也禮既祥白屨無絇疏白屨無絇戴德喪服變除禮文愚按喪儀祥便受禫服無變服是祥祭爲禫而爲虛設丘儀改作布巾白衣布帶而五禮儀令白笠衣粹婦人素衣履爲得禮意但不如古之祭以縞冠朝服祭後縞麻衣 類輯續編

老洲曰雜記祥縞禫纖卽祥禫變制之不可易者也家禮大祥章不陳祥服卽陳禫服者實沿書儀而備要仍之遂爲時制至便覽分別縞纖各置陳服之節於祥禫兩章可謂補備要之闕也 與梅山

祥服

近齋曰大祥服色備要並載家禮用黲五禮儀用白之文而無發落者欲使人擇而行之耳家禮雖如此當從五禮儀蓋時王之制故也三年喪祥服既用白則父在母喪十三月祥服亦當用白何疑 答梅山

網巾

梅山曰齊衰祥服既是古禮則未可以有違於家禮備要而不從也況有五禮儀及丘儀之得禮之正者乎 答李在設

本庵曰網巾猶古纚而古之縞冠纚從之矣尤庵謂笠白巾亦白謂宜矣 類輯續編

櫟泉曰喪後布網巾祥在高祖考 同 答[illegible]問可故也其謂駭俗者指白黑[illegible]造者矣曾於乙巳丁未祥事時申季丹皆用布而用布戊寅亦如之未見其駭俗頃者任仲思亦用布矣 類輯續編



屏溪曰黲網巾非古也古則皆纚也喪布之網禮雖不言其生絹白布當一視冠巾而爲之也若依家禮則大祥用黲制網亦當用黲布而我國既著白笠則網似用白布故頃年大祥用白布網至禫祭黲笠時始用黲網巾矣 類輯續編

近齋曰網巾白黑黲雜造沙翁雖言之而恐駭俗難從陶庵說以尤翁書中有黲亦可布亦可之文爲言然則雖用黲造者而飾以白布恐亦無妨 答金宗善

老洲曰網巾之用布實慨黲縞之義而近俗皆用黲布飾愚於居憂時亦從俗用黲追思終有不悛於心耳 答梅山

布帽

近齋曰丘儀孝巾本是承衰冠之物喪後既去衰冠則孝巾非所更施也不如從俗用巾帽帽子頭錢固雖單着而疾病時用之燕居時亦着白笠何必別造冠也 答金宗善

布帶

梅山曰齊衰以下布帶精麤各視其冠而廣則無文可據丘儀從以四寸而四寸是大帶之廣布帶之象葉帶者以之爲擇殊無所當家禮集說云母喪做斬衰絞帶牛服経之義以改爲粢布絞猶然況大祥後布帶豈有定制乎廣狹恐當隨俗而兩股雙垂亦宜如帶葉帶也 答李在設

婦人祥服

近齋曰大祥後婦人服色鵝黃青碧與純素俱無可否禮祭條不言婦人變服者從男子故也大祥雖從家禮鵝黃青碧豈無禫月之變禫祭卽吉如男子鵝黃青碧之外亦當有吉服衣裳矣至於父在母喪祥後從家禮用黲則禫月無可變之服然今既從五禮用白何必論此乎婦人心喪服色世多用玉色衣裳此與鵝黃青碧爲稍淡故耶然則婦人於姑喪心制不用青碧用色耶 答梅山

梅山曰男子祥服既用縞素則婦人豈有異同當從五禮儀丘儀純用素衣履（答李在慶）

婦人竹簪

老州曰婦人竹簪可比丈夫冠飾祥後仍用喪前喪簪恐涉如何或用他木畧存斂樣以示其變如何（答梅山）

梅山曰婦人祥服竹笄恐不宜改以黑角黑角是爲禫服也（答李在慶）

祔廟

祥後主仍在寢（父在母祥祥後不入廟並論）

鹿門曰吉禘而自殯宮入于廟先王之正禮也大祥後不待吉祭而直行祔遷者唐宋之俗制也家禮雖用俗禮先生晚年既從橫渠之論而以祫（吉祭）畢入廟爲禮之正則大禮已卓然矣若其既祥且當祔祖一句（答李繼善書也）似是論定之初未及細攷先王之禮橫渠說中自殯宮三字亦未及留心看破而大祥入廟行之已久几筵既撤奉主雖便故不得已爲此權宜之制耳其實几筵雖撤喪事未畢（未行禫吉故曰未畢）仍安於寢（前日設几筵之室也）以待祫享自是當然之理（祥而外無哭者禫而內無哭者亦謂內外殯宮內外祥後主仍在寢可見）謹按通解備載程張之說春秋之文而獨此答李書（即此祥且當祔祖之書也）則不錄以此爲據斷然行之恐無可疑（答尹東遜）

又曰大祥後主仍安於寢吉祭之日自寢奉於正寢設位處（祖以上諸位故處）行祫祭祭畢行處遷而隮入正龕（同上）問喪事未畢而主祔於廟非古禮也且以事理言之正禮繼序之主與禮應班祔者事理不同而乃於喪制未畢之前數月權祔事殊未安禮祭吉祭改題行禮節次亦多不便但以張朱之意吉祭入廟事穩當況有古禮可據乎備要以家禮之告遷改題遞遷等節俱移置吉祭而獨此入廟一節仍而不改似從朱子答李繼善之言然今以入廟一節並移於吉祭則雖異於家禮實從朱子之意也（尹東遜）

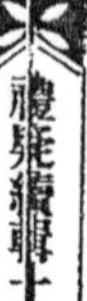

鹿門曰此一段極精當無容議焉（類輯續編）

本庵家禮集攷曰春秋閔二年左傳註三年喪畢致新死者之主於廟士虞記以其班祔疏曰左氏僖公三十三年傳云烝嘗禘於廟服註云三年喪畢遭烝嘗乃於廟則三年前未得遷于廟又疏曰大祥與禫其主自然在寢祭之禫月逢四時祭月即得在廟祭又記是月也吉祭疏禫仍在寢張子曰古者君薨三年喪畢吉禘然後祔因其祫祧主藏於夾室新主遂自殯宮入于廟家禮祔註李繼善問書儀言遷祠版匣於影堂別無祭告周舜弼以爲昧然先生前云諸侯喪畢有祭其禮亾而大夫以下又不可攷今當何據曰（朱子）橫渠說三年後祫祭於太廟祭畢祧主歸於夾室遷主新主（迭遷之主）皆歸其廟此似得禮但既祥而撤几筵其主且當祔于祖俟祫畢迭遷耳楊氏復曰家禮祥前一日以酒果告訖改題遞遷盖世次迭遷昭穆繼序其事至重豈可無祭但以酒果行乎橫渠說祫祭畢迭遷神主而先生從之當俟吉祭前一夕以薦告遷主畢乃題神主厥明吉祭畢奉祧主埋於墓所奉遷主新主各歸于廟愚按新主入廟之節經無其文然傳註記疏明白如彼而開元禮亦自虞至禫主仍在寢禫後乃祔廟至書儀大祥祭畢遷祠版于影堂而此書未反改正後來答（朱子答也）王晉輔書則云喪畢祫祭奉新死者主入祖廟而註引橫渠說至李繼善之疑書儀也亦引橫渠說以明入廟之必待祫祭而於橫渠新主自殯宮之語則畧過了却以大祥撤几筵爲常法盖先生雖已知古禮如彼而特沿書儀爲從宜之制故不得已爲且祔祖龕之說盖既以新主入廟爲當行祫祭則未祫祭前已即祔固爲違戾而此書則又一遂書儀與答李書不同矣答李書在附註故備要從之見行於世而近者任仲思獨據士虞疏以爲可疑信得之今既據先生答李書不從此書之祥後遞遷則亦據答李書所稱橫渠禮而推之復古之主仍在寢以待吉祭不亦宜乎是於先生之言從其大體而不害小節之有異同也且考五禮儀國家已從開元禮而此正係自天子達之大節則雖大夫士庶不嫌其通行觀於禮疏若張子朱子之論入廟皆據王公禮爲言者可見也（類輯續編）

又曰今從古主仍在寢則無撤靈座一節但不上食（同上）

老洲曰祫畢入廟之禮任鹿門主之甚力近世一二敎禮之家亦有從之者區區居常疑之不敢遽信祥後撤筵祫畢入廟俱有朱子說則家禮大祥入廟之文恐不可遽歸之於未修之科也盖祔與遷自是兩項事卒哭而祔既祔之後便可仍在祖龕祔已返寢者爲日祭也及祥而日祭停則無所事乎在寢矣於是入廟祖龕以俟祫畢而遷非特禮意委曲有漸事理亦自不得不已也若祥後主仍在寢則是爲日祭乎爲祔廟乎求諸名實果何據也故沙溪從以朱子答李繼善書既祥撤筵且祔祖龕爲用意婉轉後人不可遽也沙翁豈不知有春秋之傳程張之說而其言如此則可知沙翁之取舍自有權度矣（與沈靜而）

又曰竊謂祔之義至爲精微凡人之死魄歸陰土神返室堂而不可以無所屬矣必也上屬乎祖考昭穆之次乃有所依歸也於是虞而安之則告以祫事卒哭而將神之則制祔而合享之祥而罷日祭則入祔祖龕且待吉祫行迭遷之事而始隮正龕其以新合舊之際用意婉轉委曲有漸夫如是然後可以無憾也況朱子答李繼善先舉橫渠說許以似得末乃以且當祔于祖俟祫畢遷決之反復乎此則朱子之許橫渠而不從必有斟酌損益之精義盖如孔子之善殷而從周也（答梅山）

按祥後主仍在寢祫而祔廟雖是古禮祥而入廟載於家禮爲後賢定制矣今之不從古禮非止此一事若不至大失恐不必輕有移動老洲所謂以新合舊委曲有漸似得朱子之意也

近齋曰三年喪畢後祔遷之節朱子答李繼善書果與家禮不同然沙溪先生之撰備要也撤几筵祔廟則從家禮之文在於大祥之後改題主遞遷則從李繼善書在於吉祭之時盖於朱子前後兩說斟酌折衷而用之者也愚嘗謂此禮載之備要行之已久後人只得依此遵用不可遽然舍之而特行古禮必於祫祭入廟也（答任淸周）

又曰家禮無祫祭大祥直爲遷主而朱子晚年定論以祔與遷爲兩項事祥而撤几筵祔于祖廟俟祫祭而遷故備要從之大祥後仍留几筵沙溪以爲年禮不可爲也（答金若有）

又曰祥而不爲入廟大違禮意先廟本不行朔望参者新主祔後一體不行理勢然也何可因此而必欲行朔望仍奉於几筵耶支子之奉安別所者朔望哭行之節亦非可旁照也父在壓屈之義至嚴且重何可爲此苟且循情之事耶國初及中葉間人家多有父在母喪而不撤几筵仍行上食者矣其後儒賢輩出禮文大明無復以此爲問者故謂儒先文集中不見然南溪說杖期條答鄭沿之問則可推而知矣祥而不祔廟既失之於前今爲善後之道莫如於禫前一日措解告由於先廟及新主追行入廟之禮翌日晚奉出新主行禫祀於靈座故處爲宜（答朴景愈）

梅山曰祥後入廟者朔望行参禮於廟中是爲禮也若不入廟而仍奉於靈座故處則禫前當行朔望参而哭矣恐宜禫後祫前若値朔望則只行参禮禫而內無哭也（答白競曙）

前一日告祠堂（服色並論）

櫟泉曰祥日告廟沙翁說如此而以祝中大祥已屆字觀之似當前期以告故曾於前一日告（類輯續編）

本庵曰祥前一日告先廟之時尤翁以爲衰服入廟已有祔祭之例而愚意此與祔祭有間以俗制布直領爲之如何渼湖曰依來說行之恐當（類輯續編）

近齋曰祠堂告辭前卽期一日而告也非待晨後行祀之後也以大祥條註不可不先告祠堂之文觀之先字是前期之謂也（答金宗善）

老洲曰祔廟之告便是有事則告何可拘於先忌而前却耶忌祭與朔望参先輩有兩祀並存之論況告由酒果之薦豈有再禮之嫌乎（答梅山）

梅山問大祥前一日當告廟而先妣位則當以不告祔位之義祗設酒果恐宜老洲曰來示恐然矣

柳氏曰四世成宗之廟入廟告辭曰禮當祔於顯曾祖考此即祔祀之時已告之辭也無乃猶乎若只奉祀考妣之廟則固不當用此故遂庵改以喪期已盡禮當入廟矣愚以爲雖累世成宗之家亦以禮當入廟告之然後無瀆告之嫌矣（學禮疏小）

將用中一之禮祠堂及別廟告辭

近齋曰祔祭則行於尊祖妣位祔廟則妣誠似恭莞然禮到變處何可以常規論乎兩廟告辭製呈製用如何（答金宗善）各位例書之曰玆以先祖妣某封某氏大祥已届禮當祔廟而以顯高祖妣某封某氏神主出在別廟將用中一而祔之於祔于顯六代祖妣某封某氏不勝感愴謹以酒果云云（右大祥祔廟告辭）顯高祖妣列書之下曰今以先祖妣某封某氏大祥已届禮當祔於顯高祖妣而以顯高祖妣神主在別廟不得奉祔將用中一而祔之文祔于顯六代祖妣某封某氏與當初行祔祭于高祖妣義不同係是變禮當陳事由謹以酒果云云（右別廟告辭）

妻祥後祔于祖母並告墓位

梅山曰妻祥後當祔于祖母雖無事乎遷遼宜用有事則告之禮並告墓位沙溪說當遵備要祔廟祝辭告以祔曾祖而列書諸位並薦酒果未可只告所祔之位（答申幼安）

神主告辭

問新主前不可不告祔廟之由而備要則只有祭畢後祝跪告曰請入于祠堂云云初無所告由而今乃請入似極沒實同春曰新主前亦略告今日大祥已届卽當祔廟敢告云云然則此告辭當行於何時耶（李秉徽）梅山曰備要所載告辭果涉大略春翁所製當遵而告于大祥祭畢之後恐得既在祭畢則大祥已届之届字改以過字如何

繼稱者祔廟之節（告辭並論）



問繼祖之宗父大祥新主入廟旣無班祔之位奉安於祠堂中何處而告辭之禮當祔于祖考一句改以何語（鄭衡周）

原齋曰祫祭前依朱子說奉安于東壁下西向俟還祫後奉入于正龕似宜（類輯續編）

問繼祖之孫祔稱告辭當用措語告以稱祔祖之意耶（尹槩東）

渼湖曰來說似得之矣（類輯續編）

屛溪曰祖位尊奉之祠新主入廟告辭當云先考某官府君大祥已届神主入廟姑安於東壁下云云（類輯續編）

又曰繼禰之孫雖祔父於曾祖位而曾祖位神主在於宗家祠堂不得祔於曾祖龕吉祭前不得不奉於其廟祖位東壁下以遂祔廟之禮至吉祭出主時告辭宜各版而一時奉主出就正寢祭畢入廟時兩位姑各奉於室龕（同上）

南塘曰凡有後者皆不可班祔繼禰之宗其勢有夫與子則不可越親廟而班祔於宗家也其子與婦或有無後者以其班當祔於其祖尤無可祔於宗家也（類輯續編）

梅山曰支子繼禰之宗與宮異廟者亦當祔其父於宗家祖廟待祫而入其廟耶遂庵厚齋咸主祔祖之論而形格勢禁不得祔於祖廟將姑祔於考廟東壁則大祥前日告廟措辭云當祔於曾祖考某官府君而支子繼禰準禮立廟往祔祖廟勢有所拘權安于東壁下云云如何亦當以不克躬親入祔之意俾宗子告由于祖廟耶老洲曰異宮異廟勢雖祔於祖廟則權祔於考廟東壁下恐不至大悖告辭盛備好矣至於祖廟之告恐不必爲矣

梅山曰支子異宮則異廟故不克往祔於祖龕或祔於禰或仍于寢是亦通行之禮也若同宮則當祔于祖用寓同昭穆之義待吉祭遷于新廟恐爲得正也（答金運善）

支子無廟者祔廟



本庵問祥後入廟支子無所遞遷則何避而不入廟龕乎渼湖曰只爲後世支子之異居者權安其主於私室故人習見其如此而有是說耳今雖不得已安於私室而祥後猶不改其東壁之位尙於存羊之義（類輯續編）

陶庵曰既不異宮而居則婁主姑爲權祔祖廟似無不可（類輯續編）

問先考乃支子祥後不得祔廟同安於先妣神主權奉之處則旣非祔廟之義又違儀禮猶未配之文抑因留奉或移奉以待吉祭耶（李士龍）

黎湖曰雖入廟而安於各卓到吉祭方合祭而吉祭若在於隔月則先祭而後配異於隔後踰月祭者之直爲合祭故謂之曰猶未配也云爾若移奉於妣位奉安處則告辭年月日云云下當曰今以先考大祥已届禮當入廟不勝感愴云云矣

竹庵曰父先亡母神主入廟告辭維年月日孝子某敢昭告于顯考某官府君顯妣某封某氏大祥在某日將行入廟之禮謹因朔參用伸虔告謹告（類輯續編）

剛齋曰支子之子遭父喪母喪則三年後當奉神主於其家而母先亡而奉主有所則父喪畢後亦當奉主入其所祥祭畢祝跪告以請入于祠堂而已而先以酒果告由于母龕恐當與繼禰之宗告祔廟無異矣（答韓李將）

梅山曰支子異宮有難奉祔於宗家祖廟考位入廟前一日告妣位措辭尤翁說可遵而將以顯妣祔焉一句刪之亦可以不卽合櫝而又將有祫祀配享之文也新主只請入祠堂似不分祠堂之爲何所而異宮之故不祔祖廟神道之所鑑諒果如盛教不必更添他辭耳（答朴元得）

又曰不祔祖廟則前一日廟所告廟而几筵無告恐涉昧然大祥前日因上食告由曰明日大祥後禮當入于祖廟而祖廟居遠恐難往就支子異宮各自爲廟則勢當入于新廟直歸正合龍躋告（答任憲晦）

考妣祔廟

屛溪曰若父是宗子而先入廟龕則母之入廟亦當奉於其父之龕以待吉祭而合櫝然未合配之前一床同祭又似失禮哀慕之欲各設者得禮意矣今若以不欲同祭而各奉二處則大祥入廟節目闕而不行極似未安大祥日聯卓而奉之吉祭前則各設酒果似於禮得之（類輯續編）

又曰勿論父母先後亡大祥後祔廟時以各櫝聯坐改題主亦各櫝至吉祭時納主時考妣始合櫝二櫝聯坐見大祥祔廟告辭下丘氏說吉祭後合櫝見納主下小註按字說而配祭之義詳見於合祭新主祝下小註如此則合櫝時更無可告之節矣（同上）

問備要父先亡母喪祥畢依丘儀祔于考龕而又或者之儀曰父雖先入廟母喪必祔于曾祖妣俟祫時配于父此當何從（朴宗岳）厚齋曰依丘儀祔考而依沙溪說俟祫祭後合櫝似有據矣至於或說結之以更詳之三字則恐是疑而未決之辭也（類輯續編）

近齋曰大祥入廟禰位既在正位而祖妣位猶未奉於東壁以尊卑之序似爲未安若用沙翁說因丘禮直祔父龕之文則祖妣直祔祖考位不必用[illegible]之制然沙翁說下有或曰云云欲姑祔祖妣俟祫時配于父以存古禮然沙溪以爲更詳之未知將何適從也然愚意雖已入廟猶[illegible]東壁蓋躋置於祔龕不必以尊卑之別爲嫌或者以爲不安則用丘禮及沙翁說行之之外無他道矣（答徐有會）

又曰禰廟一節丘儀既非古禮不必從也亡者祖妣之位既在廟中而祭亦已設行於其位則大祥入廟時告辭當用祔於曾祖妣之文入廟後神位東壁西向爲宜（答徐孤柱）

老洲曰父先亡母喪祥後入廟之說備要有兩說丘說祔考也或說祔曾祖妣也新主雖入廟合櫝之前使是尙在祔位不可與考一行並坐則祔於曾祖之位（答金說）以俟祫祭配于考可謂宛轉得禮之意後來先輩多取或說（與李而中）

又曰妣位先在東壁西向之位則稍移于下奉考位於其上恐不必煩告若地狹則勢將各安于東西壁下（答梅山）梅山曰祫祭前不入

正龕故大祥入廟當奉于東壁西向配位先已入廟則當奉新位于其上而各用卓子朔望叅亦各設待祫祭始合櫝而合享焉耳 答蘇輝先
又曰後世廟制不古廟室極窄雖容祔位故入祔于廟中之東壁者乃不得已也不于西而于東者神道尙右故避尊而取卑也所祔之龕可以容祔則祔待朔望節日出置東壁下行禮如退翁設恐亦可進而否則因地勢奉安東壁不害爲通變 答申幻安
按大祥後新主入廟安於東壁下待祫而升正龕非但爲遞遷一事以新合舊委曲有漸也然則父雖先亡已入正龕母祥入廟恐不可直躋考龕姑安於東壁下以祔曾祖妣待祫合櫝始隮正龕恐宜盖未祫之前猶是祔位也

承重祖母喪祥後入廟之節

老洲曰哀是承重而繼曾祖之宗則實無當祔之位矣先丈先已入正位則尊祖妣以無當祔之位權祔東壁甚覺不安其勢不得不各櫝升奉于尊祖考位各卓分饌以待祫畢而配矣 答閔泰鎬
按祥後入廟祫前東壁西向自有意義支子姑立廟者外不宜直陞正龕也亡者有舅姑位則以無當祔位未祫而升正龕恐合更商
梅山曰凡祥而祔廟者雖考位已入正龕妣喪畢亦不直祔于考位姑祔于亾入祖龕待祫而與考位合櫝今者尊祖妣祥後當祔于尊高祖待位尊伯父喪畢當畢吉祭吉祭時始爲合櫝禮也 答尹子中

妻喪入廟 後妻祥主移祔先位並論

三山齋曰支子之妻必祔祖廟固有尤翁說然其下又曰今人或祔於其父之廟而曲坐於東壁之下此則事勢之不得已也然則尤翁於此亦已有濶狹惟在自量事勢而處之耳大抵從上說則誠有多小窒碍行之者鮮矣 答趙衆之

禮疑續輯十　十五

梅山曰妻喪畢當祔於祖廟而庶子異宮者若難準禮則奉安房室名以祠堂已矣繼配喪畢亦當同奉於元配祠宇而各設椅卓恐宜兩配各奉豈有先告之節乎祭訖祗告新主以請入于祠堂而已 答朴景龍
又曰支子異宮自祭其妻者當奉新主於正龕子喪入廟姑安於東壁西向待到異日禰位合櫝然後姑陞正龕爲繼祖之宗也 答李敎燮
近齋曰只奉禰廟之家亾室位以無祖妣位祔於妣位盖出於權宜之禮而今既有高祖位新奉於長房則當用中一而祔之義祭高祖考妣覩若以某親祔食方合禮意如以前後逕庭爲嫌則時祭前一日以自妣龕移祔于高祖妣龕之意措辭告由似爲宛轉 答李廷仁

新主入廟當行再拜

梅山曰新主祔廟不可昧然而退當行再拜非爲安神衆尊謁也喪中廢展謁及新主入廟而更行是禮也 與鄭姪文老

祥訖入廟前不可叅錯吊禮

老洲曰祥訖入廟係是一串事其間豈可叅錯以他事祔廟畢後受吊恐宜矣 答梅山

神主自外來入廟

竹塢曰僭示入廟一節到家後姑爲奉安于寢因朔望或俗節入廟行叅而姑祔西向之位恐禘既行祔祭則恐不必別爲入廟告辭矣儀要大祥入廟時告辭以經禮則恐不當有蓋雖奉累世神主歸重於祔祖之意而禰與高曾之廟則不煩並告而在神道與告無異矣先亡位則 亾者配位 只是祔祖者者何可別告耶 類輯續編

祥後諸節

朔望叅 哭可否並論

問宗子祔廟朔望固不可獨設殷奠而支子則如祥前備設如何 李士迪 黎湖曰几筵象生之設廟是純於鬼之謂三年既畢無論其仍奉故處與升入於廟皆可曰廟而不可曰几筵此無宗子支子之間然則既入廟後恐不可猶設殷奠
問支子立廟無所厭尊祥後朔望似當存門內之哭 李士迪 黎湖曰入廟後不得行哭此與門內之哭有異
櫟泉曰祥後未祀前朔望只當依祔位例行叅禮而已奉出廳事恐未安退溪請出他所之告恐未然 類輯續編
渼湖曰禫前後朔望叅恐不當哭而行事 類輯續編
鹿門曰禫前朔望哭而行奠無妨 祥後外無哭自如故哭無妨主尙在寢故可哭 禫後則不可哭矣 禫後內無哭故不可哭○類輯續編
本菴曰李光錫謂祥後內哭當是朔月哭也盖練後罷室無時哭正寢朔月哭至祥後則止無時哭 所謂祥而外無哭者 而猶有朔月哭也今既祥後主仍在寢如古禮則朔月哭亦宜據大記此文 祥而外無哭者註疏陪設之文也 行之也 類輯續編
近齋曰喪制既盡於九月之限則第十月之朔似不可行殷奠恐當先入廟而後行茶禮爲正至於別設奠終近情勝亦涉義起不敢質言 答老洲
又曰祥後祫前朔望及節日小祀與祖位同行於廟中則何謂其間一不祭乎既曰且祔則與隨入不同必設祭以存安神之義亦涉過當如開元祔祭等恐不宜施引盖古今異宜不可泥也 答金基有
老洲曰喪大記內哭之文雖足爲朔日哭之證先輩如渼湖櫟泉皆以不當哭而行祀爲言盖既祔祖龕則雖朔望叅有祔食之義奉出別行未安故先輩之論如此耶 答梅山
剛齋曰祥後朔望哭而行叅雖便之端尤庵說備矣 答金公厚
梅山曰神主既祔祖龕則雖是禫前當用廟中之例名節朔望與所祔位同行叅禮何可出就而別設乎若貧不能爲禮則新舊位並闕方校於心 答任憲晦

禮疑續輯十　十六

按祥後入廟則朔望叅當行於廟中行於廟中則不可哭鹿門本庵以爲當哭者爲依古禮主仍在寢者言也
老洲曰撤筵後祥後禫前朔望茶禮哭而行事尤翁及渼櫟諸賢皆以爲不可況禫後乎今雖有追服者只存朝夕哭於殷位處不可出主行禮如三年內矣 答金郁
栁氏曰先師曰大祥後主既入廟若從前告朔於廟則無難處徒以新主之故行朔望於廟禫後卽止則事涉無端今入家多有謫主而行於前殯鄙家亦從俗行之 常變通攷

吊哭

問同姓有服之親過葬後始造其廬而几筵已撤受吊無處云云 李敏坤 厚齋曰檀弓越人來吊事外無有所考而但越人與同姓有服之親有異則恐不可爲證雖期服已盡几筵已撤而主人猶在心制吊者只是屬近情親則始見之日哭吊似不能已也
沙溪曰朋友情厚者墓草已宿哭之何害朋友如此況至親耶 類輯續編
櫟泉曰祥後禫前有門內之哭親戚始相見者固宜有吊賓客恐難盡行 類輯續編
渼湖曰祥後禫前猶以喪人自處家禮書疏之式可考也以喪人自處則其於受吊之儀何必改於未祥前耶 類輯續編
問禫前猶以喪人自處當不撤倚廬而有吊者受之廬中如何 李士迪 黎湖曰此恐如此
老洲曰禫前係是喪期未畢祥後吊哭似不可廢然居喪之禮一以哀殺節焉祥而撤靈則無論親疏一從未祥之儀恐無情意諸賢之以親疎區別者得禮之正矣 答梅山

喪服既除後處之之節 服衣與衰殺之屬並論

南塘曰喪服未至甚弊則散給貧者或守墓者破裂無餘則焚之埋之絰帶方笠無用與杖或焚 類輯續編

老洲曰衰裳之甚弊者焚之如承衰中衣之不甚弊者依横渠說散諸貧者何傷 答黃洪瑞 人家或有焚之恐是

問復衣三年後埋之乎焚之乎 宋必健 櫟泉曰撤筵後收藏焚之墓所不妨否蓋遺衣古者以衣尸故藏之後𢙣後世無尸而猶存遺衣

者亦愛禮之義也藏之久遠固多難處依沙溪說焚之不爲無據也 類輯續編

梅山曰衾枕之屬以子孫而服父祖寢床之衾何褻之有此與曲禮祭服弊焚之之義不倫又異於不能讀父之書不能飮母之桮棬

當舉生服用弊而後已也 答任憲晦

童子髮紒皂白

梅山曰大祥後童子髮紒何居遂備要祥祭著微吉祭訖反著微凶之文變制時以皂祭訖以白如何 上顧西

上墓哭

梅山曰祥後展墓當哭禫後則當止而黲制在躬未施哀而自哀亦何可無哭乎要之袷事然後乃止 答仲舅

樸馬布鞍改否

渼湖曰祥後布鞍紙裹似穩 類輯續編

梅山曰樸馬布鞍祥後不必改待到禫變如何 與老洲

奴僕服色

近齋曰祥後奴輩白氈笠近之而許多奴僕有難盡着則黑氈笠白纓亦無大害矣 答金宗善

未詳曰奴僕不過是侍者之服豈有禫變之節然既從上服則禫前純吉似不可氈笠白纓未知如何 答梅山

湖山曰士大夫家三年後奴婢之服亦是從服則其變服之節一依其上典 疑禮正解

禮疑續輯 十 十七

禮疑續輯卷之十終

# 禮疑續輯卷之十一

喪禮

禫

中月而禫

竹庵曰語類二十五月祥後便禫之說備要載註鉄故頃以此問于黎湖則教以未聞有祥月行禫者朱子從厚之說歸重也然朱子

既以間一月之說爲未當今如有二十五月當正祭之月則 即仲月也 卽於是月祥後便禫仍行吉祭既不悖周公之禮有以成朱子之志

蓋儀禮中月而禫作仲月讀文義通惜乎未及經朱子道破 類輯續編

按朱子以從厚之意不從王肅祥月行禫之說從鄭玄間月之論而竹庵欲於祥月并行禫吉何其與朱子之意相反也祥禫同月

有可據禫吉同月有可據祥禫吉同月亦有可據乎既吉祭矣樂歌可也復寢可也從政亦可也三月之內具此三者於心安乎

閒靜堂曰王說二十五月之語爲大證鄭說中一中年爲大證俱難攻破未見得失但祥祭每在下旬則數日之內誠難容禫吉祭不

容於此月則禫又每歸於過時之不祭豈不難處乎朱子之意從鄭說必有微意何敢議也 類輯續編

梅山曰南溪雖引中遂中林之中爲祥月行禫之證獨不念喪服小記中一而祔及學記中年考校之中皆以中爲間乎鄭康成以爲

二十七月禫者以雖記父在爲母爲妻十三月祥十五月禫豈容三年之喪乃祥禫同月乎斯言明白可破王肅諸說之可恣也惜歸

値中朔則遂士虞記上旬行禫中下旬舉袷猶未配況祥禫可以同月乎 答李在變

計閏

屏溪曰禫是計月之祭鄭氏以月數者數閏誠似不易之論閏月行禫似不必疑也 類輯續編

南塘曰禫祀計閏張子之說而沙溪從之此在家禮源流禫條 類輯續編

剛齋曰家禮禫條不計閏之說沙溪則爲統旨自喪至此非必謂喪後也尤庵則謂朱子常以祥月後禫爲是而以間一月爲非況於

其間又可不計閏乎然則朱子之意與家禮不同而不改於家禮者從時王之禮也而二先生皆從張子之說矣 答朴履珠

梅山曰尤翁有言吉凶大事閏月皆可行之又曰閏月行事自古有之非直指禫而云爾也遂翁說吉祭不可行於閏月者爲其非常

月而不告朔然不告閏朔非禮也先儒至斥以棄時政焉推斯義也如之何其不可舉袷哉中月而禫固已從厚而禫祀若以閏而又

從一月則不幾近於古之喪期無數乎 答李亮汝

過時不禫之義

問過時不禫之義 鄭在綱 老洲曰禫服外也餘哀也異乎練祥正祭之不可廢故過時則容有不必追中之義耳

退祥之月行禫可否

老洲曰追服退喪正以二十五月之數不可不引而滿之則禫之隨祥退行以終二十七月之期禮固然矣此不可以過時論至於近

日人家大祥在於七月者待　國恤卒哭後退行於十一月則二十七月之限已過矣豈不與追服退祥有間乎此可引過時之文矣

開元禮父母之喪若再周以後葬者則以葬之後月練又後月爲大祥祥而卽吉無復禫矣此可爲旁照乎 與金李容

李氏曰踰月行祥既是開元禮之制 開元禮未再周葬者二十五月練二十六月祥二十七月禫 而註云禫一月者終二十七月之數備要亦取之 家禮增解

剛齋曰哀家退祥在於禫月則行禫祭於是月恐不失禮意 答鄭

禫祭宗子有故次子不可行於其家

三山齋曰禫是變除之大祭宗子雖有故不行次子何敢行之於其家耶但未詳所謂故者何故若必不可行而至於踰月則過時不

禮疑續輯 十一 十一

禫自有禮家之定論矣

無當禫者不行禫祭

近齋曰庶嫂之喪無當禫者禫祭何論 答趙鎭夬

在室女當禫 庶子喪有妻并論

梅山曰女子無禫不記見在何處而以出嫁女不杖故不禫云爾耶若是在室女則小記既云主喪者不杖則子一人杖之杖則當禫恐無可疑 答權溪

潁西曰父母喪外有禫之喪妻與長子此外幷無禫而妻爲夫亦禫禮有明文更無父在則不禫之文今其妻有三年喪者似當依其夫行禫以此推之行之爲可 答李在心

禫與忌祭不同不可畧設

剛齋曰忌祭畧設單獻伸情也禫與忌不同不能備禮則不可祭也只於當禫之日設位哭而除服可矣 答孟慶錫

卜日

陶庵曰禫擇日以吉事先近日之義推之初丁爲可 類輯 續編

問禫祭雖不明卜日之禮必以前月下旬預告以某日行事 柳知養 渼湖曰恐得之 類輯 續編

梅山曰筮日恐不必太拘當遵朱子說丁日外雖非亥日柔日則皆可用曆書宜祭祀日尤翁亦云當用而是則甚無恐泥滯也至祫同月則吉事雖取先近一旬中並舉再祭恐欠漸次上旬行禫中旬行祫恐愜禮意 答申𢓜安

卜日告廟



渼湖曰禫事卜日時拜位據家禮則祥訖新主即入正位故主人以下皆北面拜今則祫祭前猶祔于祖東西壁下主人之詣新主位當焚香東面以拜他在位者只依舊在庭下北面主人之降拜也亦如之 類輯 續編

近齋曰禫祭既不用卜日之儀則不必於前一月告之只先三日告期爲宜 答洪羲宅

又曰禫祭卜日雖不用环珓告由則因當行於前月下旬而但其間日子甚多其事故雖知以此人家例於前三日告之此似爲簡便前一日太促矣 答金宗善

老洲曰既不用卜日之制則不必隔月而朔參適値前期三日之限則仍朔參告由盛示得之 答梅山

又曰雖不用卜日之制何可無前期之告耶告廟而齊戒禮意甚好吉祭大事散齊四日致齊三日禫祭由祀散齊二日致齊一日然之吉祭之告前期七日禫祭之告前期三日恐爲得宜而要訣時祭條以前期三日告廟爲言禫吉但以此爲據亦似無妨矣 答閔蓍寿

又曰禫服之載於大祥章備要之文不能無疑移置禫章恐爲得宜而禫祭告廟實在禫前則用祥服恐宜 答梅山

按古禮小祥筮日預着小祥之服大祥筮尸預着大祥之服以莅其事則禫祭卜日告廟恐當預着禫服矣

變服之節

黎湖曰禫祭時所着當以直領而諸袍則吉祭時方着之耳 答從孫相稷

鹿門曰間傳曰禫而纖 黑經白緯 疏曰禫祭時玄冠朝服禫祭既訖首着纖冠身着素端黃裳據此則備要禫祭直陳吉服而無祭訖服纖一節恐未安以漆笠黑帶行祭祭訖着墨笠黲帶以至吉祭而復常可矣 類輯 續編

本庵曰家禮集考雜記註曰釋禫之禮云玄冠黃裳則是禫祭玄冠矣黃裳者未大吉也既祭朝服綅冠踰月吉祭乃玄冠朝服既祭玄端以居復平常也疏釋禫之禮者變除禮也間傳註黑經白緯曰纖蔡說纖冠者采纓也纖或作綅思按自開元不著禫訖服而至

書儀祥而受禫仍其服又無吉祭可似於禫訖復吉服此書之不復當陳服禫沿此耳今祥服既如古則至是禫時當如古受纖冠也但纖冠今無其物則世俗之墨笠其殆近也玄冠黃裳今之淡青袍可以當之俗用白袍亦可從帶則純吉矣 類輯

竹庵曰禫一節經本無禪服爲將吉祭而變吉服而設祭者也後禮禫後爲微吉之服到吉祭時始純吉亦非古意然已反中古之禮而人家所常行者不敢以臆見質言曾變服淡青色當在禫時未知如何 類輯 續編

陶庵曰除禫着吉之於在何時別無出處只當依小祥之儀爲之 類輯 續編

三山齋曰沙溪吉與微吉之說此據古禮六變服之義而云爾然家禮無此等節拍此今世無許多變服色只當仍祭時所着而已世人之或以墨笠布直領行祭者即自是別亦非沙溪之所定耶 答金夔汝

南氏曰備要禫祭條吉服別無見載者又無除禫着吉於何時當如退溪尤庵說依大小祥儀而服色則黲黑笠黲布帶白布直領黑緣小網巾纓麻屨之外無容膾說當以同春說爲準退溪有素服之教愚伏尤庵有微吉之論南溪有淡黑笠帶之說沙溪雖以純吉爲是而備要亦不明言則同春說恐爲定論矣 輯要 補解

李氏曰家禮禫服用黲色而今既黲時制用白若於禫後用淡黑色以應古禮而纖之文則淡黑是家禮之黲也是用黲吉今之禫服而並服於禫前禫後恐未然沙溪所謂麤黑笠是不加漆飾之笠恐此爲定論 家禮 增解

近齋曰行禫祀時當以吉服行事而祭訖還着微吉之服所謂微吉亦是漆笠白袍黑帶非指黲色俗有用黲色笠帶者非是 答三從弟昌瑩

又曰禫祭吉服微吉一款自是疑案一說其一則祭前着漆笠青袍黑絲帶爲吉服祭訖着黲笠白袍白絲帶或三升布爲微吉之服其一則禫祭着漆笠袍黑絲帶爲吉服祭訖着黲布笠黲布帶白袍或白直領爲微吉之服此所以有異同也就二者論之前者爲是而後者爲非蓋雖欲以黲布帶爲微吉之服而黲布帶笠實是心喪服色謂之微凶之服則可謂之微吉不可著問嚴先



生以禫後用黲布笠爲非祭訖仍着漆笠云矣 答金宗善

老洲曰禫服之用黲布笠帶恐見曾已論聞今不必疊床而以漆布笠黑絲帶白道袍承祭祭訖着黲布笠帶皂緣黲網屨則與俗士庶常着雖不變何妨耶 與梅山

又曰禫之黲蓋本於間傳禫而纖之文新免乎喪心未忘餘哀以至祫畢而復吉也至於心喪服色未有見於經而其用黲者先賢義起實做禫服也心喪與禫服輕重雖似不倫其取義則同若嫌其無別而遽殺於禫服豈非杜撰之甚乎哀自有家庭已行之制今何可疑眩耶 與閔泰鎬

又曰所示洪大深家禫時漆笠禫後黑笠似據古禮祭時玄冠祭後纖冠之文然但其禫後服色之黑笠黑袍白絲帶恐冠衣不相稱並禫服之黲冠黲衫裳於喪儀我國只是制而不用黲以黑色代之笠則黑笠帶則黑帶衫則不得用黲故以直領代之以示變今只黑其笠而衣帶則用平常人所着豈不半上落下乎 同上

潁西曰禫時以黑漆笠白絲帶袍布行祭後着黲笠黑帶布直領此所謂祭着吉服祭訖反着微吉者也直領以稍細新備似好力不及仍舊亦可 答權渼

剛齋曰禫祭時服色當待心喪然後二先生於一席聽其所論則皆以俗之黑笠黑帶爲非而曰此是心喪服也非禫祭時服也禫祭帶用絹絲笠用鍮漆來教致疑於禫後服色之與父在母喪十五月而禫者無異者正合於姪之所聞矣既有是疑而復有聞於心齋說則可以定矣 答族叔

梅山曰開元仍祥服就位哭禫哀釋祥服着禫服斯爲得正而但不着禫訖之服者恐是闕文也書儀不遵開元禫服而於祥豫禫爵仍其服又無吉祭家禮不復當禫服者卽以此也大祥既據古受以縞服則家禮所云陳禫服當至禫始服大祥條當改以陳服而備

要不克如吉祭之更正者是爲未備耳其曰如大祥之儀者恐難該看也便覽見補是爲後出者愈明詳禫受服恐當一遵便覽 答申幼安

又曰祥縞禫纖卽禮服之大經不可易者也纖之黑經白緯後世無傳焉以黲色當之則安得不祭訖服黲用遵古禮乎禫纖服色見載于間傳註疏涑水南溪之主黲者皆權輿於間傳向愼人之疵毀哉 答朴宗懋

又曰禫祭當以祥服奉神主出就靈座哭盡哀變除卽儀節所云素服是已變除素服後當受微之服承祭是爲古禮之玄冠黃裳也 答李在慶

洞山曰禫祭著吉服禫後著微吉之服則祭時著漆笠祭後脫黑笠爲好 疑禮正解

按禮禫服卽黑經白緯之纖而後世無纖色代以黲色溫公載於書儀今又不知黲色代以墨笠墨帶既非古制又非宋制然猶寓纖黲遺意恐可遵也至於漆笠白絲帶士庶平常之服未吉祭而服平常之服可乎近世心喪人亦服墨笠墨帶故先輩或謂不可以心喪服爲禫服然心喪元無服色雖着禫服非禫服倣於心喪服也何可以心喪之人權着不服當服之服乎

婦人出嫁女服色

黎湖曰婦人則祥祭時已有變除未知其着所謂玉色衣裙耶至禫固應有禫服第婦人質不得屢變一如男子之爲只應留此服色至吉祭之日然後方着純吉 答從曾孫相魯

梅山曰婦人禫服當變縞以玉色簪用黑角出嫁女初無禫變之可言惟待祫祭服吉而已耶老洲曰得之矣

參祀入服色

近齋曰禫吉之祭家人參祀者當衣靑帶黑何疑 答梅山

梅山曰禫祭吉服卽以主人言至若傍親與祭者有服制則恐不當借吉也且外祖母與從叔均是小功之親外親功服中不必借吉於從傍親禫祀以白袍帶承祭恐宜禫是吉事生布衣則不可耳 答朴慕觀



出主 告辭與參神並論

櫟泉家儀曰禫祭出主當有告辭當添入於祭儀 類輯續編

問家禮禫無出主告辭而丘儀有之不可不從 李士迪 黎湖曰然

近齋曰禫祭出主告辭家禮備要無之惟丘儀有之當從家禮不必從丘儀蓋大祥已入廟而禫時還奉故處行祀則猶存行祀之義故無出主告辭不必以昧然爲嫌 答俞漢雋

老洲曰出主告辭恐不廢 答梅山

梅山曰禫時還奉故處猶存奏祭之義故無出主告辭云近翁說儘有精義而無告出主終涉昧然告辭則遵丘儀原祝則遵備要恐宜前已告日故不告之者其言似然然吉祭前期告廟而亦有出主告辭禫祫恐當一揆 答申幼安

潁西曰禫祭出主告辭備要無之似非闕漏焉丘儀說入皆用之鄙亦前日用丘儀文矣 答權溪

華西曰禫祭出主祝稱先考行祭祝稱顯考一祭二祝恐如來諭恐是從時祭告廟則曰遂其祖考行祀則曰顯高祖顯曾祖之例而無它意義 答金養成

問禫祀當依時祭詣祠堂序立再拜焚香讀祝奉主以出耶且禫祀與祥祭以前有異不行參神未知如何 柳知養 漢湖曰如用丘儀則奉主一節恐當如示禫祭參神家禮只言厥明行事皆如大祥則於此恐難異同 類輯續編

竹庵曰禫猶屬喪故家禮如大祥之儀只入哭無拜無參神 此恐有微意問解之云似有參神未敢知也 類輯續編

三山齋曰禫祭無參神其出主後皆哭便是參神其義與大小祥無異 答俞肇汝

陶庵曰禫祭參神以遂庵說則似可行之而鄙家則自前一從備要耳 答金公厚

潁西曰禫祭無參神雖若可疑入哭是參神之意也喪祭皆然禫雖吉祭覩於入哭之哭辭神之哭則喪期未盡猶屬喪祭故然矣 答權溪

老洲曰入廟之後與入廟之前逈異豈可無參神之節來示得之矣 答梅山

按祥後依古禮主仍在寢而行禫則自無出主祝與參神雖祥後入廟依舊行禫於靈座故處則其義與二祥無異矣

杇淺曰虞祭之降自西階者蓋爲三年內不敢行宗子之事而其後皆如前儀則今禫祭卜日乃是喪餘而時未行改題遞遷等節則疑亦依虞禮從西階升降耳 類輯續編

祝文

問丘氏禫祭祝文所改八字備要不引而愼齋許用 李惠補

陶菴曰備要不引之八字不必用 類輯續編

問虞禫祝辭家禮丘儀皆稱孤哀退溪以爲恐當如此備要引雜記註卒哭以後稱孝之說如何 李士迪 黎湖曰卒哭以後固當稱孝而自大祥以前祝辭皆稱孤哀則何獨於禫而必異之乎如退溪說恐當

近齋曰齋祭祝當仍用日月不居奄及禫祭夙興夜處等語備要至於禫祭有期追遠云云儀節之文不必用 答三從弟能源

又曰禫祭祝當稱孝子不可稱孤哀 上同

老洲曰家禮禫祀祝無改於二祥蓋因書儀也然儀節之不用家禮而改從開元亦有義意今祥後撤靈入廟脫衰毁廬居喪比祥前判異而猶稱夙興夜處小心畏忌云云恐不稱情故愼齋曰用丘說爲當 答南大任



哭泣之節

近齋曰經大祥後禫祭哭當以常時哭 答梅山

老洲曰禫雖是喪餘之祭係是吉事則直用斬衰之哭恐非就吉之義然喪期終於禫雖無變或可耶 答梅山

又曰禫祭三獻不哭至辭神乃哭盡哀便覽文依此行之恐爲得宜矣 上同

侑食

屛溪曰禫用喪禮故別於吉祭侑食主人不可自爲 類輯續編

禫後諸節 大小祭享待吉祭復常

三山齋曰禫後祭祀禫雖吉禮猶與吉祭有間且待吉祭而後復相似矣如今仕者禫月雖付職必待吉祭而行公可以旁照矣 答俞肇汝

禫日行素可否 禫後飮食幷論

老洲曰禫日行素恐無義意飮醴食乾何必待翌日 答梅山

近齋曰禫而始飮酒食肉然未忍遽進美厚之味故酒必先飮醴食必先食乾蓋飮食之節復常亦有其漸也非謂終禫月飮醴食乾必待吉月而後始進淸酒濡肉也 答梅山

從御復寢之非

近齋曰雜記所稱禫而從御吉祭而復寢或是御與寢有間耶御是方侍之謂而寢是衽席之謂耶然禮曰終喪不御於內御字與寢字未見其不同甚可疑禫而從御古禮雖如此當以吉祭復寢爲正耳 答金宗善

又曰禫月吉祭而猶未配卽士虞記文而見於備要吉祭條小註禫月雖行吉祭復寢必待來月從前見得於一禮書中而稍晉記不

得未詳爲誰說然後月小牢配之前則復寢猶似未安矣 答成人

書牘不可稱禫祭人

剛齋曰除禫卽爲平人餘哀雖有未盡于心不可復稱禫服人祥後卽是禫服既除禫而曰禫服人可乎 答族叔煥謨

老洲曰禫制人之稱果甚無稽只用平常之稱恐宜 答梅山

布帽用皂

老洲曰帽非正冠係是冠屬則白絲不宜於黲美用皂恐宜行纓則下禮之服無甚關係練布亦似無妨 答梅山

倚廬撤於禫後

梅山曰古者堊室雖在中門之外今則設倚廬於中門之內而禮無祥後撤廬之文恐當受吊于廬次如未祥之禮至禫而內無哭方是撤廬矣倚廬與靈座處所用巽恐不必並靈座同撤也 答朴宗燮

襟溪曰祥後撤靈之非固知稚執攸存人不得以間而鄙意終恐不然古之倚廬卽孝子所居非如今俗只爲待吊客而設者而間傳曰又朞而大祥居復寢此指祥後居處之復于平昔寢室之謂也是豈非過祥撤廬之明證耶至於書儀家禮不立倚廬之名但於家內擇於朴陋室爲喪次吾東備要仍之而所謂朴陋之室係是宿構者非因喪而創者則雖於過祥後固無事乎撤故撤與不撤之論初不槩見於宋以後禮書今若曰禮無毀去之文不可不仍存於禫前也則不其泥乎若曰今之倚廬爲受吊也而禫之前依舊以居喪者處之吊客之來不可接之於寢室也則竊念自袒括而至衰裳自衰裳而爲縞冠衣制變矣自廬而堊自堊而寢居處殺矣獨於迎客之所則不當改始喪之儀云者亦復何據耶況倚廬之名初不爲迎客之處哉 答梅山

奴僕直用純吉之服

老洲曰侍者無禫則直用純吉似宜矣 答梅山

禫月吉祭

漢湖曰雖曰禫月既行吉祭則自復寢以往凡事無不復吉至於赴舉何獨不然 類輯續編

貞庵曰禫月雖行吉祭祭後遽着常服未安行祭後還着微吉之服以終其月云者其意自好所謂禮從厚也 類輯續編

近齋曰禫月値仲月則是月內當行吉祭何論常時正祭之行不行耶 答三從弟能源

又曰急於吉月前赴舉一節欲行禮疑從厚之義而恐亦易以致頹漫吏當之者博詢而量處焉 答或

梅山曰間傳禫而纖蔵曰若吉祭在禫月猶未能吉士虞記云是月也吉祭而猶未配註云是月禫月也當四時之祭月則祭而猶未以妃配則禫之後月乃得復平常據此則雖行祫踰月而純吉爲得 答俞宗燮

又曰禫月而喪期已盡喪期已盡一句拘於禫月吉祭乎 答朴泰龍

老洲曰漢湖說竊有所未敢信者士虞記曰中月而禫是月也吉祭猶未配註猶未配哀未忘也據此則哀未忘而便去赴舉求榮豈慊於心乎且以此推之則雖復寢之節亦遲待踰月恐爲宛轉得禮之正矣

禫月行吉出繼子服色不變

老洲曰漢湖平日力斥禫後黲制故致得推說太過而至於禫月既行吉祭則自復寢以往凡事無不復吉之云恐失之於快貞翁禫月雖行吉祭吉祭後遽着常服未安行祭後還着微吉之服以終其月之說得禮之正然此爲在家兄弟祥禫皆有變除者言也若出繼者則期服也有何變除之節耶以始除心服直吉到祭日卽吉恐宜蓋禫月吉祭爲急於正祭初非爲變除而必於是日服吉者以其有節迫也至若父在母喪者之既無行吉祭之節迫而徒計月數二十七月之限若値仲朔則援禫月行吉之禮遽釋心服着吉服

豈以安於心乎 答梅山

吉祭總論

問繼稱之家母喪後三年吉祭其禮如何 或人　竹庵曰恐如家禮時祭式異凡各卓各祝合櫝於後之祭 類輯續編

陶庵曰吉祭之行於禫月固以三年廢祭之餘正祭爲急而其重則在於仲月故惟仲月而後可行至於孟月無嫌之說則蓋爲禫事在季月而孟月吉祭者設既非仲月則踰月吉祭爲正 同上

南塘曰禫非仲月則踰月行吉祭禮既有據世亦通行雖孟月豈有僭分之嫌非仲月而禫吉同月實有亟吉之嫌 類輯續編

梅山曰祫事雖是喪畢之祭祭名以吉則當用吉禮則時祭之異名也備要亦許受胙而曰幷如時祭則嘏辭曷可闕乎此與服中時祭不受胙者其義不論耳 答朴宗燮

柳氏曰書儀無祠主只有祠版無遞遷只有時祭故無吉祭家禮雖有告遷之禮禫後行之故無吉祭備要則待吉朔合享遞遷故有吉祭名而與時祭無異矣 學禮識小

成服

老洲曰吉祭成服深衣豈損於朝服耶既用深衣則搢笏無所施矣 答梅山

梅山曰吉祭用朝服則有官者之當著黑團領不爲無據而未若深衣之通貴賤用服也 答申幼安

又曰雖旁親吉祭有事于先祖不可以外親私服承祭衣青帶黑恐得祫是吉事服則輕服借吉行禮恐不害義至若期大功之戚則一遵要訣 要訣云服時祀以玄冠素服黑帶 答朴泰龍

又曰成服不必用公服有官者亦玄冠青袍黑帶恐宜 同上



閏月吉祭可否

屛溪曰吉祭便四時正祭三年廢祭之餘急於行祭故禫在仲月則月內行吉祭翌月雖非仲月亦必行之其義意可知閏月亦無不可行之義矣 類輯續編

老洲曰閏月吉祭不能無疑而亦未能一番究勘徐當更入思量然既有一二先輩當行之論近日如李子岡諸人亦多據此行之幸更博詢處之 與閔泰鎬

李氏曰吉祭與四時正祭稍間三年廢祭之餘行祭爲急禫値季月則可行於孟月孟月祭是帝王家禮猶不爲嫌推此而言値閏亦可行之豈可間一月而又待後月 家禮增解

剛齋曰吉祭是喪後之祭故閏月亦可行之而若禫在閏月則雖仲月之閏既非正月並行禫吉恐似不可 答族叔煥謨

潁西曰閏月行事尤翁說誠爲可據祥禫既卜於閏則吉祭獨不可行於閏耶吉凶大事亦豈不幷包遞遷等大事耶愚意則不但尤翁說如此二十七月之期已近矣徒月而吉禮之大經也不計閏則已矣計閏則更遲一月豈非過於禮之甚者乎 答朴漢

卜日 告廟幷論

鹿門曰禫之明日卽定吉祭之日 禫在仲月則如是 而吉于廟其儀用時祭卜日儀中祝闕中門以下而告曰孝孫某茲以先考某官府君喪期已盡將用某月某日祗薦歲事于祖考云云若踰月行吉祭則只前期三日而告可矣告廟後又須告于寢 新主所在 曰孝子某茲以喪期已盡將用某月某日行祫享之禮遷主入廟敢告 類輯續編

老洲曰考妣雖姑在祔位與他祔位自別且吉祭實爲遞遷配享而設則以祔位而昧然不告未知如何 答梅山

又曰吉祭是喪終後一初之祭告辭純用平時時祭卜日儀恐涉昧然畧以喪終之意改措語以告雖無先輩說豈至大悖耶 答朴元禧

梅山曰古者祭皆用筮禫祥亦卜日祭今俗往往行祫於朔日者豈無渴變之嫌乎只當斷以非禮已矣吉事先近則固當用上旬祭而上旬丁亥兩日若値先忌則遵蹊說餘陰辰亦用之文於柔日之中諏筮而行之恐宜 與猿溪 又曰吉祭卜日告辭中祖考之稱包祖與考而言雖祇奉祧主不可改以五代祖考以將合祭新主故也考妣位雖與他祔位不同而未入正龕當用祔位禮祇告正位不告祔位 答朴景貴

改題之節

備要移改題遞遷于吉祭

梅山曰祔與遷爲兩項事故移改題遞遷於吉祭此備要所以稱家禮闕文而有功於禮敎者也 答申幼安

告辭

陶庵曰承重者改題遞遷告辭列書諸位 自六代祖考妣至皇考妣 之下係之以先考某官府君喪期盡於某年某月已祔於祖龕今者先祖考某官府君喪期又盡禮當并爲遷主入廟顯六代祖考妣顯五代祖考妣 考妣列書四行 親盡神位當祧云云爲可 類輯續編

問改題告辭告先妣 母先亡而祔廟者 某封某氏下茲以先考某官府君喪期已盡禮當遷主入廟神主今將改題不勝感愴云云未知如何神主上復書顯妣否 金若 厚齋曰來示得之神主上書顯妣字文雖複而意則明似或無妨 此告辭當告於支子無廟者○類輯續編

屛溪曰母先亡則方祔於曾祖龕而無別龕正位告改題之則由祔位何必別告 類輯續編

貞庵曰母先亾則神主在祔其告辭祖妣下不當聯書顯妣只於今將改題下添顯妣某封某氏神主并行改題諸祔位示如此例並擧無妨否 類輯續編

鹿門曰母先亡父喪畢後改題妣位告辭與諸祖妣列書同板未安只於祝板末端不勝感愴下添入先妣某封某氏亦當改題云云 類輯續編

厚齋曰祔位改題全無告辭未安其告無頭辭只曰祔位禮當一體改題敢告云爾則未知如何 類輯續編

近齋曰祖考妣未合櫝之前祖妣位猶是祔位不可與最尊位列書別爲一板以告而茲以下依原告辭書之 答姪宗周

問母先亡父喪畢後妣位神主亦當改題而妣位猶在祔位告辭不可與最尊位列書別用一板云維歲次云云孝子某敢昭告于顯妣某封某氏茲以先考某官府君喪期已盡禮當遷主入廟顯妣神主今將改題不勝感愴云云禮只告正位不告祔而拘則原告辭今將改題下添顯妣某封某氏神位并行改題十二字如何 梅山 老洲曰盛論俱得之

梅山曰改題告辭列書各位上半則當書七代祖於五代祖之上下半則當書七代祖於五代祖之下五代祖親盡當祧則不得不先告厥由七代祖不祧則高祖以下改題故當並告事由所以書諸五代祖之次也五代祖已上不祧位旁題亦云孝幾代孫孝是適長之稱親雖盡而不祧則云爾也 上金判書基厚

又曰承重孫喪畢改題考妣時告辭代各異板告辭當用尤翁說 見原編 而喪期已畢下當云孝子某將以顯考 妣位當云顯妣 改題謹以酒果用伸虔告謹告尤翁說謹告亦由四字大略故用備要文矣 答從孫吉

問改題時先妣位與亡妻位亦當告由改題而告辭不見於備要惟於類輯告祭條有芝湖所作祝辭至於亡妻位告辭類輯亦無之不得已私自撰出曰夫某昭告于亡室某氏某罪逆不滅今旣免喪將行祫祭亡室神主當爲改題如何 朴元得 梅山曰盛作恰好

剛齋曰令嫂氏神主吉祭時亦當改題恐不可不祭而本廟旣無祔食之位似別有祇祝辭無所考幸博詢而處之 答俞公厚

問祔高祖者祖亡吉祭時遷祔祖龕 具詮 厚齋曰斑府當初旣用中一以上之禮而到今祖死喪期且盡則待祖主入廟措辭告由



三位皆告亦當改題 祔于當祔之位 類輯續編

新主前不設酒果

近齋曰吉祭改題時設酒果於當改題之位新主前不設酒果尤翁有所論當從之 答三從弟能淵

改題時仍設酒果

梅山曰前一日告遷于廟卽行改題之禮仍設酒果待題畢還于故龕辭神而撤所以飮食依神也斯禮也極有精義尤翁說當遂如何老洲曰盛論得之

老洲曰親盡當祧不可不告由則豈可闕酒果耶 答梅山

改題値朔日

梅山曰改題値朔日則參禮兼告由 答朴汝會

改題過時不擧者卜日改題

梅山曰改題主當行於父喪告祭前一日而旣過時不擧則及今追行不容少緩卜日改題當設酒果告由告辭當云維歲次云云茲以先考某官府君喪畢入廟宜改題尊主而貧不爲禮已積歲年昭穆未序情文俱闕顯曾祖考云云顯曾祖妣云云神主今將追行改題不勝感愴謹以酒果用伸虔告謹告 答沈樂元

行祭處所

近齋曰雖無正寢若有廳事則可奉主出就行之而廳事亦無則祠宇內仍行亦何妨 答任朋壽

變禫吉服之時

問除禫服着當在何時 李士迪 黎湖曰當在吉祭之日

老洲曰變禫服吉當在厥明設蔬果時矣 答梅山

設位

親盡神主合祭可否

南塘曰吉祭只當奉主人所奉祀之位出就正寢行事文忠公位旣是祧遷之位而於主人爲遠世祖則元無遠祭之禮合祀之義只得仍奉祠堂以待次長房之奉歸其改題主亦不於此處爲之次長房來告奉歸至家行之 類輯續編

竹庵曰以經禮言之大夫士有大事于祫止于高祖止奉五代祧位而合祭終恐未安國典祭三代甚得周公經禮之意今擬士大夫祭三代而凡有大事遵依于祫之文三年喪畢合祭祧主 高祖 而或埋或遷如春翁說其奉四代祖之家則大祥入廟時奉遷主如家禮之文而如長房奉祀卽遷奉次長房不待三年如尤翁說似得於禮而中 類輯續編

又曰禮祫于及其高祖云者大夫士不得常祭高祖唯三年告遷之祫事爲大事故有及高祖之禮是謂于祫及其高祖今則于祫及五代祖矣 同上

新主位

問問解答同春曰吉祭祭時新主姑就祔位入廟後奉安正龕此殊何疑 金在叅 厚齋曰吉祭時五代祖尙未祧而高祖以下諸位皆未遷于當遷之龕則此時新主未入正龕而猶爲祔位故沙溪說如此耶別具祝文奠獻雖姑在祔位而與今祔不同故耶鄙家亦依問解說行之 類輯續編

屛溪曰吉祭并設正位五代似未安祭時神主位設於東邊 西向 如祔祭儀祭訖五代祖遞遷後祠文奉安則新主當入正龕 類輯續編

吳湖曰合祭時新主設位亦當依東壁西向之說蓋合祭遞遷以前新主猶未離祔位禮意固然也 類輯續編

竹塢曰祭高祖實祭候遷西祔廟之禮云云古者吉祭雖祭及高祖而父祔於祖祭實三位云云 類輯續編

鹿門曰吉祭是合新舊主而祭之於太祖以審其昭穆焉夫既曰審其昭穆則新主之當列於昭穆之位亦明矣今此新主西向云者爲有五廟之嫌然其所以祭之乃所以遷之暫時合享恐不必爲嫌也 類輯續編

近齋曰備要之文即廟中行祭之儀蓋廟中只設四龕而無他龕則祭時別設位而出奉新主祭之祭畢始祧遷位五代祖位而昭穆迭遷新主升入正龕此恐禮儀事勢之不得不然也新主雖在祔位既是正位則豈可無祝且吉祭係是合享而兼行遞遷之禮與常時時祭有間則恐不至有五廟之嫌然則若出主行事於正寢雖連排於正位或不爲大悖耶 答任得汝

又曰喪終後吉祭專爲遞遷則五代祫祭少無涉僭之嫌且異於常時之時祭故行於孟朔而無嫌豈獨於五代有嫌耶任得汝在時曾以此爲問故如是答之矣 答梅山

按吉祭新主位先輩諸論不一然既曰祫祭則新舊合享以成祭禮若於吉祭則新主猶在祔位則依是饋前後儀節何可名爲祫享乎且新主非班祔位也將待吉祭升正龕故姑祔祖龕吉祭時猶不得移動則所謂吉祭專爲舊主而設乎蓋祫享雖若有祭五代之嫌新主則自此陞之祧主則自此遷之陞遷之際合享有精義矣

出主告辭

鹿門曰告祠堂則曰今以遞遷將行祫享之禮敢請顯五代祖考某官府君顯五代祖妣某封某氏顯高祖考某官府君顯高祖妣某封某氏顯曾祖考某官府君顯曾祖妣某封某氏顯祖考某官府君顯祖妣某封某氏先妣某封某氏亦將配食于先考神主出就正寢 若母在則先妣以下至先考十二字刪去 告寢 神主所在 則曰今以遞遷將行祫享之禮敢請神主出就正寢 類輯續編



貞庵曰考妣既已改題則合祭出主告辭恐當列書於考妣之下也某親祔食云者似指旁親 類輯續編

性潭曰吉祭時出主告辭既云列書各位則是幷及新位也考妣何可以祔位論也 答辛鎰

近齋曰吉祭出主告辭今以某親喪期已盡一句非但換改本文爲未安與前改題告辭爲重疊亦不必然愚意則依本文以遞遷免喪薦之而直書新位於各位之下某親祔食之上敢請神主出就似可 答任靖周

又曰盛意之不書新主於各位列書之下而書之於敢請之下者亦以有祭五代之嫌而然耶然則敢請之下與有事于下果有分別而稍免其嫌耶是未可知也 同上

又曰吉祭祖廟出主告辭依備要書之而新位先出主告辭似是文不備處當別爲告辭此有尤翁說云孝子某今有事于顯考某官府君敢請神主出就正寢 同上

又曰吉祭出主告辭中遞遷二字非繼高祖之宗則改以合享有陶庵說可從也合祭祝昭穆繼序之文亦當不用 答洪文榮

梅山問改題後考妣位雖不離祔合祭出主時不可處以祔位而不告告辭有違貞庵說列書於祖考妣之下否當遵尤翁說而曰孝子某今有事于顯考某官府君顯妣某封某氏敢請神主出就正寢否未入正龕之前列書於祖考妣恐有不敢用一板告如尤翁說恐得而援以禫月行祫考妣異板之義則未合櫝之前恐當各板而告辭有異原祝且出主告辭列書各位則考妣同板亦不爲無據如何老洲曰盛論得之同板各板但有意義而鄙家則曾用同板矣

又曰既告遷改題則新主雖以祭前尙在西壁下列書一板恐少无嫌妣位雖未合櫝告辭與祭祝有異祭祝則不合櫝前合祝不特有合櫝之嫌事勢亦不得不各板至於告辭不過請出主而諸位既聯書一板恐不必獨於妣位別告矣 答朴元得

梅山曰出主告辭遞遷二字非專指遞遷于長房也世次迭遷昭穆繼序即所謂遞遷也繼高祖之宗子雖無祧遷之節仍用遞遷二字恐非可嫌 答金幼奮

合櫝之節

勉齋黃氏曰 疏 今按喪服小記云婦祔於祖姑祖姑有三人則祔於親者祖姑有三人皆得祔於廟則再娶之妻自可祔廟程子張子特考之不詳耳 常變通考

屛溪曰三妣合櫝之禮朱子之言蓋謂凡是嫡母無後先皆當幷祔沙溪既從之後學舍此奚從義理既如此則三四妣不須言也 類輯續編

近齋曰繼母在而預爲容三位之櫝殊爲未安姑用兩位合櫝之制以待日後更造容三之櫝爲宜 答徐有曾

又曰合櫝別無告辭其日晨奉主就正寢後合櫝而仍爲行時祭時祝文即備要合祭神主祝也 答戴人

老洲曰新舊主各奉而就正寢合櫝而行祫事 答梅山

近齋曰有繼母者父喪畢後神主與前妣合櫝無疑蓋繼母在而葬父與前妣合窆合窆與合櫝一也 答徐有曾

問禫月吉祭待後月合櫝之節 三從弟能源 近齋曰是月也吉祭猶未配而後月小牢配禮無其文故待吉月朔日設酒果始爲合櫝人家通行之規也祭後合櫝之後似是後月之後矣

又曰來朔合櫝之節吉祭之祝既告以將配之由則似不必更告矣 答三從弟能源

梅山曰合櫝即純吉之禮故禫月吉祭猶未配待踰月以少牢配近齋說不爲無義而既有尤翁定論則舍近齋而從尤翁恐宜明儒萬斯同以猶未配三字謂但合祭禰祖而不以新死者配食也寧有因子孫之除喪而去祖妣不配之理乎此言未知於義如何吉祭後不即合櫝則考妣神主將還奉于東西壁行祫而不即入正龕亦甚未安所以遵尤翁說爲寡過也雖卽合櫝從疏說禫之後月乃得復平常是爲踰月其善之義也 答操溪

又曰祥祭後入祔于東壁西向待吉祭前日改題改題後姑安西向之位吉祭出主時始合妣行事祭訖始奉于正龕 答任憲晦

柳氏曰父先亡母喪祥訖依丘禮祔于考龕而俟祫時合櫝爲宜蓋儀禮禫月吉祭猶未配以此推之母喪纔畢不可卽與父合櫝明矣 常變通攷

告祝之節

原齋曰自題主祝至虞卒祥禫吉祭孝子皆不稱某官惟時稱忌墓之類有之此必有意當遵用 類輯續編

貞庵曰五代祖考妣親盡則何可稱孝只稱五代孫 類輯續編

南塘曰告五代祖當稱五代孫不當稱玄孫又不當稱孝 類輯續編

貞庵曰合祭考配祝合祭於踰月則考妣同板當曰禮當配享而已配于先考配以先妣等又恐不可用 類輯續編

梅山問合祭神主祝考妣同板祝辭當一遵備要文而例書考妣下直書喪制有期則不知爲某喪顯妣某氏下添以先考府君四字如何老洲曰盛論得之

梅山曰備要合祭神主祝以母存父亡者言而小註喪期已盡禮當配享云云卽父先亡母喪母先亡父喪通用之辭以其某親二字而可知也然全無躋入于廟之語便覺祝辭比備要頗詳而亦欠配享之語愚意兩者俱是未備因其本文而改措曰某親喪期已盡禮當配享今以吉辰躋入于廟時維孟春 非仲春則刪之亦可 追感歲事昊天罔極敢以清酌庶羞祗薦歲云云如何配是合櫝母先亡父喪恐無不可用之義只依備要註可矣新主祝出自儀節備要而並指始爲廟與繼累世者言耳 答朴元得

猶未配祝辭

竹菴曰三年內則只祭新亡者而實合祭于其祖也三年後則只祭其祖而實合祭于其孫也故經曰是月也吉祭猶未配所謂未配者旹母先亡而祔于祖妣則吉祭時因祔食于祖妣父新亡而祔于祖考則吉祭時亦附食于祖考不別設考妣位而配祭只祭考妣以上三代如前之爲也既祭則始祧遷曾祖考妣而虛其龕奉父之祖考妣於所虛之龕考妣則因其所祔之龕而爲正位待後之祭或朔念乃配祭卽古禮也禮曰干袷及其高祖蓋平時祭及高祖侯王之禮而大夫士只祭曾祖以下乃於吉祭時祭其高祖故曰干袷程子以干袷之袷作大夫士平時之祭者遂有家禮四龕 類輯續編

又曰禫日是月也吉祭猶未配蓋喪畢後始行之時祭則無論父母先後亡皆祔食于亡者之祖考妣祭畢遷祖入曾祖龕而於後之祭始合祭考妣是謂配 同上

問朱子曰禮辨昭穆孫必祔祖合祭時孫常附祖云云據此則吉祭時似當以新主因附祖龕而祭其祝辭當如何 或人 竹菴曰祝辭當四代一板曰維年月朔日孝孫某敢用潔牲剛鬣粢盛醴齊祇薦歲事于顯高祖考某官府君顯高祖妣某封某氏顯曾祖考某官府君顯曾祖妣某封某氏顯祖考某官府君顯祖妣某封某氏先考某官府君適其皇祖某官府君祔食先妣某封某氏適其皇祖姑某封某氏祔食他祔位各以昭穆告祔食如禮士虞禮是月吉祭猶未配者卽謂此也 類輯續編

又曰猶未配云者古禮之意祥禫後卽行時祭其爲禮異於平時不以考妣配祭而仍卒哭後祔祭之禮 自卒哭後至祥禫皆祔祭 以新亡之神主祔食於其祖此孝子所以順親之心而尊祖重祭之意自在其中是故今禮大祥後當仲月則卽行祭變服是爲禫祭而其月仍行吉祭其禮如右所云姑不合祭考妣也待他月之時祭方合祭而今世士亦有朔望參則因後月朔參合櫝合祭恐亦得之備要祝將配云云是出瓊山說而未得於古禮之旨也今此先夫人吉祭既無改題遞遷之事則實依家禮時祭條以行而但於曾祖考妣祝下添入以顯妣某封某氏祔食於顯曾祖妣某封某氏云云先夫人位不別用祝若不奉曾祖位則先夫人位別用祝以祇薦歲事下添入適于顯曾祖妣某封某氏祇食尙饗不必用丘氏儀節 同上



問繼禰之家行吉祭于禰廟則祝辭當如何 或人 竹菴曰祇薦歲事于顯考某官府君適其皇祖某官府君尙饗 類輯續編

問配祭祝則當如何 或人 竹菴曰維年月朔日干支孝子某敢用潔牲剛鬣粢盛醴齊祇薦歲事于顯考某官府君妣某封某氏配尙饗 類輯續編

按是月吉祭猶未配註是月是禫月也當四時之祭月則祭猶未以某妣配某氏哀未忘也少牢饋食禮祝曰孝孫某敢用柔毛剛鬣嘉薦普淖用薦歲事于皇祖伯某以某妣配某氏尙饗疏禫月吉祭未配後月吉如少牢配可知也據此則禫月非祭月則不祭後月始袷禫月吉祭則未配後月吉祭則配而竹菴不區別禫月後月而曰祥禫後卽行時祭其禮異於平時不以考妣配祭而仍卒哭祔祭之禮以新亾之神主祔食於其祖吉月吉祭而猶不以考妣配吉祭而猶用卒哭後祔祭之禮果合禮意否

### 不祧位告祝

老洲曰吉祭時不祧位告與祝考之禮書無出處他家已例亦未曾聞不得已就備要所載略添措語云顯五代祖考妣親盡神主當祧 王后考妣許以不祧 國有彝典今將別立一龕改題妥奉顯高祖妣以下列書諸位下今將改題改以亦將改題 右改題告辭 既不祧埋則恐不當用百拜告辭之語顯五代祖考妣下改云某罪逆不滅歲及免喪世次迭遷昭穆繼序祀止四代雖則禮制祇遵 國典妥奉不祧謹以淸酌庶羞祇薦歲事云云 右祭吉五代祖祝文〇與閔致祿

梅山曰遞遷二字雖就五代祖以下而言然並告最尊不祧位而曰今以遞遷有事云爾則恐似逕庭改遞遷以合享恐宜或稱合享先儒已言之 答吳顯相

### 合祭祧主祝

問合祭時祧主祝當以備要埋主祝用之耶 李虎相 顯四曰此祝當於埋主祝推移爲用當以爲五代孫某敢昭告于顯五代祖考某官府君顯五代祖妣某封某氏玆以先考某官府君喪期已盡神主將遷于幾代孫某之房不勝感愴謹以云云

老洲曰告遷告辭屬稱當用孝子先攷之無論及者意或初無可用不可用之疑而然耶 答李兄一休

梅山曰只奉祧位者合祭祧主祝先王祭禮以下十六字恐當删入廟下直接以神主當祧將遷于某親某之房如何 答朴景龍

按喪期已盡下當還顯五代祖考顯五代祖妣十字

### 奉稱宗吉祭

性潭曰初不立廟之支子喪畢吉祭似無義而至於變制之節只用當朔奢吉而已 答李文伯

梅山曰奉稱之宗吉祭亦當受胙嘏辭卽勸勉之意詎可只施于孫曾而不勉于受胙則當餕也 答任憲晦

又曰吉祭雖無改題遞遷之擧何可廢也難之論月當行考妣合祭之禮矣 同上

### 埋祧主

#### 埋主處所 版郷社位並論

兩湖曰埋于階間古禮也埋于墓所從俗權宜之事也二者但可故並言之要使行禮之家擇而行之然一章之內未免逕庭此等處正是家禮未及修改者也 類輯續編

鹿門曰埋主于子孫墓邊正朱子所謂下藏於子孫夾家者恐未安埋于始祖墓邊爲是雖非始祖若是祖先墓則似或無妨 類輯續編

老洲曰埋于兩階間之說只從伊川文終嘗埋于墓側者蓋以西階間之難便也當以墓側爲定論矣方所則墓右爲宜矣 答梅山

剛齋曰埋主墓右左朱子無正論故尤庵有或左或右恐皆無妨之說而鄙家常行之節則埋於本墓之右邊 答朴汝濬



類西曰考妣與奕宮者祧主埋安人多以爲各從體魄分埋爲宜云而愚獨以爲不然當以統於尊婦從夫之義並埋於夫墓爲宜 答梅山

梅山曰鄉社既毀位版且移則更無所於俎豆奉埋于當位墓是爲處變事而不失其宜也祭廟子孫之禮祭社士林之事位版之先埋不可拘於神主之未祧 答金人會

#### 埋主之節

樸泉曰立置者生道也臥置者鬼道也永埋祧主皆臥置 類輯續編

老洲曰埋主之臥安已有先輩說而主櫝韜藉並安木匣爲宜至如櫝則係是櫝外物似不必並埋或說之紛而當洗未知何所據也 答梅山

又曰埋主之禮先輩多以不去櫝臥埋宜蓋臥埋所以示不復用存櫝所以不忍土親之義 答朴元得

問先祖忌祭哭與不哭有遠事未遠事之分則於埋主之時子孫之心雖怵惕愴感而但哭則似涉太過 李敎坤 厚齋曰家禮丘儀皆不言哭示意不違於禮 類輯續編

老洲曰埋主時哭辭一節雖未見於禮係是幽明大節則豈可論遠事不遠事在位俱當舉哀矣 答梅山

洞山曰祠版埋安時奉置主櫝於魂石以來到墓所之意長房設酒果告之辭神後先置櫝子於坎中次以白紙補空櫝內四方而合蓋奉下臥安於櫝內又以主袱覆之以櫝蓋蓋之又以橫帶板縱置於櫝蓋上之後下沙灰於四方而踏築並下灰近二四寸後乎土而被莎 正解

竹菴曰祧主吉祭後未卽埋而奉於別室則埋安啟發之日設茶禮不必更告到墓下埋安之後設奠於墓如來示似合情文並墓傍既毀土埋主則當有慰安之節 類輯續編

又曰祧主未及埋安而值忌日則無祝單獻果爲得之忌日行祭後發埋安之行則似不必別擇埋安之日亦无可告之義（祫祭時已告祧埋之意故云〇上同）

近齋曰祧埋時再告恐似煩瀆且吉祭合享祧主時既有將埋于墓所百拜告辭之語則更以酒果告將遷之由豈不爲重疊耶此南溪說所以與渠翁不同也然則自廟中將就墓上時不必設酒果告由至山下奉祠版於墓側以酒果奠告告辭則用渠翁所製臨埋告辭而潔地二字嫌同於兩階間改以墓側似宜告墓由則尤翁實合情禮南溪亦云不可闕也但告墓措辭永訣終天似不襯當曰今以祧遷親盡當埋安神主于墓側開破塋域不勝感愴謹以清酌云云如何墓上設幄次固無不可而壟下如有齋舍則奉神主於齋舍行墓前奠告之節似宜（答洪璨般）

梅山問祧主未即埋安而奉于別室者將埋臨發恐不必疊告將埋之由嫌其瀆也然亦不忍昧然設酒果告以敢請神主出就擧轝八字待到墓所當炷香斟酒而告墓告辭當云今以祧遷親盡將埋安神主于墓處扦開塋域不勝感愴謹以清酌用伸虔告謹告臨埋亦當告神主告辭當云今就墓側奉安神主永訣終天不勝感愴謹以清酌用伸虔告謹告如是措語如何老洲曰盛論皆得之

梅山問吉祭訖謹宜遞遷祧主埋于墓所而有故不得擧姑安于別室若值時節選獻則不忍不行禮忌日單獻無祝而祭之如何老洲曰盛說禮宜從厚之義矣

梅山曰吉祭祝既有百拜告辭之文又即祧埋則奉往墓所時恐不必疊告而既安別廟曠延時月則恐不宜昧然無事往臨墓所更告恐宜告辭云維歲次云云五代孫某敢昭告于顯五代祖考云云顯五代祖妣云云祧埋神主當在祫祀之後而形於勢紊罔卽行禮今將奉往墓不勝感愴謹以清酌用伸虔告謹告（答成人）

近齋曰祧主既在庶族之家而於新喪爲代遠則葬前似可行埋安而自喪家主之則實多難便之端亦無以行吉埋之祭姑俟葬後



行之無妨（答李愍殷）

穎西曰祧位事雖緣既奉於喪家則喪家葬前廢祭禮也復何有別般禮節耶但山殯若以權葬爲之則似當用已葬之禮若如古者地殯之禮而不是權葬則當用未葬之禮（答朴元得）

又曰長房葬後移奉祧廟爲祭也今此埋主與此情禮但有異焉埋主當在長房喪畢而祝辭其時子孫中最長子似當爲主措事當用備要所載耳（同上）

按長房之奉祧主者長房喪後當待喪畢移奉次長房今或有葬後移奉者已非禮况埋主是永訣終天之事而可於葬後卽埋乎穎西當待喪畢之說恐是

老洲曰祧主自長房埋安之節宗子既親盡而宗毁則恐无可主之義豈可移奉宗家更行永遷之祭乎五代孫中年長者主之然長房之子既爲主於祫祭則事當始終主之臨埋告辭亦以長房子爲主可無放礙矣（答過淑）

又曰長房之子埋安祧主諸祝年月日五代孫某敢昭告于顯五代祖考某官府君顯五代祖妣某封某氏某先考某官府君曾奉祧祀今已喪訖禮當遞奉長房親盡神主將埋墓側不勝感愴謹以清酌庶羞百拜告辭云云（右合祭告辭文）　今將埋安奉主就墓謹以酒果敢告（右奉往墓所時告辭家在墓下則否）　今將埋安神主扦開塋域謹以酒果敢告（右扦域時當位墓所告辭）　年月日五代孫某敢昭告于顯五代祖考某官府君顯五代祖妣某封某氏今就墓右奉安神主永訣終天不勝感愴謹以清酌庶羞用伸虔告謹告（右臨埋時祠版告辭〇上同）

又曰埋主歷路若出於故宅則暫奉舊堂薦獻伸情恐不至大悖然禮無所據未敢質言（同上）

梅山曰祧主臨埋經由古宅則奉安轝次于舊堂所以通幽明之故叶人神之情而設祭一款無稽也無名也然祧埋死生之大契活也昧然無事則雖是得禮之正或恐不安於情殷奠單酌用寓无窮之慕恐不悖理一獻無祝止是伸情豈祭云乎哉雖則毁宗行禮

于舊宅則宗孫恐當主獻（答金幼善）

嫡子婦嫡孫婦存者埋主當否

問族人頃於石洲父子爲六代五代孫也今以承重祖喪三年後無他祧奉處將埋安而頃之曾祖母金氏尙無恙而於石洲爲曾孫婦於石洲子爲孫婦揆以情理未敢遽埋（續編）屛溪曰尤翁答遞遷之問以爲非惟其母雖祖母曾祖母生存亦不可不遷此可旁照矣祧主埋安之禮以奉祀孫計世而已婦人禮無備論情雖無窮埋安之外沒他可據又曰埋主時告墓似得宜（續編）

問親盡神主當埋安而若夫人在世則問解雖婦人已許其奉祀矣以此義推之嫡子婦及嫡孫婦曾有奉祀之人在而泣請移其身奉祀則亦當許之於禮不悖耶（溢秘）陶庵曰嫡婦奉祀於禮無可據然揆以人情似難强咈若堅請則許之亦恐无妨（續編）

問親盡神主當埋安或遞遷而嫡子婦孫婦之曾所奉祭者泣請移其身奉祭則許之者有問解及陶菴說而禮不載斷人情合於天理者也旣非當奉之世數則不可苟從婦人之願以行無據之禮（李定藪）本菴曰見得正當（續編）

五代祖母生存五代祖考神主埋安可否

梅山曰五代祖母生存五代祖考神主金本菴曰祖母雖存禮謂殿埋安爲宜屛溪曰祭別室爲宜未知何所從遂愚意藏主別室待五代祖母死後合埋恐當（上中洲李公直輔）

當埋不埋之失

老洲曰藏主墓所始見於家禮蓋因大傳別子爲祖百世不遷之宗而義起者也第二世以下親盡當祧實不與於是耳來書所引尤翁說二條皆以始祖言非遞遷諸位而言第一條廣平大君是始祖故其墓下有祠堂而藏主云云廣平豈非大傳所謂別子乎第二條諸墓之祭設於墓下齋舍者似可爲祧位藏主之證稱詳諸墓之墓既非諸主之謂齋舍又非祠宇之稱則問者之意蓋以諸位墓祭不設於墓而設於齋舍得无與　山陵丁字閣之設祭有嫌云耳故尤翁之答如此可知入非諸祧位之藏於墓所也南溪諸說亦以始祖言一未及於祖位則不可引爲不埋之證至於李知事家禮未詳委批而大抵埋主故禮也非特發自家禮則未知於何援據而爲此禮也若或起疑於夾室之制則誤矣且程子有初祖之祭而朱子以爲某當初也祭後覺得似僭今不敢祭此猶爲僭則親盡祧主之立廟享祀豈不尤爲妨礙乎故近世知禮之家除非國典所許不祧者外未聞有藏主行祀者況吾宗白祖先一遵禮典親盡埋主莫之或越到今豈可創行無稽之禮以取有識者譏乎（上族叔）

梅山曰內舅以光海君外孫尸其祀而依　國典不祧矣光海君牧養淑濱尹氏　穆陵嬪也遂嬪遺命從而祀於廢主廟夾室且廢主未遜位日遜大司成某公倬曾孫女納後宮生一女卽某外五代祖母也尹氏沒亦祀于房而今過五世準禮則祧埋久矣尤翁以安嬪神主之不祧爲非勸其子孫埋安安嬪德興大院君私親也祧廟之地所寘存焉而尤翁猶以國法之外不許不祧況淑嬪乎又況於尹氏乎兩主當埋不待知者而知而內舅以喪祭從先祖之意有所不忍某勸不能得要執事一言幸引經據義開示丁寧俾言下開悟是望（上顯西）

孟月行吉祭仲月行時祭之非

櫟泉曰孟月行吉祭而仲月又行時祭則是再祫也竊恐未安（續編）

老洲曰孟月吉祭不得復行時祭於仲月者愼齋說甚當雖有尤翁說從愼齋說恐爲正（答梅山）

# 禮疑續輯卷之十一終

# 禮疑續輯卷之十二

喪禮

喪中雜儀

入廟服色

近齋曰喪中入先廟沙翁以爲別具布帶此果通齊衰而言耶雖曰輕於斬衰絞帶換麻爲布得無不安否以緦時布帶觀之入廟時布帶亦害耶 答任靖周

老洲曰孝巾只爲承冠而非正冠故不可以此見客況入廟乎 答梅山

出入服色

渼湖曰居喪出入固爲未安而或爲喪故及不得已者則古人亦有擬馬布鞍之說 續編

本菴曰直領雖俗制所以代衰服 出入時代衰服之意 者則從斬之論恐不必疑 續編

南氏曰松江之孫鄭晉衍居憂出入時著衰絰尤菴以深得古禮許之出入時著俗制衰服非關於禮律而方笠直領既著於備要不必獨於此從古禮也 備要補解

近齋曰喪中出入不得已事則不可而至於戚大母之情義同於外祖母而篤老之年欲見則暫爲往見何害也 答舍弟

剛齋曰喪中出入之俗制衰服卽措直領而言貧不能具直領者承衰多以深衣而以深衣之爲禮服用以出入之行處而知禮家亦不非之耳 答金聚夫

老洲曰布直領雖是上服既是俗制而非正服則當如中單衣之稱遠矣 答李在慶



問喪人奔走營葬深衣敝甚無以卦着駭人瞻視則將改製否顧齋曰深衣承衰裏衣今人之以此出入恐失禮意不得已出入則別製布直領之類如何中衣禮至練而改之未前恐不可輕改 答鄭通致

九思堂曰平時於尊長經宿則拜今於几筵恐亦當用此禮卽日歸者只瞻哭似得 答鄭通致

飲食

問祥日賓客之來問者或盛備酒肉而待之賓主皆難免無識之譏以拜果之屬謝其來問之意如何 趙時衡 渼湖曰所論極是 續編

梅山曰宋時習俗喪家設酒宴客客亦恬不知愧故程子之譏乃爾是所謂以禮自處而以禮處人也食於有喪者之側猶當不飽況舍下而飲酒食肉乎喪葬時只宜以素食對客晦翁云祭饌只可分與僕從以其可施於僕從而不可施於賓客也 答李稺度

梅山曰禮雖許有疾則飲酒食肉然肉助胃氣可以已疾猶可也酒則不可耳舍下飲酒程先生猶戒以陷惡況自飲之乎雖因斷飲致疾決不可容易近口以逾間也蓋酒肉俱關禮防而終是酒重於肉寧食不可飲耳 答樸溪

內外之限

近齋曰喪中祭奠夫婦或相對面雖不得避然非祭奠時則不可相見以禮所云非時見乎母也則不入于中門之意觀之則內外之限至嚴不可不愼也 答梅山

梅山曰閣憂時診脈則醫令甥問證則用女奴俱得之矣苟係安危吉凶有不用使人間之者則勢將親叩房闥之外而不可踰閾一步也侍食內堂固當惟親意是順而以喩於道之意委曲仰達侍食外軒恐爲得正如未蒙肯可則隨後而入隨後而出而自我防閑則益嚴密以別別嫌明微地焉 答樸溪

吊哭

通典魏王肅曰檀弓言往哭不言輕重通三年當往也雜記斬衰言功衰乃服其服而往則齊衰亦於功衰乃服其服也哭他室者爲外兄弟明皆當先哭乃行耳異國則不往也晉東晳問曰有父母之喪遭外緦麻喪往弔否步熊答曰不得也若外祖母喪嫡子可往若姑姊妹喪嫡疾皆宜往奔也 答鄭通致

陶菴曰禮有父母之喪而聞遠兄弟之喪則服其服哭之異姓則雖隣不往而沙溪云異姓之恩雖不可不殺其服有重於同姓之緦者恐不可以此斷定而不爲之往哭此在酌量而處 續編

雙坪曰父未葬而遭大功以上之喪一成其服而去之小功以下初不致成服只得往哭而已 續編

貞菴曰曾子之於子張友也猶居喪往吊 續編

鹿門曰曾子衰服中哭子張知恐尤害檀弓曰有殯聞遠兄弟之喪雖緦必往夫緦而亦往況朋友雖曰无服有同道之恩有斯年之義 鄭氏曰爲師心喪三年於朋友則期可見宿艸不哭註 則豈可不往哭耶沙溪先生之哭栗谷也引此爲證 續編

近齋曰喪中吊人之喪則忘己之哀也其可乎禮曰與往則隣不往 答梅山

剛齋曰內舅與外祖似无輕重隆殺雖居憂中往哭其喪恐非大失禮意 答金公世

老洲曰居喪不吊禮也豈可以妻父母之遭艱而廢之耶然自度居喪之節果能一一合禮則固可以無愧若他時不免因事出入且凡百不能一一守制而獨於此處斷之以禮則无威班駁耶惟在當人參酌之如何耳 答李在慶

梅山問遭喪卜山宿山下至親家則抑入哭其几筵耶顧西至親情厚若以生時則相對自當握搦此意何間存亡雖親喪未葬因事往宿其家則入哭恐無害

按檀弓曰有殯聞遠兄弟之喪雖緦必往非兄弟雖隣不往據此則雖非兄弟之喪葬後則似可往吊而孔子曰三年之喪吊哭不亦虛乎蓋雖葬後有服之親之喪可以往哭無服則不可況朋友乎鹿門說恐不可從



三年內有有服之喪因上食几筵

問三年內几筵有有服之喪則當因上食告耶 閔齋鎬 老洲曰因上食而告爲得

喪中當應戶籍

梅山曰居喪者几係汗漫人事固宜擔閣而至若應公家之役則當如平人蓋料民算賦專籍於戶籍所以稽其早蕃辨其減耗也詎可以憂服之中而闕審數之版乎若使哀侍而居鄉當準納租庸調三者應籍卽三者之綱目也是豈可已乎 答權逸香

喪中改名

近齋曰改名一款雖喪中如以犯諱或與人同名有不得不改者則何可拘也然若不甚急則待終制後爲之 答梅山 問有人遭母喪葬時題主以所改名旁題則與以上房題相左不可不改題云云洞山曰當待三年畢而吉祭前一日具由告改名改題 疑禮正解

衙舍奉几筵

近齋曰衙舍不敢哭泣宋時法令也今之縣邑衙舍先輩謂之私室許其哭泣行祭然則几筵似可奉往而此係法典須問近規決之

衙舍當行哭泣尤菴寒岡說皆然 備要辨論

喪中不見日月之過

近齋曰此雖以罪人自處之意而不見日月豈非過乎曾聞長老之言以喪中自稱罪人爲非矣 答梅山

老洲曰居憂中書疏稱罪人似因杏人疏中罪逆深重之語而杜撰也實無所據恐則不以是稱之耳 答沈祥而

有疾者哭泣參否

近齋曰使人替哭上食而只焚香斟酒行拜禮亦不害爲從權之道也 答梅山

又曰喪中有疾既不能徵行六時哭則與其只叅上食而不叅朝夕哭寧只叅朝夕哭而不叅上食時侍食則或不能而晨昏定省不可廢之誠如來示矣 同上

喪中居處

近齋曰今人氣禀不如古人遠甚何可執禮太泥以生疾病至於危身乎夜則入處房突亦從權之道也 答梅山

喪中從師可否

老洲曰朱子之喪中從師蓋可見其急於講學也然葬前就學不能無疑惹其或違衛齋道命而然歟且喪中從學朱子外更未有考而居喪持制不可不嚴雖有大賢所行未敢質言其可援而況今喪紀漸斁之時乎 與李在毅

梅山曰朱先生葬前亦從師師生相與非比餘人適從故也春翁纔過父禫往拜師門但爲可遂而賢者引此爲見訪賤陋之證則非愚之所敢當也 答任憲晦

喪中讀書

近齋曰禮記讀法次第先讀家禮以及儀禮沿流溯源不是一道也然以檀弓大功誦之文觀之期服葬前雖禮書誦讀如平日恐似未安至於居憂之人未葬讀喪禮既葬讀祭禮云者其曰讀非必作聲伊吾也此讀字以詳閱之義看似穩矣然則此不足爲重服中未葬讀書之證 答梅山

又曰喪中雖曰讀禮亦當讀書但不讀詩純耳讀禮讀經俱不可廢 同上

又曰則欲致力於禮書甚善如士冠禮婚燕射飲等篇似非其時樂記與樂章決不可讀至於四書中引詩處不必廢只低聲讀過無妨喪中讀書不可修好音聲亦有朱子之訓矣 答金宗善

老洲曰記曰未葬讀喪禮既葬讀祭禮朱子又曰居喪初無不讀書之文古人居喪廢業業是簨虡上版子居此則居喪者未必不以讀書爲禮也然未葬讀書恐終涉未安而喪則已極層與尸柩在殯有間豈可全然廢業耶鄙意與賢說有異恐不必爲拘耶 與朴命璧

喪中作文字

黎湖曰歐陽公居母憂時不作人墓文如胥楊二夫人墓誌皆不自作而必命文人秉筆雖以范文正公之爲平生知舊且係大公案而於其碑文亦必鄭重遲難待除服然後爲之其事見於與韓魏公書中此可爲居憂人之律令格式也 雜錄

近齋曰喪中作詩梅翠翁事也曷足道哉喪書不文家狀及書札之外汗漫文字不可作 答梅山

又曰喪中行狀祭文外他文字不可作祭文胡籍溪曰不押韻做 同上

又曰喪言不文親喪亦有祭文乎祖父母喪即正統服也去親喪不遠矣晦溯二先生於問板公喪無祭文 同上

梅山曰祭文雖異於汗漫文字亦不宜作雖在至親當待服吉也喪中不吊人之喪者爲其忘己之哀也不操文奠酹亦此意也縱不押韻恐不可爲朱先生所云古人全不吊祭即以此耳 答任憲晦

又曰朴元得氏曾居內艱也近齋先生不令做科業答爲之言曰詩賦非所可作科疑疑義則何妨先生答喪人豈可作科文終不許此之謂守經也雖疑義之屬亦干名之事則易致乎忘哀亦非所以不文豈居喪者所可爲耶恐哀回戀宿處故舉而誦之 與金伯元

諸父昆弟之喪叅祭與否

屏溪曰禫雖從吉之祭終是三年之制而哭泣之祭矣身雖有喪祖父母及諸父禫叅之何妨問解不可叅之說不敢知也 類輯續編

樸泉曰親喪未葬家內廢祭伯叔父母練祀恐先可叅道理祀後往哭恐宜若是本生親練喪則以孝巾直領哭於室外 類輯續編



服中雜儀

服中常服

賁趾曰齊服之人出在喪側恐不須常著成服之服只常着今世所用布頭巾如何出外所着之笠世多黑然嘗聞諸具先生李僉知珥氏於其兄服常着白笠云此難以私見强定也在商量決之 常變通攷

問世俗服人着喪衰時帶衰服布帶平居時別帶小布帶未知何據 李定載 竹庵曰此何有據直是謬俗 類輯續編

問日昨李鍾玉承教其祖父喪笠纓與網巾飾以白而近見齊服人皆以皂色爲纓與飾此則非耶 李正鉉 竹庵曰禮言縞冠玄武子姓之冠今玄冠素纓素飾猶賢乎已故隨其問而爲答矣李生斷然行之可尙也 類輯續編

又曰祖父母服中尤庵先生經禮問答曰平居常着布頭巾此恐何據 同上

近齋曰齊大功服人未葬在喪側長着其服禮則固然而亦以不能盡然如老病者當暑何以長用衰絰耶 答梅山

又曰布道袍例於葬後練着蓋以承衰者與正服有異色雖葬前若甚汗難於叅奠執事則不得浣洗着之 同上

老洲曰祖喪除服後猶着白衣帶從厚也祥後則可純吉拖至于禫則似過矣 答梅山

期大功葬前食素

近齋曰期大功葬前不食肉禮也曾問松巖李公喪衰卒哭前素食 答梅山

期服葬前尋訪之非

近齋曰期服重服也葬前汗漫尋訪不可爲但用留喪側照管葬祭等事 答梅山



期服葬前拜外祖父母 忌祭幷論

近齋曰祖父母葬前似可往拜外祖父母亦可叅外祖父忌祭而但請齋然後可以叅祀方待奠營葬而數日離喪側豈不難乎家禮成服條期大功葬前无故不出入語其常也不得而已出入其變色也惟在斟酌行之耳 答梅山

期功服人在外祥日望哭

近齋曰期功服人不叅祥事者望哭似當 答梅山

祖父母喪期年後復寢 旁期及大功以下幷論

近齋曰祖父母喪復寢必待期年愚亦嘗以南溪說爲是矣喪大記文只言大綱而父典折父在爲母期年後又有心喪則不御內果可止於期年乎其不言祖父母喪已包在於諸期服之中者恐似未安家禮備要三月而復寢只許於大功以下其意可知也然葬後復寢旁期則猶或可也正統期則不可 答梅山

尤庵曰喪大記曰婦人喪父母既練而歸註歸夫家也據此可斷內處之限而於心喪則 妻在心喪 不必有拘也 類輯續編

期服未撤靈前當哭於墓下

梅山曰齊喪哭墓當以除服爲限然恐難以卓宿而不哭未撤靈之前當哭於几筵哭几筵者亦當哭墳墓出於倚牓而亦非可已也

緦小功除服後雖上墓不哭恐宜 答任憲晦

服中赴舉 應榜幷論

閑靜堂曰今世之居王父喪而赴舉者以爲當然謂應舉與從政等耳夫禮作於周公孔子而科舉起於其後後周孔而制禮者程朱也齊衰之喪三月而從政者古禮之所許而程朱之禮居祖父母喪者無得應舉今何宜捨程朱之禮遠引政之文以解之也且從政

由於公慮擧由乎己足以行吾志也夫科擧世所謂吉慶之盛節也父有喪服子爲之綃冠玄武不忍純吉也而況己方持服而求與乎吉慶之盛節其安否何如也 類輯續編

竹庵曰服中赴擧恐以禮記從政式參看外祖父母喪成服後赴擧可矣 類輯續編

梅山曰祖父母服中不當赴擧程先生明訓存焉不可違也蓋正統期即所謂至尊之服也致哀之道亞於親喪其服在躬不可服闈亦不可赴擧何不令亂君知此義 答李汝弘

又曰祖父母服正統非程朱皆不許赴擧至若旁期已葬似赴擧而晉陽旌伯母服未除而應孝廉擧時議紛紜古人以服中應擧爲重如此禮大功之末始許冠娶則葬而後應擧恐宜姊妹之服降期而爲大功則不可比例於他大功尤不宜未葬而赴擧也

又曰以禮經從政式揆之則外祖父母成服後恐無不可赴擧之義愚伏南溪竹庵諸論皆許未葬前赴擧以服是小功也應擧不爲無設而犒理事殺與他小功差殊外祖父母卒哭前廢擧恐不害爲從厚者也 答洪在五

又曰外祖父母與舅雖不同是小功而內舅與外祖差殊成服後無不可赴擧之義況出繼降服乎 答申厚柔

近齋曰殿試之制入赴旣有近日規例則何必問於禮意者乎然考以事勢與時俗爲主則禮疑乎廢矣祖父母服與旁期不同其喪在殯而唱榜日簪花賓吉大所未安爲於此不知所以爲說也 答李毅叡

又曰除　殿試赴榜未安　上有特教云謹異數也此旣出於　聖意則豈欲使之伸情也放榜日何可簪花着吉乎花牌出給之際在家而只受入受來或似未安則以平服詣闕門外使人替受先返于家退後追簪花或一遵至於教而前後則嫌近迎術決不得矣科慶吉宴雖當身凡稀皆待葬後爲宜令仲雖在山下卒哭前不可行榮掃之禮卒哭後復往行之可矣 同上

又曰當告於先廟及王大夫人几筵而祭祀旣在喪服中不可自主吉祭之禮南溪論喪中告辭條以爲使服輕者行之據年月日首尾只告當行之而云云依此行之而只告幾代孫某登科事由其措語則隨意製用祭曾王考在世時旣知令季之特恭　殿試則今不必追告 同上

又曰凡不得赴擧者正統期則服未盡之前也旁期則未葬之前也未葬則已直赴者雖　殿試亦不赴禮也不杖朞固然況杖期乎服莫重於喪葬者以其三月之禮也生入追格者何可於喪葬前依例爲唱榜之擧乎放榜日使人受白牌以來可矣 答尹淳昌

服中聽樂

近齋曰以五月三月不與宴樂之文觀之雖緦服不許聽樂且考雜記喪有緦不擧於其側尤豈不明著乎今人之只以期大功爲限者蓋不識禮意也 答俞鈞

有服中讀詩可否

梅山曰服莫重於期年而身持齊衰之服口誦要律之文於心不安稍可所謂歷經之類論之以大功皆而不及於期則臣服之類論與詩且不言之亦矣詩律則尤不可爲爲誦說與學舞射等藝尤異其服也尤當矣 答□□

心喪服飾

心喪服色

問再從兄出爲伯父後而生母大祥在此月從兄於其小祥後在心喪今於祥後禫前服色將仍着黑笠黑帶白布直領耶或謂宜用淡笠白帶白布直領此言如何從何從 類輯 南塘曰心喪以二十七月爲限禫月前黑笠黑帶布直領無可變之義婦人深衣亦不必毛色爲妥耳 類輯續編



老洲曰心制服色无見於經而朱子所謂黲即淺青黑色其義實取黲而纖之文然國俗未曾用此色以縞代黲者亦爲纖之意而色少殊耳近世先輩皆用之後之治禮者豈可命此別生意見耶至於笠之表裡皆縞緌亦縞色縞人所行即道家中已例而曾見人家亦行之如此 答梅山

柳氏曰我東心喪人所謂墨衰之制古無其禮當以墨笠白衣白帶以至二十七月而已何必服之以無名之服然後謂心喪乎哉 學禮遺小

按心喪所着黲服非墨衰也墨衰云者俚俗无稽不足多辨檀巢雖有父母喪齊衰一年之外以墨衰從事之說此則宋制父母喪亦服三年故檀巢欲爲墨衰之制以示古禮之變耶不違時祭之得伸非今黲服色

柳氏曰無心喪服色惟通典有心喪素衣之文然白衣白笠白帶即古禮祥而縞之制黲帶即禫而纖之義也心喪在禫後則當做禫而纖之意而不當反用祥而縞之制也蓋古人禫而纖以至吉祭今心制用黲政得此意而但有久近之異耳 常變通攷

心喪中有服者着本服帶

厚齋曰髽後墨帶是心喪之制其非喪服可知遭重服而有衰裳則當着此衰裳之帶也 類輯續編

南塘曰心制以心而无服心制從心服制從服義各有當況心制黲帶亦是黑帶重服黑帶豈不駭人耶是以心制中遭期大功重制則當着期大功喪服之帶 類輯續編

渼湖曰心喪雖重旣是无服之人則凡有服者皆當服其服之帶先世忌祭亦用白布帶似是 類輯續編

又曰師服外无衰服內有哀慽是心喪之義也然則師服雖重而無服親屬之有服者雖緦小功之末皆不可以不服何可以師之喪而廢屬之服乎 外服親屬之服而於○師則心不忘哀慽之情以終其數月而已○上同

問心喪中遇服者以服帶入於心喪几筵耶 溍必履 櫟泉曰參以輕包重持之義則心喪之人旣無服矣須服期功之服雖於几筵恐不須變服 同上

問本生親心喪中遭所後伯叔父母喪則常持何服 尹毅東 竹庵曰常持世叔父母服無疑 類輯續編

梅山曰所後母喪心制中遭本生母喪者當常持本生母衰所後心喪雖重心本非服特借黲服爲黲布笠帶示變於平人者非本生齊衰中所宜服也 答金相道

柳氏曰嘗見一士人心喪中遭妻喪出入時着心喪之服問之則曰縞笠縞雖異於衰麻而亦是父母之喪表哀之服不敢以妻服易之惟出入妻殯時服其服耳此人所行或不爲無見 常變通攷

柳氏曰先師曰母喪在制則已無服矣竊意居家常服妻喪心服出入則着黲笠服期之帶似近於包持之義 同上

心喪中參先忌着黲帶可否

頴西曰心喪中參祭之服以練布代黲帶似宜 答梅山

降大功欲伸心喪當盡降服月數

梅山曰尊從叔父之於吾兄覆育生成罔差造化中心喪於除服之後宜也今兄當服期而降九月則九月後心喪以降服之月數斯可矣若拖至參年則不幾近於賢者過之耶 答李子野

心喪待吉月變除

三山齋曰心喪人復喪之節沙溪以吉祭爲斷此或執指復寢從仕與衣服之稱其華盛者而言歟若黲布笠帶恐當依通典祝除之

於當禫之月在禮三年之喪禫而吉服三年凡然況心喪乎尤菴答金九鳴三年後復吉時哭除之問曰當禫之月略行哭禮以存行禫之義也此說似可據故愚之丁亥所行二十七月改服黑笠白袍黑帶其翌月着袍絲帶如平日未知如何 答柳厚明

性潭曰喪三年後當禫之月可脫黑衰 尹弘緖

近齋曰心喪者即吉必待吉月自沙溪尤菴已有定論寧容更議喪三年者即吉心喪者禫月惟未即吉輕者反重誠如或人之疑然此非反重適所以爲輕也或即吉或未即吉有禫無禫之分也若使心喪者禫月即吉則心喪果有禫否如此則或人之疑不難辨矣 答李廷仁

又曰心制變除當在於吉月之期吉月初丁雖不行吉祭不哭而易着吉服於私次爲當有愼齋說可證矣 答三從弟能淵

又曰心喪變除必待吉月然後方爲安於心亦得心本非服之義似與三年喪之禫月行吉祭者微有不同尤翁說是泛指三年喪而非指心喪也且考類輯本說則有月朔經紹之語先生已有持難之微意但其然字下雖似可從祭後合祔之云與後月少牢配之文不同未能無疑 答藏人

又曰吉月丁亥日心制之除既有掣礙事端則遂尤翁或早或晚之訓以爲進退無妨且祭祀日亦可用之 答梅山

老洲曰心制非服則無服之可除設位哭除恐非禮意竊心制服色禮無其文服以黲色即取倣於禫纖之文禫纖所以表餘哀心制所以表心哀無服而表哀其意一也然禫服之變有吉祭節拍心制則无此節拍只可計喪期實數直到二十七月之翌月 當行吉祭之月 朔朝變着吉服而行廟祭則恐爲不中不遠矣至如以黲漆笠爲禫服變服竊嘗疑其无據若又以此爲心制人變服之節尤无據也 與養餘

又曰父在母喪心制近聞人家或有哭除於二十五月第二忌祭是可謂短喪心常慨歎心制非服似无哭除之節在墓下則哭墓變

禮疑續輯十二　七

服亦可歎 答南大任

又曰父喪復吉同春以爲當此次月朔日 指二十七月之次月即當吉祭之月 尤翁以爲當於是月 亦指當吉祭之月 上旬或丁亥擇一日爲復常之節愚從前以尤翁說儘爲宛轉矣近竊思之心制服色無變制之可言三年畢後衣冠之易非細事亦雖云以宜祭祀日略擬於心實則無節拍終涉太昧然以此言之春翁說亦可思而於事理順矣蓋心制之闋必引而至吉祭之月者實取諸吉禮踰月之文則以是日易服而行朔祭可謂無節拍中微寓節拍之義耳至於復寢聽樂各在當人擬之於心 與李士得

按三山齋以漆笠白絲帶爲禫服而心喪人於禫月除黲笠黑帶着漆笠白絲帶則是禫變也心喪人豈有禫變乎蓋祥而縞禫而纖吉祭而吉服喪人變除之節次也除服而心喪權着黲纖至吉祭而吉服心制變除之節次也所以不同者心制非服無變除之節故至吉而吉而已

心喪中受吊 狀式幷論

屛溪曰後於人者生家喪其期後在私室値人來慰不得以哭對若在喪次以親厚之人入哭靈座則哀至之極自然而哭身旣服除則雖對而不必備吊禮答人慰書則上狀自稱心制人書辭與服中時無異去祇奉几筵四字如何 類輯補編

心喪未除上墓當哭

梅山曰心喪未除上墓當哭墟墓異於家廟無可嫌 答任憲晦

心喪解官

栁氏曰六朝及唐宋之制凡父在爲母嫁母出母妾母出生父母及父卒祖在爲祖母皆心喪二十五月而心喪者又必解官至皇明盡剷而去之何其與古殊也至若心喪之實朝廷固嘗禁也 學禮識小

離喪次諸節

南塘曰旅館守制之節朔夕哭斷不已設位以爲憑依之所亦不可已家中既有子孫奉饋奠則此處不可疊設不行上食則上食兩時之哭不可依行耳客來受吊當以衰經不可以深衣方笠深衣方笠只可暫着於出入時非受吊之服也練後雖無朝夕哭在外者此又廢之則一日之內專然无事依前不廢恐宜得 類輯續編

離喪次受吊

近齋曰非病時與出入則衰絰何可去身乎平居不脫則況受吊時乎愼齋同春兩先生皆許於旅次受吊旅次猶然況京宅乎離喪側受吊當如禮矣

又曰謫舍同於旅次則旅次受吊有愼齋說倣此行之爲可以亦觀其親疏而處之 同上

朝夕朔望望哭

近齋曰喪人既離殯側朝夕奠時再拜望哭恐宜 答洪文榮

又曰途中値朔望不可哭於路次入店舍而哭或可而恐亦難行雖哀慟且忍而止之 答梅山

書疏式

書疏雜式

屛溪曰輪還全書祖父母喪云縗服縗服之稱曾見服長子斬者自稱矣祖父母期服人稱之亦好矣蓋縗者衰也古禮旁期無衰負辟領於祖父母期稱縗服耶 類輯續編 同例疏之外或有別幅慰問則當以別紙奉答而若有賻物而無賻狀或書示於疏末則亦以答疏中謝之耶 答金時準

禮疑續輯十二　八

陶菴曰別幅與謝賻只當視役之爲而相報 類輯續編

問今有慰狀者不能的只喪人多小只書其知者則答書時知與不知皆列名否顧齋曰禮欲相稱不必知與不知并皆列名也 答李運巧

上父兄喪不稱疏與稽顙

近齋曰居憂中上書於家內父兄何可稱疏與稽顙乎曰疏云者尊之之稱示異於常時也喪中於父母豈有加尊之義陶菴當通看矣 答梅山

梅山曰喪中往復稱疏者爲其加尊於平時人之施之也亦然而至親則無加尊之義故仍舊稱書 答朴道而

祖在祖母承重者自稱

近齋曰孤哀之稱本以父母俱沒而言也祖在爲祖母承重者當只稱哀孫父雖死而於此稱孤則嫌同於祖死故也 答梅山

慰人父母偕喪當主外艱

剛齋曰爲人父母偕喪者不必疏各而封皮則當主外艱可書大孝似可矣 答柳漱芝

按慰人外艱內艱措語各異何可同慰一疏乎且非所以致敬恐各疏爲

并有喪稱孤哀子

南塘曰俱亡謂有并喪也世俗前喪雖過三年而後喪猶稱孤哀子誤也非并有喪而稱孤哀子則何以別新舊之喪乎 類輯續編

頤西曰家禮父喪稱孤母喪稱哀俱亡稱孤哀俱亡或稱並有喪間解有前後喪稱孤哀之說此是沙翁定論恐當從之 答朴汝

梅山曰家禮題主祝註云母亡稱哀子者即父已先亡而子爲主亦稱哀子之明證也蓋孤與哀皆是喪中之稱則父母之先後亡者居後喪而並前喪所稱極涉無義至若祖父母先後亡者或有其父生時先已服喪已則服期今於父死之後忽引曾所服期之喪於

承重之喪稱孤哀孫者皆不成禮意若非三年中俱亡者則祝文及書䟽只舉見在之稱恐宜 與鄭文老

又曰並有喪者方稱孤哀子前喪禫後始單稱孤哀或哀子祝文與書䟽同 答金廣淵

喪中慰人書䟽式

近齋曰喪中慰人之期大功似不當稱䟽蓋所主在乎問人故也兩喪家相慰答尤翁有各用其式之語喪中慰人父母亡䟽不稱稽顙而稱頓首以此推之慰人期功之喪不稱䟽而稱狀似宜 答梅山

喪中答人䟽在卒哭前後

梅山曰喪中答人䟽必在於卒哭後而若事關喪葬亦無所拘往哲之所許也況降期者乎期服答人慰狀不待卒哭 答李道用

又曰答喪人慰問者或稱哀座前而陶菴云書以某位哀前於服人則不必稱服前依例書之可也斯言恐得大孝至孝之云可施於慰䟽不可施於答䟽也 答李元五

慰人兄喪庶兄喪狀式

梅山曰慰人喪兄當云尊伯氏府君而庶兄則當云令庶兄外他措辭一遵備要本文恐宜 答金廣淵

慰人嫡母喪私親喪䟽式

問慰妾子所生母喪先字下所稱云何 安益大 厚齋曰題主避嫡母稱亡母不稱妣則吊狀當避嫡母不可稱夫人但所稱則禮無可據未知如何而可也 類輯續編

屛溪曰妾子母喪慰狀屬稱尊慈氏尊慈堂或尊母氏隨便稱之无妨 類輯續編

竹菴曰吊妾子之有喪者其母稱先母氏嫡母則稱先夫人尸禮則主人拜客无禮古禮本然今見備要註 類輯續編

南氏慰人妾子母喪之狀芝村曰先夫人當改以尊生親不書至孝只曰苦前哀至孝者大孝之對舉故不書 備要補解

又曰妾子不敢與嫡兄弟同拜吊則人之吊狀亦不可與嫡兄弟並稱各狀書問庶合禮意 同上

潁西曰慰妾子私親喪皮封當云狀上某位期服前狀中辭意先夫人改以先慈氏奄忽違世其餘皆用慰狀之例 答權溪

梅山曰慰人嫡母喪䟽无稱嫡母之文只稱先夫人與施於正室子者同焉若其私親則當云先慈氏以別於嫡母也妾子亦自稱私親己矣 答權矩夏

祥禫前後書䟽式

陶菴曰祥後吊狀中秪奉几筵四字去之爲宜 類輯續編

貞菴曰大祥後禫前書䟽自稱當以孤子禫制人禮無此稱禫後則已卽吉而除服服既除則制字无所當與人書䟽只用常人例而雖於平交以小楷具書姓名爲好 類輯續編

本菴問祥後書式謹按喪禮備要註引翰墨全書云居禫而此稱无經據家禮禫後便卽吉則固當只依當稱矣恐不必擬從此等雜書而爲之也渼湖曰恐是 類輯續編

近齋曰禫前書䟽既稱孤哀則祥後答人問䟽亦當依拜前而以隨時之文日月不居下當曰奄經大祥卽日蒙恩下去秪奉几筵四字 答三從弟吉甫

又曰父在母喪心喪中書當曰狀噎之者亦當稱狀 答梅山

梅山曰禫前喪未畢故一遵未喪之禮禫則終制書牘往復稱平人欲示異於卽吉則彼此俱稱狀上恐宜 答金鍾

皮封郡望字義

近齋曰郡望本是謂某郡之望族而仍成郷貫之稱 答梅山

喪中行祭

喪中廢先祭當否

本菴曰古禮與唐律嚴矣張訓之正朱子亦言之若程子之說欲推不如禮之俗以爲律則恐不能无疑張子喪不貳事之語范伯崇之問朱子引爲呂博士之言此最合省念蓋家有大喪惟哭泣奠饋之事而傍及乎祀先亦不備禮其禮之苟而心之不專爲何如也按綱目魏主宏有云人神喪恃想宗廟之靈亦撤歆祀脫行薦饗恐乖冥旨此言亦近有理矣要訣盖遵朱子之訓三年喪中廢時祭在節祀而忌祭之不廢又異於朱子所行墓祭亦非所安須自朔望參以至大小祭屬一切廢之方爲兩盡於喪祭也蓋喪當從三年之例朱子書可見矣期服以下可且據要訣行之惟時祭期大功亦難行矣 類輯續編

南塘曰三年之喪古者廢祭後世單獻无祝略伸情禮而已 類輯續編

櫟泉曰喪中先代忌祭葬前幷廢卒哭則略設單獻无祝祝只出主有告辭矣 類輯續編

屛溪曰禮莫重於時祭而行之以一獻實涉未安三年之內只行忌墓祀朔參等禮時祭則三年畢後行之似爲恰好朱子答范伯崇曰四時祭日用墨衰又答湖伯量曰四時大祭既葬亦不可行似當以答湖書爲定論 類輯續編

雲坪曰四時時祭 古禮也節薦後俗也古禮當從古禮而廢 喪三年廢時祭 俗禮亦從俗禮而行 喪卒哭後行節祀 且禮有可廢不可殺不讀祝只一獻何足以爲祭也 類輯續編

又曰受胙是神之事不祭則已安可以自廢之也只當不餕以示變可也古者小祥不旅酬 同上

行祭服色

厚齋曰八廟別具布帶備要說如此駭俗不必練論絞用布是本服變除之服何可仍用八廟之布帶 類輯續編

竹庵曰古者不衰不見況於祖先不衰而見乎無寧衰服去絰杖行祀 類輯續編

又曰設令古禮有三年內祭先祀之事則恐於孝服去絰杖矣只着孝巾龜峰以免冠爲非矣 同上

老洲曰喪中祭先服色亦多先輩說而既不得用朱子墨衰之制則平涼子深衣最近禮而至於帶之麻布麻雖重於布等喪是服而實分齊衰則服斬者八廟必以布易麻竊嘗不能無疑耳拜廟異於見客則恐不可援不衰不見客之文而以衰服入廟未知如何 答梅山

剛齋曰喪中祭祀栗谷曰俗制喪服行祀而方笠是俗制喪服故吾家用之雖與沙翁微不同且未有先祖之定論而謂之失禮則未知其然矣 答宋景任

按方笠喪人出入時所着而以非人自處不見天日者也恐不可以入廟又不可以周旋將事栗谷所謂俗制喪服指深衣之類未必指方笠也

柳氏曰孝巾卽今之布頭巾也通典祉希曰周人去玄冠代以素委貌漢人去玄冠代以布巾則布巾之制其來久矣方笠出於胡金與其用近出之胡制寧從近古之漢巾似好 常變通攷

喪中行忌祭之節

渼湖曰喪中行祀朱子有使人代之之說有以身行之之說如欲自行則自當依禮如以代行則昔野隱宋公常使人代主而以布直領孝巾於奠獻之後伏哭而退尤翁稱其有得於情文云 類輯續編

喪中祭先出主祝有无

尤菴曰三年內忌祭出主時不宜昧然則告辭恐不可已考妣之號不可改○柳氏曰喪人未改題而稱屬號似未安然祔祭亦從喪人屬號則依此違用似好 常變通攷

陶菴曰出主告辭似不可闕 類輯續編

櫟泉曰喪中忌祭鄙家用常時出祝不別措語 類輯續編

竹菴曰卒哭後祖先忌一獻无祝則出主於告辭當無也 類輯續編

近齋曰單獻則无祝爲宜單獻與无祝自是一串事若單獻而有祝則半上落下此時決不敢備禮祝文當闕而至於出主祝用之何妨 答兪老柱

又曰若用出主告辭則未旁題前用喪人屬稱如祔祭祝可見似亦无害 與任靖周

又曰喪三年內祭先雖單獻无祝何可不出而行之乎望日不出主卽不出主身於櫝外之謂也忌祭雖單獻出主之儀則當如常時不可用望日不出主之文亦當出就正寢而行之 答兪瓜柱

老洲曰喪中祭先无祝而出主時一堂祔廟之主不可昧昧不得已有告然此乃告辭而非祝則不可援祔祭祝比並說而改題前違改舊日屬稱終有遺不忍死其親之義鄙家則從前仍用主面所題屬稱而後見櫟泉集答人問有喪中忌祭用常時出主祝而不別措語可知自春翁有所受來而鄙家所行亦不至无據

又曰來諭謂攝行則雖各隨其人屬稱亦无不可試所未曉使人代之之際或疎族或外裔則亦將以顯族顯外親稱之耶今夫亡室題主其夫有故其子代告遞以顯妣稱之祠考妣忌日其父有故其子代祭亦用其屬稱耶 答權敬之

梅山曰喪中行祭若忌墓祭俱無祝而出主無告恐涉昧然故不擧屬稱只云某官府君或某封某氏遠諱之辰敢請神主出就正寢不擧屬稱以未改題也去恭伸追慕四字以不備禮也 答金炳臺

類西曰喪中忌祭出主時無告雖似昧然行祭時無祝亦豈非昧然乎來諭欲以請某所爲告然無端請指亦甚未安愚意則其所昧然恐合於義焚香在於再拜之後是專爲告辭設也無告則無焚香宜矣 答梅山

按喪中忌祭旣曰單獻無祝則出主告辭恐在無祝之中矣

## 奠獻之節 侑食幷論

渼湖曰南溪所答人問之添酒可廢祭茅闔門未見其必當廢當於初獻時幷按題正箸而無拜云者皆是但侑食尤翁則以爲當行然恐與禮經三飯不侑之義不同未敢知如何也 類輯續編

問喪中不祭禮侑食沙尤兩先生說不同 金敎行 南塘曰三獻禮之正禮之加也一獻禮之殺也禮之殺先自加者始原野之禮殺於廟中故只行三獻而無侑食飯意可見也豈有殺於正禮而反存其加哉沙溪說恐是 類輯續編

雲坪曰一獻不讀祝亦當不爲侑食扱匙正箸卽擧初終之古禮必如是先賢或以爲侑食恐不可 類輯續編

近齋曰喪中祭先單獻不當三祭茅上南溪以爲祭終兩獻及讀祝告利成之外並如常祭以此觀之單獻時祭茅自如也何可以无侑食添酒一節而不祭茅乎 答李載毅

老洲曰喪中行祭古无是說无祝單獻乃後世義起忌祭單獻是殺以小祀則儀節一倣叅禮 祭儀則不必與闔 始有依據若存侑食闔門之節則盛殺之間半上落下矣 與玄甫

又曰闔門卽古禮陰厭之義也以殺殺而旣廢侑食告成之節則只存闔門甚爲駁陶菴說無容更議矣 類輯叅禮

又曰祭之次品惟視獻數單獻則只俱單炙並設於進饌之時恐宜矣 同上



類西曰喪中先祭獻與侑食非一項事也雖不備禮拜後侑食似宜 答梅山

梅山曰喪中忌祭侑食沙則曰不當行尤翁則曰當行南塘斷之曰侑食禮之加也一獻禮之殺也禮之殺先自加者始斯言有契於古禮三飯不侑之義沙溪說當遵單獻後扱匙正箸已矣

又曰喪中忌祭无祝單獻並擧闔門陶菴說可遵也愚則取侑居幽闇之義喪中忌祀亦行陰厭之禮矣 答任憲晦

## 喪中先忌哭泣之節

近齋曰居憂中祖先忌日不當以喪中哭哭之雖親忌父喪中母忌母喪中父忌皆不必以喪中哭哭之蓋新舊不同也 答梅山

又曰雖喪中祖先忌祭未遑事似不當哭 答李載毅

老洲曰哭泣之節行於斟酒扱匙之後止哭而進茶撤匙恐宜 與玄甫

## 葬後祭先必待卒哭後 吉祭時幷論

老洲曰葬後行祭南溪以爲卒哭前與未葬少間而陶菴則謂卒哭未畢便是葬前宜不得行鄙意陶菴說正合於朱子以卒哭前後爲行廢之義據此則恐不可以葬後而行祭於卒哭前也 與李在慶

近齋曰吉祭前終是喪未畢也祖先之祀无祝單獻如三年內者來示得之 答兪漢雋

柳氏曰先師曰未改題則不敢以奉祀自處故无祝單獻老先生令子弟代之說恐只是祼獻等節非指祝辭 常變通攷

## 喪中先祀服人代行可否

近齋曰喪中先祀使服輕者代行有橫渠說如无服輕者則當依問解以俗制喪服行祀雖有服輕者只是一人則左右執事不備喪人勢不得已助將於服輕者之傍如此則無寧親自酌獻之爲愈也愚意勿論服輕者有無多寡祭先凡節躬將无妨只減饌一獻稍存常變之意 與任靖周

梅山問母喪中考忌使人代奠奠酌後伏哭而退有老翁說而只哭而无拜則似欠節目類西曰母喪中考忌哭而無拜果欠節目

## 喪中行叅禮

陶菴曰喪中晨謁固不可行而朔望則以衙領方笠轎拜如何若是宗子朔望叅禮使服輕者替行爲當 類輯續編

## 喪中墓祭 新墓山幷論

問孤子家墓祭依要訣行之而或云三年墓祀皆盛設云 或人 厚齋曰旣於平日備禮降殺之異哀之所行得 類輯續編

陶菴曰三年內墓祭當單獻無祝 類輯續編

洞山曰世宗之家若有喪故則葬前幷廢廟享墓祭而若有不祧位其世代既遠支孫衆多則殺儀行之可也 疑禮正解

按喪前有廟墓祭並廢之文無遠近祇祭行廢之禮洞山說未敢信

厚齋曰祭新墳三獻讀祝來云得之 類輯續編

厚齋曰祭新墓三獻單獻蓋中喪中之中也至於新山豈可與舊山比論耶三獻爲宜 答梅山

梅山曰三年內墓祭遵栗谷說單獻不爲无據而亦無不可三獻之義家禮備要指墓所云者安知不包叅紳耶南塘有云墓祭先進饌原野之禮從簡也旣先進饌則又不可立視故先叅而後降去侑食以從簡也斥儀補入進饌侑食要訣先降後叅皆未安斯言恐得 答任憲晦

屛溪曰喪中祭新墓若與先墓同崗則新墓之說盛饌果不安依尤翁正論行之可矣若墓所各異則當依栗谷 鄙見品減常 與先師 新義 之說行之 類輯續編

厚齋曰墓所體魄所在也几筵靈魂所在也故節祀並設之若路遠不得并祭則當以几筵爲重如有他子侄則兩處行 類輯續編

近齋曰端午節祀墓與几筵並設秋夕與望奠亦然 答梅山

又曰遇節日雖卒哭前新墓行祀似當 同上

又曰卒哭日前節日相値則新墓祭似當設行 同上

梅山曰與三虞日與節日相値則新墓祭備禮恐宜 答鄭文老

合葬三年內墓祭

渼湖曰母喪合葬後三年內墓祭尤菴答宋道原曰合葬墓祭殺當以奠爲主若於考位減殺則妣位不可以獨豐又不可以妣之故亦豐於考也此說極正當南溪先後行之說恐太碎 類輯續編

又曰喪中墓祭無論新舊山皆用單獻禮似乎得宜 同上

竹庵曰始葬合奠見禮記此實古者祭墓之始而曰奠則可知其爲單獻三年內新山雖非同崗 與先山同崗 一例單獻恐是 類輯續編

櫟泉曰合祔後節祀 答鄭 恐亦當以孝巾直領哭泣之節尤庵亦爲以雖無明文以喪過乎哀之義處之恐或寡過矣又按栗谷語錄喪中新舊墓當一獻既得此明據則自今遵行也 類輯續編

問父母喪借而合葬者於墓合祭於苔祀之前其不可 李權 陶庵曰周禮司几筵鄭註云雖合葬及同時在殯皆異几體實不同祭於廟同固精氣合今俗雖吉祭前墓祭則多合設以好禮家有墓祭各設之論各卓而同時行之 類輯續編

近齋曰合葬三年內墓祭南溪有前後二說一說則以爲行單獻於舊位行三獻於新位一則以爲饌品與服色似難區別與殺設爲是雖墳墓與几筵不同也同卓而祭何害遂翁陶庵皆以合祭爲未安然神版未合櫝則不可合祭墳墓既合葬則不得不合祭獻酌之數則栗翁鶴峰說新舊墓皆宜一獻服色喪麻首領之間尤翁雖有以尊爲主之論又答崔有聯之問曰合葬後雖服於舊墓經可脫衰而行之此似簡便易從如何 答李宜叔



老洲曰近齋說同卓合設殊所當疑考妣亡在先考亡在後以卑從尊薦以三獻勢似便順然恐雖免吉凶相錯之嫌若考亡在先妣亡在後以重壓輕薦以單獻則三年之祭無端殺禮若從卑薦以三獻則諸位單獻之時豈不未安乎且使妣喪中合享則以妣服齊衰臨考祭耶抑脫衰改服而承祭乎俱甚崎嶇窒礙牽於改題前稱妣到不得已處始可用之今於未改題未合櫝之前列考於一祝而爲妣如禮不經輕違乎鄙見如此故被人卽問答以考先亡妣後亡則先以單獻祭考次以三獻祭妣妣先亡考後亡則先以三獻祭次以單獻祭妣未知如何耳 答梅山

梅山曰齋從鼎成說極有精義老洲丈亦云三年內合窆墓祭不得合設而各行以其未合櫝也各祭者禮之經也合享者禮之通變也變固未易言只當守經耳 答櫟溪

按原註之禮簡於祠廟且三年內祭奠雖備禮盛設在几筵而不在墳墓若依渼湖櫟泉說 [illegible] 新舊墓並單獻則又無許多窒碍矣

閔靜齋曰三年之喪廢而不祭惟二祥而已墓祭本做家廟四時之祭非變廢之外則可行若墓祭可行則亦不可行時祭於人情乎況祝文辭語亦不合卓恐只當奠於墓而哭省爲宜否 類輯續編

樗氏曰一墓兩祭恐涉已甚合祭而通於尊者爲宜若父喪在先而後遭母喪則其祭當以深衣行一獻矣若母喪在先而後遭父喪則其祭當以衰服行三獻矣如張南軒雖常時上墓而行哭泣之節則一喪雖殺哭泣行祭先無於禮意 答成小

梛氏曰虞卒哭卽喪之大節所宜備禮而至於墳土未乾之前哀省爲主用常時祝辭太似泛然三年內墓祭只可比例朔望奠一獻

先祝而行之恐當 [illegible]

喪中祭土神

厚齋曰喪中土神使服輕者代行可也 類輯續編

南氏曰喪中先墓之祭單獻不讀祝不祭山神家禮有明文新墓若與先塋同崗則饌品之豐約儀節之備略不可異同又有先賢定論山神祭亦不可行矣 備禮補解

妻喪中祭祀

問朱子於子喪不舉盛祭之意觀之宗婦之喪宗子雖存四時正祭固不可行於小祥前耶 金致編 厚齋曰橫渠於叔父喪三廢時祭令宗子方在喪中朱子於劉令人喪廢四時正祭依來示爲之亦可矣

鹿門曰妻喪中朱子廢四時正祭存節祀服色用深衣涼衫之屬眷言忌祭似無可嫌而正寢已設几筵即先祭處恐亦暫停也以此推之祭如平時無或未安否 類輯續編

屛溪曰主祭者有妻之喪禫前几大小祭當如在三年之時不得備禮矣 類輯續編

雲坪曰宗子妻喪與外喪齊衰絶異卒祔之前几祭祀皆當廢之 類輯續編

近齋曰妻喪雖具三年之體終與喪人有異故其祭先三獻如常耶或言主婦喪內不當行盛祭先忌以單獻行之者多云未知果有所據而如此之家則當於妻禫後祭先姑爲三獻矣 答金宗善

老洲曰妻服次於齊衰三年而具練祥禫則豈可謂在期章與他朞比并論祭禮最重內外之官官不具禮不備行備禮之祭於主婦喪中揆以理人情俱有所未安杖期喪紀終於十五月其前時祭廢而忌祭殺而行之 答宋公晦



梅山曰朞服葬後忌墓祭當備禮三獻而妻喪杖朞也具三年之體且是宗婦則宗婦喪中恐不可準禮行祀禫前當單酌无祝也 答蘇輝冕

長子喪中祭祀

南塘曰長子斬衰服之重者也何可以爲手下喪而行祭自如耶朱子於長子塾喪廢正祭而存俗耶此見於大全矣 類輯續編

屛溪曰楊氏調先生朱子以子喪不舉盛祭云則朱子所行可以爲法爲長子服斬者忌墓祭當一獻無祝 類輯續編

梅山曰若爲傳重之長子斬衰三年則三年喪中豈可備禮行祭乎忌墓祭當單酌無祝時祭當廢只若服期制時當遵石潭之定論葬後備禮舉忌墓二祭時祭而時祭當停與他朞服不倫故也 答任憲晦

期功以下服中而行祭

三山齋曰祖喪葬後時祭行否宗孫則承重主喪非所可議雖以支孫言之持重服於祖而舉盛祭於禰無乃未安乎卽其行祭服色亦難用栗翁帶之說須姑停也 答洪伯能

梅山問期服長子喪卒哭前先祀行廢老洲曰亾者既繼禰之家適子則雖殯而尸柩不在家豈可舉祭於卒哭前耶要訣期大功葬前略設此指期以下不可援也 答梅山

三山齋曰問解小祥條日期以下既殯之後擇日練祥禫皆攷之未詳耶吉祭則自是正祭葬後行之恐宜 答趙樂之

問長子婦喪葬前廢先墓節祀 李致敬 近齋曰門內有喪未葬既廢寒食墓祀則同崗之內遺祖墓位亦不可獨行並廢爲宜

又曰長子婦喪雖重亦只是期服期大功葬後祭如平時禮有所云據此則子婦服中祭先當備禮行之若於葬前殯在他所則家廟行祭當無祝單獻而未葬前殯于家中則雖單獻亦廢之而已 答黃儆五

又曰孫婦喪雖未葬喪出他所而又過成服則不可引同宮之例而廢祭祭并大功葬前行忌墓祭一獻先親卽先賢所定也長孫婦服雖小功既是門內之喪依并大功例葬前祖先忌祭以單獻行之如何 答金鏊齋履儼

又曰妻喪曰并大功葬前時祭可廢異宮則雖葬前時祭外朔望俗節参皆可行之同宮既葬則雖卒哭前参禮似無可廢之義況葬日過已久耶 答老洲

柳氏曰禮爲父後者爲出母嫁母无服无服也者不祭故也曾子問孔子曰外喪自齊衰以下行也註齊衰異門則蓋出母嫁母之服爲杖并異門齊衰爲不杖并則杖并不得祭而不杖并則得祭耶又同居繼父之爲已築宮廟者服不杖并蓋嫁母服杖并則以廢祭而不敢服不敢嫁母而服繼父不杖并則不杖并之不廢祭又可知朱子以妻喪廢祭自是正禮而至於凡并則恐不在此例當更詳之 常變通攷

老洲曰大功未葬不得準禮行祭雖有栗翁定論若或拘於葬地而慢葬時時无限節豈可膠守而不思變通乎若已出殯而異宮則恐當以三月爲限蓋論實協鄙見 答梅山

近齋曰出嫁女喪雖未葬神道既行祭如常矣 答老洲

又曰外孫非并大功則於其外祖父母葬前祭其妣不必單獻只當備禮行之蓋以神道事之禮意然也 答梅山

梅山曰要訣五服未成服前大中小祀皆廢并大功則成服後忌墓祭略設朔望参及名節準禮薦廟此以異宮者而言若同宮之喪雖臣妾葬而後祭也如君所値既是異宮又經成服則冬至之享无可廢之義 與金元石

穎西曰五服未成之前雖忌祭不可行栗翁定論也沙溪亦以爲合於情禮則固當遵行然毋論緦重若遭制而往來喪側者固非可論若道經服晚後聞外訃者用廢祭之禮則情有不忍況於所祭無服乎陶翁代行之說南塘祭齋成服亦可之說皆以喪餘之不忍廢而言於斯二者酌量處之可矣 答蔡溪

梅山曰禮緦小功成服後當祭如平時從叔母葬後无廢祭之義不可以葬在同山而不舉歲事雖則會下前一日齋戒上山行禮非可拘也 答沈璞元

又曰大功葬前忌墓祭當无祝單獻而行之神主雖在宗家未及移奉於長房然既以長房名題主則當準長房是服而廢之不可以權奉者服輕而備禮也 答金成淵

又曰同宮喪葬而未卒哭則當用未葬之禮故時忌祭當廢而至若朔望参无可廢之義先儒許其行禮況猶葬已久又是易月乎 答李[illegible]

竹庵曰古禮緦不祭則并功服雖葬後恐不得行時祭若忌墓則葬後祭略設爲得 類輯續編

問靜齋曰曾子問語觀者以爲士禮不祭則凡緦雖皆同而同姓之親於祖考有服則是公也故不祭外親之緦於祖考无服則是私也故不致不祭要以分別公同異之辨而已不可忍此反說於死者有服則不祭也死者有服而已无服者卻多於此又不皆是同姓之服不應遺其多且重而但說此而已未知如何 類輯續編

陶庵曰緦不祭所祭於死者无服則祭註云如妻之父母母之兄弟姊妹已雖有服而所祭者與之无服則亦祭今俗并祭考妣而[illegible]母有服似不可并祭也祭一位雖[illegible]之前而今俗行并祭則[illegible]一廢一[illegible]安[illegible]有緦小功則成服前廢祭之文與此[illegible]以則爲得耶 李周 陶庵曰合行并祭之主舉一廢一極不安或服前廢祭一段遵而行之庶易行而且寡過矣 類輯續編

問妻母喪葬前妻忌或云從緦功葬前略設之文無妨云云 尹[illegible] 厚齋曰降服并重於本服期況出嫁女爲母實非旁親例恐葬前姑停忌祭似宜 類輯續編



問妻母葬前妻忌行廢及奠祭與否 李宅載 本庵曰神道不可一遵以生時而凡祭之行廢本以主祭者爲主則此恐不必廢祭也喪中死者自虞後已用吉則況於忌耶 類輯續編

竹庵曰外祖服爲小功則葬前外孫其母忌墓祭祭之恐无所碍若期大功則不可離喪次所重在喪不在祭推之以緦禮則忌日外祖葬前母忌日也只行哭爲得 類輯續編

屏溪曰今若主人外祖父母與妻父母之喪則雖似以家間情固難備禮行祭而以事理言之則所祭先祖爲子與孫曾之妻父母也以此喪而闕享甚不大無義耶人家有此等事則遭喪之婦女移之別室他子孫婦女來備祭需無則雖婢僕亦可以備需祭祀則似可不闕之也 類輯續編

近齋曰外孫喪葬前外祖祭忌無可不備禮之義蓋祭從生者禮也主祭之人於甥姪服爲小功則小功葬前何可單獻 答俞漢雋

又曰外孫成服日雖與未成服前不同主祀者於亡人無論內與外從必當往來喪次殯殮斂則已失散致齋矣行祭恐似未安若前期三日不通喪次成服日曉頭爲位先行成服仍行忌祀其或可也陶庵說遇緦小功喪祖先忌祭在於成服日則已身犯染故使子弟代行云云如是行之亦或一道耶既已行之則當如儀不必單獻也栗翁之不從禮記以古今異宜也古則有時祭无忌亦不可與今之祭祭合而論之也 答梅山

又曰外從之喪既降而无服則行祭當自如平時也喪從死者祭從生者則所祭爲之於亡人爲至親固不當論也只當觀主祭者之有服无服而已古禮雖有所祭於死者无服則祭之今文則其說不可從也 同上

問妻祭在於聘母葬前則行祭與否如何 孫子 梅山曰外姑之喪卽是緦服又是異宮則成服後當行忌墓祭而亦當準禮三獻則有祝

又曰妻父母之喪出於鄉既不犯染又在成服翌日則恐无不可行祭之義主婦哭擗雖自備具固有違於夫婦親之之義而視廢祭則爲疏節他婦女代幹可也 答朴元得

問舍妹之喪在此成服而成服之日適在朔日既无犯染之事参禮當行否 玄甫 老洲曰朔望参小祀之致齊一日雖不犯染一日之內先行成服次行朔参有違一日齊之義廢之似當矣毋論大小中祀截從成服日計之恰滿齊戒日數乃可行祀如大祀七日中祀三日小祀一日之類

問有服親成服適期廢忌祭祭否 洪秉殷 近齋曰既不成服則雖忌祭廢之爲宜陶庵說有外黨妻黨服未成服之前使家中无服者替行之文而愚意此亦未安雖子弟替行便是己之行祭也殊非要訣未成服前廢祭之義也

穎西曰五服未成服雖忌祭不可行要訣也所祭於死者无服則祭禮記也要訣從主祭而言禮記從所祭而言今於主祭无服於所祭有服服既輕神道異當從栗谷說行之 答金懽一

梅山曰曾子問緦不祭所祭於死者无服則祭尋常蓄疑未敢信及九喪從祀者祭從生者當視主祭者服之重輕而行廢而已所祭位之於死者有服無服不當論也 答權㵓

近齋曰緦服中時祭陶庵說似可房照吉祭既可行則時祭亦可行緦服雖重猶是緦也并大功者葬後行時祭如平時但不受胙備要有其文依此行之恐宜 答崔鐵

又曰緦服中本位忌祭以其緦服將事此无的據以尤翁所論觀之墓祭既用緦服則忌祭一也但并祭考妣者妣之緦服似不可用於考忌考之緦服亦不可用於妣忌亦宜商量也 答金宗喜

又曰緦服內祭祀加設饌品未見先輩說且以三月內而比之三年內終似拖長古禮改葬緦葬而卽除後雖從厚仍服三月三月內

祭祀之節不必依三年內之例 同上

五服變除

祖在父几筵不撤於朞

屛溪曰父雖主子喪而禮經不廢孫亡者之子何可以祖在而徹父几筵於朞年耶不但子也子婦孫婦喪亦皆祖舅或其舅主之其夫或其子在則豈可以其舅或祖舅之大功小功而徹計筵於九月五月耶小大祥及禫主祭者雖已脫服以素臨之無小妨礙 類輯續編

朞功諸親服變除月數

月晦間喪出月晦成服於後月初其除服以成服日計月數耶以喪出日爲始耶沙溪曰喪在月晦雖祭以其月除喪前當在成服之月何以知其然也在數千里外奔喪者至喪次則乃至半年之久姑爲成服而除服之限過於常定月數也然則凡除服當以成服日爲計也 類輯續編

屛溪曰凡服以喪出日計之不可以成服日論之 同上

問大功九月小功五月其除服在八月四月之朔則以日計之月數未滿 或人 竹庵曰如是爲說則三年之喪必滿三十六箇月而除之而先王已貰之矣緦一時小功二時大功三時朞二年再朞三年制禮之意有在不可不知 類輯續編

問禫喪依程朱論立主依尤翁說除靈座於初朞如何 李秉常 陶庵曰初朞恐太過似以服盡之月爲得之 類輯續編

近齋曰祖母朞服中曾祖考齊衰五月服除脫時暫用白袍白帶爲宜 答李啟毅

問晦日死者成服在次月大功以下當以喪出日計之而朱子答曾光疑書以成服日除服此則有曲折箚疑已論之似不可以此爲證 趙風德 黎湖曰計成服日恐當



老洲曰凡除服直喪既從死月計則稅喪亦當同之不可異例於其間也大功以下從死月計則月數雖似未滿與在外聞喪有異則亦不可眞謂之未滿以總統之於重皆以死月計者恐爲直截矣 答梅山

近齋曰大功除服南溪雖有月數之論而沙溪問解既以爲大功亦當以死月爲準陶庵引而爲證於答人之問從沙溪說爲宜 答李啟毅

又曰朞大功月數以始死爲計曾見有沙翁考見問解如何 答金家賚

梅山曰家禮奔喪條不奔喪者月數既滿次月之朔哭而除之檀弓疏鄭康成義若限內聞喪則追全服之步熊賀循皆同鄭說庾蔚之亦云稅服幾月之制推斯幾也則服之間計成服俱在逾月之後則亦當計十三月而除服不當以小祥爲準也除服月數以死月計沙翁云獨而卽指喪出月晦成服在次月之初者也若聞計差晚而成服在次月則恐不當以死月計泉翁云聞計晚以成服於次月者當以成服日計是爲不易之正論 與鼓溪

兄弟喪服盡後上墓不哭

近齋曰主家既無行禫己身亦已除服此是喪盡之後也墳墓之間雖似有異張南軒親墓三年後之哭禮家猶非之況兄弟之墓乎期喪既撤几筵則便是三年之後也禮以抗情則此等過於禮者止之似宜矣 答洪文榮

并有期功喪變除

李氏曰或曰并有朞功之喪者前喪除時當以後喪之服承之不當暫帶吉服此說何據沙翁亦論父喪中行妻祥以布衣孝巾將事云亦此意也然雜記註云當父母之喪其除諸父昆弟之喪皆服其除喪之服卒事反喪服通典賀循曰有父母之喪爲朞大功祥除當着吉服除服卒事反重服云則雖於朞喪中除朞功之喪亦着吉服而除之況朞功借喪之除服乎 家禮增解

藏服親葬着除服

屛溪曰除服者藏其服及葬反服其服虞則除之小記註只依送葬則爲限之服不敢久服也初虞而卽除之恐合禮意不必待三虞 類輯續編

問靜窩曰既脫服而更服者要限反哭則再虞雖行於反哭之日似不應服其服而反哭後宜卽除之 同上

朔日祭禮與除服先後

本庵曰尤庵曰除服後以盛服行祭恐無不可但祭有齋宿之文除服之哭似相妨愚按有服則服爲重而祭禮反輕除服哭之妨齋恐愈於不除服而行祭却成借吉 類輯續編



禮疑續輯卷之十二終

禮疑續輯卷之十三

# 禮喪

## 父在母喪諸節

父在母喪含斂

南塘曰父在父爲主則當襲等事父當主之以子代行誠爲不是父老或病不能將事則以子代行亦是 類輯

父在母喪葬奠

近齋曰父子之間爲葬奠既知其非則追正可也豈有前後矛盾之嫌乎 答吳會

母喪父服杖父節

近齋曰禮稱杖父節時既喪之文歷歷之義不當論 答梅山

父在母喪定省朝夕哭先後

近齋曰先省父後行朝夕哭無疑 答梅山

練祥諸節

顧西曰備要以練祭擇日如禰備要疏屢吉祭故先卜上旬之日所謂吉事先近日也練屬喪祭而喪事先遠日然則備要之云只言其卜日之儀而遠近之別當有吉祭喪祭之不同練事之卜遠日無疑 答權溪

近齋曰父在母喪練後上墓時雖朝夕皆哭墓前異於几筵恐似無嫌 答梅山

近齋曰父在母喪三年後哭殯謂是通於禮而父在母喪大祥後則方在心喪心喪中上墓似可不哭 答梅山

父在母喪禫

問長子喪父在孫爲祖母亦十三月祥後其孫謂乎 屏溪曰父在母喪實有厭矣父雖或不能[illegible]而不爲喪其服[illegible]子伸厭矣 續輯

問祖父在[illegible]屏溪曰[illegible]

[illegible]代行如何 續輯

近齋曰父在母喪[illegible]心喪服色[illegible] 答梅山

又曰父在母喪[illegible]後祭外祖忌祭似或可也 同上

梅山曰[illegible]

許十六月[illegible]宜 答洪

父在母喪心喪不得行祭吉祭除

梅山曰父在母喪[illegible]不可以不祭而不變前十五月初或丁亥自擬於心是禮服[illegible]墓哭[illegible]

父在母喪[illegible]行事之節

鹿門曰父在母喪十五月爲禫則服已闋矣三年後豈復有哭除之禮耶但其日[illegible]上墓伸哀似[illegible]

近齋曰十三月已稱大祥再朞只當用忌祭祝 答梅山

又曰父在母喪再朞心喪未盡恐當以喪中哭哭之 同上

李氏曰禮祭尙三獻不哭與二祥異者雖爲神主已入廟彌以神事之而哀益殺也況於禫後再朞之忌祭恐不合復做二祥而行之當依忌祭初獻一哭而已 家禮增解

父在母喪再朞不可退行

柳氏曰先師曰此與於練祥便同喪餘退行似無義鄙家正有此事癘氣罔匝欲就淨處行事不敢退行 常變通攷

父在母喪吉祭及復吉之節

沙溪曰禫不可等行二十七月之初或丁或亥日斟酌復常可也吉祭本爲正位遞遷而行之父在母喪既非正位似不當以班祔之主而設吉祭於祖先也 續輯

竹庵曰父在母喪心喪之除既不可忌日 再朞忌日 服吉則忌祭後即吉終涉發起鄙意則今此再朞適當仲月純吉之服當服於正祭之時也或有故不行正祭則翌月朔祭即吉可也或說限三朔仍着黲衰過禫限者吉云者大段無義矣以大致言之慎齋說心本非服何變除之有云者正自得之 續輯

按三年之喪過二十七月而復吉即不易之典也特以父在而壓屈故母喪十一月而練十三月而祥十五月而禫禫而心喪以終二十七月之限所以屈其禮而伸其情也若復吉於再朞之月則是二十五月而除豈非抑情而短喪乎竹庵說不可從也

近齋曰父在母喪既行禫於十五月矣二十七月豈有再行禫之義乎旅軒說以吉祭設行云者決不可從父在母喪豈有吉祭乎 答梅山

又曰尤庵說略行哭禫存行禫之義云者似是未定之論若如此則有再禫之嫌陶庵說禫月既盡哭除於墓前恐亦不必然心喪者服吉當於私次亦不當哭益心本非服既無受服之節豈有易服之節若以墳墓代几筵哭泣而着吉則是行易服之節非慎齋所謂何變除之有者也 同上

按吉祭吉服而將事又無哭泣則心喪者之復吉以吉祭之義擬之於心除之也何哭之有

又曰南溪欲令除心喪於吉月朔日而終不如用吉月丁亥日之爲正也或謂既不行吉祭則必不用丁亥日然雖不行吉祭而用吉祭之日即尤庵所謂略擬於心以此爲節者也 同上

梅山曰父在母喪即吉當在二十八月而有以二十七月之期在仲朔援仲朔行禫同月擧祫之例欲於是月下旬或丁或亥日服吉者是爲可遵否父在母喪十五月而禫又無祫事不當引不待踰月之文服吉於是月也 答權溪

喪妻諸節

喪妻無子者朝夕哭

厚齋曰妻喪雖同也既是三年之體朝夕哭又是喪禮之大節且限葬前行之於禮無考雖有代哭之文照此而使女僕代行或無妨耶 類輯續編

喪妻杖練禫

問夫之於妻不必去杖於室耶 李元 漢溯曰小記祔而杖不入于室註以爲是殺哀之節然則孝子之哀猶可如此而殺焉況在其夫耶 類輯續編

厚齋曰妻喪練祭去首絰負版辟領衰者恐得之 同上

又曰父在爲妻雖不杖不禫而練則不可廢也練祭一事本不係於禫之行不行 同上

南塘曰父在爲妻不杖而猶有練禫者以其本服杖期故也然父在爲妻不杖是出於註疏雜記之說而非出於儀禮正經之文也家禮亦無父在不杖之文愚意恐當以儀禮家禮爲正先師之意亦將如此 同上

問喪服小記婦之喪虞卒哭其夫若子主之備要從之尤庵則曰無論同異宮舅皆主之南溪云舅皆主之但祝文似用攝主舅使子之例也今何適從耶夫爲妻喪有祥有禫實具三年之體若其父在主喪則當依喪服小記註嫡子父在爲妻不杖不杖則不禫之說而尤翁云家禮無論父在與父亡而通爲杖期則禫矣如尤翁說則雖舅主婦喪其夫之有禫明矣 尹聚東 渼湖曰舅主婦喪夫爲嫡兩說尤翁之論恐無疑 [illegible]

又問舅主婦喪者只信小記不杖之說使子不杖矣葬後始知其誤欲追杖則事甚如何不杖則似不禫何以爲之耶 渼湖曰不杖古禮則此家初既不杖已至於此而又爲之禫則古今無當進退俱失雖遵尤翁之說而仍從古禮不禫猶爲有據耶 同上

屛溪曰妻喪以禮言之杖然後乃具練禫之節若降而不杖則不禫矣既不禫而獨行練則無此理矣若以爲無不杖不練之文而必欲行練則太泥 [illegible]

近齋曰舅於子婦服雖并大功其夫服妻實具三年之體則當爲其夫行練或以嫡子父在爲妻不杖則不禫之文而並與練疑其無則誤矣況祔祭舅主之虞卒夫主之則父雖主喪何可不許其夫之爲妻練乎然則父在亦當行妻之練矣 答尹著大

又曰尤庵答具時經書曰妻喪實具三年之體故杖練祥禫四者只是一串事今以不杖而不禫則獨行練祭恐是半上落下竊謂小記註說恐不得爲正論也然既不得攻破註說明文則只得依此行之尤翁既以獨行練祭爲可疑而其下猶且云然者何也竊[illegible]之義也故愚則欲從然字以下語 同上

又曰不杖則[illegible]不杖朞不成稱杖朞矣然練祭一節尤翁猶未決然去之若行練則雖不杖禫而終是當三年之義與[illegible]服不杖朞不同也 答金弟

又曰山水軒權公說今始得聞其所謂雖不杖則不禫而無不練之文云者是爲分曉此愚之所嘗欲而爲說者也大抵妻之爲服具三年之體之具字甚重雖因壓尊而不杖練則當行以具三年之體且雖曰不杖而終與他朞服不同故不曰父在則服不杖朞而只曰不杖則不禫蓋以猶有行練一節也 答李洪欽

又曰妻服父在則不杖々々則不禫矣愚意當從古禮蓋厭降之義[illegible]不可以疏說而改之也 答[illegible]

又曰如家禮所處不必行禫祭而愚意則不然尤翁於文以規之問曰若從家禮杖朞則無此疑矣今既不從家禮而從古禮妻喪不杖不禫則其子之爲母杖禫者其祖主喪當爲孫行禫祭祖不壓孫故也由此論之宜家禫祭似可行 答[illegible]山

又曰妻喪父在則不杖々々則不禫矣母在則母不主喪可以杖々々則禫矣此說只依備要杖朞條註且以父在父[illegible]主[illegible]字與官者亦不自主喪尤翁已有所論然則父在爲妻不杖服非獨宗子爲然也 答李延仁

按古禮父在爲妻不杖不禫爲是厭降而殺也若毋論父在父亡通爲杖朞則父在母喪不得三年何也以母喪之[illegible]而厭[illegible]不得伸則妻喪可知也家禮之文恐是未及修整耳

老洲曰喪服見於經傳者極其詳備而家禮只有杖朞一款故後世妻服極其疎略備要引雜記及註以示古禮有杖不杖之[illegible]古禮父在適婦喪父爲主故子雖於父爲其妻不得伸杖父不主庶婦杖而父不壓嫡故[illegible]父尊所壓雖杖而猶不得禫父殁母在則母尊所壓非宗子則雖杖而皆不得禫 雜記小記 [illegible]初無父殁母在爲妻不[illegible]禫[illegible]之杖[illegible]稽顙并與父母在恐或誤以母在亦不杖則殊非禮意故註說乃如此沙溪引之者欲以明母在亦杖之意但直斷疑辭恐無[illegible]

云似以疑之非謂雜記文似有不杖之意 與崔大任

又曰爲妻父在不杖朞非但註說係是周公之經也其或父在而杖朞者即父不爲主者歟乎註疏曲折乃可知已家禮不論父在與父亡通爲杖期者不失爲具三年之義故尤翁據此立說陶庵四禮便覽亦從家禮之文兩賢之論雖如此終不能無惑也 答朴如忠

又曰父在爲妻杖禫論說不一尤庵陶庵皆主家禮之文不論父在父亡通爲杖期近世士夫家多從之而尊則似於喪初以父在不故有此疑問也然尊家所值即舅夫子三世俱在之蹤耳假使夫以父在而不杖舅既主之則豈可壓孫而奪其餘哀乎況父在爲[illegible]之具練祥禫禮有明據則行禫無可疑矣 與玉鉉

洞山曰父在母喪練祭其父之服當並練 疑續正解

尤庵問權思誠曰有遭妻喪者蒙於禮於其期直行練祭其子遂着禫服既而覺其非禮欲追行大祥此意如何曾子問並遭君親喪君服除後次月練次月祥云云當依此行之耶然則當返喪服至祥祭而去之耶 五沃考證

老洲曰妻喪有故過練於十三月者其翌月祥又翌月禫以終十五月之制矣禫既在於十五月之內則不可謂過時而若間月則過時矣開元禮云未再周葬者二十五月練二十六月祥二十七月禫註禫一月終二十七月之數此可以相證耳 答成入

梅山曰妻喪練祥變除如三年者之爲十五月而禫禫而即吉是爲常經而今人或不知練變至祥而始除服其可乎一遵備要小祥之具下所載而變除恐宜 答洪鄭卿

又曰妻服杖期故以期年而行三年之體以月計者計閏以年計者不計閏練則計閏練祥之間不計閏祥禫之間則計閏是爲古今通行之禮也 答盧若弼

老洲曰朔寄禫服未見的證陶庵四禮便覽以黲布笠練布直領黲布帶爲禫服而妻期之禫黲布笠帶非可論而禫之爲祭本爲變



制設則不可全無節拍當於大祥以白袍白帶易服則禫始易以青袍黑帶恐爲徹有節拍 答閔元履

妻喪練祥禫祝辭

問十一月而練者祝辭亦云奄及小祥初期祝亦云奄及大祥十五月禫祝亦皆從家禮本祝耶 南溪曰當一從備要本式無可疑 五沃考證

妻喪葬前廳榜之非

老洲曰苟律之以禮雖凡期如伯叔父母親兄弟之葬前恐不可依例廳榜況杖朞乎侍下棐親雖云爲重莫嚴者禮防也此等處不如斷之以禮矣 與尹生致登

妻喪禫後不哭墓

梅山曰內喪十五月而禫則喪畢雖墟墓哭則不可父在母喪禫後亦哭者以有心喪無心喪而哭則過矣 答洪樵

妻墓便服不可拜哭

近齋曰妻山往來或有便服時則不可拜墳神道主嚴故也既不行拜禮只遙望哭之亦渉野哉雖昧然事已之爲可 答金弟

長子喪諸節

長子喪服色

屛溪曰服長子斬者出入當着麁布直領麻絞帶平凉子慰書則某官下云縗服前自稱亦當以縗服人 類輯

問孤哀子親喪三年內又遭長子斬縗今親喪大祥後服色當如何世人於長子喪例着麁黑笠而孤哀子欲着平凉子或草笠但平凉子草笠不可用於公朝奈何 [illegible] 鹿門曰平凉子或草笠似最穩當蓋黑笠麻帶雖曰近日通行之俗制終覺未安 先輩則多有着平凉子草笠者

若赴公之時則當著白笠布帶亦何妨耶變喪大祥時以白笠白布直領白布帶行祀祀後卽當著斬衰服（續輯）

三山齋曰爲長子服斬者其出入之服尤翁以爲世人知禮者以麁生布爲衣而着布裹笠以絞麻爲帶此似可從今人多着漆笠則與麻帶大不相稱或着蔽陽子猶可否此無古禮可據故人人所行不同難遽爲定制也網巾用白緣似宜法令雖不許解官赴舉則是自我爲之者何必强其所不忍也（答洪信健）

梅山曰爲長子三年者與父喪同是斬制而爲其卑幼之戚故居喪及出入不倫於大故未可以喪服從官故笠用麁黑漆笠袍用生布道袍帶用縧紋居恒服布中衣網巾用布飾邊雖非從官者亦當乃爾方笠蔽陽子俱不宜着也（答蔡輝冕）

### 爲長子服斬者祥禫

老洲曰喪服小記爲父母妻長子禫註云當禫之喪有此四者然妻爲夫亦禫以此觀之雖斬年主人之喪旣以其妻行三年喪而行練祥則笠可無禫耶（答李兄一休）

又曰禮大功未人之喪有三年者必再祭者指練祥也據此則雖爲長子服斬若有其子則自當具練祥禫而至於祫祭則方在祔位無祭禰祀享之事當與妻喪歸後無吉祀此例矣至如禫要祔位時吉祭並無祝辭非闕文也祔位決非正位祔與無後班祔之禮恐無異同故古禮無禫已矣所示禫祭祝辭固知据尤翁父雖除服祥禫諸祭父仍主之之說然容更議而但主祥禫於除服已久之後祭之名號已自決祝辭之擬用忌祭祝亦甚模糊妄以已意別搆一本茲以奉質（答尹山）

按戴氏云云父告于亡子某吾之斬制雖則已闋祖不壓孫禮有明訓（者亡子只有喪而孫子當有三年者禮許再祭）日月其逝奄及禫祭（再祥云大祥）感念悲傷但不能親茲以淸酌庶羞陳此禫事（禫事再祭云祥事）云云

### 附子婦喪諸節

### 子婦喪主喪祭之節

南塘曰於婦之喪舅夫子俱在必有所主而一統之義未嘗不嚴也題主及祔舅主之朔望虞卒哭練祥禫夫主之蓋尊者在卑者不得主爲當其凡出人之人總當及有事於廟當皆以尊者爲主朔奠虞卒哭練祥禫饋也故次尊者主之朝夕上食又降矣故卑者主之尊不降於卑卑不上僭於尊此所以家無二尊而祭無二統也（續輯）

陶庵曰凡與父同居父爲主則子婦喪當主之題主以亡子婦祭則夫若子主之祝云舅使子若孫某告于子婦云云恐舅雖在未爲當主之人而以有故不參遂以本宗凝當主人使有是理父告亡女云者可用於夫黨無依而是不得已時[illegible]後方可[illegible]且子之妻當稱以亡子婦所示亡婦云者恐不成說（續輯）

問舅使子祭子婦則祝當曰舅使子某告云云耶其夫代舅行祭則不可拜也若拜則是代舅拜也厚齋曰[illegible]之日依小記所謂不行祭[illegible]之禮未知如何以夫祭[illegible]恐當有拜矣（續輯）

竹塢曰婦喪舅主題主以亡子婦而虞[illegible]祝文主之則曰夫姓名某爲父昭告于亡室[illegible]舅主之則[illegible]去追遠[illegible]及四字隨祔先考某官某改以隨祔亡子婦某封某氏[illegible]舅某官告于亡子婦某封某氏云云（續輯）

三山齋曰婦喪與夫主之尤翁以爲若從此說則[illegible]遵古禮主喪主祭各爲一事而今則主喪者便主祭其禮宜不能無間也[illegible]使子主之說然如是則便爲舅主之也可謂夫主之耶況子使攝祭其父之奉與不參俱極不安[illegible]有如來論老此正所謂必窒礙者也然竊且從尤翁之論勿論虞卒與祔舅皆主之抑似直截（答芝[illegible]）

又曰與舅[illegible]婦之喪亦從奔喪之文舅主之凡此皆尤翁所力主而便成近世通行之例矣（答宋立中）



近齋曰祔祭舅主之虞卒夫主之之文旣有古禮明文虞卒祝辭稱以舅使子某云云又見於問解[illegible]用無疑[illegible]曰舅使子某則父爲主之義自在而亦合於虞卒夫主之文如何（答尹蕃大）

又曰子婦之喪虞卒其夫若子主之則舅在乎父爲主之義也尤庵以爲雖出古禮有所徑庭難從蓋既以子婦題主則虞卒舅當主之小記之文不可用（答李敎毅）

老洲曰凡喪父在父爲主則無論父之在遠與老病亦當以父爲主而攝行之此尤翁說也寒泉以爲子之婦於舅爲卑夫若子則夫婦有齊體之義子之於母恩重[illegible]其自伸是以虞卒哭其夫若子主之此說實有精義且喪與祭本來自別老兄之家則喪及祭舅旣終始主之到今祥祭夫忽主之則恐爲先後兩截一從尤翁說却爲差勝（答閔元履）

又曰所謂父在父爲主彼禮則惟長子長婦曁庶子庶婦無後者今尊家所値旣是支子異宮之禮則不必舅爲主使其夫主之實合禮意矣（答李汝安）

問子婦喪舅當主之而欲行練祭則無爲子婦用練之文欲不行則其子練於何時祝文誰當主之人（或）剛齋曰旣有當練者則何可不祭祝文則吾先子以爲雖無服舅當主之矣

梅山曰舅主子婦喪祭則自題主祝至練祥禫忌墓祭當用舅告亡子婦之文而悲念[illegible]不自堪勝八字自虞卒至祥禫恐當通用忌墓祭當云不勝感愴（答李元王）

又曰舅主子婦之祔則所祔位祝當云年月日孝子某謹以淸酌庶羞適于顯妣某封某氏隮祔孫婦某封某氏尙饗告亡子婦則當云年月日干支舅隮此祔事于亡子婦某封某氏適于顯妣某封某氏尙饗（同上）

澗山曰尹明梢子婦喪似不廢練亦無耶南塘曰恐不可廢此說非是父在適子爲妻不杖不杖則不禫者不具三年之體胡可有練耶（疑禮正解）

按古禮則祭而家禮不論父在父亡通爲杖者杖則禫矣

### 子婦喪含賻

[illegible]曰以小記婦之喪虞卒哭其夫若子主之之義則含賻皆可使其夫若子矣或曰含本爲孝子不忍虛口之意則夫不如子之宜也（類輯續編）

### 殤喪諸節

### 殤喪銘旌式

鹿門曰未成人銘旌男子則書曰童子某君女子則書曰處女某氏可矣（類輯續編）

近齋曰殤喪銘旌亦只以爲官者某秀才某是姓之類如金秀才李秀才之類（答朴景學）

### 冠則勿殤

近齋曰殤者不冠小記既有其文且自十九爲長殤蓋以二十而冠故也然則冠者之不爲殤可知矣自冠而至有室其間爲十年之久則昔如後世之冠娶同時矣古者冠而未及娶而死者多矣二十九歲而死者皆可以殤處之耶必不然也長子冠而未娶者[illegible]而不立後[illegible]然愚見則以旣冠也服長子服以無妻也不立後各有攸當若古之人有如此行之者矣（答李鍾仁）

又曰[illegible]一[illegible]之[illegible]以已娶者是旣冠而未娶者亦當殤之耶冠者旣實以成人則依小記文勿殤似宜（同上）

澗山曰孔子曰宗子爲殤而死庶子不爲後也聖訓如此明白而曲生穿鑿何也雖曰冠而不爲殤然宗子雖七十無妻者禮也未娶之人安得有後耶（疑禮正解）

殤喪立主可否

厚齋曰開元禮殤喪有復魂則不設魂帛然或用遣衣服之類耶曾子問曰祭殤不告利成註曰無尸故也所謂無尸者與開元禮不復魂之意似相發也立主乃程朱之說而只言立主又不言設魂帛則亦有深意否 類輯

近齋曰殤喪皆立主已與古禮不同虞後不可撤靈座故愼齋以爲當待服盡從之爲宜 答李廷仁

老洲曰古禮殤不復魂未辦而葬虞而撤靈座至程朱始有爲殤立主之禮蓋自小記適殤從祖祔食之文而推之也愚意則來頭許多禮節之隨處皆如來示當不立主終兄弟之身四節祭墓忌日紙榜行祀不害爲暗合古禮殤喪不得之耶然事涉義起何敢質言 答李

殤喪虞卒哭當否 并論祭

厚齋曰殤喪[illegible]緣開惟開元禮有虞祭矣至程朱又有立主之說然則行虞無疑但開元禮既虞而除靈座未知三虞包在虞字中耶然殤喪[illegible]之文多從初虞而言則此亦只以初虞而言耶今左右既爲立主則并行三虞不至未安耶卒哭以下不行明矣 類輯

近齋曰殤喪有祭終喪禮皆行無可行的證蓋古者殤喪初無虞卒哭 見小記註 至開元禮始行虞而亦不立主至程朱始言立主而亦無卒哭[illegible]之文大抵殤喪無卒哭既已祔食于祖廟則祔祭固似在其中但據開元禮既虞撤靈座無卒哭一節則卒哭明日祔之文恐無所據矣 與金[illegible]行

梅山曰殤喪從古禮不立主則無虞從家禮立主則有虞虞亦止一祭卒哭斷不可行也既不能虞而撤靈則以主喪者服盡爲喪畢之期豈有練祥之可言哉自從初期用忌祭禮恐宜 答任憲晦



殤喪祝式

近齋曰禰廟告辭之示答退溪[illegible]以爲雖不敢直行祔祭殤主入廟時恐當有告禮行事之節云云觀此則當有告辭但不可用喪期已盡之語殤喪本無練祥也 答金喆行

梅山曰上殤終兄弟之子之身中殤終兄弟之身弟妹豈有異殊耶祭儀亦無三殤之別也祝文用兄告弟之辭而曰兄告于殤弟殤[illegible]云祭殤無主皆何可廢忌祭當云亡日復至不勝感愴若遵開元之禮不立主則忌日當設紙榜紙榜而祭者何可備禮耶[illegible]亦從家禮立主是爲得正而始葬不立主則亦不必追成 答李

爲殤後

梅山曰[illegible]孔子曰宗子爲殤而死庶子不爲後也註曰族人以其倫代之明不序昭穆疏曰倫謂輩也謂與宗子昭穆同也以此觀之宗子爲殤則不可繼宗子又不可爲殤之子故必取其兄弟行使代主宗子之禮也然則殤者當爲兄弟之親也 答[illegible]

庶殤不祭

問[illegible]不祭庶子而殤則勿論嫡妾所生并當不祭耶 厚齋曰家禮不分嫡庶則從家禮行之如何 類輯

爲人後者本生親喪儀節

本生親喪位次

問爲人後者[illegible]喪中當立於其弟之下而服盡服衰祀時則不必立於弟下 韓[illegible] 厚齋曰當立於弟下弟爲主人故也 類輯

問[illegible]子於喪中當立於其弟之下受吊時亦不當隨弟拜賓但立而哭之耶 李在[illegible] 老洲曰此有沙溪說來示得之

本生親[illegible]

竹庵曰所後非仕下則虛爲於私親恐無不可

然所後繼非當下本生親喪葬後自治所後家朔望之奠時節之祀忌祭之祭而爲之主人何可虛爲於私親乎竹庵說不可從也

本生親慰答書式

厚齋曰先師以爲稱廷先親之先字改以私親其餘自當依舊稱爲用之稱號當一從問解說 類輯

陶庵曰人家生親喪慰狀答前哲有變改字句矣夏思之不必然今則且用伯叔父母狀例矣 同上

南塘曰本生親稱以本生考妣先庵先生援證列舉稱號者甚稱有所生考妣之語加所生字以別之則雖稱考妣亦無害義者金石文字猶如此況書牘乎先儒以稱考妣爲非者嫌其直稱考妣無別於正統如滚宜帶之爲也自稱喪人亦無害於義也 同上

近齋曰本生親服中自稱從沙溪說則稱喪人從尤菴說則稱服人之稱實爲嫌正而世鮮有行之者雖稱喪人既是文元公所定則亦未爲不可惟在當之者隨其意之所安而處之也 答金若樸

問慰人本生父母喪用伯叔父母例而變稱之親叔稱叔亲于齒未明言則何必強稱伯叔歟陶菴雖有程子說不敢從未知如何 尹士[illegible] 鏖湖曰既有程朱正論不敢相違

近齋慰人本生已歿某白不意凶變尊本生父某官府君 祖云學生事本 奄忽違世承計驚怛不能已已伏惟 前人 至愛根天攀號荼毒何可堪勝孟春猶寒不審孝履何似伏乞[illegible]抑哀從禮以慰遠念[illegible]某擬事所羈末由趨慰其於爲想無任下誠謹奉狀伏惟鑒察不備謹狀[illegible]年月日姓名狀上某位孝服前封皮狀上某位孝服前姓名謹封頓封同 渼攷

近齋曰本生父母已答人狀某白某獲罪神明生父 生母 奄忽棄背號慟擗擗崩何忍言伏蒙尊慈特賜慰問哀感之至不任下誠孟春猶寒伏惟尊體起居萬安某即日苟延頑喘聽自罔極末由面訴徒增哽塞謹奉狀上謝不備謹狀年月日喪人姓名狀上某位座前封皮狀上某位座前姓名謹封重封同 渼攷



老洲曰喪中書式以疏狀區別喪人服人本生父母有生我之恩故服中居處衣服飲食起居未嘗一同於伯叔父母之服且己之自處人之稱謂者以喪稱獨於疏式變以服人改疏爲狀甚不倫朴近齋所著定式然不記大抵居本生憂者誠然處裁然完轉處完轉是亦道理故區區曾就原疏略加删改以避嫌疑而則不改爲狀以存喪稱矣 與洪一純

梅山曰本生父母雖與他伯叔父母不同慰狀一循伯叔父母例是爲得禮之正尤陶兩賢說不可易也然世俗不知禮意只加本生二字於大字正字之上者斯於稱疏本嫌微之旨越近齋先生有所著樹本生父母狀而裁酌情禮恐所遵述故茲以謄呈 答任憲晦

又曰喪人之號不見于古經而本生者自號喪人則亦沙溪定論無容議到狀用頓首用變稱類之文除服則當稱心制人頓首二字不必改 答宋[illegible]

又曰繼生曰父母死日考妣只施於所後不敢施於本生者所以別二親之嫌也自稱祇云從子雖尋常書牘不可去一從字至若稱謂文字當加不肖二字於從子之上以示異於他伯叔父無嫌微之失而伸至愛之私也 答洪[illegible]

本生祖喪慰狀式 [illegible]

近齋曰生父之所後父於己爲是生祖也曾見兩世繼絕者於所後父之本生父稱以生祖矣既於所後父之生父稱生祖則於生父之所後父[illegible]本生父之稱伯叔父已有歸于所定以此推之生祖亦是從祖慰書稱謂如來示似得但生祖服大功與從祖服不同稱祭生祖某位無或害耶其人之常時聞稱以從祖例大不可書札及文字當以生祖或大父書之言語呼喚當用伯叔祖之例 答金在[illegible]

本生喪中持服

老洲曰衰所以表哀非但爲臨哭莅祭設也以此入廟以此侍親之側則誠有礙於僭居私室接賓之時雖非哭側何所壓而奪情而脫衰乎然此乃臆見無稽何敢質言盛諭平涼子深衣受吊近俗多通行以此從事可爲寡過之道矣 答梅山

梅山曰爲人後者出入容平涼子所以別方笠也近俗或混着方笠是豈別嫌明微之義哉 答李野隱

剛齋曰出後者於本生父小祥後服已除矣雖繼遭本生母喪以其衰絰參朔奠上食於父之几筵恐非禮意似於此有平之冬服其屋可知矣孝巾中單衣之示得之 答黃有中

本生親喪受吊

剛齋曰出後者在其生親喪次有吊者固不可與生兄弟同拜而或在私次有爲渠而吊之者則似不可不拜 答金公世

渼山曰出後人於本生小祥後有來吊之人則主喪者受吊時伏哭其側無害而主人不在則不當以受吊之禮行之 答徐正顯

立後未出禮斜而遭本生喪者服本服

老洲曰宗孫立後該曹旣及成給立案此爲一層節拍尤翁所謂 啓下公文到家日即 君命移天之日者也當初既以此不爲承服喪則到今所後之喪亦可擬所以本生之服哉此既父在母喪則容俟其母小祥後出禮斜行吉祭恐爲得宜也蓋本生親心制中可行所後家吉祭已有先正論矣 答尹致

本生親喪祥禫吉 並論

南氏曰家禮小祥始食菜果註朱子曰司馬氏大小祥已除服者皆與祭出後子於生父母練禫祭之何 南溪說 見禮記

近齋曰人之出繼者爲其本生父主喪則祥祭祝辭及大祥下以夙夜悲哀不能自寧爲辭而其餘依備要本文可矣 答熊

禮疑續輯十三　九

又曰既禫則無爲三年者爲之再祭之文行二祥則禫在其中矣禫祭固可行而若無當服三年者則生父喪既禫無爲其當服三年者猶行禫則禫祭祝辭從及禫祭之下用夙夜悲哀不能自寧八字做大祥祝爲宜 答告

性潭曰身雖出繼不改三年而恐不當以無三年服者遽撤靈筵矣 答孟

梅山曰爲人後者主本生親喪則祥祭祝從大祥下當云夙夜悲哀不能自寧清酌庶羞下當從備要小祥則曰常事大祥則曰祥事而以無爲之三年者小祥而撤筵則只當云祥事 答金正

又曰令從子之於令叔氏不能以本生親又身是宗子則其服雖當主其大祥祭前一日因上食告由當日府君之喪先府君主之故以亡弟主本生當又孫而府君大祥奄及矣祭不可以無主不肖敢代主其事謹告事由云云 答沈

又曰遭喪者無三年不生喪而喪家無應服三年者則無禫祥之名初朞除服即當撤筵而本生兄弟未終制而死即以顯考主則此與本無爲三年者不同練禫不可不行雖無變制之人行祥祭入廟恐爲得禮禫則無可行之義也 答朴

渼山曰本生喪雖以今爲後無服三年者則當行練祥禫既行練祥禫則當行吉祭祝當曰孝孫云云子敢昭告于顯叔父某官府君叔氏顯叔母氏已踰禮當配享時維季冬追感歲時不勝愴慕敢以清酌庶羞祗薦歲事以亡從弟食尙饗 答李汝

本生親喪題主

齋曰若不稱考而但稱爲伯父而已則施於人稱爲甚安否先曰父母死曰考妣其生也既可曰伯仲叔父母則其死也又何以不可稱伯仲叔考妣耶禮宜稱謂既可備考則獨不得題主者有是理乎 答李伯訥

又曰余于旁親題主不必稱凡不必之云異於不可況本生親之非旁親者耶題主之稱當則本不可而諸說

如是何敢自以爲無誤乎 同上

按禮生曰父母死曰考妣指正統而言也非指伯叔父母也伯考之稱恐非禮意也

竹庵曰先生 溪湖 云李亮臣有一子而出後李死無奉祀人余意既有子則雖出後可主其喪不可事主而以顯辟題主答以其子伯考題主旁題以從子某攝祀云矣 類輯 續編

又曰本生親題主以伯父旁註子不稱孝恐不害爲一統於所後若泛稱叔父則太歇後聞諸師門者如此 同上

本生親喪除服之節

竹庵曰出繼人於本生父母十三月除服同是叔父母但初朞日以黑帶參祀甚未安據經禮 當在告利成後如是則似若情禮 同上

梅山曰本生親喪即朞服也曷可以未與常事而過期不除乎朞功以下諸親過朞不葬者月數已足則準禮除服亦有先賢定論所後親葬中不克承祭於本生小祥者當按月數滿足除服之例練日設虛位哭而變除收藏衰服往赴其本生喪所服其服而除之恐宜 答朴道而

本生親喪復吉之節

屛溪曰出後人生父母心制時吉服當俟吉祭後服之而白笠帶之猶持於禫後與不出繼者同先賢未有的言何敢有定論 類輯 續編

渼湖曰出繼人本生親心喪其兄弟於禫後猶着微凶之服而必行吉祭然後始卽純吉則心喪者亦須過吉祭而釋其服可也 同上

近齋曰本生兄弟禫後卽吉而出繼者猶着黲服雖若有反重之嫌而實則非反重也乃所以爲輕也復何疑乎 答洪乘叙

老洲曰本生親喪朞而服盡者白笠黲帶卽心制非服制則大祥之日豈有變制之可言耶直待吉祭之月心制闋而卽吉恐爲得宜矣 答玄而

禮疑續輯十三　十

又曰心制既無服之可變則待過祥進退雖似無義然几筵未撤便是未終喪雖闋心制全然自同平人豈安於心乎恐當以撤筵爲純吉之限而其前則衣飾與日用事惟稍示異於平日似宛轉也仍記玄石答人先滿先除之問曰諸子當除服者固以忌日行除而但雖受吉婦子未過祥之前則服色等節略依心制親諛以俟其大朞此雖非爲心制者說足可旁據矣 答成人

梅山曰過旁者本生親月在仲朔則當與本生兄弟同其服吉乎 與襟溪

本生親喪中行所後家祭祀

問所後親忌適在生親葬前芝村丈以爲不可以朞服廢親忌行祀如常儀或以爲要訣有朞大功葬前略行之文云云 金若厚齋曰雖他朞服在葬前略行況於生親之朞耶降服朞重於本服朞愚意則葬前依要訣略行而使服輕者代行葬後則依同甫說行之似好 類輯 續編

厚齋曰橫渠遭季父母服三廢時祭況本生父母喪乎葬後卽行時祭似太遽依橫渠事參酌行之似宛轉矣 同上

南塘曰本生親心制未畢之前行所後家時祭不可身居心喪而行盛服受胙飮福之節終涉未安祭而廢此儀節亦非所以重四時之正祭姑停之似可矣 同上

渼湖曰生父母葬前所後家忌祭若同宮則當廢異宮則當依栗谷行廢之說而處之朞年內所後家忌墓時三祭亦可使子侄代之若無代者而親行則服色以黲布帶直領行之家禮此爲未大祥間出謁之服而禫後仍服今亦未周年則借而用之仍爲周年後心喪之服亦無不可 同上

又曰爲人後者遭所生喪而所後家時祭從古禮則期前姑廢亦何不可但此期則從古禮而廢他期則從今禮無廢未知如何耳 同上

竹庵曰經禮期大功葬前不離喪次則出後者雖歸置所後而本生親喪前大小祀皆不可行葬後忌墓祭單獻以行而時祭則不可

行縗麻總不祭則况於朞服之重乎喪畢大功葬後祭如平時之制恐難一切準行 同上

三山齋曰生家喪中所後家祭祀之節栗谷祭儀有云朞大功則葬後當祭如平時本註但不受胙 未葬前時祭可廢忌祭略行如上儀 即上指掛

祭品減於常時只一獻無祝不受胙 栗谷此言雖泛言朞大功而所生之服亦是朞制可倣而行之亦不當使人代行此與三年喪中祭先之禮輕重宜

不同也 答俯原明

近齋曰本生親服中所後家祭祀何敢減殺其禮耶葬後忌墓祭當三獻如平時 答弘養

又曰主祀之人雖在本生葬前既有子弟代行者則當以單獻行之單獻則無祝蓋朞服人於葬前忌墓祭皆以單獻無祝行之即禮

也本生親服即降而爲朞則與伯叔父母同一朞服也當依朞服人之例而處之然則非但忌祭雖寒食墓祀亦當單獻行之耳 答俞鳳柱

又曰葬前忌墓祭略行單獻大功與朞服一也備要卒哭條小註栗谷說考見則可知也本生家服制與所後家祭祀雖有輕重既是

大功服則與朞服一例葬前何可備禮行祭耶單獻無祝行之似未安 同上

剛齋曰出後者於本生親喪中行其所后先祀自當如禮先賢之論固如是但葬前則使人代行似可矣 答南奎

穎西曰本生喪中所後家祭祀前略設階不升爲是雖行有服之禮此等處豈可與平人同之哉 答梅山

問本生親葬前所後家忌祀使人代行祝辭何以措語 永柱

澗山曰葬前則所後家忌祀使人代行措辭告由以某子孫遭本生父或母喪不得親獻之禮之意而無祝單獻葬後祭如常 答趙正

梅山曰本生父母喪成服後當行所後家忌墓祭單獻無祝使子弟替行葬後則備禮行之時祭則朞服終後亦不廢但不受胙已矣

持本生期制而行盛祭終有所不安以待除服或合情禮心制中當行如禮亦不受胙也 答李道用

老洲曰本生心制中行所後家吉祭已有先輩定論 答吳致秀



本生喪中入所後廟中服色 並論

老洲曰本生喪中入所後廟中服色愚則不得製黑緌用孝巾直領而孝巾承冠者而終非正冠若有免冠之嫌則仍用平涼子到今

思之則此所後家喪中入廟服色大無分別惟不製用黑縷耳本生之制異於旁期葬後嚴謹終涉如何故愚則小祥後爲之未知果

得宜否耳 答梅山

梅山曰本生喪葬後所後家忌墓祭準禮行之則焉可廢晨謁乎

出後人之子權攝本生祖父喪祭

老洲曰女主非有緦服只有周元陽然鍾繼家之所不取如非到此不得已處不可用也既有孫則雖出繼何可不權攝耶 答南大任

小兒本生服髮髻組皂白之說

老洲曰髮髻總不見禮經而俗三年之喪皆以白組繫之本生親之降在朞服者用白似涉近俗在嫁女於父母降服時髮組

用皂色雖未知何據要之所以別降服也援此皂未爲不可耶 答俞光傳

出嫁女本生親喪諸節

舅姑在則父母喪祖父母喪

近齋曰婦人聞親喪雖期服晨夕之哭至葬前似限恐過矣若夫葬前哀至則似或可也 答梅山

又曰舅姑雖在聞父母訃哭於私室有何未安父母練祥時哭亦當似不得用壓屈之義 同上

梅山曰有舅姑在則婦不可哭於正寢然別舍哭之似宜然既聞父母訃何可先擇哭處耶一哭後則更就別室設位哭之爲宜而

祖父母喪則有間於父母喪承訃初即就別室可也 答鄭奎元

問除服前朔望設虛位哭與雖婦人私室之哭恐不可廢故又當依成服時耶 朴庭華 穎西曰當依成服

父母喪中夫家祭奠

南塘曰婦人喪父母既練而歸夫之大祭也雖不練而歸或初未奔喪者其自處則當與未歸同未歸而在喪次者豈可與祭於夫家

耶 答鄭綸

按婦爲父母喪練而歸雖是禮經既未奔喪則奉舅姑承祭祀自當用在夫家之禮何可自處以奔喪未練乎但葬前則恐不可

與祭矣

三山齋曰古禮婦人之有父母喪者既練而後歸歸則未練之前不得參夫家之祭矣今雖不能準此未卒哭間不當離喪次葬前亞

獻行否恐非可論備要所謂以服葬後祭如平時者亦可傍照 答吳

老洲曰夫婦方持私親喪卒哭前祭祀之節合有商量而曾見直菴集答止菴書有云是喪餘之祀則亦恐無未安之嫌故忌祭則已

謹此行之而來朔祭時享薦享與喪餘之祭有殊素服行祀終涉未安以此見則時享主婦亞獻之節與私喪小期權行倘嫌恐無不

可未知如何 答吳元膺

問外家祭祀與夫家祭服色如何耶 朴啓 穎西曰外家祭祀時服色依男子與有行之服推之則帶參無疑深衣爲吉凶通用之服用

之或無妨耶

祖父母祥月父母忌日望哭

問出嫁女於本親喪三年內忌日望哭如何 李生 竹庵曰以大夫士忌日爲哭之義推之則出嫁女亦當望哭而不得歸哭則望哭似

合情理 趙編



梅山曰婦人雖父母練日望哭情理似然而於忌祭即恐未安然爲父母哭者則出於天理人情之不能已者也此恐甚好 答鄭奎元

出嫁女練後服色

黎湖曰婦人心喪中服色恐當用玉色衣裙蓋雖是出嫁女恐不可於大祥直除心喪前既有禫吉二祭則除心喪而著吉服當在

吉祭時若不行吉祭則直至吉祭月初吉方純吉恐得 答竹院

老洲曰玉色衣皂色冠玄笄爲紒既是婦人心喪服色則出嫁女之除服即以此受之以終三年豈可踰月而服微吉更生層節耶 答梅山

梅山曰家禮所云竹釵即箭笄也三年之喪當用竹釵喪儀括髮條布註引小記惡笄而已用鐵或竹木骨角然鐵與骨角非可施於

三年之喪者期功以下則可矣出嫁女雖則服素係是期制則釵用骨角恐宜 答李在慶

穎西曰笄古禮云婦人惡笄終喪倚卒哭而除之則齊折吉笄之首以代惡笄期以下至禫之笄可知惡笄者用竹木吉笄以

象骨爲之故其太飾者折去其首歷難無明文備要謂與男子同杖期以下用布五禮儀五服則以白綿布爲之依此用之不爲無據

答朴寶

妾子本生親喪諸節

承重妾子爲所生母別室奉几筵終三年

李氏曰或曰承重妾子於所生母除服無別祭而別室奉几筵終三年行大小祥方盡於人情 家禮增解

承重妾子之子爲父所生母

屛溪曰承重妾子於其親母猶服緦況其子之於祖母乎若無主喪則以白衣帶行朝夕上食或無妨耶沙溪既以心喪期爲言則

箋之撤當以期爲限耶 類輯 續編

梅山曰庶子爲父後者使其次子主所生母喪則其孫爲父所生母題主及祝屬稱當云亡祖母耶其父承適服其母以庶母則其子當稱以庶祖母於庶祖母恐當無服而備要不杖朞條云庶子之子爲父之母而爲祖後則不服據此則餘子之不爲祖後者當準禮服朞否禮妾母不世祭其孫當喪畢而埋主雖則埋主不可無屬稱稱以祖母服以期年恐不可已 答洪 [illegible]

妾子所生母題主

屏溪曰妾母以亡母題主既有朱子定論更何疑焉 類輯 續編

雲坪曰有人問朱子曰妾子所生母死不知題主當何稱答曰若避嫡母則只稱亡母而不稱妣以別之可也竊意人情何忍遂死其親也 稱亡母是死其親也稱故母可 然其名分之節等衰之義不可以不嚴生而稱父母死而曰皇考皇妣乃尊而禮備者也若庶子之題所生者止當稱母使之不異於他日不書某封爲可也 類輯 續編

問或云當去亡字未知如何 尹東源 竹菴曰或說未必是

厚齋曰庶子祭所生母只得稱母則略有別其子只當稱子不當稱孝也承重子之題所生母神主以庶母亡母並似可疑禮書無致不敢臆對 答趙 [illegible]

陶菴曰庶子爲父後者其母題主當以次子爲之而題以亡母去孝字則旁題亦何妨 類輯 續編

李氏曰或曰承重妾子於所生母題主及祝辭當稱母稱子與出繼子不同其爲母子則自如矣 家禮 增解

南氏曰妾子於所生母只稱亡母云者朱子之說似指承重妾子而尤春之說似指不承重妾子而並言之未知何所適從顯字不適明字之嫌尊於已者皆用之旁親及伯叔與兄皆曰顯則獨於所生母而不可用耶既與承重妾子有異當用顯母某氏無疑 偶要 補解

梅山曰傍注施於所尊云者即朱子答妻主傍題之問而備要載諸庶子所生母題主之下故說以不可爲所生母傍題之證然妾爲卑幼及傍親固皆非指所生母也所生母雖不敢與適母班而在其子則不可謂不尊亦非傍親也傍題何可已乎祇當云子某奉祀不當下孝字 答李丈

又曰中庸事亡如事存註曰指先王也推此義也妾子以亡母題主亦非卑之之義況有朱子成說乎 答李丈

妾孫題其父母神主式

黎湖曰考妣者敵耦之稱母者不敢敵耦之稱以有嫡母之爲父之耦故妾之子不敢以妣題其母主而稱亡母若妾之孫則其父雖爲妾子而與其母爲正配既無嫡庶之間其子不得不稱考妣既稱考妣則其加顯字恐無甚害所以有前書云云者也蓋避嫡遂嫌固有其義而以子貶父尤若未安 答申 仲增

竹庵曰有問妾孫題其父母以顯考妣當否者先生方將答而問曰子意如何余對妾子之於母不敢考顯妣者避嫡母也妾孫之於其考妣則私自尊之稱顯字恐無不可先生曰然 類輯 續編

慈母題主

老洲曰爲慈母立主雖未見古據收養父母亦許立主則慈母之恩重者恐無不可立主之義今爲慈母立主恐當稱以亡慈母旁題則依旁親之無旁題例闕之亦不至大悖耶 答閔 元履

師友喪諸節

師喪服色

南溪爲師吊服加麻議曰案弁環経 總服 總経帶疑衰素裳 喪服圖式 制如深衣加環経 [illegible] 勉齋深衣加帶経惡加素武 [illegible] 加経於白巾経



如總麻而小帶用白細布 [illegible] 仁山 紫弁○ [illegible] 勉齋改用冠 [illegible] 疑大

加經武仁山改用白巾 按退溪並用 環經總經帶兩條頗異今總而論之當環經者喪服圖式度檀弓言總經帶者補服 [illegible]

記 [illegible] 二說不同如此且以後來諸儒所論言之勉齋用經答齋加帶經仁山

加經如總麻而小帶用細苧將行所適從歟按補服心喪三年註曰吊服而加麻疏曰經與帶也喪服圖式其朋友相爲服條曰經帶並環經雖出於周禮司服同爲王侯大夫之吊服然若以喪大記末段及補服疏既皆云吊服明諸侯及大夫等皆用士之吊服也則總之經帶爲異者擬之恐所謂總經帶者終當爲是而帶經通用亦有據矣按總經帶之制若依總麻之帶亦用布與喪服疏五分去一方爲帶糾之及腰經之文不合蓋本註既云吊服加麻而補吊服子游出經疏曰此雖不云帶凡單言經則知有帶喪服云苴經杖弓二三子皆經而出朋友群居則經皆是包帶之文準此經帶之帶爲腰經明矣疑衰素裳 喪服圖式註疑衰吉服十五升今疑衰十四升少一升而已疑之言擬也擬於吉者也

勉齋改制如總麻 [illegible] 直服深衣 [illegible] 加麻月數補服 [illegible]

[illegible] 三 通典 [illegible] 除心喪三年 俱有明文今亦以此爲準 五禮 [illegible]

厚齋曰嘗聞先師之言曰葬前用加麻之制葬後用心喪之服故嘗於先師之喪禮過後用淡黑布笠淡黑布帶但其加麻時服冒經帶用雙服而體小未知合禮否 類輯

又曰父在母喪過期脫衰後爲心喪遭師喪者恐亦於過期脫衰後當服心喪也 同上

寒岡曰昔賢有謂不立服之文而非不立服也蓋司入於朋友麻之中無用別言也師本與朋友爲一類故其服之也心喪之外其餘則不過爲加麻而已既爲加麻而止則又不得以此服色過三月猶帶之以至五月九月或朞年之久故必葬而後除之者然也甚世既有朞九以下之制則又不得不各到其月數而除之恐不可以其服之但爲加麻而徑先除之於三月之後又不可以徑除於三月之故而其未盡之餘月又以心稱之蓋所謂心喪者必三年而後有之若朞九以下服月既盡則亦已矣豈更有所謂心者耶 答李士容

竹庵曰爲師心喪吊服加麻是腰首經之下今當於布巾上加經 類輯

又曰爲師心喪吊服麻腰是總麻之麻自小功之經五分減一若耳與環經不同環經則直是吊服所加其制似無左右本在上下之異直如環子故稱以環經 同上

陶菴曰爲師喪門人之袒吊雖不見於禮恐是情理之不可已者以子貢三年畢後相向哭一段推之可見也 類輯

又曰省式不過俗下所用不必用之其稱則心喪人之外似無可者雖疑於親亦不至皆義否 同上

問師與伯叔父母同日亡則何以爲之先 竹庵曰禮云師無當於五服五服不得不親蓋使五服相親師敎也先成經衰之服而爲心喪之制禮意恐然 類輯

南氏曰九菴之喪或問於遂庵遂庵曰昔沙溪之喪同春問服於尤菴尤菴曰先生服五章無異仲文服竟異於仲文云今先生喪五章無異叔九服竟爲於叔九也仲文沙溪之孫孟熙字叔九九菴之孫晦錫字也 偶要 補解

李氏曰按司疏曰凡吊服不得稱服記云謂喪夫子若喪父而無服時朋友吊服而稱無服云云則喪服所謂朋友麻者蓋無服之服而在五服之外者也故通解稱服總麻師友吊服加經於五世袒免之下其義精矣楊氏於家禮則直稱於總麻正服恐失勉齋之意 家禮 補遺

李氏曰古之師服用吊服加麻所謂吊服七用疑衰素裳其冠則素爵弁庶人用白布深衣而冠素委貌但吊時則加環經於爵弁是謂弁經師服則去環經而加總於經於爵弁是謂加麻然吊服有古今之異家禮既云吊者素服且爵弁委貌金氏既云失其

[illegible]白巾素服以練麻兩股絞之爲總經而加巾上腰用練布帶恐當且總經本去帶[illegible]經也

古制難於襲今恐不合於白布衫也 增解

檀弓[illegible]曰記曰弟子皆吊服而加麻已朋友麻蓋疑衰環經吊服本服也去環經而用緦之麻經師友之服致加焉者也吊服自一制加麻又自一制謂之加謂之麻豈是本服環經之稱耶 答朴經煥

近齋曰古者師不立服後世遂指加麻爲師友服意或孔門喪師以前並加麻無之至二三子居經出否之後始有加麻便成師服故謂之師友服也耶然既已加麻爲服而曰若喪父而無服是似不以加麻爲服也然則加麻不可謂服而猶以服稱者既服麻經勢不得不稱加麻服哉於續通解補服條又於通典譙周說曰雖服除心喪三年服除之服卽指加麻則足明以加麻爲服也至於服師三年者年云者心示喪服何可謂之服乎愚嘗以爲此服字卽行之之義與本服字不同或說三年者年卽是加麻之制仍到三年者年之意未見其然也 答任靖周

又曰師服云云若黲經則心喪不必加麻朋友無心喪故加麻矣更思之朋友兼指師師是友之尊者通師友加麻亦示然矣雖心喪之服色則於平時藏此心喪之服色謂之服非麻經之服也 同上

又曰師喪服者經帶俱存而其不用腰經只用苧布帶似自黃勉齋始然頃年見渼湖門下或有具經帶者而蓋少矣既示黍成服[illegible]加麻亦依五服例追後成之爲可耶加麻與素帶三月之制亦姑未決耳 同上

閔齋曰某所以行九月之制者只倣沙翁之服栗翁而亦從吾先祖不如盡其力之說也然九月之內居家飲食[illegible]不能全禮豈眞喪其所謂貌喪也又何足言哉夫盡力而不能三年誠不免趨於薄而苟其大悖義理則吾先子必不言之矣且喪師必行三年者己所能盡至矣但以栗翁或朞年以下之說謂之偶未及致辞而以服朞爲悖義則我東諸賢之喪師未謂有過於期者後人之立言如是



[illegible]耶 答金[illegible]

[illegible]曰師服雖不見於周公制作然夫子生三事一之實非夫子之刱設也必有古制之所受而致喪方喪心喪又出於檀記[illegible]也然小學則此爲師服之斷例也程子所謂師不立服服不可立也當以情之厚薄事之大小處之者所指廣乃衆師之家塾鄉學而師之類若學而不遺漏於事之大小四字可知其非專爲傳道受業之師說也然則傳道受業之師始可與於生三事一之師孔門諸子於夫子之喪[illegible]之淺深三年之外弟任而歸則其門人之喪夫子以三年可知矣然師服既不列於五服孔門諸子之服夫子又無所考據如[illegible]金仁山師服之說可做用而是皆依據於吊服加麻則雖少有尚異其須論其得失惟在後人擇取之如何吊服加麻本非正服乃無服者臨喪之盛制也故師喪與友喪葬前而除不可拖長除服之外以心喪從事而心無有窮哉則食肯自一邊故其人自[illegible]喪又何嫌於外面吊麻而爲之哀乎 答朴[illegible]山

[illegible]三年是爲正理程子栗谷情義深淺之論又不可已[illegible]吊服加麻三月喪除心喪三年爲宜若不能者[illegible]非師服云者[illegible]三年如勉齋之於朱子則得正而否則如沙溪之[illegible]

[illegible]栗谷沙溪[illegible]三年而不廢於心則未若減其等而盡其禮也 答[illegible]

[illegible]孔門弟子吊服加麻之制或深衣加經或深衣加帶經[illegible]或加經于白巾[illegible]

[illegible]吊服或言帶或不言帶抑以所重在經故詳於經而略於帶耶[illegible]

[illegible]朋友加帶[illegible]

[illegible]吊服不得稱服 答朴元得

緦此爲不服之服故所以異於緦制也故曰吊服不得稱服 答朴元得

又曰所謂吊服無定制隨時而異首加[illegible]總經加夾縫之帶用倣宋儒及宋朝諸賢之論庶乎寡過也帶用布絞終是近於服緦不如夾縫而兩耳雙紳象常耳 答朴元得

又曰栗谷沙溪尤庵三先生爲斯文之宗嫡而沙溪之服栗谷尤庵之服沙溪遂庵之服尤庵皆期年期年者心喪之謂也非指加麻也加麻於吊服之上而吊服以布袍當之已矣汝與儒文所着練布頭巾及練麻單股環經遣送隨意濶狹爲可 答一純

## 師喪去官

胡氏曰顧氏炎武日知錄曰漢人以師喪去官者如延篤孔昱劉焉並見於史而[illegible]表師喪尉廷許之是子貢築室於場之遺意 學禮疑小

## 弟子服

[illegible]曰喪師吊服加麻三月心喪終三年若弟子而無服[illegible]吊服[illegible]心喪[illegible]經 禮說答[illegible]

按心喪無施於卑幼之文恐難創行

[illegible]氏曰或曰程朱以下皆以朋友待門人則於情義之重者亦當用朋友加麻之服矣 家禮增解

## 朋友喪 服色並論

厚齋曰先生爲親舊之喪莫不爲之設位望哭其中情親者並服緦制雖無然相知之喪亦皆一日行素 禮輯[illegible]

[illegible]曰朋友哭諸寢門之外所知哭諸野情義不可不哭也然父兄在[illegible]亦隨一一皆哭惟當量情之淺深義之輕重而稟於父兄許之則哭 答柳[illegible]山

[illegible]曰吊服加麻非徒師服朋友有同道之義者亦然此非難行之事而[illegible]何也吊服當如來示而帶亦用布爲宜 答金大[illegible]



[illegible]問曰朋友志曰友雖云無親實有資益[illegible]服紀之外服以[illegible]之色加[illegible]

[illegible]疑衰雖服之主喪者以服外[illegible]不可捨以情厚而服之 答李[illegible]

[illegible]與丈今日拙爲[illegible]加麻如緦[illegible]如何 答蔡[illegible]

又曰[illegible]不曰朋友[illegible]而曰朋友麻者[illegible]加麻於[illegible]五服之[illegible]

[illegible]知心喪而除[illegible]更行心喪如師[illegible]

吊者猶正而三年者心喪也期者哭已矣 答趙秉[illegible]

## 朋友喪練祥不哭

[illegible]曰朋友墓草宿而不哭則練祥何必哭乎 答梅山

[illegible]朋友墓草宿而不哭練祥而哭各有其義恐不當援彼而證此也

## 朋友虞祔之說

[illegible]曰古[illegible]

難猝行矣 答趙國珍

## 舉人爲舉主

通典[illegible]宜服吊服加麻三月[illegible]

雖有不及服今不同古便制齊衰三月漢代名臣皆然 常變通攷

原書漫漶不清

禮疑類輯續卷之十四

喪禮

國恤

易服

補緝宗親文武百官以淺淡服烏紗帽黑角帶詣闕舉哀於闕內龍散官館學生庶民白衣黑笠詣闕舉哀於闕外[illegible]

臣民服制

五禮儀成服[illegible]宗親文武百官皆服衰服[illegible]前一刻入就位[illegible]跪俯伏哭止哭[illegible]

晉與酒又俯伏哭盡哀止哭四拜詣名奉慰箋出○百官大小使臣及外官闕日第六日成服其日早晨設香案於正廳[illegible]

淡[illegible]衰[illegible]入庭跪執事者上香使臣及外官俯伏哭盡哀行四拜禮[illegible]使以下遣入進香箋

二品以上外官[illegible]○補緝禮教官館學生各服其服哭臨於闕外○柳氏曰先師曰出[illegible]與官府[illegible]

行之似得但禮亦有行禮者又未知如何也[illegible]

補緝大喪宗親百官[illegible]斬衰三年衣裳[illegible]

布冠[illegible]○巾[illegible]

[illegible]絞帶[illegible]竹杖[illegible]

以上[illegible]大夫士[illegible]

百官衰服[illegible]大袖長裙[illegible]盖頭[illegible]竹釵[illegible]布帶[illegible]宗親文武

[illegible]布度[illegible]同姓異姓緦麻以上與百官同同姓異姓緦麻以上女[illegible]三年大袖長裙

盖頭頭帶[illegible]竹釵麻帶[illegible]布履[illegible]生員進士生徒布衣布笠布帶白皮靴

白衣[illegible]軍士正兵白衣白笠白布帶白皮靴[illegible]庶人及僧徒白衣白笠白帶[illegible]庶人女白衣[illegible]○內喪[illegible]

同宗親文武百官[illegible]齊衰朞年[illegible]衣裳[illegible]中衣[illegible]冠[illegible]首絰[illegible]

布履絰[illegible]絞帶[illegible]靴宗親文武百官妻白布大袖長裙盖頭頭帶及帶白皮靴[illegible]

女大袖長裙[illegible]竹釵[illegible]生員以下從服並同大喪[illegible]除[illegible]

及庶人女卒哭而除[illegible]

厚齋曰[illegible]以上皆許受杖[illegible]則平日未嘗以對待自處受杖似[illegible]先生[illegible]

此爲據於今意如何[illegible]

黎湖曰方喪衰絰之制[illegible]以領行職[illegible]者不能[illegible]然而[illegible]典將[illegible]俗[illegible]以疑今[illegible]

自府之遠[illegible]方悖[illegible]受公家所給之布[illegible]則與此[illegible]不受官給而私[illegible]之服則又[illegible]

給[illegible]不[illegible]白衣笠[illegible]之外[illegible]無[illegible]從[illegible]不辭自官之給不[illegible]

黎湖曰布帶一事自卿相至士庶人皆爲同然一色之中綴別件帶於其間有所[illegible]無論[illegible]如何[illegible]不[illegible]大夫[illegible]官

之別公制[illegible]分列斬衰齊衰其[illegible]服所屬名[illegible]各有[illegible]類不可互換斬衰帶之不用布[illegible]

有異焉[illegible]正[illegible]不[illegible]有布帶[illegible]於[illegible]不[illegible]衰絰[illegible]所以辨此[illegible]

齊受之正服爲平居[illegible]其[illegible]齊衰而已要在其[illegible]斬衰也哉若朱先生白巾白帶之說[illegible]白衣[illegible]爲之[illegible]

如此也同上

本庵曰受衰者[illegible]布帶大[illegible]所安[illegible]則以[illegible]本非斬衰國制白衣笠[illegible]已是從[illegible]則[illegible]制[illegible]布[illegible]

任卓[illegible]問[illegible]或有著布網巾或有著白[illegible]答[illegible]花[illegible]疏中深以累[illegible]爲非黑巾即黑網巾也[illegible]網巾白[illegible]今亦[illegible]

有用之者[illegible]

南氏曰禮臣爲君斬衰三年而我朝則百官但布紗帽布團領布角帶士庶則布笠布衣布帶而已至[illegible]宗朝[illegible]喪[illegible]衰絰

杖之制而百官以麻衰絰杖[illegible]哭班朝堂及出入著布帽布團領士庶布笠布服麻帶永爲國制[illegible]盛[illegible]也[illegible]大夫

庶布帶今　王大妃喪百官齊衰[illegible]布笠衣帶卒哭後白布笠衣帶士庶人白布笠衣帶終[illegible]年六日[illegible]

近[illegible]曰禮爲君齊衰三月之庶民[illegible]以爲非今之士如今之吏胥[illegible]是也此說如何[illegible]爲天子諸侯有士者三[illegible]於天子[illegible]

類[illegible]

又曰朝士燕居布帶在朱子與余正甫書或已考見否然則疏備之以燕居布帶爲非同上

又曰帶從衆用布紋樣當初[illegible]只[illegible]布帶而不[illegible]制度故[illegible]者大[illegible]故稍[illegible]之如[illegible]服[illegible]帶[illegible]非斬非齊本

己[illegible]帶制何論[illegible]亦[illegible]所謂[illegible]子與[illegible]不必多爭者[illegible]

老洲曰君服未有一定之制代各異[illegible]在下者當從時王之制雖有不[illegible]於心不可私自損益今[illegible]布[illegible]

之[illegible]以[illegible]義服斬衰之制雖似未安冠與服[illegible]有斬制而獨於帶用麻者豈不[illegible]決乎世[illegible]於甲辰[illegible]

帶[illegible]丈[illegible]時[illegible]入仕[illegible]服仍用其帶於燕居[illegible]有[illegible]非[illegible]所[illegible]未知[illegible]如何[illegible]

士庶耳豈可遽以麻帶[illegible]不及[illegible]而[illegible]有帶[illegible]也[illegible]

錢母論黃[illegible]通天下皆[illegible]除[illegible]人[illegible]者外[illegible]制服[illegible]宗[illegible]余正甫[illegible]

白帶之制庚子[illegible]大[illegible]有官者服斬衰士庶布衣麻帶[illegible]不[illegible]服[illegible]之不[illegible]服斬衰之制[illegible]

者服斬衰士庶布衣布帶以終三年此則[illegible]上下區別之意臣服之爲斬衰卓越千古[illegible]可論士庶服制終有[illegible]

以麻帶代斬衰未盡合於朱子之旨丙申以布衣布帶成服亦未成禮復齊衰三月之制以白衣白帶終三年庶合古禮不得今俗[illegible]

見此論極爲正當[illegible]

梅山曰　大行王后喪　[illegible]服制一[illegible]卒哭[illegible]居服白布笠一[illegible]

帶白[illegible]爲定制[illegible]則當用白[illegible]笠[illegible]非[illegible]服之[illegible]也[illegible]燕居服[illegible]

白布團領白皮靴[illegible]居服則黑布[illegible]笠白布衣白布笠其下[illegible]堂上所[illegible]曰內喪在先　殿下[illegible]

邁見亦當用淺淡[illegible]

不用白笠況[illegible]乎因宗伯之疏大僚之議已變白用黑今[illegible]而後當爲不易之定制矣[illegible]

又曰君臣服制既一遵禮經則受衰者祥而除衰當依[illegible]服[illegible]及禫純吉恐爲得正[illegible]祥[illegible]灰色團領衣烏紗帽[illegible]角帶[illegible]

乘[illegible]而[illegible]之[illegible]用白[illegible]則何獨於[illegible]而用白乎[illegible]

又曰麻布帶生熟俱無不可而始受[illegible]服者恐當用生[illegible]進布服庶人白是爲所區別而爲士者何可自處以庶人而不服布乎

答任[illegible]

又曰按喪禮補編竹杖除堂上官經判決事堂下參下官經侍從以上外官曾經水使以上皆有杖各品官經歷內職者此則如次堂下外官當無杖吾意不以侍從自居既受衰矣當有杖 答一 疑禮

公服

補編百官大喪布團領衣布裸帽布裸角帶 白布 白皮鞋凡于喪事服衰服 內喪同但非面除內喪在先亦同卒哭後白布衣烏紗黑角帶小喪同○社稷宗廟諸陵殿宮入直時則黑團領衣去胸背烏紗帽黑角帶黑皮鞋宿當殿本殿以下陵寢官則否○生員進士生徒入學校白巾殿內黑巾 燕居服布衣布笠布帶 練後白衣帶○內喪在先小喪並同但葬而除 ○進見服內喪後練前淺淡服○小喪同○內喪在先祥後禫前淺淡服宮官卒哭後祥前東宮進見時白布團領衣白布裸紗帽白布裸角帶祥後再朞則淺淡服○小內喪宮官卒哭前入直時及葬卒內除祭時淺淡服○常變通攷

國恤奔喪之節

通典銜命出使而君薨在道則反入境則遂其事 常變通攷

尤菴曰赴哀一節以朱子爲郡事時言之其境內士大夫哭於其官府古者又有在朝者哭於朝在野者哭於野之說以近世言之柳西厓極言外臣入哭之非而近來外臣入哭成一令甲 仁祖朝宋棐議以緩赴 赴於殯前 被論於金執義弘郁尹舍宣以不赴憲府論啓甚久然宋神宗喪溫公自洛入臨於汴京竊謂赴與不赴各是一義也 五禮考證

遂庵曰始欲成服於忠邑 辛巳仁顯王后喪 卽今病氣跛步雖遲只欲於舊堂庭上哭而行禮矣先生 尤庵 於國恤時有望哭於舊堂之事竊欲援以爲例而其實不得已也 五禮考證

黎湖曰當 國恤初雖卑赴爲得在草野官位不高之人則亦不妨其所在官成服以近事言之子孫丈於夷子 國喪方帶繫職而只就永平縣行禮若貴江則位是台司而不闕其赴哭闕下此其所處當否未知如何而然在當人亦必各有所受之義 與厚齋

屏溪曰大夫雖在父母喪被髮中聞 國恤卽當奔哭士庶則殯而後奔哭成服則皆俟 國恤成服後矣哭則在朝者哭於朝在野者哭於野會于家後丘原望京哭之亦可婦人於後庭哭可矣而男子四拜則婦人八拜可也 類輯續編

近齋曰補編百官舉臨似在復後襲前而來教以爲襲後恐或偶失照管耶 與鹿門

又曰喪禮補編百官舉臨條有拜禮然則是於襲前有拜矣但此條小註士庶民衆哭闕外而不言拜禮豈闕內外之禮有異耶抑蒙上文與百官同其拜禮耶 同上

散官士庶人山陵哭送

五禮儀 靈駕出城門外至路祭所前衛率樞及耆老學生僧徒序立道傍 大舉將至皆俯伏哭四拜又哭靈舉過則拜禮辭 常變通攷

臣民居 國恤之節

江湖散人金淑滋爲開寧時遭 世宗喪與奉常少尹崔士老遇於道相持而哭甚哀曰所天崩矣皆失聲而止變服而哭舉哀其至情又遭 文宗喪悲位尤切常患疾不嗛子弟及邑人欲進肉汁招之甚怒卒哭後猶不進肉朝廷賜肉始食之 五禮考證

南溪曰帝堯殂落而四海遏密八音今雖小君之喪 明聖王后喪中 中外朝臣援以大義似不當依常聽樂不必以同官爲解也五禮儀初喪條只通言三年不用樂厥後小君喪更不別言臣民用樂之節似亦由此矣 五禮考證

問或人欲以內喪 王妃喪 同於私服祥禫而冠昏與祭則斷欲行其說原於退溪所謂內喪與君喪有間之說[illegible]實一國之通喪衰絰之則不可與私服朔者比而同之君喪內喪雖有輕重而喪祭之行廢恐不宜異同 問 厚齋曰恐得之 類輯續編

黎湖曰嘗聞 寬廟防方後白沙李公至小祥成葬服朝至於鍋前勸之將葬可見先輩爲厚之行 [illegible] 如何而玄石以受命之士居外食素以過卒哭至 顧隣要亦然君臣之際恩義當如是也 類輯

近齋曰國喪前士子輩講學恐不必廢仕官人之奔走喪事者外讀書誦文似不害義古人於親喪墓服中猶不廢講學君喪中尤無



可疑但有葬前後之異耳 尤庵 答尹

梅山曰問日下宰相南龍北陌相伴看花間以至欲山科者亦半倡作樂無復防閑人而無識胡至此極大喪內雖有三年弄弁之別而臣庶致哀之道誠宜如堅孝妣而已丙中庚申之所未敢爲者今焉忽以服闋而爲之耶暨紀大壞言之痛苦 答李汝弘

又曰退翁之不作挽哭翁之不會葬恐是無忘己哀之意而皆以大葬前而言也 答姑睦齋

又曰 大王 王后服制雖有三年期年之別而在臣子之道不可貳視君親 王后之喪若在於 大王故當遊山云者則是父喪之所不可行者或可行於母喪之中其可乎哉蓋 國恤中臨水登山無甚害理故諸賢亦多爲之而尤翁所謂此時不如不爲六字恐得精義也 答徐甫州

爲小君服

洞山曰剡縣論君之父祖雖嘗爲君既傳位則猶臣敢仕無二斬但從君服降一等此說大律 正疑解禮

通典齊武帝永明十一年文惠太子薨右僕射王晏等奏按喪服經爲君之長子齊衰周今至尊既不行三年之典正服周制群臣應降一等便應大功九月功衰是兄弟之服不可以服至尊宜重其衰裳減其月數同服齊衰三月至於太孫三年照可 剡溪記疑

南氏曰今上嗣孝章世子之喪判書鄭齊斗議送 大殿則以總而不正齊衰不杖 王大妃以繼體孫例服小功 大王大妃以繼體曾孫例服齊衰三月此則總之正也百官亦齊衰不杖朞並公除前十三日 白帽笠衣帶公除後烏帽笠白袍帶士庶公除前白笠衣帶公除後黑笠白袍帶服年四日成服三月葬 剡溪記疑

通典晉太常王彪之議無從君服喪之文宜爲代嫡君爲之服則臣以何不從服乎虞蔚之曰臣以義服故所從極於三年經舉重服必從輕服不從可知也若退服世子之殤亦可從服嫡婦豈其然乎唯小君非從故與君同 剡溪記疑

世子殯喪

陶庵曰常時臣僚不稱臣所制恐無可論朝廷舉哀則以有之而哭班則不設耶設有闕外舉哀之節輕重有別變服中人似不當赴哭矣 剡溪類輯

國恤中私喪

補編 傳曰三年喪方笠過矣此後勿禁○尤庵曰 國恤時不禁私喪成服此與古者有官者朝夕君所者有間矣 常變通攷

崔奎瑞問曾子問此條文義本不如此陳氏註因賈疏而有此說蓋古之卿士遭君親喪者常持君服不得著私服既不敢服何有除脫之文雖無變除之節祥月既過之後則私喪自然除脫故無更除之事由此觀之所謂殷祭乃指時享也蓋四五年因公私服久廢闕祭故君喪除後行時享以伸孝思南溪曰曾子問一段答得如崔說而後方無礙滯也 剡溪記疑

陶庵曰喪人出入宜服本服況如喪布衣豈有可疑 剡溪類輯

國大喪成服前私喪朝夕上食芝村家則以素食行尹瑞膺家設食床獻於靈座如前但不舉哀不設香燭金農巖家與位設饌如常時行奠而無哀其兒寢座至殷不行何者爲得 補中 厚齋曰先師曰朝夕上食朔望奠皆行以曾子問君未殯而臣有父母之喪君殯既殯而臣有父母之喪之殷行當亦遂用先師說也 剡溪類輯

又問曾子問喪既殯而有父母之喪孔子曰有殷事則之君所朝夕否朔望之君所而廢私奠朝夕不之君所而伸私情今人以爲國喪殷奠上食不廢之證恐誤見本文之致也厚齋曰所論精密第曾子問本意以有官者言也若是無官者恐當在家而行朔望奠也明矣 剡溪類輯

本庵曰三年中朔望奠據曾子問君未殯而臣有父母喪歸殯返君所有殷事則歸之文則殷奠不廢無疑 同上

棣泉曰同春云私喪隣葬殯是凶事　國恤卒哭前行之無妨而家廟祭禮則雖小祀乃是吉事行之未安云云兄家家廟雖[illegible]
前旣撤几筵服哭泣則不可行也（類輯 續編）

巍巖曰喪家朝夕上食及受吊以國恤不敢哭恐甚無理喪人出入亦不過私出入服私服何害於義必着白笠未思其說若以朔望望哭次赴官府則不可不持君服此所謂公出入也（五禮 考證）望哭次赴官府則可持君服而往（答林 [illegible]）

性潭曰親喪祖括時遭國恤則君喪雖重何暇舉哀乎曾子問曰父母之喪旣引及塗聞君薨如之何孔子曰遂旣封改服而往註遂遂送親柩也據此則恐於祖喪成服後卽當改服而往（答兪 致寬）

近齋曰喪人出入時着蔽陽子去杖云　國下望哭及成服時固當如此而私出入時亦然耶後世旣許持私喪則居家與出外似不必分別而或者以古禮君服中不敢私服之義斟酌折衷居家則持私服出外則服居服耶此亦當分有官無官未知如何（答任 靖周）

又曰方笠許用則去杖初非可論（答梅山）

又曰人祭稠沓亂無次序之中占其後列極雖然當稍爲退避耳（答鹿門）

老洲曰三年內饋奠是喪中之祭且以戒令許行殷祭之意推之卒哭練祥禫之外凡係喪中之祭似不在並廢之科矣（答閔 [illegible]）

梅山曰三年內饋奠卽是喪中之禮朔望猶不廢殷事況上食乎成服前或有廢下室之饋停晨昏哭者是爲無稽不可從也（答李 用九）

又曰文武官前銜皆受服齊衰期年則居憂者不可以親喪之衰而廢君喪之服卽持齊衰服成服于闕門外班恐宜（答李 [illegible]）

又曰居憂者遼　國哀哭臨家者亦禮也而旣居都下則當哭　闕外者先輩所已行也奔哭時當用方笠布深衣布帶成服日亦當用是服是服也卽出入服非所謂衰麻也恐無以私喪之服喪君之嫌也國法特許着方笠不必改以平陽子也（答李 在慶）

又曰居父母之喪者於　大喪卒哭前朔望奠準曾子問廢事則歸之文則行之宜而成服前則準五服未成服廢祭之文姑停如何（[illegible]）



又曰　國哀雖罔極成服前旣不得廢食而獨廢上食有所不可勿論旣葬未葬並宜不廢特有用素用肉之分（同上）

問三年內　國恤成服朔望奠亦姑廢之上食則依前行之耶（結永）澗山曰當有廢上食之理從則成服前不行而後則常奠朔望奠亦減饌行之則實無異於朝夕祭矣至若俗節則不可行矣（疑禮 正解）

寒岡曰逮昔翁先生門下適値國喪之時有門喪先生不許□功成服問有君喪則雖士人亦不敢服功之服乎答曰頭戴君喪白笠腰着私喪布帶一身而兼公私之服可乎自是始知有國喪則不敢服期功之私服也（[illegible]）

黎湖曰大喪未成服不可先成私服（[illegible]）

又曰喪中見以斧服人自稱方持　國服之日隣喪人外其餘則以私服爲稱恐或不當（同上）

三山齋曰有私喪者當持之服勢出則也終出有別恐當以國服爲主今以並有君親喪而在家例持私服者爲當亦似[illegible]古禮況旁親恩輕乎私喪在途期功者不敢服其服而從之者南溪說雖若有意義未見的確可據有事輒變[illegible]法何必捨此而從彼也況今所僱又與大寮有間乎（答近 齋）

李氏曰寒岡所謂不許期功成服者可疑雖暫去白笠只以布巾布帶成服成服後還着君服可也豈有勒不成服之[illegible]

國恤中私喪葬朔（[illegible]）

補編　傳曰邦禮無禁葬之例其在道理亦不可踰月勿論公除前後葬事則許行（常變 通攷）

巍巖曰君父在殯臣民之先營私葬未安況葬而不虞不成葬禮虞而略說不成虞祭情乎聊觀大人之葬以農老之誠不能有所敦正也（類輯 續編）

近齋曰南溪所論本欲無嫌於私葬並以葬事先行爲重故也又按類輯　先王朝受教有曰無論公除前後葬事許行等之禮者餘如故祭以　國制又如此有何不可乎（[illegible]）

梅山曰德陽緬禮旣定于來春則恐不當以　國哀葬前爲拘戒令禁祭而不禁葬葬後許行處祭始祭改葬豈二揆哉（答金 元石）

遂菴曰嗣后士備要圖所論吉冠素服恐失照勘（類輯 增解）

李氏曰備要圖據附註而言然附註說本誤疑旣吉則服亦吉（家禮 增解）

國恤中私喪虞

補編　傳曰雖値國恤因山前卿大夫士庶處祭依葬例亦爲許行（常變 通考）

渼湖曰國恤未葬私喪虞祭當設行而以一獻無祝尤翁之訓也（類輯 續編）

按　國恤未葬私喪虞祭以一獻無祝設行雖是尤翁之訓然是類輯以前說也續編旣許葬後則當備禮行之矣

國恤中私喪練祥

補編啓曰私家練祥不得行自曾子問已有明白定論先正亦說　當時定式卒哭前練祥之不得行恐不可更議今私家練祥忌祭亦有設行之者極涉未安私家練祥祭因國恤卒哭後行之之意定式以錄如何　上曰依所達載錄可也（丁丑受教 常變通攷）

厚齋曰禮註所謂君服除後乃行二祥者以嫡子有官者言也其下又曰嫡子在家自宜行親喪之禮以嫡子無官者言也上下二說若是明白今高明不爲分別卻合而言之何耶況士所謂士庶白衣冠與獨寀同者是一時發起之說也先師所謂當行者是據禮經明白之說也（類輯 續編）



三山齋曰臣民爲舊君喪之禮古今禮書無甚可據惟曾子問廢祭一段可見其與君夫人之喪顯有等殺而今番朝令又於公除後許行私祭則只當遵以行之而已但臣子道理不可反輕於私喪期功之例如來示忌祭減饌單獻卒哭練祥禫則如儀行之庶幾斟酌得好

梅山曰國喪小祥以內幾之禮內喪卒哭後始許私祭卒前惑處宮喪卽是內小喪而私祭亦許於卒哭後故要其待退行大祥者以是耳近者從禮前有戒令之知委私祭許行於公除後則雖　朔令非將已奏欲則公行祥事於公除之後卽撥爛報因宗伯陳白公朝大中小祀並舉於卒哭後向前許行之令自歸罷休也忌墓祭朔望祭俗節薦獻亦不宜容設練祥暨祭也故不拘公除前後是日單酌伸情而已待卒哭備禮行事則與忌墓祭同（答李 在慶）

又曰祥服之用白笠白布帶白布直領卽通行之禮甚可以遐荒退行而直受道袍乎方喪縞素之中私喪祥禫變制雖有直領道袍之別而已用道袍爲祥服則更將何服以卽吉乎（答沈 [illegible]）

國恤中練祥退行者本祥日行事之節

陶庵先妣大祥前一日告曰明日當行大祥而　王大妣梓宮在殯不敢備儀將退行於卒哭後只用一獻之禮非伸哀忍謹告大祥退行前一日告曰　王大妣因山已訖卒哭甫過明日將行大祥禮當除服曾祖妣贈貞敬夫人坡平尹氏以從祔時而祔禰同宮地且隔遠隨從祔于老齋之文祭畢入廟謹告（類輯 續編）

近齋曰練祥退行者自前只於其日單獻淺哀與忌祭一例矣今番忌祭單獻亦廢之則二祥日單獻似亦不敢行而或用新舊之別忌祭單獻則已之二祥日單獻則爲之得無罪於孝理之下否（答沈三 山齋）

又曰二祥與忌祭似有新舊之別曾子問尤爲的證單獻無疑（答鹿門）

老洲曰先輩或有本祥日一獻之論愚見則此與私喪廢祭本日略設有異彼無所禁此則明有禁條載於戒令一獻亦是冒禁雖缺

然只告退行之由恐爲得正爾告辭構呈云　王大妃梓宮在殯明日祥事當依戒令將退行於卒哭後敢告（以本辭構一）　王大妃卒哭已過將以明日追行常事敢告（小祥退行前一日告辭○答朴命燮）

國恤中小祥退行者服人除服之節

問國恤時私喪練祥當待卒哭自期以下除服者亦皆留待則恐不合於計月實數之義（趙寬緒）魏嚴曰大功以下計月除之期則必待小祥而除之禮意已然中間遷就月數不當計之矣（類輯續編）

陶庵曰國喪卒哭前變家雖不行練祥期功之親自當除服爲人後者似亦不敢自異也（類輯續編）

梅山曰有間退行練祥者初期日出繼子出嫁女除服當否故引尤翁南溪說降服正服兩期皆令除服於朞日矣近人援魏叔說欲待卒哭後退行小祥日而除服斯言如何是亦出於悄務情務則失禮恐不可從也（與吳老洲）

又曰本生父母服是不杖朞於而除服與他者同但心喪終二十七月之期與本生兄弟步算則吉是當退行之禮也今有因國喪退祥行於三十一月者其異乎喪紀無數者幾希焉有心制而袛長乃獨乎退練者出后子除服於初朞日與他朞均則退祥者亦宜傍照尤翁先除之義先除於二十八日未知何如（答洪[illegible]）

國恤中練祥退行者禪吉之節（當與練祥退行條參看）

厚齋曰婚姻是吉禮而猶行於國恤卒哭之後況此禪祀何可不行於國恤既練之後乎昏禮既爲三日借吉則禪時著吉以示變之有終似無不可遂庵不可行禪之說無乃待卒哭前舊而傳之者不分卒哭前後耶（類輯要）

又曰按雜記旣有父世喪者除前喪之服也服其除服卒事反喪服旣曰卒事反喪服則其卒事之前不可仍服後喪之服而除之也明矣此可以推類矣豈有旣行禪祭而無變制之節耶出入所服君服重而禪服輕似當服君服矣（同上）

又曰以栗谷之說觀之喪侍旣爲衰服則自當爲有官之人於恤卒哭前恐不當禪祭若待卒哭後過時不禪禮有明文當勞服後哭中不可行前變禪之禮設位哭除恐或無妨若或合祔則當有吉祭而方在卒哭前姑祔于祖廟以待卒哭後似可（同上）

竹庵曰先朝受敎國恤卒哭後只許行練祥及忌墓祭卿大夫以下通同爲說則吉祭似不當行蓋吉祭即祥後始行之時祭而禪祭者將行吉祭而變服之祭也以此推之無論時制古禮不得行吉祭則便不得行禪（類輯續編）

櫟泉曰先君庚子　國恤抵叔公書云禪祭不可行而此是有故不行非如無禪之類禪月初丁設位哭除爲慊於情理又曰吉祭乃三年後合享祖先之時祭也且有終喪之義過時不祭之文恐不得用　因山後卜日行祭宜前期一日以酒果告辭改題者當如儀但告辭中搬入因　國恤退行之由耳　國恤卒哭後禘祀亦無廢却之文則吉祭亦當無疑（類輯續編）

厚齋曰告利成不似受胙之儀遂行之恐無妨耳（類輯續編）

老洲曰大祥旣在九月則今月當爲中月固不可引過時不祭之文　國恤中無變服之節無禪爲宜之說遂翁之言固有據之者則竊以爲　國恤卒哭後練祥及吉祭旣皆行之而至於禪祭之當爲斑駁且雖無變服之節猶有衰之稱至禪始變則恐不可昧然無禪雖仍用祥服行祀不害爲其禪祭之義且無已則有一說近日俗制以白笠直領爲祥服禪祭以道袍易直領祭後還着直領至吉祭復用道袍則略合於古纖微凶微吉之制矣（答族叔）

又曰國恤中禪祭禁論有二說一則爲君喪亦重衰中不可行禪一則禪是變服之祭無服可變則祭亦可廢斯二說俱不能無疑君喪雖重係是方喪國恤中旣行吉祭而獨於禪祭之無乃斑駁耶禪固變服之祭然孝子之情每於天時人事之變倍切追慕之心斯有餘感之新斯哀且新痛無祭也恭惟練祥之時幾吉之可變白笠白袍乃是當時平常人之服何必借吉而後始可謂變哉至如變衣不變冠雖非古節此亦時勢使然武人直領無可變之服誠如盛敎禮喪服練祥之受皆以布之升數爲節此亦以衣之施細爲節或無不可耶（與吳[illegible]）

又曰國恤中有私喪者喪居時要經絰私喪者無過白笠白袍而已白笠白袍便是平時平人之常服則此喪服雖制之首服可也然則國恤中禪變以白笠稍細白袍承祭祭訖服還布直領亦足以示變何須黲色而爲饺耶至若厚齋以昏姻借吉爲禪吉借吉之說竊恐未然昏姻非借吉無以爲禮且朝家有借吉之令式禪吉服色不過自凶變吉之節拍雖不借吉足以遂就變除況無借吉之令式而爲除私喪忽着黲布笠帶及華鮮之服於縞素之時未知如何也（答梅山）

又曰祥後遭國恤者禪則當用過期之文而不祭始則遲待國恤卒哭後而但廢受胙之節以示變改蓋過還亦當在於其時而不行餘而先行改題禮無所據矣（與金士濟）

梅山曰凡變服之禮雖非以道袍言然士庶於方喪無受衰之節而只白衣冠終三年所謂道袍非喪服也小祥時當着[illegible]吉遂私喪禪則不禪爲得（答朴允得）

按私喪練祥之待　國恤卒哭後退行者禪月已過則當只行大祥而過祥後服吉之節無明白可據尤庵嘗曰祥而從常禮始宜祥大祥後當有吉祭一欵吉祭行於何時耶或曰祥而從常則不宜徐綫祥後或丁或亥日吉祭可行或因祥給無禪月之文尤庵所謂祥而從常以祥後無禪而云非謂祥後便吉踰月行給爲宜後說似長

國恤中私家大小祭祀

尤庵曰國恤卒哭前私祭一欵先儒所論皆不同然常人之情於祭祀一欵其廢之者不得已也苟有一分可行之道不可汎過故這間墓祭只一獻行於祭會與焚黃何異恐無不可行也只上墓則國家所不行不敢爲矣忌祭則當出祔主於正寢只行一獻而無祝可也（類輯續編）

厚齋曰卒哭前時祭不可行也卒哭後朱子及五禮儀亦許嫁娶則時祭恐無不可行者栗谷答牛溪亦言其當行矣卒哭前忌墓祭有官者當廢無官者略設退溪栗谷龜峰寒岡先師皆有其說而近聞自官下帖雖士庶家皆不敢行未知其如何也旣曰有官者當廢則雖喪家新喪若是有官者恐無異同所謂減殺者先輩以不三獻不讀祝爲言其餘俗節及大小祭與先師於四禮疑節未端有定論考見如何（類輯續編）

遂齋問退溪國葬前素祭之說可疑若不行祀則已如可行之寧有用素之義尤庵曰退溪此說果爲未穩大抵栗谷之說可行於葬前也至於忌墓祭則尊之以神道久矣祭之用素誠有可疑者然先正之論何可論及（類輯續編）

陶菴曰國恤卒哭前大小祀皆停行則其在臣庶宜不敢舉也祭於齋舍（退溪說）亦名祭則又與上塚何異上世畿外之民與畿內之民不同者畿外之民各有君故也天下一君則無內外之分矣侯國則尤不可分內外也（牛溪分之）但卿大夫士庶則當有分矣（類輯續編）

[illegible]曰　君父方喪未成自葬禮文則以至山川七祀中百神一並廢享當此之時執於　君父而共持其服之臣不能大夫小祀[illegible]設略設祭行於私祭者於事體分義當乎否乎雖先生所論非不周詳惕恒而終不能無疑且其時士民則只縞素而已[illegible]吊服則當可如此至於今（與子）則身既持斬衰而欲行吉禮（祭者吉禮）於未卒哭之前者反復思惟終無一分可推之義矣[illegible]如葬前卒哭前忌墓祭俱廢只服縗經略設　吳氏姑云此非義理之至當而爲今日己禮之定論乎[illegible]鄙家先忌多在此月中於當日只率家人舉哀未知果不悖禮否（五禮考證）

本庵曰[illegible]揀輕重者廢大小祀爲正或者之謂略設便是停廢者非淺見之所及也[illegible]其物品節度降下於忌祭而其瞻那戲忌祭之言尤不可行（類輯續編）

又曰時祭雖因山後恐不可行也（同上）

黎湖曰嘗聞尤齋定論以爲國恤卒哭前私祀一切不得行矣今見下送諸紙始知其不然蓋自朔望至忌墓一以略設爲主此卽以國家白衣笠之制旣無有貴賤之間則祭祀之禮亦不容以有官無官有分故也吾家從大父於此愍有說二先生同異得失今不敢知第就見事論之

大喪旣異於內喪而喪服之制畢以衰絰從權則事體與前時絕異無官者之行祀與否任渠自爲而有官者則無論二參之小忌墓之大一並廢閣直至卒哭後行之以此定式施行恐宜 答芝村

三山齋曰國葬前忌墓祭略行先賢所論固多如此然朝家新有禁令至於著爲成書而行之八方到此難容他議若或人所云朝令非並禁單獻者今讀補編本文未有此意 王言殿重恐不敢輕加註脚也此外不在禁條者正好熟講而處之朔望參自有異尤定論行之固無可疑俗節亦朔望之類耳朔望旣可行則此何必獨廢也來諭疑原其取義在於燕樂之辰愚亦以此難斷旣又思今人於親喪中未聞有嫌其如是而廢此祭者何也豈不以其原雖如此行之已久便同常祭耶 答芝齋

近齋曰諸先賢不廢朔望參之意槩以其禮最略然其時則國家無禁祭之令臣子自以分義斟酌大祀則減殺小節則不廢矣至於今番大小祭祀皆不許則似出於以一國爲家之義在下者視之如同宮父母喪雖朔望參一盤果之至略者亦係常時薦享之禮則似亦不行爲宜 答三山齋

又曰先輩以朔望參不廢之意推之欲行忌祭之獻矣今忌祭之單獻旣已廢之則朔望亦當並廢愚意朔望只焚香如有時物薦者無時只薦一器似宜 同上

又曰忌墓二字昭載禮令單獻亦忌墓也故不敢行而俗節朔望則不言故有此議論之參差也凡筵賓俗節雖曰燕樂之辰而不干象生之義故行之固可而至於生辰爲有象生之義與此似少異以生人論之國葬前遇弧辰其可設酌乎 答任耕周

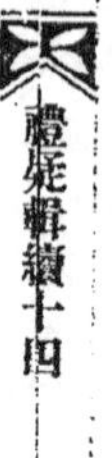

禮疑類輯續十四　九

又曰忌祭單獻旣不得行則二祥日單獻似不可以新舊之有別而行之雖全廢亦不可昧然當告以國有大喪退行之意而前一日夕上食告之無妨耶 與盧門

又曰嘗聞長老之言旋次過先忌則其日晚望哭㵎哀而祖曾忌則否云今在家而因國恤不行忌祭則當晨哭於正寢或盡事而惟扲寢忌爲然不及祖忌以上耶 同上

又曰俗節朔望參愚亦初則行之旋覺其未安而廢之今得盛諭偶與相合深幸 同上

又曰國制祭祭專出於 陵寢寢享臣子不敢獨行之義則 大廟朔望祭旣不行矣私家亦當視而廢之此義最似分曉 答三山齋

又曰 先王朝定制後私家忌祀不許行之故並與單獻而廢之矣然此謂大喪與內喪也小喪則臣民所處自與大喪有間葬前單獻忌祭恐無不可然從事惟當遵朝令而姑無擧措如委誠爲難處矣公除後雖行忌祭三獻則不可蓋私服亦大功葬前忌墓祭亦不可行則況 儲君喪未葬何敢備禮乎尊賢忌日在公除前則當廢矣 答朴聖李

老洲曰 惠慶宮於臣庶本無服制私家祭祀無可廢之義今番戒令只有公除前 宗廟大中小祀並廢公除後行之如常時云云而不及私祭則戒令亦無廢私祭之文矣以禮以典雖無可疑而公除前則以 太廟廢祭私家行祭爲未安獨有說也公除後私祭停廢果何所據 答李氏

又曰先朝時未有一定戒令故行禮諸議論得到一自 英廟與焉稱謁印布之後因山前私家廢祭便成時王之制豈容自至如參禮雖曰小祀乃是告朔之禮已自不輕而況戒令又有大中小祀並廢之文乎 答洪士東

又曰國恤因山前大中小祀俱廢有戒令至於薦新旣非祀享而 太廟亦不停廢則私廟新物之薦豈有未安耶鄙家於日前新稻之出以生米薦之矣 答金[illegible]

又曰今番戒令只參公家大中小祀公除後行之如常而私祭行廢初不說及新禮則出後有戒令之追出者私家大小祭亦許公除後行之如常云昔記 惠慶宮喪事私祭特於卒哭後許行均是小喪而乃如是延緩實未知其故也然禮士夫要當依此準以私家奔服葬前不得擧盛祭故竊欲折衷於此葬前忌墓祭欲殺禮行之至於練祥則變祭也戒令旣許行而又不可以殺禮行之公除後依戒令行之恐宜 答蔣山

又曰廢祭告由頃日鄙見之欲當祭略告者蓋以私廟恐無特告國哀之禮且令旣闕告於其初則不得不隨卽告之故云然也若家所示而更思之國哀後或朔或望最初廢祭時告由則自當統告諸位而亦無特告之嫌矣 同上

類西曰時物薦新 太廟所行私家亦當行之但五禮之薦若無饌則常備饌則當出主行事然則爲在其廢祭也依無饌例設亦單薦如何 答蔣山

橘山曰家禮補編戒令小喪則公除後行祭如常時以大中小祀而皆也今日事卽補編所謂小內喪也公除前忌墓祭亦不可行然公除後則當備禮行之雖則不行是日設位而哭也 同上

又曰丙申大恤或有略設伸情者 正廟聞而非之至發盛祭之 教云云恐有千金石之當遵而仲子孫之追遠者乎惟窮於外並與朔望參而當廢已矣 答沈仲賢

又曰小喪公除後行祭如常故私家亦略設伸情此以忌墓祭而言也朔望參俗節是爲吉禮待卒哭已矣 答朴汝受

又曰卒哭前 宗廟陵寢朔望只行焚香故陵園及私廟亦不廢焚香至若薦新公家之所不廢者故私家亦行之而五穀魚鮮只爲生屬亦不設酒以時變新不出主只開龕已矣 答任憲晦

禮疑類輯續十四　十

又曰國哀之各私廟禮無其文而因山卒哭前私廟當依戒令廢祭廢祭之由合先告廟告辭當云國有大恤卒哭前停大中小祀私家亦廢祭謹敢告辭前則不設酒果只焚香也 同上

又曰內喪在先公除後在 王朝則雖行大中小祀而在臣子則祀事差殊於大喪而遽行私祭乎此有 英廟朝受教及先庶成例遵過已矣豈容異論義受 教亦在 貞聖王母喪時則其不可視 王朝爲行廢可知 答鄭[illegible]

又曰公私祀事許行於大葬卒哭後是爲邦憲而士庶家忌祭者值卒哭日則卒哭祭恐後準禮行事亦不出賓朋恐無容議也 答李[illegible]

又曰私喪未卒哭則亦不擧先忌者以葬而未卒哭當用未葬之禮也私喪猶然況在方喪乎復土後卒哭前私家忌祭等設單獻雖與備禮不同未若不行之爲得正耳 答黃[illegible]

按 國恤臣民服制王 禮謝未備私喪葬亦無禁令故先輩論說不一及喪禮補編出而定爲時王之制所以前賢後賢其論又不同也然則補編載錄當在於前賢論下後賢說上而以公家文字故錄於各條之首其下諸說當以年代辨之也

國恤中私家冠婚

五禮儀卒哭後許嫁娶 備言二日 補編士吏軍民許卒哭後冠嫁三品以下許小祥後並備言三日堂上受杖以上及宗親二品以上許禫後內喪則三品以下許備言三日堂上曾祖侍從以上小祥後許吉禮小內喪則並許公除後

厚齋曰冠禮不敢行而已如果行之當依朱子服議吉禮中所言以一月外許軍民嫁後許大中大夫以上爲準分無官有官之高下而行之似可矣吾禮之華盛不至冠禮而朱子猶且許之隨其等殺而許者可知先師曰將冠而遭國恤者固仍成服而冠矣不然當待卒哭後只冠者備禮行之參以吾禮等級尤無不可也先師此說亦以服議中吾禮爲準也 答金[illegible]

[illegible]曰小君之喪於執事爲不杖朞令雖則素服而已依吾朞服而弁首恐無不可主人與賓以白衣冠視事則有何甚未安耶只

當不敢闕以變常禮如何 家禮增解

近齋曰因山卒哭後私家冠禮三加無不可行之義愚亦云然遂庵說以爲身及父母無期以上喪方行冠禮況三年乎云云而此恐未然公私喪旣異則似不必引此爲斷蓋私喪則身有朞服猶不昏娶國喪則雖三年許昏於卒哭後則何可以昏與冠分輕重而或行或否耶 與任靖周

又曰將冠而遭國恤當因喪而冠耶雜記曰以喪冠者雖三年之喪可也以此觀之國喪中似無不可冠之義當成服日因其喪服而加之冠耶過成服則不可當待卒哭後借吉行之耶 同上

又曰國制許昏以官秩高下爲差愚則以當昏者看蓋稍攝許昏之文似是從朱子臣民嫁娶說來則朱子本說一月之外許軍民大祥後許中大夫之文恐指當昏者 同上

老洲曰國恤中行冠禮雖有一二先輩已行之例愚意終以爲未安家禮云身及父母無朞以上喪始可行之某丈當仕于朝旣受衰矣國恤雖謂之通喪顧不重於朞耶且近古以下方喪之制大備知禮之家率皆廢先廟時享而惟除喪者終喪之義重雖不得已行祫猶廢受胙之節旣殺於享先之禮乃於冠子備三加之祝旨酒之醮而行禮能於心安乎或曰冠與昏一串事而冠禮之殺非吉也昏旣借吉則冠獨不可行耶夫冠昏一事只可說於無故之時而古禮有因喪而冠之文則豈容說一串乎且昏則實有過時之慮故朝家戒令有借吉之文冠則異乎是故無許行之戒令只當倣喪冠之文去其縟禮而行之恐爲寡過之道矣 與閔元履

又曰國葬前纔見舅姑纔國哀遑之時爲此暇豫之禮者終涉未安待卒哭後爲穩而無已則倣喪中見婦禮不用贄亦何傷耶 與沈靜甫

又曰國喪中昏姻借吉之戒令指新耶新婦而言也耶婦父母之因此借吉亦甚未安鄙意則見舅姑當殺禮行之舅姑亦當以縞素之服見之恐爲得正 與金士心



梅山曰按毀殯葬綱禁娶嫁條勿論大喪內喪小喪士吏軍民並許卒哭後借吉三日惟有官者有祥禫前後之別據此則小喪卒哭前曷敢冒禁嫁娶乎卒哭後成禮時惟昏者借吉凡係擬盛之節恐當少殺示變於平時也 答權運睿

儲宮喪朞後新恩到門停樂

老洲曰　儲宮練祭之後羣下雖已除服禮父有服子不與於樂以此推之則君親雖有恩義之別　至尊尙持斬制臣民豈可以吉服而遽舉音樂耶愚見如此故昨有一新恩來問以停爲是答之矣 與朴汝重

國忌日行素之分

近齋曰國忌行素於義當然而亦當以世代遠近爲節有官無官者又似當有分等 答梅山

又曰　陵寢展齋生之及見　先廟者皆當食素而始生下之生於丙申歲者雖後於　上賓而旣在是年則亦宜不肉行之誠是 答梅山

喪變禮

淵處

與祭　公閒喪

芝村曰受香前若聞諸父昆弟之喪恐不可仍爲祭祭雖如總小功似宜變通然朝家若不許則亦無奈何而期大功則寧有不許之

[illegible]服

歸似合遵 蒙禮增解

屛溪曰陵幕畢獻官撤祝之後則沒變通雖親喪姑勿使之傳訃可矣 類輯續編

聞親喪未奔喪

屛溪曰聞喪而有故未奔喪者其變服與到家變服何異家禮之不言果是闕文 類輯續編

路中聞喪

問聞父母訃於路中無家處則豈悉野哭而遣尋人家爲位而擧哀耶或答曰無論禮節如何揆以人情初聞父母之訃其在野與否恐未遑省也 家禮增解

問奔大功之喪於路中聞之則雖在馬上即當擧哀耶抑就路左幽僻而擧哀耶來問曰路中及馬上非擧哀之所還家設位爲之不妨路左幽僻處亦恐近野哭〇柳氏曰奔喪疏齊衰望鄉而哭大功望門而哭家禮亦然據此則還家設位恐或太緩 常變通攷

路中失父柩聞祖母訃處變

近齋曰喪葬父尸爲急未得奔祖母之喪此誠遭變事而不失其權者也何可以常禮論乎 答梅山

在外成服

問奔功以下在外成服 永 洞山曰成服及望哭皆再拜焚香無之 疑禮正解

奔喪

主人奔喪未至殯葬與否

喪大記爲後者不在在境內則俟之在境外則殯葬可也 常變通攷

奔喪被髮之非



本庵曰按此言四脚帶經而至入門詣柩前始言初變服如初喪此古禮至家括髮之義也備要謂始聞被髮徒跣斂髮而行到家又被髮恐偶失照勘也 類輯續編

奔喪所著

厚齋曰白布總衫帶古者奔喪變服之節如此父母似無異 類輯續編

南塘曰按君臣服制用布一方幅前兩角綴兩大帶後兩脚綴兩小帶覆頂四垂因以前邊抹額而繫大帶於腦後復收後角而係小帶於髻前以代吉冠亦名幞頭今云裂布爲之者蓋以一幅裂其兩端爲四脚也豈以奔喪之禮急遽凶變未暇備其制耶 類輯續編

屛溪曰奔父喪以麻繩爲帶則母喪以布小帶宜矣 類輯續編

櫟泉曰爲人後者奔本生親喪所著依奔喪條齊衰以下白布巾白布巾白布衫未知如何 類輯續編

閒靜堂曰奔所生母喪服色只當用齊衰之制如四脚巾恐用不得初終變服齊衰以白布或可用此耶 類輯續編

李氏曰儀節所謂白帽即大帽而用蔽兩日之笠子也凶故用白據下八門條儀節毀去冠之文可知蓋儀節欲去駭俗之四脚巾故用白帽然加帽於巾上恐當今當代以

所後祖父母不令奔本生親喪當委曲懇請

近齋曰將奔本生父母之喪而所後祖父母以拘忌使之不奔則當以喻父母於道之義委曲懇請得請而後已此外無他道理 答梅山

奔喪條家禮儀節同異

老洲曰備要奔喪註所引禮記儀節蓋以補家禮之未備者其有異同處惟在參用之耳 答南大任

到家後諸節

南塘曰初變服者諸拯兪再拜後去四脚巾被髮徒跣如初喪又變服謂袒括髮如大小斂也類輯續編

奔喪成服不計聞訃遠近

竹庵曰奔喪至家袒括絰帶所以行始死之明日小斂後禮也聞喪後至家以前所以當始死日而爲主人未變服之時則聞訃遠近皆屬死者之往日而在所不計於生者之來日類輯續編

成服而奔喪者

本庵曰奔喪註曰已成服固自喪服矣李光錫曰此言在道至家之服其哭殯變服則文不備然據下文除喪而後之墓袒括及將禮君薨喪而歸復命出袒括則雖成服於外其至家袒括可知但未必備又哭三哭耳開元禮成服而後行至家被髮而遵儀乃都無變矣類輯續編

奔喪過邑不哭

近齋曰過故鄉城郭何可不哭邑則喧鬧處不可哭恐其驚衆也司馬温公所謂飾詐之說似過矣答梅山

本生父所後母訃並至處變

近齋曰本生所後有輕重何可以本生家無一介丈夫而不奔所後母之喪乎當以所後家近族一人使之往視生父襲斂已則奔所後母喪爲不失禮律矣答梅山

父與祖在外俱亡奔喪先後父喪中奔祖喪論

老洲曰祖與父不可以輕重分先後要之父死然後子始代服則恐當先奔父喪次奔祖喪答李元信

梅山曰父祖並喪一時聞訃則當先奔祖喪即先重後輕之義也若有叔父奔喪者已則奔父喪父喪成服後奔祖喪服承重恐宜繼使先赴祖喪祖喪先於父則未可遽服斬當以期制成服受父喪然後始服祖斬以未成父服之前雖一日不當用承重之禮故耳答趙中裕

按父祖在於各處死於一時則恐當先奔父喪父喪成服後方服祖斬故也老洲梅山大意則同

南氏曰父喪中奔母喪母喪中奔父喪者各服其奔喪之服是乃謂當其事則服其服者也備要補解

葬後奔喪者

儀節杖斧以下歸在服滿之後戴白布巾具腰絰詣墓再拜哭踊隨俗具酒饌以奠獻亦可禮書劄記

問備要奔喪紙頭註大小功緦之親奔在除服之後者至墓免腰麻絰於墓所哭罷即除云云安泠竹庵曰齊衰以下除喪而歸則之墓免麻哭而除見禮記然鄙意則小功以下只先之墓哭而已恐無免麻之制蓋小功不稅則小功緦除服而歸更爲免麻竊意不然類輯續編

本庵曰奔喪者不及殯先之墓間解謂家近墓遠則何必過家之墓而禮自有精義恐間解不敢從禮家叢考

梅山曰主人奔哭雖在踰月之後當從死月計三月而葬即喪從死者之義也既三月而葬則卒哭不出是月距可以主人奔喪之未滿三月而援報葬者報虞之哭則三月之例哉類編續輯

新婦未及見舅姑之喪

屏溪曰綠成婚之新婦奔喪重喪而來入門後節次一如奔喪之禮若姑在則哭而相吊而已復何論節文類輯續編

近齋曰南溪曰赴舅初喪可謂見姑之禮此爲新婦未及見舅姑而赴舅喪者言也至於大舅之喪與舅喪有別且舅姑不在喪側若於其舅奔喪前來哭大舅則是未見舅而先見大舅也恐涉未安愚意待舅上來始當往吊追行成服於殯前似爲得禮之變答梅山

問未新行還夫家祖父母喪奔哭之節先師曰舅姑哭於殯宮新婦即位而哭再拜舅姑相向而哭出而見於外次則只用私見之



禮恐宜常變通攷

出嫁女奔本親喪

櫟泉曰女子不百里奔喪謂親戚喪而非謂父母也類編續輯

梅山曰雜記曰婦人非三年之喪不踰封而吊如三年之喪則君夫人歸註曰三年之喪父母之喪也嫁者爲父母奔此以本親言也據此則小學不百里而奔喪非父母之謂即朞功之類也續上編

服人奔喪成服之節

問奔喪成服之禮疑意則雖輕服亦當於到喪次四日成服而前日之教父母喪外皆以聞訃日計到喪次或滿四日雖即日可以成服更考奔喪篇奔喪者非主人章曰於又哭於三哭者免袒齊衰以下不及殯章亦曰於又哭免成踊於三哭免成踊三日而成服註三日者三哭之明日也此爲齊衰以下到家四日成服之的證云云金在厚齋曰所示詳明當改滯各續編類輯

近齋曰備要成服條後四日成服云云並指期大功之親也至喪側第四日方可成服答梅山

梅山曰雜記疏曰小功以下値主人成服之節與主人皆成之大功以上必滿日數而後成服所謂與主人皆成者指奔喪趂小斂前與主人同服絰帶者言若在小斂後則但當從到家日計至第四日成服小功猶然況齊衰乎答李六為

# 禮疑續輯卷之十五

喪變禮

追喪上

尤庵曰父母在遠而沒其子久後聞訃則雖過三年亦必追服（禮記）

親喪追服變除用聞訃成服兩日之辨

問在外聞喪便是在家遭喪之日也在家者以遭喪日爲練祥而追聞者獨不可以聞喪日爲練祥耶（金若會）厚齋曰以朱子說及先師說推之在家者宗子制當以喪出日行練祥追到者宗子則當以成服日行練祥（類輯）

南塘曰據禮在家遭喪者皆以喪出日除服未者以成服日除服者則在外聞喪即在家喪出之日也以是日除服無疑朱子亦曰兄弟先滿者先除後滿者後除以在外聞喪有先後也何嘗言成服先後耶所答曾無疑書蓋別有事變今不詳則恐難據以爲斷（類輯）

屛溪曰追後聞喪練祥當以聞訃日爲準（類輯）

三山齋曰奔喪子孫服之節愚則以聞訃日爲是蓋在家遭喪者成服雖或踰月其除服以遭喪日此何不然（答柳景明）老洲曰成服日行練禫爲無義聞喪之日便是死日以此日計爲實數而行事恐叶宜矣（答梓子）

追服者練祥以喪出日變除以聞訃日

渼湖曰喪服小記再期之喪三年也期之喪二年也故期而祭禮也期而除服道也祭不爲除喪也疏曰祭除喪同日不相爲元慈各別也又曰祭爲尊親除喪爲天道之變庾氏賀氏并云祭爲尊親幽隱難知除喪事顯其理易識恐人疑祭爲除喪而祭故記者特明之云祭不爲除喪也據此則祭爲死者設而不可以長子自身受服之後時而差過思親事死之禮也朱子答曾無疑書在今練喪之禮却當計日月實數檢節但其間忌日却須別設祭奠始盡人情耳據此則練祥之祭似本爲生人除服而設雖使聞喪於練前一月猶當退待後年聞喪之期而始舉殷祭矣沙溪愼齋力主朱子之訓舉世遵遮矣先高祖（尤庵）答鄭德雨氏始雖印可於遵遮之論而終又難之曰如中原則或於三年畢舉之後有始聞喪者矣然到其几筵將至幾年耶此甚可疑不肖竊嘗因是而考求聖人制禮之意蓋喪死與居服二者不同故曰生與來日死與往日竊死者禮復生有節今若爲練喪爲生人除喪而設則是朔奠亦當爲成服殺卒哭亦當爲變服行一切事死之禮皆爲生人作耶遭喪與成服在於一時故練喪與除喪又在一時此常禮也不幸主人在外聞喪於久遠之後者此變禮也成服既後於初喪除服亦宜後於練祥以死者之期而設其祭以生人聞喪之期而除其服似得禮宜兩無所妨矣項在師門（南塘）偶語及此師門深爲領可後於甲寅復因晦可（鏡泉字也）質之於陶庵陶庵亦以爲是自是其門下士及湖中士友稍用漸成通行之禮然以朱子沙溪之訓既不然先君之論又無斷決之辭不敢擅便取舍云云（書類輯）

問長子聞喪差後則二祥退行於長子聞喪日耶（或人）竹庵曰祭不爲除喪何可以長子未除喪而退行喪祭耶（類輯）

又曰既行大祥於再期則長子追喪者雖未除喪禪主無祠而當撤几筵矣禮奔喪者不及殯先之墓則之墓而因行虞祭之禮恐合情文孔子喪畢子貢築室於場獨居三年師弟之間猶或行之行於親喪豈無於禮（同上）

近齋曰追後聞喪變除之節尤翁有定論蓋以聞訃爲始死日欲於是日除服而但始死與聞訃同在一月則以死日行練祥即老先生意也當從之至於朱子答曾無疑書無疑在官遭喪因何事成服太晚故朱子云然而南溪主張甚力以成服日行練祥爲說遂庵已言其不可矣（答梅山）剛齋曰聞喪在於八月奔喪在於翼年三月而行小祥於初期四月者又是變禮中失禮也今欲進正其失而改行小祥之禮於再期日則進退無所據矣於再期日行單獻之祭而祥告既往之失及退行祥事之由行大祥於聞喪之月似或可矣（答鄭）



按如遂庵雲坪諸說則此人之以四月初期行小祥者不可謂失禮蓋以聞喪日退行練祥先賢說也以初再忌日行練祥者後賢說也剛齋從先賢說故其論如此

梅山曰追聞後喪者退行練喪于主喪者聞訃之日矣近世諸賢因小記祭不爲除喪之文行練祥于初期再期除服則在追行成服之日祭與除喪各有其義也（答或人）

按聞喪日便是始死日而喪人除服在始死日則今此追後聞喪者除服恐亦在聞訃日也

又曰近有赴燕者經歲而後奔其親喪練祥變除當用聞訃日而援以小記祭不爲除喪之文則長子祇宜變服於聞喪日練祥當舉於初再期饋筵當撤於再期大祥則長子仍處墓廬哭泣持喪準追服日數未知如何（答徐穆）

流離遠方親喪舉追服者朝夕饋奠之非

近齋曰服親當追服三年而朝夕饋奠何可復出主於几筵而行之乎遂庵於過時聞喪已論之（答梅山）

閏月聞喪者變除之節

問五月念後喪出閏五月初聞訃則練祥以明年六月爲斷耶閏月非正月以本月喪出日爲練祥似合禮意（沈錞）南塘曰聞喪雖在閏月既在喪出月外則當以後月變除若以本月變除則不免爲斷喪矣只當計服喪月則與死在閏月者以本月爲忌者不同（類輯）

親喪追服與在家兄弟先後變除之節（嫡子不得行禪則諸父昆弟設位哭除見并有喪條）

屛溪曰練祥當以宗子聞訃日退行而諸子若於宗子一二日聞訃則退除於同日亦可（類輯）

又曰在家兄弟先服喪者當依先滿先除之禮（同上）

竹庵曰聞訃同在喪月之內則（四月初六日喪出十一日聞訃）以忌日行祥同時變除固有先發說而卜日行祥古道也今七月己丑或十五日丁酉行祥而變除忌日則只略說行哭似得禮意而兄弟變除無班駁之嫌矣（類輯）

問人有五子者二月初吉死末子終孝二子三子聞訃於月內四子聞訃於三月長子聞訃於四月其練祥何以行之（或人）竹庵曰二月初吉行常事末子與二子三子變服四子與長子則各於聞訃之月因朔奠變服可也初吉非丁亥則退行常事尤合禮意大祥亦然（類輯）

閏月朔哭除（類輯）

問喪出於八月二十五日主人聞訃於二十六日主婦聞訃於九月初一日其變除何以爲之（成相）竹庵曰翳類先除後除只喪於練喪則期服雖有後滿者過九月則便是四時二年之數同除於祥日可推而知也婦人之服尤無可論今此主婦聞訃與主人先後三四日之間而特以犯他月之故追除於後朔在初期已無明據況再期乎豈敢追除於九月朔朔只哭廟而除無殺礙之嫌矣（類輯）

又曰再期之日用大祥祝行祭追喪喪人則當除服於聞訃之日矣（同上）

問人以染患遭母喪而渠出避病危蹤月始聞訃成服矣此人有兄先亡無子只有兄嫂故渠方攝主兄嫂則在家遭喪而後則何以爲之（金在）厚齋曰宗子婦在而次子攝主則自顯王虞卒時次子皆攝行矣練祥之祭亦當爲宗婦攝行而渠則以追行哭而變除（類輯）

近齋曰後滿先除者支子則無追設祭奠之文小祥後聞喪日只當哭於靈座而授練服喪禫後則几筵已撤當於某處設位哭祭而已設位變除既有慎齋所論則豈曰無謂哀之所平然則除服於墓前恐是無於禮之禮矣主於追祭日入廟雖家行之如此父在母喪仍祭三年本是非禮何可引例也喪畢入廟自是主人當行之禮豈爲諸子追祭除服而留几筵以待乎（答族孫弘壽）

又曰哀之追除當以聞訃日計之纔一月而禪矣禪時亦只設位哭除而已何敢出主行祭耶宗孫既已當行吉祭則行禪亦在其中

崇禎既行禫支子又行其可乎 同上

又曰後滿後除一款禫吉之次次退行祭容更商而或人所論禫祭在仲朔則是月行吉似爲旁照云者恐未然禫月既非仲朔則何可引仲朔之文乎後除者除祥服與吉祭日同值則果似相礙愚意吉祭若行於初丁則其前有亥日祥服先除似爲變通之道不然則吉祭行於亥日祥服追除丁日亦宜矣朔日變服恐有徑脫之嫌矣雖已除祥服於吉祭前既未純吉則不當與吉祭也 答洪 宅遊

老洲曰今此三子聞喪成服各異月日練祥當退行於長子聞喪日以滿喪朞實數仲季則當從先滿先除之文季子之在家者當除於喪出日仲子之在外者當除於其聞喪日然仲子成服雖與長子異月聞喪則同月待長子練祥之日同爲易服恐未有差退喪朞之嫌而曾見陶庵亦有庶子聞喪若與嫡子同月則嫡子練祥日偕除似當之說矣至於撤筵先儒或引祭不爲除喪之文謂當撤筵於本祥日者儘有意義練後追服者可從是禮若此家所値不過一朔之間則遵朱子之訓撤筵於退祥日恐疑 答李 鄭

按死者之祭生者之除服各爲一事則今此三子聞喪成服各異月日者當行練祥於初再朞日先後除服於聞訃日恐不宜退行練祥於聞訃日也且先王制禮分則有限既過祥日何可不撤几筵以待追除服之日乎

追服退祥者本祥日行事前期告由

陶庵曰按聞訃在後月於忌日別設祭奠則當單獻無祝如朔奠之儀而前一日不可不因朔上食告由 類輯 續編

屛溪曰長子追後練祥者於忌日當設殷奠如常時忌日饌品而以獻行之祝文則三年內練祥外雖祖先忌日亦無之以孤子某追後聞訃故練祥退行於某日今不得依例行事之意告之而已 類輯 續編

按若以初朞再朞行練祥則無此節次

宗子追服除喪前几筵撤否



屛溪曰主人未除喪則几筵不當撤也但上食古禮本止於卒哭再朞後不撤几筵而撤上食只存朔望殷奠以至除喪則似不爲無據矣 類輯 續編

本庵曰長子追服苟在練前則練祥皆從長子退行矣練祥追服者練祭已攝人行之長子只得自計其追服日月或因朔望受練而至祥亦宜依本朝撤几筵長子仍居堊室以準追服日數但長子在遠無他服三年者則長子未到之前雖有族人不可攝行其練只得待長子至一從其追服日數練而祥也 類輯 續編

巍巖曰追服退喪者未祥之前上食何可廢乎 類輯 續編

竹庵曰哀追成服不撤几筵則先除者服雖除不能不參哭於祭奠奴僕之服則以小記爲君之父母近臣君服斯服之文推之今不變服待九月與其主同除似得 類輯 續編

追喪禫

南塘曰過朞不禫者謂二十七月喪服之朞已滿而是月有故不得行禫則不右追行於過期之外也如在外過三月聞喪及葬後朞後立後者皆當以服喪之月計之也若以喪出之月計之以爲過朞而祥而卽吉是己之服喪未滿二十七月而除也大違禮意 類輯 續編

厚齋曰追後成服日計十三月行練祀又計二十五月行祥事則當以二十七月行禫是退行也非過時也 類輯 續編

屛溪曰經禮問答練條金㦂源說以聞訃月月除爲云云當從之 類輯 續編

竹庵曰閏月行禫今雖不敢違追服者之喪畢而必閏月而禫時王之制所不害則輪月之後與其兄 先滿者 同行禫祭不害爲從朱子之本意也 類輯 續編

洞山曰遂庵曰聞喪後時者若長子則聞訃日哭

問一月行祭若衆子則聞訃日哭除禫則過時不行聞喪後二十八月朔日從吉云此說未瑩禫祭何可再行而渠之所制何可不可當依月數卜日哭除可也過時不禫非此之謂也 疑禮 正解

服人追聞喪者除服之節

厚齋曰曾子曰小功不稅則是遠兄弟終無服也而可乎曾子之說如此韓文公辨說又曲盡人情則從厚之道稅服亦可耶緦服則當依例不稅矣雖緦小功亦有稅者喪服小記曰降而在緦小功者稅之註曰凡降服重於正服 類輯 續編

問朞服追服備要不論然聞訃若在喪出之月雖是追服可除於小祥日在踰月後則宜滿月數蓋以功緦追服必滿月不可以朞服而不滿月 朴龜源 陶庵曰事理如此 類輯 續編

竹庵曰緦服人追聞訃於晦日者當除服於來月朔奠矣 類輯 續編

又曰聞訃在死月之次月則當以聞訃月計朔除服 同上

屛溪曰既是稅服則與追後聞喪同無論朞功當自聞訃日服全服鄭說無容更評王說 服殘月之說 不可從 類輯 續編

問在緦服則當不稅耶 朴新克 櫟泉曰緦而亦稅則梅長更考經禮則曉然矣 類輯 續編

竹庵曰雖緦服之輕聞喪於三月之內則便當制服此則恐不可與論於稅服也稅服之云以日月則服已稅矣而追服之謂也稅服之義猶治亂曰亂 類輯 續編

問仲父退練在來月朞服之追聞喪與喪人同日者當除服於諱日耶抑與喪人同除於退練日耶 柳㮨而 老洲曰禮疏王肅云限內聞喪但服殘月限滿卽除而此說先儒已多非之況朞服尤異於功緦則鄭康成追全服之論實爲可據然則退練日除服恐爲得宜



南氏曰不但降而爲緦小功者當稅正服緦小功亦可稅也小功不稅之非曾子已言之通典亦言小功緦麻稅緦麻之稅亦明矣月數未滿而聞則當從鄭 玄 議服其全月己滿既久而聞則當依劉 原父 論服之踰月而除似合情禮蓋緦小功之稅與朞大功不同朞大功之稅不論月數之既滿與未滿皆服全月 備要 補解

梅山曰杖朞之戚聞訃於閏月之後亦當從成服之第十一月而練十三月而祥禫則過時不祭恐宜雖則過朞追行大祥之前不宜撤靈座仍行饋奠恐非可已喪服小記雖云朞而祭禮也朞而除喪道也祭不爲除喪然此以三年喪再朞行喪而爾至若杖朞之喪朞而未祥者何可處而行祭而撤靈乎追祥日入廟撤靈是爲得正 答宋 英老

按杖朞追服計成服月數十一月而練十三月而祥則十五月而禫恐非過時矣

又曰稅服當以曾子說小功不稅則是遠兄弟終無服也而可乎云者爲正鄭康成亦云若限內聞喪則追全服通典步熊賀循皆同鄭義而惟王肅以但服殘月限滿卽止立論庾尉之斥以求之人情未爲允愜至謂無殘月之制是符曾子成訓也然則追後聞喪者不拘服朞之已過不過追服其全服恐宜 答趙 秉德

立後追服

厚齋曰立後到後散髮易服一如初喪而行之家禮初喪條易服在既絕乃哭立喪主之下而被髮在其時聞喪條易服在於始聞親喪哭之下此可據而爲證 類輯 續編

鹿門曰長子次子皆死只有長子妻與次子之子而其父死則次子之子豈敢據自承重乎當急以此子立爲長子之子然後服喪 類輯 續編

問金進士漢衡死於去年四月其妻死於翼年十一月其爲後者發喪於所後母小祥日而所後父大祥在於發喪明年之四月當追

服三年否尹東慎 竹庵曰十一月爲後發喪時當兼服兩喪而兩喪變除俱在十一月矣類輯續編

問有人在遠地其妻在家族人喪家以其夫出禮斜則文書到後其妻當先受其服耶待其夫還而許久不服亦非所安李定稷 本庵曰恐合以其夫在外未聞訃例處之歟然未敢質言類輯續編

按公文到日倫紀雖定然此與本爲父子者不同其妻從服恐宜在夫還受服之日也

雲坪曰小記爲殤後䟽曰惟爲後之後如有母亡而猶在三年之內則宜接其餘服殤者所服之餘月 不可以吉居凶嗚呼何其悖理之甚也父子人之大倫也人子之服父母也何可一日不及於三年之制也是宜告廟成後之日更爲發喪追制三年之服以至二十五月而終可也何可以父母之重而兄卽殤死者 弟分服也又安得無自致之情而只由於以吉居凶之嫌也類輯續編

喪中立後告辭與附錄立後禮節參看

渼湖曰立後告廟之禮似當於成服後卽行之若不先告而朝祖時孝子猝然隨柩入廟則不亦太無端乎留待葬後之說恐未然類輯續編

問立後無告廟文何也爲告辭曰某代孫某無子以某親某之子某爲後云云如何尹東慎 渼湖曰來說有義意類輯續編

鹿門曰禮斜已到否告廟欲待卒哭則朝祖似甚礙不若日卽告而勿設酒果祝告云孝子某歿而無子謹依遺意以某親某之子某爲後今已啓下謹告伯春渼湖字 云喪人喪前謁廟終無依據朝祖時雖入廟置在從柩不必拜云云此言有理只告立後之由俟卒哭謁廟見似當類輯續編

梅山曰繼後子若已披髮奔喪則不可入廟自告服人當替告云云孫其歿而無後取族人子某爲嗣禮斜 命下方舉哀致告几筵告辭當云宗黨議定取府君族子某爲府君嗣公文已下今方舉哀答朴叔度



又曰爲後者旣是宗子則當自告公文到家之日先告廟而後舉哀恐宜當遵葬前告由不用酒果之例而用祝版告由不必列書輩位告辭云不肖某方爲先府君嗣子告君命下今將舉哀謹告先府君几筵而今將舉哀下添哀痛罔極四字恐宜答金希魯

按爲後舉哀者便是親喪之初何暇告廟告几筵乎服人替告恐宜

立後成服日五服相吊

梅山曰追後成服者成服日五服亦當相吊而無拜禮五服之不容入哭几筵爲其新立喪主有若告喜亦爲嗣子助哀也答洪遠卿

喪中立後改題可否與祭禮立後事祝及附錄立後禮節參看

本庵曰題辭題主者三年內立後成服日改題而告辭則南溪曰子某來繼今已成服敢以改題之禮謹告類輯續編

三山齋曰喪後立嗣者告廟則固當卽行而至於改題禮之大者也何可於喪中行之待新喪吉祭云者得之答洪伯能

立後追服練祥退行可否及撤几筵之節

屛溪曰三年之內爲後者以斜文到日爲聞喪日發喪成服以發喪日初再朞爲練祥以終三年而中間忌日則只設奠略伸情禮而已宋論三年六年几筵則不得撤於除服前而朝夕上食則再朞忌日停廢似宜類輯續編

南塘曰練後承後者追制其服以盡三年而几筵則當於喪出再朞而撤仍設虛位於靈座故處或廬於墓側朝夕哭臨以終餘月練祥禫變除之節亦不設祭哭而行之似可耳類輯續編

問小祥後立後則本大祥之日當撤几筵而喪主則究喪於聞訃之再朞日爲宜否宋必健 樸泉曰此是大疑禮自通典諸說以至我東諸賢皆未有定論陶翁於沛中一士人家從禮累詢於明欽對以六年撤筵終非禮意恐宜據禮祭不爲除喪之文喪後撤筵婦女除服而追服者廬墓終服變於除墓前恐爲得中云云陶翁亦以爲然而終不敢斷定今來論似符鄙見而亦不敢妄爲可否耳類輯續編

南塘曰三年內立後者母在則母自行其練祥禫子不可復行若母亡則無人主其祭初再朞只行忌祭待子之喪期滿後方行練祥禫而告廟出主祭之似宜類輯續編

鹿門曰喪中主後者練祥撤靈喪人受除喪服小記曰期而祭禮也朞而除喪道也祭不爲除喪也蓋自初喪生死與日餘件各異祭與除喪之示相爲其義一也六年几筵先儒皆深疑之陶庵則作爲題目逢人必問而未有定論鄙意小大祥則只當從親亡日計之而几筵不可延拖至於三年之外也喪人變服則只當從服喪日計之哀至之哭不拘撤靈與否几筵雖撤居廬於中門外自無妨如不得已廬墓亦可類輯續編

竹庵曰喪祭則以忌日過行而喪人內外則歸重於君命變除於斜文到月朔日似符禮意孝服人追聞訃於晦日者亦當除服於來月朔奠矣類輯續編

又曰甥姪安策爲後於同宗而追後受服矣以其忌日行大祥於今七月而撤几筵策受服在九月故九月朔哭而除喪將以仲冬行禫仍行吉祭於是月尊家事亦依此而行恐得之同上

問有爲人後者始於初朞受練衰欲再朞除之後聞其非且祥期已迫故來問云云李命 南塘曰當初大段失禮今雖爲說矣大抵公文到日卽當發喪成服今於初朞受服而再朞除之則是不服三年也服之練與不練又不可論也如欲追補自初朞始受服日爲服喪之始計滿二十七月而除之再朞前雖有數日更制麻衰而服之再朞日變除受練服三期日受禫服庶或近之然此出於臆見何敢教人行之類輯續編

南氏曰前雖已過小祥其後爲之子當更行大小祥申三年矣主人旣行三年則三年之內不可撤几筵几筵尙在則上食與否非所論也通典司馬操曰甲婦二周終訖何事三周吉凶有期何必顧景景甲之所後子 以此推之死者妻之先除其服無疑備要續編



性潭曰九翁答人書有曰長子未行大祥則几筵未可遽撤但如中原則或於三年葬事之時有始聞喪者矣几筵之設當至六年耶此甚可疑云云愚以爲所後子服喪者距喪月日不遠則其大祥不可遽撤几筵而當待除服之期矣其服喪或在小祥後則几筵之撤恐不當待除服之時矣答鄭在明

按自襲斂殯葬以至三年撤靈死者事也自始覺服以至朞而練祥而禫禫而纖生者事也議者每以死者事統言於生者事故變禮疊出若死者三年而撤靈生者二十七月而除喪則豈有許多葛藤乎然則立後雖在喪出近月不必待所後子除服而撤靈矣

近齋曰立後追服再朞撤几筵愚嘗以此質於渼翁答曰祭與服似不同答任靖周

老洲曰祭非爲除喪而除喪必因祭故祭以練祥爲名卽禮疏所謂除喪與祭同時總而言之者也然此指禮之常節而言若是變禮則合有隨處商量也如有故而退祥如三年而葬者必再祭者如臨祥而有疾病或重喪而退祥者 者除喪勢須隨退而自成一串事可與祭同時也如二十五月喪期已滿而只以孝子追服未盡而退祥者是專爲除喪設實非祭非爲除喪之義恐難與有故之禮照例也如此者須取不相爲之文禮註 分爲兩項事而兩盡其義則庶無多少窒矣上同

又曰農翁以爲三年之外仍存几筵朝夕上食在鄙意終覺未安陶庵以爲立後者過祥後撤几筵係是變禮之大者累年商量才以几筵先撤爲斷矣兩賢之論若此撤而行之庶不至大悖而若其撤筵之後持喪之節往廬于墓朝夕哀省以終三年之限如或不得往依墓下則設虛位於舊日几筵所設處行朝夕哭泣之節擇於斯二者恐可爲處變之道矣上同

又曰朱子曰月實數之訓蓋謂在外聞喪在於同月之內者不可與在家諸子同除於本祥日必滿其實數而除也非爲祥祭而發也今者喪後幾周而立后者旣以喪期拖長先行祥禫而除喪則必以發喪日爲限未可謂實數不滿也外除雖大節二祥外又爲變服設祭非禮也答李

經部 第十冊 禮疑續輯

梅山曰追後立后者練祥本日祗設殷奠以泄哀待嗣子服喪日行二祥變除撤靈矣近古諸賢據喪服小記祭不爲除喪之文原忌日行練祥如禮再朞入廟以祭與服不同也（答金幼善 與吳在斑）

又曰所後子追服後當計二十七月之期而行禫變除如禮此與並有喪者前喪禫祭過時不舉者不同也（同上）

梅山問追後立嗣者初再朞當準禮行練祥而撤靈有亡者之妻若在室女亦當爲之行禫繼後子則居廬於中門之外或廬墓以終三年而變除則當從服喪日已矣若無應三年可主練祥者則初再朞亦當行練祥而所後子主之否南塘謂初再朞只行忌祭時所後子喪期滿後方行練喪禫而告廟出主祭之斯言如何既云祭不爲除喪則雖無亡者之妻若女初再朞嗣子當行練喪服喪之初再朞則只當哭除中月而禫變吉祭則如常禮恐得未知如何襟溪曰小記除喪之文雖有先輩之援而爲證者而其實除喪與祭固同時也則神主入廟之後豈可名之曰練祥既立練祥之名則亦何可出已入之主祭之若忌日耶愚所以名只停饋食云者蓋五六年筵几之設只行不得者卽朝夕之饋也神主權奉正寢使新立之喪主日再展省哭以寓哀似無大悖於禮若謂存其几筵不當停饋云則古禮卒哭後不復饋食於下室此可爲旁照未知如何若因小記一句語以除喪與行祀之節判而異之則誠非愚之所敢問也

按除喪與祭終始兩般事則初再朞依禮行練祥嗣子則待服喪月數滿而變除恐宜而禮大功者主人之喪有三年者則必爲之再祭再祭練祥也若無三年者雖朞而設祭是爲忌祭不可名爲練祥如此者隨嗣子喪朞退行練祥似可矣

柳氏曰先師曰喪中立后几筵撤否未有文明然立后承服將以奉筵几而練祥未行筵几遽撤則烏在其爲立后也夫几筵仍存與未練撤殯均之爲變節而仍存之未安恐不若遽撤之爲尤未安也（常變通攷）

梅山曰立后於喪後而畢祫於禫月者妣位祝不當用罪逆不滅歲及免喪兩句改措以顯考喪制有期今以吉辰式遵典禮將配于先考諱以云云恐宜（答金汝行）

立後追服兩喪者成服先後

本庵曰爲人後者並有母與祖父喪追成服先後陶庵據問解有說而恐亦成服爲是（類輯續編）

問從弟親定繼後子欲待禮斜啓下發哀柩前四日成服而亡從弟昨冬先喪其配矣以輕重言之父重於母以先後言之母喪先於父喪未知何喪先舉哀耶（李可用） 梅山曰爲後於父母俱沒之後則以公文到日爲俱沒之日而當據一日並喪之例一時舉哀喪之先後非可論也舉哀於父之柩前而成服則先重後輕可矣

襟溪曰入繼於父母俱亡之後則無所於屈者誠得終後之義而爲後制服一遵始死之例則禮當先受母服繼又成父之服方其母服之先也用父在之服可乎直用三年之服可乎此係節文宜有以辨之也（答梅山）

梅山曰亡者內喪既過十五月之期已撤靈矣嗣子不當爲所後母追服喪畢故也（答朴叔道）

親喪中出繼者改服之節（服中出繼本服仍遂並論）

問有人遭父喪未葬而宗母死仍爲宗母後立案出後卽當奔哭於宗母喪被髮四日成服而成服之後又當哭於生父几筵脫斬衰改着朞服齊衰耶（洙問呂） 陶庵曰此一節固是變禮之大而如來示外恐無別般道理（類輯續編）

屛溪曰曾於外舅朴公葬後始定所後其爲所後者適持父斬既斬於所後則不可仍服舊斬所後父奔喪成服後卽歸生父喪衣文告其由卽脫舊斬問解朞大功不可降之文不當與此比論蓋無二斬之義宜故也第爲人後若在舊斬練前則脫舊斬之日當更製朞衰而服之俟其初朞而除之可也（類輯續編）

問通典庾蔚之曰凡服皆以始制爲斷然則出後子禮斜到後本親五服皆當遂之乎（李定載） 本庵曰庾說固如此而尤庵有云父喪中



出爲人後者當卽日改服朞不可以一刻貳也此論甚嚴不敢不從則於餘親服獨從庾說得無班駁乎陶庵又云禮貴別嫌義在重統不可不改服此則指五服言也未知如何（類輯續編）

洞山曰南溪言立後告廟後其本親服似當仍遂如喪服小記既練而返則遂之云云此說大謬斷當立後啓下之後卽當除而爲心喪人不可以貳本也（疑禮正解）

按南溪以男出繼同於女出嫁故其論如此然出繼異於出嫁尤庵之論十分嚴正矣

出繼人本生親喪追除之節

近齋曰支子則聞訃日只哭除而已不敢設祭是禮也支子猶然況出繼者乎生父服禮家同之於伯叔父服所異者特心喪一節耳然則出繼子於生親服變除只當依朞服人之例朞服人追後聞訃者若用沙溪問解從死月計之之文則尹喪人雖於其生父亡日除服似無不可而南溪以縮月爲嫌不從問解說而論以朞以上自當用年數之制據此則尹喪人當於聞訃日除服在擇而行之也（答吉源）

出繼後所後家諸親追服當否

屛溪曰服從祖未五月出繼於從祖叔父者禮曹公文到後卽當告由於所後祖几筵脫小功服而卽服朞出嫁女三年內被出則繼服本服再朞而除之禮也當旁照於此繼前服至初朞而除之也（類輯續編）

竹庵曰爲人後而追服於七八朔（喪甲八朔）則其爲後者之子亦當追爲朞服（類輯續編）

庭門曰爲人後者父母喪外元無追後加服之事（類輯續編）

問出後者斜文到後所後家五服服未盡者自是曰追服而終月數否（李定載） 本庵曰通典荀伯子謂不可追制尤庵亦言當準喪服小記生不及祖父母諸父昆弟不稅之例矣（類輯續編）

墅坪曰爲人後者追服所後祖母喪前賢未有論其當否者第念家禮不責人以非時之恩凡服皆以始制爲斷故記曰爲喪後（出後爲嫡）者以其服服之既以其無服而不服矣既於兄弟不服則祖父母同然（類輯續編）（答弟若）

性潭曰人之出繼若在於其所後祖考妣伯叔父母小朞前則恐當稅服盡月數（答權時游）

梅山曰繼後子爲所後父之生父當進服大功然未出繼之前既以本服服緦服已盡詎可更服大功乎（答李在慶）

又曰胤從稅服一節更考通典荀伯子曰設使所繼者是絕服之親而繼父有兄弟服未周豈可追服伯叔父服乎（荀說止此）伯叔父朞服也猶不許追服況小功乎禮無緦小功稅服之文其不當服也決矣昔有出后於人而所後家子死未久所後子問追喪與否於尤翁尤翁引小記鄭註說生不及者是已未生之前已沒之文而曰今此所後家之子死在於己之未及出之前則當準以己未生之前已沒之例不許追服斯言正好遵用耳（上仲舅）

按出後者所後朞功以下之親死於己未出後之前則可援生不及之文不爲追服而祖父母則正統服也若於限內爲後則恐不可不追服也

出嫁後夫黨諸親追服當否

問內弟李坰數昨始後娶其妻於慈親喪當爲小功而月數未滿今始追服否追服則只服殘月耶嫁後追服一欵甚疑晦欲以出繼子追服例斷定而輕重不侔云云（金） 厚齋曰既嫁之後以夫家歸重而又在月數未滿之內又是夫之親姑則依賀鄭說稅服恐無妨只服殘月則非功非緦又似可疑所謂小功不稅者在月數既滿之外恐非今日之證（類輯續編）

又問叩諸金仲和則答曰生不及祖父母諸父兄弟而父稅服已則不服鄭氏以爲不責非常之恩於人所不能夫以正統旁尊之朞

而尙以未遑事不能追服況於未遑事之失之姑而可以追服乎云云厚齋曰喪服小記喪不及祖父母註所謂不責非常之恩於人所不能者以年月已過者言也今日之事乃以月數未滿者言也註說旣以年月已過謂不當稅則年月不過者當稅可知若以不責非常之恩引而爲言則是以年月已過之禮用之於月數未滿之服恐未爲當況此註說北齊張亮猶疑失小記本旨而沙溪亦以爲可疑則先輩之意又可見矣 同上

按出嫁女與出後子不同出後子爲所後諸親稅服尙無其文況出嫁女子乎恐不當追制矣

親喪久後追服

屛溪曰追喪旣是過於禮者禮貴中正何必於過處行之況有程子所論何敢不從情雖無窮決知其過矣 類輯續編

又曰禮不許追喪若於舊日回甲之時起居服食之節稍變於常時以寓心喪者間間有之金判書有慶幼未服父喪其父忌回甲先於墓下搆數間草廬忌祭罷卽往其父墓號擗一痛以布衫布帶黑布笠屈其草廬寢食几床席衾枕器皿皆去華采先世忌祀外不至家一期前朝夕上墓哭期後不哭而拜其間屢年除 命皆不仕以終三年神氣不平則一器內饌略陳之其後鄭叅判匡濟亦行此禮而一朞而止耳 同上

老洲曰追喪之節禮無其文先儒亦皆非之不敎輕議然哭擗服衰果反不近事理不可徑情而行也至於心喪則古人開此一路者本爲不得以禮者得以自伸也今旣不得行服喪之擧於禮制之外而只是情理迫切不忍昧然自其衣服起居以至需世應事稍變於平日亦是至情之不得已爲得而禁之哉金判書有慶之黲布白衫朝夕上墓哭三年不仕者誠似過矣而亦可見其情之哀痛惻怛雖謂之高於人一等可也大抵是禮也不可一切立制硬定年限使人通行惟在當人自量追慕之所至毋論三年與終親死之年自盡於其中而已朱先生之但許其意亦近厚而不言其儀文者竊恐以此也退溪尤庵之峻斥者亦皆以追服而言恐非謂並與心制而不可爲也 與梅山



剛齋曰追喪幼孤者或有行之於遭喪周甲者而先賢之論皆以禮無可據非之況又非遭喪周甲者耶先賢所非之者求其合禮何可得也 答柳敬基

梅山曰追服非古也以故孔子三歲而孤至不知父墓所在孟子亦早孤而未聞追喪故不見于禮然當親沒周甲有未忍昧然無事禮有心喪既不得服喪於禮制之外則惟心喪可以自盡故前哲亦開此一款天理人情之斷不容已者也三年則恐過於禮當朞年而止耳喪回甲日當告墓擧哀告辭云惟歲次云云孝子某官某敢昭告于顯考云云顯妣云云之墓不肖生孩幾月顯考捐背孩稚呱呱不克包哀荒酷痛毒昊天罔極下世甲子一周今因喪餘之辰追行心喪之禮泰稽往禮用寓哀慕謹以酒果用伸虔告謹告服色或用嶺陽子或用白布笠而旣遭心喪禮則心喪笠帶皆是黲布追喪當用墨笠帶也心喪服棘布直領則追喪亦同笠既用墨色則纓當從笠屨亦用白皮不害於心喪而未者用麻也追服者褻褻無從夫服之義而夫旣心喪則不可服華盛如平時恐當用玉色衣裳待夫除心喪而服吉爲子弟者亦去華盛之服以終朞如華褻恐宜追喪者當朝夕哭臨於墳墓而無墳墓可留則即所居而設虛位哭朝夕是爲義起而恐不容已也若名以追喪而廢所洏哀是皆所以循至情之自然哉心喪之名者身無衰経之服而心有哀戚之情也自起居飲食以至需世接物皆變於常則然後可以挍心而嚴內外之防斯爲心喪之第一義也追喪期服恐難周定當人自量追慕之所至或三年或朞年或止親歿之年自安於其心已矣至止親歿之年則當受心制於是歲之元日與歲俱除恐爲得正而旣不能乃爾則受除於親歿周甲之日至翼年忌日而服吉恐宜相稱以上忌墓祭當準禮行之時祭則當停心制中不可擧盛禮故也

爲母追服繼母之子不當隨兄追服

梅山曰爲母追服爲其當服而未服也繼母之子爲前母追喪名義無當豈可隨兄而爲之乎

主喪嫡婦追服聞訃日行祥祭

近齋曰聞訃日行祭一款既是適婦主家則似當依適子之禮而死日設其聞訃日行小祥且其家若欲於死日行小祥則無變服之人不成小祥祭矣其勢不得不追行小祥於主婦聞訃之日也 答吉源

朞功以下稅服當否

蔡謨以爲禮大功猶稅況此三親 祖父母諸父昆弟 情次所生服亞斬衰雖不相見或者音聞時通而絕其稅服豈稱情乎夫言生不及者謂彼已歿己乃生耳豈時同時並存之名哉若鄭說不以生年爲主但不相見便爲不及則卽復可言生不及孫生不及子兄復生不及弟也此之不辭亦已甚矣鄭見禮文有弟弟不得先己生不知所以通其義故因以立此說非禮意也吾謂此直長一弟字耳 常變通攷

柳氏曰喪服小記生不及祖父母諸父昆弟而父稅喪己則否王氏肅云昆弟謂諸父之昆弟者是矣何以言之蓋祖父母昆弟謂伯叔祖父母也諸父昆弟謂從伯叔父母也於己爲小功之親小功不稅謂此爲若爲正體至親之朞則可不稅乎 學禮遺小

代服

父有廢疾子承重

唐荊川答汪生曰禮經有爲曾祖後云者謂若父與祖或以疾廢與先曾祖死者爲高祖後云者謂若父祖曾祖或以疾廢與先高祖而死者爲曾祖後則爲曾祖斬爲高祖後則爲高祖斬 讀書箚記

本庵曰父有廢疾不能執喪而孫爲之攝主自可無闕禮何必代服然後可哉朱子答者傳之文尤可疑蓋老傳禮有是說而節文不可考然亦以古之無傳禪而知其不過如攝政也朱子之答旣言也難行若告廟文所謂屬之奉祀者安知不亦是攝而謂直改換嗣



主乎於其難行之說而益驗父在代服之亦爲難行耳原夫尤翁之論本爲朴和叔主張援引之甚力而偶欠細勘也同春說二條雖無甚證辨恐大意得正可從無弊耳 類輯續編

梅山曰父在爲祖服斬卽因天子諸侯父有廢疾不任國政不任喪事而云爾以故勉齋續通解天子諸侯正統旁期圖說父有廢疾孫爲祖後亦斬衰三年而後儒有云鄭志雖專爲天子諸侯而言然臣庶之家父有篤疾不能執喪而子代父執祖父母喪者宜均用此禮尤翁南溪之所施於閔愼家變禮者也帝王家事不可爲證只宜以本服攝祀者春翁說恐爲得正 答趙秉惠

父死喪中子代服

月塘問祖先未葬又遭父喪則長孫當主其兩喪但祖喪既出於其父生時孫已遲朞未知以朞服仍爲將事於祖喪耶父死後既爲承重而以朞服將事似爲未安沙溪曰退溪先生雖未見儀禮通解而其立言亦不違 但宋敏求朞年後不 追服之說未知 合當與否 類輯續編

儀禮通解曰石祖仁 宋人 祖父中立死未葬其叔從簡爲父後而又亡祖仁請追服博士宋敏求議曰服可再制明矣已葬未葬用再制服折衷情禮云則適子凡追服祖父者父亡在期內 祖喪期內 已服未除則因變服節未葬之虞既葬之卒哭期之練 虞卒練古者皆受服 宜成斬衰以終餘月三年若期已除而吉服 言祖服既吉後還父喪也 宜用女適人被出已除本宗降服 在嫁時所降之服 不得追服之義明矣 言祖喪期後還父喪則不當服斬也

退溪曰父死服中子代其未畢之喪此事古今多有而古無言及處者未知何故而今難說矣但若以追代其服爲不可則其未畢之喪或葬或虞祔祥禪爲孫者豈可付之無主而坐視不行耶如既代其服則返魂及祥禪之祭恐不得不服其服而行其禮也 服籍所載沙溪答同春條引通解及退溪說頗不同於此而大意則同也

厚齋曰嘗聞先師曰古者受服有節必在葬後及小祥故宋服制令曰小祥後申心喪蓋以小祥已過無受服之節故也今則退溪使

於朔望朝奠行之受服 尤庵亦以爲後喪成服後翼日卽受代服爲可 答李世弼
問父死喪中其子代服當於何時受服 李正倫 屛溪曰沙溪則曰喪在葬前於葬後時受服喪在葬後於小祥受服蓋用通典說也尤庵
寒水兩先生則以爲承喪雖重承重亦重當於其父成服日卽受所承重之服鄙意每主下說果未知如何 答尹毅叔
鹿門曰父亡在祖喪大祥前則雖一日不可不代服其餘日而若在大祥後則已之可也 同上
雲坪曰疑禮問解問祖喪未葬又遭父喪則長孫當追服其祖三年否答曰疑禮經傳通解之說可據但亡者練後則只伸心喪云者
未知其合當否也謹按通解宋敏求議與宋服制令二說皆甚苟且穿鑿不成義理且其言本爲當時之法只據任之於叔 答仁與叔姪
也弟之於兄也曾不關於家禮宗子之法也曾不說及於子之於父亦然也先生沙溪獨奈何槩括斷補使其合於宗子法而成爲子
於父之禮載於備要著之此禮問解乃以爲可據也蓋嘗聞之父死未殯而祖亡尙爲之服周者不忍死其親也則亡祖之時父生存而
爲服者今何可於一朝遽變其喪而私自代重也不瑕於死其親乎且既承重則祖父母父母同也於父母之重喪其所以服之者乃
不及二十五月遽然變除於忌祥之日 父之餘日故云耳 人雖不短喪曰夫何所信者故庾蔚之曰父爲嫡居喪而亡孫不傳重 答鄭經韜
又曰喪中死而其子代服爲疑庾喪服傳云父卒然後爲祖後者服斬記云父死未殯而祖死服祖以周父尸尙在人子之義未可以
代重也庾蔚之解之曰父亡未殯同之平存是文爲傳重正主已攝行事故繼公曰惟祖後于父而卒乃爲之斬傳記註疏莫不如是
而今世士大夫皆因問解偶失照勘之語忍爲死其親而代其重殊非未斂喪入自門外自阼增以生奉之之義也 同上
非敎民追孝爲防甚嚴之義也 同上 問祖母喪既殯父亡葬時題主何以爲之雲坪曰所謂父爲傳重正主已攝行事者題主則稱顯妣
從正主也無旁題已告喪於前喪几筵也祝辭稱孫稱祖妣從攝事也 家禮增解
按禮曰之死而致生之不知祖母與父既俱亡而祖母題主若以顯妣則不幾於致生之不知乎

李氏曰父喪後祖死固當承重祖喪後父死恐不當代重也通典所謂父爲嫡居喪而亡孫不傳重之說及賀庾殯未殯諸說最有合
於象生之意又不害於傳重之禮矣禮曰父卒然後爲祖後者服斬未問祖卒然後爲父後者反服祖以斬矣其主代重之論不過曰
無祥禫曰遂父孝云而無祥禫已有同春之明辨遂父孝之說又不必深拘也若不代重而以題主爲疑則當稱祖考而以孫某攝祀
爲旁註喪畢後改題孝孫奉祀似可 家禮增解
竹庵曰儀禮喪服傳曰父卒然後爲祖後者服斬據此則子在父喪而亡嫡孫之不接服其理甚明若父亡於祖喪葬前則先過祖葬
以長孫名題主而若其三年之服則長孫之父已服之在長孫實無更制衰三年之義矣所謂傳重者以服之輕重而言如大傳所
云云也蓋父死於祖之生前未及服三年之喪則若其子可以傳三年之喪重者是之謂傳重今父已服三年之重服而不幸未終喪
而死爲是父之子服父之三年便是接祖服之衰也若謂父未終三年喪而服其餘日則當服父所製之衰裳如尸服卒者服之爲節
此既無謂父之所忍也若更製衰裳則父既服重子又服重不歸無義也服制令小祥受服似近矣而祖恭終而受三年猶之功衰反
不如近世父喪成服後卽受祖服之猶爲有說也所謂 服制令所謂也 小祥後申心喪說則是不知父子爲一體而服未終喪之父三年 服字疑於
此便所以服祖三年其哀慼之心不可分祖與父皆也 不知之甚止此 父喪中祖祭自虞而至祥皆當用攝告之禮而祭不爲除喪則祥祭自
祭除喪自除喪以父斬行祖祥本無所礙古禮除服在行祭之後而後禮除服而行祭則有若祭爲除喪也來示所謂行祀而無祥 無可
除之祭故云無祥也 云者未究禮之本也以此以彼接服之禮無經據朱子豈不曰而今喪禮須當從儀禮乎 類輯續編
又曰子在父喪而亡嫡孫承重古禮無文而退服前留置喪服以事亡如事存之意 類輯續編
又曰首衰不補綴猶非禮況更製乎此所以古禮無代服之文者也以主喪而無服爲疑則禮大功者主人之喪猶爲之再祭況在斬
服之孫乎且無主者東西家里尹主之則不必主喪者有服也至於題主則父既不在已以孫代父主祖母喪以祖妣題主勢恐然矣

父亡於母喪葬前者南溪尤庵皆令其子以顯妣題主而練祥仍如父在倣此以行如何 同上
又曰喪服傳曰父卒然後爲祖後者服斬若父在而爲祖三年惟天子諸侯爲然是乃臣服君也非以承祖重也閔禮之用朱子服議
非禮之本意 同上
問代服衰朴丈健力言當仍服亡親當衰實合於有所不忍之意云云 崔敏學 厚齋曰代服衰改製無疑朴說雖從亡人當衰見問解疑
條服中身死下小註退沙兩先生之說已卯諸賢之說甚詳考而行之如何 類輯續編
檗泉曰代父服祖者當於父喪成服日別製衰麻成祖服於祖几筵其父生時所着之衰服留于父之衰筵其祖祥後撤去而已 類輯續編
問喪中父死其孫代服神主旁題以父名而其祖大祥小祥稱以孤孫不亦未安乎 韓師朝 厚齋曰具由先告 類輯續編
黎湖曰父喪在於祖喪未練之前者因練受服具有古人成說獨其亡在練後者前頭只有行祥一節而祥則三年方盡無緣更受代
服故宋服制令定爲申心喪之制以待喪畢而爲孝子身上既恒持斬衰之服則爲祖心喪之中將何以處之乎以此言之則雖在
練後恐更受服爲是鄙意則於父喪成服日並製祖服似無不可 答洪子敬
三山齋曰代父承重古禮雖無文自通典諸儒已有所論而今行之久矣豈容異議於其間耶其代服之節則宋時禮官引女子嫁反
在父之室爲父三年之禮謂當因其葬而制斬衰 亦見經傳通解 此說固有義意而尤翁則以爲父喪成服後當祭其祖此時當何服耶以此
知服父服後卽服祖服之說爲得也 答朴淑欽
近齋曰鹿門丈所論以承重爲代喪者雖似俗語而實得禮意之云以服終月數之義觀之誠似宜然而嘗見遂翁答屛溪書以代父
服喪爲俗說只以爲祖後言之 答任靖周
又曰曾見厚齋集云尤庵先生以成服後受之爲當已有老先生成說何謂自吾鑿割說耶 答任靖周

又曰父在喪中亡則服祖一款尤翁以爲當代服遂行無疑沙溪說似是未定之論蓋祖喪不可一日無主代服爲重不忍死其親之
意於此爲輕故也朔望朝奠時受服卽退溪說然尤翁以爲後成服翼日卽爲代服當以此爲正 答李欽齋
又曰受服時當告于兩代几筵而壙墓則不必告矣 答李欽齋
老洲曰再朞雖過有故退祥而父亡則未行喪祭之前便是未終喪喪不可一日無主適孫爲父後者恐當代服以終喪大抵代服自
是變禮先儒之論雖或參差沙溪尤翁之說最明的耳 與李氏
梅山曰當承重而承重者何待既葬何待朔望父喪成服後當卽服承重以喪不可以一日無主也或云小祥或云朔望或云成服翼
日雖出於先儒恐難從惟尤翁說父服成後不待朔望卽服祖服是爲不易之論也承重衰服恐當新制不可襲父之舊蓋喪中死者
設衰服於靈座故耳兩喪告由無前賢所述而亦不容不告祖喪當云先考以某月某日喪逝今日成服不肖準禮代服哀隕罔極謹
告父殯當云顯考持喪未終小子準禮代服哀隕罔極謹告告由時不用酒果恐宜 答金元博
洞山曰庾蔚之謂猶父爲適居喪而亡孫不傳重沙溪以爲此似引古證今之言而不可攷蓋此非古文也只是當時通行之例而庾
乃引之也以此文句或者遂以爲不當傳重如桐江說大段立異於尤庵然事理不當然也苟以父心爲心則何可不承重 答鄭正解
梅山曰通典曰嫡子未終喪亡嫡孫承重亡在小祥前者則於小祥受服在小祥後者則申心喪並通三年而除門下等齋得此段如
何愚謂嫡孫承重者當於父喪成服訖告由兩靈座仍受承重何待小祥而後受服哉小祥前喪葬奠之祭其將無主而行之耶祥
祥後未可異斂而其所謂申心喪云者尤不成說矣 上顯西
又曰母喪中子死者其子祇當接服其餘月而已非如承重者之服三年然告訃當加承重二字示別於服母祖母之喪吊慰亦當凡
承重禮答之也亦叅 答宋文益

又曰父喪在於祖喪成服之前則祖喪第四日準禮成服而服之以朞待父喪成服方爲承重父喪成服訖更爲祖服斬始之服朞者以父死未殯服祖以周之義也終爲服斬者以爲父代服也有事則各服其服而當持祖服答李中舒

問服制令適子未終喪而亡適孫承重亡在小祥前則於小祥受服在小祥後則申心服並通三年而除沙溪曰亡在練後只伸心喪云者未知合當否也尤庵曰父喪成服後即服祖服爲得也陶庵曰喪不可一日無主其子爲父代服斷不可已按諸賢說與服制令不同從何爲得耶答李普夏華西曰諸先生皆主受服代喪之說恐不得不從

代服退祥者諸父變除

南塘曰祖喪中父死適孫代服者雖在練後父喪成服後即爲祖喪成服服其餘日通限三年而除之與諸父同祖祥若在父喪葬前則退行於葬後而諸父亦不敢先除有故退行與閏喪先後不同也通則朞過則祭不過則不祭此亦諸父同之書就當稱哀孫類輯續編

鹿門曰嫡子未終喪而亡嫡孫承重亡在小祥前者小祥受服在小祥後者申心喪沙溪疑之故今之知禮家引喪服疏接服之說而服其餘日已成通行之禮今適子死於父喪再朞之月嫡孫父喪成服祖服葬後可行祖祥祭而除也諸父亦待葬後祥而同除也類輯續編

問父死喪中子代服者前喪小祥日諸叔父變除之節洪載近齋曰此與主人在外聞喪者聞訃日行祭除服者不同則不必於喪出日略設祭奠而況新喪之殯在同宮且主人是父喪未葬之前乎雖略設恐不可行只告由而諸父先除似宜

梅山曰大祥既退行於父喪葬卒哭後則雖過二十五月之葬而當用未祥之例雖死於二十七月之後几筵未撤衰絰在躬則便是未喪而死者也焉有未祥之喪而無主人者乎當論既祥未祥不當論葬葬否然則其子之承父服祖何疑之有父喪卒哭後當卜日行祖母大祥其諸父可該以喪葬已盡而未祥而先除耶當於其兄卒哭後卜日行大祥借兄子承重者而同時除服已矣其兄追



後成服則其弟先滿先除者固有之矣所謂先滿者祥朞之謂也若夫金氏所謂初定十九日非祥期也不過國哀卒哭後初丁而已有甚義理而必於是先除耶先滿先除之文恐非可證也答朴元得

又曰祖喪中父死嫡孫承重者祖喪吉祭當依父喪之畢而承重者諸父則當待禫吉月丁亥日設虛位變除矣雖則變除考妣之主猶未配也仕者舉考待兄喪畢考妣合櫝行祫而後以出以赴如何上中洲

父在殯遭祖父母喪承重當否祖在爲父殯前祖母杖朞

沙溪曰所謂父未殯而祖父死服祖以周之說恐當疑之承重祖服只服朞年是無大祥又不行禫祭若無後之喪可乎然古人之論如此何可輕議類輯續編

同春曰通典虞喜云服祖但周傳重在誰庾蔚之曰父亡未殯同之平存是父爲傳重正主已攝行事無所闕虞喜所云正如先生所疑而據庾說大祥及禫孫當攝行不可闕也類輯續編

又曰通典云禮大功者主人之喪猶爲之練祥再祭況嫡孫乎若周既除則以素服臨祭依心喪以終三年遂徐據此雖以素服終三年其行祥禫無疑矣上同

屏溪曰父喪雖未殯祖母死則承重不可已也類輯續編

渼湖曰父喪未殯服祖周載通典今見問解並有喪餘沙翁已疑之南溪則引朱子服喪代服之說其義可見類輯續編

本庵曰尤翁已有成父服即服承重之論矣陶庵說父喪中祖死者無論殯未殯皆服三年恐不可易類輯續編

鹽坪曰疑禮問解沙溪曰通典父未殯服祖以周愚以爲只服周則是無祥禫其可乎竊按是無祥禫此何敬也二祥是爲死之祭也大功者主喪猶爲之再祭況承重乎且齊衰者無亦何害也喪服小記曰期而祭禮也期而除服道也祭不爲除喪也通典賀循曰喪服記父死未殯而祖亡服祖以周既殯則三年父未殯服祖以周者父尸尙在人子之義未可以代重也虞喜曰服祖但周則傳重在誰庾蔚之曰父亡未殯同之平存是父爲傳重正主已攝行事無所闕謹按古之禮葬前全以生事之父尙在殯而遽承祖重恐非情禮雖然於古無明文賀氏之論想必有所依本類輯續編

竹庵曰父死未殯而禮死則其父未及成服已實承祖父之重當服三年賀循庾蔚之等服周之說無稽也當從虞喜說類輯續編

三山齋曰父死未殯服祖周通典說雖如此朱子家禮則只云父卒爲祖三年初不論殯與未殯今人若從家禮則無許多紛紛矣沙溪雖以通典說載之備要然其答同春書則以爲只服朞年則是無祥禫可乎尤庵又據沙溪此書謂通典未得爲定論而先王之言如此則不待旁引儀禮疏而後可明也近世遂庵陶庵亦皆以通典爲不可從而陶庵說尤明備錄在別紙以備參攷耳答李明叟

陶庵答柳采書云未殯則周固有賀循說而此非先王所定之禮不無可疑夫喪不可一日無主若服祖以周則周之後祖喪便無可主之人是雖出於不忍死其親之意而父亡之後不得代其躬而盡三年之制亦非所以順親之心此於天理人情至爲不安恐意則父喪中祖死者無論殯與未殯皆服三年恐爲正當道理

老洲曰父死未殯服祖以周者蓋以不忍變在爲說耳然禮意未必然祖喪無主大不可故先賢之論皆以承重爲正父死喪中者適孫亦接服皆於父喪成服即受承重代服此已通行無可更疑若因葬與小祥改制受服此本指嫁反者非可擬於爲祖代服此論禮者之過也答俞大任

梅山曰愚謂一時之間父先亡而祖後亡則亦當承重三年不忍死其親之意施於此說不去也至父喪之主在祖喪不爲之主其可乎故曰雖死在一日當承重已矣賀說與喪服父卒則爲母疏賈說同是曲解爲祖爲母并服三年然後可以合天理恔人情禮疑從厚非謂是耶上潁西

問家禮杖朞條父卒祖在爲祖母通典父死未殯服祖以周然則嫡孫祖在父卒未殯前服祖母期既殯則當服杖朞耶然承重之義甚重無論父殯前後依家禮服祖母杖朞如何趙德鳳渼湖曰然

爲曾祖五月服盡後祖死承重代服

問曾祖喪未祥又遭祖喪而其父已歿則曾孫當主其兩喪但曾祖喪既出於其祖生時而曾孫已除小功當依儀禮通解宋敏求後則更不制祖父母服之論更不得追服耶若不追服則其未畢之喪或祥或禫爲曾孫者豈可付之無主而坐視不行耶李在梅山曰父子祖孫一體也祖歿曾祖曾孫即父子曾祖歿高祖玄孫亦即父子是以爲之承重三年曾祖死喪中則亦爲之接服接服之說出於喪服疏而已成通行之禮蓋喪不可一日無主祖死喪中則適孫承重者祖喪成服日服曾祖服是爲代服即承重也乃承重中承重也勿論未練未祥祗當服殘月通計二十七月之期而除之已矣即受重以代服代服以斬衰則本服小功之已除未除亦不足論宋敏求引適人被出者已除本宗降服不得追服之例爲祖期除後遭父喪不得追服祖之說而出嫁女則無重可傳不足援固也至若代喪者承重爲大則可以輕服之已除而不爲之代服乎此而同之恐涉牽理不可從祖喪雖在曾祖之大祥前一日曾孫承重者亦當代服其餘日而即在練後則當受練布功衰陶庵亦云當以練制處之首絰一段亦無可問然則初不施首絰恐宜曾祖改題當在祖喪畢後則曾祖大祥祝宜用曾孫屬稱受服日既以代服告由于兩喪几筵大祥前日亦當告行大祥于曾祖靈几也題祝屬稱之不倫非可拘也禫是吉祀非可行於喪中務待祖喪畢則已適時矣過時不禫是禮也並服曾祖祖兩喪承重者未葬當服祖喪斬衰則斬衰未葬不敢變服之義也既葬當服曾祖練衰則所謂當持重服是亦執殺之義也

嫡孫曾祖在爲祖母承重當否

洞山曰曾孫遭祖母喪而獨曾祖在則曾孫當承重以其代父服也其父若在則不以尊在而不服母三年故今代之承重也小大祥

依例行之祝辭則曾祖主之故不用例祝也曾孫三年則不撤几筵可知（禮疑正解）

父在母喪身死者其子代服當否

襟溪曰父在母喪者喪中身死爲其子者似當依承重孫祖在爲祖母之例不可不代服（與梅山）

次孫代服

問有人其子早死有二適孫其祖死長孫承重小祥後其孫又死次孫似當繼服而其長孫既以童子死則不可謂承統次孫似不可接服服其殘月更服三年似宜（尹東聚）渼湖曰雖兄弟於此服恐無不可接服之義（類輯續編）

近齋曰次孫承重一款沙溪及南溪皆欲從范宣說范說卽以次孫服喪爲是者也盖以支爲適雖云嫌疑祖喪無主亦係重大既有衆孫而無爲之服三年者似甚不可次孫姑爲服喪承重待異日長孫立後告由歸宗恐爲變禮中得正者

又曰代父受服者因葬制服既有宋敏求議服制令所定今次孫承重者受服亦當於啓殯日爲之

又曰次孫服祖母喪而主祀則其長兄之妻似不可服三年如承重者之妻未知如何其夫雖未嘗承重而死如有其子承曾祖母重則爲代序之相繼服夫之祖母三年當依所從者歿亦服之文而此則不然其夫無子其夫之弟既以次孫承重則已是移宗矣雖是長孫之妻似無服祖母三年之義且次孫既已書旁題孝字又不使長兄之妻服喪而他日猶有歸宗之義耶（答任靖周）

又曰沙溪答趙竹陰之問不以次孫承重爲非而只論他日歸宗當否且答黃宗海之問曰長子無子而死次子之子奉祀可也以此觀之次孫承重似爲得當盖古禮有弟及之文有次嫡之文次孫承重所謂傳重非正體者也明文可據非一何謂不可至如伊川事則異於此既有長孫而立次子此非古禮卽時制也今既無長孫長孫又無後亦姑無可立爲後者其祖母之喪何可使爲無主之喪雖攝祀不服三年則便是無主也故似當用間觧意次孫服喪主祀而猶以本來長嫡爲重待異日立其兄之後而歸宗爲宜故前所奉稟者也來諭以奪宗爲嫌殊甚愧恐玄石欲用間觧說而但以爲衆子則以應服三年者爲父攝祀衆孫則以應服朞年者爲祖持重似少不同以此意推之次子之攝祀者旁題祝不當稱孝字而次孫之承重者以朞服爲三年則事體較重實有移宗之義旁題祝文直書孝字似當既以移宗則長孫之妻不服三年亦當推如此行之異時長孫妻立後則還歸宗祀恐合於沙溪之說如何（同上）

梅山曰次孫爲所後祖承重雖非正經而沙溪答人問不以次孫承重爲非又曰長子無子而死次子之子奉祀可也推斯義也次孫承重恐非可疑（答黃承旨昳）

庶子之嫡孫爲祖三年當否

柳氏曰庶嗣之名非禮家之所有也衛康叔於周爲庶非衛人之所致庶也仲慶父於魯爲庶非孟孫之所致庶也下至士庶皆有此義視祖適庶升降其服天下其有是乎杜氏之說非矣當從劉氏王氏記（禮學小錄）

通典杜琬曰庶祖無適可傳非正體乎上也凡祖是庶而父爲長宜服齊衰○問庶子之長孫既不繼曾高祖此孫爲祖持重三年否劉智答曰父以己當繼祖後故重其服（爲長子三年）則孫爲祖後者不得輕也然則孫爲祖後者皆三年○王敬曰庶子之子爲繼禰之宗則得爲其子三年父尊其禰而子替祖服不貫正體非義矣

喪中身死

喪中身死者復衣

屛溪曰復衣禮既用祭服則居喪死者用衰服亦無不可但喪事忽忽何暇以連襲耶婦人復只用大袖則雖朝服或衰服只用其衣無妨不必連襲（類輯續編）

渼湖曰復衣仍留爲遺衣不當用衰服（同上）



剛齋曰雖死於喪中衰服豈是爲復衣者耶襲用吉服沙溪定論可攷（答或人）

喪中死者祭奠用素當否

巍巖曰備要象生用素義極精矣若用酒則何可爲素耶農巖曰無酒不成祭無或有經據耶然虞而神之之前代以玄酒似有情理而終未敢知其必然（同上）

本庵曰備要曰喪中死者葬前象平生奠以素饌至虞始以神事用肉似當據按此義起象生之意而今皆從之然初喪雖曰象生至以蔬素爲饋奠則殆於致生之不知而事近無謂矣且如苫塊蔬飯不食菜果之等推不去者極多合更商之（類輯續編）

按孔子曰之死而致生之不知盖所謂象生者主生者說非主死者說主生者說則當極其奉養如平日而已至若食素枕塊凡屬生者事不可擬議於死者故喪中死者歛以吉服何可用素於祭奠乎

雲坪曰喪中死者鄭寒岡曰未葬之前象生時用素饌喪服常置靈座既葬之後撤喪服而用肉祭（類輯續編）

問曾祖母喪中祖父死祖父祭奠用酒肉之節如何雲坪曰葬前事以生事不用肉先賢已言之酒之不當用可推而知葬而魂事伊始不奠而祭所宜無改虞祭而但家禮從俗仍行上食上食非祭也依然是事生之禮曾祖母喪中祖父豈可食肉祖父除是七十以上當食肉者外上食不用酒肉以盡曾祖母大祥之期爲當（同上）

按神道居歆專在氣臭而氣臭本乎牲酒無酒無牲非所以事神也若如雲坪說則喪中死者荐有父祖喪待服期之盡則將有三年內行素而終喪者矣是豈禮意乎且七十食肉生時事也若於死後其子計其年甲日是父死於喪而不及食肉之年不當用肉云則其可乎

南氏曰沙溪曰虞而始用肉南溪曰卒哭而始用肉盖三月用素亦已久矣虞亦用素未安當以沙溪說爲正然過期不葬者或至八九月之久則仍以用素於葬前乎過百日而猶是葬前則告由用肉恐或宛轉否（備要補解）

老洲曰喪中身死者凡於祭奠葬前象生而設素虞後神事而用肉是有先輩之論至於朔望殷奠廢否無前輩明的之論推蟾村問于陶庵之說有朔望殷奠外俗節別奠無所廢以此觀之則蟾村之意若以不廢爲當陶庵之答只不許致奠而朔望殷奠無譏及者陶庵之意豈以朔望殷奠初不當廢故所答如此耶抑問者主意在於致奠之行不行故只論致奠而不及於朔望殷奠耶愚意則既設素於下室之饋而於朔望則殷設以事則徑庭以情則未安而既無前輩之論何敢質言耶（答族兄）

梅山曰家禮小祥而始食菜果若其亡在小祥前則豈遂以遵祖奠亦不設果未知如何（答樸溪）

梅山曰喪中身死者饋奠未葬象事生之禮酒用玄酒饌用素饌生時雖已從權死後還復定經既葬舉事神之禮始用酒肉禮雖曰虞而神之亦當自題主奠始（答李六窩）

喪中死者衰絰

遜齋問父喪未殯遭祖父喪則於其父象生時不以神待之禮也而或者以不忍死其親之義推之父喪既殯遭祖母喪則其父襲殮改以凶服云何如尤庵曰若如此則所謂銘旌素喪轝而後可者也（類輯續編）

屛溪曰親喪未成服而死者何爲而遣衰服耶（同上）

巍巖曰孝子於不忍致死之節用意固宛轉惻怛而但亦略存其大體爾喪服則固生時所受者故虞而神之之前不忍撤去至於禫服則乃生時未嘗受之服而又設之不惟於禮無所考恐於義亦無所當（同上）

南塘曰喪中死者喪服至其所喪畢而後撤之似宜然練祥時去絰等事一如生時亦太拘執此等處存其大綱而已（類輯續編）

老洲曰喪中死者之衰絰置諸靈床之側待到服盡之月而撤之者盖象生而不忍卽去也然若欲於練祥時奠告變除一遵生人之

爲如沙溪說則恐推之太過矣且既虞而神之則象生之禮止於葬前愚見本自如此答梅山

梅山曰喪服或云葬畢而撤或云變除如常人皆拘泥不可從沙溪說陳于靈床既葬而撤恐得是亦虞而神之之義也焚埋似無不可而遂喪服弊則焚之之文恐宜其焚當在埋魂帛時未知何如答李六務

喪中死者喪翣

問喪翣不可純華亦不可純素以淡靑布爲蓋帷如何許宙 魏巖曰前未有考未敢質言而淡靑布無乃得宜耶類輯續編

喪中死者先朝祖後朝靈座

梅山曰令從姪喪先朝祖後朝其親喪靈座恐宜祖是廟號故只奉稱廟者亦云朝祖而靈座非廟也故不可云朝祖告以請朝顯考靈座未知如何答沈正國

父喪中子繼亡者舊几筵朔望奠行廢

老洲曰舊几筵朔望奠新喪已殯後恐無可廢之義所謂喪中廢祭者乃指廟中吉祭非喪中之祭之謂也故人家遭此變禮者多有廢廟中朔望奠而行几筵殷奠者然尤翁之說有曰父母與其祖父母既是父子則同宮矣禮同宮則雖臣妾葬而祭今所殯既是家間則雖小祭似亦不敢擧矣據此廢之恐宜而朔望既廢則生辰茶禮自在當廢之科亦不敢質對也答旅兄

父喪中身死無主喪者前喪祥祭行否

近齋曰此既與本無爲三年者不同則大祥之祭不可不行雖無變除之人行祥祭然後几筵可以入廟未知如何答吳允常

途有喪

路死者復

屏溪曰死於車則猶可留尸於車上屬纊而復之以綏死於馬上則勢當下於路左屬纊而其傷之也當於尸側立而復之而行中若無他服則以所服之帶似可不然則死於戰者復以矢禮也以類以鞭亦不無其義也類輯續編

本庵曰喪大記曰其爲賓則公館復私館不復其在野則升其乘車之左轂而復愚按私館不復則終無以收名遊魂無寄從在野之禮出於道而乘車復可乎同上

路死者諸節

雲坪曰丘儀出外死者初終至哭奠皆如常儀入棺後卽作大擧竹格功布及雨具其餘明器等物至家始備啓行前一日因朝奠以遷柩告由今擇以某日遷柩就擧將還故鄕敢告厥明因朝奠告曰今日遷柩就擧敢告道次設靈座置銘旌朝夕哭奠如儀未至家前一日預遣人報知在家者於十里便處設幄具奠以待至日五服之人各服其服至幄次哭迎柩至暫住有服者以服爲次擧哀祝焚香斟酒跪告曰今靈輀遠歸將至家鄕親屬來迎敢告俯伏興再拜主人以下哭步從若死者若宗子或尊屬則由中門而入安柩于中堂卑幼則各隨便門入安于其平日所居之處類輯續篇

柳氏曰唐會要代宗大曆十四年八月勅聞士庶在外身亡將櫬還京多被所司不放入城自今以後不須止遏宋明之制亦如此徐氏之論詳矣學禮小識

徐氏乾學曰按古禮凡客死於外者皆返柩於家而後行喪禮初未嘗竟殯於外也今世俗皆停柩於郊外別室而行喪於家殊爲非禮按我東之俗不許返櫬入城不得行喪外人則隨此

在途喪到家成服

鹿門曰客死者成服當陶庵之喪李原明引曾子問出張君葬章註棺柩未安不忍成服於外云云者謂當於歸家後成服多士皆力



贊之主人有先入之說終不聽成服而歸士論至今非之歸期雖遠待至家成殯翼日始可成服在家婦女亦不可徑自受服待喪至與主人同爲成服可也類輯續編

南氏曰在途遭喪若其家不遠則或斂或入棺而返家成服若在遠地則勢不得不成服而行喪返家也在家者未及成服日喪到于家則當以見柩後四日成服若喪到之日在遠而不成服待之恐無是理備要補解

客死他處者本家設饋奠當否

老洲曰遂庵曰客死他鄕喪側無人奉奠則本家當設行於虛位此似爲單身客死他鄕者言而猶合商量況喪出官次雖無諸子之在側既有至親幕客自可饋奠則本家恐不可更設饋奠只存虛位於廳事在家子孫婦女朝夕哭臨以待柩返而撤去恐爲得正矣答致秀

南氏曰途中死者未斂未成服而日數已過則退溪之許設上食恐未然在途若爾則在家喪之斂與成服過時者亦當設上食於其前耶五禮儀雖有襲下設上食之文成服前上食本非禮意故先儒皆非之未斂之前尤不當論也備要補解

梅山問從弟喪行返自嶺列殯于山下魂帛當作如何區處耶古者殯宮與下室處所既殊事件各異後世合而爲一非禮之正也魂帛殯宮之事靈床下室之事則當置魂帛於尸柩設靈床於下室否上食於魂帛自家禮已然魂帛不必隨尸柩同殯入處下室而饋奠否老洲曰後世塗殯之禮既不能純用古禮多隨地勢而爲之故殯宮下室之制亦不可復尋古禮面目矣家禮之上食於魂帛者恐是因俗參酌定制也況成殯於百里之外設靈床於古堂者尤何可無魂帛而饋奠耶愚見則從家禮爲寡過矣

朋友死於客館飯含

問朋友死於旅館則飯含之節朋友似當爲之愼齋以爲難行遂庵曰天王之喪宗伯飯含朋友主喪於旅館有何難行之義家禮增解

在外身死者在家魂帛無朝祖之節

老洲曰禮曰喪之朝也順死者之孝心也其離離其室也據此則在外身死者此禮恐無所施矣後世俗禮率多只以魂帛代柩行是禮故喪出他所者以其簡率便於往來有此義起之論豈不苟簡乎鄙見則已之恐爲寡過答梅山

禮疑續輯卷之十六

喪變禮

幷有喪上

幷有喪新喪未成服之服

柳氏曰先師曰禮始死而復遂易服服深衣卽所謂未成服之服也雖服本生而當後喪服易之際當服新喪未成服之服恐不可仍服舊喪深衣也常變通攷

幷有父祖喪襲斂先後

近齋曰沙溪先生嘗論幷有父祖喪者襲斂先後曰當先祖而後父襲固衣服而已斂絞似亦奪情之事而何爲先祖後父抑斂與葬有異耶

李氏曰曾子問幷有喪註幷謂父母若親同者同月死云者謂父母母親同其餘若祖父祖母親同也曾祖父曾祖母親同也推之旁親皆然故以親同字該之恐不可而祖母與父謂之親同而論其輕重也沙溪當謂祖父母與父母偕喪襲斂當以尊卑爲主而先祖後父愚以爲非但襲斂葬時亦當以尊卑爲主蓋親同則據鄭訓而論其輕重親不同則依天倫而論其尊卑者事理當然家禮增解

父母及祖父母偕喪成服先後

南塘曰祖父死在同時則成服何先承祖之重在於父亡則先服父喪而後代服可也類輯續編

屛溪曰父喪未成服而遭祖父母喪則襲斂以先死爲先祖父母喪被髮或括髮之時不可遽成父服但祖父母成服日當先受父喪次受承重之服嫡孫之諸弟妹則當先受喪矣同上

本庵曰承重之義由下而上承服恐合以父爲先也疑攷隨錄沙溪曰疊遭父母喪一二日之內者後喪未入棺之前不可遽成前喪之服後喪入棺後服成服又翼日後後喪之服似亦爲得類輯續編

性潭曰寒水齋答尹屛溪問曰沙溪以爲幷有祖與父喪成服當先祖後父未知如何未及服父喪則似無承重之義答曰代父服喪云者俗說也古禮皆以爲祖後爲父後爲人後者言其所承重一也祖尊於父同日而成服則安得不先祖乎沙翁之訓似無間然矣據此則爲人後而服父祖喪亦當如是矣答宋台鼎

又曰父喪袒括之時不可遽成母服似當同日成服而先母後父也答朴洌

梅山曰沙溪答人祖父母及父母幷喪襲斂成服先後問曰喪在一日內襲斂成服當先祖後父泉翁引此爲爲人後者祖與母服成先後之證斯言如何沙翁說却先重後輕之意襲斂固當乃尙至若承重者成服恐當先母則由下而上之義也近有人喪子未期而又身死立繼后孫其家據兩賢說欲先成祖服故愚力勸其先父不成父服何所由而承重乎與老洲

又曰母喪在祖母喪前日則母喪第四日當先成母服翼日承重成服允愜沙翁成服亦然之論而沙翁又云疊遭父母喪一二日之內者後喪入棺之前不可遽成前喪之服後喪入棺後服前喪之服以翼日服後喪之服似亦爲得成服各有其日則不須以先輕後重爲拘此與喪在一日而絞斂先後爲奪情之事者不倫故也答申韡如

祖喪中遭曾祖母喪者從祖遷奉几筵

問祖喪既殯遭承重曾祖母喪者主孤孤弱不能承奉兩几筵則從祖以親子遷奉曾祖母几筵無害否雲坪曰大夫士父母之喪既練而歸朞日忌日則歸哭于宗室禮意至嚴何敢遷奉几筵獻賢之禮忠養之義自致於宗家爲正家禮增解

父喪中母亡服母三年



厚齋問父死幾殯而母亡或曰既在父死後當伸三年或曰父喪三年內同之平存宜服朞年云云尤庵曰在古禮可據儀禮疏曰父歿三年內母歿仍服期要父服除後遭喪乃得伸以此觀之當服朞類輯續編

南塘曰父喪三年內母卒服朞父死未殯服祖周之說雖是不死其親之義而推之太過愚意雖父母同日死當服母本服父祖同日死當服祖三年蓋於此而不死其親之義輕而母服從輕祖喪無主其爲人子之所不忍者大矣所謂不死其親者蓋謂行其禮奏其樂敬其所尊愛其所親不敢有所改於父之道是也至於服母服祖喪制大節人子至痛處乃推以不死其親之義而有所不盡於母與祖可耶且考備要沙溪先生取舍之意則其同於愚說古見矣同上

屛溪曰不忍死父之義爲重而爲母三年亦重父雖未殯爲母而不伸三年亦有不忍焉者父喪成服後亦服母三年天理人情似不可已同上

渼湖曰雖父喪未終而不可謂父未歿也尤翁已疑及此愚見則父喪三年內服母喪以三年爲是聞寒泉四禮便覽亦如是云同上

又曰父卒則爲母三年既卒則雖未葬不可謂非卒也母服朞與三年惟在於父之生卒不係於父喪之葬未葬者似甚直截同上

鹿門曰父卒三年內母卒則仍服朞者卽喪服疏說齊衰三年章父卒則爲母疏而其所引據以證其說者不過內則所謂有故二十三年而嫁及服問間傳二註也然今考間傳只泛言齊衰三年衰裳升數而已初無父服除後乃伸三年之意服問註亦不分明有不可曉而至於內則說朱子以爲亦大槩言之耳小遲不過一年二十四而嫁亦未爲晚則所謂不止一喪云者朱子已不取矣其所據而爲說不過此三說而三說之不可信如此則其就則字文卒則之則字上演出許多說話不攻自破矣且愚意則之一字正好著眼父在爲母者父在故爲母屈也若父卒則便當得伸無論父服除否已殯葬未殯葬也此則字之義不容推設而明白易見者也疏家之意與此正相反未知則字上安能容得許多意耶雜記三年之喪既顈卒哭其練祥皆行疏曰若先有父喪而後母死練祥亦然故齊衰三年章云

父卒則爲母通典杜元凱曰父已葬而母卒則服母服至虞母虞訖反服父服既練父練則服母服父喪可除則服父服以除之訖而服母服據此兩說則父卒三年之內母卒而服母三年者豈不明白乎類輯續編

黎湖曰母之主若卽以亡室書之乎則死生名實之間誠亦有難處乖戾而難平者此其不得不以顯妣書之既以顯妣題之矣又施孝子奉祀之旁題矣以至祝辭稱謂之屬無一之不用父亡之禮者而獨其服朞一款强從父在之制忽然在於貶屈之科則不惟其涉於無漸次來歷且彼此禮節互作妨奪豈不爲俱無所據者乎前稟中所謂題主既如彼則似不成三年者卽指此言而下示尤齋說以爲仍與父在不相妨未審尤翁之指其只言以妣題主耶抑並指孝子之旁題而言之耶若並言旁題則其不用父在之禮與服朞爲碍者如上所云恐難謂之不相妨也反覆思之抑有一說蓋雖以妣題主而旁題則略有變改或書之以孤哀子某攝祀至於祝辭亦以攝告替昭告而稱之以待喪畢吉祭之時而同行改題之禮如是然後將來練喪等項方得次第無碍而兩字並行或不至甚衡決也上芝村

又曰父卒三年內母死仍服朞固未知其必如先儒說而至於父喪成服後則恐不敢爲母遽伸三年此與服祖三年者不同同上

按攝有二義一是主人有故使人攝行一是長適無嗣次適攝祀也今父已亡與有故不同己爲長適與次適不同何可謂攝祀乎黎翁恐不可從

本庵曰嘗見陶庵謂父先卒而母卒者雖一日之間可伸三年云此恐不可易類輯續編

竹庵曰父卒則爲母三年據一則字可見父其先亡而遭母喪者其先後雖一日之間既曰父卒則爲母三年似無疑矣而註疏之說不然此意尤庵禮答中似已言及矣類輯續編

剛齋曰備要齊衰三年條按說曰父死未殯而母死則未忍變在猶可以通典云云以猶可二字觀之則恐非斷定之論而陶庵屛溪

諸說如此惟在斟酌行之而已以此惟陷何敢質言若性理以父喪葬後則爲母伸三年之意答之於人故或有拘於禮經則概論

是以告之耳 答鄭公實

老洲曰父喪中母死仍服母朞先賢無不疑之陶庵四禮便覽曰父先卒而母後死者雖一日之間亦可以伸三年此使不可易之正論也 答南大任

梅山曰哀之今日遭外艱明日遭內艱者當用父喪中母喪之禮服以三年恐無可疑也蓋喪服疏父卒三年內母卒仍服朞云者卽錯看喪服經文父卒則爲母之則字生出許多葛藤詎不可悶乎其曰父卒則爲母者卽對父在爲母朞而言也經意曰父卒爲母而曰父卒則爲母者正見父卒之後遭母喪則服三年也何必父服除而母卒然後行三年之服乎且子所以不得遂三年者爲父厭也父旣沒矣誰爲厭而不爲三年乎 答林衆鳳

母喪中父亡服母朞

南塘曰朞制已定於父在之日則不可以父亡而有所改也雖服朞而葬時題主稱妣亦有何難處之義耶祖喪後父亡服祖以終三年其義與此自別母服三年已所服者也祖服三年父所服者也己之服母已屈於父在之日而父死而伸是死其親也父之服祖未畢而亡則代父而服是卒父死而遂父孝政所以不事其親也如父喪中承重祖母喪者常持祖母服而不持父斬者亦所以先父所服而後己所服也 續類輯編

又曰父母死在同日服母何敢爲於三年父卒乃伸而父在一日卽母所屈則雖同日之內母先死於父則服期後於父則三年恐可也 同上

又曰母之服已屈於父在之時而遽欲伸於父死之後則實有死其親之嫌 同上

屛溪曰今所示母喪在於父喪前二日則不可論日字遠近其爲父在母喪則明矣杖朞之外似無他論矣 同上

又曰凡服以始制爲斷者此當爲定論而父在時已服母之朞何可以父亡而變之乎題主稱當以問解說旁引以顯妣題之前一日因朝奠具由告之似得 同上

渼湖曰所論禮疑旣有沙溪尤庵定論則自當遵而行之而已母喪中父亡仍服母朞誠不忍死其父也而今以此服朞反爲不忍可謂失輕重之倫矣 同上

陶庵曰母喪二日父亡成服俱行於一日云云除却多少說話雖一日之間獨非父在母喪耶旣是父在母喪則十一月而練十三月而祥禫撤几筵一如禮而已 同上

閒靜堂曰母先亡父亡而改受母服者於經傳俱未有明據雖以祖服一例推之似爲緊切而此條亦無明據終不能十分信到始知朱子之亞聖必取徵於鄭說誠有以而也此若果可以改受服則如爲長孫之不斬爲妻之不杖爲姊妹之爲兄弟之爲父後者大夫之子之降旁親凡以父在而不得爲者皆當一一追變未知禮意如是否 同上

黎湖曰凡服皆以始制爲斷母喪旣在於父在時定行朞制則雖服未盡而又喪父豈可異於父在耶然則爲母之情雖嗇而仍行朞制爲是朞後撤靈之當否可因是而推之矣然諸老先生之說不一豈以其情理迫切不得不爾耶惟在當人行否之如何不敢容說 答趙永甫

近齋曰父卒未葬而母死以父尸尙在引未忍變在之義有服母周之說而近世禮家不從以父卒則三字爲斷服母三年而至於此則父在之日已服其妻以朞矣其子何可變之乎特以喪後立後故有此疑然尊壓之義數月後追變者與喪制所立恐無所據 答任靖周

又曰所詢變禮當以通典說處之仍服朞無疑蓋未忍變於父在也 答李維亨

而沙溪之說以爲母先亡而三年之內父又卒則仍服母以朞與儒所謂父喪將葬而又遭母喪則亦以父喪三年內而仍服朞云云之意不同而也 同上 老洲曰母服之伸不伸只爭父先亡而已故沙溪說如此耳

梅山曰今有人妻亡而夫不知以病故不告也又未及成服而死其子不可以夫未及知而不用父在母喪之禮題主則以顯妣服則以杖朞而無礙無礙者以喪父也 同上 類編

父母偕喪設几筵持服

沙溪曰母喪並在殯則殯於一處葬後設几筵亦如之對卓而祭爲當共卓而饌不各設苟艱之禮也虞卒哭據禮本當先重祭母奉主出就他所祭父仍在自如 續類輯編

渼湖曰父母並喪襲斂成殯自當如常儀奠上食先重後輕以行之但外位於其始喪當依朞九月三不食之禮而奠上食姑廢其後始行之而除服用祭饌內位則未葬用素饌虞而後始用肉几筵則兩位當各設而喪人常在父殯雖祭母時父未葬亦以斬衰行之已葬乃各服其服內位服制當依儀禮父卒則爲母三年之文爲齊衰三年矣 續類輯編

屛溪曰父母偕喪似是葬前當常持父喪饋奠則各服其服若父喪葬後母葬前面垢不得澡潔父之饋奠雖服其服哭奠酌似當使執事爲之持母服居之適母葬後還持斬衰可也 同上

性潭曰並有喪常持重服禮家之大經也母喪葬後則雖在父喪初朞後居常不當服齊衰矣 答金欽濟

近齋曰同時合殯與几在鄭康成說禮說甚嚴哀家雖以室屋之陝窄不得已同設兩几筵於一房之內然亦不可不以屛障之隔爲之限隔朝晡上食朔望祭奠皆先後各行爲宜 答李與濟

又曰新喪雖重練後自當服變節通典旣練之後服母服之說雖不得從而間傳輕包重特之文自是大經大法遵用無疑尤翁雖以

此爲恐亦駭俗而實慨然乎世人之不行此禮也自沙溪至尤春諸先生皆以包特爲當然之禮則其爲可行也決矣如不用包特一節則無以表並有喪之義何可以今俗之所不便而不行正禮乎 答李

又曰斬齊雖有輕重未葬與已練新舊不同後喪卒哭前當持斬喪齊喪卒哭後始返齊喪斬喪禮意似然 答高濟

剛齋曰父之小祥旣祥去之而腰絰披麻受葛此所謂不去也輕包重特之輕重以首絰而言非麻葛之謂也包者並帶斬齊絰之謂也然世無行輕包之禮者尤庵只言其恐駭俗而不爲之深非則只常持重服似無不可 答鄭公實

並有父母及祖父母喪持服

同春問接遭典文勢祖母虞服未葬持服雖輕而未葬其服母服似無可疑母已葬則還服祖母服旣練則還服母服旣練則還服祖母祖母旣祭服則還服以從喪此意分明在通典惟稱號則不可變改故從初稱哀孫似宜月塘曰來說甚當 續編

陶庵曰包特之說見於閒傳小記而皆是麻葛大小之同爲節則斬衰受葛之後至齊衰卒哭之前猶可以行其制矣齊衰旣顧之後則三經帶之大小又相懸矣更安用雙服之制哉大抵孝子之心於此苟有可以伸其情者則雖一日猶愈於已而今旣無所窒礙則恐難等意而不行之矣愚意切以爲古禮難復依家禮並有喪之制常持重服而祭時各服其服以伸其情者庶幾爲寡過矣 續輯

厚齋問代父服祖者當持何服尤庵曰承重當服祖服 同上

遂菴問父喪既殯又遭祖母喪以服制則斬重齊輕以承重則齊反重於斬云尤庵曰昔年從兄時燮之孫彝錫遭此變禮士友多會論紛紛然皆以是齊也爲父而代者也彝錫當持齊衰此乃無於禮而得其中者耶然終不敢決定其得失也 同上

南塘曰以分之尊卑言則祖尊而父卑以服之輕重言則斬重而齊輕輕付於尊重在於卑先尊則後重先重則後尊以此權衡誠難

低仰第有一旹可以斷疑而尊卑輕重不須論也爲祖母服齊是父之服而已代之也爲父而斬是服之所服而自父視之則非所急也然則先代父而後己服其義較然矣同上

本庵曰以大傳自仁曰輕自義曰重之義則服父爲重從喪從祖母爲重恐各得之也同上

屛溪曰祖母喪中遭父喪者常日持服以義則祖母之齊衰重而以服則父之斬衰重互相輕重常持斬衰未爲不可然父喪已葬則當持祖母齊衰祖母喪已練則復持斬衰未練之服過練之後還持祖母服過大祥後仍服父服以終之同上

李氏曰尤翁所謂常持祖服云者竊有不然喪服四制已云門內之治恩揜義門外之治義斷恩此實門內之治也豈宜反從門外治而義斷恩耶家禮增解

近齋曰斬衰未葬不敢變服禮也父喪已葬祖喪未葬則以祖喪之斬衰發父喪之饋奠允合禮意至葬後方可各服其服答金魯敬

又曰寒水先生集曰昔有人以此問於華陽曰禮無明文家晉有如此事當著祖母服未知果何如也云云尤翁家既有此事而行之如此則可以爲據耶然以虞練未虞練爲輕重之分以處之亦似爲得答任靖周

又曰並有祖母喪父喪者以服言則斬衰爲重以世言則祖母爲重尤翁當以爲當持祖母服似然矣答宋欽書

梅山曰並服曾祖祖兩喪承重者未葬當服祖喪斬衰卽斬衰未葬不敢變服之義也既葬當服曾祖練衰則所謂常持重服是亦杖脩之義也

又曰代父服祖者父祖雖同一斬衰而終是祖服重爲祖服雖練而不可但持父服服父所當服之服以終祖喪乃所以順父之孝豈可以未練者重於已練而捨祖服父也哉謂當持父服者應援杜朴互服之說而愚則以爲杜朴區區於品節之間而不識禮之本也須如尤翁之論乃得大經耳祖服固不可去而父服亦不可不兼宜引間傳包特之文以施之也除首矣特加父喪之経易腰矣包特父喪之帶以至祖祥可也此以常持者言祭奠則各服其服矣世人都占方便並有喪者互服而已弁髮包特之訓久矣大功之喪猶當兼服況承祖之重者乎若謂練服輕而但服父喪則是身無祖服爲在其爲承重乎豈以親心爲心之義乎又何以表并有喪乎與朴元得

問並有祖母喪父喪持服宛理 澗山曰各設几筵各服其服而居常服斬衰以斬爲重故也朝夕哭與上食每先祖母似當也正疑禮解

柳氏曰并有喪各有其廬然後明所處不同當以通典所議爲正禮學小識

通典宋庾蔚之曰父喪內祖亾則應兼主二喪今世以廬爲受吊之處則立二廬是也

所後及本生親偕喪持服

通典晉韓康伯問荀訥曰有人奉伯父後服制未除復有本父喪當還所生兩處作喪位否答所後服未練雖有所生之喪無所改易既練則當服周以居之不復還本家作喪位身有所重服當不復於本家弟廬次作靈室雖可詣哭位而已庾蔚之曰應別制本親葬服還本家則著之於諸弟之下受吊設使本家遠便當於別室不得於所後靈前受本親之吊禮書箚記

陶庵曰出後人所後喪中遭本親喪者所後大祥後本親小祥後持服當待所禪後服私親心制疑禮類輯

問尤庵答人問曰所後服盡然後方服私親服然則爲人後者所後禪吉前不服本生喪服而常服所後禪吉服於心安乎任俞梅

三山齋曰尤庵此說蓋欲致嚴於所後喪制而但其所謂服盡者不知的在何時若必主禪後而猶不許服所生之服則恐太過矣

梅山曰本生葬制與所後三年之喪輕重懸絕則重喪未祥不敢服私親是固常經而葬制服色似重於所後喪祥縞纖故疑常持之服者固也然未葬則喪未畢也未畢喪而遽持私服者非所以彰貳本嫌微之旨尤翁說卽指葬后也葬變後當去縿而服葬雖則服葬然入所後廟當縿亦當準禮事吉祭陶庵所云事雖殊重行之無可疑者也所謂私服以常持者言耳重喪中亦各爲五服成服則有事于私喪已服其服豈有追喪之嫌乎答李壽儒



承重祖喪中遭母喪伸三年

問祖不壓孫既有禮訓則雖承重於祖爲母三年如何趙鳳 黎湖曰然

老洲曰承重孫祖喪葬前遭母喪者不得三年禮無其文惟備要父卒祖在爲母疑亦壓祖在爲祖母期詳之此乃疑而未決之辭故後來如尤春兩先生俱主沙翁之論蓋祖不壓孫不以二尊降其父何獨於母疑之乎且父先卒而母後亡雖一日之間亦可以伸三年之說恐爲可從則況祖喪葬前服母者豈可以降之耶與玄甫

爲人後者在於父母並喪葬後者服喪之節

潁西曰母喪中父死而爲後者之服昨果錯對矣愚意則繼後者聞喪雖在一時喪既有先後父已主其母喪矣今何可以其子之晩聞而致疑於服周耶成服亦先母後父而服母以周似宜答梅山

梅山曰爲人後者在於父母並喪葬後者初無父在之可言恐無爲父屈降服母之義不合用父在母喪之禮禮斜到日先成父服繼成母服同服三年恐爲得中也答李大汝

按爲后於父母喪葬後者母雖先亡似不當用父在母喪之禮然喪有先後不可無別且他日祭母祭父各以亡日祭則母喪日父在可知也潁西說恐然

父母未葬長子死服

問父母葬前哭長子當從正體三年否則不啻伸三年耶宋之鎬 檪泉曰此與父喪中母死同義據尤庵答玄石書則恐宜伸三年禮疑類輯

母喪齊衰中遭長子斬衰持服

李氏曰有問服母喪又遭長子斬衰則當持何服或答曰齊斬輕重雖異母子尊卑有等恐不可釋齊而服斬此恐得之家禮增解

婦人夫喪中遭母喪

通典晉羊祖延問外生車騎婦先遭車騎喪斬衰服也後遭母喪齊衰服也禮爲兩制服有所變易耶賀循曰禮女子適人服夫三年而降其父母傳曰不貳斬不貳斬則不得捨其所重服其所降惟初奔當有母初喪之服以明本親之恩成服之日宜反斬衰之服此輕重之義也禮書箚記

新喪成服前前喪上食當否朝夕哭並論

陶庵曰衆子喪異宮未成服前上食既是象生之禮三不食再不食之義推之亦或有斟酌停廢之道耶疑禮類輯

問父母喪中子死則成服前朝夕哭亦當並廢耶宋以 陶庵曰當並廢疑禮類輯

李庵曰若是衆子則恐有可商量雖長子若有其弟妹等亦合有以處之也同上

潁西曰前喪上食當於後喪殯行之成後殯若早則當日亦可行矣與朴曾汝

老洲曰父母中若大功衣服前引曾子問殷事則朝夕則否之文擧殷事而廢上食者恐未然蓋曾子問歸者歸而行殷事也否者不得以朝夕饋奠而歸也是雖不得歸豈可仍廢饋奠耶然則引此而廢之者未知爲的確且成服四日之間廢上食亦豈不重難乎與梅山

並有父母及諸親喪饋奠行事之節

問前後喪几筵不可通行參祭若參於尸柩之所則復入於前喪几筵恐未安權必慶 檪泉曰靈筵異於祠堂饋奠行於大祭雖犯染於新喪何至不入前喪靈筵耶疑禮類輯

黎湖曰後喪若出於前喪未葬之前則前喪朝夕上食之用素饌固也今聞喪家以後喪之出於前喪葬後而直用肉饌於前喪上食未知如何愚意雖曰已葬既是未虞則與初喪無異似當用素饌待虞而用肉方無未安(與李芝村)

櫟泉曰子喪葬後父母死則不素祭沙溪說也據此則葬前(前喪葬前)用素奠葬後不宜廢小祀(如朔望俗節之類)忌祭則父母葬前恐不可行(類輯續編)

問後喪殯後前喪饋奠明有可據而朔望殷奠不當行耶(許電)魏巖曰饋奠二字已包朔望言之(類輯續編)

問前喪卒哭後遭後喪者成服前上食當廢成服後上食用肉否(李定載)鹿門曰禮有虞而神之之文故沙翁以爲喪中死者葬前則用素虞卒後則用常饌尤翁雖有上食象生之說沙翁說終覺有據遵行爲是(類輯續編)

南氏曰上食非祭則異宮葬喪成服前上食似不可廢也上食既象生則父母之喪雖異宮成服前上食不可不廢也竊意朞功以上喪同宮則成服前皆廢上食異宮則朞以下可廢也(備要補解)

尤庵曰父喪中遭祖父母喪者其父祭奠全然用肉似未安素饌則可用也(類輯續編)

貞庵曰內喪几筵上食用肉固宜而朔望殷奠則限喪前廢之似宜(同上)

竹庵曰朝夕饋奠當先重後輕而孝子方在初喪則喪前使服人替行朔望殷奠近於祭前喪朔望不當設奠(同上)

屛溪曰前喪若已過葬則卒哭而鬼事之禮也殷奠不必以後喪之殯而不行也前喪若是父兄或夫喪則殷奠何可以子弟妻之喪廢之也後喪或是家長之喪則於前喪之輕喪循例盛設雖似未安全廢之一如祠堂之朔望亦不安朔望之奠具餅麵果脯不至全廢似得(同上)

並有喪母啓殯後不奠其父

曾子問並有喪自啓及葬不奠註惟設母啓殯之奠朝祖之奠祖遣奠不於殯宮爲父奠也(禮記)

新喪葬前喪墓祭

屛溪曰母喪既葬而又喪父未葬則母山墓祭當停(類輯續編)

啓殯先重後輕

梅山曰啓殯非奪情之事則恐當先重後輕(答金直養)

並有祖父與母喪發引時持服

閒靜堂曰儀禮父母之喪偕先葬母而其葬服斬衰則今亦當服祖父斬衰既服祖之衰而反隨母柩於義似未安母柩之無主喪者雖爲缺然然既有所重亦抑情而已如依古禮先喪母而繼治祖葬則自無此難便矣(類輯續編)

問祖與父一時發引而主喪承重則隨祖後乎(朴篤夏)洞山曰發引時兩柩相連而主喪隨其後到山下隨祖柩到穴處而他喪人隨父後(疑禮正解)

並有父母喪發引在途先後

近齋曰並有喪發靷在途當先父後母卽男先之義也寒岡愚伏說可據(答高與濟)

並有父母及祖父母喪及奠先後

通典宋孟氏問嗣子今爲孟使君持重兼持重光祿喪葬奠之禮何先何後周續之答其葬也先輕而後重其虞也先重而後輕以例持光祿葬及奠虞皆宜先於續則祖輕於奠則義重(常變通攷)

問解續父喪與祖母喪偕自當以世代爲先後不可以輕重之例論也(同上)



櫟泉曰並有喪祭及在道皆先重後輕葬則奪情之事故先輕後重曾子問所謂自啓及葬不奠云者母喪將葬既啓殯則一如初喪故不奠於父之殯宮也若同時啓葬則豈有不祭父之理乎備要問解中更考如何(類輯續編)

本庵曰尤庵云贈是伸情之事其先重後輕可知愚按贈亦係葬事而不係奠事則恐此論或是未定也(同上)

竹庵曰曾子問並有喪只云葬先輕後重則其在道也亦當先輕後重(同上)

近齋曰葬先輕後重本是並有父母喪之禮而欲推而用之於並有父祖喪之禮者卽寒岡說而愼齋答春翁之問以爲祖母喪及父喪異於並有父母喪未知如何云(詳在其問解)則蓋不欲必從寒岡說也若如愼齋之意而不欲推用則初無事於此疑矣不然而從寒岡說欲推用則非但推之大過節節有掣礙處小記父母偕喪先葬母不虞附待後事此則合葬而日近故也至於父祖喪葬異處日子相去且久而虞祭必待後事則將有今月葬而來月始虞者矣虞是安神之祭所當急行者而若是遲待在孝子之心極爲缺然欲先虞則於虞祭先後之文一從一否亦甚斑駁且古禮士踰月而葬大夫三月而葬若使並有父母喪者祖爲士父爲大夫而先葬父後葬祖則又與古禮大夫士葬著月數相違矣(今雖不分別大夫士而古禮則如此)亦甚難處然則並有父祖喪者恐不必援用父母偕喪之禮也(與任靖周)

又曰以世則祖爲重以恩則父爲重非如父母喪輕重之分也葬之先輕卽壓於尊而先奪其情也先賢曰祖不壓孫此禮亦用祖不壓孫之文而不先葬父似可耶(同上)

梅山曰父母喪發靷在途當先父後母況祖母及母喪乎祖母靷行之當先恐非可疑也(答申士綏)

母子同日葬者當以尊卑爲序

問母子同日葬則下棺當先輕後重耶其以天倫之序先重後輕耶先輕後重之義以久在地上爲重而然耶(趙[illegible])黎湖曰葬是不忍爲之事故曰奪情若母子之同日葬則恐當以尊卑爲序

按母子同日葬者先母後子則父子同日葬者豈不先父後子乎蓋葬先輕而後重者指並有喪事並有喪指父母偕喪也父母偕喪者外恐不當援用先輕後重之文也

臨葬遇喪

問亡母葬日隔宵家親又遭重制入棺在今夕下棺時甚早家親過成服而至則下棺時已不過待喪主而下棺則有違於主人贈之義(金粟還)陶庵曰喪家入棺之在今夕猶是不幸中幸耳下棺時刻如有推移之道少退則固優而雖非然者成服例在朝哭似不至甚晚依時刻下棺而姑待主人之來始行贈玄之節恐不妨臨穴一慟情理又豈可已耶(類輯續編)

屛溪曰曾子問父母喪既引及途聞君薨如之何孔子曰遂既封(窆也)而往今喪家既引在道而聞弟婦喪則弟婦喪輕於君喪既遂而往無疑矣既封則虞安之意一時爲急初虞雖在成服前勢將其日卽行再虞則先行成服而行似得當成服厥明行再虞質明行之似不相妨耳(同上)

按所後父母喪未及下棺而聞本生父母訃當依原編陶庵說下棺後奔喪而自題主至虞卒南處士以爲告由攝行此說似然

父母偕亡題主先後

近齋曰父母同日喪題主當先父後母有老翁說可據而行之(答高與濟)

父未殯而祖亡以祖考題主

問父未殯而服祖以周則其祖之主亦當題以祖考耶陶庵曰服祖以周雖見通典與爲父代服斬不可已題主以祖考無可疑(五[illegible])

母未葬而父亡者葬母時告由題主

陶庵曰母喪未葬而父亡者葬母時題主尤庵以爲題以亡室似無其義雖題之妣而練祥仍如父在恐不相妨其題主及練祥時具

由以告事乃宛轉當依此行之（類輯續編）

近齋曰父喪在母喪未葬之前仍服朞題主當以顯妣雖似徑庭而實則並行而不相悖蓋仍服朞年則未忍變於父在也顯妣題主則父既死不可以亡室題之也題主告由當云先考不幸以某年某月某日棄不肖禮當仍用父在母喪之禮服以朞年而先妣題主依先賢定論當題以顯妣栄增周梅敢告（同上）

李氏曰母喪後父亡者其服制則是父生前事也故父亡而未忍遽伸母服是爲父之死而不忍致死之義也題主是父殯葬後事也已告父喪於母之几筵故不敢題以亡室是爲父之死而不敢致生之義也（家禮增解）

問母喪葬前父亡題主時前後喪告由（問解續）剛齋曰此是變禮故告辭不見於禮書只旁照於陶庵所作並有喪練祥時告辭構送云先考不幸以某年某月某日棄諸孤禮律至嚴不敢不仍用父在母喪之制今題主則不得不以孤哀子某屬稱前頭虞卒哭練祥當替行敢告（右妣位告辭）今先妣題主不得不以孤哀子某屬稱前頭虞卒哭練祥之祭亦當替行栄增周梅敢告（右考位告辭）

梅山曰母喪中父喪雖在一日之內當用父在母喪之禮而題主之以亡室以顯妣兩者俱礙然具由告辭題以顯妣然後虞卒以下祝當用子告妣之辭也（同上）

父母偕葬返魂

南氏曰發引與返魂不同發引是就葬之行故先儒或有先輕後重之論而返魂則不然當先重後輕父車在前母車在後可也（編要補解）

父母祔父母偕葬虞卒（並祭論）

厚齋曰父母偕葬者母之虞祔行於父之虞祔畢後無疑矣剛齋曰相錯非所論也先生嘗以爲如此則其間日字幾至十餘日之久似此未安云矣近來申相國翼相宗遭此事兩喪虞祔並行於同日而只於行祭時先行父虞後行母虞卒哭亦然蓋問于尼山（尹柱）而行之云（類輯續編）

南塘曰同日葬則一日之內先虞父而後虞母不可待父之虞祔畢然後方祭母也葬不同日不合葬則先葬母既虞方營父葬母之虞不可待父葬後蓋虞而安神之不可踰時以報葬報虞觀之可見矣（同上）

屏溪曰父母偕喪先葬母不虞祔待父葬行之古禮葬母之明日卽治父葬故母之虞祔待父葬後行之而若葬母後葬父之期日月稍曠則虞安之義亦不可一日緩故先行虞祭而卒祔則待父葬行之似無妨矣（同上）

又曰既窆之後虞而安之之禮一時爲急故未及焚祝返魂行虞是以祭必質明行事而虞則葬之日日中而行父母偕喪葬則同日先母後父而卽返魂先行父虞訖同日行母虞似宜小記說不必言同日葬者也（同上）

竹庵曰子喪初虞後父亡者父三虞後追行子再三虞而父子卒哭亦當以次行之（同上）

近齋曰若同日禮待父虞祔畢行母虞之文則一位過行一位未行有何未安未虞之位追行上食亦何未安耶至於一時行虞而只以設饌讀祝略分先後者大違禮律蓋待父虞祔畢行母虞祔禮有明文尤翁必欲守此禮而南溪則以爲行母初虞於過葬朞旬之後非急於安神之本意欲令人之遵此者行父虞之明日行母虞再三虞亦次第如之然如是行之母之虞祭將遂剛柔之日亦似未安不如從尤翁說之爲穩正耶抑有一說葬日之內日力如可斡旋則父虞行後又行母虞皆不踰是日再三虞亦於一夜之內次第連行似無不可冬節則夜長足可行之丑初始事行父虞訖寅正寅末間行母虞則卒事雖至於日出何妨耶（答高興濟）

梅山曰并有父母喪而一日合窆者三虞卒哭當先重後輕而各設於兩位几筵祔祭亦當各行所謂鋪筵設同几精氣合之義當論於喪畢合櫝之後三年內則雖合葬同日當各設靈座各行饋奠也同日而葬者安神爲急不出是日而先後舉虞祭祔事則不可並日疊設以亡者祖妣之不一日再祭也



梅山問有人於此父喪踰月而母死將同日而葬葬先輕而後重虞先重而後輕已有經據而父喪則三月母喪踰月踰月而葬者當待三月卒哭而祔三月而葬者卽當卒哭而祔無待後事然卒哭先行而祔則固無早晚待母卒哭同日而先後舉兩祔未知如何老洲曰父之卒哭既先行則祔亦當隨而先行恐不可遲待母卒哭後也

梅山曰並有父母喪而同日合窆者附祭恐難同時並設以乖於授尊及卑之義也先行父喪祔祭而並薦祖考妣翼日行母喪祔祭而只薦祖妣恐宜尤翁亦有各行之論可以各設卓而並舉兩祔于同日也

葬母未虞而遭父喪者虞祔

沙溪曰並有喪者待父虞祔後爲母設虞祔禮也今母葬纔畢又有父喪而母之虞祔待父葬後當在三月之後不可闕然無安神之奠但喪人遭斬衰不可爲母行虞祭以他親代行初再虞待父葬行三虞卒哭祔祭似合於情禮（疑禮問解）

黎湖曰後喪出於前喪纔下棺之後時虞祭之未暇設行勢也有謂虞祭以安神爲主雖在後喪之初喪不可不急行而安之云其言亦不爲無理但據曾子問與喪服小記不虞祔待後事之文雖當其前後喪葬期相去日近者然爲不進虞之禮則甚明愚意於成服後具此不得行虞之事由告於前喪几筵待後喪葬畢然後行之與所謂不虞祔待後事者相合如何（興之村）

並有曾祖及祖母喪祭先後

近齋曰曾祖妣喪虞祭以後輕之義當於重喪初虞後喪間日子行之爲宜而今至卒哭而不行先葬位虞祭一次似是太遷就矣且退行之由先葬因上食預告爲當何可於初虞祝辭中敍措語耶（答李敎穀）

祖孫偕喪葬虞卒之節

屏溪曰孫婦與祖父並有喪先葬孫婦則祭先重後輕禮之大節然形歸窀穸之後神魂飄揚其虞之不可虛徐也如此孫之於祖不啻其輕而葬既先行則虞祭不可不從葬而卽行卒哭則差待祖父葬後行之爲可（類輯續編）

竹庵曰承重祖喪前嫡孫亡者以曾子問葬先輕祭先重之文則當先葬孫而虞祭則待祖葬既虞之後行也但拘事勢先葬祖則同宮之內嫡孫在殯嫡孫之子不可主先葬之虞祔且於嫡孫爲小功之親者其在葬前禮不得沐浴則其誰將事耶來書所謂行先葬初虞於所館云者只據俗禮便宜爲說者而禮之本意則後喪葬前無論正殯與所館先葬之初虞不可行矣鄙意翁王考丈畢而卽治伯氏葬伯氏返哭後卽行王考丈虞附繼而行伯氏虞附爲宜王考返哭後距伯氏葬期雖或爲多日不行王考初虞則朝夕哭奠自當如未葬時矣其在情禮少無未安據曾子問返哭三字其意如是（類輯續編）

承重孫葬祖未卒哭而祖母亡者祖卒哭

屏溪曰後喪三虞後先行祖喪卒哭間一日行祖母卒哭（同上）

重喪中輕喪輕喪中重喪虞附

南氏曰雖妻喪在殯父母初再虞卽行之據此則無論同異宮昆弟之喪在殯而可行父母初再虞而三虞卒祔則待葬後無疑雖祖父母之喪當推此矣然未殯則當何處之兄弟之喪雖重父母之神不可不安若同宮則初再虞行於山下異宮則返魂行之皆當略設以示變至於祖父母喪則異於昆弟雖異宮是同宮孫雖急於安其父母之神父之父猶在未殯安得祭之待既殯而虞之（編要補解）

近齋曰虞祭既以急於安神之義行之於同宮喪未葬之前則非但初再虞並三虞亦可行之而尤翁以爲初再虞卽行三虞則與卒祔迭行設以再行安神之祭猶是不甚急之故耶愚意卒哭雖退行三虞仍行不廢似無妨然從先賢說三虞姑停之以待新喪祔後行之適與卒祔爲宜且令庶子喪是踰月而葬則卒哭有必待三月之文雖非新喪自當於來月行矣（答洪泰般）

梅山曰小記所謂不虞祔待後事卽指父母偕喪葬不同時者言而亦有所行不得者體魄歸土魂氣飄散故亟設祭而安之要不出

是日禮意卽然也雖在殯喪未葬之前不可不立主旣立主不可不祭焉可使將散之神閱月而無所憑依耶尤翁答人母喪將祔父義旣穿壙而遭妻喪成服後當葬而虞卒祔行否之問曰初再虞則行三虞則葬妻後擇日行之而三獻皆不可廢此爲重喪中遭輕喪者殺而亦足以旁照蓋急於安神無輕重之別也苟喪未葬行變之虞恐無可拘第三虞卒哭俱是成事恐當退行於重喪卒祔之後 答趙瑤山士龜

又曰葬喪雖則同宮旣殯矣重喪虞祭行於所館則所館非同宮矣況近精而返日中而虞者以不忍一日離也乎故曰報虞以急於安神也然則雖在同宮喪未葬之前亦不可廢不惟初再虞並三虞亦畢而尤翁謂初再虞卽行三虞卒祔退行蓋三虞必至家內行故終拘於同宮之喪必葬而後祭也 答金幼善

又曰妻喪再虞後告妻喪几筵曰三虞卒哭及祔祭固宜繼行而當時顯考顯妣虞卒祭畢茲因上食玆告考妣喪卒祔後行妻三虞卒祔恐宜 答崔亨

又曰所後祔卒哭急祔祭不可遷就於本生喪葬後蓋卒無時之哭屬昭穆之次不容少緩也然則令胤爲其所後喪三虞後卽行卒哭及祔祭是爲得禮也 答閔子彝

所生所後兩喪魂輿反歸之節

月塘問所生親喪經期後服而又遭所後親喪已經葬欲奉兩几筵同京不可以所後之服將事於所生之親無他兄弟未知如何處得沙溪曰所生親服已除則不可猶謂之喪哭所後喪雖所生喪在不可脫服而入見旣無他兄弟雖以重服行之似不至大妨但兩喪作一行未安所生魂輿別作一行似當 答鄭經世

祖喪中孫死祔

渼湖曰孫婦之喪當祔于亡室而亡室尙在祔位又今祔於祔位未知何如據雜記王父未練祥而孫又死猶是祔於王父之文則此婦之祔於亡室似宜而將來四時之享欲祔食於亡室則祔位無祝可告欲中一而祔食於先祖妣之位則又似無端將何以處之則爲是耶雜記之說雖如此王父自當爲正位與日喪畢祔食亦可如禮非如今之祔於祔位之有多少窒礙也然則此婦初當直祔於祖妣爲得耶望明教也 同上

老洲曰渼翁之意若以中一而祔爲得然竊意古人制祔之義非專爲祔食其神之始欲其上屬乎祖考昭穆之有所依歸也則旣有當祔之位而用中一之制終於竊意未安與乎禮記王父死未練祥而猶祔孫其精義可以推知也蓋祔於祔位驟看雖似幾嫌苟無妨害正位之嫌則恐有不可之理耶至於祭時亡室雖無祝自有祔告於所祔位則其祔告中牽連措語亦似無害 答興梅山

子葬再虞可父死父葬後虞卒祔先後

問伯父喪在於從兄再虞之日三虞卒哭祔祭待伯父葬後而伯父虞卒祔祭以先後之序行之歟以尊卑行之歟 答鄭汝昶 剛齋曰三虞與卒哭祔祭以尊卑序者之恐得之

父喪中遭外祖喪卒哭退行

近齋曰卒哭行否固無關於亡人饗之當不當而但以亡者言之則爲新喪之子婿也受祿祭於未殯之前得無未安耶蓋禮曰卒哭而鬼事始卒哭前則猶有象生時之義故耳退行於殯葬日亦似無妨 答朴景宇

出舍人死而有本生親葬者卒哭退行

老洲曰凡祭之行廢當只看去入服之輕重今子婿之喪父爲主而新喪卽嫂喪也異宮也無可廢之義但新喪於亡人爲本生親則雖云虞而神之新喪之葬旣在月內則待其葬畢而行卒哭揆以情理亦似委曲矣 答沈靜而



承重孫祖喪中庶叔祔祭行否

近齋曰宗子於父母喪中行葬大功祔祭愼齋先生之論也厥子之喪未及行祔而其父死其父之孫承重者雖在重喪中何可以未及改題而不行其庶叔之祔祭乎若以其祖當主祔祭而其祖死已不敢代行云爾則此有不然者父在母未及行祔而父死母喪祔祭追行於父喪卒哭後則何嘗以未及改題而不行祔乎以此論之孟氏家所處已失之於初矣然三年後則無追祔之道惟當用過時不祭之義闕之 答尹聚東

葬親未返虞而遭伯叔父母喪者行三虞奔哭

梅山曰葬父母未及返虞而遭伯叔父母之喪者當待三虞奔哭奔哭後四日成服成服後當更占剛日卒哭卒哭翼日行祔祭恐宜虞祭所以安神也不可淹遲此與五服未成服前廢祭者其義不倫雖有葬之慼亦當及日行虞也 答金生聚善

葬親未虞而遭子喪者行虞卒之節

老洲曰虞是安神之祭不可踰日豈可以同宮有喪而虛徐乎至於三虞卒哭則當視練祥待新喪葬後行之恐宜矣 答金煥亨

葬親未虞而遭妻喪者行虞可否

問有葬親者下棺後遭妻喪未敢卽歸贈玄纁爲位而哭待題主返魂而歸始撫尸而哭虞祭以安神爲重雖成服前不可廢欲行事則冢婦成服前行祭亦未安何以爲之支子則與長子有異返魂前卽歸三虞等節成服前可行之否 南登 剛齋曰此處變之節似得之矣支子顧何異於長子也卒哭則似當行之於妻喪葬後而三虞則安神爲重不可不卽行之然子死於父母喪中則成服前父母朝夕祭當廢有先賢定論以此旁照成服前恐不可行之矣然未得明據何敢質言

# 禮疑續輯卷之十七

## 喪變禮

### 並有喪下

#### 並有父母祖父母喪練祥

陶菴曰兩祥是向吉之祭後喪未葬前不敢議 類輯續編

屛溪曰前喪練祥當行於後喪卒哭後則祔後卜日而行矣其忌日則別設殷奠單獻如朔望奠而以祥祭當俟後喪卒哭後卜日奉行之意告辭宜矣喪人葬前不能澡洗既不得主奠獻告辭當使服人替行後喪卒哭祔祭後行前喪祥祭則喪人自當主祀主祝矣 類輯續編

問後喪卒哭前未行前喪祥事則是日當告由略設而如三年內朔奠禮設似宜耶 李定載 鹿門曰同宮則略設亦未安而與常時忌祭有異不得已如來論似宜 類輯續編

竹菴曰前喪再期在後喪葬前則忌日只會哭葬後擇日行大祥服其服而除之 類輯續編

#### 父葬前値母再期

旅軒曰禮有喪三年不祭之文則父初喪忌祀不當行矣但母喪再朞則異於他忌不可全然無事當於其日略備祭需殺禮行奠喪主自不可與其事令輕服子弟當服行之無祝如何 常變通攷

#### 父喪既葬而祖殁父練祥屬稱

梅山曰練事前一日因上食告由恐宜當云維歲次云云孝子某敢昭告于顯考某官府君始喪題主顯祖考主喪以其屬稱書之矣顯祖考不幸而某年月日棄不肖當待顯祖考喪畢改題而自從明日小祥饋用子告父之祝哀增罔極敢告 答趙秉惠

#### 母喪中父亡前喪行練告由之節

陶菴答人曰以措語之難而用一獻無祝之禮豈有是理恐當於練祭前以孝子代行練事之意各告于兩几筵恐當練時祝詞直用小祥禮爲當告前喪几筵曰先考不幸以某年月日棄諸孤禮律至嚴不敢不仍用父在母喪之制將以某年月日孝子某替行練祥敢告告後喪几筵曰先妣初期隔數月題主既以亡室則禮當十一月而練將以某月日孝子代行練事哀增罔極敢告 五禮考證

近齋曰練祭前日告陶菴雖云各告考妣位而愚意用玄石說只告妣位無妨蓋父在時已知其當考位不必告故也維歲月日干支孝子某敢昭告于顯妣某封某氏某罪逆深重先妣喪事未畢先考棄不肖謹依禮家定論先妣神主題以顯妣而服制則不敢不引用父在母喪之禮將以來月行十一月之練敢告題主時若已告代父主喪以題主之意則練時告辭中自某罪逆至題以顯妣數十字語似爲複疊當改製用之維歲月日干支孝子某敢昭告于顯妣某封某氏先考在時既已服先妣喪期年禮律至嚴今不敢變當仍用父在母喪之禮十一月而練將以來日哀薦練事敢告 答三從弟鴻源

#### 母喪未終祥而父死者祔廟告辭

梅山曰禮當祔於顯曾祖妣之下當云先妣未終祥而先考某官下世不肖主母喪行禮謹以云云 答李道用

#### 父喪未祥母亡在殯祥月行事之節

近齋曰前喪大祥退行一節禮當告由於前喪几筵而設饌單獻則後喪在殯不可行只用告辭恐宜本祥日雖已過几筵不撤則上食何可止之耶如前行之無疑喪中不辭已有沙溪說斬衰雖重母喪中不可行祀矣 答高興濟

#### 母喪已葬而祖亡母祥屬稱告由

梅山曰尤翁嘗答人問父在母喪考父在時題母主以亡室父亡後母練宜以哀子告祝屛溪推斯義而答父喪中遭祖喪者之問曰祖在時題其父神主以亡子者祖亡後父祥亦宜以孤子措辭祝告渼湖又曰其父之喪雖其祖嘗爲主而祖今不在則其練祥其子不主而誰主之耶據此三賢說則母之於祖在之日雖以亡子婦題主既不在其子當主練祥豈遑備要子祭母之祝已矣豈容異論哉當於母祥前一日因上食告由于母喪几筵曰先祖考不幸以某年某月某日棄不肖將於某月某日孝子某替行練事 大祥則日祥事 敢告祖喪几筵亦因上食告曰先妣之喪顯祖考主之以亡子婦題主矣將以某月某日孝孫某代行練事 大祥則日祥事 哀增罔極敢告 答徐大之

#### 祖主孫喪祖死則父主其小祥前期告由

梅山曰令胤之喪以亡孫題主統尊之義也小祥祝既莫用祖告孫之辭則當遵古禮父沒兄弟各主其喪之文哀侍宜主其祭小祥則前月因上食告于令胤靈几曰維歲次云云父告于亡庶子始汝之死顯考某官府君以統尊之義主喪而以亡孫題主矣顯考府君不幸以某年某月喪逝吾替行練祥茲告 答李用九

#### 亡者生親葬前行練祀當否

渼湖曰朱子曰生父與所後父同坐則不可皆稱以父勢將稱生父爲叔父然則其於生父當以伯叔之禮廢之祭祀行廢亦一視乎此而已來諭以父喪爲嫌未知於朱子之意如何也今以此喪在殯之日而遽設練祭揆以私情誠若有不忍者然聖人言先王制禮行道之人皆不忍也如欲人心之皆安則將不勝其過厚而或失於大義者矣愚意恐無必不可祭之義 類輯續編

竹菴曰以亡者生親葬前退行小祥則祭與除喪固各有義而變除之在行祭後有士虞禮之文期而祭禮也而祭既必不得行於其月則期而除喪道也而有故而亦不得除於某月勢有然矣禮吉事先近日喪事先遠日以此推之祭吉事也而猶可遂過其月而退行則除喪屬喪事也而必於期除不得退行似過矣 類輯續編

按祭禮不爲除喪則服不可以不祭而不除也假使今月當祭而有故退行於來月服之踰月不除無義或當祭而連有故至九月十月而不祭則期功之服亦將不除而至九月十月乎

#### 所後葬前不得參所生練祭

柳氏曰先師答申子長曰練事在所後葬後則事皆順便而今既不然從氏以苫塊垢蝨之餘輒與向吉之祭恐未安不但除服一事爲難處也無已則待既葬而卒哭詣本生家哭而除衰服腦似或爲得禮之變也行練之日雖不敢與祭而別立門外以哭待行事畢入哭靈哀未知如何 常變通攷

#### 并有喪前祥日變除之節

樑泉問來月卽先考再朞而孤哀方持祖母重服服祭服畢反喪服之文亦似未安孤哀所遭有壓尊之嫌父祥之服父服行事未安陶菴答曰服祭服畢反喪服所重在於前喪有終壓尊之義恐不得參於其間也樑泉以爲先生所答如此而全廢重服未安以布直領素帶蔽陽子變除 類輯續編

竹庵曰雜記云除父之喪也服其祭服卒事反喪服則父喪中除母服亦可推知只以練衰行祭告利成後服白衣笠卒事反斬衰 類輯續編

近齋曰雜記有父之喪未畢喪而母死其除父之服也服其除服卒事反喪服註除服謂祥祭之服以示於前喪有終此見備要祥祭條註據此則雖方持承重服其行父之祥也當服白笠白直領行事無疑 答元逵孫

又曰或以爲祖母喪中行父之祥與母喪中行父之祥不同以有壓尊之義不可服白衣冠云云則恐不然愼齋先生答姜月塘之問曰雖於緦功之輕服亦當暫釋重服而服其服況於此乎且大祥之服本非吉服又何疑乎云云以此觀之壓尊之嫌非所當論也 答元逵錫

梅山曰服祥服行前喪之祥卒事而反後喪之服所重在於前喪有終恐不必以壓尊爲拘也且祥服縞素旣非純吉恐無旋吉旋凶嫌之耳反喪服當在祭訖奉主入廟之後 答金直養

又曰有以承重喪中行父之祥與母喪中行父之祥不同有壓屈之義不可服白衣冠問諸近翁近翁引沙溪說曰壓尊之嫌非所當論是爲可遵然櫟泉祖母喪中除父服行祥以全廢重服未安以布直領素帶蔽陽子變除恐爲得中也承重喪中猶然况所後父喪中除本生喪者乎 答趙秉惠

老洲曰父喪中祖喪大祥易服之節旣有退溪沙溪兩先正定論豈容異說來諭謂喪中旣用平凉子參廟今欲以此代白笠者大故未安蓋喪祭易服衰紀大節平凉子參廟不過一時權宜不可以此準彼互換用之也且冠重於衣豈可襲以深衣易衰而冠不用祥縞之制耶哀所謂不安於心者恐在此而不在彼也 答李正夏

竹菴曰父喪大祥時遭承重曾祖喪則葬前自不得行大祥卒哭後當追行而變除祥祭服其本衰行祀後除之反承重衰得之 類輯續編

父子同日亡其孫入后後承重者除服之節

剛齋曰鄭嘉山所後子承重問者以承重之禮爲言故姪亦以承重之禮答去而已今承來教始覺其不思量之失矣然於來教亦不能無妄疑嘉山所後子於其祖喪以代父繼其服論而不得留其几筵則其服亦當除之於再期之日而更無難處之節但嘉山與其父同日立殯未得爲其父制服而其子始代父受衰於出系之后矣不以承重論而斷之以繼其父服除之於再期之日未知如何其父未得受服而曰繼之則不但非其實亦有所不忍者父未殯服闋之說似難推之於此矣如何 答從男申公暐

本月旬後閏月旬前遭父母喪者變除之節

本菴曰或問遭外艱於本月旬後遭內艱於閏月旬前則其除服先除後喪後除前喪耶遂菴曰事勢不得不如來示愚按此却換易受服先後恐未安特依古卜日而不用忌日可否 類輯續編

父喪中遭長子喪退行小祥諸子女變除

近齋曰小祥雖因長子喪而退行諸子女則依先滿先除之文亡日變除似當 答金儕淳

妻喪大葬前父死大葬日其子變除

潁西曰親喪葬後當行妻喪大朞三獻如禮其子變除當以心喪服色行祭後始着祖父母服帶似可矣以墨帶行祭爲變除也祭後着服帶爲受服也蓋心喪與衰服有異祖父母服正統重服其不可以墨帶廢重服布者決矣 答金惟一

本生親服中所後親祥變除

屛溪曰生母喪未朞時値所後父祥則以白衣白笠行事後還服所生母服終其月數 類輯續編

近齋曰幷有父母喪者前喪大祥時着白笠衣白布直領而行事以示前喪有終祭訖還着後喪之衰此已有沙溪定論矣後喪是三年喪而猶然况本生親服是朞服乎 答族孫弘壽

所後喪中所生祥服

問退溪曰爲人後服斬衰當本生父母小祥則服玉色而入卒事反重服又曰小祥後入本生几筵亦服玉色高峯曰不可服黲又不可與小祥未知如何愼獨齋曰退溪服玉色之說似難從小祥後本生父母之服已盡以玉色入几筵尤不然高峯不可服黲似是不可與祭恐不然 疑禮問解

三山齋曰持所後之重喪而以黲布笠帶除其所生之服則未論禮意如何其心必有不自安者沙溪論父喪中妻祥之禮謂以布衣

孝山行承重若如此他葬又可知今姑準此以行之無乃可乎 答從子麟祥

老洲曰本生服旣降而爲朞則當二祥變除之可論只於小祥日脫服時以墨縗心喪服色變除而祭畢還服所后喪服恐宜矣 與金煥享

梅山曰所後喪中並有本生親喪者除服於小祥似當也黲布笠帶白布直領與祭以示前喪有終而斬衰歷尊服黲行事恐未安尊叔父小祥數蔬果後除服以孝巾布帶布直領將事恐宜服已除矣有事子尊叔父几筵當用孝巾布帶布直領而已待到重喪禫變當爲本生服黲行心喪譏重喪告祭當準禮以吉服承祭祭訖反黲服 答金

並有喪兩祥有故退行於禫月之節

問父母亡在同月而兩大祥有故退行於將禫之月則同日行之耶異日行之耶禫月始行大祥則禫奈何以爲之先行祥祀又行禫祭於月內耶 成學坤 屛溪曰大祥同日設行似無不可而各服其服各除其喪節次苟艱製礙以初中丁各行似得宜皆有正月當大祥者有故退行於二月禫月在三月而尤翁疑以二月祥三月禫則有違於間月之禮間月而禫於四月則有違於過時不禫之禮矣來示以祥月禫比尤翁之疑尤有疑焉何敢以犯沃散之誚耶第祥事雖有故退行於禫月而二十七月之限則自在行禫於同月之季丁於禮似無不可更宜博詢也 類輯續編

梅山曰尊祖妣尊先妣祥禫若在同月祥則用忌日不拘重輕禫則卜日當先重後輕而一日之內次第行之恐無不可雖行兩禫於同日尚不可一時並行於祀然也若以一日兩祭爲難行亦不必待中旬必用上旬中辛日如何不直辛日凡柔日皆可祭也若分日而祭兩禫則前喪之禫當用微吉之服承祭祭訖反後喪祥服後喪之禫當用純吉之服承祭祭訖反微吉之服而方喪中無他變制以布網巾白服以布直領當服服已矣縱令用望日行禫禫是殷祭祭是小祀恐無一日再祭之嫌也 答尹生

父母喪中妻喪諸節

屛溪曰父在時若以宗子居與宮之禮服妻杖朞則臨練遭父喪者父葬祔祭後卜日行妻練祭後一月行大祥而脫衰禫則重喪在身不可行矣若以父在不杖之禮成服則練禫今無可論 類輯續編

近齋曰沙溪先生曰父喪旣殯乃行妻之二祥旣曰二祥則練之當行無疑矣或引三年無改之說未知何據 答高與濟

居憂中躬莅妻喪可否

老洲曰躬莅妻喪斂殯合雖因喪疏逾於涉重難當以從人習行爲正然有子姪至親之可使者誠無容更論如或無一介親屬而只一任婢僕之手則於夫之亦東其所不忍而合有商量此則只設當時事勢而裁處矣 與梅山

妻喪練祥在父喪中夫爲主告由

梅山曰妻主之喪之卒而夫子嫁祔之前而子喪練祥當退行於舅喪卒哭之後而夫當主之祝用夫告妻之辭祝與題主不同恐不必拘也告祭[illegible]曰當以退行之告由于妻喪几筵云維歲次云云夫某告于亡室云云始遭先府君主之故題主以亡子嫁矣明日將退行練事[illegible]祝用夫告妻之辭茲告 答李仁植

妻喪葬前父母喪葬略設可否

梅山曰重喪未過葬則前喪練葬則不可設[illegible]重喪練祥卽同宮之喪雖臣妾葬而後祭之義也小祥前一日因上食當告退期之由告辭當云歲次云云孝子某云云明日當行常事而亡妻尸柩在殯準禮廢祭將退行於卒哭後彌增罔極謹因上食云云雖是同喪殯在同宮則略設亦不可弭也 答趙禧有

母喪之練當待父喪之祔

梅山曰母喪之終當得變喪之禍準禮行事因之變除當日則略設酒哀恐宜前一日當因上食告由云今以顯妣初喪之日當禮行常事而 喪終葬不克致齊謹俟卒哭退行來日則敢用一獻略伸情禮彌增罔極謹告妻喪祔祭後當卜或丁或亥日行伊練祭而前一日因朝夕上食告追行之期恐宜云今以顯妣小祥卜以來日追行常事謹告 答徐舜卿

重喪中遭輕喪輕喪中遭重喪者練祥聽行廢

陶菴曰同宮之內雖婢妾喪亦廢祭況于姪乎朝夕上食成服前則可廢而異宮則雖成服前無廢上食之義至於祥事則雖屢月之久過葬後退行而禫則過其月不可行 續編

渼湖曰如喪在同宮則不獨以行祭者不過曰尸柩爲凶籩豆爲吉不可以相干耳即此籩豆之陳設惟在於尸柩之遠近而已故愚以爲殯在同宮則雖妾必葬而後祭殯在異宮則雖子喪可行也若以其主喪者不安於齋沐行祭云則如是爲長子服斬者其言固然而等是朞服則凡支子與兄弟之喪有何擇焉 續編

又曰殤喪雖未及葬既出殯遠處則亦不必以此爲拘蓋喪在同宮則雖臣妾葬而後祭者爲其吉凶相殺祭不可以犯染而行之也是以在異宮則雖期以下皆許既殯而祭爲其無相觸犯染之患耳 同上

竹菴曰貴宮庭之喪其親喪未除而其兄主祭將行喪大祥依雜記父母之喪將祭而昆弟死既殯而後祭之文葬後行祥而仍服[illegible]之服皆以前祭服也祭不爲除喪則祭重而除喪輕所重之祭待葬後則除喪一節豈延拖一二月何傷於孝子之心乎 類編

問小大祥忌祭時遭其祖父母或兄弟之喪於異宮則略設無妨否 答家 渼湖曰喪在異宮而既殯此二祥似無不可行之義忌祭則要當以爲未葬略設葬後如平時 續編 問重服未葬前行祀似未安而寒水齋則以爲練祭自是吉祭重服葬前不可行練祥無不可行之理云云 續編 稼泉曰異宮則殯而後祭禮也寒水先生說可行無疑 續編 本庵曰或問次子之子遇父喪殯於其家矣祖母喪出於宗家方在殯而值其父小祥如何尤庵曰祖母雖亦期服而正統異於昆弟然非同宮而待葬後而祭無乃未安耶其父母與祖母既是父子則是同宮異喪似亦不敢暴祭云愚按此恐一以主喪者之於新喪同宮異宮爲斷至於既是父子則是同宮云者猶有未瑩於子禮皆異宮禮有明文矣 續編

南溪曰問解以下既殯行練祥之說雖祖父母未葬前似可行練祥此不無疑而祖父母正統之尊與諸父昆弟有異且尤庵曰父母與祖父母既是父子則雖異宮是同宮也當以此定禮爲正喪雖亦日期實是與三年者重於諸父昆弟之葬雖異宮既是未葬尚亦當以爲同宮論 類編 遲翁

按喪大小記雖是臨服近親也與伯叔父母不同生父母喪亦是期服本親也與伯叔父母不同父母未葬雖異宮其子服恐當無祭[illegible]

出後之子於所生父母[illegible]

與一以同之於伯叔父母而無別焉

竹泉曰[illegible]行祭則[illegible] 續編

遲翁曰[illegible]叔母喪前先忌祭[illegible]不可略行[illegible]當備禮矣禮曰將行二祥而遇昆弟喪異宮則殯而後祭以此觀之期服殯前行二祥之祭恐何疑乎 答金

李由曰孝[illegible]

也云[illegible]亦以異宮而言也沙溪引此爲自期以下既殯後行練祥禫之證正統之期雖重於傍期祇當以期爲準蓋練祥卽喪中之祭祥所以爲孝子變制故不宜過時與時忌齋祭不類故也雖異宮者不殯則不可祭成服後卜日以行可也 與成叔 李滿



又曰五服未成服前大中小祀俱廢是爲湖谷定論不可易者也至若練祥即喪中之祭故雖五服未成服前異宮則準禮行之然則外孫異宮之嫌外祖母祥忌恐無可廢之義也 答申生 續編

三山齋曰期以下既殯之後擇日行禫沙溪說見在門問解練祭條據此則尹伯氏禫事不必待仲氏葬事之後但同宮則不可行耳果同宮而葬日出於下旬卒哭後無或丁或亥之日則此似難處然因此而遂用過時不葬之禮則於孝子之心得無缺然乎或云既則不必待卒哭而行之此又如何 答柳汝思

葬柳氏曰主婦之殯雖在他所恐不可以異宮論 常變通考

大故未葬不可主異宮卑幼練祥

梅山曰有問於尤翁曰次子之子遭親於其家矣祖母喪出於宗家方在殯而值其父小祥如何答曰祖母雖亦期服而正統異於昆弟然非同宮而待葬後而祭無乃未安乎 此尤翁說 異宮則恐無廢祭之義既殯而行之固也至若三年之喪未葬不可以異宮而行卑幼之練祥且既主其喪不宜其擇若犯染則不成齋戒欲齋戒則難離殯所所以當廢也退行於親喪卒哭後禫則過時不祭 答溪

父喪在殯祖妣大祥退行本祥日略設

梅山曰父喪在殯祖妣大祥不可行祭宜退舉於父葬卒哭後而用或丁或亥日恐宜本祥日未忍昧然無事略設酒餅如朔望奠泄哀伸情是爲通行之例也前一日因上食告由云維歲次云云孝孫某敢昭告于顯祖妣某封某氏明日將行大祥而先考喪柩在殯遂同宮喪葬而後祭之文將退行于卒哭之後本祥只薦一獻之禮恐伸哀慕謹告顯祖妣大祥退行當時除喪服用存前喪有移之義以父喪之布深衣蔽陽子行禮恐宜 答鄭 海照

父喪葬後祖妣大祥告祠措辭

黎湖曰新喪之出去舊喪大祥直是無多雖不果代重葬後行大祥時稱孤孫者恐非可疑曾子問雖有過時不祭之文而三年而葬者必再祭云云既於小記明言之恐不得以曾子問爲準也夫既曰二祭則必備禮而後方爲祭尹哀之以單獻無祝爲主者恐未致祭於祥事之猶不害爲喪祭與廟中正祭有別故耳退行大祥時前一日告入廟祝列書云云之下當曰孜以先祖妣大祥既屆而以得親葬并奄罹大故今者葬禮纔訖將以來日始薦祥事而祔於顯祖妣某封云云如是爲言恐或得之大祥祝文之純用例語亦似平泛當曰孤孫某敢昭告云云變故罔極大祥始及夙夜哀慕五情靡潰黍酌用之似亦差勝耶如是而後方見其喪變哀迫之意耳 答安士豪

妻亾踰月夫亡不待夫祥先入廟

近齋曰何待夫祥當先入廟姑祔于夫之祖妣者侯吉祭合櫝雖已過祥有日不可先爲入廟 答梅山

並有重喪中前喪禫祭行廢 并說除服

問嫡孫父母喪中不可行祖父禫矣但沙溪先生前答不同云云 李齋以 陶庵曰當從前說 續編

厚齋曰以沙溪說觀之後喪中前喪禫祭不可行矣但禫祭雖不可行而禫服恐不可不除設位哭除以示前喪之有終卽反後喪之服似或可耶 續編

陶庵曰禮中月而禫中字蓋指大祥月之中而先儒訓以間一月自是爲二十七月之制而非禮之本意耳假令祥事退行於當禫之月當即其月而行禫 類編

問退行大祥而與禫偶同則行祥於是月而禫於月中以應古者月中之制不亦爲從厚乎先師曰此王肅說也而朱子是之則從之固好但練而祔孔子既善殷而朱子以既卒哭皆用周禮而祔獨行殷爲未安今練祥禫之異月而祭尚矣開元禮未再周葬二十六

月祥二十七月禫（以終二十七月之數）再周而葬者祥而即吉無復禫（假如二十五月葬則二十六月祥二十七月祥可以行禫於月中而猶不許）與其創起而犯汏戕之譏恐不若守經信古之爲寡過也（常變通攷）

屛溪曰主祭者身有重喪不得行禫則他房之免禫只當設位哭除而已不可行祀小大祥支子之追後聞喪者不得除喪於再期計其聞喪日免除而固不行祭只設位哭除與此似無異同（類輯續編）

問宗姪大和承重先妣喪而又在其母喪中先妣大祥後不得行禫而挺陽之變除當設位行之而問解著李白江以爲諸父告辭行禫可也未知如何（朴挺陽）陶庵曰宗子既在喪中不可主祭則諸父何得任情替行耶（類輯續編）

又曰父喪中祖母喪承重者不得行禫於父而其弟則設位哭除或於月終哭除此固從厚而其視中月本意則過矣丁日亦無不可（同上）

渼湖曰禫既過時不祭則其當變除者只於此月中取其近日哭而除之而已（類輯續編）

問後喪大祥後禫祭則亦不可行前喪禫耶（李道哉）厚齋曰以雜記觀之後喪中行前祥大喪蓋以同是凶禮故也以此旁照則後喪禫中行前喪禫恐無不可蓋此不惟同是吉祭恐亦有合於雜記註所謂以示前喪有終之意且不禫祭則已若行則似不可不暫着前喪吉服（類輯續編）

櫟泉曰禮幷有喪前喪不禫者以後喪祥前不可行吉祭祥後則過時不可行也令前喪禫期適在後喪祥後則是月借祿行前喪禫事次月行先伯氏禫事又次月行尊嫂氏禫事似爲恰當而俱不過時矣（類輯續編）

貞庵曰祥後禫前之人爲喪人耶否耶其自稱則曰孤哀禮祝則曰夙興夜處哀慕不寧不可謂非喪人也且淡淡平安始言於禫祭歲及兒喪始言於吉祭而祥後則無此等文今以祥後故便處以沒喪之人而遽行前喪之禫竊恐其安也甥姪金獻材頗熟於禮學而其言亦如此矣（類輯續編○渼湖庵門所答皆與貞庵問同）

[illegible]氏曰所謂前喪禫不可行於後喪中不忍於凶時行吉禮云者可疑春官疏禫祭以前皆爲喪祭且觀於家禮哭而行事可知矣[illegible]於凶時行吉禮者亦雜記既有其練祥皆行之節也言後喪未葬不忍行前喪練祥之意也何必以後喪葬後行前喪[illegible]記云如當父母之喪其除諸父昆弟之喪也皆服其除喪之服賀循曰其服當著吉服除服卒事反喪服方氏曰示於[illegible]喪有終之義既喪中尙以吉服除朞功之服豈不可暫服禫服以行前喪禫也（家禮增解）

[illegible]三從弟嫂氏之喪以一家喪故未行禫祭而踰過禫月常用過時不禫之文而禫祭雖不行祥服則當除如來示告由[illegible]除喪服爲宜然既不行禫祀則不必用丁日雖用今望日爲之亦無不可（答郭柱）

[illegible]承重者不行祖母禫吉則諸父惟當於禫月設位哭除吉月亦當於私次著吉服而皆當用禫吉之月丁亥日曾見[illegible]矣或云既不行祭則不必用丁亥日而問解所云吉祭之期之期字卽指日期也禫吉變除之皆用丁亥日似無可疑

[illegible]孫不行禫則諸叔只哭除喪服於私次不敢行祭此已有先賢定論（答宋欽書）

[illegible]非祭不行前喪之吉祭禫亦當廢已有先輩定論諸子諸婦之當除服者只許其月數臨滿隨除而恐不可別設祭

[illegible]不行祥禫諸父哭除者以禮則並卜遠之義以情則未忍遽變然情不可以掩禮愚意則以中旬卜日哭除庶乎其可[illegible]中旬有故上旬斯可矣（答松山）

[illegible]曰禫吉祭也不可以喪服行之母喪中恐不可行禫祀若有子則於當禫之月設位哭而除服似可矣（答李學修）



海山曰母喪中雖爲妻不禫爲子者不容不變制用十五月或丁或亥日設虛位於靈座故處哭除恐宜雜記所云除服之服即指諸父昆弟之喪服也猶言服其所除之服而除之也豈謂除其喪服而服平人之服乎重喪中爲除輕喪之服着吉服云者賀說大悖於禮引之爲喪中行禫之證者恐不可從（答申幼安）

妻期及長子喪中行親禫當否

本庵曰問解續曰妻喪雖重於兄弟殯既異宮則父喪祥禫似當行之愚按雜記言三年之喪既穎其練祥皆行妻喪亦是三年之體且係主婦則恐不可以偶在異宮而於其葬前行前喪之祥也況禫乎（類輯續編）

渼湖答本庵曰妻期及長子三年中親禫行否問於鄭府大臣則以爲似不得不行其言於愚意云何（類輯續編）

梅山曰妻喪未葬不行父之禫以同宮也既葬而亦不行以過時也勢將於妻服成後用丁亥日設位哭除矣禫是孝子變除之祭且既告始死于廟則恐不必更告不禫之由此與練祥之廢有異故也（答櫟溪）

長子喪中妻禫行否

梅山曰長子喪若服斬則不當行妻禫而服朞則不可以子喪未撤靈而廢妻禫十五月準禮行禫恐無可疑但禫祀不可遂撤祭服待子喪畢始服純吉情禮俱安也（答李[illegible]）

本生親服中行所後家練祥禫吉（妻禫並論）

竹庵曰白布裹笠本合於期功服色見栗谷集則在本親喪中以白笠行所後大祥行祀後反着平凉子似無不可白與確亭叔言如此禫則本親服中恐不得行（類輯續編）

問先妣小祥即二月二十九日榮遂方在所生父喪不可行祀否（趙榮遂） 厚齋曰雜記曰父母之喪將祭而昆弟死既殯而祭同宮則雖臣妾葬而後祭註將祭將行大小祥也據有異宮兄弟之喪則待殯乾乃祭今哀家後喪既是期服而又是異宮則依雜記說小祥恐當行之（類輯續編）

又曰生母喪是朞年服也所後承重禰祀恐當行而不可廢也（同上）

南塘曰本生親之喪情雖至重禮則當從服制豈有以不杖期之服廢三年喪之禮乎在我私恩雖曰罔極喪服不可以私恩有所變通也（[illegible]○類輯續編）

屛溪曰生母期內當服吉之時則似當往生母初朞服後以行所後祖母吉祭矣（類輯續編）

又曰有官者君喪斬衰葬後諸先正皆以爲時祭可行所後家吉祭似無遠避有異尋常時祭而心喪雖制既是朞服則不容[illegible]喪斬衰豈敢以生家心制不行所後家吉祭耶（同上）

近齋曰本生父服中當行所後禰吉庵說恐正孝見類輯喪變禮條則可知也既已當行吉祭而遷遞合檳皆依禮如期行之吉期不當論矣行吉祭時受胙則不爲以示變常而服色則陶庵以爲一時借吉無疑（答宋[illegible]）

梅山曰本生親喪一斷以朞服則朞服中豈有不行禫祫之義乎栗谷云朞大功葬後祭如平時但不受胙據此則吉祭當準禮行之而惟不受胙以示變而斷以當行則無[illegible]心喪之分舉禫祫于當舉之月恐宜且禫過時不祭逾二十七月之朞則禮固私喪之服而廢傳重之禮可乎三年廢祭之餘正祭爲急且有遷遞改題多少節目是豈可以惟斷還却乎月數久近恐不必論也借使本生練祭在於十數月之遠則亦當退行吉祭乎陶庵所云中丁過禫者非謂行於心喪而不可行於朞服也特因其本生練祭之在於旬前故云爾其答李公敏坤書則蓋言本生服中不可廢祥禫之義其曰拘於情而廢於禮伸於公而屈於私云者說得眞正恐不容異論（答李[illegible]）

又曰齋吉之期若在本生葬前恐當退以卒哭後而禫則過時不祭 答任聖時

老洲曰本生親心制中行所後家吉祭已有先輩定論矣 答敎秀

又曰本生親喪中所後家練祥禫吉行廢當否類輯所載先儒之論皆從親喪說不及於妻喪實無可據然本生親喪以廢一本之義以斷以伯叔父母之服則妻喪雖無所重既具三年之體恐不可遽廢其禫若沙溪所謂凶時不可行吉之說是指並有實喪者非所可引於妻服也然則行禫而心有所不安使子攝主庶幾稍得便宜而臆說無稽何敢質言 答或人

所後母喪葬前不得廢生母禫

竹庵曰所後母卒哭後哭於本生母几筵除服而本生家既是父在母喪則當以撤几筵或哭墓而除可伸情禮耶 類輯續編

按出後人於本生父母之喪當葬而除服仍以心喪服色計二十七月而除若有所後喪則所後喪畢始服心喪今云所後母葬前不得祭生母則卒哭後哭於本生母几筵除服者是何服耶

月塘問所生之禫在於所後衰絰之中云云沙溪曰禫吉祭也身有重喪不可祭也 類輯續編

並有喪兩禫同日

柳氏曰先師曰兩禫同月一日並設似無害然底祭並有喪皆異日而祭朱子曰同日同祭何害而其法俱在不可違也今兩禫恐不可一時並舉也 答金樑致

並有喪吉祭

問祖母吉祭以父喪未行父喪吉祭以長子喪未行云云 答徐游 屏溪曰前二喪雖畢當俟長子禫畢翌月三喪吉祭一時並行爲宜子喪雖無改題遞遷之節吉祭則一時祀也當以祔位排祭宜矣兩代祝文既各板爲之則從事實各告何嫌之有祖考妣位 曰顯妣喪期已盡云云 考妣位 曰先考喪期已盡云云 祝辭一依所示爲之可也 類輯續編

渼湖曰父喪未盡闋不可爲祖禫而吉祭何可終廢也待父喪畢行之而入廟可矣 類輯續編

正統葬前雖異宮難行祫祭

梅山曰練祥禫雖是趨吉而實爲喪祭故葬服未葬前無不可行之義至若吉祭似與練祥禫有異而陶庵云喪餘之薦與時祭有間雖葬服未葬苟其異宮則未見其不可行據此則禫祫之不當廢也審矣若正統葬則有不敢行者當待卒哭畢祫而旁期則當祫而祫不失變除之期可也 答金善長

妻喪葬後親喪吉祭

厚齋曰父喪畢後遞遷改題禮之大節妻喪既過卒哭後行之惟當祭不着純吉之服莅事不行受胙之節略示其變方似合宜 類輯續編

期功服葬前重喪吉祭行否

陶庵曰吉祭雖是凶餘變吉之禮過葬後行之恐爲穩當 類輯續編

竹庵曰葬服葬前不得行禫則過禫月後因朔祭變服 當以月下旬行葬功之葬故云 初旬擇日行吉祭而考妣合櫝合祭似得矣若行祀一用時祭儀而當無受胙飲福之禮 同上

嫡孫在喪中不得行祖喪吉祭者諸父復寢之節

陶庵曰雖不行吉祭過盡吉祭當行之月而復寢似合自盡之義 類輯續編

父喪祥後遭母喪祖廟未改題考位陞遷當否

近齋曰人有父喪既祥而遭母喪喪中不得行禫吉其祖廟神主未改題則廟中其父東壁之位姑仍而不遷以待母喪畢後改題祖廟主而始遷之列於西上之次耶或言父喪既祥而禫祭過時不舉則東壁之位葬母後遷之似可此說如何祖廟既未改題而父廟可奉正位耶大抵雖以連有喪而有此變禮然未改題不遷位以待日後則亦有父喪過六年之嫌抑雖不行吉祭而改題遷位則依時爲之耶 答任靖周

按父喪既祥入廟而奉於東壁則雖因母喪遲陞正龕不可不謂之喪畢矣改題非喪中之事世次迭遷非未改題之事雖至六年恐不可舉論矣

父喪中遭母喪者母喪畢後改題遞遷

剛齋曰父喪中遭母喪者父喪雖已除而吉祭不可行於母喪中則勢不得不母喪畢後乃改題吉祭而行遞遷此所以答君兗喪時所詢者而鏡湖今日所處與君家所已行者似無異 答宋季賢

並有祖母父母喪者母喪畢祖考妣位吉祭告辭

近齋曰吉祭前一日祖考改題祝插入措語祖妣位則別用祝辭以告無妨維歲月日干支孝孫某敢昭告于顯祖考某官府君伏以先祖妣某封某氏暨先考府君喪期將盡於某年某月而先妣棄世喪中禫吉未行今者妣喪已畢將行吉祭顯祖考神主禮當改題世次迭遷不勝愴感謹以酒果用伸虔告謹告 右祖考位祝辭 維歲月日干支孝孫某敢昭告于顯祖妣某封某氏伏以顯祖妣暨先考某官喪期將盡於某年某月而先妣棄世喪中未行禫吉今者妣喪已畢將以來日遞行顯祖考顯祖妣合享之禮不勝感愴謹以云云 右祖妣位告辭 答李彝憲

又曰并有父與承重祖母兩喪者後喪畢後當並舉兩喪吉祭而列書五代祖考至祖考某官府君下當云玆以先祖妣某封某氏先考某官府君喪期已盡云云其下列書至祖考某官府君神主云云並遵備要恐宜父與祖母既是祔位且無改題之節不可列書酒



爲告由而設無告由則恐不當設也主人先妣雖是祔位當改題則當告由歲次云云孝子某敢昭告于顯妣某封某氏當初題主時顯考某官府君爲主故題以亡室矣今某官府君喪期已盡子某將以顯妣改題謹以酒果云云當用異板矣吉祭時出主告辭祖妣及考妣恐當列書耳 答朴時仲

連有喪未祫享前不合櫝

近齋曰禫月吉祭而猶未配者何也疏曰哀未忘如喪中然由此觀之合櫝一節比吉祭尤爲吉事可知也已行吉祭而猶未配夫行吉祭而其可配乎愚於此禮所見與座下同以盛說中衆尊廟主之文論之古者喪三年不祭不祭之時何論合櫝乎高見誠得之矣 答金宗審

嗣子未執喪

長子病廢次子傳重

問家兄廢疾已久生父生時意欲傳重於舍弟今當大故當從治命而不無人言如何 答趙儼 陶庵曰廢疾代以次子此在古禮無可疑者不知者雖或有言何足顧也 類輯續編

問人有二子長則以盲廢不娶無後不得已傳重於次子次子先逝而有母喪長子與次子之子執主之人 或 厚齋曰儀禮喪服篇曰嫡婦不爲舅後者姑爲之小功註曰夫有廢疾若死而不受重者小功庶婦之服也凡廢疾與先死而無子者同次子之子當主之 類輯續編

長子有疾使姪攝行 兄有疾弟不可代重幷論

雲坪曰長子雖病尙有視息自當以此爲主喪而其姪攝行筋力之事可也不可遽自服重以犯奪宗之罪也祝文以孝子某有疾不能將事使支孫宗復敢昭告云云乃古今正禮也 類輯續編

黎湖曰長子廢疾次子代實古義如此但自問慎禮以來此事似有邦禁今此以弟代兄雖與彼以子代父者有異而然其以疾致然則一也非疾狀之全無人道則恐行不得凡於主喪題主等節只可以攝主之禮處之矣 答吳伯玉

近齋曰凡祭主人病未將事則祝用使某之文虞卒亦然祝文當以病未將事使孫某爲辭 答李敦毅

又曰尤翁以爲虞卒行祭無論墳庵與京第身有故不得躬行則祝文當曰使子某告云云 答柳山

宗子雖不慧不可不使尸祀

梅山曰宗支之分至嚴且重宗子雖近不慧猶能娶妻求嗣則此與天疾有異曷可不使尸祀用犯奪宗之譏乎若不克家則支子當管攝宗事 答崔義發

子幼攝主

問嫡孫承重方在襁褓中仲子當攝主祝事 吳任道 厚齋曰當用兒名爲祝辭曰孤哀孫某幼不卽禮孤哀子某攝事敢昭告于云云自處依此行之

竹庵曰嫡孫於祖虞祔幼未將事而介子攝祀則祝式書以哀子某爲哀孫某敢昭告于顯考云云或有愈於闕其親之云耶 答朴海普

問小記大功者主人之喪有三年者則必爲之再祭 條辭 朋友虞祔而已鄭氏曰不幸而無大功則小功不可坐視不幸而無朋友則隣舊不可恝然練祥不必大功親屬皆不可得辭云若如鄭說則勿說大功小功朋友親舊凡主人之喪若有死者之喪若幼子未嫁女皆爲爲之練祥再祭 戚人 鹿門曰小記以大功者對朋友爲說則大功以下似當在其中隣舊情親者亦同人於朋友中 顧錫鎭

又問大功之練祥朋友之虞祔皆是攝主也子雖幼當以其名爲主而告若只有妻則婦人無主祭之禮兄弟朋友自主其祭乎鹿門曰如此者依禮以某親某友人某攝事之意預告几筵而當日祝則直以攝事者名告之可也或云某爲主婦某氏云云似好 同上



問亾人只有五歲稚子與五寸叔及六寸弟誰當攝主 尹聚東 竹庵曰以兒名旁題屬其七寸叔 卽亾者之六寸 以行似好 續輯

近齋曰既有血屬則年雖未滿當爲攝祀勿論主祀與攝祀乳下兒之定名旁題其義似無異同也何拘於年歲乎若用或說從弟爲攝主則將來此兒年長又將爲攝誠有改題頻數之嫌恐不如用此兒名旁題 答徐有食

又曰乳下兒定名旁題沙溪有定論矣乳兒猶然況九歲兒乎九歲夙成足以行祭則長者指導其禮節若未然則以幼未將事用攝主告之文 答柳山

又曰何必待十歲若至八歲則改題似當 答柳山

又曰當室童子雖稚少以衰抱之似是指未及八歲者而言既已旁題則似當爲喪主然若是以乳下兒爲旁題者則先賢以攝主告言之既曰攝主則恐亦不可謂喪主也 答李源昌

老洲曰喪不可一日無主喪中身死者有子則雖幼當承重然則退行大祥當以孝孫某幼未將事攝屬季父某云云恐宜矣 答朴康善

梅山曰古禮父沒兄弟同居各主其喪註云各爲其妻子之喪同居猶然況異宮乎今季氏既異宮矣又有以之衰抱之嗣子當以子名題主行三年之喪可無多少窒礙也嬰孩既不克自將則諸祝當云屬世父敢昭告云云日月不居以下數句語非嬰兒之所可道而實理則然一遵子告父之辭恐宜不可以攝行而變其辭也 答任憲晦

又曰夙興夜處哀慕不寧八字固非幼子童孫之所可自道則沙尤兩先生所論儘是敍實而此以嬰孩之抱衰者類而言至若九歲則已躋受服之年夙成者足以臨喪承祭不必用攝禮也若不克臨葬則初虞祝當遵南溪說孤孫幼不能卽禮孤子某攝行敢昭告云云恐宜反魂以後則自從再虞直用孤孫名告祝如何九歲嗣孫足以奠獻薦稞與俯雖不中禮亦何傷哉 答柳溪

問仲父小祥當以從弟名改題行祀而生未一朞何以爲之 種直 洞山曰改題從當爲之而小祥前一日告于几筵曰從弟既生而姑未定名不得改題神主將以從子名攝行小祥云也 答鄭正所

李氏曰曾子問宗子使庶子攝主祝曰使介子某云云則是鑑用祖禰之屬稱矣若用宗子之屬稱則當曰介弟矣今以弟行代攝而稱叔父者恐違於古禮矣似當從亾者之屬稱曰孤子某幼未將事弟某攝事敢昭告于顯兄而都不用代字屬字如何 家禮增解

無嫡嗣喪 與祭接續嗣主奉祀條參看

兄亾未立後者父母喪次子攝主 喪畢兄主陞祔並論

厚齋曰禮必須一無男主而後不得已用女主今旣有次子 嫡子之弟 則以顯舅題主云者非禮意次子攝祀題主以待長孫娶立后恐得之頃年稟于尤丈則所答如是矣旁題某攝祀上只書孫不書孝 新喪題主旁註子字上亦不書孝字 嫡子嫡孫之主姑闕旁註並俟他日立后 頤齋續編

南塘曰長子死而無后則次子主祀題主而去孝字不稱奉祀而稱攝祀題主畢以今姑攝祀以待長房立嗣復還宗事之意告之爲得但攝之爲言有主者而不得自主故攝之云爾此有宗婦主之者故謂之攝若無宗婦則直稱奉祀而他日立后時復歸其宗亦何難處也 類輯續編

又曰嫡子死無后次子奉祀題主嫡長立后復歸宗祀理順事便有何不可乎婦人主祭大義已失故節目之間事事窒礙婦人既主祭則當爲初獻而諸子並獻則是嫂叔共事而有內外官之嫌若因此而諸子不得奠獻則非情也婦人主祭而仍就西階位則豈有主祭而在西階之賓位者乎若就東階之位而衆婦女隨之諸子就西階位而衆男子隨之則男女易位不可之大者也次子主祭初獻而在東位次婦亞獻而在西位嫡長婦位於次婦之上則位次名義秩然不亂 同上

竹庵曰兄亾弟攝父母喪主喪以介子某攝祀爲得旁親陳于書式註而今此攝事於其喪當以介弟某攝祀 答李續編

又曰若以攝祀爲定則立后改題恐當俟兒稍長後 同上



屏溪曰長子無子而死立后無人而主喪畢則吉祭改題等大節雖姑待立后而其他喪禮凡百亦多難便長孫告于諸位列位以爲顯考之喪未立喪主故支孫婦不得已主祭而宗嗣體屬嫡人主祭本非正禮喪中大小祀事誠多礙窒姑使夫弟某權攝將事敢具事由謹告云云此後祝告皆書兄嫂某氏不得將事子某或孫某敢攝昭告云云仲子雖自祝告以兄嫂爲主則無嫌 類輯續編

渼湖曰婦人無主祀之義姑以次子攝祀題主後若生子立爲長兄之後爲宜 類輯續編

問徐令有元長子夏輔早亡夏輔之妻方見在而姑未立后又有夏輔之弟殷輔矣今於徐令之喪當依尤翁說急急立后然後凡百皆順而葬期已迫尚未決定今則勢將讓權攝之制而長婦主祀次子攝祀俱非禮之正尤翁答老峯之問曰次子不敢旁題而只稱攝行者實嚴宗統之一大防士夫家不可不知也當題例施於所尊既以顯考題主而獨不用旁題恐反未安 思 三山齋曰尤庵說恐最先正人豪答人此問亦曰次子雖行攝主而不敢旁題則尤翁以爲嚴宗統之大防豈末孝而有此疑耶云矣

近齋曰顯兄之列于正位一節恐涉未安長兄雖旁親與祔者不同既未及立後則不成考位矣不成考位則不得爲正位矣且雖欲列于正位實有窒礙者若使攝祀之弟奉高祖之祀則自高祖至顯兄爲五正位亦恐近於祭五代之嫌豈不難處乎然則顯兄之位不得不姑以祔位處之而列中東壁西向令祭祝用祔食之文以待立後始還而陞于正位方爲得宜 答徐有甘

老洲曰兄未及立後則弟當爲權攝題主之節當以顯妣題主而旁題子字上去孝字奉字改以攝字書曰子某攝祀云爾則足以別嫌此雖無經據尤翁陶庵皆有論說尤翁以爲無主人則攝之一字無所當 嫌字以成王幼而周公攝政之攝字 用權字爲稍安陶庵以爲字書曰攝假也左傳曰攝官承之云則其義恰當云云權與攝字雖無差別以喪服小記士不攝大夫之文觀之可爲無主而攝之證而若加權字於奉祀上則甚覺生割從陶庵說而設攝祀文勢爲順 與致務

剛齋曰長子死而未及立后則次子旁主而傍題去孝字先賢說有可據而世多行之者矣然之子當后其兄者既在乳下而又未及

告君顯位此行之恐似駭俗 答鄭公省

梅山曰支子攝祀者若無父兄遺命則啓殯日當告攝祀之由如陶庵說而尊門則既有某日治命無所事于更告然事異常經恐不容無告 答李保汝

又曰陶庵雖有權攝之舉而題主則無傍題之說然凡係遞遷長房者亦用長房名旁題支子攝祀無不可傍題之義當云介子某也攝祀祝文亦當云攝祀介子某也攝祀之由亦宜告廟告辭云維歲云云攝祀玄孫某敢昭告于顯高祖云云顯高祖妣云云 列書諸位 伯兄早歿無子先考府君宜立嗣孫用主喪祭而靡所繼絕不肖因先考遺命權攝祀事彌增罔極謹以酒果用伸虔告謹告 同上

柳氏曰攝主待立後也當待己之有子繼兄之嗣而己亦終無子然後更謀於族而立之今俗之或經先立後非禮意也 舉禮證小

爲長子立後次子不當主喪奉祀

問有遺命用兄亡弟紹之禮云云 或人 厚齋曰有遺命而兄亡弟紹又載於國典則以次子奉祀主喪似無不可然宗統若殷長子立後以承其統此實禮正義至懷獨齋曰宗法立長不易之禮雖有遺言決不可從以此觀之遺言雖重恐有所不可從處 類輯續編

屏溪曰立孫程子家用次子主喪之禮蓋遵時王之制而不用古宗子法也朱子則服長子三年斬衰之制又傳家於孤孫鑑以家禮一篇亦眷眷於宗子法蓋程朱已行之禮雖異後來從違則不難辨矣 類輯續編

梅山曰禮惟大宗無子得立后然有弟者從殷及之禮喪服長子疏庶子爲後與小記適婦不爲舅後註夫死無子不受重可見也不直古禮爲然國典亦然而尤翁有謂兄妻在而欲立后則其弟雖行主人之事又云近世宗法主殷有長子妻則立後承宗而不敢從弟及之文愚則常以尤翁說爲正當不計兄妻之存亡而立兄之後俾祖之宗何可擅自承重不恤奪嫡之嫌耶若父祖有命不爲長子長孫立后而傳重于庶子庶孫則是之謂移宗政程子所云旁枝爲正幹者也無治命而自服三年即所謂季子何敢奪乎者也其可乎承祀亡兄之后以其名題主是爲第一義如無可擬者則庶孫以本服主喪旁題祗去孝字可矣喪有無后無無主則至今是尹主之非必服三年然後乃可主喪也禮無大功之親始許婦人主喪有庶孫者何可使孫婦傍題乎 答李敎弘

又曰沙溪之爲長子尤菴之爲伯兄不立其後而傳重於次嫡何哉嫡妾無子則稽國典而不悖宗法至嚴則資禮經而當然且殷及之禮當用於未成人而死者若既娶者以無后而絕其嗣則恐在其爲適子之重散恐不當以大賢家法而效之未知如何 答從謙

兄亡弟及

問孤子伯父母俱沒無嗣亡親不得已攝祀必欲立後而歸之今又未就而亡親下世今孤子不可以宗子自處將何以處之 韓公鉉 渼湖曰立後則爲大警而此路既絕則不得不用兄亡弟及之禮而以昧然奪宗爲嫌則稟于門長聽其所命又以此意告于祠廟而行之此外更別無道理既無人與之爲後而吾又不欲自當使先人之祀終爲所托是豈得安於心乎亟定此義告于祖廟仍行祔事自無疑礙祔事既失於卒哭之明日則遂從殷禮既曰練後則大祥以前皆無不可此則尤翁之說然也 類輯續編

雲坪曰兄亡弟及禮經大法春秋一世一及而季札乃以讓國辭家見貶於聖筆傍通爲幹天理何當不可且所謂奪宗者本指有嫡長而支庶承重也非指夫嫡長早死於承重之前而立後無可指擬處者耳 類輯續編

介子移宗者稱孝子

老洲曰長子雖成人而夭介子既用殷及之禮承統而主喪則仍稱介子恐於理無據且疏說云云只爲喪服設而孝子之稱蓋是取大義用於承統之地非有分別於家介嫡庶也故妾子雖又降於介子猶以承嫡稱孝子則於介子之承統又何疑焉沙尤兩先生宅已行之禮未嘗聞知矣若長子夭而擬立其後不用移宗之禮者則當稱介子而用權攝之禮也 答梅山

梅山曰雖從祖嗣子夫妻俱歿又無所於繼絕則當祧祔於大宗而移宗於介子如沙溪尤庵兩賢已例次房嗣孫當改題奉祀雖是次房既移宗則當稱孝孫也改題時告辭云維歲次云云孝孫某敢昭告于顯祖考某官府君顯祖妣某封某氏伸今通籍耶所若畏畢既久嗣胤又絕旁求諸宗靡所繼后禮窮勢迫萬不獲已遂沙溪尤庵兩門往例移宗於不肖今將改題世次迭遷不勝感愴謹以酒果用伸虔告謹告 答李簡



兄亡弟及者其兄立後當告由還宗

剛齋曰兄亡弟及既出於一時之權而其兄若立後則告由還宗宗法當然已有先賢定論亂宗奪宗之嫌或所云云未知亦何所據耶若嫌其所不當嫌可以立後而不爲立後則恐非事宜幸細商而處之如何

嫡孫死無子次孫攝主

問有人長子先死長孫承重而死於喪中其祖小大祥長孫婦主之耶次子代主耶長孫之弟當主耶 宋助錫 陶庵曰次孫主喪之說恐是朔望時告某親權主而主葬祭 類輯續編

性潭曰長子長孫皆歿而既有次孫則雖不服喪三年而權奉祀事宜矣神主當題以顯祖考傍註以孫某奉祀題之三年後吉祭時諸位改題之儀亦當一體如是待其定立宗祀始可撤攝奉耳 答安再煥

老洲曰重雖在於兄之家兄之長子未立后之前當用權攝之禮雖以兄之次子主之等是攝也以屬親主衆主之次援之子之於母親也叔之於姪尊也親且尊焉者恐當爲主也且以喪服言之既有三年者而以朞服主之亦豈不逕庭乎 答沈靜甫

又曰更思之其兄之死也兄之次子計已權攝矣到今母喪舍其兄之次子己又爲權攝則一廟之內將有二攝也是亦不成體段且假使用殷及之禮則重既在於兄之家矣雖有兄之十弟當立兄之次子由是言之則恐不可用尊主親主之文而姪爲攝主自無許多窒礙矣但沙溪次孫持重三年之說終有信不及者如以不服三年而爲主爲嫌則亦有說焉雖有子有孫不用殷及之前勢須姑用無後之禮無後之喪大功猶爲主人況朞乎然則姪以朞服權主叔以三年服喪雖爲并行不悖可耶愚之改初見以一廟二攝終涉未安也無已則禮許葬祭與主叔主喪而姪主祭不害爲處變之一道耶 同上

李氏曰嫡孫承重而亡而其婦在可立後則次孫當以一支子爲後而其爲俗子只服其所居父喪不當又代服其曾祖斬卽父爲嫡居喪而亡孫不傳重之義也若嫡孫亡無婦不可立後則次孫不得已告廟承重云兄亡弟及移宗之禮也當以通典所論練後來後於伯父者彼喪雖殺我重自始更制達月於傷何傷者旁照而處之其祖几筵祥後當撤代重之服以告廟始與日計之更滿二十五月之期恐當若嫡孫妻在而不可立後又不可移宗則只得依通典所論次孫以本服攝主終三年可也 家禮增解

剛齋曰亡者長子與長孫雖歿長孫既有弟而又將爲其兄立後則長子之弟以應服三年而便主喪實有奪宗之嫌題主及喪祭勢須使長孫之弟代其兄主之而服則當依本服若以主喪而更制斬衰則亦豈不爲承重而奪宗耶欲爲其兄立後則安得如是 答李鎭

梅山曰今有人死而適子先亡適孫又無子而亡只有適孫之弟矣當立適孫之子以承曾祖之重而無可繼嗣者誰當主喪耶愚意無婦人尸祀之義則子婦孫婦俱不可爲主矣次孫承重沙溪南溪咸欲從范宣殷然殷及之禮無父祖治命則義不敢自爲承重徐邈曰可使一孫攝主而服本服朞魏松之曰次孫本無三年之道宜爲喪主終三年不得服三年之服二說得禮之正當遵無疑司馬操駁二說曰其服宜三年外襄葬事內奉靈席然練祥歸可無立乎斯言似然而禮有無後無無主主者距盡三年乎大功者主人之喪有三年者則必爲之再祭況朞乎有母而母斬則自可行練祥何必承重然後可乎哉沂齋先生亦立承重之論而曰待異日支孫立後告由歸宗然既承重則移宗矣移宗而後改之則宗不殺矣未若服朞攝主之自無闕禮而無嫌干統也祝稱孫祀孫旁題以孫某攝祀待立兄子改題遞遷恐爲寡過 與老洲

又曰次嫡承重往哲亦多許行然無親命而擅服三年之服喪恐不免干統之嫌朞服權攝恐爲得正而弟內外上下無應服三年者

則如之何有孫之喪期而徹靈此事雖處無爲之再祭者則當服承重以行三年乎 答梁溪

又曰長子之第二子旣主父喪而旁題矣於其祖母之歿雖不承重亦當主喪叔父不當代兄子而主母之喪也所謂兄子非嫡非正似不當主喪而父沒而兄死兄死而無後焉則攝行宗子之事固也攝以統宗之義舍子而孫亦固也 與梁溪

伯兄與長姪喪中攝主告辭

梅山曰旣攝主宗事則伯氏几筵亦當告由若未及告令姪之喪因上食並告恐宜告辭當云維歲次云云從弟某敢昭告于顯從兄氏均進士府君宗澤以六月某日死嚴所繼嗣宗統無托某權攝宗事並主府君喪祭彌增悲痛敢告 答沈正國

又曰爲從攝祀者當告從姪大祥祔廟屬稱亦不容不書告辭當云攝祀玄孫某敢昭告于顯高祖考云云 列書諸位 茲以從姪某大祥已屆禮當祔食於顯某親某官府君不勝感愴謹以酒果用伸虔告謹告 同上

從子主伯母喪當待立後改題合櫝

梅山曰伯氏之喪令胤主之故以其屬稱題主以顯伯母禮當小祥服除因之入廟姑安於東壁下以待立嗣孫改題合櫝以歸正統是爲得正何可以繼后之淹遲然合櫝乎兩位異題而合櫝者進退無據經權俱失一廟五世之主題有三殊雖稱罔迫事到不可奈何處當以不奈何處之而已其奪位雖是當祧姑未遞遷則曷可獨用三獻之禮一廟而異禮乎 答金正宅

從叔主從姪喪待立後題遞遷

近齋曰若從沙溪之意而亡者之叔主其姪之喪則雖與婦人主喪不同亦是一時權攝者喪畢後不可遞遷改題蓋嫂以宗子自居也尤翁陶庵之論於此者極嚴峻渼湖類輯如何立後遲速雖不可知亦當待之而已其間先世廟主旁題仍留亡者之名雖涉苟且無如之何矣 答金宗善



兄爲宗子而死則題主當有旁註

黎湖曰長子亡而次子攝祀若俗禮兄亡弟及之爲則旁註之不施於兄之主固也夫焉有宗子未立後之間姑攝祀事之支子而反視宗子爲旁親不施旁題以著其攝祀之義而自以奉祀者於父之主也哉若然則宗子之正焉而無異於祔位禮意人情終恐未安如何 與李台甫世珂

有弟與出繼子者弟當主喪題主 有庶子者並論

梅山曰無嗣子喪而只有弟與出繼之子者援以古禮親同則親者主之之文出繼者似當主之而適庶者既戶宗祀恐難攝行生家喪事立後前亡者之弟攝主以顯仲兄題主祝用弟告兄之辭恐宜不用過房子攝祀者亦所以別貳本之嫌也 答李斗

又曰出后者還主生親之喪恐非所以遠嫌重統若有庶子則用庶子名題主而傍題云庶子某攝祀恐宜 國典亦云適長子無后則衆子衆子無后則妾子奉祀 乃相犯也 斯爲可據也 答金人會

又曰令庶子而以從子題主 終出於嚴適庶之義而恐於禮意親不同親者主之之文愚意喪則以庶子主之廟事則從子主之一以存嫡庶之防一以道親主之訓並行而不悖未知如何未立後之前凡係先廟之事所謂攝主者只是單獻無祝而已雖則從子主之亦何妨俾庶子而主三年之喪乎禮亦有喪祭異主之文故也 上同

宗孫喪立後前祖考妣不可合櫝

梅山曰令孫旣久定嗣則喪畢不當行祫祭旣不行祫祭則非可議及於所後祖考妣合櫝也兩喪吉祭當待嗣子雖歲月滋久非攝主者所可專擅也 答李景顯

叔主禮喪服闋入廟踰月合櫝升于正龕

梅山曰叔主禮喪五月服闋則當入廟祔于祖龕踰月爲合櫝陞于正龕蓋期功之喪無礙吉則除服之月當合櫝而必待來月朔日者正得踰月其吉之義斯義也先儒已言先合櫝後祭神恐宜 答權選善

無後喪

宗孫主喪攝祀

問從弟邦鳳歿於宦次所後又死不立後有待後日而子婦不可主喪亡人之弟水使邦鵬與長兄邦鎭之子潤元在矣誰當攝祀 李邦煜

竹庵曰潤元旣主邦鳳父母之祭而於邦鳳之亡子爲從兄弟則使潤元攝祀恐當 類輯續編

又曰亡從氏旣無嗣則祔于祖廟宗子主之俟圖立後立廟爲可矣大祥旣未入祔則禫日或卜日祔廟得之告辭則云今以孫某官某喪事某日至云云祔于廟云云如何以大體則祔祭雖不撤几筵便同祔廟今別爲告辭已是重疊非復古意矣 同上

有男主者婦人不可奉祀題主

遂菴曰禮大功者主人之喪有三年者必再祭註再祭者練祥也有三年者妻也妻既不可爲主而別無近親則從兄弟 即大功者 當主之此 此所謂近親乃期親也無期親則大功之親主之然則今此亡子題主者父亡後其祥祭其兄當爲主而以父喪未葬至於退行退行而又不能告由則大功代而告之可也雖非大功既用代告之禮則皆無所碍況有大功者乎顯辟之稱雖有遂翁所論以禮則婦人無奉祀之義必丈夫無一可主理窮勢極然後不得已而爲此耳 類輯續編

木庵曰禮婦居喪則以親尊主之祭則祔祖而宗子主之婦人惟主拜賓而亦須親尊與宗子都無人然後方可謂無男主而以婦主之語備要先歷言男主然後乃舉此辭者亦可見 類輯續編

鹿門曰顯辟題主終覺無據雖無至親亦豈無稍遠宗族可以攝祀者乎 類輯續編



竹庵曰宗子死而無可立後則以顯兄題主終喪後祔于祖考而其弟承祖禰之祀禮意爲然顯辟題主而入于正位之說不知之說也 類輯續編

無男主者婦人奉祀題主 姑婦並論

厚齋曰周元陽祭錄一無男主而後婦人主之然則亡人神主其勢不得不以顯辟書之旁註沙溪先生既不斷定則姑闕之無妨耶 類輯續編

問寡室弟亡後以亡弟題主今其兄又亡此當以其妻爲主而顯辟題主耶改題當於何時耶 申明允 屏溪曰既題之主婦人誠不可改題而前頭小大祥又不可無祝似當於小祥前一日告由改題顯辟矣 類輯續編

按小祥前一日告以顯辟之喪叔以亡弟題主矣今叔又亡自明日小祥用妻告夫之辭云則練祥攝行之無碍恐不必改題矣

近齋曰竊觀近世大家遭無後之喪不計親屬主喪者之有無多以顯辟題主似亦有所據在本家擇而行之 答金宗善

又曰主婦雖未將事何可無祝乎無祝則不成虞卒之禮況周元陽祭錄明有主婦祝辭乎 答吳允常

又曰顯辟題主婦人雖爲初獻故虞卒練祥使夫黨近親攝行而祝曰主婦某氏屬夫某親敢昭告于顯辟云云卽近世通行之例也 攝主者當只行攝字改以使字某親下當書名○答金宗善

又曰顯辟題主者初獻之節使門中近族丈夫攝行則發祝舉攝行者行拜禮主婦恐不必別行拜禮

屏溪曰宗家無男主而只有寡居之姑婦則禮舅歿則姑老姑已傳重於婦婦當主祀其祖父母喪當題主以顯祖舅姑祝文以孫婦某氏稱之其於葬時題主祝及虞祝等婦人未參之祭則亦子替行而以孫婦某氏在家不得將事使子某敢替昭告云云可也姑老之老非年老之老也卽退字之義也 類輯續編

藍坪曰無嗣只有姑婦之家以姑爲主姑而以婦爲主失禮義頃者紫山兄爲子明喪問之荊以有嫡子者無論姑婦亦如之爲對又以傳家爲言答以爲姑雖老而祭祀賓客每事必諉丈夫傳家亦未聞有改題遞遷之禮也蓋所傳者只是勞力行事也爲主之義則未始移也宗子在外而庶子行事猶必曰某使某會子問所云可以傍照紫兄及堤仲兄皆以爲援擧不襯不知其所說也庶子自祭而猶必以得罪去國不能奉祀之宗子爲主人則況其子承家不以在堂之父 老傳之父 爲主耶朱子致仕傳家時告廟文以爲老廢疾之間猶當黽勉提撝大綱不使荒墜以辱先訓此豈不爲明證乎是以淺見則猶當以顯辟亡子題主而祝辭則以爲主婦及傍書某親某昭告云云如何 類輯

南塘曰長子先亡而長孫後亡則長孫婦當服三年而主喪長孫先亡而長子後亡則長子婦主喪以待長孫之立後而傳重長孫婦未傳主喪期不滿三年而只依衆孫婦服之可也 類輯

蘊齋曰婦人家居則已傳重於子婦矣其子死而無男子主喪者則題主亡者之妻似當爲主矣 禮疑

□□曰子先亡孫後亡孫婦主喪題主云者恐未然喪服傳云有適子無適孫孫婦亦如之然此指□其子□孫先後亡子婦若當主喪題主其孫婦則以服□雖□亦服之義服其喪則可也主喪題主不可也且小記婦人不爲主而有者□云云始

遂庵曰返魂時有三代喪主其夫之喪之說亦似欠就於尊之義婦婦之尊者當主之顯辟題主何有而□婦□以亡子亡孫題主存婦不得主喪

無所不然題稱則益不得已也 答稼山

櫟山曰今廉從家既無大功之服又無緦麻之親以顯辟亡子改題之外恐無他道也其子有嫌似亦以□改題□也□於祭也先位改題告辭曰年月日云云主婦某氏告于顯辟某官府君嗣子某既死無子繼□立后又絶大功之親□以□之文將以顯辟改題不勝哀痛謹以酒果用伸虔告謹告子曰年月日云云母告于亡子某官某初題主時宗子某官以亡絶殄香之矣今宗子喪期已盡主祭無人立后繼世亦斷其望用權宜之道將以亡子改題不勝悲愴茲以酒果用告事由茲告 答金□□

女主行改題遞遷可否

遂齋曰顯辟題主爲一時之權則姑辟後何可行改題遞遷就埋之禮乎周元陽祭錄有新婦某氏祭顯舅姑之文而大舅以上始不去矣恨當待立後而已新喪神主姑祔於祖龕東壁西向而立后之後姑告遷可也 答金宗燮

南塘曰宮壤爲元陽錄堤之婁以顯辟題主而只稱顯舅姑亦無不可如是則吉祭何可廢而亦豈有礙於遞遷之節也 答□□

然顯辟爲主一時權宜之制也若行吉祭則其將以顯舅姑顯祖舅姑顯曾祖舅姑顯高祖舅姑顯五代祖舅姑列書于遞遷之頃以題後耶亦以生爲稱改題乎女主而繼世遞遷有可擬乎

老洲曰古禮女主之說終不一婦而若是改題而稱顯辟大舅推而上之稱曾舅高祖舅五代舅勢將迢遞是以婦女□□□□何禮之有哉且大家不然豈特稱號之無據耶且閭此家有兩世孀婦而姑爲主萬一姑歿而婦繼則又不得不改題遞遷是遷二□婦之□□□□□□□□□□乎夫男女者乾坤之大位也支庶者宗統之大分也大分雖微大位固不宜紊以此較彼支子之攝祀攝行爲繼之常也女主之繼世實爲變之變也亡者旣有諸叔攝祀之親則長者爲主之文諸叔中最長者權行攝祀以待立后恐不害爲隨時制義也 與服敬之

□□□□□□之□□□□□□□□之多不取蓋婦人無奉祀之義耳若於初喪無男主雖不得已以此題主已不免大咎而況□於喪畢改題以此推上於祖廟尤涉未安惟俟立后行祫改題恐爲得禮 與□□文甫

又曰喪出之初既無嗣則或男主而權攝或女主而稱顯辟只是一時權宜若因此而喪畢之後行改題之節合享之禮祧遷之事是



非□□而直行繼世之事於禮也俄故尤翁亦嘗以爲祧遷之事非權代者所敢當也男主之權代者猶不敢爲況女主□以主祭廟係是天經地義則尤豈可議到哉以是竊謂遂翁女主之論恐指喪制之主非指廟祭之主也 與權朝□

婦人喪夫黨無主者

南塘曰嫁而返歸者其喪當與在室者同里尹主之者不絶於夫家者也然夫家無族則不得不祭於本宗 類輯

無主喪婁窮權宜處之

問禮記曰姑姊妹夫死發之黨雖親不主 人或 鹿門曰朱子既以爲宜祭之別室則始死主喪尤無可論大抵召主於不得已□有隨有權宜以處之之道 類輯

無後諸親喪主喪題主

屛溪曰無後弟臨主與宗兄同居而死將祔於宗家之廟則□兄主喪題以亡弟與□同其婁主之□當題以顯辟 類輯

藍坪曰無後者題主若祔於祖廟則當從宗子屬稱若從祭之於外孫家則名義未正然斷以大義只稱某官某公依陷中例而無傍題可也 類輯

老洲曰無後喪題主伯叔父與同氣以服則雖均是期服以親則同氣親於伯叔父同氣以主之矣 答□□

又曰婦人主祭禮家所忌庶叔當主之而叔告侄之辭俟題主祝式姪孫及餘親皆倣此云爾則未嘗闕而不錄也將庶叔告嫡姪之文不別見耳敢昭告之敢妻弟以下不用去一敢字稍存得叔姪之倫如何 答□□

又曰稱嫡兄之稱既無繼據主面只題顯兄而祝稱庶弟某爲當耶 答□子□

又曰年前貪相家有似此變禮而兄嫡而弟庶故以題以顯兄祝稱庶弟矣此家則弟嫡而兄庶題主既稱顯者則處只題以亡弟則不稱分庶必題以故嫡弟而又無古據不敢質言矣 與閔□□

渭山曰庶弟題主遂庵以爲以嫡兄爲主家禮親同則長者主之云云按禮父不主庶子之喪則嫡兄亦一例也亦當以嫡兄題主耶無子則妻若弟主之可也 疑禮正解

按兄弟雖於父有男主者不可使女主則遂庵說終似有據矣

梅山曰庶兄主喪題主則當云故弟而不敢書名祝辭當用敢昭告獻以等字恐宜 答閔子亨

又曰三代俱沒者固當立後以主喪未繼嗣之前既有先死者之兄則所謂長者疑當也若主其三喪者只亡弟亡從子亡從孫□主已矣 答□□

又曰爲房之孫無嗣而死則本生祖主其喪亡從孫題主 與李景□

又曰□本生□□主出後弟之喪□題主當云亡從父弟某官神主而與他人從兄弟有理□□□□□兄□□□□主何□如人字恐宜 答宋□□

三山齋曰無服遠族題主奉祀恐無其義不得已妻爲主以顯辟題主以待立後改之爲勝耶此禮轉帶難斷今亦不敢質言 答徐□

櫟山曰顯辟題主不見於經古者既無期功之親則袒免之親當主其喪安所老人之□兄弟中當以親同而年長者主之之義老人當主其喪以凶族從孫題主祭奠既畢將則告祝當用使某之文 答宋□甫

按主喪則無親族者雖朋友里尹皆主之至於題主則主於神人相依與其無總功之親無寧用顯辟之稱矣

妻父母題主

陶氏曰無親戚之妻父母其婿主喪不忍不立主則姑依退溪說 妻父曰外舅妻母曰外姑 行之至於妻祖父母以上稱無辭可題當以魂帛祭之

其妻在則限服除祭於私室不在則虞後埋之若以子爲外孫奉祀則題主曰顯外曾祖耶 偏要補解

無後婦人喪題主

近齋曰顯嫂題主既有明文則似當推用於從嫂若以推遠之義言之則雖親兄弟嫂古者無服而今既不然則兄弟妻與從兄弟妻其間何至相遠再從嫂以下則果太濶蓋從嫂國制有服故也 答任靖周

又曰九翁以祖妾無嗣者立主爲難處蓋妾母不世祭故也妾母之祭於孫則止何可以嫡子之庶子奉祀乎只當終嫡子之身而主其祭不立主或設紙牓而行之 答梅山

梅山曰爲無後喪立主喪畢而班祔禮也至若庶母喪喪畢而無所於歸則恐不必立主撤靈後埋魂帛忌祭設紙牓行事擧俗之通禮也 答金起猷

又曰主庶母之喪者若立主則當云亡庶母某姓神主稱氏則僭稱召史則俗所以祇稱某姓也 同上

無後諸親喪告祝 三獻並論

老洲曰期年撤几筵之喪沙溪以爲忌用忌祭祝爲意既用忌祭祝則祭禮亦當一以忌祭爲準主人之脫服於祭時似甚徑庭若於其曉陳設之前哭而除之而行事恐爲得宜歟 答李士得

性潭曰從子之奉伯叔父母祀者虞祥祀辭恐當據弟告兄之例以哀痛摧慟等字措語用之 答鄭李漢

梅山曰主伯叔父母喪者虞卒祝無見于禮若援用慰狀答辭摧痛酸苦不自堪忍八字恐不爲無據也自虞至練祥恐當通用喪畢後忌墓祭祝只用不勝感愴四字 答李景學

又曰從曾孫主庶從祖母喪者虞祝當云從曾孫某官某昭告于庶從曾祖母某封某氏日月不居奄及初虞悲悼無已玆以淸酌庶羞陳此云云恐宜 答趙秉憲

又曰主庶從子婦喪虞卒祝援用九翁說孫婦虞卒祝悲念酸苦不自勝堪未知如何 答老洲

又曰兄子之祭季父既以顯季父題主則亦當三獻主人既初獻則主婦亞獻恐非可已斯禮也不可以旁親而廢之也 答金元方

鹿溪曰神主之顯叔父云云槪有異議但無旁題耳祝文姪告叔之辭原無之勢當引用弟告兄之辭但悲慟無已等語似太泛考諸類輯中寒岡答人之問有夙夜悲哀不能自勝之語雖刱造其語而比之子告父之辭自有別焉之義比之弟告兄之辭亦有加切之義未知如何 答梅山

問虞祭奄及初虞下姪告叔措語前日稟告而質定曰夙興夜處悲慕不已云云矣近見遂菴論則夙興悲痛哀慕不容云云將何從之 趙泰大 洞山曰只如吾所言用之 疑禮正辭

問有人主從叔喪初虞祝奄及初虞下如何措辭 閔泳穆 洞山曰悲慕不已情私如何 禮疑正辭

無後諸親喪撤靈 合櫝並論

問叔父母無子女而死小祥祝服後可以撤筵入廟也 徐有晉 竹塢曰在期服雖無三年者恐當爲之再祭 類輯續編

屛溪曰婦人無夫與子又無夫黨主喪者則不得已親昆弟或宗姪主之親黨宗子或孫限期主祭期後撤几筵則不得不與夫之主合櫝而決不可同祔於妻之祖廟埋之之外無他可據然若兄弟或姪在而埋主尤慘然 類輯續編

又曰無子之喪限服盡除之禮也若是老成人則又一期而除几筵情理懷然有一知舊以大功主喪未滿九月後當除几筵而一人奴子有忠義者以爲奴主有君臣父子之義奴身服斬衰主之几筵當奉三年而埋之云其言如何余答云其奴直忠義之人也如此之類可以義起終三年亦可此則無於禮之禮何可責之人人大韓則如禮限服除几筵似可寡過矣 同上



問一婦人無子女而死其夫爲主喪題主以顯嫂其撤几筵當於何時 尹泰東 竹庵曰禮有三年者則爲之再祭此恐祔後撤几筵也 類輯續編

老洲曰撤筵班祔當行於服盡之翌月朔日而告由之節不必別設祭因其朔參告由祔而廟恐宜 與李泰運

近齋曰兄主子婦喪無夫與子者服盡而撤几筵一款愚已與士敬議定矣來示正合愚見沙翁說弟喪無後依　喪云云蓋以己服爲期而云然且其情事有所不忍云者亦謂卒哭而即撤几筵也今子婦喪九月而撤則與卒哭而撤久速相遠亦不可以不忍論也至於兄弟服期者似不當論南溪亦云不係本親云矣 答李定毅

梅山曰執事於逝者雖服盡既無他緦功之親則宜主其喪喪既有主則曷不設靈座行饋奠乎遂雜記雖疎亦虞之文虞而祔廟仍撤几筵恐宜所謂卒哭三虞後祭名始喪朝夕之間哀至則哭至此而止有朝夕哭而已哭無服之戚者豈有卒不卒之可言祇當有三虞而無卒哭也雖無卒哭亦不忍無祭而祔遂用朋友虞祔之文三虞明日而祔祔祭後不復返殯即從所祔位入廟恐爲得正也 答金正宅

又曰無後喪撤靈當在於主喪者服盡之月而喪服小記曰大功者主人之喪有三年者則必爲之再祭註曰大功爲之再祭則小功緦麻爲之練祭可也出嫁女雖非三年者降服以期既練而祥則爲行練祭仍撤几筵恐宜 答李在庭

又曰叔父之喪無應服三年者則爲宗子者當主喪期而除服因之撤靈元非練祥之可言故也初期當行祭如忌而若値　國恤葬前則是日也當除服設奠獻洩哀伸情因入廟班祔既非小祥則無備禮退行之義耳 答任憲晦

又曰叔父神主期而入祔又無辭事則叔母改題不必待再期也弟喪中無廢時祭之義則不可以喪畢而別行吉祭當待時祭改題合櫝以祔食之如不行時享因朔參告由行之亦宜也 答蔡文老

問從祖叔父無後班祔而今遭從祖叔母之喪無他應服之人撤筵合櫝當於何時行之 閔泳起 洞山曰禮大功者主人之喪有三年者必爲之再祭朋友虞祔而已註云小功緦麻爲之練祭可也今既是小功之親則依註說行小祥爲可几筵亦不可先撤練畢入廟仍爲合櫝矣 疑禮正辭

按大功者爲之再祭以其有三年者也則小功緦麻爲之練祭者亦蒙上文以其有三年者故也若無三年者則大功者九月而撤筵小功緦麻者五月三月而撤筵恐不當爲之練祭矣

近齋曰來月朔日合櫝嶷欲用踰月行吉祭者後月少牢配之義也三年之喪吉祭當合櫝而踰月吉祭猶未配待踰月以小牢配期年之喪無禪吉則初忌日即當合櫝而猶未合櫝待來月朔日合櫝者皆以哀未忘之意而其爲踰月則一也 答老洲

有幼女者三年不撤几筵

屛溪曰以主喪之服限爲几筵撤否則舍弟嫂所生女子既六歲雖異於男子自當服三年者饋食似不可也 類輯續編

問一婦死祖舅主之只有數歲女子喪限如何 朴光獻 鹿門曰喪大記大功者主人之喪有三年者則必爲之再祭註三年者謂妻若子幼少蓋子雖幼少不能服喪而當爲三年者故爲之練祥所謂子以無別於男子矣 類輯續編

南塘曰子婦之無夫與子者上食當以舅姑之服爲限然本家有爲之期者則又當以此服爲限死者其情可哀苟有可加之道雖加一日亦愈於已也 類輯續編

子弟喪無妻子者朝夕哭

厚齋曰子弟無妻子者之喪朝夕哭有無不敢知但以年老父兄逐日晨昏哭泣於手下期服恐有所不逮 類輯續編

無後喪卒哭練祥禫

老洲曰卒哭非但卒去雖中無時之哭也此乃以吉祭易喪祭實是喪事之一大節也愚見則恐不可以無後喪而遂廢矣 答李秉蓮

按卒哭祭名以其卒無時之哭也初無無時之哭者豈有卒哭之名哉檀弓所謂以吉祭易喪祭云者亦以其卒去無時之哭而言非卒去無時哭之外別有以吉祭易喪祭之義則無後喪無爲之三年者不必有卒哭也

近齋曰大功主人之喪有三年者則必爲之再祭頃有人引此以爲再祭是大小祥而已禫則無之愚意不然再祭之文特大綱說既行大小祥則雖不言禫而禫在其中矣蓋二祥實無與大功者而爲其有當行三年者爲之則其義祥禫宜無異也 答李執

梅山曰春翁問若於期後撤几筵則練祥之祭雖以忌日行之而恐不可以小祥大祥名之其祝辭當以初期再期畝沙溪曰只用忌祭祝而不必言初再期此則以無三年撤筵於初期者而言也若有應服三年者而徹筵於再期則練祥禫當準禮行之而祝辭則當觀主祭者屬稱之親疎而改措也若無妻若在室女而惟有妾之服朞者則亦當爲之三年妾雖非齊縗自在五服之列則勿論貴賤俾之伸情恐爲得禮也受服與女君同則是亦五服之親云者終致當然 答樸溪

又曰有弟亡而無後祗有妻與女子者其兄以亡弟題主於其禫行廢何如其妻與在室女禫而變除則不可以主喪者之無祿而廢之也且期之喪小祥而服除矣猶不撤几筵饋食三年以終二十五月之期於其祥爲之主祭則爲亡者妻女之除服無不可行禫之義祝辭亦當云禫祭有期追遠無及未審如何 答樸溪

又曰高曾祖妾之死於曾玄孫之身者不可不祭當終其身而止 上中洲李公

無主喪奴僕祭奠

近齋曰四無親屬則題主者誰也題主無人則不得立主矣初不立主何論埋主練祥非奴僕可主者不成三年喪矣愚意葬前則設



靈座上食奴僕行之既葬撤靈其後每當亡日奴僕具饌祭之於其墓似宜 答梅山

又曰爲奴僕行再祭雖有先賢說恐非定論愚意以爲過當來教苟且二字誠是矣期年而撤几似爲得正年前一士友以此疑來問而愚答之如此矣士之喪無臣以侍者爲行者行者之服即弔服加麻也雖服三年豈可與妻子同例哉從奴僕行祭亦似猥屑矣 答任靖周

老洲曰奴僕不列於五服俗所謂侍者服而只從上服爲縮久遠惟上之視則其不可以此謂有三年者審矣且世無無一介奴僕之士夫則凡喪將無不得三年者豈禮也哉此係喪紀大節沙翁尤庵之論實爲得禮之正而春翁說竊恐偶失照檢世多遵而行之蓋皆不能無惑令子婦之喪既是大功而無三年者則當撤筵於九月而若蹉過其時追撤猶可爲追補矣至於從厚之示此可論於小小節目而以經義言而至於大節則恐不可如此說也然既有老先生從春翁之論則亦有不敢質對者惟在商量善處耳 答宋啓[illegible]

禮疑續輯卷之十七終

# 禮疑續輯卷之十八

## 喪變禮

### 過期之禮

小斂過日者來日大斂

尤庵曰問解云五日八棺待來日成服若小斂過日者大斂亦宜做之 類輯續編

過期者殯日成服

[illegible]坪曰古有天子七日而殯三日祝先服五日官長服七日國中男女服三月天下服諸侯五日而殯三日子大夫杖五日大夫世婦杖大夫之喪三日之朝既殯主人主婦室老皆杖士之喪二日而殯三日之朝主人杖婦人皆杖此皆與來日也然則殯不爲成服成服不爲殯曰各有定限楊氏之說只爲士之二日殯三日服之正禮非謂期日已過者必俟殯之明日也恐此沙溪先生一時偶闕之言而後未及更勘者也 類輯續編

過三年後葬者題主虞卒之節

滄治曰三虞卒哭爲神主初成而設似不可廢也但其祝辭曰夙與夜處哀慕不寧乃是喪中之辭也去喪已久無此情假當改之曰不勝永慕也祔祭不可廢則卒哭亦不可廢也題主處當於墓前爲之而其禮亦當與常時題主不同墓前設靈座及果後題主奉置于靈位焚香再拜灌地再拜又斟酒再拜訖主人立于香卓之南祝執版立于主人之左讀之祝辭亦當有敢昭告于某親之墓神主既成伏願尊靈捨舊從新是憑是依餘不改讀訖主人再拜辭神再拜後奉主就靈焚香以行初虞祝辭亦不用敢昭告于某親某封[illegible]魂無感依禮致忘本追遠與慕不勝永慕謹以後不改但改哀薦爲祗薦再虞三虞亦不改但改夙與夜處哀慕不寧爲不勝永慕及



易以祗字而已卒哭則云日月不居虞事既成祗薦成事云云 類輯續編

按喪期雖過三年未葬則不行練祥練祥不行則豈非喪中乎題主虞卒之節恐當一依喪禮滄治以爲去喪已久未可知也

過期而葬者練祥禫退行之節 因喪故退行並論

問有人遭父在母喪於昨年四月今二月始克葬是月乃練月也幾葬旋練似涉如何 李益光 屛溪曰禮未葬則雖過練祥之期不得行練祥必於過葬後一月行練又一月行祥今葬於當練之二月則練當於三月行之祥則當以四月初期行之 類輯續編

本庵曰問解續問有父在母喪者去正月遭喪至十二月始襄事今當從小記次月練次月祥之節行練於正月而初期在月內仍用是日如何六月當祥而孫依問又何以行之遂行於二月則禫行於閏月耶曰本以不計閏之喪而到此數月無乃未安初期不當相混正月擇日行練初期日只行祭至二月行祥而閏月禫與他無異或云祥雖退禫則當行於應禫之月愚按十一月而練者不可以日計而數閏已見喪禮備要矣練之退而至初朞之月者恐無不可用忌日之義以家禮三年喪二祥用忌日者觀之可見也禫自有過時不行之文祥退一月而又閏一月則爲過時矣愼齋此論恐可疑或說今見喪禮備要大祥註開元禮 類輯續編

竹庵曰正月當大祥者以未葬退行小祥於正月則二月當行大祥而禫吉皆在是月若是三月行大祥者則五月行禫祀而是月也吉祭矣蓋仲月而禫古禮然也今俞氏家三月祥五月禫自合古禮非有用鄭氏說也且上旬丁酉禫越二日己亥吉祭亦[illegible]爲得古者[illegible]曰丁亥[illegible]月[illegible]此尤庵先生夫人喪[illegible]禮禫吉皆用上旬初九禫旬[illegible]夏至吉祭是見禮問答矣 類輯續編

陶庵曰過期不葬者初再葬[illegible]日雖不備儀一獻無祝爲可 類輯續編○前期告由亦可

老洲曰小記三年而葬者必再祭註旣祔明月練又明月祥必異月者葬與練祥本異歲宜異時也以此推之周而葬者葬之翌月行小祥恐合禮宜矣 答李寬濂

梅山曰始葬於二十七月喪期已過之後 虞則過時與禮不舉其餘三虞卒祔練祥吉祭當如禮葬後翌月而練翌月而祥又翌月而吉恐宜朱先生所云過期未葬者自不當卒哭者以過當葬之月者或以百日爲準而卒哭故云爾非謂過期而葬者亦不當卒哭也然則潛冶所謂卒哭祝明日隮祔于祖考云則祔祭不可廢祔祭不可廢則卒哭亦不可廢者得禮之正小記所云三年而後葬者必再祭其祭之間不同時而除喪除喪卽除衰服之謂也非謂脫衰卽吉也故註曰次月祥祭乃除衰只言除衰不言服吉也且開元所云祥而卽吉者亦非謂脫衰服吉以無禫而吉故云爾以無從禫三字可知已然則愼齋所云日月雖久不可遽廢行祥當用純白雖不禫而間月卽吉情禮方安者儘得精義間月非間一月也祥祫不同時之謂也祥之後月服吉行祭是爲踰月其善之義也 答趙砥平衡鎭

又曰喪服不忍頓除故雖三年而後葬者亦必旣祔明月練又明月祥者爲其異也古者祥禫同月故退祥於禫月者當上旬擧祥下旬擧禫至若禫期者不可以無禫而同月卽吉也若祥月服吉則豈所以爲之漸以安孝子之心哉踰月行祫而卽吉是爲得正 答沈元仲

問父在母喪者練後遭掘變因殯于家祥祭何以爲之 元用九 洞山曰旣以未葬殯則如古所稱過時不葬者豈可行禫除服只以無祝薦獻服不變也 疑禮正解

三山齊曰除服一節只此設條亦可以裁擇吾意尤翁說直截無許多繳繞亦合於鄭註祥而除之文恐可遵行況今身有 國服雖云復常只是生布衣笠尤無嫌於從吉之迷矣但芝村所謂祥吉竝行之疑果難質言然誤如是異月可也中丁終丁又何擇焉此則示致信其必然矣抑念禮意最以吉祭爲急故苟値中朔雖禫月亦行之今旣除服而公然停廢於當行之月無乃未安乎且據鄭註練祥異以本異歲故異月以行至於吉祭本非異歲何必用此例也 答從弟伯安

喪服小記曰三年而後葬者必再祭其祭之間不同時而除喪鄭氏註曰再祭練祥也間不同時者當異月也旣祔明月練而祭又明月祥而祭必異月者以葬與練祥本異時也而除喪者祥則除不禫〇尤庵答或人書旣過時而不禫則豈復有脫禫之日也過大祥之後卽當復常矣〇芝村答閔士衛書因有同宮私喪而退行大祥於四五朔後者其月仍行吉祭則祥日雖着白笠吉冠之着似當在吉祭之前禫雖過時而不行亦必有當禫之日以其日換着無乃可乎如於初丁行祥則中丁爲當禫之日終丁爲吉祭之日矣然□行吉祭於中丁則亦難如此豈就其中半日子而換着亦無妨否抑今有人以大祥吉祭同月幷行爲疑而有問者此雖不敢質言初丁行大祥中丁行吉祭則終恐未安矣〇南溪答申銓書或因喪故不得已退行大祥於禫月則更無行禫之義矣祥祭時姑着白布直領淡黑帶以行之俟後仲月正祭時始着純吉之服似有據

按三山齋說多可疑有故過祥禫之月而退行大祥者只當論祥吉同月可否不當以身有 國服謂無嫌於從吉之速也國服私服初不相干雖衰絰在身此是國服則何救於私服速吉之失乎且禮意雖以吉祭爲急非當行之月則不可行此亦以吉祭同月□者言之耳芝村說亦有可疑旣過時無禫則豈有着禫服節次乎恐當以祥縞參吉祭而服吉其云中丁終丁之間執中半日子換着吉冠無據雖從矣退行大祥於禫月則過祥後當卜日行禫何可不禫於禫月乎祥祭時以施黃草笠白布領直淡黑帶行之者似若做家禮大祥陳禫服之文然非古禮之祥而縞又非 國制之白衣冠南溪說亦可疑也

過期不葬者期功諸親變除之節

厚齋曰久而不葬期服之人月數已足則依小記之說初忌略設祭奠之日準禮除服恐無不可 喪服除之以待葬時服〇補輯

老洲曰過時之葬已除服者反服其服出於小記文先輩或云當葬訖而除或云當卒哭而除祔時因服其服亦甚無義且或練而行論者豈可邊服□□期葬而除恐爲得正不可拘至卒祔也 答朴元得

韓氏曰久而不葬者惟主人不除餘也然妻之喪凡趁旣撤於期年則異於父母之喪故通典所論如此 學禮遡小

通典晉杜預問亡婦未葬揭便服期旣無別喪主未應得除否徐邈答曰今且宜變至葬反服亦無不可

生親喪過期不葬者變除之節

屛溪曰卒親喪者過三年不葬則出後子似當於初喪哭而除服藏而待之至葬時更着過虞而除之出嫁女亦同 答申國稚謝

嶺氏曰小記久而不葬者唯主喪者不除其餘以麻終月數者除喪則已註其餘謂旁親也陳註主喪者謂子於父母妻於夫孫於祖父母皆是不得除喪服據此則庶曰兩下子孫皆不除也通典徐邈期間服喪久未葬出嫁女應除否張憑答曰主喪不除當總謂男女孫之在父無主從祖父則當已出之女應除女隨外出降從周制至於居喪之禮同於重者誠以天性雖可難奪本重不可輕何必以曰服服與降殺降者相比與小記爲其下子孫皆不除之說合恐當從之女適人者不除則男出後者恐亦同 實禮實解

過期未葬者不可以尸柩出殯而行廟祀

陶山曰□葬而前一葬而曰卒可乎愚謂以爲不可謂之葬也然則雖過三月之期一以未葬前之已矣王制喪三年不祭之文今雖不可者然其人死未及葬而祭其所事位恐是惟勝尤翁所較百日爲斷雖是通變之論而終恐過於禮未敢信及 答朴元得

又曰過期未葬者不可而尸柩出殯而廟事縱有廢祭縱稿追行卒哭而始擧先祀亦恐設伸情已矣纔而始三獻有祝過時無禮祥而卽吉者退行大祥後禮行先祀恐宜 答李恒培

過初朞未葬者不廢朝夕哭

梅山曰初朞後雖朝夕哭於小祥後止朝夕哭是爲通行之禮而過初朞未葬者非直不止朝夕哭亦不可罷待到克襄後而罷其練而止哭恐宜 答李恒培

喪喪過祥未葬者十一月非忌日不必泄哀

梅山曰練祥未□忌日故雖未練行祭不忍哀然無事忌日當畢獻泄哀而如杖朞之喪十一月而練者旣退行於葬後則所謂十一月非初朞也無所事乎伸情故不設奠 答金稹熙

父在母喪過期葬者行心喪準二十七月

梅山曰父在母喪雖過期練祥祥後仍行心喪必準二十七月之期而卽吉也 答朴汝範

久而不葬者有禁

韓氏曰國典 武 日知錄曰晉賀循傳爲武康令俗多厚葬及有拘忌回避歲月停喪不葬者循皆禁焉唐書顏眞卿傳時有鄭延祚者母亡二十九年殯僧舍垣地眞卿劾奏之兄弟終身不齒周太祖詔令不葬者不得求仕進宋史王子韶劉昺以不葬父母妻聯絶之王者以禮治人則周禮之詔當公之勸不可不著之令甲使未葬其親者不許入官不許赴舉則天下無不葬之喪矣 學禮遡小

追行之禮

追後成服

韓氏曰先師曰四日而成服自周公以來未之或改必以大斂之明日成服然後方合情禮而免於後日難處耳然人若遠疾而未能成服□□□□□□□□□□□□□□□□□□有何便入扶之可也如儀禮通典明元禮等其中變節無所不有獨無追後成服一段可知此是薄俗之未失也 答吳遡彩

追後立主

問有人幼時喪其父母與伯父母被養於外家渠是兩家獨子而旣未及立主又不得改題今旣長成將立廟立主又將改題與其旁題與祝辭當如何 趙泰彥 竹庵曰改題先世神主告辭依備要所載年月日玄孫某敢昭告于顯某代祖考妣喪禍之餘未遑於禮今始改題神主不勝感愴云云而旁題不書孝字書父伯題主告辭年月日從子某敢昭告于顯世考某官府君顯世妣某封某氏喪禍之餘未遑於禮今始立主伏惟尊靈是憑是依旁題書以從子考妣題主告辭年月日孝子某敢昭告于顯考某官府君顯妣某封某氏喪禍之餘禮有未遑今始立主追成神主伏惟尊靈是憑是依旁題書以孝子 續編

答官[illegible]此[illegible]多有可疑伯父將立後則此子於先世神主當稱攝祀孫不立後而此子承祀則當書從子而今只云不書孝字一可疑也[illegible]曰父母[illegible]曰考妣本以指[illegible]之親而皆伯父亦謂稱顯世考二可疑也旁親題[illegible]題主[illegible]旁題[illegible]以從子三可疑也

[illegible]曰[illegible]主[illegible]成葬[illegible]後成主則不可時然無告[illegible]之[illegible]爲[illegible]指[illegible]主旣成於歸[illegible]先人有[illegible]當葬不成主[illegible]未遑從已歲月發[illegible]茲用古典謹此[illegible]是[illegible]用伸虔告 [illegible]

[illegible]曰人有窮困[illegible]喪[illegible]已三十餘年葬時不立主無當祭設紙榜行之矣今[illegible]改葬[illegible]此時[illegible]初葬時題主之[illegible]成墳後爲之而告辭[illegible]以告其當初不立主今因遷葬追立之意似宜 答李廷仁

[illegible]曰[illegible]葬時未及立主則想不埋魂帛而奉在靈筵矣魂帛旣奉在于[illegible]追[illegible]主時恐不必[illegible]以葬時未遑追成神主之由告于魂帛而諸舍[illegible]如何 答[illegible]

又曰追後立主而不於墓所則無以請靈之憑依以當初未及立主之由措辭告墓而[illegible]主成後設奠而請[illegible]主祝辭改句語而用之似宜鄭寧之初不遑備禮今就墓所追成神主伏惟尊靈是憑是依爲辭爲可耶 答朴[illegible]材

梅山曰葬而不立主失禮之大者墳墓十五月而喪畢則再期非祥而忌也苟欲題主[illegible]一日設虛位于所當饋奠之室題主於其所後設酒果告由恐宜告辭維歲次云云夫某昭告于亡室某封某氏始初蒼卒備禮淺土實不爲禮罔克立主式舉闕典神主追成伏惟尊靈是憑是依 答趙[illegible]

又曰父喪未立神主者待母喪葬同時立主則當題主于墓前祝辭云維歲次云云孝子某敢昭告于顯考某官府君不肖在[illegible]君捐背奄自始葬迄于[illegible]葬靡所尸事罔克立主形歸窀穸神未返堂小子旣[illegible]不遑追舉[illegible]墓嬰泣昊天罔極即祔先妣[illegible]左之域體魄同歸魂氣亦合適因新葬並舉闕禮神主旣成伏惟尊靈是憑是依 答趙玄默

又曰先伯父旣未立主則改題前先爲追主而於其傾[illegible]之案可也葬後以魂帛返虞則亦可謂魂返室堂以故造主不于墓而于其[illegible]其主[illegible]後當設[illegible]以[illegible]辭曰維歲月日干支嗣子某敢昭告于顯考某官府君府君下世繼嗣無人不成[illegible]主[illegible][illegible]子[illegible]府君後公文已下大倫已定援卜吉日將行祫祭式遵典禮神主追成伏惟尊靈是憑是依蓋葬而題主以有處祭故[illegible]而[illegible]追後立主則急於求神所以有殷也 答吳[illegible]

又曰考位立主妣位無主若當追成妣主與考位合櫝妣主追成時當設神位於紙牓行祭故處題主後奉安當奠酒果告由告辭云維歲次云云孝子某官某敢昭告于顯妣某封某氏顯妣始喪不肖綴離罹罔克成禮至闕立主稍長省事歲年幾遷哀慕罔從今始[illegible]成伏惟[illegible]追成當加日入[illegible]合櫝于考位考位當告告辭云維歲次云云孝子某官某敢昭告于顯考某官府君顯妣始喪[illegible]不肖沖藐罔識省事不立神主歲月已積今始追成式遵典禮[illegible]配于顯考不勝哀慕昊天罔極謹以酒果用伸[illegible]告謹告[illegible]亦當[illegible]告辭云維歲次云云孝玄孫某官某敢昭告于[illegible]顯考某官府君 [illegible] 先妣始妫不肖幼冲罔克成喪



至闕立主稍長省事力靡遑今始追成神主愛方入廟不勝感愴謹以酒果用伸虔告謹告追後立主者既不行祔祭又不與祫事則己失與先祖合爲安之意立主必趁時祭恐宜若不舉時祭則當趁朔參用存合享之義也 答李[illegible]

妻喪中父死追立妻主者其兄告于父喪几筵

問前年十一月三弟婦亾先親主喪而葬時未及立主今年練祀將立主而不幸先親下世三弟當主妻喪而神主以亡室書之耶 李[illegible]

舐山曰來說得之亦當先告几筵其辭云云弟婦某氏之亾顯考府君既主其喪而葬事經遽未造神主今當練祀將爲追造而孤子罪逆不天奄遭稃變弟婦之喪三弟某爲主事係變禮彌增號隕敢因上食先告事由謹告云云 疑續 正解

祔祭追行

問有人于婦喪其子先亡而無後其身主喪貧困窮散未遑祔祭而初期奄過撤靈未合櫝今雖撤靈後欲追行祔祭舉合櫝而合祭則不能豫行故以祭時祔配之意欲告由其夫位云如何 答[illegible]

近齋曰祔祭追行告辭果無見處豐用何妨酒果依告追贈禮只稅於所告之位如何 答[illegible]

維歲月日干支孝曾孫某敢昭告于顯曾祖考某官府君某孫婦之喪過時未行禮爲缺然今追[illegible]大祥不容終闕將用來日祗薦祔事不勝感愴謹以云云 告[illegible] 維歲月日干支孝子某敢昭告于顯考某官府君家力不逮祔事過時未行今追大祥禮當追舉將以來日隮祔于祖考某官府君不勝哀感謹以云云 [illegible]

梅山曰追後立主者亦當追舉祔祭而喪畢既久之後追行祔祭恐[illegible]亦不可無祔祭而廢祔祭則恐亦不可[illegible]立主[illegible]安于[illegible]室祔祭舉[illegible]所祔位同時入廟恐宜告祝云維歲次云云孝子孫某敢昭告于顯曾祖考某官府君[illegible]某氏事力不逮先妣某封某氏隮祔之禮過時未行極爲悲缺喪畢已久不容終闕將用來日祗薦祔事不勝感愴謹以酒果用伸虔告謹告 [illegible] 維歲次云云孝子某敢昭告于顯妣某封某氏事力未逮祔事失時喪畢雖久禮當追行將以來日隮祔于顯祖妣某封某氏不勝哀慕謹以酒果用伸虔告謹告 右新主告辭 ○答徐愛玉

又曰元配立主追行於繼配未葬之前則追行祔祭當在於繼配卒哭之後而卜日行祔先元配而後繼配是爲得禮繼配祔祭宜在卒哭之明日而旣舉元配祔事則勢將退行卒哭祝來日隮祔一句去之待到祭日更爲告由恐宜 對上

考妣神主退行合櫝

梅山曰父喪畢後當與其先妣神主合櫝而行吉祭禮也而苟未克舉則亦宜退行追行時當各告兩位維歲次云云孝子某官某敢昭告于顯考某官府君府君喪畢當準典禮配以先妣而貧窶故迫不能爲力今始舉合櫝之禮昊天罔極謹以酒果用伸虔告謹告維歲次云云孝子某官某敢昭告于顯妣某封某氏顯考將君喪畢顯妣神主當遵典禮配于先考而窘窶故迫不能爲力今始舉合櫝之禮追慕感新昊天罔極謹以酒果用伸虔告謹告 答元[illegible]

追行改題祫祭

問有人歷代奉祀者[illegible]子元[illegible]幼[illegible]當[illegible]婦女以幼兒名改題爲忌宗子喪畢不行改題吉祭遷延至十年之久其兒今始娶婦雖歲久之後將行祫祭前一日告由改題追祭後遷升[illegible]一[illegible]吉祭儀恐宜耶 李[illegible] 本庵曰勢不得不如此而但未吉祭而先娶恐尤失禮 疑輯續編

梅山曰改題主當行於父喪吉祭前一日而旣過時不祭及今追行不容少緩卜日改題當設酒果告由告辭云維歲次云云茲以先考[illegible]府君[illegible]入[illegible]主而[illegible]不爲遽已[illegible]年[illegible]孝子[illegible]云云顯[illegible]云云今將追行改題不勝感愴謹以酒果用伸虔告謹告改題合享不可以後時而不舉今值仲朔則改題翌日亟行時祭恐宜 答沈[illegible]

追改之禮

喪服追改

問族姪家初喪時喪服失制將擬先儒因葬時追改之規其節次將在啓殯之後而或云在成殯時云云（李慎夫）遜齋曰因其葬制服儀禮經傳通解說分明可據矣朱先生論喪服荀子亦有明據此非因葬改製之據乎或說未如據何書爲說也（類輯續編）

梅山曰有問於朱子曰喪初服制從俗苟簡當改之朱子曰服已成而中改似亦未安不若仍舊尤翁云若斬失而爲齊齊失而爲斬者何可不改苟非然者姑仍初服待受練服無容再誤也（答姜文一）

客地初終儀物不備改棺改歛當否

梅山曰有問于陶庵曰有人客死無飯含而襲歛則喪人至啓棺解殯更爲飯含否陶庵云飯含雖重日久之後解歛追行非惟勢不可爲豈非情理之至不忍而大未安者耶只不當論飯含大節目也不當闕而闕之猶未許追行況無是之闕乎大歛雖異於小歛其爲不忍而未安則同也（答李六灝）

又曰改棺告辭無可援用當云客土初終儀物不具柩材薄劣有欠擇木今將啓蓋用新易舊伏惟尊靈不震不驚因上食或朝奠告由恐宜（同上）

神主旁題追改

屛溪曰小字旁題則成長後告由改書以冠名旁題後改名則亦宜告由改題（類輯續編）

三山齋曰傍題之子爲宗家所奪而他子代之則不可不題只爲傍題而改之雖若未安然如遞遷長房者亦有改題之禮此乃爲傍題而改之者也（答柳原明）

梅山曰攝祀者以孝子奉祀題主已犯奪宗之罪不可但以失禮言也禮貴別嫌曷容晷刻苟淹乎雖明日立後今日改題何可以頻數告由爲嫌乎告辭云始喪題主荒迷失禮以孝子某奉祀旁題已犯于統之罪不可遲待先兄立後今將改題以介子攝祀謹以酒果用伸虔告謹告（答尹稚）

又曰題主時遺府君二字恐不宜仍舊告由添書有不容已改題告辭云維歲次云云始題神主遺書府君二字情禮俱虧今方追改粉面謹以酒果用伸虔告謹告（答李公彥）

染患中喪禮

喪出癘疫不成服之非

陶庵曰染患乾淨後成服即鄉谷無識家謬規未成服前祭奠廢否非所可問亦非所可答也（類輯續編）

以染患追行三虞卒哭

厚齋曰姑待癘疾乾淨後行三虞卒哭似無不可第臨時具告由於靈几而後行祭恐似得宜（類輯續編）

以染患重病追行練祥禫（過時無禫者變除並論）

問祥祀在今三月練祀當以正月行之家中連有病憂尙未行祀將以三月祥日爲練當以五月爲祥乎然則禫何爲乎或曰過時不禫云云（李度）厚齋曰按喪服小記曰三年而後葬者必再祭註如此月練祭次月祥祭今日竊恐引此爲照蓋十月之練既已差過而追行於十三月祥祭之日則祥祭勢將以次月退行三月行練四月行祥至於十五月禫祭自當循次行之蓋五月是十五月當禫之月不可以過時論也若過五月則不禫（類輯續編）

竹庵曰皆因祥事以家內不淨退行則祝曰日月不居祥期已過家內不淨即未行祀悲慎酸苦不自堪謹以淸酌庶羞追薦祥事尙饗（類輯續編）



梅山曰古者練祥皆筮日若主人有疾病不克與祭則當遵禮經卜以是月中或丁或亥日雖至踰月恐不當練祥之祭雖不爲除喪曷可不與祭而變除乎此與忌墓祭追別恐不可暫行也遂庵答人問曰練祀長子有重病則擇日退行爲可其病數月內如難差復則祝辭當曰孤子某病痛使介子某昭告云云亦可斯說正好援用但以數月內差復之謂而徑先暫行恐合更商也若以退行爲定則本辭日未可昧然無事當設殷奠若朔望然單獻無祝告由當云今以顯妣初期之日禮當行練祭而孤哀子某驟發[illegible]罔克將事擬以病差之後筮日追行今日則只行一獻之禮彌增罔極謹告（答安子三）

問有故擇日行練祥云云尤庵曰剛柔日當用於虞卒哭之祭練祥則未聞祝文當用常時所用而末段改措退行之由似好（五禮考疑）

問解續問祥期在前歲十月而闔家染痛不得行祭今將追行當依朱子說只行祥而不行禫矣祥祭時當着何服若依今制用純白則當於何時除之抑依古禮用微凶之服似宜於兼祥禫之義答此等變禮難以臆斷當依朱子說只行祥而不行禫矣但必旣祥而後方脫衰脫衰之後遽著微凶恐不可也蓋日月雖久而脫衰則始於今揆之人情似不當遽變服謂[illegible]禫之義也鄙意[illegible]行祥也當用純白雖不禫而間月卽吉情禮方安不違於從厚之意也（常變通攷）

染患中追成服者變除之節

南塘曰所云癘病喪父母或彌月或經時或半年有餘後成服者其變除之節以其喪出日爲限耶以成服日爲限耶遂庵曰染死家不卽成服出於俗忌大本旣誤有何禮文之可論哉又或有以此來問者每以不知答之蓋以深懲流俗之失使人不至再誤然旣已至此而變除之節不可廢據朱子答曾無疑書則此變除之節當計成服日亦可推知矣（類輯續編）

染患中設几筵出避者練祀之節（練祭並論）

問有人丁憂居廬下者有癘忽熾著貴出避不得家舍未得移奉几筵而練期隔旬其前決難乾淨還入亦[illegible]几筵又言宜上墓行練而合葬之墓歷年不當哭祭或云紙牓過行而亦未安或云待乾淨還入家行云未知三說果孰宜（俞拓基）渼湖曰練祥之上墓行之未之前聞紙牓亦未安待歸家卜日行之又非如家有喪故主人有病之類愚意莫如入奉几筵歸而行之爲最正當大翁以世人避家廟而獨出爲非事亡如事存之義況三年內几筵尤何可置之空舍而脫身出來耶癘氣雖甚可畏知其設不及出則豈可不亟往而奉來耶（類輯續編）

沈氏曰先師曰主人避癘在外而未及奉殯移寓則使衆主人行禮於家而以宗子名告宗子則於近地潔處哭而除服恐或爲無於禮之禮耶（常變通攷）

親患中喪禮

親患中權廢几筵哭位

問親患日遑憹一倍添劇蓋於四時哭聲每每提覺而然也一家諸議皆以止哭力勸又引古例[illegible]時孝子哭泣不哭行饋奠之耶也此果如何（兪彥鎬）陶庵曰三年內几筵不哭雖於禮無據所遭有在一時權止於生死之[illegible]亦何傷但在當一人[illegible]者只當務的[illegible]權宜而處之不必問於禮家答者亦不當輕許以啓後弊所謂後弊者李相故事也李相故事[illegible]家之證愈家之事又安知不爲他人之證耶方今喪紀大壞簡便成習此不可不念此言亦有理故書爲之稱謝矣（類輯續編）

被罪家喪禮

卿大夫死於謫所當用士禮

梅山曰下陵嗜疏不當用邦國不幸四字代以不意凶變奄捐館舍四字代以奄違色養恐宜蓋卿大夫死於罪謫[illegible]當遵士禮也（答[illegible]）

謫中聞喪

晦齋行狀先生至謫所之明年大夫人下世以遺衣服設位朝夕擗號毀戚以盡三年 常變通攷

久因除服之節

柳氏曰先師曰所詢古無可據不敢臆說然此因元無究竟遠或十年未可知愚意今人流竄者遇喪本家行練祥如儀而於謫中設位除服略倣此行變除之禮而在獄者哭而除之恐非大失也若以是日行練則仲哀代行而祝辭以孝子某身在縲絏不得將事使介弟某云云無妨否獄中非設位之地故云哭而變除耳 常變通攷

銘旌題主

厚齋曰朝家既以重罪處之而自己至寃亦莫伸白則依來示不書官卿姑以府君書之陷中據丘儀書以有明朝鮮故某公諱某字某則如何張旅軒答人問有此禮 類輯續編

梅山曰粉面則雖祇書別號而陷中已當書職名縱令異日有復官之命粉面則可改而陷中則不可改所以有從號書爵之殊恐不必以內外異稱爲拘

又曰眷翁之緬也尤翁援程書許書號於銘旌銘旌題主不可異同也況被罪而未復官者書號有泉翁說可據乎

伸寃後改題

梅山曰告由後改題告辭云維歲次云云孝孫某敢昭告于顯祖考云云顯祖妣云云　恩命誕宣幽寃畢伸神主改題不容少緩卜以今日行禮不勝感慕謹以酒果用伸虔告謹告 答李大汝

草殯



草殯時朝祖遺奠之節

近齋曰山殯雖異永窆靈柩既已離家則不可不即行朝祖雖以魂箱代柩不必待未窆時 答金宗善

又曰祖遺奠待永窆時方可行也 同上

老洲曰山殯既在遠地則朝祖及祖遺奠行於出殯之時與夫雖殯魂帛猶存當用未葬之禮不廢朝夕之奠盛論似俱得之 答梅山

草殯時魂帛銘旌

近齋曰發靷日魂帛與柩同往山下草殯後當還奉魂帛于本第以行饋奠魂箱雖已朝祖而復還于家亦似無害蓋禮本有葬後魂箱至家待三虞埋之之文 答金宗善

又曰草殯後魂帛雖始還奉本第銘旌則仍爲去杠置諸柩上爲可蓋銘旌屬於柩不可相離故也 同上

草殯時發靷告辭

近齋曰發靷時無告辭恐涉昧然告辭措語曰今以事勢權行藁殯將奉靈柩往就山上發靷之曉因上食或奠而告之魂帛虞前不可埋者似當還奉而祭之 答李彥緩

權葬

總論

近齋曰權厝蓋不得已也雖曰權厝亦當一用緻密堅完時則以改葬之禮處之爲宜 答梅山

又曰雖未完窆既行虞祭則朝夕奠當罷襲斂之具又不當設 同上

又曰雖權窆之後當行虞卒祔則孝子櫛髮剪爪着巾何可廢乎 同上

權窆時未行祖遣者改葬時行之

南氏曰破槨厝還于家則臨其改葬時依禮行祖遣之禮若自山直向改葬之處則出柩後行祖奠畢後行遣奠先儒曰雖一日之間無嫌也 禮要補辨



慶南南道咸陽郡安義西馬洞朴以祥弼肩書

禮疑續輯卷之十八終

# 禮疑續輯卷之十九

## 喪變禮

### 改葬上

#### 總論

南塘曰據朱子說啓墓出柩設奠於柩前未葬前朝夕哭奠上食旣葬奠於墓前一獻而止無別設靈座行虞之事此獻者急於返哭未暇備禮也歸告而廟中不可哭故出主於寢而祭告之旣祭告之則當備祭禮矣若不可備祭禮則朱子不當曰祭告與上奠而歸不同其文也以王肅旣虞之云觀之則亦見古人之有是祭也神旣在廟似無事於更虞而以山崩鍾應之理推之則體魄與神本只一人之身體魄之動神豈獨安乎於是而祭以安之似不可已朱子所荅或人何得虞之䛐似只是一時之見耳不然則何以復有祭告出寢之文耶丘儀無葬畢奠墓返哭安神之節皆闕也 類輯 疑編

本庵曰柩出復寢之間當不得曠日治墓三日可法 類輯 疑編

竹菴改葬儀曰前期告祠堂 祝見備要 啓墓時主人服緦餘皆素服設酒果告辭啓墓見柩哭出柩哭次設奠于柩前兼設上食朝夕哭奠一如未葬前柒布或改棺遷柩就轝時設奠告曰靈輀載駕往卽新宅如遣奠時 備要遷柩時亦有祝辭 撤脯納箱中置柩旁道中無別設奠食時上食如平時設于柩旁及墓奉柩于壙次設奠乃窆贈玄纁䂓節如始葬時柩衣不用奠墓 如平時墓祭 而歸不行虞祭而反哭于廟還而祔葬則奠告于先葬若新卜則從俗祭土地 類輯 疑編

近齋曰人之營遷葬也孰不曰爲安親也非利後也而地中之安與否無以測知惟於子孫之榮枯壽夭驗之則畢竟爲計較禍福之歸矣然風水之說旣不得全然攻破則當審擇葬親之地不必自讀地家之書雖近世地師亦豈無稍勝者必廣求而博訪之旣得其人使之相地又旁求諸師之有名稱者參看而相議焉則聽其論說亦自有可知之道若其地多譽而少毁則當從其多者如洪範卜筮法三人占則從二人之言庶乎其可矣朱子之論地術最爲得中者見於荅孫敬甫書試考見焉 荅梅山

又曰備要以喪禮爲主初喪窆葬節目悉載故至改葬但曰如始葬儀三禮儀則不言喪禮初無始葬儀節故改葬時諸具及凡節一皆亦言之此所以備要爲略而三禮儀爲詳也其有異同處則當隨宜而從之耳 同上

#### 告廟之節

潛冶曰告廟時以衰服行之而祭禮則出主于寢與忌祭同也告辭當曰某年某月日孤哀子某敢昭告于某親某官府君昔年營宅不獲地師卜地不祥旣懼體魄之不獲其安乃求名師卜地于某地某原將以某月某日移窆于某地敢以淸酌庶羞用伸虔告尙饗 類輯 疑編

本庵曰告祠堂祝維歲次云云孝子 或孫曾玄 某官某妣以顯某親某官府君 或某封某氏 體魄托非其地云云 隨其所見之患而爲辭 爰謀改厝也擇定某郡某里某坐之原將以某月某日奉改窆壙引用新阡某日行窆謹以以下如儀 類輯 疑編

近齋曰廟中當遷葬位告出無出就廳事之文獨設酒果於一位前雖似未安細究之則只以有事於當位而告之也亦無所嫌曾見尤庵先生以爲龕有間隔則獨行無嫌似以非龕制則難行意則恐不必然 荅金宗燮

又曰廟中節祀與告由自是各項事諸位行祭時別告當位恐涉未安秋夕茶禮罷後更設酒果告遷葬于當位似宜蓋一日不再祭指盛祭也告由時設酒果似無再祭之嫌 荅李廷仁

李氏曰改葬告廟儀本出儀節而其先參後降及斟酒後無再拜皆與家禮告事儀不同皆當一從家禮 家禮增解

柳氏曰先師曰告廟一節曾聞諸外家并設茶果只告當位而丘氏及沙溪愼獨設當位未知當從何說然旣不別立室則只設於所告之位亦似未安從并設爲是否 荅沈[illegible]

#### 承重喪中改葬母時告廟之節

近齋曰父喪未葬改葬母告祠堂之節沙溪以爲主人自告以此例推之則承重孫當主之告辭自稱則當曰孤哀孫蓋祔祭始稱孝子孝孫葬前不可稱孝故也但主人葬前自題乎與告似爲未安尤庵於此有使祝行之之說遵用爲當 荅金義敬

#### 喪中改葬告祠堂及几筵措辭

梅山問考妣墓同壙異穴將并遷而合窆于他所備要告廟祝改葬于某所一句恐似泛然告先妣祝中此五字改以并遷先考墓合窆于某所云云雖是未改題之前屬稱當云顯妣孝子已矣告先考几筵祝辭當如告廟亦云并遷先妣墓云合葬云如何老洲曰來示得之

#### 父喪中改葬祖父時几筵告由當否 [illegible]

近齋曰告几筵一節禮無明文且旣非有事於几筵則似不必告之而但以情勝之義言之則改葬祖而不告父之几筵亦似欠然或言澤堂翁改葬其祖時告于其考之几筵云先輩所以行者遵用亦可耶 荅安命達

按告先之節禮無可據者不必創始恐涉於瀆也澤堂成父志遷祖墓故告于几筵非可人人援用也

梅山曰有事則告廟與几筵當同況尊祖妣遷祔卽先丈遺意乎啓墓前因上食告來示似得 荅李汝弘

#### 妣位合祔告於考位几筵

梅山曰妣位合祔之由當告於考位筵几而因上食恐宜 荅朴元得

#### 合窆時舊壙有災將行改葬告廟

近齋曰只當依備要告辭云維歲次月日子某敢昭告于某親某官府君茲以某親某封某氏襄事禮當合窆于顯某親之墓而旣穿舊壙乃見水患懼乾託非其地不勝驚痛將以某月某日改葬于某所因行合祔之禮謹以酒果用伸虔告謹告 荅徐遇修

#### 母葬日遷父合窆告廟辭

問先考完窆日將啓先人合窆矣未審告辭當用備要告墓文而無合葬於今將改葬下添措語曰今將改葬與先妣合封云耶告廟文亦如之否 [illegible] 老洲曰來示得之

#### 母非繼後出父亡後迎柩改葬告由

柳氏曰通典王沈之議雖如此然父未亡時旣不迎還出母則歸葬之必當未敢知也 [illegible]

通典王沈[illegible] 疑其父文曰孝子沈敢昭告于烈考東郡君沈亡母郭氏恪勤婦道克順于先姑天降氣氣閔門大夫人遘疾歷旬郭氏又遂歸歿不獲養親夫人不幸遂至殞歿烈考卒承大變愛痛荒迷未詳聽察謂郭供養有闕遂載病大歸尋便殞亡烈考深用悼恨 [illegible] 及沈仰惟烈考寓心覽亡妣業行迎還之議考禮度哀未及施行遭不幸夭沒敢述遺意謀之通儒咨之邦族咸以爲亡妣宜時改葬[illegible]告于征南君 其叔王昶 謹詣鄴迎郭靈柩以某日安厝云云

#### 國葬前改葬告廟無薦

梅山曰國哀卒哭前改葬者前期告廟恐當有告而無薦嫌近於小祀也 荅[illegible]

#### 緬禮告廟雖初喪中孝子當主之

問新喪未葬不得澡潔 [illegible] 陶庵曰凶服入廟自告當依沙溪定論而旣不得澡潔用題主時例使人焚香斟酒似宜 類輯 疑編

又曰告家廟如有輕服可以攝行者則使之攝行告廟則喪人自爲似宜 同上

三山齋曰緬禮告廟之節雖在初喪中孝子當自主之沙溪答同春者在於問解改葬條豈未考耶但爲此哀撤後之初未能告廟故未免有缺今雖後時亟先追補此一節則以下事自可沛然矣入廟時服色與告辭中屬稱自有祔祭之例可據以行之(答洪伯能)

李氏曰孝子告廟服色以祔祭凶服爲證則指衰而言耶恐當以喪中行祭服色直領敍陽子行之如何(家禮增解)

子婦喪中改葬告辭

近齋曰舅告子婦則祝當告辭中驚動先靈之先字改以神字用伸虔告改之以用伸告儀謹告之謹無可代之字當曰茲告(答梅山)

新山祠土地祝

本庵曰日月下云某郡姓名(雖有官不稱)敢昭告于后土氏之神某今爲父某官某謚(或某封某氏)宅兆不利將改葬于此神其以下如儀(類輯續編)

梅山曰遷舊墓而合新墓者開塋域祠土神祝當云今爲某親某官姓名宅兆不利將改葬于此且爲某封某氏營建宅兆葬時祝當云今爲某親某官姓名某封某氏合封窆茲幽宅(答洪子剛)

舊山祠土地祝

問還葬時破墓祠墓各有祠土地之節而罪弟則於一岡之內似無再行之儀只一行而改措辭曰某親某封某氏權厝岡內今將祔葬於某親某官云云(或人) 陶庵曰似然(類輯續編)

又問初喪祠后土只稱某官改窆則別稱其親而又立主人自告之一例所以別於初喪也然三年內遷窆則不必自告只當使服人行之耶陶庵曰考墓則喪人自告方恔於人情土地則使人代之似宜(同上)

潁西曰年月云云茲有某親某封某氏卜宅茲地今將啓窆遷于他所以行合窆之禮謹以云云(答朴村齋宗慶)

本庵曰日月下云某官姓名敢昭告于后土之神今以某親某官封謚(或某封某氏)卜宅茲地見有災患將啓遷于他所謹以酒果祗薦于神神其佑之尙饗(類輯續編)

告先塋

近齋曰當遷葬位離於舊山先塋昧然不告其在情理似爲欠缺愚意告之恐當其辭則如用無妨○告先塋一款未敢自信更考之有尤翁說可據尤庵答李顯稷之問曰改葬時祖先墳墓同在一岡則如此重事何可不顯耶題辭雖無其文以祔葬時告先塋推之遷改時當告無疑(答吉源)

潁西曰告先塋之禮南溪說雖是祔葬者其遠近不同而只告同穴尊位之意可以通者於祔與遷矣依此行之只告於祖考之位如何告辭云孝孫婦某封某氏墓今將出柩移祔於某山孝孫某某(某親)葬之原敢告(答朴村齋宗慶)

梅山曰朝墓辭不見于禮既離先兆未忍昧然無事奉柩而辭恐非可已如躋升降代以魂帛恐宜而魂帛已埋則擧擧時向祠塋停柩用當辭墓亦宜(答任憲晦)

又曰　國恤卒哭前有事于廟墓不敢薦獻嫌近於小祀也告祠則引始喪告先塋先葬地神用酒果之例恐宜緬用喪禮故無拘也(答權溪)

竹庵曰移窆時新葬山若在先塋者告先塋今以孫某官某葬地不吉將以某月某日移窆于局內某坐之原謹以酒果用伸虔告謹告(類輯續編)

告遷

潛冶曰告墓祝當曰宅兆不吉將以移奉於某地某向今日開破封瑩敢以酒果用伸虔告謹告(同上)

本庵曰府君或某氏下有之墓二字其下曰歲月不淹將謀改葬謹涓吉日啓壙奉出靈柩伏惟尊靈不震不驚告畢主人再拜哭以





下皆哭止辭神撤(類輯續編)

問啓墓告辭改曰(遷祔於合葬於父葬故改措辭)云云前既權奉于茲今將遷祔于顯考某官府君伏惟尊靈不震不驚几筵告辭前祝改曰(告遷于合葬祝)茲以顯妣某封某氏前行窆禮出於權奉將卜以某月某日遷祔于顯考某官府君云云(或人) 陶庵曰几筵告辭稱以顯妣云云恐未安(同上)

梅山曰告由於先葬考位措辭當曰先妣某封某氏宅兆不利將以某月某日行遷祔之禮不勝感痛云云未知如何(答朴元得)

又曰遷妣位於考墓則非以宅兆不利也開塋域祠土神祝宅兆不利四字改措以今爲合祔將遷于此舊山土神祝改措云今爲合祔將啓窆遷于他所恐宜啓墓告辭云維歲次云云孝子某敢昭告于顯妣某封某氏之墓葬于茲地歲月滋久今爲合窆謹涓吉日啓壙奉出靈柩伏惟尊靈不震不驚(答尹成汝)

問破墓出柩異日者南溪有焚香更告之語若更告則何以爲辭(或人) 陶庵曰南溪說終是疊告恐不必然(類輯續編)

近齋曰破墓出柩不同日卽因堪輿之術而然然禮家只於啓墓時同祠后土告墓祝而時俗則不然破土時有告啓墓時又有告爲兩番事告辭亦未免疊愚嘗疑之然南溪答破土告辭之問曰今將破壙云云蓋欲以此分別於備要啓墓祝今將改葬之文其意之斷定以再告可知矣酒果兩次告時皆不可不設(答金宗善)

潁西曰前期破墓當用備要告辭而今將改葬下添入謹用吉日敢先破壙八字至出柩時只以請啓墓之意口告似好告辭添入雖未安而破壙啓墓既異日則不得不然葬日葬地之不告于墓已先告于廟故也(答梅山)

梅山曰啓先葬告葬期者葬期若退則當以更卜合窆之日告墓告辭當云維歲次云云某親某官府君合窆涓吉業已告期而事勢所拘退定於某月某日謹以酒果用伸虔告謹告(與李用九)

問夫告妻墓時祝中先靈之先字改以尊字如何夙夜靡寧啼號罔極改以何語(申嚳) 厚齋曰忌祭祝改諱日爲亡日題主亦云亾室改以亾字無妨否備要虞祝告妻云悲悼酸苦不自勝堪張旅軒告妻祝曰悲悼之懷不自堪任於此二者商量用之何如(類輯續編)

緬禮哭泣之節

潁西曰哭泣之發親見尸柩痛若喪初當與三年之內無異至於歸家告廟時始用服人哭聲雖似有前後異同之歎蓋葬禮既畢家有所重恐難一向如見柩之時矣(答梅山)

改葬服改葬當服緦之類(加麻並論)

渼湖曰緬禮當服三年者必服緦緦則必三月而除吊服加麻者既葬而除(類輯續編)

梅山曰改葬緦子思曰非父母無服據此則父母外雖服三年者似不當緦而緦以三月而具三年之禮服三年者不可以不服也以故儀禮喪服疏曰服緦者臣爲君子爲父妻爲夫通典戴德並舉妾爲夫孫爲祖後賢推之於婦爲舅姑曾玄五代孫之承重者以服三年也故必服緦也禮以後出爲正指此等處也子思所云無服則吊服加麻似只指期親而推以通典餘親皆吊服之文則自期至緦之親皆可服也(答朴元得)

又曰改葬緦註妻爲夫也疏不言妾爲君以不得體君然則以不得體君而不服緦耶儀禮妾爲君之夫黨得與女君同則喪服註妻爲夫包妾在中也(上同 潁西)

近齋曰遷葬時承重孫服緦禮律甚明復何疑乎(答李廷仁)

又曰疑禮問解沙溪所引通典之說既是長孫則雖未當爲祖服三年改葬祖時亦當服緦(答俞漢石)

潁西曰適孫之不承重於祖者父卒後改葬祖則當服緦無疑父卒後則適孫豈非應服三年者乎父卒則孫爲祖後許猛說誠可從沙翁之引而爲據豈有他疑(答梅山)

父喪中改葬母之服

陶庵曰母葬如又出柩則不可不爲母別制緦服而行祭時亦當各服其服然所引並有喪持重服之義亦通 類輯續編

屛溪曰父喪葬時遷母墳合窆者服制弓有殯聞遠兄弟之喪雖緦必往沙溪以爲旣往則當服其服有殯者未葬也未葬而服輕服禮也今改葬雖緦其義甚重何可以父喪未葬而初不緦服耶且沙溪謂有事前喪亦當用重服此蓋以父未葬未敢變服故也雖成緦服而若仍服緦則未安矣今於母山出柩服緦而行喪時還服父喪喪服 如深衣方笠之類 恐合禮意兩柩同葬時亦當從重持斬衰行事若母喪行虞則當服緦矣 新輯

本庵曰古禮有三年之喪者於小功以下無變服如雜記有殯聞外喪改服卽位所謂改服是初喪免絰而非其冠絰成服也改葬緦母喪改葬父父喪改葬母似亦同例矣 同上

竹庵曰近俗葬父時改葬妣位而別爲改葬之服禮之之未失也 類輯續編

雲坪曰父死未葬改葬母古禮似不當服緦而淵源諸先生皆以爲不可無一番成服可疑然旣成卽去以待葬畢除服時則可也何敢於常時以近吉微輕之緦服包幷於未葬極嚴之斬制也此皆在晦翁與黃氏所共編之儀禮通解續中幸一考之 類輯續編

黎湖曰旣制改葬之緦則啓墓與隨喪時固當以緦服從事矣第喪服小記父母之喪偕其葬服斬衰註者謂以父未葬不敢變服然則父母雖一時同込義在從重況此父喪未葬而遷母葬者乎據此雖不別制緦服恐爲得之南溪禮說則雖以啓墓諸節不得無本服故謂無不爲母成服之理然葬時旣服斬衰則其他皆然恐無不可蓋主於不敢變服之義也問解改葬答同春崎庵兩條論此頗詳恐可準行禮說答李時壽趙泰考二問上段雖以緦服爲說下則似亦從問解細考爲當 答從孫大源

老洲曰父喪旣葬之後則改葬母服緦恐無疑矣 答梅山

梅山曰古禮有三年之喪者於小功以下無變服後世則父喪中亦服輕喪之服父喪中改葬母喪中改葬父者豈可不服前喪之緦乎有事輕喪各服其服而常居當持重服 答尹生

母喪中改葬父之服

遜齋問母葬時改父墓合窆則似當服父改葬之緦而葬母未畢之前恐不可變也或云啓父墓發引時服父改葬之服啓母殯發引時當服母喪衰之服云倚生所謂實位父尸在殯富未忍變之義今其父柩未掩藏之前不當變父改葬之服未知如何尤庵曰父喪未葬前則祭母時猶服父喪禮也今此緦服異於初喪之衰則當各服其服耶已見父柩服雖輕如初喪不異耶不敢質言 類輯續編

屛溪曰母喪中改葬父則當裁父之緦服而服之考位祝辭當稱孝子 同上

潛治曰以緦遷柩 葛喪之節 而至山所與先夫人同殯而後釋緦服衰蓋以輕服重服相並舍輕取重也 同上

渼湖曰母喪中遷父葬者父柩祭奠當以緦服行事母几筵祭奠換着衰服無疑但父柩出行時所服尤翁亦有兩說未知孰是然啓此緦雖輕而旣是斬衰之餘又方從父之柩乃棄此而以母衰行焉奠或未安否贈玄纁時改着衰服尤翁以爲頃刻間旋脫旋服於蒼黃之際豈成舉措云耳 類輯續編

問母喪中改葬父發引及下棺時所服愼齋云當服緦尤庵云當服母服 沈潮 南塘曰愼齋說似是 同上

竹庵曰喪服記改葬緦乃是[illegible]服而穀梁春秋傳曰改葬之禮緦舉下緬也蓋以改葬之緦爲服之至輕者而母喪當葬重服在身則於其遷墓之日而合葬且當重服而以至輕服進之愼齋說恐有不必然者尤庵說似不可不從 類輯續編

樸泉曰母喪中遷葬父或云當服緦尤庵謂旣深古訓不可據從而齊衰重於緦當服齊云者稍爲可據云云據此則除破墓及贈虞等大節外恐不必各服其服雖父喪亦仍用重服矣 同上



竹庵曰改葬服緦禮也而今持重喪者未葬時以重服行事而去絰杖似得別製緦服則無義矣 同上

又曰今此制緦恐當制服於改葬時而葬畢後反新喪齊衰之服似爲得之緬禮未畢之前以緬服從事於新喪者已是壓尊而伸大義也若此而服緦終三月則恐非禮也未安 同上

前父喪中改葬母母喪中改葬父者皆以有斬齊之服而不制緬服則親見尸柩何以表其哀而伸其情乎黎湖雖引小記父母之喪偕其葬服斬衰之文以爲不可服緦然並有父母之喪者其葬雖服斬有事於母喪則自可服母服以終喪若舉緬而不服緦則是以無服送至親而已豈人情之所安乎

李氏曰尤菴謂主人服緦餘有服者服云者可疑蓋主人之服緦固是斬衰之餘也至於期親以下則雖或同在內外新喪均是齊衰而無輕重之殊也今當新喪同葬豈可舍新之重而從舊之輕耶恐當用新喪之服 家禮增解

潁西曰母喪中遷父合窆後哭墓時似當母喪服 答梅山

三年內改葬之服

厚齋曰遷葬服緦禮蓋以親見尸柩不忍無服也今在父母三年之內則以母衰之重服見父母之尸柩何必更制最輕之緦服乎雖在祥後亦不當別制緦絰加於首矣第今遷葬適與祥日相值者遷葬時不制緦服而至祥日又除衰麻則非但三月之後無可除之服三月之內便爲無服之人此甚難處故朔大祥後追制緦服以終其緦服而足其三月之數云亦有可疑者遷葬緦服本爲親見尸柩制尸柩旣窆之後方始制緦於禮無據謹按丘氏儀節曰葬後釋緦麻服素服而還云云金鶴峯 誠一 問於退溪曰在道素服則還家當何服而終三月乎退溪曰仍素服又曰葬時服緦旣葬易服以無服之節亦耶退溪曰旣葬非如見柩時而仍服麻似無漸殺之義服素食素而待緦服之數云其中云云今云丘儀及退溪說大祥後仍麻服以素衣素帶終其緦月之數後月朔日哭而除素衣帶受吉服無不至大悖否 類輯續編

按三年內改葬適在祥日則以服之[illegible]恐可疑然或者追制緦服之說近之蓋初見尸柩時有斬衰之服故不制緦到今無服故追制以終三月之數假令出柩時[illegible]而不制緦則何不[illegible]旣葬而不制當服之緦乎至於丘氏儀節用於旣葬而除者則可不可援以於三月前除者也

近齋曰三年內改葬則不除緦服南溪說似然 答朴

李氏曰母喪三年內遷父依禮遷合葬同時當事則當以緦服將事母葬前如此況母葬後乎 家禮增解

考妣改葬各受服

梅山曰考妣遷並窆則孝子當各受服同一緦麻而不可相襲 答朴汝奇

前後喪改葬受服

梅山曰前後喪一是改葬一是新葬而同時並行則前後皆當服喪改葬依儀奠下棺時皆服改葬之服事畢以服新葬齊衰是爲各服其服也 答[illegible]

父在而葬母經者服緦否

厚齋曰父在爲母之服[illegible]雖無[illegible]不敢[illegible]杖期之中[illegible]三年之禮而以伸心喪三年之制則改葬服緦恐不可已 類輯續編

本庵曰厚齋曰[illegible]按喪服傳至[illegible]其[illegible]於改葬[illegible]以其爲[illegible]之[illegible]杖期[illegible]於祔喪之杖朞[illegible]不可易也厚齋說恐合禮意 類輯續編

竹庵曰改葬時總服三年者之服則是[illegible]今此緬禮 父在母喪 亦當只以布巾帶過行君若服緦則朞府服與君一般而

為妻改葬緦非禮意故也 同上

梅山曰父在而舉母緬者厚齋陶庵咸曰杖朞實兼三年之體又伸心喪三年以服緦爲正蓋父在母喪者雖屈而不能自伸而本服則三年也降服亦具三年之體是亦應三年者也家禮集考斷以不當服至云大義所繫不可易則亦過矣 與金正宅

長子改葬緦

竹庵曰沙溪云應服三年者服緦長子改葬若是應服三年者則亦當服緦 類輯續編

梅山曰應服三年者受舉下之服爲長子斬者亦當服緦疏說不可易也母統於父豈有異同哉通典亦云諸有三年者皆當服備要集考說亦罔不然應服三年者猶當乃尉況己服三年者乎 答金經誠

禫服中改葬

問亡妻逾禫而遂見方持禫服若服緦以終三月則是終無禫服若以爲禫重緦輕不可以從輕廢重則以禫服從柩亦似未安南溪曰當改葬時不可無服緦之節誠以改葬爲主故其常時則持禫服葬時則持緦服行禫而除禫服三月而除緦服可矣 常變通攷

改葬緦服之制

竹庵曰禮改葬曰緦不言麻蓋古者改葬之緦以細細布製衰裳與冠無首絰腰絰與他緦麻有異須知此義 類輯續編

按有冠裳而無首絰腰絰則不成服制未知竹庵所據見於何書也

南塘曰緦服雖用練麻紋帶不練正服既用練則其他衣帶固無不練之義而從俗用生布亦何妨 類輯續編

又曰婦人應服三年者服緦亦當受正服不可只受布帶蕪帛衣服恐亦不可但去華盛耳 同上

顧西曰吊服之制白巾緦布環絰緦兩股布帶練布制如緦服布帶所示經服人出入所着帶本非服帶非可論也 答朴元得



改葬成服之時

潛冶曰啓墓奉柩出後服緦設奠 類輯續編

南塘曰改葬服在家時破墓時成服逼到當出柩時成服似宜 仝上

本庵曰改葬服尤庵答言始役即服緦此則禮之常也其破墳曠日而後出柩者從朴潛冶趙冶谷見柩乃服之論行之恐得處變之宜 類輯續編

按改葬之緦專爲親見尸柩不忍無服則出柩時受服恐宜

近齋曰緬緦出柩日當行之禮意如此又何疑也 答金宗善

又曰遷柩服緦者不待往墓下則當依同春說於啓墓日受緬服於私次 答李毗殷

梅山問改葬受服之節愚嘗以潛冶說見柩而哭奉柩就殯而後服緦爲有據節可遵也今也則斬衰在躬內殯成後純斬服緦受服訖還衰即從疑常持重服之義也饋奠則各服其服隨引則當持重服妣位贈玄纁時當服緦而尤翁所謂頃刻間旋脫旋服於蒼黃之際豈成舉措云云恐當從老洲曰改葬受服之說愚嘗亦以潛冶說爲可據重喪在躬受服與持服之節來示恐俱得之贈玄纁時脫衰服緦尤翁雖謂不成舉措如有容旋以各服其服則豈容乃已耶

顧西曰緬服當在破墓時而啓墓曠日則勢將俟啓墓見柩時服而哭之恐宜待就幄以象初終成服則恐未然 答梅山

梅山曰服緦在始役雖有尤翁說而破墳亦可云始役自始役至出柩小則曠日大則曠月始役服緦非所以見柩而變也見柩而哭如始喪舉哀就殯後服緦如成殯之後成服若是者方有屬節 答[illegible]溪

出嫁女爲父母緬無服 出系子并論

性潭曰出繼之人所生親爲伯叔父者是程朱正論也衛司徒之子改葬其叔父[illegible]於[illegible]是[illegible]曰[illegible]服[illegible]後於人者改葬其所生父母自當無服無服則吊服而加麻矣晉王翼曰女子雖降父母亦子也男女皆繼於義自通據此則降爲期服者亦似有服於改葬時矣謹按沙溪先生以爲三年服者服緦女子出嫁無服通典所云者非儀禮本意云云此當爲的確之論然則嫁降出降恐皆無改葬之緦服也 答金弘烈

梅山曰方行婦翁緬衰而制布非應服三年者則不服緦矣欲從王肅無服則吊服加麻之說婦人加麻於禮無稽亦難從也自啓墓至葬當素服哭臨虞而還著盛之服雖未會下素服以終虞如何 與朴元得

父母喪中改葬祖加麻當否

本庵曰禮意凡服以從祖爲主況布巾加麻非服也以是而去斬衰未知如何 類輯續編

梅山曰向寡改葬時諸孫之方持衰者吊服加麻與否當入再思否尤翁曰所服在此當加麻有人難之曰凡服以從祖爲主布巾加麻非服也不可以是而去斬齊此言似然而雖不持斬齊然以將事孝巾布深衣亦是喪服則因之加麻何去斬齊之爲嫌哉 上[illegible]西

改葬妻服色

屏溪曰改葬應服三年者服緦子爲父母夫爲妻妾爲君也妻葬雖具三年之體改葬則無服只吊服加麻而已吊服加麻而帶不可無以白布如緦麻帶帶之矣 類輯續編

改葬親盡祖服色

問改葬代盡之祖只可素巾哭臨而初虞祝文等節則使代近年長者行之雖庶孽子孫一依祧房例行之無妨耳若不遷之祖則主祀者其可服緦而諸子孫只素巾帶耶 黃德[illegible] 渼湖曰庶孫亦無不可必適孫無人而後可及庶耳其祖雖不遷代盡而猶爲之服緦



禮有可據否 類輯續編

三山齋曰遠祖緬禮有長房奉祀者則長房主之 答金士文

梅山曰泉翁以五代祖遷葬服緦決於承重與否不承重則只當吊服加麻云者恐爲未安之論無高曾祖稱則五世祖即父也何可不服其喪乎 與朴渼

改葬生親服色

黎湖曰出繼子改葬本生親時服恐當用稍細生布裏着用純素出柩時緦服終三月之敎 答竹[illegible]

近齋曰當服三年者遷葬不服緦何論本生兄弟之有無乎 答李樑山

改葬生祖服色

櫟泉曰生祖父遷葬與他人有異似不可以白布爲吊服別作布直領爲之如何 類輯續編

外祖改葬當加麻

梅山曰外祖父母義之重不可與他小功例之也古禮則有三年之親而於小功以下無變服而猶加麻則持重未除者於理爲之制服推此意也無不可加麻之意但衰方持斬衰故有此疑也曾下之行[illegible]襄事只將緦麻直領以臨壙但環絰於孝巾則便爲吊服耳何去重服之爲嫌哉 答朴渼

改葬時在家之人望哭之節

近齋曰尤翁云緬禮子孫之不得來會者素服望哭情理之不可已然則期親以下吊服加麻者來會葬則當會於主人家望哭而不必向墳墓方位只設位哭之似當 答朴梅山

老洲曰親柩之在家未下者考妣位雖同時舉縟不可不各用其情先設虛位哭妣次于考位几筵恐宜 答梓山

會師遷葬

梅山曰師弟之遷葬者當無服則吊服加麻之文耶只宜吊服布巾耶吊服加麻無異始喪恐欠隆殺素服布巾似爲得中 答鄭淡

洞山曰屏溪曰師本無服師弟初喪是初喪之人遷葬加麻未知其必合禮也云云夫師弟如七十子於孔子群居而麻者若遇遷葬其當更麻較然矣以加麻本非制服故也 疑禮正解

墓所各異破墓之節

屏溪曰內外墓各在遠地則破墓日先後擇吉以爲孝子各親出柩時宜矣但有痼疾將不能致身則雖同日破墓亦無妨耶緦服始服於見柩之時若病不能躬臨當於破墓日望哭而服之 類輯續編

竹庵曰各墳同遷則出柩之節恐當先父並葬先母以其奪情之故則其出柩也後於禮爲然矣 同上

本庵曰由各葬而爲合葬者無論內外輕重須先啓遠墓引至新山然後及近墓恐得宜 同上

南塘曰遷墓之所諸子不可不往也只留服人守墓可也 類輯續編

兩喪出柩改斂先後

南塘曰啓墓復見尸柩改斂既保屍體當先尊後卑入地亦情故先母出地反於入地則其先父可知矣 類輯續編

梅山曰出柩倚廬之事當先重後輕而兩墓隔遠勢有緩急則亦當先出母柩不必爲拘也 同上

南氏曰葬時先輕後重者不忍以重喪先入地也啓墓出柩則義於是孝子欲見尸柩以伸其情則似當先父而斂亦先并有喪襲斂先儒已有先重後輕之論改葬之斂何獨異此退溪皆當先母之論不敢從也 溪要補解

改斂改棺之節

元宗大王初葬梓宮灰漆有罅隙別用木片柒補用之及改葬綾城尉具宏請改梓宮仁祖大王下教曰體魄久安於此今雖不得已有遷奉之舉豈宜并改梓宮以益其驚動乎特命勿改 常變通攷

陶庵曰改棺改斂不可輕易爲之萬一少忽使骨節錯誤則孝子之痛當如何故必須稱便習熟事之人使之改斂而極其詳審勿之有悔且舊棺腐爛甚於無可奈何而後改之容有可議之勢則不當改隨其朽敗之如何或匣棺或漆布爲可 類輯續編

竹庵曰啓棺擬以禮經則改斂已是不得已之事況啓棺乎苟宗於改棺之境則已否則不當改之 同上

老洲曰改葬時改棺一節恐非宜改葬之家和在地已是天下之至變而改棺而體魄露現尤係變之變者故改葬猶可爲而改棺決不可爲也陶庵漆布匣棺之論深得不忍之意不可違也 答梓山

出柩後奠上食靈寢之節

屏溪曰出柩後設奠註有蔬果飯羹之書自此朝夕奠時酒果及時食飯羹設於柩前非謂出柩奠必設飯羹也 類輯續編 厚齋曰虞祭前喪人無執饋奠之事而今舊山遷葬與新喪合窆則朝夕饋奠之禮當依新喪几筵之禮主人兄弟只可哭拜而已況備要葬條只曰上食哭奠如初而已未見喪人躬執之文則豈有父母喪者葬前亦無躬行饋奠之禮似可推此而決矣 類輯續編

屏溪曰出柩後已有朔設之饋奠未葬前不可徹上食與奠當設之於新設靈座矣凡所以爲之者一如初喪則靈寢似亦有之然衾枕既無之制雖不能更爲而備類奉養之具宜可皆備 仝上

樸泉曰朝夕上食哭奠皆如初喪靈寢則具喪之物則勢須新備若遺衣則恐不可新備 仝上

麸巖曰退溪說只設靈座上食而已沙溪又言朝夕哭奠虞喪禮之意亦已精矣今何敢種種拖長苟可以意添補則凡燕養備類之具亦非止靈寢而已 仝上



竹庵曰遷葬時出柩後設遺衣未有所據己之似好蓋遺衣之設常在廟中不當設於緬禮以儀禮則宜不隨柩凡於葬時靈車載魂帛往返已無義意況於遷葬時神在廟中又何靈車之可論哉 類輯續編

本庵曰古禮朝夕哭奠與下室之燕養饋羞湯沐始於既殯不見柩之後啓殯柩見則止家禮至發引猶言每舍設靈座朝夕哭奠上食則異於古禮然櫛頮與靈床未見其皆從也今改葬柩既出而不復殯則凡禮當一視未殯若啓殯之時而靈座哭奠上食姑須從家禮發引之例惟櫛頮靈床則不設亦可爲存古意也歟 仝上

雲坪曰父喪在殯改葬母者新舊几筵用肉以焚否具并有父母喪若昆弟喪者亦當如何虞前若不用肉則遺奠亦廢包牲之節否以生人之不飲酒不食菜果者死將何以爲之 類輯續編

近齋曰緬禮時何爲不設靈座耶備要有設靈座之文矣若有遺衣服則置於靈座上而無則只設交椅爲宜新喪未葬前行其考妣緬禮自出柩日至下棺時上食用素如來示當矣 答徐宗書

又曰遷葬時靈寢衾枕新造之意頃引尤翁說以對矣更考則遂庵以既無平日衾枕則爲數日之用備設誠難欲不用爲言須於二先生說中量而行之 仝上

又曰出柩後家中上食與并有喪成服前有異南溪以爲既非未入棺初喪之時不可輕廢據此則上食當行之案饌用否雖似無決而備要中象平生文之亦指喪中死者而言雖喪中死者既葬則用肉蓋以神道事之也以此觀之則哀家近日之行上食亦不當用素饌如何 答安命道

老洲曰雖云一依始葬而行之此蓋大綱說也且神之已久豈可并與象生之禮同之耶始喪下室之燕養之饋羞湯沐始於既殯不見柩之後至殯啓柩見而止今也改葬於年久之後而用一用始死象生之禮已不能無疑況始死之象生在於不見柩改葬之象生在於見柩尤爲可疑然則靈床靈座饋羞湯沐并停恐不害爲得禮然體魄既動靈神不寧不可不設奠而依之至若上食則雖過象生事非此無所用情而古有日祭祖考之禮則改葬時上食或可取義於此耶既不設靈座則直設於柩前庶爲得宜矣 答梅山

梅山曰儀禮註改葬出柩奠如大斂而大斂奠酒果脯醢而已非殷事也啓墓若値朔日若月半出柩即設蔬果脯醢如大小斂朝夕奠繼設殷事 朔望設殷奠 豫上食 殷奠將至撤前奠殷奠畢上留酒果 可也出柩之奠非殷則豈有一日再祭之嫌哉 答朴元得 又曰改葬設靈座者卽爲尸柩所在也出柩而旋殯於舊兆則當其殯所而鋪筵饋食無魂帛神主而設饋於所館則竊恐無義也 答吳子範

又曰神已在廟無所事乎憑依則改葬時靈座魂帛紙榜凡無所當遺衣有則設之無則只設虛位 答鄭淸夫

老洲曰改葬出柩後値亡者先忌則上食不必用素 答梅山

兩喪異殯各奠哭

近齋曰儀禮疏云并有喪異殯饋實不同也初喪內外異殯卽援儀禮之文也改葬與初喪無異則內外靈座何可同設一處耶靈座既各設則祭奠亦當各行無疑矣 答安命道

老洲曰考妣出柩並奉墓次設帳其間用存異殯之義盛示得之朝夕哭及吊哭並行於各位亦不害爲輕包之義矣 類輯續編

三年內改葬兩設饋奠

黎湖曰奠則只行於殯所上食當兩處同設 答叔德

近齋曰兩處並設上食尤春兩先生皆以爲是南溪亦曰几筵之祭爲神主也墓上之祭爲體魄也據此則並設無疑常時節祀家廟與墳墓並行則三年內改葬几筵柩前並設上食有何不可 答梅山

問三年內遷葬者出柩而殯於家[illegible]遂用設奠[illegible] 梅山曰喪以之遂出柩復還家已非矣然既已還入而[illegible]朝夕奠[illegible]几筵不可無也饋奠只可行几筵矣 答[illegible]

[illegible]

南塘曰食祭居處受吊當如喪中 答[illegible]

櫟泉曰古人上墓則素服哭忌日素服受吊況於改葬見柩之後乎恐受吊無疑 仝上

廢先祀

櫟泉曰[illegible]初終[illegible]不可[illegible]祀並停爲宜 仝上 [illegible]曰遷[illegible]未葬前有奠而無祭似只單獻無祝而當設於神主矣 仝上

梅山曰[illegible]改葬[illegible]行於改葬告廟之後恐宜 答任憲晦

又曰改葬者出柩下棺之後當位忌祭尤當權行於神主然主人不可離殯則容歸家而承祭于是亦當停縱使替行單酌無祝恐宜若值練祥日宜避尤當權以未葬之前只行一獻之禮待葬畢擇日行練祥是爲得中也 答[illegible]

妣位合祔日不可廢考位朔奠

梅山曰几筵異於祠宇朔奠異於参祀則以妣位合祔之日而廢考位朔日之奠可乎行之恐宜 答朴元得

祖[illegible]啓墓後家廟参祀仲父几筵朔望奠

鏡西曰[illegible]廟参[illegible]啓墓後當行於尊位不可一行一否然仲父几筵殷奠則當廢 答楊山

還殯客第之非及祖遣奠當否

南塘曰禮曰殯於廟下小斂於戶內大斂於阼階殯於客位祖於庭葬於墓所以即遠也故喪事有進而無退改葬之禮直自舊山奉柩就新山而無返家之文今舊喪奉還家中與新喪同殯未免失之矣既而同殯一堂一不祔有禮同未安然因此又設無於禮之祖奠則是因殯而設之也蓋改葬前一日因朝奠只以遷柩告靈[illegible]往即新宅塞大留人守之是夕依禮設奠於新喪 答[illegible]

錦[illegible]曰既殯客第則葬期稍遠則不容無祖奠祝亦用原辭而但此[illegible]無經據惟在酌宜行之耳 同上

陶庵曰[illegible]葬之日柩還至家行葬則當有祖奠遣奠今柩還家則[illegible]他所歸葬禮行日但設祖奠告以還家之由至葬時乃設祖奠爲可 同上

本庵曰[illegible] [illegible]非可施於改葬也只宜倣家禮註司馬公柩自他所歸之說但設朝奠而行耳 同上

問改葬[illegible]節新宅[illegible] 答[illegible] 坮坪曰改葬遣奠[illegible]更思之當無疑 [illegible]

老洲曰[illegible]山 答[illegible]

梅山曰[illegible]曰改葬之[illegible]所載新宅即以幽宅而云爾不宜以[illegible]喪者之改其[illegible] 答[illegible]

改葬朝祖先後[illegible]

老洲曰[illegible]之本[illegible] 答[illegible]山

新舊兩喪合窆之節



改葬考妣合窆不用灰隔

老洲曰同時合窆者不用灰隔於兩棺之間[illegible]而朱子亦嘗曰[illegible]合葬[illegible]而爲之大小隨人所爲今用灰不則無計大不可以爲[illegible]故合葬者只同穴而各用槨也由是而言則朱子似不以灰隔而從其制也 答楊山

還葬合窆時改斂衣衾[illegible]柩衣[illegible]

老洲曰[illegible]柩衣銘旌[illegible] 老洲曰[illegible]非不可與柩衣銘旌異者而先[illegible]也 答楊山

同葬合窆下棺先後

梅山曰并遷外內兩喪者當遵并有喪之禮[illegible]仰情之事先重而後輕下棺奪情之事先輕而後重 答[illegible]

魂帛埋於墓左[illegible]

梅山曰[illegible]魂帛[illegible]三虞後[illegible]此則未必埋於墓所也今俗行初虞墓下仍埋魂帛者恐欠[illegible]墓左者知不[illegible]當隨埋新兆如已朽[illegible]恐宜 答任憲晦

改葬[illegible]用之節

老洲曰改葬之帷帳筵席不必別[illegible]也 答楊山



禮疑續輯卷之十九終

# 禮疑續輯卷之二十

## 喪變禮

### 改葬下

#### 改葬虞

屛溪曰改葬虞依朱子言不行好矣第葬畢而歸無一番行祭人情缺然旣有先儒之言世皆行之故鄙家亦行之而神已在廟何待虞安云誠然矣（類輯續編）

又曰改葬不行虞奠而歸朱子說也但合葬之墓獨奠於母位似未安然祠堂告文酒果獨設於所告之龕且父位纔行虞祭勢將獨奠位也（同上）

渼湖曰改葬之虞不行爲是只葬畢設奠于墓而歸又告廟哭而後畢事朱子之意然也（類輯續編）

又曰自墓所歸時暫脫衰絰而行至祭正寢時更着而行事（同上）

櫟泉曰甲寅緬禮時歸家行奠乃告墓哭非虞也當時遵朱先生語不得虞祭而事畢設奠於墓前矣（類輯續編）

竹庵曰愼齋尤庵以遷葬無虞祭爲正論五禮儀有啓殯臨壙奠依此以行似得（類輯續編）

厚齋曰改葬虞祭神見柩後自有常侍之禮依初喪虞祭行之恐得之先師改葬儀條亦無祭神（類輯續編）

問一虞之三獻辭神幷不擧哀殺於喪虞之意而三年內改葬則其禮恐當與喪虞同（或人）陶庵曰旣是三年內則一用喪虞禮恐亦無害（類輯續編）

穎西曰改葬之禮所重在於前後告廟以成終始之禮矣是以鄙家奠墓奠畢而歸備禮行告廟哭之禮未知如何設奠雖實土未畢不出是日似宜（答梅山）

近齋曰虞祭設紙榜未見明文當以遺衣服置椅上以爲依神之道而若無遺衣服則只設虛位行祭何妨（答梅山）

梅山曰改葬之虞發自王肅而傳純難之曰改葬之神在廟久矣安得退而虞之看得卓然宜其見許於朱子也然骸魄驚亦不容不慰安此所以有葬畢之奠也奠祗爲安體魄也與安神之祭不同虞則三獻有奠祝則設饌以終其事若認奠爲虞則不可也告廟而葬葬畢而告廟今人不知精義之在於告廟而以虞祭爲重可歎（答李汝弘）

按儀節有就墓次行虞祭之文或謂旣設靈座則虞與奠皆當行之於靈座不必行於墓前盖設靈座而行於墓前則無初設靈座之意也然初設靈座爲體魄出地也改葬後則體魄入地神則在廟靈座爲虛設矣此時所重在廟奠於墓前而歸恐宜

#### 新舊兩喪合窆行虞之節

澹洽曰實土及半題主喪人奉神主反歸室堂留子弟監視成墳後似當以子弟行奠也喪主方行虞祭祭爲重奠爲輕也（類輯續編）

問父喪葬時遷母合葬則以祭先重後輕之意先行父虞於正堂就墓所行母虞可也然反哭而復就墓所似涉煩苛（李汝弘）厚齋曰先行父虞後行母虞得之（類輯續編）

巍巖曰以新改幽宅禮畢終虞之文則新喪題主奠後設行於舊喪靈座似合禮意而未有所放未知禮家已行之規果如何耳（類輯續編）

陶庵曰遭新喪遷舊喪合葬者當其題祝反虞之時不可參於墓奠愁宜反哭行虞於新喪而使主墓所待事畢奠而歸爲可（類輯續編）

屛溪曰遷墓同窆於父葬則虞祭先虞後遷父虞卽當反魂行之更上山行母虞於墓所宜矣（類輯續編）

又曰父未葬而遷母墓則母虞祝文當稱孤子若是父卒吊後則當稱孝子（仝上）

問母喪中改葬父虞愼齋曰改葬虞先行後題新主卽反魂尤翁以爲母喪題主後則遂潔行父虞反魂（沈潮）南塘曰尤翁說似是然據朱子說則改葬畢奠於墓而歸出主祭告爲可丘氏墓次行虞恐非禮之正者（類輯續編）

老洲曰父喪卒哭前恐不可以他事參錯且改葬異於初葬無所事乎安神故改葬虞初不見於古禮而出於儀節則非不可踰時之祭留待父喪虞卒哭畢後行之爲得（答梅山）

又曰喪中改葬合窆於墓合設如墓祭雖似無妨三年內合窆墓祭不得合設而各行以其未合櫝也旣是先文三年之內則各奠爲宜耶（與梅山）

南氏曰母喪遷父合窆者喪題主後卽行父之遷虞於墓所次反母魂而虞父喪遷母合窆則父喪題主後卽反魂而行父虞次行母虞於墓所恐合禮意然遷葬之虞朱子旣曰不可則當設奠而歸而已奠與祭備略不同似不可以先重後輕論也無論父母新喪題主後卽行遷葬之虞於墓所返魂而行新喪之虞恐不悖於情禮（備要補解）

梅山曰備要始葬返哭行虞在成墳之後則改葬者亦當乃爾而不虞而奠墓者尤當待封墳雖至踰日必待畢事恐得（答任憲晦）

問父喪遷母墓合葬行虞及告廟哭之節（永祜）洞山曰父之反虞豈不急乎旣是合葬則卽當返父虞而三虞畢後乃行哭告之禮於母廟若三年內則先行父之初虞乃行母之哭告若皆是三年內同爲遷墓則葬畢合奠哭於墓反而各行哭於几筵（疑禮正解）

柳氏曰先師曰古者墓遠則行初虞於所館不必於家故見人家遭此者行兩虞於墓所及館次依此如何（常變通攷）

#### 祖喪葬前改葬父行虞先後

近齋曰祖喪葬前改葬其父旣用先輕後重之禮則緬後之前待祖虞後行之爲宜雖過累日何妨（答金善敬）

#### 子婦改葬虞祭祝

近齋曰夙夜靡寧啼號罔極八字當改用而初喪虞祭孫婦祝尤翁定其措辭曰悲念酸苦不自勝堪以此裁酌則改葬虞始葬虞有間只曰不勝悲感無妨祗薦二字當改之曰陳此虞事（答梅山）

#### 葬畢告廟

問尤翁說只行歸家哭奠不行一虞爲是而若行一虞則以歸家哭奠爲可闕未知如何（或人）陶庵曰似然（類輯續編）

問告廟出主無告辭此祭卽告廟之祭而再告煩猥故無告耶（鄭觀濟）陶庵曰似然（類輯續編）

南塘曰旣祭告云則當備祭禮云云（類輯續編）

又曰葬畢奠於墓旣曰奠則當一獻矣虞祭又不可遂廢當行於返哭時有朱子說可據矣語類曰須告廟而後告廟方啓墓以葬葬畢奠而歸又告墓吊而後畢事方穩語類或疑神已在廟久矣何得復虞者恐是察理未精也神魂之與體魄本合爲一體死而雖分其相感之理則未遽亡也銅山西頹靈鍾東應此理不可已也葬畢辭墓安得不哭禮止一獻則祝無所用矣反哭之虞當有祝仍用丘辭似亦無妨（類輯續編）

本庵曰改疑繼禰之家廟無他位則可卽於祠堂奠哭而據尤庵引愼齋說忌祭遷主於正寢是平日所居之故則今改葬哭墓宜亦倣之也（類輯續編）

老洲曰事畢告廟服色援祔祭時服衰入廟以緦服行禮恐示得之（答梅山）

梅山曰朱先生所謂告廟哭而後畢事告時卽出主於寢云者祗告改葬之當位而已雖附於考墓尸柩不見且所任事在於妣位則恐不宜幷告于考墓雖遷考之葬而合於妣之墓亦當爾也於陶庵說恐更詳之（答李汝弘）

柳氏曰無虞祭故返哭必用飯羹之設而其禮參神時擧哀而已更無哭泣之節又無三獻侑食之節則與朔奠之儀同旣奠儀則當設饌於出主之後且緦服入廟非只奉禰廟之人則無厭尊之嫌耶此與附祭有異雖緦服恐難入廟奉主於正寢後以緦服行事似

宜 答奇小監

告廟時出主告辭

潛冶曰出主于寢時告曰孤哀子某有事于某親某官府君敢請神主出就正寢恭伸奠獻 類輯續編

本庵曰主人詣本位前焚香跪告曰今以某親某官府君 或某封某氏 改葬禮畢敢請神主出就正寢恭伸哭奠 類輯續編

告廟祝

潛冶曰祝辭當曰孝子某敢昭告云云某月某日奉柩移安于某地某原襄事旣成夙夜處哀慕不寧敢以淸酌庶羞哀薦成事尙饗 類輯續編

本庵曰某官府君 或某封某氏 下以新改幽宅禮事已畢追養感新啼號罔極謹以以下如例 類輯續編

梅山曰葬畢而歸當出主于寢哭而告之禮也不于廟而于寢者爲哭也事在齋閤未欲奠哀則恐不必出主如初告行于廟中恐宜告辭當曰維歲次云云夫某今以亡室贈貞夫人某氏新改幽宅禮事已畢追養感新不勝悲愴玆以酒果用伸告儀玆告備要辭太略故改措如此 答金有壽基厚

告廟時服加麻當否

開靜堂曰遷葬畢事告廟之哭不宜服吊服服本爲見柩而設葬過宜即除之 類輯續編

葬後除服節

漢湖曰不時服只如他緦服則皮亦可草亦可矣 答鄭承敎 本庵曰昏娶尙非可議矣亦不當赴擧也 類輯續編

老洲曰緦服雖極輕實是父母之服故先儒有云緦服本是斬衰之餘略具三年之體然則緦服未盡之前雖遭嫂喪常持緦服無疑矣



至於季氏之爲妻服亦是具三年之體與凡期別然以服則其實而緦輕以尊卑則父尊而妻卑旣不可以卑者之重就尊者之輕則輕者包重者特之禮有難照例凡係妻喪喪事之外姑特緦服以盡緦服之限庶爲不失尊尊之義耶 答金元博

渼湖曰期服中改葬父母者葬後三月當持緦服云者其意固善而未見先儒定論何敢質言 答南登

老洲曰緦服雖輕先儒以爲三年之餘也慱禮者不赴擧不聽樂居外以盡服月而解官則恐或過矣 與李寬傳

又曰緦服中不赴擧雖非禮經所載特以科擧與職事差殊便在當人去就可已則已故先輩緣情制義推不忍求榮之義於緦服三月之內盖欲以喪禮處之也然至於今番親試之擧只令文蔭應試者已非科擧則豈有求榮之嫌耶且 命在官者赴擧則便是以其官招緦服旣不解官而獨於此援不赴擧之義者無或卽當乎 與韓子綏

潁西曰焚黃與緦葬禮雖有哀榮相混之嫌緦禮重而焚黃輕過葬後行禮於所 贈之位恐無所害愚見則然 答梅山

陶氏曰改葬緦服加麻則不可以服制言也然出柩於地一如初喪卽是未葬之前也服人凡節亦皆以初喪例推之揆之情理亦不當赴擧但旣葬則已也 備要補解

改葬制服

宋庚蔚之曰若旬月而葬則當如鄭玄說卒緦之限若三月而葬過三月者須葬畢釋服 常變通攷

陶庵曰設位哭除旣有明文當以此行之而墓近則雖於墓行之亦無所妨 類輯續編

渼泉曰成服雖不踰日除服可至廿日先後耶 類輯續編

性潭曰緦服之制在於破墓時而若其襄事拖至三朔後則恐當過窆而旣脫葬前則雖十朔不可脫也 答沈姪

梅山曰凡除服咸從受服月計雖朞功之慼聞訃成服而追後奔哭者越月曠時而猶然況緦衰見柩而受服者乎出柩與下棺雖在各月從受服月計至第四朔朔設虛位哭除或於墓所亦宜 答徐子直

又曰始葬者過時而不葬雖出三年子之服不變以故昔有問於子思子曰喪服旣除然後乃葬則服何服子思曰三年之喪未葬服不變除何有焉推斯義也改葬者受服於啓墓六月而始克襄則當服緦以守尸柩安可未葬而除乎所謂改葬緦以不忍無服送至親也非直六月雖過歲年只當改葬而除已矣 答趙衆鎭爲人問

又曰三月而除服當設虛位哭而若以父在而哭於殯爲拘不敢伸以私則哭除於墓所恐宜 上金判書

改葬權措除服之節

南塘曰改葬緦旣行權厝則滿三月而除之他日永窆時又爲受服更伸三月之制乃可耳權厝若具葬禮尤無可言雖未備禮加土成墳又撤朝夕上食則亦未可以未葬處之矣惟不行墳厝者雖過三月不可除服必待葬畢而除也永窆若在權厝三月之內則因前受服計三月而除之又不可更伸三月矣 類輯續編

剛齋曰改葬者遭山變於新占爲權厝而勢將遲延則所受緦服似當除之於月數旣滿之後矣 答柳敬甫

梅山曰改葬服緦爲其親見尸柩也必三月而除者亦法天道一時故也既受服於出柩矣出柩而新山有變則必當權厝若過三月則當除緦及其完窆又見尸柩則更當服緦以伸三月雖未及除亦當仍服不害爲從厚也 答李賓叔

改葬加麻者葬訖當除

老洲曰改葬加麻非有經據特一時稱制見柩而服葬訖而除恐適宜援小記緦小功虞卒哭則免之義似不倫盖少拖長則不無緦服之嫌尤翁說恐不可違也 答梅山

虞葬



虛葬之非

屛溪曰虛葬禮雖非之而我東已成風俗孝子之心必不欲全然無事非他人所可遏止若知其非禮而不以衣冠葬者人孰敢非之 類輯續編

渦山曰戰死無屍者招魂葬不可爲而愼齋曰俟三月葬期擇日而題主於几筵接魂主至三月者未葬而有柩故也今無尸而神魂飄蕩則几筵固當而安神爲急不須虛待三月卽當造主行虞祭可也 疑禮正解

失亾夫父

失亾其親者發喪之限

竹庵曰失君父不得者疑禮解禮流之限百爲言者恐爲完論 類輯續編

老洲曰百年八十年之云雖有古據終覺迂濶不限年數要之求之盡其心盡其道到得情窮理極而竟莫可得然後以出亡日爲諱日而服喪奠作主旣無墓可之則或以遺衣招魂而遂成於平日燕處之所耶 答閔元履

又曰如欲限年則三十年天道一變以人事言之父子相繼三十年爲一世以此爲限或不爲無據耶然出亾之時其人年紀晚暮則已矣若在二十三十之時適計三十年不過五十六十五十六十乃凡人下壽也以此而言則三十年之限亦恐爲遠矣有難硬定其限也 仝上

失父者母喪服

問柳某之父三十年前爲尋其兄之被刼於叛奴者步往嶺南因而不還今柳之母喪出未知此喪服制如何 金參五

屛溪曰爲母三年禮意人情至重且大而父在則父主其喪且壓於父而不得伸三年今此則父之死生未分雖不忍謂死而未及服

喪然其死則必矣何所壓而不得伸三年耶且家禮則勿論父在父亡爲母皆伸三年父在爲母三年不爲無據况此父之死生未定則伸母三年無疑神主亦題以顯妣矣 類輯續編

按家禮不論父在父亡爲母皆伸三年此是宋制今非可引此子欲爲母三年則先成父服方合禮制

梅山曰父出亡十年而不還則當在死生之間而姑難處以必死母歿恐當服杖朞是用父在母喪之禮也計父年百歲行喪制服固有先儒成訓而父齡準百于年亦爲六七八十其能追喪者幾希爲子者宜盡尋求之理不十年爲度竟致道窮力竭則當追行三年之喪忌祭當用出亡日而若不識其日則用其子追喪舉哀日恐宜 答劉生允輝

夫亡不知處者其妻處變

梅山曰有人於此無父母兄弟是依及娶而亡去今焉爲七年矣其妻當如何處之欲傍照通典荀組說則以子而待父年滿百亦未可必况齊年之妻乎終身不行喪制服有所不可欲從劉智說則亡人年未三十矣三年求之不得而卽制服居喪亦所不忍也遵泉翁說告廟而求之三年三年不得而更告之告之而又求三年終不能得然後乃舉哀服喪未知如何欲爲之立后則當與其所后母同時發喪而其親戚之服之也亦宜在此時耶 答朴溪

按婦人之遭此者雖未及發喪制服及居處服食當異於平人矣

出亡子之子不宜承統

渼湖曰爲子而逃其父罪不容於誅逃子之子雖若無罪若承宗統則將擠其父之主於祖廟之中耶將黜其父而稱其祖耶况其仲父已用弟及之禮久矣乃以罪人之子而敢來奪之耶其不可主祀無疑然自其母與兄弟而言之雖爲其罪重而不許其子之主祀若其聞訃追服或亦并行而無悖否 類輯續編

竹庵曰詩云娶妻如何必告父母是人也出走而娶妻不告父母則不可謂之娶雖曰有子不得爲嫡子卻是庶子以此爲斷稅爲服於出走人以庶出待出走人之子恐是禮意然也 類輯續編

梅山曰出亡異於廢疾承重一節未敢硬判出亡在外者死生未分而告由祖靈代父服斬恐當難愼父雖不在家孫爲攝主自可無闕禮何必待服乎承重有祖命則可無祖命則不可告于宗伯一聽朝家處分如尤翁之勸閔家者爲是無君命無祖命而擅自服斬則易致衆訟攝主措辭當曰孝子某不克主喪使子某云云恐宜只云不克主喪殆不成說而下不得出亡二字亦無如之何矣

祭禮

總論

南塘曰人死氣散而至於無其必有漸不應頓散而頓無也方其遊散而未盡散也固應寄在於天地之間而飄蕩無依有所顧戀於平日所在之處及其子孫之身矣聖人有見乎此而不忍使之無歸於是爲之廟貌爲之神主使之憑依於此萃聚於此旣知憑依萃聚於此則又不忍使之餒也於是又爲祭祀之禮以時享之雖若以有感無實亦以有感有也蓋其形雖亡而其氣猶存故也且其祖考之於子孫精神血脈之相傳又非特如天地山川與我一氣之泛然者則其相感相應之理尤見其實然而無間矣然人死而久其氣散盡而終必至於無矣故廟享之禮止於四代而不舉焉蓋其意爲至此而無所享之云爾 類輯續編

渼湖曰祭者尙誠潔而下豐侈如事豐侈而欠誠潔如事神何哉 類輯續編

崔愼齋近思錄注事死之禮當厚於奉生者尤菴曰生者有所自奧死者非子孫饗之不可以得食故也 類輯續編

柳氏曰卿大夫之祭宜用少牢饋食禮小牢五鼎 古以鼎盛今鼎不升直以豜豆升 羊豕魚腊 魚用鯽腊用鷹 倫膚 用羊肉 今不能如古然五鼎之數不可不備 下六器倣此 一鼎牛肉一鼎豕一鼎魚鵰 不必是鯽 一鼎雞一鼎腸胃 牛之脾肺心肝之屬 依古五鼎之實也○其爵三獻周禮大夫士皆三獻而今俗亞獻撤初獻之酌非禮也既非既酬三獻之酒宜列爲三爵以至禮畢乃徹古者爵之實有五齊今不能如古只用淸酒夏月或用燒酒○其食四簋黍稷稻粱今不能如古然四簋之數不可不備一簋稻 메飯 一簋黍 메기장 餅 衣以豆末 一簋粱 조 餅 衣以荏末 一簋稷 피 餅 依古四簋之實凡溫麵饅頭之屬有魚肉在裏變不可用也今俗餅餌餈糕之屬戴於椀豆之上高四五尺大非禮也當以各餅各盛一簋高出敎口二寸恐宜○三鉶之實卽羊豕葵羹而今不如古一鉶菁芼 俗稱 一鉶芹芼一鉶薇芼而倣古三鉶之實凡蔬果之屬隨時作羹不必芹薇也今俗旣具三鉶於前列 鉶或五 而別具一鉶與飯盞對置非奇數之義此宜除之○五俎之實五鼎所升肝膽之屬俎三獻所從非正俎也然今不能如古井以三獻之俎當五俎之一 五俎少牢五鼎 一俎牛百葉一俎生魚一俎熟肉一俎熟魚 俗稱肝納 或用油炙 以備五俎之數而牛百葉卽豆之實則宜實于豆而今從簡便豆則只實菜醢故升牛百葉于豆○禮統曰古祭重牲必載俎故有鼎俎曰祭無鼎俎曰薦○六豆之實韭菹醓醢葵菹蠃醢芹菹兔醢今不如古一豆食醢一豆蝦醢一豆菁俎一豆生菜一豆熟菜一豆乾魚 俗稱 菁菹沈菜也俗以小器 葵之列于豆間非禮也宜除之○六籩之實而今不如古一籩脯一籩栗一籩棗一籩芹時果一籩蜜粿

士之祭宜用特牲饋食之禮特牲三鼎豕魚腊今用牛魚鷄○其爵三獻○二簋飯餅○三鉶同少牢○三俎魚肉井三獻之炙爲三俎之數○四豆乾魚食醢醯醢熟菜○四籩脯栗 時果 脯粿

庶人之禮有魚炙之奉籩豆脯醢上下共之是也 國語 古有特豚三鼎之禮時豚一鼎之禮俱是一獻則有其事者假斯禮而行之庶不爲僭也

特豚有二等其三鼎者其爵一獻其食二簋一鉶二俎二豆二籩○按此時殷奠也喪禮大斂奠啓殯奠朔奠皆用此禮昏禮之饋特豚三鼎○三鼎同特牲○二簋據士禮朔奠有黍稷也 今爲飯餅 ○一鉶據昏禮也昏禮雖大羹若於祭禮宜用芼羹三俎三鼎之所升也○二豆二籩據殯奠之文也 士喪 其實菹醢栗脯昏禮四豆夫婦之饌也

特豚一鼎者其爵一獻其物一俎二豆二籩○按此禮用之於喪禮小斂奠朔夕奠而士冠禮昏禮盥饋亦用之○一鼎用本牲一昧熟之爲一俎○二豆菹醢二籩果脯 舉續編小

廟祭世數

祭三代

黎湖曰大夫之三廟士之一廟卽自天子七廟以下降殺以兩之制也旣爲三廟則其只祭曾祖而不及高祖固也而朱子嘗引于祫及其高祖之文以爲立三廟祭及高祖之證不但伊川無貴賤皆祭高祖之說爲然也然則雖只立三廟亦當祭高祖况後世不能如古禮代各立廟而只爲同堂異室之制則何可不并祭高祖乎程朱以來至于今日不得依時王之制者直由於此朱子雖有爲僭之說恐爲一說也一行西上雖非昭穆之制而漢唐以來無論天子與士大夫皆用此制則雖欲反古何可得也 答竹庵

竹庵曰祭高祖本非大夫士之禮國典大夫士只祭三代實合古意 類輯續編

祀圃答竹庵曰祭及高祖出於大賢 理子 義起自朱子以下諸賢皆遵行無異議則誠可謂萬世定法也 類輯續編

不祧位不在世數

梅山曰奉不祧位者拘五世之嫌遷高祖位于別廟者自有沙溪先生定論也旣得劉歆宗不在世數之論而見許於朱子則是爲可遵[illegible]我朝功臣不遷亦猶天子諸侯之有宗有廟則祭之不限多少無嫌於僭也金潛谷三世不祧而其家并祭于一廟五禮儀及大典通編亦曰親盡祖爲功臣不遷則代數之外別立一室而祭之所謂一室非別廟也卽一義也 答李能欽

庶人祭祖

梅山曰國法許士大夫只祭曾祖以下而以高祖爲有服之親也故士大夫家不拘 國法並祭高祖推禘義也庶人雖許只祭考妣而並祭祖父母恐不害爲僭也祧主遞遷不可施於庶人埋主後歲一祭于墓無貴賤之別 答任憲晦

祠堂

語類曰家廟要就人住居不可離外做廟 類抄續編

按家禮祠堂註古之廟制不見於經今士庶人有所不得爲者故特以祠堂名之然則其名非古其制亦近俗也

栁氏曰先儒祠堂圖式皆以三間內作四龕而無隔壁之制故通設一香卓矣是以每龕狹窄甚不容祔位而且無隔壁爲新喪祔祭時出主於廳事而行之亦非古禮又或有由於一位之事只設酒果於當位亦涉不安矣愚以欲遵廟制者爲四間每間隔壁設以一間爲龕倣都宮之制而各自爲一廟則祔主新喪時皆只於本龕而其於有告時只設酒果於當位亦無嫌矣若用此制則位各有香卓茅沙器當之矣○又今俗奉祀四代之家新婦見廟只奠菜於考妣而祖以上無奠菜以神理人情論之考妣之餘當不安矣子孫之心亦豈安乎然則必用每間隔壁之制然後無此否難安之事矣南溪三間從陽數云者恐不然古之廟制七廟七世也五廟五世也三廟三世也今之三間從大夫三廟之制也然今之人皆高祖四世也宋制平章以上四廟故文潞公立廟有一堂四室之制也皆以間數從陽乎廟內雖爲四間隔壁之制而隔壁之末皆少闕之以容人之往來行禮而廟門從楹數爲三門有正門及東夾西夾之制而與外大門正向矣 要訣擧少

立祠堂正寢之東

近齋曰東者陽之始也常主廷都左祖右社士夫家亦用左祖之義立祠堂於正寢之東即左也左爲陽爲尊故也生義也尤翁已言之 答梅山

又曰私廟丹艧似不至僭以尊神之義美其制度也 答梅山

阼階

南氏曰廟制南向東邊南向之階曰阼階西邊南向之階曰西階東邊東向之階曰側階側階與古廟制不同恐對儀禮圖西亦有側階 續編禮記

廟中昭穆之制

黎湖曰中朝浦江義門鄭氏排列廟主中奉五世祖而以下四位分南北相向 王陽明似亦以是爲可行今此所示蔡學正云豈主於此而言之耶則 文昭殿之位次蓋圖之以爲恐無不可者公私都有可據蓋禮家班祔之班指昭穆而言後世祔祭之禮即有昭穆之餘義今若有能行廟主相向之制者則恐難以反古論之矣然而朱子家禮已成定制我 國諸老先生亦未聞其有異議今於盛詢無由仰對只祭三代鄙宗亦有耳目所接之事中朝則程朱之後恐必祭及高祖而不得質言 答竹庵

竹庵曰昭穆之廟主皆東向則祭祀及拜省時主人西向拜禮意則然但開元禮祖主東向西拜位則北面我朝邦禮則 主皆南面而嗣王西面拜觀於文廟大祭亦然未敢知其所以然 續編

問以昭穆之制子居父右恐未安 李在徽 竹庵曰昭穆本東西廟之名而非以父子名言則有時而子居父之右地勢固然矣何爲未安 續編

又曰用昭穆之制則始奉稱廟之主當東向而妻主則當在繼禰之宗之廟祔食於祖妣矣 全上

南氏曰宋時公私之廟皆爲同堂異室以西爲上無復左昭右穆之次一有遞遷則群室皆遷新死者入于其禰之室是子祔於父非



孫祔於祖也朱子亦曰此乃禮之大節與古不同今之祔祭是變禮存羊之意也據此則非不欲從昭穆之制而南面西上之制起自漢明唐又因之至於宋而爲之定典不得不從時王之制故家禮西上四龕之制是也 我朝太廟西上南向之制只用唐宋之遺制私廟昭穆之制既無禁令豈可以戾於家禮之故而廢古禮之正乎祠堂之制從南面之制四龕之制從昭穆之制西壁東向安二龕東壁西向安二龕自始祖計數昭穆之序高祖是昭則安於左若穆則安於右曾祖與祖禰各隨昭穆之次父子相對而坐龕樣又從湖中諸公之論則孫祔於祖之禮祔位於龕內之制俱得其正矣 備要補解

古禮大夫之適子雖爲士不毀廟

老洲曰廟制古今異宜然禮大夫之嫡子雖爲士亦服大夫服據此則大夫之子雖爲士恐亦當守其廟矣 答洪進燮

廟中龕室之制

梅山曰龕是香塔下宅家禮借其名爲奉神主之所也語類云欲立五架以後一架作長龕以板隔作四五架之義未詳即吾東所謂五梁欤家禮每龕內置一卓龕中常用卓安主至祭正寢則安主以揥 俗云交揥 別以卓 俗云祭床 設饌也南溪所云下不用板者以置卓于龕中故歟尤翁所云非別有卓子者以龕內下板成卓北端安主餘地設酒果如備要圖也今世龕室挾窄僅容神主故設卓于龕外用設時節朔望之薦是爲俗制而奉薦獻之同卓恐不成體貌當以後出者爲正也今俗龕前或簾或窓俱無不可而不宜并設也龕制亦當隨地制宜恐不必局定耳 答任憲晦

櫝與坐式之辨

黎湖曰櫝與坐式在家自先世并用之尋常謂其無害矣但備要恐非是三字謂之失於點檢若有傳聞之爲則已不則恐亦未必爲然蓋兩窓櫝雖較後人并列於卷首圖而原來馬韓二家是各用一制家禮則只從書儀卷中許多櫝字如府君夫人共爲一櫝櫝用黑漆時忌祭奉櫝啓蓋之類皆指坐式而言之不干於兩窓櫝備要又是一遵家禮之辭故於圖亦去兩窓櫝圖而只著櫝之坐蓋式兩圖是其主於坐式以并用爲非之意可見而今人之例指坐式爲櫝櫝爲兩窓櫝者亦自有源委矣要訣忝禮時祭儀中言櫝處與要訣家禮亦爲一般獨下論所引忌祭儀啓櫝之櫝字據下蓋坐二字固似指兩窓櫝而言之矣然如是則非特與上時祭儀中諸櫝字爲所指各異而已兼其爲制既重且大非如坐式之便於奉行果是各用坐式不嫌於以手出主之褻慢則并祭時分奉以行尤似便好何必并櫝而舉奉之乎此似繼曉無乃或如顧德都尉之制出入時別有所用坐式故謂之奉蓋坐耶 答金陽陰

神主之制 神軸並論

近齋曰古者作主未必二片相合及有竅有趺方如今之主式也今之主式自程子始司馬公則用牌子版子見於通典古者卿大夫以下以石爲主 有宗祏之祏字 或束帛依神 士虞禮士無木主以幣主其神天子諸侯有木主 以此觀之今之士夫用木主實殺諸侯之制 程子嘗云右詳見開解 有尸并有主與否按禮之郊特牲曰坐尸於堂用牲於庭升首於室直祭祀于主 直祭正祭也祝官以祝辭告於神主 據此則知立尸而又立主明矣二主不可相離云云朱子之訓本事則謚爲劉平甫家自來影主同奉者而言然以義理泛論則似不可分本來同奉與各奉而二之也盛見似爲倜活 與任踏周

南氏曰家禮作主小註朱子曰制士庶不用主用牌子又曰牌子亦無制須似主之大小高下而但不爲判合中陷可也兀此皆後賢義起之制而今世無用之者大夫士庶皆用木主之制庶人用主僭也近世庶人或有用軸者軸之制有簇子軸屏風以此定爲庶人之禮則庶合禮意 備要補解

穎西曰士虞疏士大夫無木主以幣主其神天子諸侯有木主許愼五經異議曰惟天子諸侯有主卿大夫無主依神以几筵故少牢饋有尸無主又曰大夫束帛依神士結茅爲菆祭法天子有主章註曰惟天子諸侯有主禘祫大夫有祖考者亦不禘祫無主爾○魏氏諸河王懌奏曰銘旌設重有尸有廟皆所以展孝經象平存上自天子下逮於士何至於主惟爲王侯孔悝反祏 石主 載之左史饋食

設主署於逸禮大夫士旣得有廟何可無主通典晉徐邈曰左傳稱孔悝反祏又公羊大夫聞君喪攝而往皆大夫有主之文自天子及士並有其禮但制度降殺爲殊○開元禮四品以下無主○程子士大夫得有重應當有主某家主式是殺諸侯之制也白屋之無家不可用○諸家說如此上一半大夫士無主之說下一半大夫士有主之說二說皆有所據將何取舍而歸一雖然細究禮意士喪無主明有等威開元之所以從亦有精義但後世不可捨從前有主之議而一斷以士喪之禮也 答葆溪

柳氏曰明文安公劉某不用木主不用畵像止用一軸大書三代考妣之靈此所謂神軸也 學禮小識

神主袱

近齋曰神主袱家禮與備要皆無見處非漏缺然也似是古無而今有者也 答梅山

又曰主袱見於五禮儀而色則未詳何必從韜藉考紫妣緋之色世俗不分內外袱則或用紫或用青黑矣 同上

香牀

近齋曰香牀設二一爲行祭時焚香一爲晨謁時焚香何疑 答梅山

祭器

梅山曰語類曰籩豆簠簋乃古人所用故祭享皆用之今以燕器代祭器常饌代俎豆是亦以平生所用是爲從宜據此則亦有大夫士之別當量力而處之曲禮曰祭器弊則埋之是可驗不宜通用如可爲力只宜別具貯於櫝中如家禮所謂恐爲得正 答任憲晦

柳氏曰五禮儀自　王朝禮以至大夫士皆有鋼俎籩豆之制而只行於　邦國不行於臣庶久矣今之祭器無鋼俎籩豆而并以鍮器有足者謂之祭器富者或以銅鐵造出亦無大夫士之別已乖　國制矣爲若以古禮參國典得有一定之制乎簠簋或竹或木器也俎豆木器也鋼磁器也 亦以鍮器用之 好禮之家倣古而爲之但小其制様則雖貧者亦可行矣 學禮小識

神廚

近齋曰神廚似是祭饌熟設之所 答梅山

班祔

班祔稱號

沙溪曰無後喪神主祔于宗家宗子主之稱號從父則稱顯伯父仲父叔父兄則稱顯兄弟及子侄則但稱弟及子與侄也子侄之妻則稱子婦從子婦兄弟之妻則稱嫂及弟婦如何古禮無明據只照他禮文錄送耳 類輯續編

班祔位次

三山齋曰班祔神主或以龕室狹窄而不得祔於正位則東壁下西向設之是人家通行之禮也 答崔光浩

輯覽伯叔與伯叔母皆死則當合櫝而祔于右若伯叔母先死則姑祔于左南氏曰合櫝而祔于右與大註皆爲西向之文不同疑錯註說同然祔註東邊西邊之說非皆西向之意而且指伯叔父母各先亡者而言似不可混而同之也蓋合櫝者之必祔于東而西向者以西上不敢居居東向西則祔于左明矣 禮疑類記

華西曰祔位入廟位次以大註觀之不分男女皆祔于本位之東旁西向以劉氏說觀之則男祔考西女祔妣東以尤庵說觀之儀未合櫝者男西女東旣合櫝者從夫祔西今不敢質言然從大註祔東旁恐是 答崔琴錫

班祔不可不立主

梅山曰伯仲父禮當班祔班祔則以主是豈不立主而可爲者乎伯仲父由窮獨之痛古便宜之道乃於齊殯之地埋旣成之主申命身後不立已主情切誠其言絕悲而其事則非禮之正是豈子侄之所宜承順者哉爲有嫡婦遵奉官所縣邑又有兄弟之子而不立其主永無所歸者乎哀雖爲之主事旣無題主之節又欠處卒之祭則不識所主者何事神人相依不主之孫則在于祖先而旣無主矣何所於祔哉爲哀計者立主題以顯仲父待喪畢合舜仲母兩位于一櫝祔食曾祖是爲處變事而不失其正也 答李中立

無後班祔當幷告諸位

梅山曰無後班祔亦當幷告諸位告辭當一遵備要五代共爲一板而幷書考妣恐宜茲以下當云先仲父某官府君祥期已屆因當祔於顯曾祖考某官府君而以無後歸示行班祔之禮先仲母某封某氏並祔不勝感愴云 答李中立

有弟繼叔父無後而死叔母班祔告辭

梅山曰無後而死者不能立嗣則還奉亡者之禰于班祔宗家之廟竟乃有所不得已也葬前告廟有告無貸告辭云維歲次云云某親某 當用宗子屬稱 敢昭告于顯某親某官云云某親身死嗣絕無所繼後顯某親府君祠板靡托謹遵家禮今方班祔于祖廟不勝悲愴謹告宗家廟前期一日先告班祔之由恐宜告辭云維歲次云云孝玄孫某敢昭告于顯高祖考云云 列書諸位 先某親嗣子已死廢從繼絕某親神主謹遵家禮將班祔于顯某親之龕謹以酒果用伸虔告謹告 答沈元仲

正位不祧與遞遷附主埋安可否

厚齋曰祔位只當以終兄弟之孫爲限豈有同爲不遷之理哉 類輯續編

梅山曰祔主之隨祧位遞遷愚亦以禮宜從厚許人行之而竊更入思義翁說亦出情勝恐遜了於沙溪尤翁埋安之論也 答葆溪

洞山曰祔位是從祖祔食也非以宗家之故獨厚之也祧位遷則隨而從之非以支孫當遷也程子曰祭及兄弟之孫則宗支一也 疑禮正解

按旁親之無後者班祔奉祀自是宗子之禮長房雖均是兄弟之孫豈敢行宗子之事乎此則當以宗支區而別之矣程子所謂祭及兄弟之孫指其主附之兄弟耳



妻存則夫不班祔

尤菴曰夫亡而無後之妻祔夫於祖廟云者似未安此當爲夫立後而別立宗矣何可如是惟爲妻爲子者不可立廟故須祔於宗家矣 禮疑劄記

班祔神主移奉他處告辭

性潭曰祔位題主以宗子爲主而入祔于廟自有禮據則君家事當待其立后而改題移奉矣第移奉之舉勢不可已則只當措辭告由曰欽時叔母定居于某所將奉叔父學生府君祠板敢告事由 答族孫欽時

妻主別處說

南塘曰妻祔廟中夫拜庭下者爲未安則凡宗子之卑幼者皆不可祔廟耶 類輯續編

無後本生親班祔

沙溪曰本生無後則兩家相議歸宗古有其例兩家父死則子不可擅自罷繼當以本生爲班祔 類輯續編

問本宗無後則其生父喪出後子主之而叔父題主耶生母主之而顯辟題主耶 李徵夏 屏溪曰出後之子當以叔父題主而班祔之以待立后而改題可也 類輯續編

梅山曰出繼大宗者當爲本生父母立后而旣所援議則當準旁親無後之禮班祔于祖廟以顯叔父母題主祝用從子之文祭止亡者之孫於後人無后者終兄弟之孫之身之義也 答林士雨

又曰爲本生祖侍養者尤菴有云主祀服盡後祔宗家可也陶庵亦云出繼之子第一子似是宗孫以顯從祖題主而用班祔之義爾賢說恐爲得正也班祔者祭終兄弟之孫則侍養奉祀者亦當視此爲例而今欲拖過於侍養孫之孫曾則是成四世之宗其何別于

竊後哉 答晝問宗

問無後者後當用班祔之禮矣以從叔父題主傍題書以從子某奉祀耶 李文老 梅山曰彼府宗子也當主其祭而題其主曰亡弟學生

神主而無傍題可也

宗子無廟廟于支子則支子奉爾如班祔

梅山曰支子異宮則異廟故吉祭只祭當位亦無告宗家祖廟之節而宗子無廟廟于支子之所支子權奉爾位于祖廟如班祔之禮

則勢不能行祫事吉祭前日當以宗子名告由當云維歲次云云孝玄孫某官某敢昭告于顯高祖考某官府君顯高祖妣某封某氏

列于諸位 茲以先從祖某官喪期已盡禮當異廟而宗家無廟廟于長房同宮異廟形格勢拘姑用班祔之禮謹以酒果用伸虔告 答金振鐸

非班祔而權奉宗家則不當與於祫事

問宗孫奉季父祠板於廟中勢題以從兄名也祫事祝中祔食云云以顯季父稱之則與主面題稱有異未知無害於禮耶 任景文 梅山曰以宗孫主祀則尊季父不宜祔食於祖廟無乃從氏絕嗣而爲此班祔之禮乎苟其然者當改題稱季氏某官府君祔食也若非班祔而權奉於大宗家廟則不當與祫事班祔則祔食不班祔則不祔食禮也

五代孫婦權祔於祧遷位者時享告祝之節

問方奉高祖祀板而遷與子婦權祔於奧壁如行時享則當長房者之妻祔食於高祖既有尤翁定論而至於五代孫婦則昭穆既乖不當祔食故妄意以爲告由與祝文總段自別於子婦位初獻告曰云云而獻酌等節一如祔食而無同祔食等辭亦無礙於姑位耶 柳樞之 老洲曰命子婦非正位又無從可祔而今有事一堂別告而祭之雖曰告辭祝告於進饌之後奠獻之際安得無各祝之嫌且時享所以祫祭而諸祔位之以其班祔祀爲宜是其統卑之義則一堂一時之祭各告而祭之不爲於尊位者烏在其合祭之義也旅祔所謂有事別告者卽如告贈贈告遷墓之類無事於諸位有事於當位則別告而已不然則卑以尊位爲主況時享盛舉也群廟當正昭穆以序如有事可告當告於尊位豈得越告於卑位耶故雖以有事告之後導之就原祝中措語以告恐爲理順措語則素祝祔食下繼以五代孫婦某封某氏祇爲從食云云蓋從食稍異乎祔食之云不過是從尊者食後世所謂從享是也而此則恐不礙於於昭穆之禮尊統卑之義亦行於其間而祭祀總段始得矣

勢難班祔則埋安

南塘曰旁親無后祔於宗子家廟禮之正也若勢有難安則不得不埋安矣 類輯

爲僧旁親班祔可否

李氏曰宗子曰爲僧無后固當祭之無可疑而此恐不無古今之異宜者未知如何 家禮增解

庶孽班祔可否

南氏曰位號分卑者不敢入廟故無庶孽之班祔且不敢與嫡兄弟之 班祔者并肩同坐於祠龕之內故其承重之妾子雖許入廟猶不敢并盛而祭則何況妾孫以行祔祭之故而遽敢入祠龕之內乎 備要補解

有惡疾者入廟可否

南氏曰嘗見家嗣子有惡疾則不得立故死不入廟宜矣士夫家則長子雖有惡疾若不可代兄奉祀寧有不入廟之理乎朱子曰諸侯奪宗大夫不可奪宗此可以爲證尤菴之疑恐爲得之 備要補記

祭田 叙牌并論

梅泉曰有祠堂位田庄則當不遷以厚宗子如有當位祭田則當隨往長房而親盡仍爲墓田以供一祭 類輯續編



退溪曰國俗既有奴婢相傳與田宅無異則宜承重奴婢豈有不可況兄弟衆多之家不設承重奴婢泛同於衆兄弟亦非以祖重宗崇奉祭祀之意甚不可也 五禮考證

晨謁

晨謁服色

庶門家儀曰每日昧爽盥漱丈夫具道袍笠帶婦人梳笄唐衣至內寢省問安否 丈夫行揖禮一揖婦人及幼小一拜 晨謁後主人率衆丈夫晨謁于家廟中門外 類輯續編

近齋曰幅巾雖非古制古制既不可復則姑以今制用之何妨兩宋先生已行之例從之可也屏溪之以程冠行祀未知果如何耳 答梅山

晨謁焚香

本庵曰焚香無薦獻而爲求神之禮未知何也 類輯續編

竹庵曰主人晨謁焚香再拜逐日焚香似煩瀆且深衣則冠屨必用幅巾黑履耶 仝上

近齋曰晨謁焚香雖非主人亦可行而要訣無焚香者從簡也非謂行於中門外之無儀意也 答梅山

晨謁主人隨衆

問晨謁常禮只言主人要訣雖非主人隨主人同謁無妨問解亦然獨行則不可尤菴則曰援以生時諸子晨省各自如儀且家禮出入時入大門告廟一如長子獨於晨謁有所不敢者未知其義也又曰晨謁之禮亦不係主人之有無矣未知將何的從 小泉 陶庵曰以尤庵說觀之則雖非主人而亦可行晨謁移恐問解所載義理爲長 類輯續編

本庵曰凡不曰主人以下者專指主人也 家禮本文曰主人晨謁

語類載朱子率子弟晨謁似本於彼儀當以家禮爲正 仝上 又曰晨謁雖象平日之晨省而廟之禮事神之禮自與平生迥別有不可一同者也 仝上

月塘曰主人之晨謁與支子出入拜廟之節似異主人不在之時支子擅開廟門獨自參謁恐未安 類輯續編

近齋曰晨謁與祭祀不同主人既不得行之則不必代行主人行晨謁則衆主人隨參南溪云 答梅山

老洲曰晨謁主人之禮也栗翁沙溪皆主非主人不可獨行之論是固得禮之經而如遂翁之使子弟代行乃是遷就於人情之間也然不可無分別於主人家禮祠堂章主人晨謁大門之內然則非主人而晨謁者行禮於大門之外 開大門而拜於外 以示異於主人恐爲得宜而但近來人家祠堂絕無做家禮大門中門之制者當隨其地勢主人如開門而拜餘人不開門而拜稍分界分如何 答梅山

梅山曰晨謁家廟固是主人之禮而朱先生亦率子弟晨謁吾東先賢亦有主人有故則子替行之論或云非主人則不可行者恐是未通之說也晨謁卽象生時定省之禮則父在母喪喪畢入廟曷可廢晨謁乎父固壓子而祖不壓孫則豈以祖爲之主而孫不伸情乎況喪室乎 答趙陳父

攝主晨謁

退溪曰攝主宜攝晨謁之禮 類輯續編

宗子之子不可創行晨謁

穎西曰晨謁主人事主人行之或有病故使子弟代行固無不可今者主人初不行此禮自其子弟創行遽當主人事者其可安於心乎情雖可伸禮有所嚴節敬則沙溪所謂獨行則不可云者恐當遵行 答梅溪

忌祭入廟序立再拜兼晨謁

近齋曰忌祭日行晨謁拜禮南溪以高祖忌與高祖以下忌爲先後者愚意恐不必如是分明也備要中序立再拜之文似因要訣而此却爲晨謁之禮然則南溪所云諸主時行拜似亦指此而言序立再拜之外又豈有晨謁再拜乎 答梅山

祭廟日無晨謁

本庵曰凡祭廟之日當無晨謁蓋將有事於神主則無用先爲門外之虛拜矣此審於祭若時祭不先拜於未出主之前者可證也 類輯續編

近齋曰朔望祭既有事於廟中則不必別行晨謁以祭禮兼晨謁無妨耳 答梅山

省親展廟先後

近齋曰晨起當先省親而後謁家廟 答梅山

喪中晨謁廢否 服中并論

漢湖曰祠堂晨謁三年中姑廢爲宜 類輯續編

老洲曰喪中晨謁先輩多限脫衰停廢矣 答金煥亨

近齋曰晨謁平時之禮也喪中不可行南溪說是矣與祭祀之畧行者不同 答梅山

梅山曰三年喪中雖廢家廟晨謁本生喪葬後所後家忌墓祭準禮行之則曷可廢晨謁乎 答李儆用

又曰同宮之喪雖則廢祭晨謁無可廢之義以其與祭祀不同故初無齋戒也雖朞功之親成服後當行 答李膺信

近齋曰晨謁成服前廢否雖無明據然無論喪家之通與不通未殯前甚爲悲惶姑廢之似無妨 答金宗善

又曰以間解喪中入廟別具布帶之義推之朞大功晨謁時別具夾縫白布帶小功別用素帶緦服亦然而或具著黑帶無妨此愚之從前所見也今示趙冶谷所行雖近質樸亦是一道也 答梅山

外祖廟無晨謁

近齋曰晨謁家廟即生時定省之禮於外祖廟行之恐似過矣 答梅山

祧位未埋前晨謁

梅山曰祧位自從祫後移奉于正寢矣不當以當埋未埋而不行晨謁先家廟而後祧位由近及遠之義也 答謙溪

出入告

要訣出入儀諸子異居者近出則不必拜辭遠出則須就祠堂拜辭如儀但不開中門主人外餘人拜辭時皆不開中門 五禮考證

祭

南溪曰大盤即是楪子之類以其夫婦同是一楪故用其大者稱以大盤 仝上

陶庵曰茶是國俗不用故設茶點茶等文一併刪去若別有饌品則各設筯楪於盞盤之間主人斟酒訖主婦升正筯 類輯續編

性潭曰茶禮時果盤之單設是人家合設之禮鄙家則凡祭皆各設一遵文公家禮不知他家所行有何所據 答孟性淳

竹庵曰士有朔月奠大夫有月半奠古者惟喪祭然也而家禮仍有朔望祭也嘗聞我國自前朝時只行朔祭同初鮮行望祭恐進舊俗未爲失也

南氏曰主人出入必有告有事則亦有告今正至朔望之祭俗節時食之獻四時新物之薦皆是有事於祠堂神主當出則何可昧然無告辭耶家禮之無告者必有意義而未可詳也鄙家祭式正朝則告曰今以某歲正朝薦以時食敢告他節做此朔祭則曰今以某



月某日薦以酒果敢告此乃告朔之義也 備要補解

近齋曰祭有大小朔望祭是祭之甚小者故無祝 答梅山

又曰古者士無月半奠故要訣之望日只焚香是也然備要則望日亦用果一盤不設酒不出主依此行之爲當 仝上

又曰朔望祭以新魚代果何妨望日焚香異於晨謁雖非主祭之人亦可行之 答金履鉉

又曰祭是與相祭之謂 答梅山

櫟泉家儀朔日用果一盤魚肉一味麵一器望日只設酒果 類輯續編

顧菴曰望祭家禮不設酒不出主其視朔祭殺矣此必由於不殷奠之文鄙家喪中月半殺其饌品於朔奠當時祠堂祭禮只於朔日設酒果望日則焚香祭拜而已更以家禮之意參考望亦有果盤可知雖不出主以果品行之如薦新之禮恐亦無傷註疏分大夫士亦有殷奠者大夫士祭禮皆有等殺故也吾東則如祭四代士亦同於大夫今之行禮者獨於此不必分異也 答梅山

梅山曰尤庵遵家禮以朔望祭矣近考語類朱先生月朔影堂薦酒果望日薦茶欲倣語類望日只薦茶未知如何老洲曰朔望祭家禮朔日設酒望日則不設酒不出主主人点茶而已云者與語類朱子所行之禮未見差殊也文成要訣云望日不出主只啓櫝不酹酒只焚香亦據家禮立文文雖小異所以示殺於朔祭家禮要訣其義一也剛齋曰國俗既不用茶則望日亦用酒可矣但貧無以設酒則望日只設果而焚香再拜亦無不可吾家性潭先生嘗如是矣 答成大衡

梅山曰家禮備要望日不設酒不出主示殺禮於朔也愚則望日設茶不出主參神辭神如禮士無月半奠故未敢薦酒果如朔祭焉

茶用生薑麥芽雀舌之類 答任憲晦

安氏曰望日無酹酒則無酹酒之禮是無降神也要訣不酹酒只焚香則無降神可知尤庵曰不設酒則亦不降神耶降神不可廢而必當用酒未敢知也 五禮考證

按家禮望日只言不設酒不言不設果故或有果盤當設之論國俗不用茶故或有代用酒之論然如此則朔望無等殺且祔註朱子曰朔朝用酒果望朝用茶則準之已矣

望日不設茅沙

近齋曰望日祭禮一節家禮與要訣互有異同而當以家禮爲正既不設酒則獨設茅沙無義鄙家則曾前於望祭不設酒則并茅沙已之矣餘如上儀云者即大綱說豈指茅沙而言也 答李廷仁

共四龕一香卓

南塘曰朔祭時祭焚香降神通行一次則設香卓於堂中共一龕只設一卓也若有別告事之龕則別設香卓於其龕而告後即去之 類輯續編

前一日齋宿

本庵曰齋宿則是止齋前夜也嘗聞同春堂出吊人初終先生女閔文貞公夫人時尙幼問朔祭在明何爲犯染先生爲之解說如此云 仝上

梅山曰前一日之義爲重未可齋一夜而止且不吊喪爲齋戒中一事雖非初喪亦不可爲也 答朴元得

祭禮服色

栗谷曰婦人上衣下裳極其鮮明 五禮考證

五禮儀有官者紗帽品帶無職者笠子絛兒 仝上

奉先雜儀有官者公服帶笏無公服則黑團領紗帽品帶無官者黑團領黑帶婦人大袖長裙 仝上

李氏曰假髻之制以禮註及孔氏朱子諸說參之恐是以總髮編列而回繞作髻外圍內虛如環以冒於本髻之上矣少牢註所謂剔髮被紒爲飾亦此意也蓋以內則文考之古者檢纚笄總男女皆同然則以六尺之縰韜髮作髻是謂之纚而又施笄總然後男子則加冠於其上婦人則不冠而以副編次加之爲飾後世則無以纚韜髮之制只以髮束之爲髻後施掠頭如今網巾之制矣然其加假髻於本髻之上以爲飾則與古不異矣忌祭條所謂特髻去飾者卽只束本髮爲髻而不加假髻爲飾耳蓋髻形之回繞如螺蠁而糾覽假髻圖則全不類髻形可疑抑或以髮回繞之際必須寓着於物而後可成髻樣則似當有以竹若木爲骨者矣然則糾覽只以骨子蓋之耶　英廟朝嘗禁辮髮之俗而未頒假髻之飾事須襲而竟使中華古制不行於東可恨 家禮增解

又曰朱子云古之冕服皆用直領蟹之皆未嘗上領也今之上領公服乃夷狄之戎服也又有先王冠冕措地盡之歎然其修家禮乃以公服襴衫上領之制爲盛服者特從時王之制耳我國亦承用上領公服等衣爲期祭盛服無官者則儀節所謂直領衣者雖未知其制如何而從俗所謂道袍貫頭領之制爲今世士子通用之盛服則以爲祭時之服恐當奉先儀之必用黑團領有未敢知耳 仝上

序立

厚齋問家禮序圖旣有子孫立位又有執事立位分明非子孫尤庵曰吾所未曉云云南溪曰吾嘗未曉中朝人必有家丁此似是家丁之類也 類輯續編

南塘曰此執事恐是子孫男子婦女贊禮者也考位則男子贊禮妣位則婦女贊禮故謂之內執事外執事也或曰僕隸之屬女僕之位主人之後閫無可嫌男僕則在今皆非有大故不入中門入中門婦人必避今於祠堂考妣同享之祭得與序立之末已是可疑又與主婦諸婦女之庭序立尤爲未安 類輯續編

本庵曰男僕不可參錯於婦女間外執事者恐只得以子弟而設置當一而已 同上

又曰喪大記婦人迎客送客不下堂其義甚重而此位階下者始見韓式矣李光錫曰今雖堂室異古恐合以西階上位婦人也 同上

李氏曰祔祭有內執事者奉祖妣主置于座之文則雖可使奴婢出主也恐是諸子孫及子孫婦女當爲內外執事者也 家禮增解

樸泉家儀婦人位參禮立於階下大祭則立於房中 類輯續編

近齋曰當序立於廟庭而亦或於廟內何妨

梅山曰凡內外序立皆在於階下今俗或位於堂上非禮也位在階下而行禮於堂上故有事則陞無事則降 答白致暉

李氏曰神主南面故男居西尚右也子孫北面故男居東亦尚右也卽王制所謂男子由右女子由左之義且阼是主人位故也 家禮增解

出主

渼湖曰家禮只於薦新望參不出主其餘自朔參節祀至于正祭未有不出主者其祭愈盛則其禮愈備而然 類輯續編

問出主時椅卓未免浮持主身未安 李任徵 竹庵曰只開櫝蓋恐或無妨 仝上

近齋曰家禮出主卽奉出主身櫝外之謂也而後世人家只脫韜而謂之出主與家禮不合矣然何至大悖於禮耶蓋婦人童子行祀時移動主身重難故爲此之處而只脫韜也且神道遠邃不必奉出於櫝外近間親家亦多如此行之云耳 答梅山

祭饌由西階

本庵曰特牲禮尸入門左少牢禮尸與祖皆升自西階則神主及祭饌當由西階 類輯續編

獻拜之節

陶庵曰主人主婦分立香卓前東西北向再拜爲可 仝上

本庵曰今無主婦點茶一節惟主人拜於香卓之南如望日儀 類輯續編

禮疑續輯二十　十五

李氏曰香卓前東西再拜主主人而嘗主婦則當四拜又按參儀無點茶故主婦無拜 家禮增解

南塘曰參則禮簡故主人皆自行之祭則禮繁故執事贊之 類輯續編

又曰禮拜必於再婦人四拜以當再拜故此云再拜據禮成數而言實則包四拜之禮凡言婦人再拜者皆倣此 仝上

本庵曰士冠禮見于母註云婦人於丈夫雖其子猶俠拜 本註 士昏禮婦見於舅則云升拜盥又拜而註云婦人與丈夫爲禮則俠拜於姑則止云升拜盥婦人之俠拜只施於與丈夫爲禮耳且據士昏記主婦一拜贊者再拜主婦又拜則俠拜亦只再拜也故通典皇后祀蠶拜陵之儀皆再拜而至韓式又稱儀皆言婦人四拜恐宋俗然也 類輯續編

降復位俟少頃

本庵曰今世降復位立俟少頃是與聘禮釋幣于禰出主于戶東註少頃之間示有俟於神之意合矣 同上

斂櫝降簾闔門

本庵曰辭神後主人主婦升斂櫝如啓櫝儀執事者升同撤降簾闔門 類輯續編

閏月參當行

本庵曰春秋文六年曰閏月朝于廟疏司與朔朝享是也祭法月祭之愚按閏月參當據此 仝上

朔望參皆行

沙溪答月塘曰宗子若出則正至望爲新支子代行可也恐不害於禮也 類輯續編

南塘曰朔望之參自時祭殺而爲俗節俗節殺而爲朔參則非專爲展已思慕之誠不可以已之有故而直廢之也有故則主婦子弟代行有何可疑乎

禮疑續輯二十　十六

南氏曰主人有故又無子弟者婦女可以代行又無婦女者與姑廢之不可使婢僕代行也若墓祭則與廟中祭禮有異容或有可議者也 備要補解

喪中行祭

李氏曰朱子曰時祭禮煩非居喪者所能行節祀則其禮甚簡雖以墨衰行事亦無不可云節祀旣可以墨衰行之則祭禮恐無異同矣 家禮增解

不犯染則緦服成服後行祭

梅山曰旣不犯染則固無違於前一日齋宿之文曉成緦服朝行廟祭恐宜 答朴元得

俗節

臘儀 註日並論

鹿門曰宋臘用戌蓋宋以火德火墓在戌故以戌日我國則在東屬木木墓在未故我國以未爲臘 類輯續編

梅山曰王者各以行盛日爲祖衰日爲臘故漢戌臘辰晉丑用衰日也本朝庫藏在未故用未日爲臘初非濟虜所用云者澤堂說可遂也愚從栗谷尤翁用臘日薦廟 答或人

俗節增刪

陶庵曰家禮本註有中元 七月十五日 而是佛家所尚朱子晚年亦自不行故今刪之 類輯續編

南塘因韓聞成仲之言七月十五日卽中元之節本註許用之然則此所謂不用者浮屠素餅之禮 同上

近齋曰俗節參禮三日南溪不用之似以其節之甚俚也然人家多行之行之何妨九日則不可不行蓋重陽雖爲令節故也 答李敬敏

老洲曰俗節增減隨宜無妨但正至歲饌雖貧不能辦略具一二品以示異於他節可也 答兩大任

除夕拜廟

老洲曰除夕拜廟雖知非有經據後來諸賢率多行之此等處不妨從後賢故愚則自前行之而未嘗廢矣 答梅山

俗節時食

問正朝設餅而又設餅湯似未免重疊 鄭存中 陶庵曰歲時餅物重在時食或涉於疊床亦何傷哉 類輯續編

樸泉家儀節日用時食餅饈藥飯之類一器 同上

俗節廟墓并祭

南塘曰四時墓祭退溪拘於朔望而欲廢正秋二節是春夏連擧而秋冬專闕也豈寒暑變節感時追享之儀歟春秋行禮可兼冬夏而只行春夏不能兼秋冬矣節日之當於朔望者先薦几筵後行墓祭地遠則使子弟代薦一所亦無所礙矣 類輯續編

竹庵曰俗節之祭行於墓則恐不可兼行於廟 類輯續編

按東俗祭墓最寒食秋夕此兩節則上墓其餘則行於廟恐宜

秋夕之義

頤西曰秋夕之名古未有也然以意推之七夕秋夕均有所取於是夕之義秋夕之夕亦豈無義也是夕也月爲一年之最從古爲玩賞之節其必取於期以名爲夕無疑也東俗之以是日上墓行之已久今不可廢 答梅山

俗節朔望時祭大宗雖不行不宜從而并廢

李氏曰薦新俗節朔望時祭大宗雖有故不行從而並廢未安依禮力行而使大宗效之尤善見觀恐是 家禮增解



禮疑續輯卷之二十終

# 禮疑續輯卷之二十一

## 祭禮

### 薦新

薦新諸節

樸泉家禮薦新數須作飯具膳盛饌亦其不可作飯者作餅以薦於節祭魚果菽蕈單薦之物薦於晨謁 類輯續編

竹庵曰新物之薦因朔日以行恐得 類輯續編

近齋曰薦新非朔望節日并設者則魚果之屬因晨謁而薦之雖用酒果而不將茅降神只曰焚香再拜蓋以此再拜作參神也故不別言參神然則焚香再拜後斟酒又再拜將撤再拜辭神凡爲三次再拜而已蓋比朔日爲輕故從簡也 答金履祐

李氏曰遠出告儀尙有焚香告拜之前後兩拜恐此不可無參辭神 家禮增解

薦新物品

梅山曰薦新物品有難局定且約月令王制而參以五禮儀孟春靑魚仲夏大麥櫻桃瓜季夏小麥孟秋梨仲秋稻柿棗栗又從俗石魚蓴魚銀魚西瓜甜果恐宜而亦稱家力恐爲得中若有物皆薦則恐涉於瀆也 答趙晦夫

又曰魚菜蕈之屬有難待朔望俗節則當單獻於晨謁而單薦則恐當用生薦亦行於 大廟禮亦許用生魚肉恐非可拘也 答任憲晦

未薦不食

樸泉曰家禮新物未薦之前雖童幼不可先食 類輯續編

私喪未葬不可薦新



梅山曰私喪未葬與 國恤未卒哭前事勢差殊尸柩在於家何可議到於廟事乎凡係葬前告廟亦不用酒果況薦新乎雖生薦亦不可爲也 答任憲晦

生辰祭

酬溪曰生辰茶禮退溪非禮之答尤庵併設諸位出主單設俱離便之教十分正當復何疑乎旣知其非禮則告由改正尤似宛轉矣

近齋曰生辰祭邁菴創開云而實則自周元陽有生忌之名三獻讀祝以祭其後減殺爲茶禮小祀耳然家禮只許行於三年之內人家雖有行之於廟中者非禮之正矣 答李載毅

又曰生辰 廟中行之則不可只祭設於當位亦不可併設於諸位以此難行也上墓設行尤爲非禮 答李載毅

又曰生辰祭祀文出於周元陽祭錄文祭子則覆寧敢忘之句改以逝何可忘何妨而但生辰之稱極無謂禮家甚非之元陽祭錄恐不從 答李載毅

又曰生日不祭禮之正也回甲亦何可祭之乎 答梅山

梅山曰周甲與常年有異壚墓與家廟不同宜若用享而伸情然終是非禮之正雖甚觖然不如其已也恐之所自處與處人一是不行已矣斯義也竊有所受靡敢叛說耳 答沈仲賢

先祖周甲日行時祭當否

近齋曰生辰日或當仲季月則人家雖常時不行時祭必於是年是月行時祭以爲伸情之資者多有之愚意以朱子生日行禰祭之義如是依倣行之固可而雖或未能直當其日是月內追行亦宜蓋生人生日亦有追設晬酌之規故也若値孟朔則孟朔不可行時祭退行於仲朔又是一道矣 答李載毅

剛齋曰生辰祭退溪以來諸先賢之論皆以爲非禮故今未聞有行之者但周甲之辰則世多有行之於墓者在情理固無不可然墓者繼葬而同岡則尤庵答人之問曰諸位同安一祠未獨設於原位耶抑幷設耶或諸位主於正寢耶三者皆有難便退溪非之者或出於此耶觀於此則獨設幷設具爲難便墓與祠恐無異矣 答金夢賚

祠先生辰日影幀設奠當否

近齋曰祭於影幀禮無其文蓋以一毛一髮不肖便是別人故也未知好禮之家誰行之而愚意似未安矣 答梅山

祠先生辰拜廟 拜墓並論

近齋曰考妣以上辰日拜廟禮雖不言似以有是禮故不爲別言之也是日拜廟拜墓揆以情禮俱無不可矣 答梅山

有事告

有事告之拜與他奠獻之拜不同

三山齋曰獻茶酒再拜爲獻酒而拜此則朔望參之常禮也讀祝又再拜爲告事而拜也此與他祭讀祝之只主奠獻者其禮宜不同 答李養長

近齋曰凡祭獻酒讀祝後再拜告事由則兩行再拜者其義固難的知然以瞻見思之時忌祝專爲行祭故獻酒後卽讀而讀訖再拜告事祝只爲告由故斟酒後再拜一如朔望儀而祝告後又行再拜其意各有攸當耶未見先輩說不敢質言 答李廷仁

李氏或曰告事之儀若是小事只焚香以告則只依晨時告禮而有先後再拜此說恐當 家禮增解

讀祝時跪伏

李氏曰或曰古禮以立爲敬東俗以伏爲敬今則讀祝時當跪伏此說恐是 家禮增解

禮疑續輯 二十一　二

告追贈

本庵曰朱子答李晦叔書曰錫公贈謚只告于廟疑爲得禮今世告墓恐隨俗耳愚按朱子大全告贈皆於廟 類輯續編

父喪中贈職葬前先告廟葬時書銘旌

近齋曰銘旌一入壙中則無變改之時雖未及改題之前銘旌當書加贈封誥無疑改題則當待三年而告廟則當葬前爲之然後銘旌之書加贈封誥方有來歷矣 答金魯敬

祖考妣及妣位　贈典下於父亡後告由

近齋曰告辭製呈維歲月日干支孝孫某敢昭告于顯祖考某官府君顯祖妣某封某氏伏以先考某官位至亞卿當推恩所生而教旨未下先考棄世旣葬之後命書始降　贈祖考爲某官　贈祖妣爲某封追奉　恩慶不勝感痛某方持憂服不敢行改題之禮當待後日祫祀謹因朔參先告厥由 右告祖考妣位 維歲月日干支孝子某敢昭告于顯妣某封某氏顯妣某封某氏伏以先考某官位至亞卿顯妣當從受封號而　教旨未下先考棄世旣葬之後命書始降　贈顯妣某氏爲貞夫人　贈顯妣某氏爲貞夫人追奉　恩慶不勝感痛不肖方持憂服不敢行改題之禮當待後日祫祀謹因朔參先告厥由 右告妣位 維歲月日干支孝子某敢昭告于顯考某官府君伏以某月某日　敎旨始下　贈顯祖考某官府君爲某官　贈顯祖妣某封某氏爲某封　贈顯妣某封某氏爲某封惟玆　恩榮未及於顯考在世之日不勝摧痛謹因朔奠敬告厥由 右凡三告辭○答洪陽發

喪中若蒙貤　典當以宗孫名告由

梅山曰凡改題待宗子三年喪畢告祭前一日爲之而三年中若蒙　貤典則當以宗孫名告由告辭當云歲次云云孝曾孫某敢昭告于某親某官府君某親某封某氏因叔從祖進秩上卿奉某月某日　敎書贈某親某官府君爲某官某封某氏爲某封祗奉　恩慶有此榮贈不勝感慕某方持憂服不敢行改題常禮當待後日祫祀謹以酒果用伸虔告謹告 雖未及改題稱亦稱孝孫卽祔祭配而可知○答申仲立

祔位封贈

柳氏曰先師曰祔位配食於祖考妣祝不異板而有贈秩焚黃恐不得不別告 常變通攷

庶子追榮

梅山曰子孫之追榮先祖卽所云推恩所生也父以子貴豈有宗孽之別乎今俗庶類之官堦高者皆以雜歧故貤爵不許天官不受其贈者殆以此也信能達官則祗奉恩慶斯已貴矣贈職高下曷足計乎 答李孝先

追贈改題

竹庵曰先貧職後贈宋制爲然而栗谷之先贈未免倒錯沙溪答月塘問引退溪說欲從宋制尤庵說亦然今此所詢書以成均進士贈某官恐當 類輯續編

梅山曰特贈命下恐當卽日告廟告辭當云維歲次云云孝子某官某敢昭告于顯考云云顯妣云云顯考純孝正學允爲士林所欽慕以至道臣狀籲銓臣　筵曰特贈通訓大夫司憲府持平顯妣從　贈令人仰荷殊恩有此褒贈祗奉　教書攔咽罔極謹以酒果用伸虔告謹告

又曰先告廟後改題爲日不同則改題日又當告由告辭當云維歲次云云獲蒙　榮贈今將改題神主謹以以下上同所設酒果待奉主復位而撤卽所以飲食依神也

又曰賢閤受　贈後改題告辭當曰維歲次云云夫某昭告于亡室　贈淑夫人某氏某以某年某月蒙　恩授通政大夫　贈亡室淑夫人祗奉　恩慶有此從贈榮不及存不勝感愴今將改題茲以酒果用伸告儀茲告 答李汝精

禮疑續輯 二十一　三

被謫放還告辭

尤庵庚申被謫蒙放後告家廟文荒墜先訓得罪于朝竄謫南北七年于茲矣今蒙　聖恩解脫來歸惟是室人李氏甲寅之歲奠拜別今茲展廟木主隨祔幽明永隔不勝愴咽重念高祖考府君當圭祖遺誥顯書神明事載于史情不肖於甲寅告祭之時又示靈異祖孫一氣理應如此若非府君精神卓然不昧何以與此是知今日生還亦賴冥中之默佑也又念曾祖府君當圭祖觸還也嘗不自克感疾而歿今日不肖之歸想亦有慰悅之意矣 五禮考設

世室廷享後告辭

愼獨齋祠堂告文 尤庵代作 日者　聖上採取一國公議崇奉孝宗大王爲不遷之宗府君從享之禮從而萬年不墜則私祠奉安永世亦祧矣　恩光罔極慶幸無比謹以酒果用伸虔告謹告 五禮考設

積冤伸雪者當告廟

梅山曰有事則告卽事死如事生之義積冤伸雪貫徹幽明雖無復爵改題之節恐當告廟並及墓位而　國恤卒哭前不敢設酒果告由焚香如朔望禮而已旣告廟恐不必告墓此與焚黃有異也告辭製呈而必待倅啓行禮恐宜維歲次云云孝玄孫某官某敢昭告于某親某官府君某封某氏 祠堂諸位 先考府君擴櫂文綱名登白簡煩冤莫暴飮恨歿世昨秋竊　譯獲蒙　恩諭日夕攢祝永脫覆盆親明嗣位霈澤旁流　玆敎誕宣首擧先考　先廟遺意用全外家白日回照丹書洞洗九載冤誣一朝快雪　成命洊降亟停傳啓湛恩鴻渥洋溢泉塗聖德及極天地莫量卽日滅死無復餘憾伏惟尊靈悅豫冥冥幽明圖報隕結是期謹告 答金伯安

焚黃

焚黃無義

本庵曰焚黃云云無論黃白贈者以焚似無義只以恩贈之意設祭以告於祠堂恐爲得之 類輯

屛溪曰埋主後有褒贈則只當告墓焚黃而已 類輯

喪中焚黃

李氏曰古禮因葬而賜謚則喪中焚黃自是正禮據此祖先焚黃恐亦無不可行於宗孫喪中且贈謚贈職恐無異同或言贈謚無焚黃者誤矣據附註朱子論焚黃並擧韓魏公贈謚可知矣但改題旣在宗孫葬前則事生之義甚重豈可遽行易世遞遷之禮以孤子名旁題而以曾祖爲高祖耶恐當依舊稱曾祖而姑不書旁註以待喪畢改題矣其不書旁註者以宗孫初終已告喪於廟中也然依舊以亡者名書旁註亦何害贈以此改題只爲書贈銜故也大抵世俗焚黃多以設酌稱慶爲事故認以爲不可行於喪中然恩誥之下必須即行改題祭時祝辭方可書贈銜也雖行改題旣無易世遞遷之事則喪中改題有何不可然陶庵旣以爲不成道理則恐亦何敢質言 家禮增解

按父喪中服曾以上贈爵者改題先主題以亡者之屬稱旁註以亡者之名則致生之不智也題以喪主之屬稱旁註以喪主之名則致死之不忍也惡乎可乎旣告受贈又告將免喪改題則情理安矣若行吉事於喪中焚黃改題如常時則無亦未安乎且如李氏說則喪中改題免喪後又將改題時月之間無已煩瀆乎

宗孫喪中介子可焚黃于墓

梅山曰焚黃即所以遂子孫顯揚之心不可謂無義唐宋及　皇明士夫所通行之禮也吾東或行於祠廟或行於邱墓朝家亦許給由恐非可已者也今玆　恩贈不克及時改題則焚黃墓所恐不害理宗孫旣在憂服　贈典出自己身則介子亦當自告以墓事差輕於家廟也告辭當云維歲次云云介子某官某敢昭告于顯考某官府君顯妣某封某氏之墓不肖竊位於　朝特陞上爵仰荷　殊恩推榮



所生贈顯考某官爲某官顯妣爲某封祇奉　命書不勝喜慶而祿不逮養攀咽難任改題當待宗孫喪畢而焚黃事輕改題墓禮異家廟敢餘以焚黃彌增罔極謹以淸酌庶羞用伸虔告斯禮也與節享差殊介子雖自告恐無干統之嫌亦有同春說可證耳 答申仲立

焚黃當行於家廟 行於墓次並論

梅山曰焚黃者即因中國制書諸黃紙而焚則無義或爲以通幽明之故歟苟其埋主後有贈典則只當告墓否則當遵朱先生所行告贈皆於祠堂而今俗有焚黃是辭爲其行於墓所也然敢事於家廟而行之恐爲得禮改題焚黃又不同日則焚黃日當更告伸告辭當云維歲次云云今玆　恩贈特出常格祗奉　命書且喜且悲焚黃告榮雖稽古爰自中國以及　本朝已成常典禮不可廢敢餘以焚黃哀隕罔極謹以酒饌用伸虔告謹告丘墳山用三獻禮而此異時忌兩禮恐宜單獻若並奉諸位則出主於正寢而行之祇奉當位則薦于廟中恐得 答申

李氏曰昔者荀顗上謚法云若賜謚而道遠不及葬者遣長吏奉冊即冢祭賜謚云焚黃行於墓次恐出此 家禮增解

設虛位焚黃者紙榜只書行職

剛齋曰焚黃之節神主旣埋安則當行之於墓所而此亦有不可得者則設虛位勢所固然事係變禮又未得先賢說可據何敢質言第念紙榜爲告贈典而設則似當只書行職 答趙宗欽

宣制及焚之節

李氏曰告畢再拜下焚黃則當有主人復位跪以下告號祝讀面立宣制書一節蓋儀節則宣制在改後而恐不若在讀祝後且儀節焚黃三獻儀則宣制亦在讀祝後矣 家禮增解

又曰主人奉主還故處乃降復位下焚黃則祝焚所錄黃紙及祝文 上同

延謚

延謚於埋安前則改題而埋安

剛齋曰旣延謚於埋安前則不爲改題而埋安似涉未安而長房主祀者已歿而將埋安則傍題恐不當書矣改題時具由並告以將埋安之意爲穩耶 答人

告授官

梅山曰昔有人問於愼齋曰今若改官及追贈在時享月則待時享日而若已過時享則俟次仲月時享愼齋答以有事則告不可留待據此則告官榮亦當於筮仕翌日不可遲待節日而執事旣病莫之行則望告參廟恐不害義雖未躬將誓告亦宜爾　命日亦當以公服謁廟 答朴元得

又曰旣付軍銜冠帶常仕則曷不因朔望參告由耶旣不告由而遽書軍銜於祝文亦沒來歷旣帶軍銜不容不書忌祭前當設酒果告祖告辭當云維歲次云云孝玄孫効力副尉龍驤尉副司勇某敢昭告于顯高祖考云云顯高祖妣云云 列書諸位 某因　國恩叅宗感執事之任已付軍銜冠帶常仕謹以酒果用伸虔告謹待拜實職當更告告廟登道備要所載授官告辭如何 答朴敬能

告登科

梅山曰內舅答冬擢柑魁告廟曰蒙恩魁黃柑科直赴　殿試云云矣今叅　殿試告由當曰蒙恩　授殿試丙科及第云云而上下句語已從備要所載今又遂用似重疊然告直赴告　殿試爲兩項事則恐無嫌未知如何 答顯酉

父登科亡子几筵告由之節

近齋曰几筵亦不可無告辭情理然也當措辭製用而但因上食而告則上食有哭泣恐有吉凶相雜之嫌則設酒果隨時奠告似爲



得宜 答三從弟吉源

殤喪未葬不可告榮于廟

梅山曰從氏哭夭雖未成殤而猶有易月之哭則曷可告榮于祖母之廟哉出葬後方可議到同宮異宮亦不必論也 答朴元得

國葬前宗孫喪中支子告榮

梅山曰國葬前雖有事于廟酒果恐不可設無奠開櫝亦涉屑瀆當於每位前焚香讀告辭而已禮所當略何謂草率耶 答朴元得

告登科從授官例無進拜

本庵曰要訣告主人西向當身進拜而備要不錄似得之蓋家禮告法以事由告則用祝而稱謚告如告授官告貶降是也以恭見告則不用祝而稱敢見如生子見冠者見是也今及第生進之告似宜從授官例而無進拜矣 類輯

宜賜食物祭告

退溪集孝曾孫完敢昭告于云云季父通政大夫前兵曹叅議知製　敎滉猥承遺慶仕而從政多病歸休亦忝　恩命旣有宣賜又召以官辭官受賜感惕靡安敢此奠告庶垂歆佑寧我門族 [illegible]

告生子

本庵曰按禮惟曾子問有君薨而世子生見於殯告於諸祀之文其告主人長子之生始見韓式然其第三月遇時祭則近於內則三月見父之義告而不見者亦得 類輯

問主人生子則滿月而見廟今俗鮮有行之者未知如何 南大任　老洲曰告生子如禮好矣俗皆趨簡

梅山曰內則三月之末妻以子見於父見父之後當見廟而家禮則曰滿月而見尤齋曰生子日數滿一月當從家禮然近世儒先有

云待三月過時祭則告告而不見者恐得便宜擇此兩者而行之如何抱子而拜自有精義抱之當左頭頭陽也婦人拜必四拜而爲再拜者爲是其子之拜也 答任憲晦

遷居告廟

大全遷居告家廟文熹罪戾不天幼失所怙祇奉遺訓往依諸劉卜葬卜居亦既累歲時異事改存歿未安乃眷此鄉實亦祖考所嘗愛賞而欲卜居之地今既定宅敢伸虔告以安祖考之靈伏惟降鑑永奠厥居垂之子孫萬世無極 禮書類編

告移安還安遷奉之節

本庵曰要訣曰凡神主移安還安或奉遷他所則其告之用朔參儀若改排器物或暫修雨漏處而不動神主則用望參儀告辭臨時制述三禮儀曰如一日內移奉者一告一薦愚按告於移奉薦於還奉恐當 類輯續編

寒岡集昨日庭後外壁仆破致驚神主不任惶駭之至謹卽移安外房今將修葺謹以酒果用伸虔告 禮書類編

寒岡集家運不幸意外失火熖熱之變上及祠堂蒼黃顚倒致驚尊靈略旣修掃遂卽還安謹以酒果用伸謹告

近齋曰雖以房舍易房舍祠板移動之際不可昧然設酒果措辭告由似宜矣告辭當製用謹此錄上 答梅山

梅山曰祠板移奉時當設酒果告由移奉後祇設酒果以安之告辭不必爲也 答李汝弘

又曰祠屋被床床之患則移安于他房室宜也用酒果告由告由措辭當云維歲次云云孝玄孫某敢昭告于顯高祖考 列書諸位 云云雨水攸漏廟宇欠淨今方移奉于他所謹以酒果用伸虔告謹告還奉時亦當告由措辭當云屋漏既改廟宇孔安茲涓吉日今方移奉上下同文 答李景紹

又曰雖家內移安祠板告由遷動時不容不告辭當云今以祠宇所奉之處太近居室恐欠閟僾當移安于廟謹以酒果用伸虔告謹告 答李孝先

几筵移安告由

近齋曰當有告由祝而不必別設酒果因上食告之無妨 答梅山

並奉廟筵者當從主人同日俱遷

梅山曰遷廟涓吉之必用末位亡命未知所稽莫無出於日者耶其言不經雖爲從也縱使屈而從俗用最尊位以寓統尊之義容或似然然用祖先生年擇日終涉瀆褻不可爲也所謂主人尸祝者也祖考精神卽我之精神一氣流通無間幽明神依於人故人之所之神亦從焉只取主人生旺若無與於移廟其實則相須之理存乎其間愚意則如斯已矣移奉几筵何獨不擇日云者非謂在几筵則特用亡命也有奉廟與筵者或有祇奉几筵者祇奉几筵者不可以象生而不從主人擇日也并奉廟筵者亦當從主人同日俱遷可也移宅生者之事非爲死者死者隨生者之所之而已不可謂有所重而推其名選其日以張大其事也 答李中立

孤子更名當告廟

梅山曰禮孤子不更名而若有所不得已者存則不容不改改則只當告以更名之由而用諸祝辭已矣傍題恐不可改不可改者以子孫之故而擅改題主恐攙越也唱榜日設酒果告榮仍及改名之由恐爲得正也因科改名者向後還復舊名用存不更之義恐合事宜復名時當更告廟也 答徐琮淳

時祭

總論

竹庵曰時祭儀曰禮稱歲事陳饌每位盥盞二豆豚魚臘三俎黍稷二敦兩鉶芼兩籩栗棗于戶東玄酒在西三獻爵旅奠四豆又有



所祖右隨大義仲春丁或亥卜日以祭有故則退行於夏秋冬之仲月不祭則不議 類輯續編

問曾承敦繼嗣之家不常行時祭其義何也 李在徵 竹庵曰時祭是廟中禮而時祭祝辭以祖考爲辭故曾疑只奉禰廟者難行殷祭無受胙等事有不得備禮也 類輯續編

又曰國語天子日祭月享時類歲祀諸侯舍日卿大夫舍月士庶舍時以此推之廟享之禮天子諸侯四廟祭爲時類而太廟之祫爲歲祀以卿大夫三廟言之則恐於春秋二時祭祖禰而冬祭曾祖並享祖禰爲歲祀若適士二廟則秋祭祖並及曾祖而々祭禰官士一廟則只以冬至祭禰及祖或並及曾祖庶人祭寢者亦然月令五祀戶竈門行分屬四時而士祭門行見註說據此則士祭以秋冬恐爲有說 同上

又曰好禮之家如欲從古則就廟中行昭穆歲一合祭嘗月廢祭只行哭廟所論得禮之本義其日以二時 李秋 祭祖若禰出主正寢行事則冬月就廟中祫祭云云以此爲大夫禮恐允合宜 同上

屏溪曰時祭禮之大者必可行也昔趙重峰以麥飯菽粲行時祭雖貧豈不可以效此祭主誠敬稱家有無不可以爲辭也 類輯續編

美湖曰今人重忌祭而略時祭弁也 類輯續編

問靜富曰不能養親而爲親所養不能廟享而但重墓祀此等弊端若使孔孟見之不免以爲夷風也 類輯續編

又曰古之所謂祭雖四時正祭如朔望參不過因參鷄設酒果而忌祭又因出主哭纏不可無酒饌以依神故略設之皆非祭也墓祭尤不干於奉先之本意今雖盛忌祭墓及十二朔參而不行時祭則是終年不享神也 同上

本庵曰備要曰據禮註春祭過春不祭仲月有故季月亦可祭愚按穀梁傳正月至三月郊之時也此可證季月亦祭也 類輯續編

老洲曰俗尙忌祭俗節而廢時祭先輩皆言其非苟能如禮豈不奉哉 答南大任

梅山曰古禮祭在廟開元時著無廟之儀韓魏公祭式以正寢代廟室書儀註影堂隘則擇廳堂寬潔處爲祭所家禮則遵韓式要訣時祭亦行於祠堂是據五禮儀而云爾也慎獨齋曰祇奉一位者仍祭於其所而告辭當云請出前堂非直稱廟雖奉高曾祖廟龕室外行事恐宜只奉禰位者亦當薦忌祀于龕外也蓋神道尙靜不必以遷動爲禮耳 答任憲晦

卜日

總論

華陽語錄丙午五月十五日乙未先生行時祭於三山宗家崔愼曰此非分至亥丁而行時祭何也先生曰用曆日宜祭祠也曰宜祭祠則不爲之卜乎曰然且卜法及筮日之儀吾東不曾行也 類輯續編

櫟泉家儀時祭用二至二分日 類輯續編

三山齋曰少牢饋食禮日用丁巳註曰必丁巳者取其令名自丁寧自變改皆爲謹敬又米日丁亥註曰亥爲天倉祭祀所以求福宜稼于田故取亥云 答馬游

問祭日當用亥丁而有故則代以辛日如何 李洪稜 鹿門曰不但辛日凡柔日皆可用 類輯續編

近齋曰朱子曰先甲三日是辛皆古人祭祀丁與辛皆古人祭祀之日以此觀之用辛有據矣 答金鼎

梅山曰時祭家禮固用环珓卜日而朱先生且云祗用分至亦可以故好禮之家或用二分二至行四時正祭分至若值祖先忌日家廟祀當告由從吉或丁或亥而行之異宮異廟則恐不必爲拘以神道事之故罔以子孫之諱日不舉子孫之盛祭也 答李用九

潁西曰环珓卜日本非難行書儀有不卜日則用分至之文故後世多倣此行之至於三三九九初非俗節初非祭日盖四時行祭一如古禮則或卜日或用分至皆無不可若行春秋二享則直用二分亦可今既不然只歲一行之則秋勝於春而既失春分只用秋

分亦似無義俟秋成物採古禮卜日之禮以或丁或亥先行祖廟之享次日行禰廟之享似好未知如何至於祖禰二廟分享春秋實無所據次日不卜而行禰廟之享蓋以統於尊也所謂环珓者古以玉爲之今以竹根長二尺判作二片以一俯一仰爲吉若其爲珓之儀具載禮經不難考也 答耆菴

李氏曰少牢禮䟽曰上旬不吉則至上旬又筮中旬不吉至中旬又筮下旬不吉卽止不祭以卜筮不過三也云云此則三筮而終不吉則祀又廢與張朱之說不同可疑惟特牲禮則無三筮及廢祀之文或者士禮與大夫不同而然耶 家禮增解

卜日告廟之節

沙溪曰時祭定日告廟之禮不可不行吾家窮甚且挪居祭物未備恐不得以告廟之日行之故前一日告廟未知是否也 類輯續編

南塘曰祝所以承事祖考交接神明者其位必在主人之上凶禮尙在右吉祭尙左在左時祭用仲月註祝立于主人之右以主人西向而立以北爲上故祝在右也 類輯續編

又曰時祭孝孫某今以仲春之月有事于高祖考云云孝孫恐當作孝玄孫 同上

李氏曰家禮只從特牲禮祭祖禰之舊文故上稱祖考此稱孝孫也 家禮增解

齋戒

近齋曰時祭齋戒日數多於忌祭者時重而忌輕也 答梅山

又曰齋戒三日並計祭日則祭後罷齋不成全日齋戒矣其可謂之齋戒三日乎 答舍弟

又曰致齋甚嚴致之爲言極也專心想念之時何可讀書乎喪中講學則雖或不得廢亦不可大廣三年之內若不讀書則以哀而廢事也是固難行而至於祭祀齋戒三數日之間暫停讀書何妨程子論致齋以浩然淳一爲言此則話頭極高有未易行得者若讀書



如常時則豈臨祭齋遬之意乎散齋日則似可讀書耳 答梅山

李氏曰更衣不言著某服恐只當服新潔之衣以當明衣疑衣祭以齋者玄服之義推之則亦當有上服前一日設位省牲既用深衣則此亦恐當衣深衣 家禮增解

梅山曰祭統曰散齋七日以定之致齋三日以齊之開元制禮減其日數爲散齋二日致齋一日書儀合開元散致之日並行散致之事而曰致齋然其云致者非祭統所謂致也家禮則雖書儀而又無書儀專致思祭祀之文則只是散齋之事而泛稱致也亦從簡耳要訣添以致齋者本之祭統祭儀齋日五思註日致齋思此五者也散齋七日不御不樂不吊此要訣所以舍家禮而從古禮也家禮所著四事雖只是散齋行禮者卽四者而壹純一髂惕之道則是爲致齋致齋者所以自猛於心也齋三日乃見其所爲齋云者亦由是而致之而已○旣曰不吊喪問疾則除却二者外亦當出入以要訣猝遇凶穢掩目而避云者而可知也然此以四日散齋而言耳若如家禮之合散致而一之則不過前期三日而已雖非吊喪問疾恐不可出入○齋者所以專心想念也用志不分乃凝於神若是者方能通幽明之故也書固護心而恐不可看讀於齋日以齋則敬不專以書則心爲客是豈所以主一無適哉 答趙秉惠

又曰近齋集有齋性一日而屢盥每於齋日歸湛然純一之齋嚴然髂惕之謂戒二句不離於口 答宋[illegible]

齋日謝客

梅山曰致齋專心想念所祭之人則非可以迎接謝客恐宜奕岡於齋日立不見客牌是固得正然若客自遠來不可謝遣又難淹留則暫時接說而還亦可考於溪然耗一之義哉 答任[illegible]

考妣各卓當否

問各設四代或至十餘分貧家合設亦不爲無據 宋泰孫 厚齋曰合設違於禮意朱子有時祭飯一器羹一器之說恨齋各位前設右魚一尾而行之恐伏以槃飯各一器行之凡禮只當致其誠意而已豐約非所論也禮曰行潦潟芷亦可以薦上帝 類輯續編

屏溪曰考妣位饌品各設明著於家禮蓋意如此若能行之於一家則豈不爲士友之觀法乎 類輯續編

又曰時祭則各卓設饌忌日則單設當位古今之正禮也更何疑哉忌日若並祭亦各卓設饌爲可至於一卓幷設勿論時祭忌祭全非禮意至可改之近世谿先生中惟尤菴先生用各卓單祭之禮 同上

渼湖曰考妣各卓以祭更按禮有精氣合之文則同卓亦可也 類輯續編

鹿門曰考妣各卓是家禮文故先儒皆以同卓爲非然其實各卓大違禮經之意祭統曰鋪筵設同几䟽曰人生時形體異故夫婦別几死則魂氣同歸於此故夫婦同几是故少牢特牲皆用一尸一几一筵而鄭康成亦曰配與不配饌如一 雜記男子附于王父則配女子附于王母則不配註 又曰祭於廟同几精氣合 則祭一數一几註 此實有精義妙理存乎其中今若各設位而享之則烏在其同几之義耶後古禮合設無疑也但饌品姑依家禮祭初祖禮飯羹各設而餅麵以下則合設無妨 類輯續編

本菴曰祭統鋪筵設同几註精氣合之義徹矣故特牲少牢皆一尸共饌開元禮考妣異主而祭異饌語類答先祭祖用一分之問曰各有牌子則不可 答語止此 然考妣則義有異於先祖之異世者雖各異木主其饗也不害神氣之合一則從古共饌恐亦可也五禮儀大夫士時享考妣合饌惟飯羹酒匙著各設爲考禮子由論有云先黍稷而飯稻粱先大羹而飽庶羞不敢忘禮亦不敢忘愛也今一饌之中有合有各抑近乎此論歟 類輯續編

竹菴曰四代四卓考妣合設 類輯續編

榛山曰舍家禮而從古禮同几而共饌則恐不宜有合有各飯羹盞盤亦當並設而五禮儀亦有云大夫士時享考妣合饌惟飯羹酒匙著各設先儒有取之者遵行何妨第一行若難並設盞盤羞退於第二行庸何傷乎此等處因地勢分排不必局定其所耳 答趙秉惠



又曰朱子旣有前後配並祔合祭之論則雖三四娶亦當合櫝配食退溪繼室別櫝之說恐不可從也櫝韞重大飯羹難容皆俗論也曷可拘其少而失其大乎 答金正洙

父在前後母不可合祭

屏溪曰父在前後母神主旣不合櫝何可並祭 類輯續編

祔位設位

南塘曰祔食旁親者右丈夫左婦女云云男女分祭則夫婦有不得合食者人情不安時祭條只曰尊者居西而無分男女之文 類輯續編

屏溪曰祭時妻以下設位於階下甚不便神道與生時不同雖設於堂上豈或未安耶 類輯續編

本庵曰李光錫謂階下恐非祭神之所神道有異雖主人之卑幼以祔尊者而從於階上似無害 類輯續編

問恭主以昭穆則祔位各從昭穆之位左右相向而朔參及時祭只設正位一分饌祔位祔食而無別設爲是歟 李在徽 竹庵曰然 不當各行

又曰古禮用昭穆之制故祖孫一班便於祔食而家禮一行西上而妻以下爲階下位名曰祔位則勢不得祔食矣 言勢不得各設也○上同

爲僧者不可祔食

南塘曰朱子說爲僧無後者固當祭之則爲僧者雖祭之不可祔食於廟中生時出家則死當別於族矣 類輯續編

繼禰之家妻祔食之節

樸泉曰支子旣立私廟則亡室不可越私廟而祔十大宗其勢不得不祔于禰位東壁上旣祔于禰則何可拘於昭穆而不祔食耶鄙家從前如此 類輯續編

問饗主宗家在遠不得祔祖則朔參時祭皆不得祔食如此者禰廟行祭時不得不別設饌 [李在敬] 竹庵曰如此者似當別設 [類輯續編]

盥盆

華西曰昏禮厥明婿家設位南北設二盥盆勺晉取合歡而尙不同盆而盥祭主致嚴而況同盆而盥乎主人位在阼階故設盆巾於阼階下主婦之位在西階下當設盆帨如東儀而家禮備要無之豈闕文耶

饌品

總論

丘儀牲或羊或豕欲雞鴨鵝 [五禮考證]

寒岡問四士太牢以祭謂之攘今欲買肉以薦禰廟亦非薦俎之意若家貧則寧以雞鴨代牲而不欲用何如退溪曰殺牛而祭非士之宜買肉以祭恐難非之 [五禮考證]

竹庵曰犬之用於祭祀既有禮經證據則用之無疑而國俗之不用豈以儀禮饋食禮三鼎之數有豕無犬故耶老峰宅祭用犬見於先輩禮說 [類輯續編]

龜巖曰脯與佐飯元是一物必要別設則先脯次佐飯或可耶醢菜詩註淹漬以爲俎其文已分明矣 [類輯續編]

陶菴曰家禮有脯醢菜蔬各三品之文醢魚並用何妨若用一器則食醢當去之耶 [類輯續編]

本庵曰蔬菜曰三 [脯醢三品之三] 恐二之訛看得極是據下初祖祭言蔬果各六品則其蔬脯醢之爲各二也明矣 [類輯續編]

楳泉家儀準脯醢三色之數或脯 [肉脯魚脯] 鮓 [食鮓] 醢 [雉腊] 蔬 [菹] 豈器則用鮓 [俗稱佐飯] 盒器用鹽醢或鹽醢盒器 [此則用脯二醢一之數] 或只用脯鮓各一器而用塡醢食醢各一器 [此則用脯一醢二之數] 油蜜果律有嚴禁士大夫用之僭也不敢用蜜煎正果亦不用茶食如栗茶食或蓼花甘沙果甘饊之



闕餅過一器餅用一器而勿高排膾截饅頭蒸煎之類摠不過三品或二品魚肉雞無過三品或二品魚肉炙毋過三串或二串 [類輯續編]

鹿門曰果多則六少則四何必遵儀禮家禮而從丹儀要訣乎米食麵食爲一例則亦爲二器矣 [類輯續編]

楳泉曰時祭家力既贍果四色湯二器炙五串肝南一器亦足以成禮頃見倉洞故相家亦如此矣 [類輯續編]

近齋曰先輩論祭祀多言稱家有無愚則以爲當稱時有無蓋家之有無者貧富之謂也時之有無者就貧家中亦有得時有不得時故也隨時而爲則或備或不備其勢然也有之之時祭於父而備無之之時祭於祖而不備此則似不以豐昵而罪之也○脯果魚肉具不得則依貢峰趙先生時祭禮只用飯羹麵爲宜趙先生則猶設粟米餅而此亦難辦則闕之○時忌祭三進炙如難則只於初獻進炙無妨○貢峰趙先生行時祭麥飯菜羹粟米餅芼菹而已觀而已字則無他物可知矣以時享盛祭而無湯炙脯果無炙闕三獻而不進炙矣但祝文中淸酌庶羞之庶羞是珍饌之稱無湯炙脯果而亦可謂庶羞耶愚意則庶羞字不用只曰謹以淸酌云云何害 [法哉錄]

梅山曰凡祭祀之禮在誠不在物是以朱先生嘗云隨家豐約如一羹一飯皆可自盡其誠貢峰設時祀只飯羹及粳米爲餅芼蔬各一器惟舜年時祭至有一位用乾石魚一尾者此所謂稱餅之有無而爲貧者法也今秋木實告歉果品雖具誠如所示從諸賢說減籩豆之數恐不害義 [答朴汝受]

剛齋曰尤菴答人引禮記之文以證古人之祭祀用犬而曰從古用之可也從俗不用亦可也桃則孔子是周禮後聖人明言其祭祀不用何可用之 [答人]

梅山曰曲禮凡祭祀犬曰羹獻言犬肥則可爲羹以獻也周禮夏行腒鱐膳膏臊註臊犬膏治腒鱐以犬膏是用於時食之薦者也以故宗廟亦薦犬肉而獨士大夫不用於祀享狃於習俗者東人之陋也三年中只薦於上食者爲其象生也勿論忌墓時祭用作鼎

薦之儀恐無所不可耳 [答趙陶夫]

華西曰茶時祭禮稱茶餅合處與李退溪說也諱其名尊之以公則必不用以先祖恐其流風成俗 [答李晉夏]

又曰祭不用犬豈俗爲然似是褻禮之俗流入成風蓋南豐本出於盤瓠故祭不用犬 [答李晉夏]

問祭菜不用何也 [朴汝又] 渼山曰單菜豈不用於薦也齋戒者不食 [疑禮正解]

醴

本庵曰古者醴酒並設載宜於酒家禮因有儀朔參用茶酒乃唐宋之時生人俗尙之故耳我國既無茶俗尙醴而婦人又多不能酒皆好飲醴由是補茶代以醴既合於古而不忘本又因於俗尙而得乎事之以生之道矣只留日既不用酒茶之降神甚不便 [類輯續編]

近齋曰祭酒貧家難釀淸酒勿論大小祀只用一宿醴爲宜而此亦以思其所嗜之義祖先有嗜酒則於當位忌日必釀用淸酒沽酒則不用也 [法哉]

老洲曰竊謂享祀宜酒以其能交神明者也實難遽廢且雖禁酒太廟既用酒則私廟亦何無拘令承 紹敬如彼丁寧豈禁用之非所以祭之以禮也代用他物蓋論試然而第載水無所當椒茶有椒禁之據而椒禁出於始賦乃是用於神祀者已不雅矣茶亦終不如醴酒玄酒之猶有酒之名而見於古禮者擇於斯二者用之恐爲差勝也然玄酒太淡泊又不如醴之尙有酒味而造釀亦有新舊如非家有舊醯不得造用是爲難處矣 [與閔子殿]

梅山曰醴所謂甘醴惟厚所以須冠醴也詩所謂且以酌醴所以御賓客也俱非祭之用也說命所謂若作酒醴爾爲麴蘖醴是酒之薄旅者非指用麴蘖造醴也 [具穉]

果



楳泉家儀豐祭取生菜氣而不用栗卵蕻卵之類凡出乎分者 [類輯續編]

近齋曰油蜜果禮家多欲去之而愚意祖先有嗜油果則其在思其所嗜之義只於當位忌祭設之無妨時祭則諸位合享不設 [法哉錄]

梅山曰記曰凡糗不煎註云以膏煎之則褻非敬跳云凡糗直空糗而已不用脂膏煎和之又云惟寡與有糗已矣據此則祇當用於葬奠而已自漢以後似不可用而三代之時祭尙氣臭氣臭所以格神也然則所謂凡糗只指米食非謂魚肉並不合膏煎也至若油蜜果即是糗煎而東俗所以供佛者也用諸私祭亦有邦禁以禮以律俱不可用蓋不用者得禮也用之者從俗也 [答任憲晦]

脯醢

問鮓似是食醢脯醢之醢似是醢 [宋基孫] 厚齋曰韻書鮓藏魚也以鹽米釀魚爲葅醫書湯液篇鮓醢今以韻書觀之鮓亦似食醢而醫書以爲醢未知古者作醢以鹽米釀魚而爲葅耶 [類輯續編]

東門曰鼎俎奇籩豆偶禮之大節膾醢三品似是膾二醢一或膾一醢二然宋時與今俗不同何必一一遵倣 [類輯續編]

梅山曰備要祭饌圖所云醢似是食醢食醢不見于禮故尤翁亦云食醢之用只是東俗禮家所謂醢則是海物之加鹽者並用恐無妨鄙家亦並用二者矣 [答任憲晦]

魚肉用生用熟

問祭用生肉如何 [李志教] 陶庵曰鄙家亦用生矣 [類輯續編]

古漢問家禮祭饌魚肉是生耶熟耶尤庵曰未可考也曰擊蒙要訣用生魚肉此與家禮異耶尤庵曰家禮魚肉之生熟未可考則豈可強言其同異耶 [類輯續編]

問先生家用魚肉生耶熟耶 [崔慎] 尤庵曰熟用也自先世熟用故不敢改也尹鑴乃用全體之魚而不用刃割云甚不是也若必用生魚

肉則作膾用之可也 類輯

竹庵曰郊特牲曰腥肆爓腍祭豈知神之所饗也據此則魚肉之用生用湯俱無不可若以家禮本文之意言之則沙溪魚湯肉湯之說似得之然用牛邦禮然也 類輯

梅山曰語類有云祭用血肉者要藉生氣是出於古禮祭尙用氣也 答任憲晦

李氏曰據上春官及特牲註疏則人君祭禮方有朝踐薦腥饋獻薦爓饋食薦熟等節而大夫士則自饋食薦熟爲始矣然則古禮獨人君之祭用生熟而牛湯則以大夫士祭禮言而謂之參用生熟是古禮云者恐失照商然則今世主用腥之論者只援朱子假此生氣之說可矣恐不可引古禮爲證也 家禮增解

又曰古無以肉羹喚做湯者郊特牲所謂三獻爓疏家以爲爓沉肉於湯次腥未熟云則尤翁之援此湯字以爲魚湯肉湯之證者恐未然惟儀禮昏禮有湯飯之文而謂羹爲湯而與飯對稱亦後世之俗語也古禮則只以黍稷鉶羹配飯殽本無以魚肉羹之文家禮亦只以羹配飯則此魚肉非羹明矣且據古禮牲俎魚俎皆烹熟所薦則家禮之意恐亦只如此 同上

梅山曰家禮要訣恐當並行而不悖也要訣所云用生非謂魚肉饌皆不用熟者用生者云爾則鄙家祭饌魚肉膾則必以生而不以熟 答李存慶

魚肉用偶數

龍巖曰鼎俎奇而籩豆偶陰陽之義也魚肉是蕪菜故偶數雖天產而和以植物實於籩豆用偶數 類輯

醯醢醬

陶庵曰醬是食之主似不可闕家禮只有醋楪而無用醬之文栗谷沙溪始以淸醬擬古禮添入於蔬菜脯醢之中今以淸醬代醢一器而之爲宜 類輯

屛溪曰醋楪之醋以瓶之醋盛於楪而用之也醋楪備要初獻下註炙楪埴在右云以此楪之埴用之 類輯

又曰醋菜雖見於要訣而家禮備要俱無不必用之只用醋楪似可耳 同上

陶庵曰醋調百味調炙味故特設醋用加於炙肝故旣設而不復設於進饌之時 類輯

尤庵曰古禮有食必以醬爲主而婚禮醯醬居當中祭祀亦可以此爲據也 類輯

梅山曰飲食所以交神而醯醬醢者氣與相感自有無形之妙也醋者酒之流而其氣味亦將有過於酒者以故古人祭必用醋家禮備要之所同載遵用無疑 答李啓叙

李氏曰士昏禮醯醬註生人尙褻味云則祭神不尙褻味而不用醯醬可知然按天官醯人掌共祭祀之齊菹及醯醬之物註齊菹醬皆須醯成味云則古人之祭祀必用醯醬可知而又與內則納酒醬之說相符矣士昏禮註亦未足爲據也又書儀醬楪註實以醬醯醋而設於醬北端酒盞匙筋之行則是家禮之醋楪也蓋醋醬共一器故書儀謂之醬楪也尤翁所謂和醋於醬用一器云者正合古禮恐當從之 家禮增解

又曰士虞禮賓長以肝從實于俎縮右鹽註言右塩則肝塩幷也疏執俎右畔有塩左畔有肝據此以塩當就塩肝之器而加之但在右耳 家禮增解

又曰栗谷初祖祭亞獻亦炙肝于爐以楪盛之加塩 同上

茅沙

朱子曰某疑今人用茅酹酒茅之縮酒乃今人醉酒也想古人不用絹帛以茅沙酒也然而士虞禮刈茅五寸而束之祭食于其上周

論然豆俎用茅爲藉以降神則古人用茅交神明尙亦矣 雲坡

本庵曰茅本祭禮降神之用詳見儀禮士虞禮而後世借以爲灌酒降神之用也家禮三獻祭酒於茅則近於古矣禮無紅絲之文此是後人創巧

又曰此言位既不別正體下酌獻祔位所不者惟禰祀則茅沙祭酒似同正位然祔位降於正位合從君祭先飯之義集說曰茅沙祔位不設恐可從 纂輯

巍西曰時祭祔位不爲祭酒故不設茅沙蓋祭酒是尊者之禮也不惟事神爲然侍長者之禮亦然古所謂國子祭酒之名亦由於此祔位之禮當殺於尊位代神之祭降神之酹俱不行之矣 符梅山

時祭虞祭茅之異

梅山曰時祭高祖考妣位設蓋盤故考位設盤妣奠于故處祔考妣位設盤同時祭茅虞祭則只是當位故對酒受盤卽爲祭茅所以異也 答李公敘

祭時服色

問尤庵以爲春以深衣行祭云云 朴 厚齋曰笠子乃衆禮之制也既着幅巾恐不必又着笠子 纂輯

棲泉家儀丈夫深衣有官者公服婦人用背子凉衫大衣之婦人假髻長衣大帶 類輯

行祭早晚

問祭禮質明行事 厚齋曰尤春行祭之遲速仍來問始聞之矣然若得其中則尤好矣 纂輯

近齋曰厥明之厥從前日齋戒時言之故曰厥如云其明日也質明之質猶定也蓋質定其必爲明日也厥明差早於質明厥明卽鷄初鳴時質明是五更罷漏時昔呂東萊家五更行祭云 符梅山

梅山曰俗語曰神道於鷄鳴後易致飄散此理恐然大抵致誠如在之際忽聞鷄聲則心必驚動且禮與其失於晏也寧早當以鷄鳴前行之 答鄭錫聞

洞山曰行祭早晚不必拘而鷄後鳴則卽其日也起始於子正無害 疑禮正解

匙楪居中居西之辨

問匙楪居中於妣位爲右順也於考位則在左不亦逆乎置於西端似可 朴敬敷 竹庵曰匙楪置西端似得 類輯

諸祠堂序立後拜

竹庵曰時祭詣祠堂出主皆出於堂行參神故不復別有晨謁至若忌日只祭一位則是日於廟中諸位不可昧然無事故有序立再拜 時出主以參晨謁 類輯

棲泉曰時祭序立後無拜恐是闕文故鄙家依忌祭行拜禮 類輯

問備要時祭出主時 不序立後也 不拜忌祭出主時行拜何也 尹東 屛溪曰主人以下入祠堂則自當有晨謁再拜家禮時祭出主時不言拜以此也 故不復拜也 備要忌祭時言拜恐有義意而不敢知也 類輯

李氏曰愚嘗時祭廟中若有尊于高曾祖故降神之前不必有拜忌祭只有尊于一位矣於諸位當行晨謁之禮故以再拜補入歟 家禮增解

問出主時櫝祭云云 李在徽 竹庵曰只開櫝蓋恐或無妨 類輯

主出告辭

近齋曰時祭出主祝辭家禮本文只爲曾祖禰諸正位皆列書於某親祔食之上先後之序比備要爲詳以此觀之則祔位雖多皆當辭書於正位之下列書之次而摠而言之曰祔食不必各書某祔某位之意蓋與祝文之代各異板不同且跨書於最卑位故也（答洪錫豪）

梅山曰卜吉告由及初獻讀祝蔵合祝而獨出主主人自告者以請出主就爲禮甚重故也初獻祭讀降當神位亦自告以子孫而請祖先非可以使人爲也（答金復亨）

近齋曰時祭當依家禮行於正寢而若從大禮儀行於祠堂則出主告辭或可引慎齋說湧照以出就前堂爲辭耶不行出主之禮者亦當闕之（答徐存信）

李氏曰奉主當如捧盞執圭上如揖下如授勃如戰色足躩躩如有循也本註戰色戰而色懼也躩躩舉足促狹也有循言舉前曳踵如緣物（家禮增解）

又曰特牲饋記尸入主人及賓皆辟位逡巡按此神主出入時其在祭所者皆當逡巡辟位（同上）

参降諸節

沙溪曰降神時兩再拜退溪有答人說而恐或不然也焚香再拜求神於天也酹酒再拜求神於地也在彼乎在此乎求之於陰陽有無之間兩再拜爲可（疑禮問解）

鹿門曰降神本天子諸侯之禮而士虞祭于苴一節亦似有此意家禮既存之則今當從然按禮記及士虞禮當在参神之前且此既是殷禮而周人先求諸陰故先灌鬯後焫蕭今却先焚香後灌酒恐亦未安（雜錄）

三山齋曰凡祭先降神後参神次第自當如此蓋必先有以降格而乃行参拜也惟時忌祭既奉主而就正寢墓則又體魄所在到此不可昧然無拜而猶未知神之所在故既参而又降其所以不同者似以此耳（答文立中）

老洲曰祭時参降之先後錯互係於動主與否故行祀於廟中則先降而後参出主行祀則先参而後降竊意即然若紙牓行祀與邱墓之祭先降後参以無動主之節（與林禹錫）

李氏曰衰長老疾或朱子說主人有母及諸父母兄嫂或疾不能久立休於他所俟受胙復來辭神者是也（家禮增解）

又曰周人先求諸陰故鬯灌在先今以焚香代焫蕭而在酹酒之先是用殷人先求諸陽之禮也（同上）

又曰此儀有焚香再拜則家禮明是闕文（同上）

又曰朔参則禮簡而獻酌時主人自斟神位前酒故降神時亦主人自斟也時祭則禮備而三獻皆執事斟酒主人以下皆從而獻之故降神時亦執事斟酒也（同上）

又曰按祭特牲註及朱子說以茅縮酌乃沸酒也非降神之謂也（同上）

竊疑降神似當逐位各行而只設一香於中堂何也竊謂曰降神之不行於各位而特設於中堂其求神合享之微意存焉

考妣合卓陳設式

梅泉曰家匙楪一在中而東西各設飯盞羹又在中矣（按飯羹之中○）（類輯續編）

梅泉曰家儀用鋪筵同几之義合設而盞盤飯羹各設（類輯續編）

竹庵曰祭儀各設儀禮五禮儀同家禮設饌按其文亦只如五禮儀六品饌而卷首圖樣作各設後世遵用此不可不知（類輯續編）

陶庵曰人合設則盞盤果不得不各設飯羹合設極是俗制男女飯器各有其制別造（二字疑誤　問答有者）則須不偏屬於男器女器之制（答尹東遠）

鹿門曰飯器就時俗所用器中行器之屬而稍高大之務合雅樸匙筯亦當別造而用一矣（類輯續編）



南塘曰匙筯當食爲主故居中（類輯續編）

屏溪曰餅右麵左從神位言之（餅東麵西）左右字似誤換措之（類輯續編）

竹庵曰儀禮陳饌先籩豆醢于神位前而先設蔬果於卓南端始見於家禮古今沿革之得失未敢質言（類輯續編）

南氏曰竊意饌品從家禮設法從禮記則可謂参酌得宜以匙楪設於北端第一行之中飯所左羹所右此飯左羹右分燥濕之義也盞盤設於飯之左以醋楪設於盞之右此左酒右漿之義也以魚肉湯代殽胾設於第二行之中而魚左肉右此西北陸故設肉於西東南海故設魚於東之義也餅居魚湯之左麵居肉湯之右此燥濕分左右之義也禁設第一第二行之間此醯禁處內之義也膾炙設於第二第三行之間魚左肉右炙在其中此膾炙處外之義也脯醢鮓三品生熟菜及沉菜三品棍間設於第三行脯左醢右此脯修置左之義也菜菹間於脯醢此葱渫處末之義也果用六品或四品設於南端第一行（備要增解）

酌獻之節

問或有每獻焚香者如何（答朴泰愈）　竹庵曰焚香本非經禮況每獻焚香者乎（類輯續編）

梅山曰時祭三獻獻者皆東向立執事者斟酒乃蹲跪於神之義所以與虞祭不同耳蓋虞祭主人亦跪於卓之前當有執事者開酒取巾拭盞口實酒于注一節如朔望参與時祭而文不具耳

祭酒

問終獻亞獻不祭[illegible]　梅泉曰每獻皆祭酒不然而用祭酒乎（類輯續編）

竹庵曰三獻皆祭本於經禮但經禮三獻各一爵後禮考妣各盞則每獻各祭恐踏傾瀉從簡用卒獻何妨（類輯續編）

近齋曰亞終獻不祭酒盡滿酌爲有餘滴之慮然取於終獻時故不滿斟以待添酌耶不如從家禮備要三獻皆祭之爲宜也（答徐存信）

告祝之節

月塘問家禮祝版長一尺高五寸此尺何尺沙溪曰以周尺爲之（類輯續編）

近齋曰以季秋稱王之義淡絶稱祀之例言之則稱號說固宜但今已久通用者以維歲次稱妨（答□山）

又曰孝字便是孝子之義老即長也長子故曰孝子然則自稱以孝何嫌之有（同上）

又曰家禮祝文式或用昭字或用敢字未詳意者時祭祭之大者而后土節外則故用敢字而且禮既比處卒忌稱亦有殺意者故以敢代昭耶不敢質言（同上）

又曰殺各安殺當卉節而官殺選改無常只以食紋堡錯也（同上）

梅山曰不統屬不書初字故　經廟代理時與忌於亞亲命卑塔祝文刪初字士大夫好禮者亦多不書初字是亦出於周之義（答□□）

獻祔位之節

問家禮祔位酌獻如儀既曰如儀則獻禮當一如正位有再拜（答金若魯）　厚齋曰當如家禮爲正（類輯續編）

梅泉曰祔位獻禮備要所謂酌獻如儀即家禮本文而輯錄云某家只是位於堂上之兩邊正位三獻畢後使人分注一酌而已又考宋禮訣及錄於是禮云祔食於孤無別祝文亦不拜注設祔食之座於祠堂之左西向一獻而已蓋朱子所自行出於開元禮家禮考錄亦載此文而今日好禮之家當一遵家禮本文若其一獻之儀已是家禮所不從而又不祝不拜亦似有深意（類輯續編）

又按家禮考錄但不及其除者如正位矣然不祭酒當從集說開元不拜注以從食故也亦可從之較式分獻在正位三獻後此當遵經祭酌酌亦在正位斟舉而此不斟者蓋略其從食也雖在以下正位之先恐不必嫌禮殺故也（類輯續編）

貞庵曰時祭祔位初獻皆家曾行拜禮矣（類輯續編）

老洲曰家禮陳器條束茅聚沙逐位前云云逐位者只指正位也初獻條每逐位獻祝既畢兄弟衆男之不爲亞終獻者以次分詣所祔之位酌獻如儀 不設茅故不祭酒 云云亞終獻則祔位本無酌獻之事故更無說以此言之逐位之只指正位可知上下逐位二字不可差殊看則豈足爲祔位亦行三獻之證耶 與朴元楊

梅山曰家禮時祭條初獻註曰分詣本位所祔之位酌獻如儀亞獻條曰分獻如初獻儀三獻條曰分獻如亞獻儀備要亦從之據此則祔位之當行三獻無疑愚嘗以爲非三獻不成祭禮依家禮祔位亦行三獻蓋見得之 答朴元楊

潁西曰祔食禮殺於尊故其禮殺然其所以殺之者亦各有義正位祝既云某位祔食則祔位之不讀祝以此也侍食於尊者無祭飯之禮則祔位之不祭酒以此也酌獻後拜禮已行於正位則祔位之不拜以此也此非但從簡而然也至於正位獻畢即獻祔位者古者廟制異龕之時正祔同在一龕故其爲禮也如此今也同室之制則是禮也行不得只當盡獻諸正位然後分獻諸祔位可矣 家禮增解

李氏曰按儀節則諸正位皆行初獻畢使人分獻祔位亞終獻皆然然則祔位亦行三獻又無子先父食之嫌 家禮增解

柳氏曰依家禮三獻固當然語類分獻一酌之說乃葉義剛癸丑以後所聞是先生晚年定論也且諸位一獻出於開元禮濫用恐亦無妨 常變通攷

亞獻終獻

問禮不許諸父亞獻而南溪云姪爲初獻叔爲亞獻云云 徐永後 陶庵曰當從禮經 類輯

梅山曰凡祭祀之禮雖云內外親之無主婦者滌器濯釜鼎具祭饌當使衆婦女爲之而亞獻則決不可攝行以嫂叔男婦之不宜對待爲禮也然終獻無攝主婦之嫌故朱先生許弟婦爲終獻則嫂猶然況子婦乎子爲亞獻子婦爲終獻無害於尊敬盡禮要識有之主婦有故則諸父若兄弟中最尊者爲亞獻愼齋云婦人與祭則嫂尊故嫂獻無弟嫂而有子婦者當用子婦者可嫌男女交爵 答李穉存

三獻皆進炙

本庵家禮集考曰肝則撤而權自夜濯則舉盞寫于他器而薦盞于故處也據特牲尸卒角祝受而於肝燔則加于俎而已此皆雖撤肝而猶存樣今俗有並肝不撤而每獻加炙者却近古可從 類輯

鹿門曰以亞終所進之炙添載於初獻之盤似乎猥屑而以特牲饋食禮亞三獻之燔皆加于肝俎者觀之則正與今之添載同 類輯

侑食

梅山曰侑食主人之禮也雖無使執事代行之文然若老病困頓使執事添酌再拜則自爲之已矣已不與祭而使人替行則執事自行侑食之拜陪也若至主人與祭而執事者侑食則是無主人也其可乎 答洪承旨鼎輸

李氏曰特牲禮尸每三飯祝侑之註侑勸也家禮之闔門如尸一食九飯祝侑之頃故曰侑食且添酒扱匙亦是勸之之意 家禮增解

扱匙正箸

問正箸正之於何處 周光 竹庵曰據家禮本文只當正之於楪上 類輯

闔門

李氏曰此門即堂門也古禮則祭於廟室故闔牖戶而主人以下出於堂家禮則祭於正寢之堂故闔堂門而主人以下立於階下是只退一位矣豈宜遠出於正寢前廳事後之中門也 家禮增解

進茶



問祭祀進茶後三抄飯和水禮歟 又權 櫟泉曰此則三年內象生之禮祭則不然 類輯

梅山曰點茶之文已見於家禮祭禮主婦升執茶筅執事執湯瓶隨之點茶儀節釋之曰古人置末茶於器中投以滾湯用茶筅調之時祭條不曰點茶而曰奉茶者以詳於祭禮而變其文耳非謂不點而奉之也 答金衡九

又曰進羹進茶是爲兩件事不相關非撤羹而進茶也羹茶遞處亦無可稽此備要所以無撤羹也排羹之地其窄而還就安茶鄙家所行乃爾 答任憲晦

李氏曰陳器條有茶盤托此不言設於何處據儀節虞祭條置茶匙筋傍則匙筋與羹隔醋楪一位雖不撤羹自有可安茶盞之地矣古禮亦無奉羹鋼羹先撤之文矣 家禮增解

問男子必斟酒而女子必點茶其義何如 柳貴敎 華西曰酒貴而茶賤

下匙箸合飯蓋

近齋曰下匙箸合飯蓋同時爲之時恐似當一例 答徐有畬

三山齋曰家禮凡祭無下箸之文鄙家遂此耳 答洪樂毅

受胙

問繼禰之宗受胙祝似當曰考命工祝又當曰來 汝孝子 李世則問 厚齋曰得之 類輯

陶庵曰福酒溫服以不留神惠之意言之雖暫時似爲未安而其視強飲而添病多傾而虛惠則遠矣盡盤則即受而略啐之旋置出湯湯中卒飲恐好 類輯

剛齋曰實于左袂禮書註便右手也然則掛袂于季指恐亦便於取酒卒飲也 答人

梅山曰左袂季指之文出自特牲禮疏曰掛袂以小指者便卒角也但右手執角左手掛袂以小指不干左手言便卒角者飲酒之時恐其遺落故云便卒角也角即爵之類也 答任憲晦

服中時祭受胙可否

雲坪曰受胙是神之事也不祭則已安可以自廢之也只當不餕以示變可也 家禮增解

李氏曰要訣所謂但不受胙云者是據朱子所謂正祭三獻受胙非居喪所可行而俗節則普同一獻不讀祝不受胙之說而言也然朱子之意蓋謂喪中祭不得三獻故亦不得受胙而不可行時祭惟俗節則一獻而亦不受胙故可行也云耳據此則三獻則受胙一獻則不受胙之意可知也非謂喪服中行祭雖行三獻而獨不得受胙也栗谷恐失照商 同上

古今受胙同異

李氏曰特牲及少牢皆主人初獻尸尸酢主人而嘏于主人主婦亞獻尸酢如主人之禮而不嘏家禮則三獻畢後行之是損益之義 同上

受胙拜

李氏曰愼齋魏巖俱未照管乎書儀受胙拜之說而有此論也其據上附註溫公說舅沒則姑老或自與祭而老疾不能久立則休於他所俟受胙復來受胙辭神朱子說亦然則在位者之必有受胙拜可知也又按朱子所撰釋奠儀受胙條初獻官受胙再拜復位後在位者再拜註已受胙不拜云正與此同 同上

告成

問告利成後在位者皆再拜而主人不拜何義 宋秉華 厚齋曰主人既出笏俛伏興再拜故立於東階上而不與在位者再拜 類輯

龜巖曰以嫌名不告利成義理恐未然 類輯

艮泉曰告利成栗說曰今既無尸當廢云而備要不廢此節故好禮之家皆行之 類輯

近齋曰利成替之當諱與否姑未聞 竊今雖欲以義裁之遽改禮文中語亦有不敢擅決者愚意告利成一節姑闕之以待明家指揮及人家式例而處之未晚 答金鳳柱

剛齋曰利養也成終也祭畢之義利成之告於祭神時者欲使尸聽之而起也利成二字今避嫌於 御諱故世之告成者改利爲養云而輕改古經字甚覺不安且告成雖古禮今既不用尸則不告於禮意似無損故鄙族諸家稟質于性潭先生在世時而廢此一節此則大祥時所以然者而不可謂無故廢之也 答成人

梅山曰告利成爲退尸而設無尸則當無告而載諸家禮者實有精義非直出於存羊之義也 答李在慶

餕

李氏曰特牲小牢則皆尸出之後行餕於廟中家禮則撤後餕 家禮增解

執事之人着行事之節

[illegible]只一人[illegible]初獻主人自行參獻執事爲之而執事若兄弟行[illegible]主人雖[illegible]行終獻者爲子姪則父爲其執事未安故命姪子用盥盆酒注而進獻者自取酒注酌之奉盞奠盞亦自爲之從前所行如此而已不然則如來示主人都行三獻亦無不可者矣 類輯

問時祭無別人則自讀祝未安 答李在徽 竹庵曰古有祭與薦之別如來示者無祝單獻如俗節茶禮而已 類輯

按時祭非俗節也無祝單獻非祭禮也自讀祝之未安勝於不讀祝而廢禮矣



時祭攝行

李氏曰總伏所謂攝行者卽曾子問宗子越在他國庶子代祭祝曰孝子某使介子某執其常事之禮也 家禮增解

喪配者不可以無內官而廢盛祭

梅山曰禮所云官備俱備以夫婦親之而言也又以衆子衆婦之相宗子宗婦爲備內外之官而如無可以相祭者惟夫婦親之已矣若喪配者亦不可以無內官而廢盛祭必盡親賓執事毋闕其儀文是爲得禮以無荐功之感而刊落其胙餕之節可乎 答任憲晦

主婦私喪中叅時祭

芝村曰主婦居本親喪其服不過朞制何可不行舅姑之時祭乎既叅祭則素服未安穠着玉色無妨 家禮增解

附土神祭

厚齋曰朱子土神祭祝文見於大全先師亦有土神祭祝鄙家亦行之 類輯

竹庵曰土神祭雖不見於經禮而家有其文且古者士有二祀家祭之祭土神恐有自來意似得 類輯

老洲曰時享時土神之祭弟家所行非有他做卽述家中故事蓋是俗也朱子之所幾禮面只時皆行之巢翁謂只行於春冬爲宜則此朱子所行已遞減矣今也既不得備舉四時之享於先廟而只修春秋兩祀土神之一祭雖無古據簡而可斷豈不愈於廢而不舉也 答沈靜而

問先生家祭土神別定日行之與家禮時祭後行之之例不同 李晉夏 華西曰祭外神與先祖各是一事別定日無妨渼山曰土神祭祝文云云參我依居實賴神休惟時報事靡敢或懈謹以淸酌庶羞敬薦誠意尙享 榕齋正解

祝文

丘儀國初禁淫祀庶人惟得祀其先及歲暮祭竈今擬祭儀與祀土地同祝維年歲次月朔日辰某官某姓名敢昭告于司竈之神歲云暮矣一門賴吉享茲火食皆賴神休若[illegible]事罔敢不虔菲禮將誠惟願歆尙饗



禮疑續輯卷之二十一終

# 禮疑續輯卷之二十二

## 祭禮

### 禰祭 附初祖祭

問禰祭有豐昵之嫌云云 人成 厚齋曰朱子以四世之宗每行禰祭於季秋 類輯續編

屛溪曰要訣備要俱不言禰祭或意既行時祭於諸位則謂不必別祭於禰位耶然既有朱子正論行之誰敢疑議父子生日同在月則當從朱子已行之例矣 類輯續編

南塘曰祭禰註支子不得祭小註丘氏云云而立主則不可無主則涉處丘說難從 類輯續編

櫟泉家儀季秋上丁或中丁行禰祭 類輯續編

近齋曰禰祭栗谷以豐昵去之不載於要訣中而豐昵之嫌似過矣朱子既行之家力如可行則行之爲宜 沈啟錄

老洲曰是年也不匱之孝恩安得不然也然仲朔正祭之月不有事於祢廟而只祭禰已有豐昵之嫌且朱子生日祭禰以其生日之在季秋也今欲援此季秋之祭遽以節候 九月節 之屆進行於仲秋亦係粗行此等處情雖無窮不可不裁之以禮稍欲遷就於其間歸自用而汰耳 答閔元履

又曰家禮有禰祭而要訣備要却無之者窃意以時祭爲重故略於禰祭歟晦翁之祭用其生日同春之祭用其先考生日各以其日適秋當祭之月故爾要之皆一時義起而非有經據則不必視爲不易之正禮也 答李下慶

剛齋曰先丈生辰既在季秋則是日行禰祭情禮無不可况先賢已行有可據耶 答金公厚

#### 考妣禰字之義

梅山曰考成也言其德行之成妣媲也爲其媲匹於父是出曲禮鄭註禰言雖可入廟爲神祇猶最近於己也是出公羊傳疏 答徐生濟默

#### 始行禰祭告辭

陶庵曰孝子某今以季秋成物之始有事于顯考謹遵朱夫子生日祭禰之儀自今爲始每年九月二十八日行祭敢告 類輯續編

#### 始祖先祖禰祭行廢可否

近齋曰初祖厥初生民之祖初字明始祖之始字 答梅山

梅山曰始祖先祖之祭出於程子義起即孝子慈孫報本追遠廓極不至之誠也朱子之始行而終廢者避僭上之嫌也各有精義而當以朱子所行爲正也至若禰祭與禴祫不倫恐無不可行之義若廢祖廟時祭而獨舉禰祭則實有嫌於豐昵已之可也行正祭如禮而爲其豐昵而廢禰祭恐過矣 答林來卿

李氏曰據程子說則冬至之祭大於郊而配以始祖季秋之祭常於明堂而配父皆有深義而其爲王者之大祭則同矣家禮始祖之祭固雖類禘而禘則未必而冬至矣至於以始祖配祭於郊則必以冬至然則今以冬至祭始祖正又類於郊矣朱子之廢之固其宜也以此推之則祭禰於季秋者獨不類於明堂之祭乎然則家禮三祭行則當俱行廢則當俱廢而朱子乃廢二而存一者誠可疑也既不取其始物生物之義而獨取成物之義者無或近於半上落下耶且栗谷所謂豐昵者亦似然矣然而朱子之不廢禰祭者無乃以其生日之在於季秋既常祭而不忍遽廢故耶未可詳也 家禮增解

#### 始祖以下只設二位統祭

問語類余正父問立春祭先祖何祖朱子曰自始祖下之第二世及已身以上第六世之祖曰何以只設二位曰只是以意享之而已云云 人成 剛齋曰以意享之云者謂祭始祖以下高祖以上諸祖只設二位統祭之而不用主也非謂始祖以下第二世及已身以上第六世此二祖之合於意義也更考本條及下道夫錄一條則可知也

李氏曰兩位饌既各用一則酒何必獨用二盞耶二字恐當作一 家禮增解

### 忌祭

#### 總論

竹庵曰忌日出主祭幾如家禮儀但只用告祝單獻設奠如朔月也哭則在閤門後如士虞禮也是日不飲酒不食肉蔬食水飲主祭者黲素之服夕寢于外凡忌父母亡日之謂繼母前母同大父母同 大夫以上祭曾祖考妣忌爲外任則亦祭曾祖考妣忌支子同○類輯續編

問曰先世行忌祭有難遽廢而若繼禰家自我爲始欲行古禮則親忌廢祭爲是否 李任徵 竹庵曰此在今恐難反古然家禮不曰忌祭而只曰忌日者似有微意推明此義使知之者衆則忌自忌祭自祭自可無礙 類輯續編

梅山曰忌者終身之喪也故夫日不樂而哭于宗室唐人則孝服受吊孝服受吊雖則過禮其忌日必哀則可見於此矣家禮亦云是日不飲酒食肉夕寢于外其所戒愼反有加於齊日可忍出入爲哉 類輯續編

#### 晦日死者忌日

屛溪曰忌祭在三十日者小月則不得已以二十九日祭此於最初二十九日祭時具由告之似宜 類輯續編

#### 閏月死者忌日

竹庵曰沙溪說六月晦死者後值小月當以二十九日爲忌後又值大月則當以三十日爲忌據此則閏月死者後值閏月則不用本月而以閏月爲忌恐無可疑 類輯續編

梅山曰閏月亡者更値閏月則當行忌祭於閏朔所祔之原月以不可行祭於餘分之月故也退翁有云忌日既行之於當朔當日矣其於閏朔過是日何有再行之義又曰於閏月齋戒而不祭斯旨得禮之正遵用無疑而忌日若在閏月朔日則因朔祭稍加饌品如殷奠不害爲伸情而亦當並設群位不可異同也然終涉情勝恐未若仍舊設酒果之爲正耳 答金元石

按竹庵雖援晦日死者値小月以二十九日爲忌日後値大月以三十日爲忌以爲閏月死者後値閏月以閏月爲忌之證然晦日正日也雖有贏縮不過差一日閏月餘分也三歲合爲一閏而無定於四時何可以是爲援之本月而祭乎

#### 不知親死者卜日行祭

梅山曰不知親死之日者用是月或丁或亥擧祭非可已繆昌期劉球皆死於囹圄而莫知其日故即其聞訃日行祀茲爲可遵也忌祭卜日無所於稽惟不詳死日者乃可爲耳 答趙秉懿

#### 不知祖妣姓貫及亡日者行祭之節

梅山曰既不識姓貫則神主及紙榜祇題以顯祖妣神主而已若不知亡日則是月也當用或丁或亥日行忌祭并不知亡月則廢喪餘之薦而擧時節之享已矣 答尹生

#### 考妣并祭當否

厚齋曰聞之師曰晦齋引程氏并祭考妣之說而以程氏把作程子看沙溪又引晦齋說然程子集中未有并祭之語近方考得所謂程氏即徐山程氏非程子也 類輯續編

沙溪曰程子之并祭人情所近恐未害於禮也栗谷少時從先世并祭考妣而年長後只設一位後來又改之并設兩位吾審寘之答曰只設一位未安故并設云 類輯續編

陶庵曰忌祭只設一位禮之正也然并祭則於前後妣亦何可區別耶 類輯續編

屏溪曰忌祭考妣幷祭坐齋奉先雜儀引程子祭禮爲說近世儒先家各從所好恐皆有據也妣忌之諱出考位殊涉未安前妣忌之諱出後妣後妣忌之諱出前妣亦似無義然幷祭實緣人情而前後妣亦祔於考位既合一櫝則何至大段不安第家禮之單設最似正當無所礙掣 類輯續編

竹庵曰合祭考妣不別舉某位忌見於澤堂禮說如是則於妣忌無援尊之嫌從古禮不祭忌則已祭之則澤堂說恐不可廢 類輯續編

漢湖曰忌日幷祭考妣禮之厚者也只祭當位禮之正者也雖然吾從其正 類輯續編

鹿門曰忌日是喪餘之祭家禮之只祭當位極當然鄙家亦從前合設有難遽改故欲自我作古嘗于兒輩耳 答尹東遂

竹庵曰雖幷祭考妣本不當具二分饌要訣具二分饌云云承用家禮圖之誤也 類輯續編

老洲曰古者祭用尸後世尸廢而用主考妣既合主故家禮之各卓竊恐以是然精氣合之義豈有間於尸與主耶然則從五禮儀考妣合饌惟飯羹酒盞各設之文者自不害爲微得古禮遺意歟 答沈靜而

又曰考妣祭饌各設匙箸於家禮合設亦未始非古禮 祭統曰鋪筵設同几疏曰人生時形體異故夫婦異几死則魂氣同歸於此故夫婦共几是故少牢特牲皆亦一尸一几一筵 故人家之各設從家禮也合設不害爲古禮也 答李在廈

梅山曰妣位祔於考位則妣忌之援尊前後配之相及恐不甚害義也以故我國朝羣賢幷祭考妣者多爲其人情之所相近也雖則幷祭當用一分饌以鋪筵同几精氣合之義也非直忌祀時祭亦不當用二分饌也 答孟鳳淳

叔西曰古禮一尸故同几家禮對主故異饌義各有在何可以家禮爲俗禮耶各設之中飯羹酒盞各設不惟鹿門說爲然近日士夫家多行之如此此特就其合設中所論如此今之祭禮二主也非一尸也當以家禮爲正而二分之饌合其卓而共享之其於精氣合之義亦不甚遠 答朴曾汝



## 忌日齋戒

問漢禎於考妣祖考妣並食素三日於曾高二日或曰家禮無祭前行素之文未知如何 金漢穎 漢湖曰家禮之文雖如此近世先賢前期不肉者爲多云 類輯續編

本庵曰親忌三日祖忌二日於從俗曾高祖忌皆一日則從家禮外氏忌則惟於祖父母一日未知於禮何如 類輯續編

問親忌前後三日行素如何今人前期行素恐無義 李在徽 竹庵曰古者忌日只以親亡之日言之是日也哀至而忌諱凡事如彭祖百忌日之爲也只宜忌日行素前三日行素無義況後三日乎祖以上亡日近死則行素恐是 類輯續編

又曰父母忌日若遵古禮但出主舉哀而已不用時俗行祭則恐無前期行素齋戒之事只當於是日哀素也 同上

三山齋曰忌日比前時祭爲輕故只前一日齋戒而已不食肉則不干於齋戒不必拘此自祖以上似當有差等 答馬游

近齋曰致齋不出入散齋雖出入散齋雖不弔喪問疾而尋常出入則似或可爲然亦當觀其緊慢而處之若行祭於他所而且身不與祭前雖當齋日緊而出入弔問似或可行而至於親忌其哀在己何可弔人忌日罷齋後出入世俗多行之而其非矣者日含恤不及他事之謂也何可出入乎當以喪之餘處之耳 答金履銘

又曰家禮時祭忌祭不言散齋然而繁禮要訣時祭從古禮分言散致齋忌祭亦言散致齋恐當從要訣若於忌祭只用致齋一日而不爲散齋則其於忌祭前二日與於凶穢之事耶恐不可也要訣時祭齋戒日數則太多難行散齋三日致齋二日其或可也忌其家忌一節要訣不載於致齋條者似以當包在於思其所樂之中而省文故耶 答梅山

又曰飲酒不至亂食肉不茹葷卽齋戒之禮則齋戒日不飲不肉恐過於禮矣世俗於忌祭前期行素雖本於申屠蟠而成流來之規實非禮意也曾聞鄭寒岡只於當日行素蓋主是日也之文也然夕寢于外則不但於是日齋戒亦當寢於外此則與飲酒食肉不同當各項看也忌日雖外喪餘哀之意審日雖外臨祭精潔之義不可徒拘於是日之文齋戒條特不別言寢外故人或疑之而以主人傳祭丈夫致齋于外之外字觀之實無可疑矣大抵無論致齋散齋自齋日爲始居宿於外爲當此是禮防所在不容或忽也齋日既已飲酒食肉則雖縗麻之服不必去之曾聞學齋金公於忌祭前一日着吉服云 答梅山

又曰聞生家忌祀在於二十七日則自二十四日不可往來喪次蓋忌祭散齋二日致齋初日則二十四日爲散齋初日不犯染之時也喪既服則成服日雖不往會亦無妨所重在於祭祀故也二十三日內一爲往哭於喪側以待行祭更往爲宜 答金履銘

又曰家中行五代祖以上忌祀而身與於祭則雖已親盡食肉似爲未安而全日行素亦涉太過或用大功忌日一不肉之例爲得權宜耶遞遷以後則五代以上不當行素蓋禮有限而情有殺不可拖長故也 答梅山

又曰五代祖以上已遞遷之位則忌日食素恐是行不得者今明黎湖先生所行此則高於人一等者何可盡責衆人必用此爲法也 同上

李氏曰時祭前一日設位陳器而主人深衣案此忌祭前一日齋戒及設位陳器皆云如祭禰禰祭如時祭則其服深衣明矣深衣是吉凶通服而非華盛則服之恐宜且下文祭日方以黲色變則前一日無服素之義可知 家禮增解

老洲曰先輩於師門忌日行素於朋友間雖道義之交亦未之行素恐是草宿不哭之義也歟 答許陽傳

## 饌品增所嗜之味

櫟泉家儀忌祭各思所嗜或增一味 類輯續編

## 忌祭服色

晦齋奉先儀忌日白團領素帶有官則烏紗帽角帶禰則布裹角帶旁親則白深衣黑帶婦人服同本註 五禮考證



陶庵曰忌日變服櫟泉栗谷說之載於儀要者蓋指曾祖以下來示欲於高祖以上印例而行之就此略有等級似好 類輯續編

又曰寒岡曾疑服一體漆忌日服之間退溪先生雖以爲太過然好禮君子行之爲好 四禮便覽

櫟泉家儀忌祭服色父母忌黲笠黲布直領布帶曾祖以下黲笠白布衫帶旁親黑笠白衫白條帶 類輯續編

南塘曰要訣旁親之忌黑帶臨祭可疑 類輯續編

黎湖曰先祭所服黲布衫恐無他物二宋先生之審深衣行事前此未聞豈以時祭服之而誤傳爲忌耶 答權師伯

近齋曰男子黃首女子黃服只從制服者已身而言則今以忌日變服爲父祖曾祖冠爲母及祖曾妣布帶亦作黃首黃髮之義恐似乖舛非禎與末慈忌日服色無以冠上而帶下故於上下之間以一布一素互用之者卽尊卑之義也非男女之分也高見愚未知其必然矣忌祭服色不拘有官無官從俗用黑笠白衣素帶無妨婦人玉色衣裳亦宜 父母忌黲笠黲帶祖以上用白布帶○答梅山

老洲曰陶庵四禮便覽有留縗服用於喪餘之文蓋謂而織卽未忘餘哀之意則以此爲喪餘之用意義甚好且暗合於朱子黑袞行祀之制矣 答李元福

李氏曰朱子忌日服黲故尤翁以今世玉色當之然今俗忌日皆服素衣帶則玉色亦恐近華未知如何家禮亦云是日素帶素服而申明以黲矣 家禮增解

梅山曰忌祭服色諸賢所論稍有參差而古今異宜故用黑笠白布衫帶祖曾以上則用白絲帶矣 答任憲鎔

## 祭時無拘序立之次

老洲曰此一款鄙亦居常疑之而未能決者也大抵栗谷之說以立己見近於制禮之意而鹿峰恪守古禮不失謹嚴之意然鹿峰之以

序次之無稽仍使不爲祭亦非人情之所宜惟牛溪說引溫公儀使之別行參祭恐不至無據亦合於人情耶（答李在慶）

茅沙一器二器之辨

南氏曰時祭降神茅沙一器在香案前祭酒茅沙在逐位前故尤庵欲用二器茅沙於忌祭然忌祭及虞卒練祥等祭祭一位節目簡於時祭從南溪說通用一器無妨（備要補解）

柳氏曰茅沙忌祭云如祭禰禰祭云如時祭香案以下并同則各設可知虞祭雖無文恐亦當準此禮蓋降神酹酒是求當祭之神也獻酹祭酒是祭始爲飮食之人也恐不當混於一器（常變通攷）

出主

出主告辭

問忌祭出主告辭今以上依時祭例用孝子名告之似可（尹癸東）　渼湖曰如來諭恐當（類輯續編）

老洲曰忌祭出主祝不書屬稱果似闕文備要頭註亦有所論一遵時禰祭出主祝例盛論誠得之然出主祝乃告辭而與原祝差輕則從省略而示異亦似有意義故鄙家從前一依備要行之矣（答梅山）

三山齋曰忌祭告辭如考忌則□旣□某官府君敢請之下只當曰顯考而於妣則備書某封某氏妣忌反此（答洪樂綏）

單祭者出主之節

渼湖曰忌日祭當位其出主之際以一空櫝奉以盛之至西階卓上奠之卽開櫝出其主身奉寘于座祭畢又以主身就其櫝匣之奉歸祠堂納于故處（答□鎭緯）

問櫝埒云云（李在徽）　竹庵曰只開櫝蓋恐無妨（類輯續編）

行祭祠堂無出主告辭

近齋曰行忌祭於祠堂而不行出主之禮者愼齋先生所定告辭中出就前堂之就字非所當也似宜措辭改之而亦無可據告辭闕之恐無妨不行出主之禮云者不爲奉主身出於櫝外之謂耶愚謂不爲奉出櫝外雖非家禮本意而只脫韜藉亦可謂之出未知如何（答徐有曾）

誤出神主者處變

問有人忌祭誤出神主陳饌讀祝訖始覺其誤既設饌讀祝則以誤奉之意口告行祭而當位則翌日又告其由而行祭如何（李定載）　本庵曰既覺其誤而謂不可撤聊還安者大害於心與理只當卽時口告而撤饌還奉而撤當位翌日行祭來示似然而如有物可略具則雖差晚無遂是日爲善（類輯續編）

行祭祠堂先降後參

李氏曰若行祭於祠堂則亦當倣要訣時祭儀先降後參（家禮增解）

祝文

諱日之義

春官小　若有事則詔王之忌諱註先王死日爲忌名爲諱疏告王當避此事○李氏曰諱日之義恐專出於春官經及疏也（家禮增解）

前後妣姓貫同者告祝區別

老洲曰既告月日則無待區別而自應會聽者槩見似然而且主面既不書元繼則祝之書元繼亦涉斑駁不書恐爲得宜矣（答梅山）

問前後配忌祭同日姓貫又同祝辭可疑（李海□）　延山曰出主時當告曰今以顯某親某封某氏顯某親某封某氏遠諱之辰敢請顯某



親某官府君顯某親某封某氏顯某親某封某氏神主出就廳事云云祝文則列書下曰歲序遷易諱日復臨云云可也（疑禮正解）

按歲序遷易下又當云顯某親某封某氏顯某親某封某氏

告妻祝

渼湖曰嘗觀尤庵先生祭夫人文并書其姓名恐此爲是（類輯續編）

近齋曰夫祭妻祝當具姓名書之

老洲曰備要立文非闕略也婦人之以異姓作配入廟母與妻一也其於告母既不稱姓則於妻何可稱耶蓋婦人外成者也母與妻之書姓所以別之也夫與子祭主也一廟之中不容異稱主人之不書姓所以示一統也（答成順之）

備要告妻祇云夫某不書姓且先賢集中祭伯叔母文亦不書姓蓋婦人外成故夫黨一視同姓不稱已姓也（答朴宗埜）

告嫂不書屬稱

梅山曰備要祝式諸旁親皆書告者之屬稱而獨於告嫂祇云某者可認其不書屬稱也夫兄夫弟之云不著於禮故祇書其名歟稱以顯嫂則其爲兄嫂可知若是弟妻則云弟婦某封某氏（答朴宗埜）

祭子祝

近齋曰父祭子祝不書名一款果有與題主異文之嫌而蓋欲避其不安也大抵祝文非必盡用題主中字數職啣外神主字不書之則題主雖書名祝文不書名亦是一道也（答老洲）

祭子婦祝

近齋曰舅祭婦祝當以父告子之禮通看故備要不別言之然不可稱父當曰舅告于亡子婦（答黃鍾五）

祭孫祝（孫婦並論）

近齋曰祭子婦忌日祝悲念酸苦不自勝堪語太重不可推用於此且備要祝文式中不勝感愴四字既是旁親以下通用者則於子孫忌祭亦當用之此似無疑（答梅山）

性潭曰題主當書以孫婦而祝文當稱以祖舅矣祖舅二字亦有所據有何礙眼也（答俞漢蹇）

後妻祭前妻祝

渼湖曰無男主則不得不以婦人主之題辟題主而其祭前配稱號未敢質言（類輯續編）

又曰以顯辟爲稱則其室家依程子說稱以元妣宜或得之否（同上）

梅山曰繼配之祭前配禮無所見立后前其不可改題則無屬稱之可言祇宜單酌無祝罔闕忌日之廢己矣（答趙中植）

澗山曰南溪禮說李之老問後妻奉祠前妻忌祀可以爲之祝文稱謂無攷南溪曰云云按南溪說是也其祝文□□□曰新□某封某氏致昭告于顯辟某官府君元配某封某氏諱日復臨追遠感時不勝永愴云云（疑禮正解）

讀祝

近齋曰沙溪說可以推用何疑乎既無他執事則主事之人自讀之者以子孫讀之□於名字避而不讀似宜（答李畯欽）

南氏曰鄭文翼光弼遺言祭不用祝文而子孫世守其訓云甚非禮意也（備要補解）

輯覽按祝祭主發辭者也曲禮廟中不諱註謂有事於高祖則不諱曾祖以下尊無二也於下則諱上也玉藻曰祝嘏名君不諱（五禮考證）

問五代祖諱淑而五代祖妣高祖妣皆淑夫人祭祀何以變通（金寅淵）　澗山曰夫人祝若犯下位之諱則不諱於上位以有廟中不諱之禮也若犯當位則去其當諱之字而但稱夫人可也（疑禮正解）

忌祭之哭

任卑嗣問忌祭之哭主人妻及與祭之子孫皆哭乎寒岡答主人以下哭盡哀云則主婦固所當哭而子孫不得不哭 禮輯類編

黎湖曰祖先忌祭不逮事則不哭近世儒先固如此爲言也余意則非直曾祖雖高祖當哭蓋當以服制爲限不當以逮事與否爲言也

老洲曰祖先忌祭哭與不哭家禮及備要以逮事爲度則準此行之實爲寡過祖禰近故縱未及逮事情不容不哭曾祖以上稍遠矣以逮事與否爲斷未知果何如耳至如或人之言以有服無服爲限則高祖之祭便當哭何逮事與不逮事之可論耶 與金兄大伯

南氏曰在渼上時趙注書顯詰問于師門曰其曾祖忠翼之忌有痛迫之心故哭曾祖妣之忌不哭云師門亦以爲可 備要補解

梅山曰忌祭之哭與不哭寒岡則何所取準耶備要以逮事不逮事爲度恐爲得正而與祭者或哭或不哭莫無相拘否黎湖則以有服無服爲限云然則高祖以下雖未逮事之祭亦當哭斯事也不害爲從厚只宜施之於旁親之祭乎旁親則不計逮事與否祗當有服則哭乎高祖正統之服而不逮事則猶不哭況旁親乎旁親亦當準以逮事已矣 答樸溪

又曰禮所謂君子有終身之喪忌日不樂等說皆以考妣言也家禮只許哭考妣之忌亦出於此耳然祖禰等殺其間幾何既逮事而不哭其忌無乃乎沙翁之所損益可知舍家禮而從備要已矣愚者 謂不惟祖考妣上焉而曾高下焉而旁親逮事則皆哭可也 答金五汝

按忌祭者以其諱日孝子慈孫爲泄哀而設雖高祖之祭恐當有哭黎湖說似是矣

無執事獻酌之節

近齋曰忌祭時主人外無諸子孫親屬則主人自爲三獻先賢已言之矣主婦亞獻而無他婦人執事則主人之爲執事未安女僕之

禮疑續輯二十二 七

爲執事亦不似不惟主婦之爲亞獻爲然主人初獻時亦不可使女僕執事然則獻者當無執事爲之斟酒則既卓上自執注自斟盞至於灌茅後反于故處等節皆自行之雖甚苟簡勢不得已也主人既當連爲三獻則何可廢奠酌之禮耶外執事內執事與是男僕女僕之稱而所謂執事云者非指用之於奠酌之事也 答俞鳳柱

每獻肝從

老洲曰進饌時幷奉三獻炙肝惟喪祭爲然而士虞禮則三獻皆以肝從與家禮不同何須於忌祭又從喪祭之儀乎 答南大任

又曰每獻輒有肝從古禮也備要虞祭進饌止具炙一盤者誠未知何意也蓋雖三年之喪祭既與三獻則肝從之禮宜無異同今止用一器而進於酌獻之前者恐或失於照檢而後人因襲莫之改歟 答李兄遵實

魚肉湯肝從之品

老洲曰魚肉與炙雖有庶品肝從之異均是鼎實故更詳家禮圖式則分明幷數爲三而當奇之數大抵鼎豆奇偶以天產地產而別焉魚肉俱是天產則雖水陸之異幷數爲鼎之奇果實俱是地產則雖色品之殊亦當幷數爲豆之偶然魚肉各加一品幷炙爲五則自不違於鼎奇之義 答李正夏

出嫁女亦可爲終獻

梅山曰婦人外成也出嫁者似不當爲本宗奠獻之禮有親賓親朋終獻之文賓朋之所爲豈以出嫁女而不爲乎禮有內執事既執事矣又何嫌乎奠酌乎既有主婦亞獻則長女終獻焉有似夫婦之嫌乎 答尹生

告成

問告利成當依時祭例祝以下再拜而主人不拜耶當備行再拜耶且虞祭條只行告利成而無再拜之節此則似出於殺禮之節忌亦恐餘依虞祭例只告利成而不行其拜禮耶 宋達洙 厚齋曰無所考不敢詳知末端說似然 類輯續編

陶庵曰忌祭利成一欵中古以後諱日始設祭非如四時正祭之爲重雖減殺無害於義況朱子家禮告利成入於受胙條中而忌祭既曰不受胙則利成亦當不告 類輯續編

櫟泉家儀忌祭亦告利成 類輯續編

老洲曰人家祭祀告利成以犯嫌諱或改以養成順成云杜撰可駭嫌名之諱於禮無據此蓋由於後世彌文漸勝而人名邑號之改既有 朝令固當恪遵至於利成未聞有幷與此諱之之 令式且此外文字之音同類此者尙多不諱則仍舊稱之豈云大家未安耶 與沈子純

問告利成今有告之以順成者何如 蔘文 梅山曰利成之利猶養也成畢也言養禮畢也 正廟御諱改音之後有改利成爲養成者順成二字語俗未若變利爲養之得本文正義也

又曰告成一節不可施諸卑幼則夫祭妻闕之恐宜 上顯西

祭卑位拜坐立當否 吊几筵亦同此

櫟泉曰叔侄兄弟倫序甚嚴不可輒行拜禮於弟與年長之侄只當立哭 類輯續編

梅山曰拜非可施於卑幼者則兄祭弟拜之非禮也然則內外幷薦者當統尊於夫而行之曷可獨拜弟婦乎或謂祭弟則無拜弟婦之祭則有拜斯言如何均是合櫝而幷享則雖是弟婦之祭統尊之義則一也 答樸溪

前妻忌後妻參當否

竹庵問亡室再忌之祭後妻當參否此與吉祭有異只是伸情之祭亦不必參否黎湖曰臨祭具饌而已似不必參若於時祭則自當

禮疑續輯二十二 八

參之 類輯續編

離家遇忌祭設位望哭 時祭並論

近齋曰忌祭喪之餘而離家者先期齋戒是日設位望哭以伸情固不可已而至於時祭卽平常之祭齋戒設位望拜未知先輩所行果何如耳 答梅山

紙榜行祭

李氏曰若以紙榜行祭則恐當於此設蔬果後出主之時奮紙榜奉安於神座以倣奉主之儀似可矣 家禮增解

忌日接人之節

問忌日對客與否楊氏及退溪說不同何以則得中 朱道性 陶庵曰忌日不見客甚合禮意 類輯續編

親忌日不赴擧

近齋曰親忌日赴擧之非所敢誠得之鄙意本亦如此應擧與從官實有不同行公有私奪之義求榮有忘哀之嫌不可比而同之也禮無明文故人有疑者而忌是含恤不及他事之謂則他事不可爲況求榮乎愚以是知斷然不可也先輩之論不及於此似以無待於言耳 答吳允常

聞世俗通規親忌日幾皆赴擧而其中稍有識者亦多行之云不知何所據而然也 同上

又曰齋主淸嚴忌主悲哀以悲哀言則親忌與祖忌有輕重以淸嚴言則祖忌與親忌無異同親忌雖重只用一日 禮有忌日無忌月 齋戒雖嚴執事者終與主人有間科擧異於不潔之事且出場經宿則或可與祭故向有所云云及因來敎而思之勿論祖忌與親忌主祭與參祭者致齋之日皆不赴擧正得淸嚴之義鄙論終恐墮落第二矣 同上

又曰父母奉諱之日是喪之餘也子於父母爲終身之喪古雖無忌日之祭逢是日受人之吊則古之人所以處是日者可知也今俗以罷齋祭從爲之說出入之不足至於赴擧是能安於心乎至於從官者與赴擧絕異有官守者不得暇則或未與祭可也豈可以私廢公乎科擧者是自已求榮之事去就由我不由人焉有在喪餘之日行求榮之事而安於心者也（與顧西）

又曰時祭與科日相値則改卜與否旣告祠堂之後則不可云者來諭誠然（答吳允常）

墓祭

墓祭儀

竹庵墓奠儀曰墓奠用寒食祧位用十月上丁前期一日齋戒具饌厥明灑掃主人深衣帥執事詣墓再拜哀省布席陳饌（圖見下）參神主人以下序立再拜降神主人焚香再拜執事者斟酒跪進盞盤主人跪左執盤右執盞灌于前（以盞盤授執事）興再拜降復位獻酌主人升執事者斟酒跪進盞盤主人跪奉奠于考妣前（不祭酒）啓飯蓋揷匙正箸再拜降復位進茶撥匙箸辭神主人以下皆再拜乃撤先撤盞盤有事則獻後告不祭后土（類輯續編）

竹庵曰祭逝足之義在尸在柩旣無卞焉則於柩於墓又何別也但原野之禮有異焉若墓左無容奠之地則如後禮之奠墓前亦何所妨（類輯續編）

竹庵問山所不同局則從便先祭下位黎湖曰當商量遠近形勢而處之（語錄）

墓祭增減

渼湖曰墓祭則寒食孟冬（類輯續編）

問唐則寒食上墓宋則十月一日上陵程張韓魏公皆以寒食及十月一日祭墓家禮則三月上旬擇日歲一祭墓東俗則四名日祭墓當何適從（李在徵）竹庵曰程張韓一年再祭墓幾無別於廟祭此家禮所以只取三月上旬一祭者耶東俗四時墓祭之非栗谷已言之韻俗從寒岡愚伏說用程張之禮鄙家以寒食上墓而祧位之墓則祭以十月朔其得禮與否未敢知（類輯續編）

櫟泉家儀正朝端陽用酒果脯醢略行省掃于墓如祭禮寒食秋夕行盛祭于墓（類輯續編）

鹿門曰家廟旣行四時之享則於墓遵家禮只行一時或寒食或秋夕而餘三時以酒果省掃恐爲得宜（類輯續編）

近齋曰四時墓祭幷擧誠雖矣宗家旣停正端兩節則從之似當而以三年內故姑亦幷擧四節耶以寒食秋夕兩節不能設殷祭故爭四時皆略設耶度不能永行則自初已之似宜（答舍弟）

梅山曰家禮祗行於三月上旬蓋沿寒食上墓之俗也墓祭之幷擧四節即疑五禮儀而恐欠墓祭等殺未若家禮之從簡然未祧埋而歲一者亦涉太簡故家禮只用寒食秋夕斯爲得中也（答從可言）

墓祭服色

李氏曰時祭以下諸祭皆於祭日設蔬果酒饌時則著澡衣出主行事時則盛服墓祭皆如家祭之儀其灑掃用澡衣則其行事時自有盛服可知盛服即祠堂章參祭條所載有官者幞頭公服進士幞頭襴衫以下是也墓祭之不別言服色者恐蒙上文也（家禮增解）

接墟墓之間主乎哀非告榮時則恐不宜純用榮服

饌品

近齋曰墓祭有添炙二串而原野之禮尙簡雖無添炙何妨人家以是於墓祭不爲三進炙者多有之云備要雖曰如家祭之儀而亦大綱說何必爲泥（沃餘）

梅山曰墟墓之禮殺於家廟故家禮不分言設蔬果進饌之時如他祭則知凡饌一時幷設先儒亦嘗云爾然苟能具三串炙則三獻各進炙如家祭之儀不爲無稽也旣不侑食則初獻揷匙正筯亦宜（答任憲晦）

父祖墓與祖先墓同岡饌品及行祀之節

近齋曰父祖墓與高曾墓同岡或相望之處則宗家以酒果祭高曾支孫備饌品祭父祖雖似未安其實主祭者非一人之身則無嫌之嫌備禮行之終無不可矣蓋古者適士二廟官師一廟庶人只祭禰我國士人雖祭及高曾以古禮言之則高曾以上不祭焉支孫之備禮祭父祖而不以與宗家高曾位祭儀豐略不同爲嫌其義然也且親盡之墓在同岡則減饌一獻有沙翁說今鄙家所處雖與親盡有異以先賢所論折衷則亦爲旁照一端也（答金履祜）

性源曰先世同岡之墓互行單獻之薦依問解說者然意得矣鄙家先墓果行此禮睡翁墓節祀時先行單獻於雙清墓雙清墓歲祭時後行單獻於睡翁墓即尤翁所定儀式也（答朴尙漸）

參降之節

南塘曰家祭降神後進饌而墓祭先進饌原野之禮從簡也旣先進饌則又不可立祝故先參而後降去侑食亦從簡也丘儀補入進饌侑食要訣先降後參皆未安（類輯續編）

梅山曰三年內墓祭遵栗翁說單獻不爲無據而亦無不可三獻之義家禮備要指墓所云者安知不包參神在中耶南塘有云墓祭先進饌原野之禮從簡也旣先進饌則又不可立祝故先參而後降去侑食以從簡也丘儀補入進饌侑食要訣先降後參皆未安斯言恐得禮義可遵也（答任憲晦）

李氏曰下文祭后土先降後參而註曰同上則墓祭亦先降後參據此可知此條之先參後降恐是板本之訛（家禮增解）

問墓祭無進饌侑食二節愼齋歲一祭笏記補入（李晉夏）華西曰愼齋笏記恐不可不從



祝文

大全祭長子受之墓文歲序流易雨露旣濡念爾音容永隔泉壤一觴之酹病不能親諒爾有知尙識予意（答慶常遜致）

近齋曰祔位墓祭祝之不見於禮書似與時祭無別祝一例恐不必以祔食之爲有無爲拘也然如欲依忌祭例妻弟以下墓亦用祝則勢當製用瞻掃之瞻改以展字感慕之慕改以愴字或念字耶惟在量處（答老洲）

梅山曰備要墓祭祝雨露旣濡白露旣降等語施諸弟妻以下恐無可嫌合遵本文恐不必改措也（答孫齊默）

穎西曰墓祭祝雨露旣濡與歲律更新等句隨時異辭爲其興感則均矣祭於旁親旣不改辭於他節日何獨於冷節而不可施耶只當改昊天罔極爲不勝感愴若於卑幼則改瞻掃之瞻字爲來字似可而卑幼無祝亦可（答梅山）

親賓薦酌之非

近齋曰古者賓客助祭故備要墓祭條果有親朋薦之之文而今也難行且合怒處不可使非族屬者薦之（答梅山）

前期次日行祀

問除夕前行祀於其日全然無事未安尤庵曰除夕前行墓祭而元日行參禮於廟何以曰全然無事（五禮考證）

櫟泉曰丘墓各在數舍之外無人代行則節祀當先行重位於當日次日行次位雖至三四日無害非他祭過時不祭之類也今年寒食已行之如此鄙意與尙且委人無寧退日親行與其先期次序（如朱子除夕前數日）無寧後而得序也未知如何（類輯續編）

問値雨雪不得上山則當待日晴恐若累日不止則如之何（馬之光）竹庵曰鼎俎旣設則是日薦於家廟否則待晴上墓俗禮爲然（類輯續編）

近齋曰新山無齋舍若雨雪則無望祭之所且無防濕之具則無以行祭勢將退行於翌日耶曾聞尤翁於累代繼葬之山正朝晷短一日內難以遍擧則三代次序退行於初二日云他節日亦此例退行無妨否朱子嘗云宋時仕宦人有正朝朝會之禮無私行墓祭

之路故預於十二月內行墓祭云既有預行之事則追行亦何不可 答金弟

品字墓行祀之節

問同壙而內用品字形乾位當中祭時設饌或云當從壙中之次或云當從祠堂之儀以右爲上如何 徐思修 本庵曰墓雖體魄所托其祭也當以神道則不必以塋所在之次序爲拘無乃上右之說爲長耶 類輯續編

先墓未分位次者行祀之節

問有人其先四代做一字形列葬於一麓而其人早孤無一親戚寄長於遠方他人家及二十餘歲僅尋先塋則纍纍四塚莫辨父祖問之隣里亦無知者試掘誌石亦無所埋四時墓祭何以行之 李定載 本庵曰古無墓祭惟有望墓爲坍而祭之法如此難辨者正合用此而以右爲上庶幾得處變之宜 類輯續編

梅山曰內外位之上下 而不辨其尊卑者塋域差遠則當設二分饌而各祭若堂斧相接則只設一分饌而并祭考妣行拜禮於下位恐宜 答徐景麗

祧位墓祭

尤庵曰家禮則無論遷未遷只於三月一祭而已 家禮增解

南溪曰墓祭寒食有始祖先祖等祭恐當依朱子次日却令才位子孫自祭父祖之義而酌處之 家禮增解

櫟泉家儀三月十月行先代一祭 類輯續編

鹿門曰始祖之祭宗子主之第二世以下尊者主之 類輯續編

屏溪曰禮五世則宗毀不復相宗故遞代歲一祭行高者主祝大宗云者如別子或如今不遷之位奉祀孫雖屢代猶爲宗 類輯續編



遜齋問高祖親盡一年一祭似當三獻用祝而或曰一獻無祝云云尤庵曰親於家禮初祖先祖祭儀或說之得失可知矣 類輯續編

屏溪曰宗派親盡則禮所謂宗毀也不可以宗派爲重而主親盡之祀長房若不得參於墓祭則以當日行事之人填祝而祝云孫某有故不得將事使幾代孫某敢昭告云云亦有一統之意矣 類輯續編

竹庵曰祧位之墓則祭以十月朔 類輯續編

三山齋曰遞遷之祖長房已盡者其墓歲一祭諸孫中屬尊者行主人之事而其祝辭自稱或曰後孫或曰幾代孫俱無不可其不遷之祖而宗孫主祭則似當依家禮祭先祖之例稱以孝孫而但與稱之於王考者相混改以孝幾代孫恐亦不妨退溪同春說皆如此不遷之主雖藏之墓所固當世世題蜀題如上文祝辭所稱耳 答金士充

李氏曰祠堂章大宗之宗始祖親盡則大宗奉其墓祭歲率宗人一祭之百世不改其第二世以下祖親盡及小宗之家高祖親盡則諸位迭掌其墓田歲率子孫一祭之亦百世之不改也 家禮增解

梅山曰五世親盡祧遷于長房則宗已毀矣無宗子之可名祧位忌墓祭長房皆主之而及長房盡而埋主則子孫中行尊年高者當尸墓祀祝用其名宗孫無與焉斯爲通行之禮也 答金守默

老洲曰親盡墓歲一祭三月上旬或十月一日擇行已有先輩之論而四名日墓祭栗谷所定繁簡合宜可從 答南大任

梅山曰歲一祭墓者若依國恤不克行之於十月則當行於十一月有故則亦可行於十二月也據禮註春祭過春不祭仲月有故季月亦可也穀梁傳正月至三月郊之時也是爲季月亦祭之證也 答徐清叟

老洲曰自非有別子不祧家外祧遷以後遞宗而不可以宗稱亦不可以主其祭矣哀家雖罷宗從前猶主祧遷以上先墓之祭云以此論之主祭者便是主人主人斬衰葬前豈可行祭耶恐當停廢矣然親盡位之并行四節享祧遷位之廟墓祭異主援以禮制大故遂外且親盡位之并行節享以事勢言之久遠轉益有推不得行不去之端矣記云夫禮言可傳也爲可繼也此等人情勝處不可不裁之以禮爲寡過之道然哀家旣以先訓行之已久且哀方煢然在疚三年無改之義雖知其不可遽議變改旣有管見不容相隱聊以私布耳 答李任亮汝

近齋曰先祖墓歲一祭從沙溪說則當爲一獻也一獻則無祝矣從愚伏說則當三獻三獻則有祝祝辭不見於禮書則惟當製用矣愚意從沙溪說似宜 沙溪說見問解墓祭條○答李洪載

洞山曰歲一墓祭祝遂庵有所製曰云云禮制有限蒸嘗已替瞻掃封塋不勝感慕謹以清酌庶羞敬伸歲一之薦云云此似好而吾家則用人家秋夕墓祭祝云云氣序流易霜露既降云云不勝感愴云云祗薦歲事云矣 疑禮正解

桐氏曰先師曰家禮大宗親盡則藏主於墓所而宗子主之歲率宗人一祭之第二祖以下親盡則埋主於墓所而諸位迭掌歲率子孫一祭之據此則除大宗墓外皆當以昭穆最尊者爲主獻恐或得宜 常變通攷

爲壇而祭 立祠並論

近齋曰閔守道公非大君云非大君則不得稱別子不成爲百世不遷之位儀禮家禮及國典皆如此不知貴宗諸人欲用別子不遷例者有何據耶至壇遺亦或以一道而又有難行者墳墓雖失得而禹祭酒之祀壇猶以故宅遺墟之尚存也金太師之墓壇以舊山洞名之可徵也如守道公則設壇實無處所欲於宗子家築壇則既非不祧之位其宗子爲已毀之宗築壇其家恐涉無義 答李延仁

梅山曰古者無墓祭祭墓者爲壇蓋神道尙幽不可逼瀆塋域故通典亦云宜設於塋南山門之外然今已成俗有難從古若至遠祖考妣墓之或傳或不傳者即其所傳之地當遂爲壇之禮如金太師墓坍之例並祭考妣而以右爲上恐爲處變而不失其正也 答金復亨



剛齋曰子孫之於祖先神位之壇不當書姓字云爾則凡人家墓表其有不曰某公之墓者耶且此立石爲識神位則何以並書夫人墓況夫人墓則自當別有表石耶壇石面刻李公下宜有神位二字而闕之此爲未盡耳祭之各設並壇與墓先後祭之之謂耶若然則非設壇於夫人墓右之意恐爲失於思量也 答李東圭

性潭曰尊門始祖未有不祧之典且失墳墓所在而乃於累十世屢百年之後營建一祠於貫鄉將爲歲薦一祭云者雖出於後裔追慕之誠禮無所據況是涉僭耶 答李宅宣

問丙子江都火劫之中五世祖妣舟村夫人與呂叅判夫人同爲被禍及其殯葬莫辨形骸則不得已雙墳於一處即楊根地也情禮所迫別築魂壇於舟村墓左此爲無於禮之禮也既葬於他所別壇於此無或未安耶 申和稷 老洲曰曾聞吳忠烈家以殺魂之未返而虛葬謂非禮設壇行祭云此實出於哀痛惻怛迫不得已也亦未知其果如何而至於尊宅所値初旣與同禍他家婦女雙墓於一處者雖緣其有辨別而不得已爲此然婁之形骸已殯葬而有葬矣與忠烈家所行迥異有若而又爲壇非特無經據魄葬于土魂返于堂則魂壇之稱恐甚不類矣

宗家廢墓祭支孫墓同岡者行祭當否 劉觀并論

問宗家以喪故不得設祭則同山所子孫當一併停祭耶舍弟墓亦在一山而在三年之內似或有異否 人啟 厚齋曰旣是異宮又非宗家所主若墓在別所則行之可矣旣在先塋一山之內則獨爲設行未安 類輯續編

南塘曰蒭位同在一山者雖在本 孫所處不必以此爲拘也若在祖先位則宗孫不能行之代償行祭可也祖位不祭而獨祭下位非所可論也 類輯續編

老洲曰見韵墓祭若蒭親之尊雖在同岡之內各自成宗祭主各異則似不可以蒭尊之有故不祭從以遽廢也尤翁所謂尊位不祭

卑者從而不得祭者蓋指祖先子孫而言恐非謂旁親也（答梅山）

宗家歲事不能備禮支子附葬者當助祭

梅山曰祭祀須用宗子法而宗家歲事不能備禮則支子之祔葬者當爲之助祭用薦殷奠若不幷擧於曾高以上諸位則恐難逭殊用犯豐昵之戒也諸墓雖在他所恐不宜異同也支子若別占塋域恐不必覩宗子爲禮耳（答任憲晦）

墓村不安行祭當否

南塘曰墓祀以墓村不安廢祭似未安聞前輩亦皆行之云矣（類輯續編）

祭本生五代祖以上稱號

問祭本生五代祖以上當何稱（李定載）本庵曰若五代以上不爲出後家之先世則似合稱幾代從祖（類輯續編）

墓祭告成

李氏曰利成者古者告於尸之語也古禮墓祭有象人爲尸之文則必告利成矣家禮家祭據古旣告利成則墓祭雖是原野之禮恐不當闕之（家禮增解）

附后土祭

南塘曰匙筯之設爲其有飯羹也先生（朱子）戒子書中亦有飯茶湯之語則土神之祭有其飯羹無疑矣（類輯續編）

竹庵問墓祭之祭山神古禮無據似不必祭且雖祭之其祭在祭先之後則仍祭於近葬位之左以從便似可黍湖曰未記家禮云何第當從之（類輯續編）

近齋曰墓祭四時皆單獻而山神無可祭之時則此甚不可非望佑之意也墓祭雖只設酒果脯醢山神祭則自當行之蓋先賢只論墓祭略設則不祭山神以他節日有殷祭之時故也今不必以此爲拘矣（答舍弟）

又曰墓祭常時單獻則不祭山神三獻則祭山神例也新葬位與祖山同岡則以單獻祭祖墓以三獻祭新墳而所重在祖墓旣單獻故山神則不祭矣今哀家新葬位旣非祖岡內而以三獻行祭則山神亦當祭之饌品則朱子有與墓前一樣之說又有四大盤之說惟觀事力行之（答金協淳）

又曰俗節山神祭饌品數朱子說兩處有不同一則與長子受之書以爲當與墓前一樣一則家禮所載用四大盤圖翁祭儀丁丑年改定式中從家禮而但四大盤家禮本文餠與米食及魚肉各一器合爲四大盤而祭儀圖式則餠與果實並魚肉合爲四大盤此似傳寫之誤然果實不用亦似可疑豈蔬果之外別有四大盤歟或云當設脯醢所謂四大盤在蔬果脯醢之外未知然否（沈啟錄）

性潭曰凡於祭時豈可焚香而無再拜之儀讀祝而無跪伏之節也祀土神條無此兩文者恐以蒙上文耳四大盤之禮旣無飯矣設匙不須論只正匙箸於所設器耳（答李鍰）

安氏曰土神祭卽后土祭也外神與人神不同故家禮只設四味而不言飯羹要訣亦只言一分饌而不設匙箸其禮其義固然尤庵以要訣之不設匙箸爲疑恐未然南溪則祀土地祭也祭必設飯羹愚未聞郊社山川之祭亦有飯羹也（五禮考證）

墓祭時及葬時祠土先後

問初葬時祠土地先於題主奠葬時祠土地亦先於虞而四時墓祭則祠土地在後何也今俗或先祭土地而後墓祭未知如何老洲曰葬時先有土地我却來葬是土地爲主墓祭我先墓後土地是先墓爲重一先一後各有其義

降神參神

李氏曰降參三獻皆與墓祭同其有不同者則輒加但字以註之此條先降後參而只曰同上則墓祭之先參是板本之誤無疑（家禮增解）



祝辭

遂庵曰先世墓無論單獻三獻旣行祝禮則土神祭祝恭修歲事於先墓之云有何不可（家禮增解）

梅山曰塋掃之祭雖不以殷山神之薦宜無異同此朱先生所云盡寧親事神之意勿令有毀殺者也向鏧渠翁說非要必遵也今承雖單獻與墓奠一樣尤符鄙意爲之幸已單獻之禮雖不成祭何可無告開塋窆葬改莎時不三獻而亦有告不告恐無嫌於奠叁豈約耳（與朴元得）

按遂庵說墓祭無論單獻三獻土神祭祝仍舊用之則墓祭之單獻有祝尤可知矣

禮疑續輯卷之二十二終

# 禮疑續輯卷之二十三

## 祭禮

### 告墓省墓

#### 改莎告辭

[...]語曰改莎告辭今以莎草傷損茲將修改卽事之始謹告事由如是措語如何頭辭見備要矣 類輯續編

近齋曰改莎告辭旣稱主人則勿論同姓之親與外孫卽今監視其事役者告之無妨此與主祀有異故也此等事只以事勢論不可以禮文論也人有於外家墳山所在處作寧者遇纔封頹圮修改莎草而適無本宗人來者則不得已自告而行之謫中人雖不題主[...]已[...]時告改莎亦當用[...]之例彼方在遠不知此事則告辭用其名號似假借然自遠謫之後凡係其仰[...]事使[...]之屬[...]代行之則今此改莎修墓事雖遠未及通知而其前亦當預知此意然則便是使之也用某使某之文似無妨此[...]文如何維歲月日干支某親某敢昭告于某親某官府君某封某氏伏以封築不謹歲久頹圮將加修葺伏惟尊靈[...]以酒果用伸虔告 告辭 維歲月日干支某官姓名敢昭告于土地之神今爲某官姓名某封某氏塚宅崩頹將加修治神其保佑俾無後艱謹以酒果祇薦于神尙饗 右告后土 維歲月日干支某親某敢昭告于某親某官府君某封某氏旣封旣莎舊宅維新伏惟尊靈永世是寧 右慰安告辭 主人在謫中不知此事告辭雖用某使某之例則此墓位從侄之在鄕中者當主之而措辭斟量變改似宜維歲月日干支從侄某以從祖兄某遠在謫中替行修墓之事敢昭告于從叔父某官府君從叔母某封某氏以下用伏以封築以下語如是則用慰安告辭則不必告替行之由蓋改莎已告 答舍弟



梅山曰始[...]者[...]完[...]待[...]和追行則當用改莎之禮旣告當位幷及土神而完役後祇慰安當位而已告辭存下歲次云云某[...]告云云始行[...]未[...]未完[...]莎今將修葺惟[...]勿震勿驚謹以酒果云云歲次云云今爲某親云云塚宅未完將加修治神其保佑俾無後艱謹以云云 右告土神 歲次云云昭告于某親云云旣封旣莎塚宅始完惟靈永世是寧 右改莎後 祀土神必書死者名銜[...]之義也以子孫而告辭則不敢呼祖父之名餘則不可諱也 答金任希聖

又曰改[...]不在墳墓旣在兆域之內則恐當告由告辭在下 國恤卒哭前有事于廟墓有告而無薦爲其嫌近於小祀也維歲次云云[...]敢昭告于顯考云云顯妣云云伏以兆域修治不謹歲久莎頹今將改葺伏惟尊靈永世是寧謹告 右告當位 維歲次云云某官[...]名敢昭告于土地之神今爲某官某封某氏兆域莎頹將加修治神其保佑俾無後艱謹告 右告土神 答尹生

#### 修墓在節日則役畢行祭

[...]曰[...]日[...]當[...]役畢行仍[...]祀而用祝文無妨 家禮增解

#### [...]墳告祝不可使異姓代行

[...]曰[...]孫行子弟之事也異姓非[...]之族也以非族而行子弟之事可乎愚謂塋域之補築改莎事可已[...]外戚之代告祝辭不可爲[...]異姓[...]終[...]非族之嫌云[...]之 答朴[...]

#### 立石物告辭

[...]語曰[...]石[...]時[...]告位而土神則不必有祭告告辭則惟年月日孝子某敢昭告于顯考某官府君之墓家力不逮石物未備[...]今始[...]用伸虔告謹告 類輯續編

梅山曰石儀爲修飾墓道之大者不可以不告也立石在於節祀前後則當別具祝辭故錄在下方俯覽取舍焉若在當日而仍節祀措語則亦或無妨而兆[...]者[...]各具之爲得禮也若以一日[...]祭爲拘則前期以告恐無[...]維歲次云云某[...]于[...]某封某氏之[...]石儀[...]遠[...]今[...]營立[...]事茲以酒果用伸告儀茲告 右當位 維歲次云云某官姓名敢昭告于土地之神[...]具石儀今始營立謹以酒果祇薦于神神其佑之尙饗 答李子[...]

#### 曲墻石儀修葺告墓

梅山曰墳墓所設曲墻石儀修葺圮毀與改莎草有異恐當告并及土地之神維歲次云云孝孫某官某職事攸縻罔克躬將使某[...]敢昭告于顯祖考云云顯祖妣云云之墓墓所曲墻石儀値[...]雨[...]圮毀涓吉辰爰方創設仍舊補完謹以酒果用伸虔告謹告 維歲次云云某官某敢昭告于土地之神今爲某親某官之墓曲墻石儀修葺起役神其保佑俾無後艱謹以酒果祇薦于神尙饗 答宋[...]文[...]

#### 省墓時拜哭

[...]問[...]有[...]上父母邱墓必哭云[...]鄙[...]松江[...]鄭[...]尤庵曰在宋則南軒先生我東則松江鄭公 [...]老洲曰上墓之哭[...]之[...]知其[...]禮[...]此觀[...]久曠省一年往來不過一再始到塋時終之辭歸不覺怵然[...]感于中自不容不哭中[...]只依[...]哭而拜此乃[...]而行非謂中禮可與人共之也承諭不敢不告耳 答梅山

[...]先[...]墓[...]度再[...]以墓祭儀有[...]再拜[...]再拜之文故欲略用此意也至於遂庵所傳先生展墓行一再拜者[...]亦出於一時從簡之意恐不必因此而疑彼也 答梅山

[...]先人[...]所[...]當拜[...]以[...]雖[...]也然[...]蕪草[...]生悲[...]之不能已者故朱子稱浙[...]風俗猶有古[...]人[...]上[...]哭[...]今世俗[...]假拜墓之便延賓客宴飲漠無哀思噫俗弊甚矣 常變通考



[...]氏曰[...]曰夫祭[...]亦當拜至於非祭祀時省墓指墳未知當拜與否[...]看方遜志集其爲鄭楷妻洪氏墓銘曰鄭君[...]松岡見其[...]塚[...]然色變趨塚前揖之已環視兆域凝立不忍遽去云云據以拜禮之義似合情文禮雖未之有可以義起 常變通考

#### 前後室合葬處本親拜省之節

近[...]曰夫婦合葬處明知者[...]墓雖似非便尤翁每就其男位所葬邊拜省今用此義初室之本親就初室位邊拜省再室之本親就再室之位邊拜省爲宜耶忌祀合祭則異於省墓不可參祭 答梅山

#### 墓祀與展墓當以白衣帶

梅山曰朝夕[...]墓[...]帶[...]路中忽思上墓自異[...]無服當著白衣帶蓋瞻掃塋域自不禁觸慕非徒以霜露之感而已仍黑帶行[...]禮[...]上[...]不欲[...]日[...]之間未施哀於民而民哀今而後展墓與節祀當以白衣帶爲定矣 日上

[...]

#### 勞墳墓下馬

[...]曰[...]亦[...]稱[...]勞親之稱則又[...]及於祖先之塋兄弟[...]教[...]公墓過而下馬似非過也此等處從厚爲宜 答舍弟

#### [...]掃不可用樂

[...]曰[...]錄 長孫有定白[...]所著 有曰[...]登墓不歌古人有上父母墓終身哭者噫先山乃祖父托魄之所爲子孫者拜掃也哀感之如[...]鼓[...]僧[...]自[...]樂者其心安乎前年余弟定夫及第唱名歸將上墓本州 州慶 尹金公遂工來俾以樂榮之余卽謝遣之[...]盖如斯集之所言者 類輯續編

梅山曰上墓定在何日[...]不歌南軒松江遺父母墓[...]哭以體魄之所托也自不禁怵惕之心非直以霜露之感也然則張樂榮

措其心安乎歟猶不可況樂乎爲鄕里人耳目幷髮禮經正觀乎鄕人中苟有識者得無爲所鄙耶亟止之 答李在邦

榮墳時張盖於遠處

檜山曰[illegible]蓋一款固知與設樂卒倡大異而猶欲其勿近者恐其褻也盖者障日之具也太守張之卽其儀物何與榮墳所以立置之[illegible]遠耳未宜與得科者陳紅白牌爲例不識如何 與朴元得

父在母亡登科者覲親榮墳先後

[illegible]齋曰[illegible]食先爲榮掃於墓所稍向衙中似無不可蓋以其廢人倫之母在近而父在遠則先覲母爲宜 答舍弟

支孫榮掃宗孫未參者告辭

問支孫榮掃則[illegible]宗孫主之耶支孫主之耶若宗孫未參而支孫主之則用某使某之例耶 朴會汝 潁西曰宗孫當主之而宗孫不能躬詣[illegible]則當用從[illegible]之例然告文中辭意[illegible]有牴牾者若以爲孝子某有故未來子某官某敢昭告云云則何如

[illegible]曰[illegible]之節固宜宗子主之而遠代則行祭者主之至於祧位則奉祀者可以行之耳 答欽野

問支子作[illegible]榮掃以主祀之人爲主耶主祀者親盡則抑自主耶 朴元得 老洲曰支子作宰榮墳以主祀之人爲主已有尤庵遂庵之說[illegible]盡之墓[illegible]自主[illegible]及此則自主之外無他遷就之道矣

[illegible]曰[illegible]中告辭[illegible]主祀者爲主墓所告儀亦當倣此而至於親盡之位雖宜有隆殺之節墓所體段有異廟貌況既云榮掃而只祗[illegible]祭[illegible]之告辭告辭而展拜恐合情禮而親盡埋主之墓當者似當自告矣 與權欽之

[illegible]曰[illegible]子[illegible]榮掃者告以主祀者名可矣朱子曰宗子越在他國則庶子居者望墓而爲壇祭祝曰孝子某使介子某執其常事蓋其尊祖敬宗之義如此也據此則親未盡之墓雖告支子官榮當主宗子矣朱子非宗子而祭八代祖制置府君墓告以遠孫某則五



[illegible]以上[illegible]主之[illegible]告以行祭[illegible]稱矣尤翁於仲氏葬前使兩弟行睡翁公墓祀則宗家既葬未卒哭支子於親山恐無不可行祭之義原[illegible]之禮[illegible]於廟中故也

[illegible]曰[illegible]土地[illegible]云[illegible]月日干支某官姓名敢昭告于土地之神茲以某親某官某爲榮掃有事于某親某官府君某親某封[illegible]氏之[illegible]祐實賴神休敢以酒餠敬伸奠獻尙饗而饌品無得隆殺三獻如禮不必用宗子名亦宜自告 答朴汝受

問[illegible]以[illegible]孫[illegible]出身或得官榮掃於先墓則以宗孫名告之耶當者名告之耶 李一敏 洞山曰宗孫所奉之廟子孫則宗孫主之非其[illegible]之[illegible]入主之 疑禮正解

會下之行仍爲榮掃者齊戒屢日乃可

[illegible]山曰會下之行仍爲榮掃者有吉凶相襲之嫌必宿齋預戒累日然後行禮恐宜 答朴汝受

未[illegible]卒哭告[illegible]官榮於墓

[illegible]曰[illegible]卒哭而告[illegible]于官榮於墓墳者恐不若待卒哭之畢而然後行者小功也小功未卒哭而告榮親墓恐未見其可已也 答朴元得

[illegible]

[illegible]曰[illegible]見於家禮蓋宗子之所義起也然以其出於大全語類攷之則實有合商量者其答胡伯量李[illegible]曰此[illegible]只謹守[illegible]可[illegible]以義起其儀正如此家禮之文則却又如彼無乃未及再修而然歟實有未敢知者而來[illegible]所謂以有服之親也故祭及高祖均之爲支孫也故[illegible]而及乎支庶者恐是叅[illegible]出也然今旣不能從頭理會明宗子之法則限有

以服而祭之可謂追遠歸厚故胡李之答問沙翁豈不見之而家禮之論採入於備要到今已成大同之定禮行之已久何敢遊容手勢於其間耶 與朴山

柳氏曰遷主于長房古禮所未聞而只見於家禮 三 然朱子大全及語類諸書斷斥支庶遷奉之祭而以正禮之不可違爲辭矣欲法朱子者當以大全及語類爲據不必泥於家禮之文可也而宗子親盡之後卽祧而瘞之其有親子親孫者每於忌日以紙榜行事於其家以伸其情而必以祖禰爲斷高曾以上勿擧則庶合於情文 學禮小識

五代祖母生存五代祖神主遷遷當否

南氏[illegible]沙溪曰妻存則雖婦人當奉祀而不可埋安據此則亦不可遷於長房矣五代祖母在而遷五代祖將神主於長房則五代祖母亦隨而遷乎或曰當依長房[illegible]不奉祀以其名題主宗孫祭於別室之例題主則長房爲主祭祀則宗孫主之此恐不然五代祖母死則不得不以五代孫承重超主三年喪畢改題而遷奉於長房矣然則五代祖神主亦可以五代孫題之五代奉祀僭也故奉安別室而祭之是亦權宜之道也 備要補解

問五代祖[illegible]主當遞遷而配位存則不遷否亦不當遠行埋安矣 李祜永 洞山曰婦人無奉祀之義妣雖存而遞遷至若埋安妣在未忍故不得已以顯辟從事 疑禮正解

按遞遷不可埋安不可顯辟從事不可爲五代孫者藏 主他室祭以無祝單獻以待五代祖母身後合櫝幷埋

長房遷奉之節

問長房遷奉時其所奉祖禰神主當以次移奉于東邊而虛第一龕其告辭節次當如何 李原瑗 竹菴曰當以奉遷遷位虛龕之意措語以告祖禰而以次移奉于東邊如忌祭時告出主然後奉安祧主而行茶禮如平日也 類輯續編

老洲曰祧主奉安時祠堂告辭云年月日干支孝子某敢昭告于顯考某官府君顯妣某封某氏某以長房今將祗奉顯高祖考某官府君顯高祖妣某封某氏神主顯考顯妣神主禮當以次遞降謹以酒果庸伸虔告謹告 此乃繼禰之宗措語若是繼祖之宗則當[illegible]○答尹士平

南氏曰追後遷奉則奉來之時當以酒果告由年月日玄孫某敢昭告于顯高祖考某官府君顯高祖妣某封某氏宗子親盡某以長房體則遷奉而家在某處道路遙遠今始移奉謹以酒果敢告云云 備要補解

祧主改題之節

渼湖曰最長改題尤翁只以酒果告由爲說然則只如贈職改題是矣 類輯續編

問祧主當告以遷奉之由不可只以親盡當祧四字泛說 同知 渼湖曰當祧二字依合祭埋主祝小註改以將遷于某親某之房至於改題則尤翁以凡祧主改題自是遷奉者之事非宗主人之所當與遷奉之後當有酒果告由之禮其時改題似宜云此說在疑禮遞遷條引用恐宜 類輯續編

長房死後次長房移奉祧主

屛溪曰移安長房宗家則三年未畢之前雖別廟似不可遷奉若長房則事體與宗家稍異卒哭後次長房可移奉矣 類輯續編

又曰長房死後次長房移奉祧主禮無何時當遷之文而以禮經言之則同春當待三年之說似正當矣然尤庵之意則以爲祧主既自宗家遷奉于長房則事體與奉安宗家之時已自不同且遷奉長房只爲埋安前享祭無闕之意長房既無宗統之重且房又是可祭之人則三年廢祭誠有所不安不待三年喪畢以奉次房雖非古禮甚安於人情云矣尤翁此言之意流通不苟可行無疑 同上

渼湖曰祧主遷長房葬後卽遷實原於尤翁義起之論然揆之神理人情恐依舊用沙溪禮爲尤審也 類輯續編

三山齋曰尤庵說誠有意義然以禮則三年後移奉次房似宜 答金柱

竹簷曰襄內遷奉祧主則主人不在無以措辭當無告辭人家喪中先祀無祝出主時亦無告辭今不必以遷奉時無告辭爲昧然也

改題則當在遷奉後卽行爲近俗通行之規 續輯

南氏曰尤庵之行此禮者不欲於三年內廢四時之正祭也今人之不行時祭者成俗與喪家之廢祭等而葬後遷奉必引尤翁說爲證亦失尤翁之本意矣 備要補解

老洲曰長房死後卽遷祧主尤翁主之而後來先輩雖或有以沙溪同春待三年遷之說爲尤荅竊意長房事體旣異於宗家而葬後卽遷亦所以存宗支之分尤翁說恐不可違也至於長房卒哭前則雖是安於別廟以闕以一獻揆以神理人情決是未安只當待卒哭後遷奉于次長房而祭之爲得也

梅山曰長房之奉祧主雖與宗家差殊喪未畢而遞遷者有所不安當待祫事遞遷于次長房恐宜長房卒哭後遷于次長房出於尼尹而爲尤翁所取與俗之所通行而好禮者亦不苟從也如從俗卒哭而遷則不容無告 荅任憲晦

又曰最長房死而移諸次長房者有待三年不待三年之論以爲遷于長房祇爲行祭三年廢祭有所未安所以葬後移安也以爲長房雖與宗子不侔旣旁題以奉祀矣不須其改題遞遷而移奉者有所不忍所以待喪畢也兩說各有攸主而愚則當謂當待三年而未忍死親之義爲重且忌祭略設有異全廢故也若死者無後嗣版膀托則長房葬後次長房當告由移奉矣 荅樸溪

又曰長房移奉時無告辭者以有合祭原祝也若遂尤翁說葬後移安于次長房則次長房當自告曰年月日玄孫某官某敢昭告于云云府君神主遞遷于最長房矣最長房旣歿禮當待喪畢移奉于次長房而三年廢祭有所不安最長房旣葬將遷于不肖之房不勝感愴謹以酒果用伸虔告謹告如是措語如何恐不若待喪畢耳 與李六藝

又曰次長房廟龕當虛右用奉祧位不可不先告告辭云維歲次云云顯高祖考某官府君顯高祖妣某封某氏祧位今遞遷于不肖

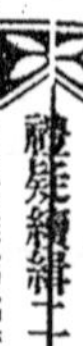

禮疑續輯 二十三　五

之房改題辭主奉安右龕府君神主差退左龕謹以云云 荅李景學

## 長房死葬無次長房埋主必待三年

老洲曰祧主之必待長房三年喪畢後埋安有先輩議論已成人家通行之禮豈可以喪家事勢遽議埋安耶權奉墓下別室諸子孫合力奉祭以盡長房三年之限來示得之矣祭儀則似當用單獻之禮也 荅李任亮汝

## 庶孽奉祧主

問長房死葬當埋安而若有庶叔庶祖則情不忍埋 [illegible]

厚齋曰長房之子姑爲奉祧主于別室以俟庶叔庶祖之亡似可 類輯續編

尙菴曰立廟爲奉祀也而以嫡爲先則遞遷奉祀其義一也豈有在廟則先嫡而遞遷則先庶乎宗孫代盡嫡孫[illegible]之嫡孫旣盡庶孫僅之宗以統庶嫡以統庶寔非一統之義也沙溪所謂兄弟盡後庶兄弟奉祭者恐得其禮義之本也若四代[illegible]則先嫡而在叔姪則先庶則未知兄弟與叔姪有何異同之義耶一主嫡庶之分一主昭穆之序義例亦非一統 類輯續編

深齋曰遷主長房愼齋云雖有嫡玄孫庶曾孫當奉祀陶庵以爲勿拘昭穆只當先嫡而後庶鄙家則嫡子孫親盡之前不許庶子孫奉祀蓋人家庶孫皆是晩出若以昭穆爲次則嫡孫終身不得奉祀故耳 類輯續編

屏溪曰庶子孫奉祧主則旁題與祝文似當以庶曾玄孫稱之 類輯續編

澡泉曰庶子孫爲長房則旁題與書庶字不書者非禮 類輯續編

三山齋曰遞遷之主歸於庶孫則旁題書庶字爲正 荅洪[illegible]

老洲曰嚴嫡庶別嫌疑卽禮之精義也遞遷之禮當先嫡而後庶嫡之嫡孫代盡然後始可入於庶孫若有嫡玄孫則庶曾孫豈可奉

祀耶雖有慎齋說不敢從矣 荅李元普

梅山曰祧主遞遷當先嫡而後庶[illegible]已改題[illegible]云維歲次云云玄孫某敢昭告于顯高祖考云云顯高祖妣云云顯曾祖考云云顯曾祖妣云云[illegible]祧主當遷于長房先嫡而後庶已有往哲定論而誤以庶從叔屬稱題主事異常經禮宜改正移奉于不肖之房謹以酒果用伸虔告謹告 荅朴穉懿

洞山曰庶派有再降之長房則亦當以長房待之而祧遷之節亦當如禮 疑禮問解

洞山曰遞遷之位或云當奉於長房家則廟故者之意非也當奉於庶子孫之家[illegible]以其有奉爲之主故也 同上

## 最長有故則次長奉祀當否

陶庵曰最長房貧不堪奉祀則告辭似不可無[illegible]不可循襲陶庵之論 類輯

近齋曰長房貧不能奉祀而次房代奉先輩以爲非如[illegible]爲是吾意旣難遞奉於宗家又不可仍奉於死者之家則有一道理曰後當次者權奉於[illegible]如是則無越次之嫌而香火得不缺且待卽今當次者身後[illegible]不得已仍奉死者之家則其間諸子孫與日後當次者合力助祭固當矣 荅鄭[illegible]

## 最長有故則姑安宗家別室 次長不能奉從者并論

渼湖曰尤翁答[illegible]者有曰祧主長房不能[illegible]宗子[illegible]安於別室云云[illegible]之嫌哉然如來示而改題者尤似[illegible]當矣今[illegible]甚多[illegible]於長房貧殘之致[illegible]祭時亦合力助之此最合宜 尤翁說此 此爲可觀然其諸子孫合力措助祭之[illegible]而以最長

禮疑續輯 二十三　六

房之名改題旁註以待彼之奉從[illegible]有合於[illegible]之[illegible]與[illegible]下一位[illegible]遞而虛其長房之貧賤宗家舊祠墻外別立一祠以享之主祭則用長房之名未知此[illegible]如何而此又一例也此與南溪說異者彼室而此祠彼暫而此久耳 類輯續編

屏溪曰次長房雖奉往祧主之勢姑爲奉安於長房家[illegible]室旁題以今長房玄孫[illegible]使旁題[illegible]主之 類輯續編

渼湖曰世次相承之際必先改題而後方行祧遷者是通行之禮[illegible]不改題而移[illegible]于長房[illegible]所知若既改題則無論其遷奉於長房之家或姑安於宗家凡所將[illegible]旁題[illegible]長房有故則[illegible]行之禮處之而已恐不用多設辭說 荅李存吾

又曰旣以遞於長房故有改題則雖姑奉安於宗家別室[illegible]大體仍存遞於長房之云恐[illegible]不可[illegible]措辭以告[illegible]亦似曲盡情在攝處代行者雖於當祀者爲尊行[illegible]不可名之[illegible]人神大體截然有[illegible]之[illegible]可見 同上

近齋曰旁題一款沙溪先生嘗云不可以是人爲主[illegible]以長房之貧[illegible]旁題此似可[illegible]無奉祀之實而徒將奉祀之名雖近假借然親盡之宗孫旣不可爲主[illegible]人之名[illegible]不得已也故任意欲從遂庵陶菴說未知如何 上宗叔

又曰旁題而宗子攝行南溪雖疑之而尤庵以爲[illegible]五六代[illegible]之宗而於[illegible]不相[illegible]者[illegible]似無以卑使尊之嫌矣 同上

又曰祧主當以長房旁註改題而吉祭前諸位改題時名[illegible]不可并爲之當於吉祭[illegible]日設酒果告改題之由以長房名使

族人攝告爲宜維歲月日干支庶玄孫某身在遠方使五世孫某官某敢昭告于顯高祖考某官府君顯高祖妣某封某氏今以玄孫某官某喪已盡遷主入廟世次當祧某是最長房當奉祀之人而形勢貧窮流落鄉曲不能如禮還奉諸孫同議將權奉于宗家別廟遂當以某名書于神主旁註使五代孫某攝行祭祀今將改題謹以酒果用伸虔告謹告 與三從弟鵠源

又曰祧位改題略改前本云維歲月日干支庶玄孫某敢昭告于顯高祖考某官府君顯高祖妣某封某氏今以最長房玄孫某喪某次當爲奉祀之人而形勢貧窮不能遷奉將如前權奉于宗家別廟當以某名書于神主旁註使五世孫某攝行祭祀今將改題謹以酒果用伸虔告謹告 右改題告辭○上同

梅山曰祧主權奉宗家別廟時不可無告告辭云維歲次云云庶玄孫某官某敢昭告于顯高祖考顯高祖妣云云神主當遷于不肖之房而居遠家貧無計承祭謹遵近例今方權安于宗家別廟謹以酒果用伸虔告謹告祧主權奉宗家別廟之日亦當告廟告辭云維歲次云云孝玄孫某敢昭告于 列位云云顯六代祖考某官府君顯六代祖妣某封某氏將當遷于次長房而[illegible]貧窮無承祭今已權奉神主于家中別廟謹以酒果云云祧主移安宗家別廟後即當改題改題次長房主其事宗孫之居遠者恐可攝行後値祀時當準攝行事不可用宗家喪中行祭之例也朔望之參名節之薦當先別廟而後家廟是爲不先父食之義也 答朴汝道

又曰忌祀時長房與諸子孫俱未來參則宗孫雖在喪中不得不代行猶賢乎廢祭故也代之者宗孫而主之者卽長房則三獻讀祝當一如常禮矣 答朴元履

別廟奉祧主

沙溪曰最長房事勢不能奉安則當設別廟而奉之四代後仍奉於廟僭不可爲也若退溪先生祭春秋之說亦無妨長房旣不奉祀則恐不可以是人爲主也 類輯

禮疑續輯二十三　七

厚齋曰長房貧窮無以奉祀則遷遂位諸子孫各助祭需可也宗家替行之說未知得當 類輯

陶庵曰長房貧甚不能尸祀別立祠於大宗之側說有先賢之論近世士大夫亦多行之然愚意則此事終涉未安所謂別房子孫合力營建而勿於宗家側必就最長所居而行祀時又各出力助之則鬼神有主香火不缺此似禮意實爲合宜 類輯

又曰別廟旣非宗子家又非長房所在而只於諸後相聚處爲之者在禮固無所據然成事勿說且以已行者爲之道實之可也待萬々不得已時矣 同上

[illegible]家舊立祠堂三間祧主二位以上隨隊於此以最長房名改題雖在遠[illegible]

答禮問於近子孫代行而朔望必參展謁每日主祀者升階焚香降階再拜在遠則有司代行時祭以春秋行之[illegible]設行時忌祭皆當主於齋堂只一位則行於席中每於祭時前期會宿齋堂以致齋分定執事揭之壁上時祭後行餕禮[illegible]宗法雖欲[illegible]房行祭用準主起任如常禮而有司先期通告諸房祭饌定式揭之齋堂毋得任意[illegible]房在近而祭饌宗家[illegible]祭饌於齋直家子孫作宰則親未盡者依正廟例備送大小祭需親盡者分定忌祭謹力備送 類輯

屛溪曰立別廟自宗中備祭之而主祭則長房也當以長房名旁題也 類輯

又曰[illegible]大宗之道固不可[illegible]世家大族行之者亦多今長房自以一時主祀欲爲權攝其家則固然不可 同上

[illegible]見三年[illegible]祧位將祧遂而倩生爲最長矣從前高祖祧遷每設行於寒水齋影殿之前今若移奉別廟則恐不得設行於寒水齋矣老先生有隨時之圖[illegible]祧主長房不能奉遷則宗子亦奉安於別室云倩生雖有家無可奉之室將安於寒水齋使得同享不悖於奉安別室之[illegible]老先生所常從而觀行於寒水齋則今以祧位奉安于此亦[illegible]別室之比歟[illegible]後次長房仍以爲例亦似得宜

長房未娶者祧主當否

老洲曰長房之禮與宗子殊[illegible]只以行祭[illegible]則雖甯不備似無不可祀之義[illegible]其人未娶[illegible]已成[illegible]之例似[illegible]祠祀不祭禰而祭其先於理甚乖殊非[illegible]不可以長房祀之爲[illegible]矣 答梅山

長房遷奉祧主者在喪中則喪畢改題

梅山曰長房之遷奉祧主者[illegible]以喪中[illegible]當待喪畢無世代遞遷昭穆繼序之禮改題一節非可行於喪中故也自宗家遷奉後當設酒果告由祝云維歲次云云玄孫某敢昭告于顯高祖考某官府君顯高祖妣某封某氏神主祧遷于不肖之房宜遵典禮[illegible]改題[illegible]某官[illegible]當[illegible]行禮謹以酒果用伸虔告謹告三年中祧位忌祭當單酌無祝 答洪[illegible]

洞山曰喪中元無改題之禮當待三年後改之 疑輯

誤聞長房死埋主者處變

問[illegible]先五代[illegible]長房[illegible]一人而無家[illegible]於別室其後誤聞族[illegible]已死仍卽埋安[illegible]到從叔[illegible]家[illegible]六代[illegible]紙牓行之[illegible]紙牓行祀實合情禮[illegible]則曰國典只祭三代高祖廟旣已埋安則廢祭宜矣[illegible]何可[illegible]知如何 屛溪曰旣不用祭三代之禮而以其誤先埋主之故因廢長房之祭之論未知其當也忌祭非上墓之祭紙牓則本有可據[illegible]

問[illegible]長房死而次長房[illegible]外年久不還宗孫[illegible]埋安矣久後次長房還家當奉祀[illegible]旣埋之主不可起[illegible]可以紙牓行祀云云

洞山曰告墓出主可用則改粉改題而祀之可也

禮疑續輯二十三　八

宗子無後叔主代奉則祧主遷入祠堂

柳氏曰承宗者固當遷入若攝祀則祧主恐不當遷入 類輯

出繼者不遷可奉生家祧主

三山齋曰出繼之[illegible]遷奉宗家遞遷之祀大非不可[illegible]之[illegible]是高祖祠版之埋安雖有所不忍先王制禮亦未如之何也已孰敢以非禮之禮變通於其間耶

[illegible]世祧主各題而同奉一室合行時享之非

老洲曰[illegible]位合享之未安[illegible]爲得之矣[illegible]世[illegible]主與房各題而同奉于別廟一室之中者主[illegible]勢之不獲已猶未免有簡況合[illegible]時[illegible]一室[illegible]不成禮儀實有合宗[illegible]如欲行時祭則各房分排日子出主各行自不悖於禮何必合享然後爲快耶

長房亦可合祭埋主

梅山曰凡[illegible]主遞遷奉于長房[illegible]者誠有以小宗合大宗之[illegible]時享俗節及朔望[illegible]先祭祧主後祭祖禰是爲得正而旣不能乃[illegible]則獨於吉祭[illegible]可爲[illegible]明徵不合祭埋主乎[illegible]合祭埋主祝雖主宗子而實亦不害長房之不可爲則何忍[illegible]祭而[illegible]埋乎原祝中[illegible]四代[illegible]有限[illegible]句[illegible]二字恐宜[illegible]之[illegible]當依[illegible]一祭[illegible]行[illegible]長者[illegible]之

祧主遞世共廟一位先埋則合祭餘祧主

柳氏曰累世祧主共安一廟代各異主禮[illegible]而今人家往往拘於事勢遂成一例[illegible]共享多年則祧主之[illegible]又不可無合祭告由

之節但不可知常祭之[illegible]以最長[illegible]主則只以埋主長房之子遍告耶祝辭則恐當云幾世孫主尙安一室長房主祀[illegible]
[illegible]代[illegible]考[illegible]同堂[illegible]只有今日並舉合祀感懷靡窮謹以淸酌庶羞祗薦歲事尙饗云云[illegible]可[illegible]耶[illegible]

攷證

不遷之位

不遷位奉安之節

[illegible]曰[illegible]家禮是朱子初年始作而晩[illegible]與門人編成通解則卻復致嚴於宗廟之制祖不可遷而[illegible]不可外此沙溪所以不[illegible]祭[illegible]高祖自古已然近世大賢亦有從國制祭止曾祖者夫豈不孝而賢者爲之於情於禮未見其有不合吾先[illegible]子[illegible]沙溪先生之論主儀禮何不據於斯二書而別求依違路徑也又曰高祖雖祧而于祫同於古禮然耳[illegible]
[illegible]不[illegible]之主奉於第一龕如沙溪所論則與奉之節固盡矣而祭祀之遠近爲疏數古禮則然百世之間大小[illegible]尊一間祖禰恐[illegible]之過[illegible]所之說[illegible]家禮無容別議焉所遠近非所可論而或有失焉者則此最難處只當別立一室於宗子之家則此[illegible]大[illegible]之制存所當從至於別廟之名[illegible]未敢遽論也[illegible]

[illegible]曰[illegible]立一廟[illegible]遷奉之爲當[illegible]于尤丈則不遷位依家禮別廟于墓所爲當[illegible]于先師則依古者官士一廟祖[illegible]行[illegible]以祭五代[illegible]也欲從沙翁說則議者以爲代[illegible]之高祖遞遷於[illegible]情理所不忍且朔望[illegible]之制名[illegible]別廟[illegible]祭五代也欲行尤丈說則諸議以爲[illegible]遷位與家禮所謂始祖[illegible]於[illegible]所[illegible]一祭之[illegible]不同且朔望[illegible]日時忌祭往來行祀事多拘礙守護亦難欲用先師說則諸議以爲祖與禰間一[illegible]則一[illegible]上祭[illegible]列必[illegible]則[illegible]又祭五代也惟劉歆宗不在數中之說朱子是之我國五禮儀及大典亦曰親盡祖[illegible]不遷則[illegible]



代數[illegible]外則立一[illegible]祭之[illegible]家從前已行之例也[illegible]更稟先師則答曰君[illegible]亦有所據云云[illegible]

[illegible]主之制[illegible]則有三先[illegible]說就其中從長遂用而已[illegible]

[illegible]不遷之[illegible]沙溪以[illegible]云云此從[illegible]立成說也尤庵以爲云云從此劉歆說也從韋說則[illegible]對功臣宗子之[illegible]祖宗[illegible]世功[illegible]宗亦不可毀也旣在正法之數外則雖多亦何嫌也尤庵一從宗子之[illegible]劉韋之取舍亦如此耳沙溪尤庵[illegible]取[illegible]其本文如何[illegible]五代[illegible]別立廟[illegible]以奉不遷之位似[illegible]得之○[illegible]

又曰天子諸侯之廟制不在正數中[illegible]不私家之有功臣不遷亦猶天子諸侯之有宗有廟則祭之不限多少[illegible]於僭也天子[illegible]世室不[illegible]正廟[illegible]別立廟則功臣不遷者亦當別立廟矣人家功臣若有數世以上而[illegible]於[illegible]只祭[illegible]功臣[illegible]下[illegible]孫於先[illegible]取舍亦非國家待功臣之義高祖親未盡而出廟旣未安[illegible]於[illegible]何[illegible]於祭五代之僭[illegible]學[illegible]以　[illegible]別[illegible]百世不遷之位而今因　聖朝特恩則[illegible]於大[illegible]不[illegible]
[illegible]家[illegible]決不當幷奉於[illegible]廟且一龕五世之奉未免爲僭乙者之議則以爲[illegible]所[illegible]別[illegible]之[illegible]不當一[illegible]宜[illegible]一云云[illegible]湖曰有不祧位家[illegible]幷奉五代[illegible]先[illegible]高祖位移於別[illegible]不安[illegible]來士夫家多以別廟獨奉不祧位此[illegible]合於[illegible]立之云[illegible]
[illegible]不得已也今[illegible]公祠[illegible]　朝家特命別建且不於宗家而於墓下以此見之則甲者之議恐爲得之[illegible]之同奉五[illegible]

竹[illegible]曰有勳勞不遷乃國典則廟中奉安七位非國家所禁不遷之位何可與論於代數者[illegible]說恐得之[illegible]

三山齋曰從沙溪說則多有窒礙尤翁則主墓所儀主之論豈不爲直截有據而或人家嗣遵子孫不能就居則恐亦[illegible]行[illegible]

[illegible]可[illegible]之[illegible]以此[illegible]如[illegible]則雖有累代不遷之位不[illegible]所[illegible]是[illegible]亦[illegible]於[illegible]如何[illegible]
[illegible]家[illegible]人[illegible]如是不[illegible]主[illegible]祭先祖之說稱以先[illegible]曰[illegible]

而但只若[illegible]者相混改以奉幾代孫亦不妨耶[illegible]

不遷位稱號

[illegible]以[illegible]高祖以上始祖以下[illegible]先[illegible]之意自高祖以下[illegible]稱[illegible]孫故不遷之位遂[illegible]祀者當題主以顯先祖考[illegible]
[illegible]沙溪[illegible]先祖[illegible]稱[illegible]以始祖[illegible]今日[illegible]五代祖稱爲始祖[illegible]

[illegible]曰[illegible]不[illegible]之位[illegible]高祖以上[illegible]如[illegible]之[illegible]廟[illegible]下而[illegible]王稱高祖[illegible]孫以[illegible]與[illegible]
[illegible]以上皆稱高祖也[illegible]

[illegible]中先祖不[illegible]命下待給改題[illegible]

[illegible]祭[illegible]公[illegible]　[illegible]奉於長房[illegible]假[illegible]安恐先爲移奉於宗家而改題[illegible]宗孫[illegible]服而行之恐[illegible]中[illegible]不祧之位[illegible]也一[illegible]改題[illegible]不祧之位姑不改其[illegible]方[illegible]不行[illegible]祭之時[illegible]　[illegible]命之下[illegible]行改題一節[illegible]家[illegible]有[illegible]勢不得不如此矣[illegible]
[illegible]不[illegible]宗子[illegible]中[illegible]以[illegible]由待宗子[illegible]祭日改題還安似合宜[illegible]



埋主後不祧有[illegible]主奉出與新主遣成儀節

[illegible]曰[illegible]之必[illegible]與遣衣招魂俱有先賢之論然[illegible]初不遣出而後立主李[illegible]也[illegible]家所[illegible]之禮異於是親盡埋主今因[illegible]合[illegible]五代[illegible]後[illegible]恐不近事理也[illegible]神道之[illegible]雖不可度思自有人神相與之理故古者[illegible]繼主祭之斯恪先儒所謂[illegible]一假是[illegible]之[illegible]也然則招魂一節亦不必切切矣至於[illegible]孫之方在父喪中遣主[illegible]之大[illegible]又未見先賢之論及[illegible]而[illegible]奉[illegible]廟待吉祭入奉祠字亦豈不苟簡耶大抵不[illegible]國典也[illegible]也典與禮[illegible]命之下[illegible]似[illegible]之[illegible]行[illegible]之事則[illegible]相懸[illegible]先爲[illegible]由[illegible]孫免喪遣主[illegible]子[illegible]爲守經[illegible]之道矣[illegible]

[illegible]不[illegible]宗孫居[illegible]可[illegible]吉[illegible]主[illegible]行[illegible]而入廟是爲得禮之正耳受　倘之[illegible]
[illegible]之所[illegible]之[illegible]不[illegible]可[illegible]之[illegible]不忍[illegible]
[illegible]主[illegible]公[illegible]爲文告由于[illegible]出[illegible]不[illegible]
[illegible]可[illegible]云[illegible]代孫[illegible]當[illegible]告于[illegible]代[illegible]　妣[illegible]之
[illegible]先[illegible]之　[illegible]白　先朝成命之下又在是日因太歲之[illegible]　致倘之[illegible]新主[illegible]承　[illegible]
[illegible]今將[illegible]改[illegible]不[illegible]以酒果用伸虔告謹以奉出將主改施粉面後題以
[illegible]云學幾代孫可也宗孫[illegible]在[illegible]之中罔克躬將立主以後告辭用宗孫名曰
[illegible]服在[illegible]將[illegible]云[illegible]立主後祝文當曰維歲次云云今以[illegible]　命遣[illegible]
[illegible]是依若舊主已祧造成[illegible]主四字改以神主重成如何[illegible]主只[illegible]而已者以有[illegible]

今則[illegible]之[illegible]於[illegible]非祭不可即[illegible]事用作安神之圖如何三年中不可行[illegible]則不[illegible]之[illegible]
[illegible]宜忌[illegible]無祝如[illegible]之[illegible]可矣[illegible]主[illegible]傷[illegible]之[illegible]則當[illegible]遷埋而不容不[illegible]于[illegible]云
云[illegible]立[illegible]其形[illegible]者還安將立新主不勝感愴謹以云云恐宜立新主亦當設[illegible]于[illegible]之[illegible]主[illegible]
祭[illegible]奉還于所安處[illegible]

[illegible]日[illegible]久之後者當設幄次造主於墓所而具由告墓在所當先告辭云維歲次云云八代孫[illegible]不[illegible]敢[illegible]告[illegible]八代[illegible]顯八代祖妣云云之墓府君神主毀盭祕埋者已三十四年矣盛德大業爲永世所[illegible]今月十五日[illegible][illegible]不[illegible]祭[illegible]　恩[illegible]榮動門闌今將追成神主還奉家廟宗祀[illegible]而復[illegible][illegible]用[illegible]告[illegible]後當設虛位于幄次題主奉安仍[illegible]云云孝八代孫某敢昭告于[illegible][illegible]紀大[illegible]伸[illegible]不[illegible]　成命已下　恩[illegible]今[illegible][illegible]以清酌[illegible]伸[illegible]孫[illegible]恐當前期告由告辭云維歲次云云孝玄孫某敢[illegible]告于[illegible][illegible]官府君神[illegible]今因[illegible]請特　命不[illegible]今方[illegible]奉[illegible][illegible]用[illegible]告當[illegible]告神主[illegible]于幄次因[illegible]返[illegible]奉于家廟[illegible]
必[illegible]位亦不宜并設也[illegible]

[illegible]不[illegible]而壬亂[illegible]燹[illegible]今欲[illegible]事[illegible]曰[illegible][illegible]前[illegible]奉[illegible]告[illegible]祝曰維歲次云云幾代孫某敢昭告于[illegible]代祖考某官府君[illegible][illegible]大[illegible]在　國[illegible]永世不[illegible]而壬辰倭寇[illegible]燹毀[illegible]存[illegible]至今[illegible]



[illegible]用[illegible]告[illegible]再拜[illegible]虛位[illegible]奉安[illegible]行[illegible][illegible]少退與諸宗人再拜[illegible]曰云云[illegible]藏於下[illegible]在上[illegible]主[illegible]成[illegible][illegible]三獻一如[illegible]祭[illegible]奉安[illegible]若在[illegible]以[illegible][illegible]以上[illegible]高祖[illegible]以顯高祖考某官府君[illegible][illegible]當[illegible]長孫[illegible]依此行之亦好矣且宗[illegible]身死後不待三年[illegible]而即使宗人[illegible]行[illegible][illegible]代故忌又忌祭不必行之以其遞代也[illegible]

[illegible]主

繼後主祧奉別室

[illegible]父母[illegible]而死欲[illegible]宗則[illegible]此父母已死欲[illegible]後則[illegible]之不[illegible][illegible]不得[illegible]則不得不祭之[illegible]室而不知[illegible][illegible]日須別立祠宇以祀之[illegible]
[illegible]曰[illegible]祭別室二代之後恐不能[illegible]
[illegible]曰[illegible]祖廟此有沙溪定論而所後家廟無亡者當祔之祖則不當祔[illegible]又在[illegible]不[illegible][illegible]從[illegible]兄[illegible]之孫之[illegible]祭止[illegible]繼子之子之身祭本生[illegible]與他傍親不[illegible]
不[illegible]以[illegible]

支子諸禮

忌墓祭輪行

問[illegible]有支子所得[illegible]告之祭即[illegible]之祭非[illegible]忌祭[illegible]祀之類也[illegible]句今但忌祭輪備行於廟堂亦無大害[illegible]行於其家則不可矣[illegible]

適宗家不能與祭者紙榜行祀

問[illegible]宗家不克與祭者或有支子在遠者[illegible]以紙榜[illegible]自今年依[illegible]行之[illegible]
[illegible]山曰[illegible]宗家不克與祭者遂[illegible]紙榜行祀[illegible]
[illegible]



[illegible]

宗孫不世祭

[illegible]
三代之祖[illegible]子必[illegible]高祖之[illegible]而祭四代[illegible]
千世祭與否未可知[illegible]

梅山曰儻妾母不世祭以非其正也子以承父孫以承祖禮之經也妾子既不能奉其禰位則不可以傳序之義藉斯祭也固當
當代孫不可易爲發禮傳曰於子祭於孫止者自契於不世之祭義是爲當遵若其義正理順則雖見駭於俗爲其口實亦何足恤哉
其可以從權者有問於朱子曰妾母若世祭其孫宜何稱答曰世祭與否未可知若祭則稱爲祖母而自稱孫無疑陶庵曰亦情有
所未安而於孫當可奉往假當於別處三世四世則不可祧遷尚何可論朱李兩先生說是亦許行而遷就於情禮之間而終止於孫
者亦不爲全無所據擇於斯二者而行之如何如何 答吳子範

妾子祭其母

又伊川答妾母向者看作嫡子之於庶母而翻更詳之恐是妾子之生母也若喚做嫡子看則當云庶母以上文庶母庶祖母之云
而知其然也然則妾母不世祭即妾子爲所生之詘也祭止於其子恐爲得禮之正耳縱使爲妾母立主至于其孫則當埋且妾子之
子於父雖死亦當服妾祖母以期者無承重之義故也 上頭西

南塘曰妾子曰庶母不可入廟當祭於私室 外當 朱子曰若避嫡母則只稱亡母而不稱妣以別之可也伊川云祭於私室 類輯續輯

妾母不可遞遷

屛溪曰妾母雖不世祭則何論遞遷於長房耶妾母雖有親孫不得遷奉其房依要訣祭止三代可矣 類輯續輯

梅山曰妾母不世祭而延世祭及于曾玄至或有遞遷者禰不祭非禮是欲厚而反薄也嘗設卒哭後既宜卽埋妾高祖母神主而
三年后當有改題遞遷之舉則神主亦待喪畢已矣吉祭則恐不當幷祀妾高祖母吉祭前日告由當依問解云云之意稟告
于亡高祖母某貫某氏不世其祭經有定制情勝失禮已過數代顯祖考喪期已盡追正之舉宜及此時神主當埋于墓所不勝悲愴
隨之以酒饌百拜告辭何如 答吳鳳鶴

禮疑續輯二十三　十三

妾子追祭不及母

竹菴曰庶子貴追爵之典不及其母蓋追贈其父而嫡母從夫職而已近日人家所行皆如是 類輯續輯

承重妾子祭其母

厚齋曰承重庶子於所生母之喪雖無他子之可主祭者不可以爲舊例奉祀三月以前只當以緦服設饌於子之室三月後心喪行
祭終以終三年則可也祝文稱子不見於經傳然但稱子某恐未安若稱嫡子某之類爲稱或可耶題主亦不必稱妣只云亡母之自稱
以下四代改題稱亡祖母亡曾祖母亡高祖母者未嘗承重之人世祭與否朱子猶疑之況承重之人乎依禮追正之疑
或可耶 類輯續輯

妾孫承重者以其次子祭所生祖母

問始得妾母有二子長子旣承重子次子奉祖母祀即始復所生父而始復又以獨身出爲伯父後生父身死後何代祭祀生母主之
矣曰萬方有二子次子旣夏當繼生父之後而序有故不敢以繼後爲定待發者是則所不當所生祖母主祭與否事於義意之
繼以於理爲爲人後者之子爲其所生祖母爲從祖而服小功依此題以從祖服以小功則所生祖母於禮當
高祖母稱之以從高祖母耶 俞伯始 南塘曰立後旣縮爲本次觀皆已得禮之正爲人後者之子爲其所生祖母稱所後家親屬而服
之稱所後家親屬之親者其將爲生祖無服耶通典曰出後者及子孫還服本親於所後者有服與無服皆同降一等然是總爲祖
也世所生祖母非親孫爲其子孫何可以族稱之耶朱子曰避嫡母只稱亡母而不稱妣今亦依此只稱亡祖
母而祭於別室恐爲得之 類輯續輯

又曰所生父母祔於宗家廟而題主以伯叔父母若使次子奉其祀而主其題主祝文則於所生祖父母稱以從祖從孫於所生曾
祖母只稱曾祖母不稱妣亦無害於大義耳 上問

庶子外祖之辨

尤庵曰庶子承重則外家當以嫡母親家爲之 類輯續輯

梅山曰小記爲君母后者君母卒不爲君母之黨服疏爲君母后者謂無適立庶爲后也妾子承嫡者以君母之家爲外氏故記曰庶
子爲后者爲其外祖父母無服外氏無二統之義也凡稱外祖當用君母之父所生母即庶母也庶母之父不敢爲外祖之名 答李子皆

近齋曰庶子外祖當以所生母之父書之恐不必以壓尊爲嫌也書以嫡母之父曾未之聞 答李穀發

又曰庶子四祖單子外祖何敢用嫡外祖耶當用所生外祖賤人之列於父祖理勢然也非所可嫌 答梅山

按市南曰庶子升嫡與繼後不同似無改其外祖之理遂母既是君母雖不改外祖屬非母服庶子承重與繼室之子奉祀似無大
段差異據此則庶子承重者似不敢以適母親家爲外家又按小記爲君母後者君母卒則不以君母之黨服以其徒從無服爲
也不承重君母卒則不以君母之黨服也既不爲君母黨服則何可以君母之父爲外祖乎寧有外祖而不服者乎然喪服記庶子
爲後者爲其外祖父母從母舅無服是又不爲所生母黨服也若以不服母黨而不爲外氏則庶子承重者無外祖也其可乎君母黨
君母在則服所生母黨雖在不敢服雖不敢外祖之名不可改耶

禮疑續輯二十三　十四

# 禮疑續輯卷之二十四

## 祭禮[illegible]

### 臨祭有故

#### 臨祭遇喪

月揩閒忌日乃人子終身之喪遵功緦輕服而綠已未成服不除甚未安沙溪曰要訣所著合於情禮 類輯

[illegible]揩日死[illegible]在喪側則論廢祭爲可至於遠外緦更之親晚後聞訃者因此廢其一年一行喪餘之祭情有所不忍

設服著在致[illegible]則[illegible]可[illegible]者在致齋後則祭畢行成服似亦可矣 類輯

[illegible]夕行忌祀無妨於齋否[illegible]廢[illegible]既不得致齋則使人行祀[illegible]

[illegible]喪祭恐不至爲妨於前一日齋忌之禮也 類輯

[illegible]谷明[illegible]不可[illegible]廢之則大中小祀俱在[illegible]之科不可區別[illegible]

[illegible]則不可行[illegible]

[illegible]商務五服未成服前忌祭不可行不但指同宮而[illegible]大門外[illegible]

一[illegible]

[illegible]大[illegible]祭鼎俎既陳籩豆既設不得成禮之間而曰持衰大功[illegible]廢外喪[illegible]行也[illegible]日外[illegible]

[illegible]從栗谷說期大功未葬前時祭可廢忌墓祭略行而若同宮則[illegible]

禮疑續輯二十四　二十一

己[illegible]不可祭也[illegible]則當論宮之同異而[illegible]己服之輕重有無非所計也 答[illegible]

[illegible]日[illegible]之日則廢祭無疑[illegible]臣妾喪同宮則葬而後祭之文亦大綱言之也假令今日葬則明日祭[illegible]乎[illegible]

後三日[illegible]不[illegible]如[illegible]何可行之[illegible]理雖甚缺然惟當停廢而已 答金在淳

又曰忌[illegible]二日[illegible]一日[illegible]底死者出送已過四日則恐無不可行祭之義 答李端亨

[illegible]日[illegible]臣[illegible]葬而後祭今[illegible]子之[illegible]既出[illegible]矣自出[illegible]至忌辰爲四日則中間[illegible]己[illegible]前一日[illegible]

[illegible]一[illegible]不可祭之[illegible]也 答[illegible]

又[illegible]日[illegible]後祭[illegible]是[illegible]戶柩不在則無廢祭之義當散齋二日致齋一日可行[illegible]

[illegible]七[illegible]

[illegible]三[illegible]服後行祭已有先[illegible]定[illegible]

[illegible]不[illegible]葬則已犯染於致齋[illegible]內[illegible]與祭[illegible]

[illegible]數[illegible]大[illegible]五方可行祭如此然後[illegible]可以[illegible]

[illegible]則係是小祀也可行一日之齋烏可並廢耶 答[illegible]

[illegible]痘疹[illegible]否

[illegible]有[illegible]日使人問之文欲令行祭而古今事勢實有不同者[illegible]大[illegible]

[illegible]之治祭饌者故行祭自如而今之人家未必皆[illegible]古制[illegible]

雖不見[illegible]久[illegible]清且[illegible]有病則夫不可不[illegible]見且無他婦人之具饌者又[illegible]行[illegible]

[illegible]

小祥[illegible]本只一日[illegible]七日後[illegible]一日[illegible]則可行[illegible]

二日以後[illegible]之前自朞之親七日爲[illegible]十日[illegible]祭之行在[illegible]十二日豈不[illegible]安於心乎[illegible]

出處

又曰[illegible]此[illegible]但[illegible]

[illegible]而子孫之[illegible]居[illegible]自其[illegible]則可以行之[illegible]

[illegible]乎兩[illegible]又論小[illegible]不必廢祭[illegible]

[illegible]之[illegible]不[illegible]也[illegible]乙[illegible]

又[illegible]七[illegible]方[illegible]

今[illegible]不可行[illegible]

[illegible]入[illegible]乾淨[illegible]可行[illegible]

[illegible]可令其[illegible]亦[illegible]之[illegible]已[illegible]祭[illegible]亦不可行祭[illegible]

[illegible]三[illegible]後三日又[illegible]一[illegible]且行事於[illegible]中[illegible]

不[illegible]可矣亦何至[illegible]設[illegible]耶近[illegible]恐大[illegible]行[illegible]三日[illegible]當爲[illegible]

[illegible]日[illegible]不可[illegible]又[illegible]祭不能[illegible]

禮疑續輯二十四　二十二

[illegible]三[illegible]中[illegible]之[illegible]七[illegible]三[illegible]

[illegible]不[illegible]心矣[illegible]今[illegible]所[illegible]則[illegible]日[illegible]三日之[illegible]

[illegible]矣

[illegible]日[illegible]俗忌以爲[illegible]安[illegible]家有[illegible]之[illegible]近[illegible]

[illegible]此[illegible]合[illegible]如[illegible]可以方便[illegible]

[illegible]日[illegible]祭之文而[illegible]入[illegible]

[illegible]不[illegible]所謂[illegible]之[illegible]必非廢祭之[illegible]而[illegible]不知[illegible]

[illegible]可以[illegible]世[illegible]也但[illegible]不可[illegible]其[illegible]則決不可廢也 答李[illegible]

#### 犬猫生雛不必爲拘於行祭

[illegible]人[illegible]亦宜有別犬猫生雛無與於人亦何[illegible]拘乎[illegible]亦云[illegible]祭者不入[illegible]

[illegible]則忌祭之當行無疑也[illegible]近六[illegible]爲宜 答金[illegible]

#### 日月食時祭祀

[illegible]日[illegible]月食時祭祀孔[illegible]曾[illegible]答[illegible]則其天子[illegible]大[illegible]也[illegible]則以[illegible]

[illegible]之而[illegible]亦未[illegible]無以古禮[illegible]從耶如四時正祭則卜吉也避忌日而更卜亦可矣至[illegible]

[illegible]與[illegible]祭[illegible]有定期不可易日之義爲重何可廢也況如[illegible]之小祭祀乎祇避其時而先後之可也 答朴允得

#### 兩祭相値

原書漫漶不清

兩忌同日行祀之節

陶庵曰一日兩忌只可先尊後卑次第行之時祭之例不當援用（類輯）

屏溪曰一廟忌故數三位同日而先後行之則其勢必至於日出厥明行祀之禮太晚矣一堂并設次第獻奠如時祭似無不可（類輯）

本庵曰代異者（父與祖與曾高祖也）固不可同祭若考妣入廟以後則所謂精氣合也雖曰忌是喪餘既已合配爲一位自與異殯之敢體質不同者逈別恐無不可並設之義（類輯）

近齋曰考妣忌同日而其家本不並祭者當先祭考後祭妣何可一時並祭乎若幷祭而合設者則祝文當於歲序遷易之下幷以顯考顯妣諱日復臨何用別般措語（答梅山）

又曰祭先重後輕如是行之爲宜蓋忌祭異於時祭不可一時同奠也（答梅山）

梅山曰有人於此其前后妣之死在同日喪餘之際當先元妣後繼妣而幷祭則當如之何一日再祭非禮也而不容不一舉合設而忌祭無幷祭者只主祝當云今以顯妣某封某氏顯妣某封某氏遠諱之辰敢請顯考顯妣顯妣神主出就云云忌祭祀歲序遷易下當云顯妣顯妣諱日復臨云云如何復字改並字則何如（答[illegible]）

洞山曰先賢禮說祖先忌日同日則次第行祀而陶庵以爲雖褻瀆不可已也云愚意則並陳列位未嘗不伸情也古者各[illegible]而有時享後世一廟而朔望之薦並及列位至於忌祭只隨其位而伸情者也今列位同日則同是一廟又何擇於各奠他廟也出正寢而其禮又何間時享朔望耶（疑禮正解）

忌祭與卒祔祥相値行祀之節

問亡者親忌適在卒哭之日忌不當用肉（[illegible]）陶庵曰殷祭只是葬前卒哭已是葬後似無可廢之義（[illegible]）然是日則卒哭當爲[illegible]於過卒哭後行忌祭先儒論說中行祭謂几筵殷奠當先於家廟奈禮此亦可證子先必食之[illegible]用素行祭恐亦未安（類輯）

問亡兄卒哭在廿三日而廿四日即先妣忌日所經卒哭一獻淺哀固所不已而但與祔祭同日當先何祭（[illegible]）屏溪曰祔祭當[illegible]多端祔祀行忌祭則恐致大褻極可悶之祔祭實祭於祖也所重在祖不可以亡者而輕之也亦如何也（類輯）

本庵曰三年喪中先忌之祭自非正體且祔是祖忌是考恐先祔祭爲可（類輯）

李氏曰祔祭考與所祔本位忌祭相値則固當先忌後祔本位以上忌祭亦祭考妣以下則恐當先祔後忌（[illegible]）

樸泉曰祥日與忌祀同日則喪祭爲重恐當先行耳（[illegible]）

問姑嫜忌辭同日云云（[illegible]）竹庵曰古無忌祭只哭而伸情二祥之祭則卜日而行古禮雖不可猝復[illegible]行祥[illegible]爲得之

梅山曰練祥日若値先忌則祭之先後當如之何三年中忌祀雖不備禮既是享先則恐不當後厥明行忌而明行練祥如何[illegible]思而面命也（[illegible]）

掛氏曰先師曰大小祥是大節主人方啼號罔極不可暇於他祀今人家或遇此以輕服子弟攝行祖忌於別室雖出於不得已[illegible]

忌祭日値朔望俗節行祭先後之論

老洲曰朔望俗節者與忌祭相値則先行忌祭而後行祠堂參禮勢也已有先輩定論（答[illegible]大任）

時祭與旬忌相値時祭退行

厚齋曰伯父之忌與考諱有間而其行素之節慽感之復與平常之日不同則[illegible]

非所可論恐不如退行中丁（類輯）

朔望節日行時祭則不行參禮（祥禪忌祭并論）

本庵曰類說曰冬至行時祭則不行參然子答孫明仲書云冬至旣當時祭故不更別祭要訣其本此歟凡於朔望俗節日行時祭則皆當倣此（類輯）

梅山曰一日不再祭即以殷奠而言雖其瀆也若朔望參及有事告辰設酒與者雖與忌祭同日非所謂禮煩則亂也時宜則義主并參恐不必[illegible]參禮也祥禪雖與時享若値朔日則恐亦當廢若祭世之廟不可以新而廢者亦不可或行或否[illegible]於新喪位恐宜[illegible]

老洲曰先抵時祭與參禮不許並行忌祭與參禮許其並存蓋時祭則是日也與有事于祠廟無所不[illegible]參禮忌祭則行祀於一位[illegible]祭之餘[illegible]與時祭有間其據之子未存大小[illegible]

公私祭祀相値

[illegible]八年[illegible]臣元[illegible]以私忌不受[illegible]

[illegible]云大夫士[illegible]祭享於公館[illegible]而父母死則[illegible]也又按居喪[illegible]有大功喪[illegible]日之[illegible]假等令有給假一日春秋不[illegible]王事亶不宜以忌日[illegible]由是[illegible]

國祭與 國忌相値退行當否

近齋問祭賓與 國忌相値 國忌與墓祭似無嫌不必退行耶尤庵曰似無嫌碍而莫若不行之爲安[illegible]一日[illegible]預於前一日行之無妨耶（類輯）

梅山曰上丁 國忌之[illegible]不[illegible]亦[illegible]而如[illegible]公私并[illegible]行於上而廢於下則禮給卜日之偶値廟享者豈云倖乎（答金[illegible]）

陶庵曰 國忌日行院享雖若有未安者而神道旣別祀典至重恐當只用元定日行之（類輯）

異居行祭

旅次及異居遇先忌

[illegible]問答[illegible]祭於在外値先諱行祭與否未見有先[illegible]及處但[illegible]入會祭[illegible]之日[illegible]於所館直[illegible]私情耳今公[illegible]則[illegible]亦有[illegible]衛豈不愈於館旅倡[illegible]俗異於邑宰者哉（[illegible]）

祭忌中遊寓者寓所紙榜行祀

梅山曰[illegible]之[illegible]四[illegible]之後[illegible]八而行祭恐無可[illegible]正[illegible]所行[illegible][illegible]設紙榜一遂[illegible]主之[illegible]恐爲得禮宗先先亦許支子居遠者逐位設祭時祭猶然況于忌祭乎又況宗子乎以[illegible][illegible]設[illegible]所取法者但尤翁亦云紙榜行祭一如神主之祭祝辭當並[illegible]紙榜之故然則[illegible]宜（答徐[illegible]）

虛位行禮不可無降神

[illegible]山曰[illegible]先降[illegible]而虛位行禮[illegible]不可[illegible]思之[illegible]尤倍於神主[illegible]元祝降神不可[illegible]告[illegible]當[illegible]初[illegible]而行之恐宜於[illegible]（答金[illegible]）

旅店遇至親練祥望哭

原書漫漶不清

梅山曰旅店遇先忌當設位伸情而京洛寓所恐難盡哀若是至親紙牓[illegible]
紙到惟向其所向哭盡哀已矣（答李鄭□□）

祭祀攝行

主人有故使人攝行

南塘曰主人出而未還則子弟當代行祝稱使某足爲恒式主人之出依禮行之豈有不受命越分之嫌乎（類輯）

樸泉曰主人有故使親屬代忌祭稱則使長子行之有故則使弟[illegible]（類輯）

問子喪父爲主而門人在遠家有伯兄又是宗子當攝主此喪而葬祭祝辭當云父在[illegible]

此乃一時攝行與本無主而攝主者有異不必以攝主之意別告而只於祭時祝[illegible]

心爲如遵二句則恐不必改用矣（朴𨍏□）陶庵曰從此乃以下說爲可（續輯）

黎湖曰代行者是尊行則以屬字替使字有近來諸先生定說世皆通行矣若[illegible]

爾乎代行者雖於主祀者爲尊行壓於事體亦當稱名蓋以禮體所截不容些少曲折也（答李□□）

三山齋曰宗子雖幼以其名題主自有先賢定論而其攝祭之祝則曰孝子某幼未將事使某親某[illegible]

屬者亦家人通行之例也但今袞侍以祖孫則屬字與某親下書名亦似未穩或別有他人可[illegible]

祀子諸孫某致沿告于[illegible]宜然宗子皆論此禮[illegible]主但主其[illegible]名則宗子主之不可易也今[illegible]

於名不可易之義否姑誦所聞以備裁擇（答陳延杰）

替行時祭告辭



貞庵曰時祭宗子有故替行者前期告曰孝子某將以來月祇薦事于先考而方在[illegible]中使子某敢告（類輯）

替祭者出主告辭

問主人有故使人替祭出主告辭尤菴以爲以主人告遂翁以爲以替祭者告當何適從（扣中立）屏溪曰[illegible]

人行單獻而出主時無端出主似未安以替獻者措辭告之未知如何（類輯）

近齋曰忌祭出主告辭雖攝行當以主祀者屬稱用之不必加措辭蓋以有從下文之義故也[illegible]似無可疑矣（答任□□）

又曰出主告辭當以亡室替之人或以此爲不安而實則無可嫌蓋主祀者爲主[illegible]

其替行之由前後相應何必爲疑（答從子）

問子於母代父行祀則出主祝稱顯妣臨祭云云某使子某告于亡室云云爲可渼湖山曰只可[illegible]

按祭祝雖曰夫使子某告于亡室出主時若稱顯妣則便是子祭母斂乎且與題主[illegible]祝有異[illegible]

替祭祝式

屏溪曰曾聞之師門宗子有故替祝則雖有尊行以宗子子弟代之而祝文替使字如孫子爲[illegible]

某事不得將事子某敢昭告云々（類輯）

梅山曰尸祝若不與祭則忌祭祝當云孝孫某居業他所罔克躬將屬仲父（某若是伯叔則當云使其弟某）敢昭告云云[illegible]

而效其屬稱亦宜

又曰沙溪曰以子而名父祭母固爲未安祭祖先則壓尊故猶可猶可云者有所未盡之辭也然揆以入廟不[illegible]

父名恐爲得正若攝父行禮亦恐難讀父與祭則父爲主故不當諱父不與祭則子爲主故當諱當諱不當[illegible]

又曰[illegible]則當月使某之文若係[illegible]屬某之辭屬字雖不見[illegible]（答李□□）

[illegible]不能稱父之名也若以卑幼而直稱屬字之[illegible]恐涉凌犯未若祇稱屬稱之爲安[illegible]

季恐宜

妻祭祥使子攝行

樸泉曰[illegible]則父命子攝行其練祥恐無不可（類輯）

[illegible]父命[illegible]則子無父命而行練祭祥恐不然蓋揆而祭[illegible]

梅山曰[illegible]出殯之後則不可以主喪者之[illegible]而退行常事[illegible]

爲一世通行[illegible]

[illegible]恐爲伸情之[illegible]則有難遽用[illegible]

[illegible]則[illegible]月擇日或丁或亥日[illegible]

（答□行）

代父行祭不拜兄以下

[illegible]代父行祭則是以父祭子非以弟祭兄也題祝無拜似是（類輯）

主人犯染使人攝行

近齋曰祭祀臨直此時既制爲[illegible]當成服於喪側不可參祭祀使人攝行而祝文有[illegible]



檢屍後使子攝行

[illegible]之人不見[illegible]

[illegible]則何以使之攝行耶[illegible]所以設祭者也然必欲行祭[illegible]

不出見已既致祭行可也（答□□）

諸祭叔子代行

南[illegible]曰[illegible]不得[illegible]行則[illegible]使代行亦無不可古者家人爲尸之禮[illegible]爲代[illegible]

南塘曰[illegible]不[illegible]不[illegible]病使子弟代之則可略[illegible]

又[illegible]不[illegible]不行[illegible]爲可

[illegible]

[illegible]

屏溪曰[illegible]之宜宗子[illegible]故不行則[illegible]子取以紙榜[illegible]行一[illegible]

之意亦伸孫子之情矣（類輯）

女子攝祭先代神主

聞宗家無後[illegible]主奉安又孫家以待宗家立後而[illegible]則立嗣堂姑奉於[illegible]

門戶者[illegible]於宗家以待立後而男女[illegible]不[illegible]奉於[illegible]

原書漫漶不清

似好 疑禮類輯

[illegible]曰見之子主祀[illegible]貧無以祭則權奉祠廟于家以伸情禮恐無不可有何奪嫡之嫌耶 疑禮類輯

弱家支子孫移奉先世祠版

近齋曰[illegible]移奉者先世神主支移奉行祭若無朝家禁令則如是行之似合情理姑且權奉祭祀以待仲舅之日而歸宗恐宜然未見先輩語及不敢質言 答梅山

妾子奉祀

有次嫡庶子奉祀當否

問[illegible]嫡子有妾子晉[illegible]晉裕晉鼎有妾子晉裕在正妻子初晉鼎承父祀晉鼎晉裕死後門中黜其所生母[illegible]使得鼎妾子主之[illegible]晉裕之子主之南溪曰所處得正 禮書祠記

南溪[illegible]曰[illegible]妾子[illegible]不許妾子故承嫡之法出於[illegible]而晉之一身可傳於妾子父祖以上之有嫡孫者不可并付於妾子而奉祀矣故[illegible]妾子[illegible]以次子而弟及之故父祖以上傳其弟而只以其身傳之妾子[illegible]之微意可知也長子[illegible]兄弟則當用[illegible]之[illegible]兄弟而只有從兄弟則當推用慎齋之禮祖以上傳之父之第二弟之長子可也[illegible]是[illegible]則爲其從兄弟者不可推用慎齋之禮而自爲承重宜用長房之禮祖以上以年序次々奉祀至於代盡[illegible]也[illegible]一則父祖以上有其重且尊者而既有嫡子嫡孫則不可付我之妾子而奉祀者其義明矣一則長房之[illegible]妾子[illegible]父祖妾子承嫡則妾孫雖後嫡子嫡孫得以奉祀嫡庶之分亦[illegible]矣并其義亦[illegible]矣故次子則可以承統[illegible]子則不可 疑禮類輯



[illegible]嫡妾子稱孝

畏[illegible]曰妾子承嫡則似當稱孝 疑禮類輯

渼山曰妾子承嫡奉祀旁題不稱孝子而稱妾子孫以下不稱妾不稱孝可也於其父則稱孝子 正疑解錄

庶子承統支派不當以此移奉最尊位

剛齋曰先父以繼[illegible]之宗[illegible]不幸無嫡嗣既有賢可以傳世則統猶未絕矣以承統者之爲庶孫而支派欲移奉最尊祠版於百拜告辭之前豈不謹[illegible]有所未安耶此實僭踰病且無以考據只略陳鄙見

立後奉祀

問追立後改題祝措辭 任季[illegible] 老洲曰祥前不遠故及先期改以某今既歸後有事船亭以接世次喪之上[illegible]立後而有主八[illegible]代者[illegible]立后者由[illegible]先爲之改題告辭立后者當主之[illegible]之祭當改題遲待仲月與盛祭可也爲後之由已告於改題之時不必[illegible]及[illegible]八字[illegible]奉宗[illegible]世次以下十六字仍舊文恐宜 答[illegible]

[illegible]主奉祀 [illegible]

問未立后之前不得改題則時祭何以爲之 陶菴曰時祭似不可行忌祭則單獻不讀祝使一家人攝行 疑禮類輯

屏溪曰[illegible]不可[illegible]即[illegible]而爲后然後可行改題者姑無立后之兒則不致改題以待立宗之日而已祭祀祝文[illegible]之[illegible]之次子[illegible]宗家耶[illegible]奉[illegible]兒孫某月日夭沒嗣堂大小祭祀孫祥柱權行代[illegible]之意告[illegible] 疑禮類輯

長子無嗣次子攝主

問尤庵謂次子主祭則當用權字立洗馬[illegible]亦[illegible]字[illegible]不可云云[illegible]曰尤[illegible]字[illegible]曰攝假也左傳曰攝官承乏此則其義恰當[illegible]所見如何其[illegible]以此旁題則[illegible]可耶雖不稱孝而奉祀二字[illegible]長加權字[illegible]而此亦文勢不雅 疑禮類輯

本庵曰尤庵云無主人則攝字無所當愚按[illegible]代[illegible]曾子問[illegible]小祀[illegible]

則是無主人亦稱攝之證也 疑禮類輯

南塘曰宗子無子而死今世見行者三[illegible]有諸弟宗婦主祀以待立后一也獨子[illegible]一也鄙意以爲有男子而婦人題主奉祀如女主[illegible]不[illegible]

[illegible]之主固不可既題主奉祀而又行[illegible]之[illegible]不可[illegible]

兄[illegible]

子出繼其父[illegible]亦當然々有他子可立后者則[illegible]

之事何必兩家皆立后乎 疑禮類輯

庭門曰婦人主祀本非正禮作故入[illegible]尤不[illegible]

近齋曰[illegible]答次適承重答[illegible]

之義答金文仲[illegible]

攝者主喪者幼未能[illegible]或有疾病則他人假其名[illegible]之[illegible]

謂次子孫攝祀之攝與攝字本義不同是可疑者於其兄之已亡者亦依主人幼病之[illegible]有二義一[illegible]有正主[illegible]代[illegible]



一則無正主而權行通謂之攝也耶 答任[illegible]

又曰次適之禮弟及終是重難則[illegible]主似勝於婦人奉祀[illegible]祭祀[illegible]

長婦主之[illegible]行之似可無[illegible]介子某之文既見於[illegible]則[illegible]不可行但[illegible]有[illegible]王[illegible]

從不然則勢必叅差蓋弟及禮也介攝亦禮也[illegible]在其人之[illegible]而行之耳[illegible]一也[illegible]代[illegible]亦可[illegible]代

行則何必換改稱也 同上

攝祀家不得改題而告由之節

庭門曰次子[illegible]

辭則直云攝祀子某敢昭告云云而行三獻可也 疑禮類輯

[illegible]

主姑爲[illegible]以待他日立后而[illegible]似可余又[illegible]

老洲曰[illegible]之由不可不告而既[illegible]

告辭可也 疑禮類輯

祀[illegible]告[illegible]由十六字爲宜 答[illegible]

梅山曰[illegible]次子[illegible]與長房之[illegible]主有異決不可旁題只以[illegible]主告以[illegible]

祫不可行待其[illegible]兒立后行祫改題遷祀事孤子某[illegible]以稱奉祀事介子某[illegible]可矣 答[illegible]

長孫俱無后先亡與兄死而弟攝者有異其禮尤[illegible]決上[illegible]而[illegible]節々[illegible]曾之[illegible]此[illegible]

乎盖如所示吾家從祖玄石先生所答洪參判處厚家喪禮者依倣準行之外恐無他道矣然以愚見言之[illegible]
無論攝須就一攝字上推見然後方可以周盡事情夫所謂攝者非謂攝之者之直爲正主如殷禮弟及之謂只是以主人不在之故
而姑攝其事有如所謂有故則使人則可也之云耳是則主人之身雖亡而主人之禮無關凡百應行等項直是無所不攝並非攝者
之自行其禮乃不過爲攝夫主人所有事而已苟以是意推去則不但親盡位祧遷之爲所必行如來示云云雖兄與侄之[illegible]長孫者
由祔位而入正位亦恐無不可行者今以李相宅事言之假令其長孫有子則此子當爲主人自在曾祖喪初至喪畢諸禮悉皆其主
之者無可言矣而正爲其無子也故不得已有攝之者然則其攝之也非攝兄與侄也乃攝侄之子也所謂侄之子即今雖無[illegible]
極難便而親盡遞遷之禮當自侄之子之代而計其世數不然而只據攝者之身溯而數之至其五代而止若來示之云則[illegible]
爲攝而實用弟及之禮此既未安矣且於李相國在世時以其先亡之長子長孫置諸祔位在禮爲固然而今以次子而[illegible]
喪後遞祔之吉事而覩正位反若祔位仍置前後與相國時無異則未知其果爲如何耶[illegible]
而第據見今所處有此未安之甚不成妥帖此所以竊意玄石或兄或侄祔於祖廟之說或恐其[illegible]
與侄而升之正位恐自不至爲大失而一切世人每輒據在攝者之身推上說去故不惟行不得且[illegible]
依玄石所推用家禮大祥後吉祭前奉神主之制遵行之之爲無病敗也至若玄石姑[illegible]
問之爲定論盛說是矣蓋上去孝字下稱攝祀此自然別於正嫡何必關旁註然後始爲別於正耶 答金子[illegible]
老洲曰攝事家之不得改題不得祧遷既有先輩定論今無容更議而既不行迭遷之禮則[illegible]
嫌亦甚未安權奉於東壁西向之位則恐少嫌礙矣至於祖考之不得改題祖妣之[illegible]
得合櫝則當異卓以奉而亦當各祭要之變禮之大旨何敢質對耶 與趙國珍

禮疑續輯二十四　九

梅山曰令從侄歿而無所於繼絕故尊季父丈以親者主之之義攝行宗事而改題遞遷等[illegible]
歲月滋久而惟待嗣孫之生矣未及立嗣而尊季父丈又奄然長逝則尊從叔[illegible]
遞遷亦以門長及長房宜攝其祖考仲父兩位之祀而援以朱先生七十老傳之義則自家廟事亦[illegible]
望之遼隔八耋之齡者何可以筋力爲禮乎勢將有攝祀攝祀恐是行不得者也且尊仲氏祖子孫三位合用親者主之[illegible]
中用兩攝主恐不成理須伯氏攝主五代之祀是爲禮窮則變處變事而不失其[illegible]也令從侄三年喪畢[illegible]
遷然後始入正龕則權攝者豈有祭五代之嫌乎攝祀告廟恐非可已而當因朔望參告[illegible]
曾祖考某官府君顯曾祖妣某封某氏顯仲從祖父某官府君顯仲從祖母某封某氏顯從叔父[illegible]
孫不幸蚤歿廟所繼絕先季父府君攝行宗事今又喪逝從叔父參議以最長房當尸攝事而年[illegible]
禮且五位中下三位自有親者主之之義一櫝中兩攝主亦涉遑庭等是權攝不肯代行其[illegible]

攝祀者妻爲主婦當否

南塘曰夫既爲攝祀之主人則妻何不爲攝祀之主婦乎以兄嫂亞獻不可妻當爲亞獻 [illegible]
屛溪曰主婦謂喪主之妻也以旁支攝祀則豈更爲主婦位也當以他兄弟子侄孫爲三獻矣 [illegible]

攝主者告利成 攝主不嘏假陶庵曰云云 又曰云云祭祀攝行條見

閒靜堂曰攝主行祭告利成時攝主恐不敢當作階之位特牲饋食禮主人出戶外西南祝東面告利成或有做[illegible]爲之者[illegible]
復位然後祝告之更疑否 [illegible]

異姓爲後

通典後漢吳商曰神不歆非族明非異姓所應祭也 禮書劄記

爲異姓後者奉生父母祭

通典晉賀循曰他人收養其家若絕祀可四時祀之門戶外徐整曰祭生父母於門外不如左右邊立宮室別祭 禮書劄記

奉妻父母祀

退溪曰妻親之祭無據今循俗已行則於妻父母當曰外舅外姑若妻父母以上則禮無名稱不可苟加又曰今人或同一祀
而祭之其二本甚矣雖別立廟亦未免二本之失當擇其妻族之親分臧獲主祀可也 禮書劄記

出嫁女奉祀

問程頤問荆妻有生母死無主當於婿家則婿家凌替欲祀於家之別室如何答未便北人風俗如此上谷郡君侯氏謂伊川今日爲我祀
父母是亦祀其外家 禮書劄記
尤庵曰愼獨齋嘗言家有值栗谷忌辰每設祭而栗谷平日不食牛肉故祭饌甚難云據此則出嫁女亦可紙榜奠獻而各有形勢之
不同 [illegible]
[illegible]出嫁女既本親半陰之正若本親無後忽爲絕祀則權設奠獻或出於情理之不得已而栗谷有祀孫香火無闕以愼齋小室之
賢何爲而行此禮
問伯母每於私親諱日輒設饌行祭未知於義如何 宋必[illegible]
[illegible]齋曰二程之母侯夫人亦祭其父母愼齋小室栗谷之庶女也每於栗谷忌日設奠望哭愼齋爲辨其祭需先祖同春府君赴召在
京邊淸坐府君同春之考之忌日設奠於館所蓋必欲自盡其誠 類輯續編

禮疑續輯二十四　十

問出嫁女於本親忌日設位望哭如何 李厚生
竹庵曰古禮聞喪外無爲位哭出嫁女於私忌似不得行哭 類輯續編

外孫奉祀

奉外祖父母祀不必立主

屛溪曰外孫奉祀實無於禮之禮近世雖或行之無先儒事可據而朱子答汪尚書書論之已詳其義概可見矣來示權字大不可若
只因一時情義別出無於禮之禮而必歸於權則豈不大悖乎權非聖人莫行何敢輕議耶 類輯續編
[illegible]曰外孫奉祀東人家古多有之然自是春秋所譏晉博士秦秀議賈充事及范寧與謝安石書並可考惟女子子在時不忍其父
母之絕而或設紙榜祭之於義或遣子孫爲之於[illegible]可也若奉主立廟而祭之則是家有二主人有二本[illegible]
[illegible]及身[illegible]孫有所至難便之端不如移奉於[illegible]則終從孫之世改題稱號初不須疑也女在稱考妣恐非外子之稱未知如何 [illegible]
續編
老洲曰外孫奉祀朱子譏之以非族之享退溪斥之以二本兩賢之論如此其嚴而既不之主則今何可追造心有所不忍於子之身
紙榜行祭庶爲權宜伸情之道也 答李[illegible]
又曰曾有人以此爲問而謂有母則不忍遽也故不得已勸以勿立主只四節日祭墓忌日以紙榜行祀終外孫之身而止焉未知盛
見云何 答梅山
問有人窮獨無依托於女婿則其沒而葬題主及祝辭以婿名爲之耶婿有子則以外祖考題主耶洞山曰有外孫則外孫可主矣題
主及祝辭皆外孫事也祭亦當止於外孫之孫以其曾子孫也 疑禮正解

外高祖祭祿一祭

性[illegible]曰外孫奉祀實出於不得已則至若外高曾初不須論也既無可奉祀之人則事當埋主矣既埋主則於其墓恐不可諉以非族之祀而全然無事歲修一祭似爲得伸情禮耳 答南坡

出繼子祭本生親 與妾子諸殺祭父姑從問南塘條參看

問有人以獨子出繼伯父而有二子其生父以其第二子爲侍養孫矣今遭生父喪如欲生父之不至無後則莫若以其第一子爲所後父無後子之父矣其第二子歸嗣生父而兩家父母皆死無可主張者門長未可上言耶 答黃德實

遂菴曰帝嗣世雖有之而弃絕宗之議兩父俱歿誰敢爲此耶然則出繼子不得已而奉其主祔於其祖之廟不然又求之諸族人以立其後無乃善乎 類輯

三山齋曰爲人後者於本生之喪無他男主則出繼之子姑爲權攝以待立嗣而遷之猶爲勝於彼耶若然則先以此意告於柩前其題主則曰顯伯父某官府君而傍其題祝辭自稱則曰攝祀從子某爲是 答崔慎之

答[illegible]曰題主[illegible]奉父立后而既莫繼絕則出後者當攝祀屬稱則宜云顯叔父及從子用是改題祭當三獻有祝蓋攝者之備禮[illegible]題[illegible]參看耳 答任厚卿

又曰若議者謂宗之之禮也宗子死未繼絕則給事無可主者不舉吉祭而遂行遷遷非所以守經也亟宜立嗣行祫俾無多少窒礙而既[illegible]則[illegible]攝行本生之后是爲變事而不失其宜也難則權攝當祀于各廟不可混奉於所后家廟宜從無嗣[illegible]本也出系子孫於本生廟先不成爲子孫故亦不敢用最長房之制所以謂遞房也或忍不其珍祀以單酌無祝而行之甚禮以終其身者是固非禮之正然者后而遷祀則一時權宜亦不甚害義也 答沈景顏



無后本生親改題告辭

梅山曰改題遞遷即主人之禮而旁所繼絕自主其喪則當行改題改題告辭當曰維歲次云云從子某敢昭告于顯叔父某官府君始喪之初從叔父主之以其屬題主從叔父今已喪逝亡從弟繼嗣無所禮窮則變情不獲已不肖某今將改題以叔父不勝愴慕謹以酒果[illegible]告謹告今奉[illegible]位改題告辭當云維歲次云云從父兄告于亡從父弟學生始喪之初從叔父主之以其屬題主從叔父今已喪逝亡從弟繼嗣無所禮窮情迫今將改題以從父弟不勝感愴茲以酒果用伸告儀茲告改題後不即合櫝當時吉祭時合櫝而行禮 答[illegible]

本生兩位祭祀不可一位單獻一位三獻

梅山曰頃來兒子言座下以弊先本生兩世攝祀時備禮與否有所謀及而近更入思一廟之中上位則單獻下位則三獻者有所班駁今[illegible]改題[illegible]爲單酌恐爲得宜也弊叔父位則以座下屬稱題主三獻有祝亦不爲無說而猶行於下位者終有所不安[illegible]無是之患而姑欠擬議則勢將仍舊單獻已矣 與李聖宜

還奉本生祖者祔祭

問亡[illegible]於本生祖爲侍養奉祀今出祔事固當行於所後祖而或云生既旁題死又同廟則當祔於本生祖未知如何 李命來 屏溪曰[illegible]當行[illegible]祖所後祖正統所在而本生祖反是旁祖祔祀正禮也侍養奉祀雖出一時權宜不可因此而遷就也生祖廟則喪畢入廟時具由特告爲宜 類輯

本生親祭祀

屏溪曰出繼子於生父母其屬稱既有程朱定論而沙溪據此爲證其曰伯叔父母者當隨其行而稱祝辭自稱以從子則當用旁親之祖元無旁與[illegible]孫則當題以伯叔從祖自稱從孫而無旁題以禮則旁祖之祭當止從孫而此則情理事勢孫死便埋實有所不忍但無先儒所論不可期爲立論 類輯

問祭本生親於別室限幾代 尹東桑 竹庵曰雖祭別室三代之祭恐不能廢也 類輯

問有一婦人死只有出後子其曾玄孫皆發育者也今玄孫主喪班祔而祭兄弟之孫之限已過但受育之玄孫情有不忍於埋主 同上

竹庵曰其在情禮當如示祭別室 類輯

三山齋曰出繼子之次子奉其所生祖之祭已是權宜之事尤翁嘗以爲不可然猶或以祭止兄弟孫之義旁照行之而至於其子則更無拖引之說情雖不忍只得裁之以禮而已 答趙樂之

家廟移奉

亂時權埋神主

問戊申賊變之亂有人埋其主於祠堂壁下如何 宋必錄 樸泉曰埋於祠堂後淨地恐勝於壁底既非永埋不必埋之墓所矣 吳樸 當立埋不但無義亦恐倉卒難辨同處一櫃而埋之宜矣 類輯

尤庵曰壬辰亂離餞所奉處神主者余叔父曰與其遷奉而行身死於盜賊而棄於道路毋寧埋安於祠堂之後幸而生還則可以依舊奉安矣亂定後族人宮復歸人而埋安婦人以爲窮貧而發掘諸父則當變掘坎納主於大瓮而安於坎中兄弟內外皆拜哭里人皆譏而笑曾長久擁土人皆知爲神位故得免發掘之患 答[illegible]

埋主還奉

三山齋曰當初埋主大是過舉既覺其然則何可一日仍留也若以久埋還奉爲疑則公私自多其例如家人遇兵亂埋主以出者亂定而還又如學宮或有黜享之舉而後得復享者雖在累年之後豈得不還奉此皆可據也告文草擲去 答李學泳



祠版奉安冢次時位次

梅山曰祠版奉安冢次時最尊位在其南最下位在其北奉出時先奉最尊位安于龕室其他諸位以次奉安則勢順而序正未知是否 上他[illegible]

父就子衙奉往先廟

近齋曰人於子弟任所就而受養則奉家廟往留者多矣而尊王父保官于廟不得下往故有此疑也然時忌祝文皆以代行爲辭則似無宗安與支子奉歸于官次者不同矣 答梅山

祠堂遇變

祠堂火

梅山曰祠堂火急[illegible]遇盜及火者不及其棺柩則不宜三日哭祠堂火而不及神主則恐宜一哭祭告慰安此出臆見未知是非 類輯

問父喪中失火先世神主未能奉出則改題時以其父名爲之耶抑措辭以其子名爲之耶 尹東桑 屏溪曰雖小小祝文父既亡則不以亡父之名而爲之況題先題主何等大禮而以亡人之名冒書之耶未忍死其親之意用於用處何可無論輕重而一並用之乎 類輯

梅山曰未敢知似以父名復爲之 類輯

竹庵曰父喪中先廟災則以喪三年不祭之義改題主似當在吉祭時 類輯

父未葬祠堂火柳氏題主極難處或云以喪人題主或云當依前題主或云依前題主而姑闕旁題以待喪畢後改題諸說各有義意

而亦告有妨從最後說或可爲無於禮之禮耶若在葬後則以喪人題主似亦有據常變通攷

[illegible]代[illegible]當[illegible]故答人問曰新主旣成不得不及時改題然告辭措語極難處如不得已則曰幾代孫某罪積不滅災殃才歸未及改題[illegible]今[illegible]又丁[illegible]登才經哥[illegible]期奄遭家廟回祿之變莫非不肖無狀奉守不虔獲戾神人之致驚惶震惕無地自容處禮之變不敢循常今[illegible]新主見成[illegible]敢改題還安五代祖考妣某官府君某封某氏今以親盡祧遷于叔父某之家世代惟遷已極感慕禍變非常尤增感[illegible]設禮以[illegible]告[illegible]白[illegible]云云如何祧遷之主以家禮觀之似不當改題而沙溪以改題爲是今兄家所遭如此旣不可追考伯氏諱改[illegible]可[illegible]得[illegible]名不得已當書最長房名則決不當仍奉宗家最長房宗[illegible]未及立廟姑且權奉便近別室以俟立廟如何常變通攷

[illegible]此[illegible]以祔[illegible]後祠堂火改題新主故以爲免褻而以主人屬稱題主祧位亦行遞遷然此是吉祭後事也辟後祔前猶是喪人以奠[illegible]行[illegible]亦未安[illegible]仍舊題主不書旁題待祔後改題遞遷恐宜

問[illegible]及[illegible]設[illegible]及祥例服緦哭臨三日如何不招魂而只改題魂可以來依耶若或即改題則其前幾個日設位哭待而設[illegible]而耶[illegible]曰主與柩異何必行無於禮之緦服招魂非死久重行之禮只得以焚香代之禮止於三日哭而未改題而許久矣宗[illegible]其[illegible]服[illegible]但只得如此常變通攷

[illegible]題主[illegible]見柩則服緦三月哭臨新宮火則只素服三日哭所謂新宮火者只火其[illegible]而不焚其主耶[illegible]

改題新主

答曰新主有火災而更造則以爲罪戾深重禍及祠宇驚懼怵惕[illegible]更成主[illegible]伏惟[illegible]是依謹以云云類輯

[illegible]日[illegible]祠[illegible]當[illegible]三日哭之餘嗣子當朝夕哭臨于廟墟第四日造主[illegible]於[illegible]墟即[illegible]之所[illegible]也立主[illegible]設虛位[illegible]告辭云維歲次云云夫某身在[illegible]所罔克弼將使子某昭告于亡室孺人[illegible]某氏[illegible]修告災爲及新主[illegible]辭[illegible]今已改造[illegible]主[illegible]旣成[illegible]惟[illegible]是依茲酒果用伸告儀茲告類輯

又[illegible]舊主之身若[illegible]蝕之變不甚則用膠粉塡補甚則當改造改造後舊主埋于當位龕右恐宜答徐

[illegible]答曰祠宇[illegible]壓[illegible]主破傷依[illegible]春秋新宮焚三日哭之文祠宇圮頹之第三日造主題粉面似當答[illegible]山

[illegible]恐[illegible]當以孤哀子[illegible]稱書之[illegible]說甚誤如此則三年之內因火災而徑行易世遞遷之[illegible]其可乎其[illegible]題[illegible]依[illegible]題之恐當答[illegible]

[illegible]火[illegible]改[illegible]題主若以孤哀子屬稱則果有易世遞遷之嫌依舊題之爲宜[illegible]至若旁題則何忍以亡[illegible]之名[illegible]之乎[illegible][illegible]題恐宜

問[illegible]之變[illegible]先主而[illegible]之亂民[illegible]而火之安神爲急先以招魂帛魂帛奉安云云[illegible]洞山曰權奉魂[illegible]非[illegible]如事生之[illegible]不[illegible]而[illegible]亡[illegible]奉則又不必無端撤去須急急造主奉安設奠而埋魂帛也疑[illegible]

[illegible]主[illegible]兵亂未[illegible]設爲[illegible]而追造於親盡之後恐未合理支孫之親未盡者[illegible]爲之權奉而追造代盡之主亦似未安[illegible]

[illegible]曰[illegible]主[illegible]將遷則火災後似不必改造只當告此事由於墓所而設祭以行如埋主之[illegible]改主[illegible]儀式但恐無哭辭之節也[illegible]

失廟主還得處變

問[illegible]廟[illegible]主改造而得故主云云[illegible]厚齋曰故主[illegible]汚則似當安故主而埋新主或毀汚則不得已仍安新主而埋故主但或安故埋之[illegible]當別爲告文[illegible]告[illegible]類輯

問有人失先代神主[illegible]新宮火之例哭臨三日造主奉安後三月得舊主粉面漫[illegible]或云舊主改粉面還安新主則告由埋安爲可或曰[illegible]新主[illegible]舊主則埋安爲可[illegible]乙之說爲是未知如何按[illegible] 南塘曰曾有人以此來問鄙所對政如乙說類輯

米[illegible]曰[illegible]舊主[illegible]於魂返室堂之時舍舊從新恐無可疑恐按新主旣奉安則神已舍舊而依新矣恐合更商類輯

龍[illegible]曰神主見失而旣得則當仍舊奉安[illegible]恐[illegible]已久々[illegible]難改也若主身破傷則勢將更造否則新粉面而改題已矣改題時先設[illegible]奠如[illegible]告[illegible]改[illegible]設[illegible]位辭告云維歲次云云孝玄孫某官某云云[illegible]高祖考云云顯高祖妣云云答[illegible]

奠不肖[illegible]罔克[illegible]勿[illegible]之變主及[illegible]主[illegible]痛[illegible]罔克今方改題舊主維新[illegible]以酒果云云答朴

主[illegible]見[illegible]設慰奠

老洲[illegible]曰[illegible]之[illegible]所[illegible]之大小[illegible]則[illegible]做[illegible]祭之[illegible]以小祀[illegible]行之[illegible]慰安者蓋[illegible]神魂之驚動而設也若傷處甚小則亦不必[illegible]設[illegible]祭只[illegible]改[illegible]之時[illegible]辭以告恐爲無妨矣答[illegible]

主[illegible]見失

近齋曰[illegible]主[illegible]見失改[illegible]以酒果行告由之禮答[illegible]

喪[illegible]中失神主處變

近齋曰[illegible]紙[illegible]恐當答[illegible]山

柩[illegible]處變



近齋曰以左傳[illegible]宗伯[illegible]之文觀之[illegible]當以其灰葬之更有何[illegible]理乎答[illegible]山

柩[illegible]焚處變

[illegible]問[illegible]柩[illegible]失火恐當有設奠告辭[illegible]之禮而[illegible]見柩有異服則恐無義也於祠堂若[illegible]則告[illegible]墓而[illegible]以爲告禮或値朔望則因[illegible]而告亦似爲得類輯

近齋曰[illegible]災[illegible]節無他可據似與左傳新宮焚三日哭同例素服哭拜告廟等節如來示爲之似宜答李延仁

[illegible]先[illegible]三以[illegible]與被犯不及柩者與[illegible]神主見焚同而見柩則服緦宮火則三日哭而已無服[illegible]之文[illegible]此則[illegible]焚而不及柩者不服緦可知也答[illegible]族弟

權窆失尸處變

近齋曰若[illegible]尸[illegible]則不可虛葬[illegible]所[illegible]則當有[illegible]只可收納于棺中而掩土答梅山

又曰[illegible]失尸[illegible]虛葬非禮改葬無義聞地家有[illegible]尸[illegible]之術法云[illegible]令求得而葬同上

[illegible]遷[illegible]

近[illegible]曰[illegible]之[illegible]不可[illegible]葬之義且知有他山勝於[illegible]穴則因此遷窆亦何[illegible]難答梅山

又曰先山[illegible]葬[illegible]私自[illegible]移　邦禁[illegible]嚴何可[illegible]血[illegible]斷[illegible]而不能回官長之聽則亦末如之何矣同上

[illegible]之[illegible]禮節如何[illegible] 顧西[illegible]改封築之前當有朝夕拜哭之節而旣未出柩不必行饋食之禮改葬之服在[illegible]不同[illegible]不宜有服[illegible]居之改封築時措辭告由行祭墓前慰安[illegible]爲無於禮之禮也

穿地得先世誌石不可平土

近齋曰墓誌雖有名無姓官職履歷世系子孫皆可徵信耶明知其先代所葬則稍林雖無見存何可平土而已[illegible]

骨肉歸于土終是體魄所在也若平土而止則將被耕犂之所及亦爲他人之占塚此豈子孫之所安乎雖已累𧩙而代遠[illegible]

失傳者尋得之例處之也（答梅山）

水䨋墓庭告由

梅山曰方㓞告災䨋及墓除以致汰落驚惕罔諭然此與防崩整莎而無所事乎壞墓則稍待事力施功恐不爲晚也雖不爲塚事在

兆域不可無告亦當諏吉而恐不必屑屑於年運之利否也告辭當云夏潦稽天水䨋墓庭階砌崩汰將加修治謹以酒果用伸虔告

謹告補土輕於改莎祠土地則恐不必爲也（答金元石）

影幀火災處變

梅山曰　仁祖朝江陵集慶殿火　太祖眞像不救群臣上下素服三日哭益用檀弓新宮火三日哭之文也士夫家値此[illegible]之

災亦當遵斯禮素服哭臨于廟三日而止（答任公會○）

# 禮疑續輯附錄一

## 宗法

### 傳重

#### 老傳者改題遞遷當否

檪泉曰廢疾老傳之禮當如攝主之禮不改之不遞遷也苟使朱鑑改題遞遷則將謐受之之中於稱位而處祖考以待諸孫者也[illegible]有是理（類輯續輯）

鹿門曰父有廢疾子承重尤翁說可行無疑而改題遞遷則朱子祧廟議狀中遂虛一位[illegible]遂者亦同矣廢疾傳重及老而傳重者特代其父與祭主宗祀而已其所奉代數及稱號[illegible]宗廟而其所主廟依舊是孝宗以上九廟孝宗之爲稱廟自如也朱鑑雖曰傳重而其所奉之祀依舊是[illegible]稱廟亦自如也（類輯續輯）

南塘曰老而傳者其子代父行事也改題遞遷是存亡易世事也代父行事則可而父在易世則不可[illegible]疾子代之禮與叢亦同此朱子與趙尙書論祧廟書曰今太上聖壽（太上光宗）無疆方萬天下[illegible]也此可爲傳重而不遞遷之證（類輯續輯）

梅山曰用攝祀者屬稱則不免祭五代之嫌仍舊屬稱祝用使子之文不害攝祀之義（答[illegible]）

黜嫡

㵾湖曰趙先生後事若文之父及見戊申其子作逆其父不得自謂不知然則毋論罪家之舉與不[illegible]戊申前數十年則渠之一生自是無故平人誠不可以其子之故而并絕其父所承之統[illegible]

立後諸節

立后後改題合祭告祝

屛溪曰追后立後改題遞遷告辭錄在下方立后告辭云維歲次云云當初伯兄某夫婦早歲俱沒未及立后[illegible]得已以兄亡弟及之禮使某姑奉先祀以待日後立后於伯兄以爲繼序主祀之地季弟某有子某今長成必欲[illegible]於某月某日以某立爲伯兄所后子告君成斜斜文到家茲具事由將行遞遷改題之禮事非常例尤不勝感愴[illegible]改題告辭云維歲次云云五代孫某敢昭告于顯五代祖考某官府君顯五代祖妣某封某氏（要祝考[illegible]）茲以某立后於先考某官府君先考[illegible]主奉入稱顯五代祖考某官府君[illegible]君顯高祖妣某封某氏（要祝考妣列書）神主今將改題世次迭遷不勝感愴謹以云云[illegible]氏下云先將神主今當祧入親廟先王制禮祀止四代心雖無窮分則有限神主將[illegible]祖以上祝云云某封某氏下云某旣立后先考世次迭遷以下同合祭考妣祝云云[illegible]禮隨人于廟云云（諸位出主告辭哭時祭出主者縮闕○類輯續輯）

竹塢曰洪氏家禮疑以門長名告由題主爲可爲後者自告則措語之間有所礙礙耳[illegible]無人未及立主三十年于茲今以某親某之子某聞官立后始成神主伏惟尊靈[illegible]后阜祔祠字無托四世神主權奉于外孫某以至三十年之久今以某親某之子某立爲某之后奉[illegible]

原書漫漶不清

行時祭禮意恐然（續輯）

又曰立后告辭其稱某代孫恐當從最尊位爲措語曰今以玄孫某之第二子某立爲孝玄孫某官之后已承君命敢見（續輯）

近齋曰感愴之下措語太簡略依前本用之似宜云云孝孫某敢昭告于顯祖考某官府君顯祖妣某封某氏玆以先考某官府君[illegible]期已盡禮當遷主入廟顯祖考顯祖妣神主今將改題世次迭遷不勝感愴季父某官府君神主亦將改題藉依先考遺[illegible]以弟[illegible]季父后呈文禮曹今已　啓下將於是日遷奉季父神主于繼子某之房謹以酒果云云（一本季父某官府君神主亦將改題[illegible]于繼子某之房○右告家廟[illegible]位）[illegible]位祝依此用之云云孝子某敢昭告于顯考某官府君伏以季父某官府君不幸無后而早世以弟某[illegible]已有[illegible]喪期已盡改題之辭亦有礙碍季議于慈親仲父[illegible]於今日呈禮曹成出立案已蒙　啓下[illegible]不勝[illegible]繼子告事之祝亦依此用之而既稱顯考則當自稱孝子云云孝子某敢昭告于顯考某官府君當初[illegible]故[illegible]稱之矣今顯伯父[illegible]某爲后　啓下[illegible]以來月初[illegible]

問繼子無子而死父以亡子題主而[illegible]立后[illegible]居[illegible]其[illegible]改題否（[illegible]）屏溪曰[illegible]

以亡子題主者立后後亦在前改題否

父爲主之禮似得（續輯）

老洲曰古禮父爲主支子之喪許其立后者季未立后之前係是繼后尊府爲主固也既立后則有主矣父固主之恐非[illegible]題主時無關而父爲主故以其屬稱之已於本月某日立某之子某爲后今將改題玆以酒果告由（右季子立后後改題告辭○[illegible]）

按無論同異宮父在父當爲主老洲說恐更商

獨子爲大宗後爲本宗立后

厚齋曰宗雖無家獨子既爲出繼入宗又無兩遂父待則[illegible]不可[illegible]宗宗之子於亡人爲從孫[illegible]以從[illegible]而[illegible]妾不如求宗中侄行立而爲主不然則以妾子主喪方可（續輯）

立后必請官

屏溪曰[illegible]立后且大彝父子大倫[illegible]非有君父之命[illegible]繼成斜之前云而尤菴先生之說於此甚嚴截蓋嘗不成斜則不成爲子（續輯）

問[illegible]弘範[illegible]取十二寸弟[illegible]子[illegible]欲與所後母之姪女結婚[illegible]宜服[illegible]後[illegible]亦可[illegible]之例[illegible]爲立后亦合禮耶（[illegible]）陶菴[illegible]服[illegible]

[illegible]又立后出案以其所後父無禮斜故以上兩世不得[illegible]則近世身故後追出禮斜亦有[illegible]出案之後可即改題此爲正當道理也（續輯）

本庵曰凡立后以禮斜爲主始中當平祭之不禮斜而立後服喪固大違禮節矣然今其人（出後人）已死則追爲罷遺亦極[illegible]安[illegible]所謂後事狀呈于禮曹而爲之說[illegible]初[illegible]不爲禮斜既大違禮律則雖是年久之後不可不追正也以上四特許追出禮斜云今所既[illegible]入可[illegible]者則[illegible]平更立[illegible]後子以弟及之禮爲定永絕罷歸之雜議最爲得之（續輯）

問先人有四方第二出繼宗家第三出繼堂叔不幸伯兄無子夭折先人喪後當爲立後而[illegible]於叔父者[illegible]不禮斜已服所後[illegible]（李台一）



屏溪曰出后而未成斜則此未及告君也雖私自與受實不成爲後也前日之服斬既違於禮法今日之不服斬尤大失矣即當以追喪之意告由於几筵即服斬衰似不可已（續輯）

近齋曰立后而不告君尤翁斷之爲非辭甚嚴正故不成禮斜公文則未定父子矣何敢服喪乎（答梅山）

老洲曰父子人之大倫也移倫人道之至變也以是變處大倫故必致嚴致慎父命之然後始得移大倫於他人雖受命於父無君命以遂之不成爲父子蓋人君代天造命有存亡繼絕之理所以告君便是告天也畢竟不得不以告君爲天命繼續之大限絲髮推移不得也（答宗丈巧山）

柳氏曰續禮通考劉氏敞以爲諸侯將立后必告天子大夫必告於君然後見于祖云則此告君之徵（學禮識小）

定爲母子者不可以未出禮斜葬後行昏娶

閒靜堂曰日前蒙教詢令季不主尊仲母喪當與否私自反覆欲有所對繼從令姊即外舅欲以令季於今春娶室此果然否今令季非特外舅心與之而仲母亦心受之而已雖令尊亦心以爲母子矣將宜及此大故請君命爲之後者縱不能然又安忍使之乘是時昏娶也爲人後者必請君命者重其禮耳乃若其情則非待君命而始有之也今尊仲母之葬而卒哭幾日矣而乃使之昏娶宴樂設之於無君命也及受命之日始欲使之追致其喪則不亦左乎且使非爲後者即爲世叔母齊衰以齊衰之喪而嫁娶禮之大妨令季既不爲后（言不告君）理不應待三年獨不可過期歲乎（續輯）

大宗無后出後小宗者移繼大宗（長子偏予亦爲出繼幷論）

梅山曰大小宗重輕自別大宗既無所繼絕則出后於小宗者當移繼大宗而爲小宗後者若已告君則已移天矣不可易也今焉未及出禮斜既不成父子向前之服喪題主已是失禮曷可膠守而不思通變乎告由于大小兩廟即日聞官移宗並立大宗之祀恐不容少緩（答李儀汝）

又曰國典爲人長子及獨子不許出繼而若爲大小宗則不拘法律繼絕爲急也婦人曷敢主張致缺宗事耶（答愼時行）

有妾子者不宜立族子爲后

梅山曰禮無適子則立適孫無適孫則立庶子庶子通妻妾所生而言也近俗小宗與支庶亦有有妾子而立族子爲后者非直有違於　國典適妾俱無子然後立后之文舍血胤而取疏屬其於天理人情安乎否乎大典立后條有適長有妾子願以弟之子爲后則聽之文斯爲有子而繼后者所證援然有親侄則可無親侄則不可在大小宗則可在支庶則不可以故栗谷慎齋閔爽及鄭畸菴李貞翼咸遵　國典用妾子承嫡苟非其義而殺嫡爲之穴執事既是支子無宗祧爲重待側室子成立立以爲嗣是爲得宜也（答朴汝受）

柳氏曰禮有無適則立庶之文而王戎舍其庶子而立從弟之子非以庶子而然也王戎之於庶子常所不齒則其不慈而不若承祧可知矣如其子之賢足以承祧則雖庶子豈可舍其血脉而取他人乎秦蕙田之說近於今俗之弊矣（學禮識小）

五禮通考秦氏蕙田曰繼禮重大子出微賤而猥以承祧是不敬其先人也世有適妻無子即以婢妾之子爲後甚以女僕外婦姦生庶孽而欲以主持匕鬯可乎闕王戎之風可以識古人尊祖敬宗之義矣

立后八歲以上改題主

近齋曰何必待十歲若至八歲則改題似當（答梅山）

前後妻而立后者外家

南塘曰子生之前母亡雖有十母皆爲前母子生之後得母雖有十母皆爲繼母爲后於俱亡之後而以其母爲繼母（以父之後妻爲繼母）是子生之先已有繼母也恐非正名之義也當以後母爲親母也先師答洪益彬書曰前後妻俱亡立后者當以父之後妻之父爲[illegible]

父之前妻稱以前母先祖不[illegible]篤信[illegible]說而[illegible]固於尤翁亦或有所問於尤翁者耶 類輯續編

屏溪曰繼室生時立后則已生之子只所後之當以繼母黨家爲外家 類輯續編

本生雖者[illegible]或問[illegible]其外氏雖從曰等是非所生當從父之元配曰等是非所生則盡從養育者養育者猶生之也曰爲後之義繼絕爲大非爲養育也曰雖主於繼絕而衆付以養育之恩何害曰繼絕是大義也而須兼養育之恩爲重則其無義之忌者大義爲不完矣[illegible]則然矣前母遠而無所追矣後母養育之恩至深重也而是子却去從前母家爲外氏則於人情不亦戾乎曰義之所在情固有不得伸者矣養育之恩[illegible]也從外氏義也而爲人後者本主於義義須奪情爲宜 類輯續編

竹庵曰繼後子外家繼母在則從繼母繼母不在則從前母有沙溪說此爲定論而或云若父在則前後母惟從父命爲外祖爲宜恐亦爲一說 類輯續編

又曰爲人後者以所後者爲父則父之元配卽爲元妣繼配卽爲繼妣無論母之在否名義當然其曾外祖當以元妣之父治爲之而雖似與有情義而大義則恐不然彼繼配所生不以元配之父爲外祖者以繼母亦父之適妻也若所後子則於所後母無論前後母等是非所生也其不以父之元配與元妣以繼配爲繼妣者其義何居經曰繼母如母則以時在母爲繼母非以不如元妣也此義恐宜精明之其曾外祖如有父命則從繼母恐自爲之 類輯續編

三山齋曰愼齋答尤翁此間曰前後妻必有養已者當以養已者之父爲外祖也尤翁答或人亦曰前後妻皆沒後始爲之子者當爲前妻之子觀於兩說則可以決此疑矣 答沈[illegible]之

[illegible]前母[illegible]在後子以父之後妻之父爲外祖父之前妻稱以前妣當以遂庵說爲正世或有繼母在爲前後者此倫紀之罪人也 [illegible]



李氏立后不當以贅已者爲祖恐當以聞官成文者爲母而服其黨 [illegible]

近齋曰考諸禮書則愼齋答或人之問曰前後妻必有贅已者當以贅已者之父爲外祖也贅已者卽所后父之後妻也後妻入門之後繼子爲得爲前妻之子乎尤菴答或人之問亦曰前後妻皆沒後出繼子當爲前妻之子旣曰皆沒則後妻未沒時立后者當爲後妻之子可知也二先生說如此則他說何容平 答舍弟

老洲曰聞將立子綏後而子綏有前後配用子綏遺意外家用元配云此事則無經據考之 國朝先儒之論則尤翁所謂前後妻皆歿後始爲之子者當爲前妻之子此則事理當然無容更議遂菴所謂前後妻皆亡後立后則所后子以父之后妻之父爲外祖父之前後配以前母在則不能無疑至於前妻沒而後妻存則當如何爲繼耶此無先儒所論而惟子綏內舅者主當繼元配之論其言曰爲后之義繼絕爲大非爲養育也義之所在情固有不得伸者矣養育之恩情非從外氏義也爲人后者本主於義々須奪情爲宜云々[illegible]必用元配之義觀之元配繼配均是妻也宜固在於元配以此推之其言似有精義合理[illegible]矣子綏之遺意所據其必在斯未知如何 與沈靜而

又曰是禮也無經據只有 國朝先儒論說而大抵繼絕義也養育恩也主義則無論存歿當以父之元配家爲外黨主恩則毋論前後配當以養育所生之母家爲外黨主恩之說尤翁之論主恩一邊主義之說近世有沙川儒者之論亦自有據人家或有遵而行之者然世俗多主尤菴[illegible]何捨尤翁而從他說乎主如台執事家又有中三室而但有養育之恩旣主恩則當以元和率與時見在之後黨　外家何可論移年數之久近而取舍耶 答李仲文

又曰是禮[illegible]取於金說而感[illegible]於是禮主養育不論先後惟視母之存沒爲去取於是恩爲重而義輕矣義須有截然不易處而臨時推移恐非爲人后者主於義之道也舉世行之已久亦何可一朝立說破也只存得此箇議論以俟後之君子之財取焉

可也耶 答梅山

洌山曰或問出後子於所後家有前後二母則服外黨於何處曰當服後母之黨以後母者已之所入而事之也前母在已入之前則義爲前母而恩不及也然則二母皆不在而後入者奈何曰猶爲後母之子也已入承後母之喪也喪已盡則可服前母之黨無嫌也世之以前母爲已母而後母之黨不服者爲門地之楕[illegible]也人之私意也 疑禮正解

按出後而所後有前後配者後配雖生存以前配家爲外黨金本庵始爲此說而近世多從之然本庵說有可疑其云養育之恩情也從外氏義也而爲人後者本主於義義須奪情爲宜者恐未究情義之並行不悖也爲人後者雖主於義繼配在時爲之子以繼配家爲母黨情也亦義也何損於爲人后之義乎

立后年齒

屏溪曰父子之倫死生無異雖爲亾人繼后何可以少四歲者爲其子也十四歲或不無生人之道爲人父者計此年歲固可取人爲子 類輯續編

本菴曰成人無后而爲其後者義當若子而已非眞謂其所生也年滿生子與否非可論也惟長於所後父者逆理太過故國典不許 類輯續編

梅山曰今有人大宗也死而無子惟有長數年之族子他無擬議立后處嗣將絕矣或謂大宗不可不繼絕旣有族子則年雖長當立而爲後愚謂子長於父悖理之大者大宗雖絕不可爲后不識盛見如何 上類西

剛齋曰旣立后而年長於所生則論序定矣栗谷先生曰今以世俗常情踏重於親子則先王立后之本意不明而父子爲假合之親倫紀紊亂所係非輕辭意豈不截嚴乎且栗谷之孫李繼早死未及立后李綎出后爲繼之兄而奉栗谷祀此爲今日之明據茲以奉告 答朴希德

按所生子死取他子爲子世俗所謂次養也旣曰次養則可知爲長子之次初不當以年長於長子者爲子也

叔姪爲友婿而姪娶其妹者可以立后

近齋曰大宗之絕祀爲重婦人之禮當從夫旣有南溪說當以此爲斷況姊爲姑妹爲婦比諸妹爲姑姊爲婦次序爲順恐不必拘礙也 答梅山

娀從兄弟爲後 娀從姊夫並論

梅山曰族子順昭穆之序娀從越二姓之親則所以爲嗣者曷可以娀從兄弟爲拘哉 答金章叔

性潭曰娣妹爲姑婦尤翁所不許者以其有倒置人倫之嫌若使娣爲姑而妹爲婦則斷然可定其爲后也所謂[illegible]兄弟爲姑婦猶可許之況此異姓從男妹則尤無所嫌云者儘得矣今此族子以其族父不當稱爲從妹夫而例必稱叔則其爲繼后無一毫嫌礙 答洪顯謨

長子未娶死不立后

近齋曰世豈有無母之子不當立后當以次子爲嗣古禮旣冠不爲殤則只謂治喪與服制一用成人之禮非謂立後亦禮則旣娶方不爲殤冠而未娶者不立后何疑 答梅山

君有嫡子妾不可又立已后

梅山曰近有爲士夫妾者其君死後取其君之族庶子爲子至出禮斜其君則自有嫡子或云當[illegible]禮曹罷斜或云旣已告君[illegible]改爾者何從凡立后者繼於父也父不絕嗣則何所於繼乎罷繼恐宜 與鰲溪

爲人後者不稱所生爲父所生亦不稱子

梅山曰所後父與所生父相對其子稱所后爲父終不成又喚所生爲父並爲朱子定論爲子者豈不敢兩皆稱父而爲父者亦何可兩皆稱子乎以故鄙家於其子過房者雖稱當稱皆目道伯父或叔父渼湖老洲尤嚴斯義於其至親過房亦自稱所后家屬稱近世李丈遠漢氏於其子稱秀稱仲父是爲不易之定理也本生二字以區別所後而云爾不見于禮經非可施於屬稱者也 答趙[illegible]

本生祖當稱從祖

梅山曰稱本生父母以伯叔父母自有程朱定論故尤翁亦云此子謂其所生祖爲從祖也高曾可推而知也本生祖非旁親不可稱從祖只稱祖父云者南塘說恐無所稽也禮無二考詎有二祖乎 答任[illegible]

出繼者處兩家之節

[illegible]爲人后者[illegible]不[illegible]欲絕私恩私恩者豈干大統哉其夫也義莫嚴於正統而恩莫大於所生故隆其義於正恩者固所以致隆於正統而伸其恩於其生子亦所以推致於所後也薄於所生而厚於所後者理之所必無也[illegible]忘其所生之恩者豈能盡孝於所後亦非天理之自然也上世之人心過於厚故其失多在於報本後世之人心過於薄故其失多在於忘本[illegible]生之過[illegible]可以并隆於正統而忘本之失則必至[illegible]薄於所後矣隨時救弊之義又不膠守一切之論也

又曰爲人後[illegible]云云私恩未[illegible]止於其子及其子孫太強[illegible]不專於正統通典所言恐未然 [illegible]

按南塘[illegible]正統固不可不[illegible]而私恩亦不可不伸出后者其所后家家力門地每多勝於所生不良子弟往往陵侮所生不[illegible]兄之禮如此者不可但以隆正統爲戒也

問出繼人於所後喪成服而本生親病危重則往省之耶 或人 洞山曰此際則一往面訣稍遠則成服後 疑禮正解

攝祀本生者爲本生繼絕告廟

梅山曰過房而攝祀本生者爲本生繼絕則當爲之告廟而攝祀者揭於官守罔克躬將則俾近族替告恐宜告辭云維歲次云云攝祀從曾孫某官某身在官守罔克躬將使某親某敢昭告于顯從曾祖某官府君顯從曾祖妣某封某氏 以下列書諸位 先從兄不幸絕嗣宗祧靡托命以某親某之子某繼后禮斜[illegible]下行將攷[illegible]不勝感愴謹以酒果用伸虔告謹告 答李兵使肅鎬

出后者本生無后不可自還本宗

三山齋曰爲宗子立嗣者正是繼絕宗雖有其法必兩家父俱存相議而后得行之非爲子者之所敢自遂也 答權慎之

間代立後可否

柳氏曰間代立後我東先生皆以爲非禮然古人多有行之者立后之法無論子與孫繼其絕而已奚喪服立後條無爲人子爲人後之文祇言爲人後者四字立言故[illegible]次宗曰此當云爲人後者爲所後之父闕此五字者以其所後之父或早卒或後祖父或後曾祖高祖[illegible]繼或不昭穆私家以繼所爲重故不可不從世次當次宗所謂此當云爲人後者爲所後之父闕此五字高祖父不至[illegible]之也云 禮學小識 者以其所後之父或早卒此言似然若直繼祖父或曾高祖父則昭穆不接恐未必然

一人一時立二後之非

柳氏曰立後之一之不足至于二者逞其私欲也決非禮義不可爲法也 禮學小識

唐書盧簡辭無子以弟簡求子貽殷元蔓二人爲子○宋留從效無子以兄從願子昭鎡昭鎰爲子



次養

屏溪曰嗣子死其從後亡又無昭穆之可合立後者則其父始得他子爲後用兄亡弟及之禮矣[illegible]亦不可更立後矣 疑禮類輯

梅山曰俗所云次養子不見于禮而始自寅平尉鄭公更立次子以待其子之生長而復繼長子無後而死者即爲其後而不失其正也出後於人者移天也是故不告君則不成爲父子更立次子者亦以嫡妾俱無子之意成出禮斜公文到日即定父子之親是爲不易之理也 答金正洙

柳氏曰今俗無子者立嗣子嗣子又亡立嗣于他口使服斬衰以爲喪主待其產子以承前嗣之後此所謂次養也古制於此法既非天性之親何可但服斬衰不承其統乎大抵非當服斬衰而亦有服之者如適孫無後而死次孫持重者也[illegible]人後者[illegible]於所後不二斬故降其本生今次養之子無所持重而爲他人服斬降其父母[illegible] 禮學小識

兩次繼後一告一不告

惟澤曰所[illegible]不當以兄弟倫序論也繼後之法不告君則不可以定[illegible]告君者當繼後不告君者當[illegible]今既有告不告之別則尤豈有長次之可論哉 答南用九

兩次立後皆無子而死者當立先立後者後

南塘曰所后子無子而死更立他子爲後則其父生時固已移宗於後所後子而絕其統於前所後子矣[illegible]移之宗而追續既絕之統乎爲其後所後者立後以承其父所傳之重事理當然無可疑矣後[illegible]以旁親班祔於廟矣後所後者雖未立后亦當班祔於所後家之廟父子[illegible]罷其父子之倫而歸之本宗乎千萬不是 疑禮類輯

又曰前所後後所後子當立後後家思之甚[illegible]一子無子而皆有喪二[illegible]欲爲其先立後則爲先立後[illegible]不可一[illegible]二喪皆立後則前所後者之子爲長子之子後所後者之子爲次子之子矣長子之子自當承重[illegible]於其間矣前者所後子死不爲立後而更立他子者蓋用兄亡弟及之禮到今二子俱立後則又[illegible]所後者立後而後所後者罷繼歸宗繼[illegible]宗未知其可而爲前所後者立後其說[illegible]所後家之[illegible]亦無難處矣大抵立後[illegible]不關於朝而私相立後者罪也不關於朝而私相罷繼者亦罪[illegible]

罷繼歸宗

生父喪三年內罷繼者改製斬衰

南塘曰[illegible]既絕於所後父又不能斬於所生父則是有父而無所於喪之也[illegible]製斬者無可疑矣若[illegible]長子則改題神主主其祭又無疑矣女子被出而反者移是已[illegible]可以[illegible]之於罷繼之子也但不知追服之期當如何哉[illegible]前日之[illegible]服之日後計三年而[illegible]似合禮[illegible]未知如何若引前服已滿三年之限則[illegible]且前服已[illegible]三年[illegible]方爲追服[illegible]中間間斷之日已多矣亦何以接續成[illegible]伯叔父喪三年內爲後者聞其子[illegible]服伯叔父之喪然自爲後之日自當改製[illegible]以[illegible]之制也然以[illegible]三年之喪不可以相合也三年內立後者其子未終祥之前几筵當撤[illegible]喪[illegible]主人[illegible]之大經不可違也几筵[illegible]主入廟其子[illegible]

亦哭而行之但不設祭奠耳 類輯續編

本庵曰罷繼歸宗在大祥前之制始以忘見則其持服自有殺也服正服本服無可疑矣若禫前則視其補持服而因除時追行[illegible]

祥若練後則一喪再練恐不成義理似可因其練而又祥祥則自當撤几筵而[illegible]

者只得隨時自行禫除耳[illegible]然所謂撤几筵只以上食[illegible]耳按凡祥主猶在廟以之行禫[illegible]

則此新持服者既是主人主人服未闋之前自不得行吉祭未吉祭則主當自如在廟而朔望三獻如闋禫矣 類輯續編

竹庵曰爲人後者身歿之後始覺其以穆繼昭則當聞官而罷繼還宗禮也既還宗而是其以長子出繼者則雖其弟承本宗之祀亦

其宗族以長子之子奉統告廟歸正恐爲處變之道 類輯續編

祖喪中長孫罷繼歸宗者接服承重服

屛溪曰長孫既已還宗則重喪[illegible]不可一日無主其孫既歸宗則[illegible]又豈可一日而伯服斬耶但[illegible]代父代己[illegible]重服[illegible]

當從儀禮疏並通三年而除之今次孫既承重而受服則長孫歸宗亦繼此而受斬矣宋叡永幷通三年之義亦可於此爲證今於再

期日但大祥似無不可蓋此次孫當長孫出繼之時已爲承重服斬及此長孫還宗之後則不可不[illegible]此服[illegible]

免服[illegible]幷通三年實出於宗[illegible]以適孫繼次孫而幷通三年則今此[illegible]

可據乎 類輯續編

爲所後母所罷養者處變

梅山曰[illegible]已是失德而所后母之以投隼擾言罷養逐出又是常情之外也既定爲母子則雖有大過惡當爲

子隱而況[illegible]之非也既見擯於所後家[illegible]則出身封內不背所後父事理之所當然[illegible]所后母雖欲遣絕本生母

[illegible]牢拒則曷敢有[illegible]志惟母命是從已矣昔羊祜無子取弟之子伊爲子祜死伊不服重祜妻表聞伊辭曰伯父生存[illegible]

敢違然無父命故還本生議者謂子之出養必由父命無命而出是爲叛子下詔從之今也則初不告君只用母命而被出[illegible]不

許其還養當從羊伊之還本生已矣 梅山答具集書

罷繼還宗後爲所後父服議

李[illegible]曰還宗本生父沒降服後所後父生子能繼[illegible]宗後所後父沒服議與蔚之孔德澤皆云方之繼母嫁而有服然繼母嫁之從

服不從則當不服何必援此爲服者其久爲父子恩不可忘則或有數月心喪否 家禮增解

盜竊處變

問有人盜竊則爲繼後者何以爲之 宋必達 樸泉曰尤翁之訓甚明白可據蓋雖有君命無與受文書則不可私絕其所生此後至禁至

[illegible]服[illegible]如家[illegible]自處以罪人而據實呈辨恐得中矣如無王[illegible]及門長則自處恐無[illegible]義也不

後犯所後耳 類輯續編

雜禮 上

居家雜儀

拜禮總論

柳氏曰古人席地而坐引身而起則爲長跪首至手則爲拜手手至地則爲拜首首至地則爲稽首此禮之等也居父之尊必用稽首

拜而後稽首此禮之漸也必以稽首終此禮之成也大明會典後一拜叩頭成禮此古之遺意也○稽首諸侯於天子大夫於其君之

禮也然君於臣亦有稽首者孫太甲稽首於伊尹成王稽首於周公是也大夫於非其君亦有稽首儀禮公勞賓々再拜稽首勞介々



再拜稽首是施君子行禮於其所敬者無所不用其至則君稽首於其臣者尊德也大夫士稽首於非其君者尊主人也○於百拜字

出樂記古人之拜如今之鞠躬通計一席之間賓主交拜多至於百拜注云一獻之禮士飲酒之禮百拜以喻多也若平禮止是一拜

再拜卽臣之君於亦止再拜禮至末世而繁自唐以下即有四拜大明會典四拜者百官見東宮親王之禮見其父母亦行四拜禮其

餘官長及親戚朋友相見止行兩拜禮是四拜惟於父母得行之今人書狀動稱百拜何也○古人未有四拜之禮而戰國策蘇秦路

過洛陽嫂蛇行匍匐四拜自跪而謝此四拜之始蓋因謝罪而加拜非禮之常也○九頓首三拜此出春秋傳然申包胥只是三頓首

未嘗九也而杜註無衣三章章三頓首每頓首必三此亡國之餘情至迫切而變其平日之禮者也七日夜哭於秦國之庭古人有此

禮乎七日哭九頓首此亡國之禮不可通用也○周書宣帝記詔應拜者皆以三拜成禮後代變而彌增則有四拜不知天元自擬上

帝凡冕服之類十二者增爲二十四而笞捶人亦以百二十爲度名曰天杖然未有四拜王世貞宛委餘編曰李濟翁時世郊天祭地

止於再拜其實至尊不可瀆而以婦拜姑嫜必四爲非禮然則彼時不行四拜也方千歲士每拜必三時謂方三拜朱子之孫爲淮東

提刑與顧者皆必云萬拜時謂朱萬拜皆可稱人妖 讀禮小學

程子曰納拜之禮不可容易非己所尊敬有德義服人者不可余平生只拜二人其一呂申公其一[illegible]數人同坐說

一人短其間有二人不趨問其故其一曰某曾拜他其一曰某曾受他拜王拱辰君貺初見周茂叔謂與茂叔世契便受拜及坐上大

風起說大畜卦君貺乃起曰某適來不知受卻公拜今某卻當納拜茂叔走避君貺此一事亦過人謝用伏問當受拜不當受拜曰分

已定不受乃是 常變通攷

夫婦相拜

竹庵曰夫婦相拜古禮無之韓詩緣婁出拜之云恐是當時俗禮我朝先賢之朔望相拜或有所據而未有考不敢爲對 類輯續編

梅山曰夫婦相拜吾東儒賢亦多行之尤翁云自數日以上與妻相拜愚意雖離一日亦當拜 答趙鶴夫

定省不拜

近齋曰父兄之臥與食時不拜未詳其所以而以從三年內朝夕哭孝子不拜實家生時之意觀之則定省時無拜卽禮也定省時必

拜雖有慎齋所行恐難以爲法 梅山答

李氏曰曾成云唱喏揖時與且節孝徐先生每晨夕具公服揖其母云則於父母前有揖可知且明道曰邵堯夫初學於李挺之師

甚嚴雖在野店飯必襴坐必拜云則師生之拜此可爲據耶 家禮增解

梅山曰[illegible]適父母舅姑之所省問丈夫唱喏婦人道萬福即禮之晨省也既夜丈夫唱喏婦人道安[illegible]

唱喏[illegible]則晨昏祇行[illegible]禮可推而知此是常侍無拜之義也 答尹明直

[illegible]人子定省之際不可全廢[illegible]陽門下晨省必揖而坐[illegible]行之

庶叔嫡姪相拜

近齋曰嫡庶之分雖嚴叔侄之序亦重庶叔雖年少於己者當相爲拜禮 梅山答

朔望儀

鹿門家儀正至朔望是日行參禮畢遂揖室堂設坐席於北壁下尊長坐定男女各就位丈夫處左西上婦人處右東上皆北向一共拜

丈夫再拜婦人四拜 朔望則丈夫一拜婦人再拜 畢長子位尊長之左長婦位尊長之右皆南向諸弟諸婦及妹北向一拜 長子長婦答拜 畢男女分班對

立男左女右婦人先一拜丈夫答一拜畢皆北向立婦人讀誡辭[illegible]皆拱手敬聽再拜退就坐婢僕亦分左右北向敘立於庭下再拜

仍北向男僕中一人讀誡辭[illegible]皆拱手敬聽 類輯續編

生朝儀

問人無父母者其於生日不忍爲樂然子弟者又不可虛度是日此等處當如何 李敎 陶庵曰此亦只觀父母之志而爲之門人李子問程子言…問於朱子曰大夫生辰獻壽未知如何朱子曰是吾力既不足處朱子之人意蓋曰皆亦知有此道理而只以爲子之心不忍虛度此吾力盡之不足也且均是親也而事母之道差異於事父韋齋若不聽朱子必不強如大夫人則朱子必強請而夫人以從子之義許其伸情故有此獻壽之事亦未可知也使夫人終不聽則朱子亦豈敢爲之耶 續輯

庭門家儀生朝日雞鳴而起行昏省禮質明灑掃室堂設坐席於北壁下尊長坐定男女各就位丈夫處左西上婦女處右東上皆北向一拜丈夫再拜婦人四拜下同畢退仍進晨羞上壽諸子諸婦女叙立拜如儀諸子中最長一人進立於尊長之前幼者一人執盞立於其左一人執注立於其右長子及二幼者俱跪長者受盞執注者斟酒訖二幼者起長者舉手奉盞祝曰伏願尊親對茲爲慶備膺五福保族宜家尊長受盞飲訖以盞授幼者反其故處長者俯伏興復位諸婦女中最長者一人進立斟酒奉盞復位如上儀畢諸子諸婦女俱拜如儀尊丈命諸子諸婦女皆坐侍者斟酒于盞進尊丈尊丈命諸子中長子至前親以酒授之長子受酒置于席端拜跪取酒跪飲以盞授侍者興復位侍者又斟酒于盞授尊丈尊丈又命諸婦女中長者至前長者拜跪如上儀畢一拜興復位尊丈命侍者以次酢諸卑幼皆出位拜跪飲畢興復位諸子諸婦女俱再拜禮畢各退就位 續輯

南塘曰代稱某官僞曆五福此一節子弟稱父兄以官爵果可疑官字或親字之誤耶 續輯

宗間稱號

伯叔父母稱號

竹庵曰稱伯叔於諸父世固通行但季父之云見於史記此非經據經惟言世父母叔父母故前輩備考多以世父稱父之長兄今人敎小兒輩以世父母稱爲大父母此尤爲妄發大父母者稱父之父也汝輩勿效此俗謬也 續輯

又曰稱父之從兄弟曰從叔父稱父之再從曰再從叔父自稱再從子三從子自九寸叔以下稱族父自稱族子爲宜金祭酒伯春於踈遠之族亦稱族子矣 續輯

又曰爾雅稱祖之姊妹曰王姑自稱曰姪孫 續輯

近齋曰猶子之稱先賢集中固多用而吾竊以爲未安蓋猶子二字本是孔夫子視顏淵之辭而後人以爲親兄弟之子猶己之子遂稱兄弟之子爲猶子然此乃文字也實非兄弟之子之本稱不如直稱以從子之爲當晦翁朱夫子書已以稱猶子爲非 答舍弟

舅之子曰內從姑之子曰外從

梅山曰舅之子曰內從姑之子曰外從不惟習俗所戰亦有朱子定論而今人或喚做舅子曰外從者認其外家兄弟故云爾然母之兄弟謂以外氏則內從之稱豈不爲內從乎姑子出嫁者皆外成故稱嫁曰外從猶推其類義也姑子之稱以外從可知也

娣姒妯娌

梅山曰爾雅曰女子同出謂先生爲姒後生爲娣註云同出謂同嫁事一夫也事一夫者以己先生爲姒後生爲娣又云長婦謂稚婦爲娣婦稚婦謂長婦爲姒註云今相呼先後或云妯娌以兄妻呼弟妻爲娣弟妻呼兄妻爲姒公羊傳諸侯娶一國二國往媵以侄娣從娣者何弟也是以其弟隨於姊以長解姒娣謂身之年長非夫之年長也左傳穆姜不以叔仲稱叔向之嫂爲姒叔向之妻爲姒二者皆以夫弟之妻爲姒豈計夫之長幼乎內則曰娣姒猶兄弟合璧事類曰娣姒今世曰妯娌即此而詳究則娣姒之外非別有妯娌也 答舍弟

外祖父母沒後稱號

近齋曰外孫於既沒之外祖父母不當稱外顯祖考妣只當稱外祖父母蓋考妣之稱皆當稱於正統祖先故也此似屬正論知禮之家如此行之否也 答舍弟

又曰遂庵先生嘗論外孫奉祀之非仍曰或有告由則稱以外高祖無妨然則不但考字顯字亦不欲用矣 同上

前母繼母黨稱號

近齋曰前母繼母之黨非其族也有何屬稱世俗或以祖叔兄弟稱之非也初娶之子其母被出則服其繼母之黨服古禮有之若如此者當以外族稱繼母之黨 答梅山

錦水記聞今人於前母若繼母兄弟或稱舅稱甥嘗竊疑之偶看朱子大全何叔京墓碣稱繼母兄鄭鉅爲舅石子重墓碣稱其繼母陳氏兄良翰爲舅氏然則今之稱似不爲無據 孫常致

按朱子雖有是稱只是從俗與稱尤夫之父稱叔父一般恐非禮意難以爲據

庶母嫡子稱號

穎西曰正室子呼父妾爲庶母於嫡稱以適子似宜推至諸尊屬之妾亦皆然矣庶母之自稱則庶母二字之外豈有他稱耶 答梅山

衆親稱號

三山齋曰立後家內外從爲母子夫有古據然設有姑姪爲娣姒則姒之子其娣必不喚做外從而喚做從子無疑來諭所謂當以本宗爲重者約而盡矣 答洪

近齋曰一從夫族與各稱其尊皆有其義誠是難斷之問也然遂庵說既如此姑從如何 答梅山

梅山曰衆親稱號當以夫黨爲重故遂庵曰女子叔姪爲一家之婦叔爲冢婦姪爲介婦則當從夫族以今婦相呼若姪爲冢婦叔爲介婦則叔稱姪爲兄姪則以叔稱叔是爲可遵也至若兄弟爲夫黨叔姪則尤爲順序一從夫族稱號恐爲得正 答舍弟

小字不諱

梅山曰古人諱名而不諱字故子思稱仲尼孔門諸子皆稱仲尼明道稱周茂叔伊川亦呼明道喪德近世金上國憲字叔度之而名其子在誠吳贊善字士敬而名其孫曰敬簪是爲不諱字之證也兒名小字也故或有用父祖小字之字錫子孫之名者諱父之小字豈行列之字者無己過於諱者乎此與改秀爲茂諱虎作龍其義不倫也昔人諱名故不諱字字猶不諱況小字乎雖小字固不宜并舉二名而只舉其一字爲子孫名恐無嫌於觸犯也 答沈

師弟稱號

南溪曰從學之人或稱門人或稱門下生余初不分別近以古人事考出門人者挾冊受業之人門下生者平日出入門下者也其稱自不同 續輯

袒免親通內外當否

近齋曰同五世者爲袒免之親只是服盡而已雖婦人與男子不同於同五世者何可不相見乎曾以此問於嚳丈嚳丈之家亦然且以爲此事不可一槩論惟在其門之厚薄其家之觀踈云矣 答舍弟

出婦

退溪與門人書曰古之去婦猶有他適之路故七去可以易處今之婦女皆從一而從何可以情義不適之故而或待若路人乾如仇讎使綠歸於反目袒席隔於千里使家道缺造端之虛萬隆絕祧廢之源乎某昔再娶一值不幸之甚然國無黜妻處者數十年其間極有心煩慮亂不堪捽悶然何可循情而慢大倫以貽偏親之憂乎 五續考設

降娶爲妾之喪

近齋曰降娶爲妾前　朝家有禁令何敢議到 答梅山

卜妾不娶嫡姊

近齋曰宋子語錄一條有可據者贈送先生此論尤爲嚴正明快今而後始可解惑矣向來吾家與李誉長所見皆未及此爲士者不可不多見文字也 答舍弟

父兄居謫子弟遊觀當否

近齋曰父兄之以官當居謫子弟固不可閒遊遨飲博而至於情厚處尋訪亦並廢之則無乃過乎農淵二先生事未嘗講究而古人身親居謫亦不廢山水之觀故東坡所以有六教看盡浙西山之句也然此亦有事之輕重與時之古今不可一槩論也 答梅山

子弟奔走圖其父兄孝行褒典之非

陶庵曰爲孝者特盡其本分爲非要人知而子弟奔走經營苟要褒典豈不大傷厥孝心 類輯

弟廟兄拜

近齋曰朱子說降兄亦答拜恐不可通用於弟死之後三淵之引此爲當拜弟廟之證未見其的確恐似難從愚每以爲當從愼齋先生見祭弟不當拜之訓矣曾以此奉質於渼湖金先生金先生答以平日入亡弟廟只行揖禮亦可見其不用三淵說矣 答梅山

寫眞當否

近齋曰畫像雖得七分易虎則人則不稱可也技藝不借於異代後世亦有願虎頭之藝之亦可也但當無遽莫耳悉叙及棣棠閑暇二公之眞影門尚是一法門而亦難以此使後人一切不爲寫眞也 答梅山

老洲曰眞像非祭之主祭時并奉已非致一之道而惟後世書院祠板後或有別奉眞像者此若可以援據然家廟既與書院有異且出主行祀則尤不可爲援也鄙意則恐終緊且褻而未安矣至若人家或有祧埋之遠祖影堂子孫薦獻如茶禮者此當別項論豈禮之云乎哉 答趙

揚氏曰蜀文翁成都石室設孔子坐像及七十二弟子像此即塑像之證而顧氏謂在戰國之世者引宋玉賦也此與畫像無異一髮或殊則豈非別人乎 小學

顧氏 炎武 曰古之喪也有重於祠也有主以依神而祭也有尸而象神而無所謂像也春秋以後不聞有尸之事宋玉招魂始有像設君室之文尸禮廢而像事興蓋在戰國之時矣

先賢祠宇配位同奉處迎拜

近齋曰先賢祠宇迎拜一節以有配位爲疑來示固然耶抑有可行之義古之人於其師夫人之喪有爲祭文者矣蓋生時升堂而拜故也雖然今又升堂而拜師生恩重神道自別似當瞻拜於內外兩位并奉之下恐不必爲嫌也以此義推之尤爲百世之師也何可以並奉配位而廢迎拜之禮乎但與諸祠位同奉一堂則極涉難便此則未知何如爲宜也禮既無的說此等處惟當從而已衆不可獨異也節拜迎於近日士論如何若路旁出迎不過爲稱朋致敬而止不行拜禮則都無設話矣 類輯

里社

華西曰洞人祀山川按禮大夫以下成羣立社曰置社註群衆也大夫以下至庶人也大夫不特立社與民族居百家以上共立一社今時洞社是也愚於槩社亦有一冊所錄他日當奉質也 答金平默

丹門不遷

近齋曰旌閭即用樹風聲於百代之後雖非不遷之位豈以祧埋而焚毀其丹門耶人家久遠之旌閭至今尚立假是子孫之家遷毀宗之後猶留之也遷主最長房之時旌門之亦隨而遷去之間也 答梅山

圖章不埋

近齋曰既知非禮則何必從俗圖章并埋不可創行 答梅山

恥具之義

近齋曰禮有歲制月制日制之文則爲親者何可不備板材壽衣服乎禮又曰君子恥具如絞紟衾冒之類不早爲之此則避預凶事之嫌也 答梅山

親査爲城主

近齋曰親査之情私也先公後私之道雖親査間亦不可不稱城主城主之稱由我先山在其治內則然　朝廷雖例同私情城主之爲城主實以　王官故也親姻戚情雖當爲公故此所以有公私之說也親査於國法有相避則固亦宜矣而獨夫者誠化之分爲嚴重也非但於書札稱民對面時書話立恭入見時亦當不由正門 答舍弟

祭飯之義

近齋曰稷祭說未見其不同程子之只言始爲飲食者大綱說也朱子之必曰每種取於豆間者詳言之也其意則非有二也所謂先代即舊古昔既有可祭之義則何可曰非其鬼乎愚於平日只以飯祭之而已每種出祭不能如朱子說蓋亦從簡也 答梅山

又曰惟看始爲飲食之始字則可知先代之稱非先祖也人家祖先果皆有始爲飲食之人乎決不然矣古昔祭先之先亦安知非先嗇先農之先乎設令是先祖之先朱子之所謂先代則非從古誰也不忘本之本字非一本之本乃本初之本也不忘飲食之本亦豈非人情乎 同上

奴婢

痛哉我東奴婢世傳之法豈爲無據天地之性人爲貴而一爲私賤世世爲人僕御自中非無聰明英特之人而無以自拔若其買賣如畜產驅策如牛馬豈非仁人之所隱乎 常變通攷

喪中奴婢嫁娶 新買奴婢服色并論

近齋曰僕隷於其主之喪爲吊服加麻即古禮奴婢被髮是後世之禮也恐不得一切以父母喪爲準且以朱子所論君喪一月之外許軍民之例推之則葬後或練後不禁其嫁娶無害否 答梅山

又曰三年內買僕雖不見亡者之面旣爲喪家奴婢則以君服亦服之義著素服使喚爲宜 同上

冠服之制

總論

竹塢曰今所稱男子之周衣婦人之長衣即古深衣之遺制道袍自　宣廟朝而始行其前皆直領也行則擊衣 中亦郎也 即四揆衫之遺制 類輯

又曰玄端說曰雜記端衰端衣冒端者玄端吉時常服喪之衣衰當如之疏曰端正也吉時玄端服身與袂同以二尺二寸爲正所衰服下如之又朱子曰吉服玄衣玄端制却於凶服亦做爲之宜矣據此則玄端之制當如一衰裳袷尺二寸袪尺二寸衣袴下尺前後裳各三幅而拘及短綿但上玄下黃而無衰負耳朱子嘗遂用衰負古俗以野服從事上衣下裳履盈氏玉露亦及其說 但衣不用玄故不稱玄端而曰野服 據此所謂野服即玄端之遺制也余嘗許端衰之制而得其說欲以其制製玄端

寸圍二尺五寸衣帶下尺袂屬幅衣長反屈及肘袪尺二寸尺用周尺 衣用黃[illegible]白絹爲大帶廣四寸緣以緇二寸用二采組爲之冠用進士所常戴巾以代緇冠而未果也又曰冠用劉會所稱爲宇巾者蓋其爲制得於喪禮之據而缺項青組纓屬于缺有合於士冠禮緇冠之制耳（類輯）

程冠制度

近齋曰程冠制度曾前以未詳奉對矣今示呂堅中體制似是冠而亦未可質言八寸與七分似是指瓣與簷之高而帽與冠之爲一物終未有考更求熱板全書而歸定如何濂溪積褁冠皆未嘗見之我東整冠只是俗制未知誰所創造也（答梅山）

梅山曰程子冠制度考證程齋有曰伊川所戴帽瓣八寸簷七分四直而與全書所程像所戴者其制不侔故嘗倣像本製成而不屑々於尺度矣吾亦遂去依樣造著爲可程冠但用布帛而以燕以行俗無不可也服堯服行堯行是亦堯而已冠程冠而不能學程學其異乎曹交之九尺者幾希也（答閔近齋）

野服

近齋曰野服圓領長一尺九寸似是通計左右領矣（答台卿）

襌衣

李氏曰此衣服制度非本先有尺寸之定法而撰成衣制者也只是就尤翁所製已成之衣而揣尺度以知此爲幾尺幾寸則固與深衣制度之本有定法者不同矣惟當以玉藻本制定其大體規模隨人體而量定尺寸以裁之則庶無不相稱之患矣

[illegible]朝祭服下襌者俗所謂中赤莫而亦不宜老者掩[illegible]襲襌衣而猝遽去之[illegible]所云襌衣雖不見于禮而特皆之所服也其製則道袍之去一邊幅者也今因大傳所奏 中衣白衣而孤子當室冠衣不純采如吾輩有終身之喪者恐無可變之理類聞盛敎（答[illegible]）

婦人服飾

開靜堂曰我國文物幾於用華而獨婦人髮制尙存夷俗重峯封事空言無用固不足恠以尤翁之賢行之家庭宜世未幾而遺制亦不可詳習俗之難變有如是矣（類輯）

髻雙紒

髻者束髮之謂男女無異稱古今無殊俗以譯胥所說圖畫所傳參互得之華女之斂髮束頂與東國丈夫無異若其額前爲兩界至後斂上頂中留少髮同束爲髻者即今之所謂唐髻而譯胥說處女首飾如此（婦女長幼惟以界額與否爲分別云） 然攷之圖畫皆無此制似昉於近世也尤翁所行得之屈官人云者傳明有發宮女之飾容或與室女不制歟若其作髻之形則與丈夫不啻不同故孔子之稱爾容髮曰爾無從從爾無扈扈爾無匹附苟如丈夫之髻則何待於誨之而以太高太廣爲戒也歷代傳記所載如大手髻倭墮髻盤桓髻驚馬髻偏髾髻者其名不一婦女所以飾其首者廣狹長短之形盤屈往復之勢取研於目求便於首其變化之多數自然之理也富貴者益之以髢務爲高大飾以華美而貧女則不能亦自然之勢也然圖畫皆非高大之髻者亦取其廉也今其制旣無傳譯胥所說華女之髻上髮下狹其形如手疑即大手髻之遺制歟室女古者皆總角內則曰男女未冠笄者櫛縱總角詩云總角之宴冠禮曰女子許嫁笄禮則髻首註云分髮爲髻紒家禮笄禮亦云雙紒則自古以來未之有變也（內則曰男角女羈嚴氏註有角兩髻羈三髻之說然以經文及註疏觀之則雙紒爲男女之通制非特男角而女羈也詳見三卷之禮） 雖已笄矣而燕居猶爲髻紒則未笄者何可爲一髻而界額何足爲辨也其制不知始於何時而失禮大矣今宜在室則雙紒笄而嫁則一髻方爲合禮室女旣復雙紒之制則笄者之髻雖盡上如華女之髻可也界額如見行髻髮可也至於作髻之巧拙亦在婦女當之講論習熟自成時宜耳〇古者男貧女戴見於經傳者多矣東髮項中則雖欲戴何可得乎楚語司馬子期欲以妾爲內子訪於倚相曰吾有妾而願欲笄之何如以此證之則婢妾之屬皆終身總角而不笄者可



知（陳氏以七髮爲纔）故內則記妾之將御之禮云櫛縱笄總角正與楚語相發明圖畫婢僕皆爲雙髻[illegible]爲髻亦雙髻也[illegible] 梁鴻傳云椎髻更爲椎結操作而前椎髻者後髻之類也譯胥所說胡女皆作髻於後以網冠之及百濟傳所謂編髮盤於首後垂一道爲飾者皆椎結也椎結與冠而梁鴻妻之蓋爲人僕妾與貧賤力作者身操井臼首以戴任則髮必取便於事或雙紒可也或後髻可也（[illegible]） 然皆不掛髮爲是耳近來中國婦女亦皆擺髮盤髮而戴任之俗故髮女皆作髻此則風俗之異

髢（首飾）

禮披錫讀爲髲鬄注云剔刑人之髮以爲髢也傳云見己氏之髮爲髢也髮小者以髢益之不論何人之髮說自古已然今之[illegible]或以婦人不可戴他髮爲變制之大節以俗見也人髮之多寡長短不同而婦女取飾與丈夫殊則何可不用髢也[illegible]高一尺則爲不可耳

纚笄總

纚用黑繒長六寸緇髮而作髻必用纚者蓋不欲其髮之現也然古圖皆現髮不知其廢於何時中國之[illegible]髮與纚不同而其用以壓髮者亦纚之遺意笄以固髮古今無異然吉笄尺二寸喪笄一尺二寸今[illegible]髮壓於項板與束髮之意不同

副　步搖　鳳冠

周禮鄭司農注云副所以覆首爲之飾其遺像若今之步搖鄭玄云如今步搖[illegible]皆黃金珠髮爲之詳見後漢輿服志歷代因漢制大同小異大明集禮所載九翟冠即其制也聞向來海島翟冠及[illegible]正與集禮相似此乃后妃所服以謂翰者則在十大夫家初無用捨之可議而言者必以鳳冠爲稱首耳熟於稗說而不察乎古之過也鄭氏云三后燕居亦纚笄總而已若官中欲復鳳冠之制則因集禮所載花釵鳳冠之數[illegible]編次以簪髻代纚笄以其所飾別尊卑可乎

編　次　假髻

鄭註云編編列髮爲之其遺像若今假紒次第髮長短爲之所謂髲髢也假紒髲髢皆以髮爲之與今之假髻不其相[illegible]假髻正合於古禮盛用次之義傳曰禮之無害於義者從俗可也況從俗而合於古禮者何可廢[illegible]髮益[illegible]但取以供婚禮之假髻則其爲費[illegible]少[illegible]成疑少牢主婦披錫則命婦於祭亦當用假髻然大夫之[illegible]衣則婦女不宜獨具命服惟朝見后妃時用假髻以花鈿（盤鈿）多少別品秩則庶幾因俗而合禮

簪髻　鬅髻

簪髻之名昉於魏志云貴人大夫以下助蠶皆大手髻七鈿[illegible]其後皆用簪髻此北齊志內命婦左右[illegible]夫人[illegible]品五鈿簪髻云云七鈿六手髻八品偏髻髻云云宮人女官從蠶則各依品次[illegible]六之下繼云簪髻則是以簪髻加於大手髻之上也七分六手髻云者但爲大手髻而不[illegible]或簪髻加鈿甕則皆但以簪髻也其制雖不可見而以意推之家禮會成所謂假髻東[illegible]象歟[illegible]服除云去帽鈿綃巾去假髻鬆丘文莊酌補之[illegible]子別室條云婦人過如別室帶白假髻加[illegible]鬆鬆有黑白兩樣故[illegible]所去即黑假髻而[illegible]爲白假髻也嘗見皇朝小說有寡婦[illegible]說其說與此合丘文莊儀節所稱假髻即承家禮之後會成又襲丘氏之說故久疑家禮之假髻亦[illegible]

而其物其難皆使天下婦女皆制此爲飾則豈家禮從簡之意乎況皇朝去宋末不遠不感頗異然不敢質言也古謂之蔽髻是歟時謂之假髻假髻而閭巷直謂之髻其制同異雖未詳而其形之似髻則可知也尹洪原所購者婦女戴之其容甚雅且儉而易辦若定尺寸無得踰越則雖欲多益以髢爲一尺之髻不可得也

冠子　花冠

古者丈夫冠而婦人笄故婦女無冠事物紀原雖有漢時始起之說而不見傳記宋時詔婦人所服冠高無得過四寸廣無得過一尺而不詳其制竟不知何冠也又褻裁假髻然家禮惟室女著冠子婦人又用假髻何歟老峰所購華冠之制今華女皆不用云不知何代所變也絕冠又不知起於何時也家禮用冠蓋從時俗而我國婦人不冠自今古禮何必始制冠子强同宋世也且丈夫冠帽各從所好而 國家未嘗設爲法制今於婦人所著亦何必屑屑乎髻制既變則或用蔽髻或用冠子亦從其好而已在禮童幼竊飾室女但爲雙紒而無所著亦不害矣

首飾

歷代首飾有六珈簪珥步搖翠翹花勝鈿釵花冠梳篦之屬今不可詳然步搖古制惟皇后長公主太子妃外皆不敢用則今爲設法嚴者以鈿花之類爲假髻蔽髻之飾閭華女皆插花爲飾自唐時而然也

霞帔

式微近有馬懿巾帔々不知何制字書以爲披帽然漢儀后妃謁廟皆有帔此語非是帔字書謂在肩背古畫女子皆垂幅文綺垂之兩肩即帔也栗谷祭儀忌祭婦人變服有縞帔玄帔之異豈國俗有帔而今無耶

衣

古者婦人之服不殊衣裳歷代襲之服頗因之（隋志云入廟紺上皂下蠶服青上縹下皆深衣制隋志亦有大袖衣之語）今雖其制不可追者況丈夫但得緇冠深衣以存古禮則其於婦女何獨責備也亦隨時成俗因俗制宜而已家禮室女著衫子既笄著背子々々爲最盛之服演繁露云褙制斜領交裾與今長背子略同其異者背子開膀褙則縫合兩腋（又云褙之兩裾交相掩而襦士所服兩裾直垂）又云中單腋下縫合兩腋各有帶穴互穿之以約定裡衣背子則悉去其帶石林燕語云背子本半臂武士服今又引爲長袖與半臂製亦不同紀原云背子袖短于衫身與衫齊而大袖今又長與裾齊而袖纔寬于衫唐制命婦服大袖裾襦爲禮衣又云大袖在背子下丘氏大袖註云如今婦人短袖而寬大唐誌云衫髆搭名缺胯衫以此數語參互考之其所謂長背子引爲長袖兩裾相掩兩腋不縫者與今丈夫長袖略同稍短之則當爲短背子即今之唐衣也其半臂者與今之掛子略同但掛子兩裾直垂爲異其半臂而短者即今之背子也中單之腋下兩帶穴互穿約定者若今之雙環背子而惟腋下縫合爲異（國時婦人命服皆有中單）記原所謂背子身與衫齊而大袖者似今之圓衫但圓衫長袖而兩裾直垂爲異因圓衫而增加之則爲大袖禮衣矣（朱子所謂大衣）其大袖裾襦者若襦而束裙其上（古者女子服皆作此様）加服大袖又或加背子於大袖之上（加於大袖者必背之制）衫子之不開胯者即今之長衣也以此觀之則今俗所用唐衣圓衫大衫（今世與服多用大袖）長衣背子之類皆爲中華舊制々遂而但背子宜稍長凡祭祀賓客出入燕會就此數種酌其輕重而用之勿以短襦從事則幾矣新羅傳言婦人長襦阻數十年前嘗着長衣此亦舊俗也侯甸曰近世男子競爲長衣短裳故人皆異之昔建安中男子好爲長衣而下甚短女子好爲長裙而上甚短當時從尊真嗣以爲服妖後遂大亂今京師設此禁亦可防世變矣即今女子之短衣日以益甚眞所謂服妖者不可不禁

裳

今之裳制自高麗時已然蓋國俗也婦女本無裳則不必以前三後四者爲是而合前後者爲非三襞積者爲是而順摺疊者爲



非

帶

古禮雖有鞶絲衣紳之文而家禮笄禮無施帶之節何耶歷代衣服具有大帶革帶不知何據國俗於長衣唐衣不用帶大袖圓衫用帶雖似不備然朱子以野服斜帶燕居東帶見客爲美事此亦聖賢從俗之義不可不知也禮所謂絲者本指縚帛（內則註縚訓繁絲訓紺帛）如絲冕絲衣之例非今之絲帶也古畫女帶下垂中間作同心結不知何義豈古樂府所謂連理帶者耶

定夫所爲髻說反於衣帶故愚亦旁論至此然變夷從周必改而不容已者惟髻爲然首飾冠纚固在所後在於衣帶則已緩矣若謂相須而不可無必盡復古制然後方可變髻云爾則其失輕重緩急之序大矣

梅山曰詩所謂髢即儀禮所謂髲少牢主婦被裼是已髲益髮也髮少則取他人之髮益之也不特刖形人之髮而已凫巳氏之髮爲呂姜之髢其事固悖理然亦不可因之而廢髢至若鄘風不屑髢者以鬒髮如雲無藉於他髮也曲禮斂髮無髢即言無垂餘如髢非謂不作髻以首飾也周禮王后首服爲副編次編列髮爲之是亦假髻假髻所以攝盛也周公用髢朱子用假髻苟非其禮而周公朱子爲之哉但不當高大其制如漢宮中之爲耳傳記所載飛仙髻朝天髻墮馬髻驚鵠髻流蘇芙蓉三角九鬟之屬雖則異名同是假髻但競尚豐侈不可但戱是爲可羞閨閫之所深戒之老峯之所譏尤翁之所行即所稱花冠花冠固未詳其自出其爲華製則審矣然其制無傳今俗所行花冠未知是否英廟朝尹尙書汲使燕而購來一髻以鐵爲機衣以黑繒以蔽髻貌如唐髻之頂板樣見之以爲大手髻上廣中狹其形如手故云爾而但不見其樣亦未敢質言也內則男女未冠笄者櫛縰總角拂髦註謂收髮結之蓋結爲兩角而無冠笄至男冠女笄則合兩角作一髻即是而衆諸傳記圖像皆如此也唱象舌黎所傳則中國女髻猶存古而在室者於額前分髮爲兩界至頂後束而上之頂中預留少髮至是與頂後者同束爲髻覆以繒板世所稱唐髻然不爲總角而界額斂後者此其古今之殊也今欲去辮髮之陋歸華夏之正則當遵古禮斂上全髮當中作髻而笄之施縰韜髮即符婦人不冠之文是爲盡善而如年老而頭童或年少而髮少者廉可收結則不容不用假髻如大手髻之類若謂婦人不宜戴他髮則恐欠疏觀是不惟從古乃爾且婦人盛服與男子殊曷可專用己髮取飾乎未論己髮與他髮交紐者夷也不交紐者華也華夷之分在此而不在彼也髻必用縰者卽不欲見髮而唐舊婦人皆見髮不知縰廢之在何時也男子之縰當之以網巾婦人之縰以中國之纂縰吾東唐髻頂板用以隱髮者當之歟蓋假髻而不交紐去珠翠則用夏變夷由奢入儉一擧而該是豈可而已得已者哉第 英廟丁丑 正朝戊申禁髢而用馬踏兒（俗稱簇頭里）內外尊卑之所通行是爲時王之制也當時有司之臣不能對揚 明命伐大髢之簇頭里既無所稽且所謂娘子頭依舊是辮髮其異乎變於夷者幾希而增飾其花鈿珠翠殆不減於大髢以故有禁髢之名而無禁髢之實識者之所悶歎也然獨用花冠或假髻者亦恐有違於從周之義從俗用簇頭里祇不辮髮是爲寡過耶至若衣制之依古者在男子惟緇冠深衣而已則況婦人乎婦人朝祭之服代各異制而惟不殊衣裳則均也漢志入廟紺上皁下蠶服青上縹下隋志亦云大袖連裳皆深衣之遺規也深衣男子吉凶之所通服背子之爲長袖兩裾相掩兩腋相縫者與今男子長襦略同即今之唐衣也當用青翠深衣以備吉齊用唐衣以備覲見短衣裳秪堪作燕居之褻服而行之已久久則難變宜稍大襦制用承禮服不歸於服妖已矣近俗唐衣圓衫長襖三者稍近華制唐衣長襖亦好作燕服也蓋古來服飾隨時成俗仍俗制宜固當因畧以致詳推舊以爲新然亦不須太泥而不通也但髢不交紐服不殊衣裳是爲大體大體既正則其稱身飾容自成時宜是在婦女不必屑屑於制作尺度未知如何（答李擇序）

職齋居家雜服制度（學禮小識）

外服

玄端之服

玄冠

[illegible]以冠纚以武結其纓垂其餘爲緌○冠者古之緇布冠也武者古之缺項也緇布冠者古之白布冠也白布冠者古之白鹿皮冒覆頭者也缺項者古之繞項者也緌者古之鉤領者也綏者古之末有者也○冠用極細麻布染黑或用皁紗○長可自頂跨髻至額廣如其長其幅正方摺作九辟○武用竹絲膠黏織成爲前後二片前武高四寸廣如其人之額後武高倍於前廣可自左耳上繞項後至右耳上並剪其上畔殺其稜方而令有彎圜高低之勢以美觀瞻漆其向裏處外裡皁黑紗羅乃合前後二片以成全武而須令後片抱前片○紕以黃帛或皮金黃一二分於冠兩畔及武之諸畔○乃合冠與武武之兩房各屬以綦組纓令可合繫頤下以固冠綦組深青近黑色絲織成廣五分長可繫而有餘其末各作㽍垂之蕤緌也以同色絲爲之如今帶穗古者散垂組末之繫而餘者今以況象之長五寸

深衣

深衣以白細布爲之○凡製深衣先造同身尺寸令其人左手中指屈君掌心者其中節兩横紋之見於指旁者較取兩紋頭相去幾何以爲一寸十分其寸爲一分十積其寸爲一尺衣裳尺寸以此爲準○乃定衣裳之長以帶組之屬較其人自肩及踝而三分之取其一以爲衣之長取其二以爲裳之長以指尺度之則衣之長爲一尺八寸三分有餘裳之長爲三尺六寸六分有餘合衣裳自肩及踝爲五尺五寸○乃剪布爲一尺八寸長三尺六寸六分者凡十二幅其六幅將以爲衣與袂者也其六幅將分殺爲裳者也縫殺之[illegible]多少○乃作衣袂取上所剪六幅摺其中半半爲衣前半爲衣後其長各一尺八寸三分二幅爲衣身二幅爲左右臂上而二幅爲左右臂下而及手其餘及而及上下兩節之中通綴之袂自綴繩之縫至袂口爲五尺四寸自左袂口至右袂口爲十尺八寸○乃裁裳爲裳取上所剪六幅每幅三分其廣則每分爲六寸下端自左邊而右六寸上端自右邊而左六寸兩六寸之處相望而斜割之爲二片則六幅所剪爲十二片而每片狹端爲六寸闊端爲一尺二寸其不經割處謂之直邊其經割處謂之邪邊○取四片狹端向上闊端向下各以片二合其直邊而縫之則其兩邊皆是邪邊次以一片在邪邊之左合其邪邊而縫之次以一片寘右邪邊之右合其邪邊而縫之四片既合上廣二尺四寸下廣四尺八寸如是者凡三一居後爲後衽一連後向左至於左房而爲內衽一連後向右至於右旁而爲外衽其與後相連處亦各合其直邊而縫之則前後左右皆是直邊而相間之縫皆是邪邊也十二片既合是成爲裳集衆狹端上屬於衣者爲要集衆闊端下及於踝者爲齊要廣二尺四寸圍七尺二寸是爲深衣三衽也齊廣四尺八寸圍十四尺四寸是爲齊倍要要縫半下○乃以全裳上屬於衣以裳衽正中之縫當衣背正中之縫則要中横縫爲二尺四寸有餘而裳之內衽屬於衣前者只二片而左邊二片之衽無處可屬不能當旁鉤邊也外衽之屬於衣前者亦只二片而右邊二片之衽亦無處可屬不能當旁鉤邊也○乃續衽令當旁而鉤邊取布廣與長皆一尺四寸四分者直兩角相望而割之爲二片分置之內外二片衽之上其長一尺四寸三分旁綴於衣前其廣一尺四寸三分下屬於裳要二片之衽二片之衽合廣一尺二寸而已則續衽之布餘而出於二片之外者爲二寸三分此則斜割繫之其上角尖割處上屬於與領之邊自領邊斜過角割之邊以至裳要其勢斜而直ノ如也是爲續衽二片之衽令鉤掩身邊者也所以得衽當旁者也○乃作曲袷交成方領先就衣背中縫上盡處自項向肩左右各剟八四寸合八寸而已乃取布廣八寸長四尺者摺疊之令領內外廣各四寸乃摺其長中半而壓殺則摺痕左右各二尺矣乃執其右端當[illegible]中摺之如凸尺然次執左端亦如之則兩邊相當如直襟正大尖起如圭頭然如人字然如个字然尖起處爲四寸乃取左右兩端直垂[illegible]當尖起之下而摺之兩自尖起之下至所摺處爲八寸自摺處至尖起[illegible]之爲一尺二寸遂取右端向左曲折而摺之正如凸尺然而其端乃不至於繚衽之上而其端一角摺藏於領衽之內其曲折處縮入領中之布頭有妨於安領者自內割八可也左亦如之上下左右皆同八寸其妨如矩其曲如曲尺兩襟交掩正方嚴密是爲曲袷如矩○乃作左右袂口各上下一尺二寸圍之爲二尺四寸是爲袪○乃作左右袼之高下自肩而下一尺二寸[illegible]三分衣與衣合縫袂與袂合縫是爲袼之高下可以運肘及帶上毋厭髀下毋厭脅[illegible]寸三分之處自袼下六寸三分之處皆圜殺其角是爲袂圜應規○乃加緣於領邊袂口之邊[illegible]三寸皆領緣表二寸裏共四寸其質用絹帛之物其色有父母者以青有父母大父母者以績[illegible]

玄衣

玄衣以細布染黑爲之○剪布四幅裂與連縫其長與廣皆自其人左手末至于右手末其形四方而正[illegible]爲三尺三寸乃作濶中八寸加之以領領廣四寸表裏共八寸長一尺二寸左右共二尺四寸[illegible]寸直下[illegible]縫之於袂邊則合袂前後而縫之其衣邊則[illegible]作披下之縫[illegible]前之廣二寸表裏共四寸左右[illegible]

黃裳

黃裳以黃布染黃爲之○剪三幅後四幅[illegible]

爵韠

爵韠也[illegible]以爵爲之[illegible]

[illegible]

分寸之下總紕之上[illegible]

自左而右[illegible]○合上正中爲[illegible]爲之中可容其[illegible]

革帶

革帶之色隨宜爲之或以爵革爲定制不妨○廣二寸長可繞要而有餘[illegible]或圖隨宜爲之鐍二片其一作鉤舌其一開小孔令可交鈎一俯一仰[illegible]

緇帶

緇帶合染帛爲之以爲[illegible]紳[illegible]四尺[illegible]一尺四寸[illegible]左右共四尺八寸[illegible]三寸長三尺八寸其三尺[illegible]八寸[illegible]一寸[illegible]





原書漫漶不清

則武後反結之至右乳處而止乃以其餘繞帶及組結屈返者結束之其餘爲紳長三尺[illegible]

縐其旁也右耳即其常右腋而屈返者也已上是兩邊紐結之制也左亦如之乃以右紳之左耳帖當脅腹次以左紳之右耳[illegible]

舟外於是右紳之左耳居內左紳之右耳居外如衣衿之交掩根處也乃執組本[illegible]向下向上穿掃內之耳中

令組本入耳中二寸而止[illegible]組本上頭正與耳上眸齊乃執組末從處反屈向上穿掃居外之耳中從上[illegible]

鐵復執組末從屈前下從上穿掃居內之耳中自下拔下至處復反屈組末向上穿掃居外之耳中從上拔出至鐵從屈組末向下從

上穿掃居內之耳中自下拔下而下垂之與組本於是組本之八寸繞繞於前組之中而組之相發爲已鐵約束粉於是衣衿[illegible]

有乃執右紳之右耳左手執左紳之左耳而引之則其結束處自能遷移而當組之兩旁於是衣衿斂矣大抵不以[illegible]

組者節曰組交組之後組從左右而穿也乃從上下[illegible]穿組之[illegible]者其兩組也乃一條[illegible]非如紳[illegible]乃[illegible]

右也乃屬紳之正中而紳是組之兩旁也古[illegible]之制者如是[illegible]

屨

黑屨用皮或皮染黑爲之屨頭方而不尖其頭上口邊正當足背處[illegible]一條青色布[illegible]廣寸許[illegible]中[illegible]長二寸[illegible]

[illegible]寸[illegible]色布[illegible]縫於屨[illegible]與底緣接之縫[illegible]名爲[illegible]以緣口邊是名[illegible]古者[illegible]一寸[illegible]只[illegible]分[illegible]

以組[illegible]繫屨之時引兩綦向前交穿約中合結于足背上

笏

笏長二尺六寸中博三寸上下兩末漸銳殺之首爲二寸五分合竹爲之須取竹兩節間能滿二尺六寸者[illegible]

[illegible]可也如不能得竹節間滿二尺六寸者則只取兩節間最長者爲之不必拘於二尺六寸也必取兩節間者不[illegible]也

疑義續輯附錄一　二二

服之節著先服玄冠結纓次著黑屨繫綦次中衣次黃裳次玄衣次以革帶係佩韠次緇帶約以組次搢笏

服深衣者先服玄冠結纓次著黑屨係綦次深衣次緇帶約以組

[illegible]緩以[illegible]爲之[illegible]五采同織之亦或以綺綿之屬爲之長可自腋及踝廣可四五寸如是者左右各一皆於一頭[illegible]係

[illegible]掛之革帶左右而垂其餘及踝上

內服

背衣之服

縰

古者丈夫婦人童子室女莫不有縰　縰者紗縠之屬也今從盧氏植孔氏穎達唐開元禮尤婁宋先生之[illegible]亦以[illegible]

[illegible]以阜紗[illegible]之廣[illegible]一幅長六尺 用其人中指寸尺 既疊其廣又疊其長令可包裹髻總而剡以帶束之[illegible]

之務令端好又或摺疊作辟積稍類冠形亦無不可

笄

古者丈夫有短笄有長笄短以安髮長以固冕弁婦人只有長笄安髮而已○婦人笄長尺二寸○以象骨爲之○笄首刻[illegible]飾○

[illegible]言[illegible]作[illegible]形或直刻作習形隨意爲之或作鵖鳩不妨或以銅銀爲之亦不妨

總

[illegible]古者男女皆有之○下[illegible]亦男女皆有而俗稱頭繻○總所以束髮也作髻之前先以束髮本作髻之後又總其末而束之[illegible]

其餘於髻後爲飾以紛屬爲之色宜用黑○婦人總長尺二寸○所謂總長者束髮所餘垂後爲飾之長也云垂後者只一條不必兩

條○其廣於文無見隨宜爲之[illegible]合[illegible]足掩腦後爲好[illegible]於束髮之長亦隨宜[illegible]之

服縰笄總者先以總束髮作髻次以笄橫貫髻中以固髻次以縰裹髻○束髮作髻者作上頂也○[illegible]髻[illegible]以四分之[illegible]

一髻於囟之左右也[illegible]兩髻又一髻也以四分之髮其後二分合作一髻於腦之左右其前二分[illegible]

之[illegible]之後也○其實男室女皆雙髻[illegible]○男子冠則合其雙紒而爲一髻於頂上女子笄則亦合[illegible]爲一[illegible]

後少紒依舊不變以爲容飾此婦人[illegible]之所以異於丈夫者也○今亦以此爲制而凡作髻毋高起毋尖銳[illegible]

髮端於髻本以總束之乃施笄縰

附新擬便髻之制

先刻木作髻樣[illegible]圓如[illegible]高可三寸廣可三四寸其體上豐下殺令如菌芝之根殺處[illegible]穿笄孔乃合黑繒一[illegible]

尺當中[illegible]之乃[illegible]頂之髮[illegible]之腦後而以組束之乃以髻樣加之頂上[illegible]

髮處乃[illegible]後來餘之髮屈起向上而再束之因以其餘引至頂上[illegible]圍結於髻樣之下[illegible]

背衣

背衣以綃縠之屬爲之以細布爲之亦無不可其色黑[illegible]衣裳不異色[illegible]相連一如深衣之制[illegible]

以背○以[illegible]沙爲衣○其制以[illegible]沙白紛之屬[illegible]背衣之[illegible]於衣令出衣下四五寸[illegible]

[illegible]爲之用可知[illegible]之出於衣下稍長[illegible]沙之[illegible]

稍長者欲其帶得及地而蔽體之深遠也此所以婦人之服有異於男子也

帶

疑義續輯附錄一　二三

帶制一如玄端之緇帶而但[illegible]用紅色其紐約用組亦如緇帶之制

絲帶

絲帶以組或合帛爲之制同男子革帶所以係綬佩用也

黑屨

黑屨約繶純之制皆同男子玄端之屨

平居裙襦之制

襦

襦布帛灰色固宜爲之但不用錦繡及赤白其制縮廣一尺[illegible]長可掩手[illegible]

以便起居其領及袖口皆施阜青緣廣寸半其制如今俗男子長襦而差短又類今俗婦人所[illegible]

裙

裙布帛[illegible]色固宜爲之其可[illegible]地廣[illegible]可一丈有半圍[illegible]

[illegible]無[illegible]其當胸[illegible]處不[illegible]要以[illegible]帛其異於今俗裙子者不交掩於後也不全作[illegible]

[illegible]居[illegible]以[illegible]色[illegible]裙子[illegible]之上而束於襦上[illegible]

總笄[illegible]乃[illegible]乃背衣乃[illegible]似乃大帶約組背衣之內有裙襦平居[illegible]裙襦而已[illegible]

幼服

童子之服

原書漫漶不清

雙紒纚總

雙紒纚總之制見內服纚總說○總以朱錦爲之

緇布衣

緇布衣以布染黑爲之緣以朱錦

錦紳

錦紳以朱錦爲大帶無緣約紐之組以錦爲之亦用朱錦○緇布衣之制與深衣同

革帶佩容臭

革帶制同玄端革帶容臭與香餠之屬繫以佩之

履

履用黑色有絇繶純同玄端之履而無約亦無綦

女子之服

雙紒纚總

雙紒纚總之制見內服攷說但女子作紒於腦後而叠纚裹紒之形亦比婦人童子稍異

衣

衣之制與深衣同○衣用布用帛及衣色緣色未詳其制○疑用帛○疑用黑色○疑緣用赤或青

紳



紳帶用何色未詳或亦用赤錦或青歟約組亦同然歟

綵帶佩容臭

綵帶制同男子革帶容臭之制亦同

履

履色未詳疑用黑而無絇

童子常服用四䙆衫條帶或長襦

女子常服用襦裙

論禮

祭儀要訣祭儀抄起疑

近齋曰栗谷祭儀與朱子家禮不同者甚多豈時制損益而然耶

又曰高祖有服當祭程子言之而要訣只祭曾祖何也

又曰禰祭朱子行之則似無豊昵之嫌而要訣去之何也薦祭之先降後參何義也

又曰設饌圖匙楪居飯右北端何義祭饌器數古今有異隨時損益固宜而至如鼎俎籩豆奇耦之義實嚴且重似不可易而果用五色三色有違地産陰陽之義故不可知曾聞呂東來祭法用果或三或五而援古禮則當從朱子何必從呂耶

又曰亞獻不祭酒何義

又曰辭神祝禮主人兄弟哭盡哀雖孫與旁親遠事則似不可不哭而今只許主人兄弟哭何其與從厚之義異耶

朱子家禮之論

問家禮之作從圖則皆取諸儀禮而祭禮節次略補古禮本色何也 李兄寬 老洲曰朱子嘗言古禮繁縟後人於[illegible]

欲行古禮亦恐情文不相稱不若就今人所行禮中刪修令有節文制數等威足矣竊詳是書失之[illegible]

也至於祭禮則古者祭有尸後世無尸矣今於無尸之祭欲一一依倣有尸之禮尤豈可得乎此世祭禮之全[illegible]

也

栗谷祭儀及沙溪備要之論

老洲曰栗谷祭儀抄如高祖有服當祭說有涉朱子禰祭部只祭曾祖祭饌鼎俎籩豆有陰陽奇耦之[illegible]

式恐是沿襲於五禮儀也蓋五禮儀時王之制故栗谷之意從而斟酌於其中而未及一一[illegible]

以作也 與沈靜叔

禮疑續輯附錄二

## 雜禮

### 士相見禮笏記

介從曰士旨見雖贄冬用雉夏用腒賓主門外東向立從者以贄進賓左頭奉之主人降階下西面立使弟子將命將命者出門外[illegible]

賓之命致辭曰願請事賓曰某也願見云云 主人入門而右賓入門而左至中庭賓東西立主人西面立賓進主[illegible]

之前致贄主人再拜受小退主人與受贄賓再拜送主人少退以贄授將命者賓告退主人請見遂請賓分庭行主人退降下[illegible]

升賓[illegible]主人升賓升相見賓請退云云主人降賓出門自西主人出門自東西面送賓再拜云云[illegible]

[illegible]

自門[illegible]主人下堂迎之主人[illegible]賓客[illegible]而主人與客顧揖主人先登客從之[illegible]

[illegible]

伊山[illegible]

學[illegible]以學家爲門戶途國家作[illegible]之方守[illegible]

然可[illegible]今吾務[illegible]行心得明經適用之學其餘史子[illegible]文章科舉之業亦不可[illegible]

[illegible]

[illegible]爲[illegible]在於利欲者爲非學如有任行[illegible]



隱吾學規[illegible]中共[illegible]

學校模範

天生蒸民有物有則[illegible]人孰不[illegible]化不明無以振起作成故士習偷薄良心[illegible]名不務實行[illegible]

上之[illegible]一洗舊染[illegible]士風[illegible]

[illegible]

一曰立志[illegible]

[illegible]

二曰檢[illegible]

[illegible]

[illegible]

色容[illegible]

[illegible]

三曰[illegible]

沈潛[illegible]

次以六學及近思錄定其規模次讀論孟中庸五經間以史記及先賢性理之書以廣意趣以精識見而非聖之書勿讀無益之文勿[illegible]

從讀書之暇時或游藝如彈琴習射投壺等事各有儀矩非時勿弄若[illegible]弈等雜戲則不可寓目以妨實功

四曰慎言語學者欲[illegible]行須修樞機人之過失多由言語言必忠信發必以時[illegible]然諾[illegible]只作文[illegible]有[illegible]之語若荒雜詭辯及市井鄙俚之語不可出諸口至如追逐儕輩空談度日妄論時政方人長短皆妨工害學切宜戒之

五曰存心體學者欲身之修必須內正其心不爲物誘然後天君泰然百邪退伏方進實德[illegible]學者先務當靜坐存心寂然之中不散亂不昏昧以立大本而若一念之發則必審善惡之幾善則窮其義理惡則絕其萌芽存養省察勉勉不已則動靜云爲無不合乎義理當然之則矣

六曰事親體士有百行孝弟爲本罪列三千不孝爲大事親者必須居則致敬以盡承順之道[illegible]以盡口體之奉[illegible]盡醫藥之方喪則致愛以盡擗踴之道祭則致慤以盡追遠之誠至於溫凊定省出告反面亦不一謹[illegible][illegible]以[illegible]六[illegible]所[illegible]後可謂能事親矣

七曰事師體學者誠心向道則必先隆事師之道[illegible]三[illegible]之如一其不可[illegible]心敬[illegible][illegible]食行[illegible]拜[illegible]居[illegible]敬[illegible]知[illegible]行[illegible]可疑[illegible]非[illegible]不可不[illegible]理[illegible]師[illegible]之宜亦當[illegible]以盡弟子之[illegible]

八曰擇友[illegible]師而[illegible]必須擇忠信孝弟剛方敦篤之士與之交[illegible]家居以盡朋友之倫若立心不篤檢束不嚴浮[illegible]者皆不可與之交也

九曰居家[illegible]者[illegible]心[illegible]居家須盡倫理[illegible]夫和[illegible]衆主[illegible]行恕[illegible]上下[illegible]內外有別一[illegible]處之事宜無所不用其極



十[illegible]接人體學者既正其家則[illegible]接人一遵[illegible]

其歡心[illegible]過失相規禮俗相成[illegible]人利物之心[illegible]

十一曰應[illegible]科第雖非志士所汲汲亦近世入仕之通規若專志道學進退以禮義者則[illegible]當以誠心做工勿浪過時月但不可以得失奪其所守且常懷立身行道忠君報國之念不可苟求[illegible]非循理則科業亦日用間一事也何害於實功今人每患奪志者不免以得失動念故也且近日士子[illegible]志慕道學不屑科業而悠悠度日學問科業兩無所成者多矣最可爲戒

十二曰守義體學者莫急於辨義利之分[illegible]所爲而爲之者也稍有所爲皆是爲利蹠之徒[illegible]乎君子觀之猶於穿窬況爲不善而[illegible]可以一毫利心存諸胸[illegible]不爲利汚今之爲士者務月[illegible]而猶不免於利[illegible]辭受取與審察當否見得思義不可一毫苟且放過

十三曰尚忠體忠厚與氣節相爲表裏無自守之節而以模稜爲忠厚不可也無根本之[illegible]日興非[illegible]何人則必矯矯[illegible]中行之[illegible]又曰[illegible][illegible]乃[illegible]臨大節而不可奪矣彼[illegible]不[illegible]名爲[illegible]之士而挾才[illegible]足[illegible]自好[illegible]病如[illegible]良[illegible]不明處[illegible]忠厚氣節兩得之矣

十四曰篤敬體學者進德修業惟在篤敬[illegible]不於敬則只是空言須是表裏如一[illegible]

原書漫漶不清

原書漫漶不清

[illegible]



邑亦試講取足額數，牧以上則九十，都護府以上則七十，郡則五十，縣則三十。若能文者不足，則雖不滿額數，只以能文者隨其多少稱額。內餽以公糧，亦分五番。若末參額內者分番，則同而不得食公糧。外方公糧，監司守宰必須經營，爲子母之資，使不乏絕。額內之儒有闕，則試講取額外之人填闕。臨番而不就學者，一度則面責，二度則損徒，三度則黜齋（黜齋者告于師長，不得就學，改過自新後許復入。凡損徒及黜齋者，復參座時必滿座面責），四度則削學籍（削學籍者定軍役，必改過自新，而必得參初試，然後乃得復入）。若有疾病事故不得就學者，具由呈單子于師長，免罰。托故者勿聽。

一校生亦須待之以禮。邑宰不得以官事有所差任，只令專心學問。至如校官從馬，不可責辦，皆自官中辦出。除監司初巡迎 命時外，凡使臣到來時謁聖，則祇迎于校門之外；不謁聖則不迎。雖監司，若再巡則不迎于官門。

一每間一年，委送使臣于八道列邑，試諸生學業，且考持身之狀，第其校官之能否以 啓。監司則每巡考試，以明其黜陟。守令不能遵行事目者，亦隨輕重論罰。

一每大小科舉時，太學則先期館堂上會館官及堂長掌議有司于明倫堂，謄取上下齋名錄及學籍，參以平日所聞見，必擇行無玷汚者，始許赴舉。四學則學官各會于本學，與堂長有司商議抄擇如右例。外方則邑宰與校官及鄉校堂長掌議有司商議抄擇如右例。鄉居生進行有瑕疵不合赴舉者，則邑宰採一鄉公論，報監司，移文于成均館。若有志學之士名編軍伍，願赴科舉者，京則成均館官員，外則守令審察眞僞，得其實狀，則亦許赴舉（栗谷全書）。

隱屏精舍學規

一入齋之規，勿論士族庶類，但有志於學問者，皆可許入。齋中先入者僉議以爲可入，然後乃許入。若前日悖戾之人願入，則使之先自改過修飭，熟觀所爲，決知其改行，然後許入齋。昧平生者願入，則使之姑接近村（或接正齋）或山寺，往來問學，觀其志操，熟知其可取，然後許入。

一推齋中年長有識者一人爲堂長，又推儕輩中學優者一人爲掌議，又擇二人爲有司，又輪選二人爲直月。堂長掌議有司非有故則不遞，直月則一月相遞。凡齋中論議，掌議主之，稟乎堂長而定之（堂長有故在他處，其時參會最長者主之）。凡齋中之物出納及齋直使喚什物，有物有司掌之（非有司則不得擅自使換齋直檢罰之事）。凡物皆有籍，遞時察籍交付于代者。凡師弟朋友所講論之說，皆直月掌其記錄，以爲後考之資。

一每月朔望，師弟子皆以冠服（有官則紗帽團領品帶，儒生頭巾團領條帶）詣廟，開中門，出廟貌，再拜焚香（師若不在則齋中年長者焚香），又再拜（叙立位次，則師居廟東，行弟子爲從行西上）。

一每日五更起寢，整疊寢具，少者持箒掃室中，使齋直掃庭，皆盥櫛，正衣冠讀書。

一平明時皆以常服（笠子直領，或冠巾直領之類，但不用帽帶直領）詣廟庭，不開中門，只再拜（師若在齋，則亦以常服謁廟）。師在講堂，則就門前行拜禮（師不起，立齋於座上俯答其禮）。分立東西，相向行揖禮（師不在，則拜廟後出廟門，分立庭東西相向而揖）。○凡讀書時，必端拱危坐，專心致志，務窮意趣，毋得相顧談話。

一凡几案書冊筆硯之具，皆整置其所，毋或亂置不整。

一凡食時長幼齒坐，於飲食不得揀擇，常以食毋求飽爲心。

一凡居處必以便好之地推讓長者，毋或自擇其便。年十歲以長者出入時，少者必起。

一凡步履必安詳徐行，後長秩然有序，毋或亂步不整。

一凡言語必信重，非文字禮法則不言，以夫子不語怪力亂神爲法，且以范氏七戒存心爲目（七戒行于世）。

一非聖賢之書性理之說，不得披讀于齋中（史學則許得）。若欲做科業者，必習于他處。

一常時恒整衣服冠帶，拱手危坐，如對尊長，毋得以褻服自便，且不得著華美近奢之服。

一食時或游泳于潭上，亦皆觀物窮理，相咨講義理，毋得游戲雜談。

一朋友務相和敬，相規以失，相責以善，毋得挾貴挾賢挾富挾父兄挾多聞見以驕于儕輩，且不得譏侮儕輩以相戲謔。

一作字必楷正毋得亂書且不得書于壁上及窗戶

一常以九容持身毋得跛倚失儀喧笑失言終始不懈

一昏後明燈讀書夜久乃寢

一自晨起至夜寢一日之間必有所事心不暫怠或讀書或靜坐存心或講論義理或請業請益無非學問之事有違於此即非學者

一有時歸家切宜勿忘齋中之習事親接人持身處事存心務循天理務去人欲如或入齋修飭出齋放倒則是懷二心也不可容接

一直月掌記善惡之籍糾察諸生居齋處家所爲之事如有言行合理者及違學規者皆記之月朔呈于師長（凡違學規者直月還告于堂長掌議共加規責若不悛則告于師若悛改又其甚勿告于師）善者獎勸之惡者鐫誨之終不受教則黜齋

一諸生雖非聚會之時每月須一會于精舍（月朔必會朔日有故則退定不出三四日有司先期出時文周告）講論義理且改定直月

一鄉中願學者皆姑接養正齋（栗谷全書）

## 隱屏精舍約束

入齋諸生宜一心爲學不論在齋在家皆當勉勵隨事加察隨時務方不可悠悠度日以負初志錄粹語每於朔會通讀使有省悟（有司抗聲讀之座中稽疑講論）

道非高遠人自不行語其要則在於日用語其時則即可下手莫更遲疑等待莫更畏難趦趄存心涵養窮理省察兩進其功無事靜坐此心不容不亂應事接物截然舍惡從善動靜循環順理明命發揮如一無少間斷用功雖久莫求見效惟日孜孜死而後已夙興夜寐衣冠必整坐立必端瞻視必尊心意必正自晨至夜寢一日之間必有所事或讀書思索或朋友講論靜坐存心或接事省察不可須臾放心言語必忠必信必簡必時只作文字義理有益之談至於世俗鄙俚淫褻怨懟傷人毀物怪神不經之說則一毫不可出諸其口

創行必高潔追古聖賢爲則見得思義辭受有節規利鄙瑣之事一切不留於心曲奢淫交雜之處一切不投其足迹常特立昭曠之境以養吾心

百行之中孝悌爲首事親當盡誠敬兄弟當極友恭朋友當責以善推以睦族和隣接人溫恕俯仰四顧當無一毫乖戾之氣

每月朔齊會精舍相講所得雖非朔會須頻來講益勿澒過時月若寄名精舍而數往莫來行身無異鄉里常人則是自欺其心而深負師友之望也如是之人勢難容接若在齋修飭歸家懈怠者朋友相察而規戒若不悛則告于師譬勅猶不改則乃黜齋（謂削籍也）

凡在一鄉者非有大故則不可不參于朔會雖在他邑若不過一日程則當同一鄉有故未參則必具狀告于齋中若無故或托故再不參則黜座一朔（黜座謂不使齒座俗所謂損徒復座時須坐面責以謝其過）

凡諸生有過失堂長掌議有司僉議于齋中隨其輕重或黜座或面責以警之一月之內再黜座而猶不悛改則黜齋（栗谷全書）

## 龍仁鄉塾節

擇定社長一人或二人童蒙訓誨一人直月一人（直月每月一遞）本縣兩書院每月講會或朔或望鄉塾則以初五日二十日兩次設講講式錄在下方

一月講日直月先至鄉塾淨掃室堂及庭齊整書冊筆硯諸具以待諸講員之至

一社長就講堂北壁立諸講員就其前再拜社長答再拜或揖諸講員則立東西相向行揖禮各就座童蒙則皆南行向社長以下諸講員一行再拜禮仍就坐

一所講書必先小學次四書次六經間以先賢性理文字及史記年三十以下皆誦



一講時必先讀栗谷學校模範一通直月抗聲讀之諸生肅然敬聽

一社長就所誦書抽栍試講各一員誦訖又出栍以別其高下社長若不在則諸講員相議爲之童蒙屢居首或連居下者概論其賞罰

一訓誨率童蒙先期習誦以赴講會童蒙不通居半或全粗則訓誨就社長前俯伏受面責或過半不通則訓誨就末座俯伏淸座面責

一講時長幼皆正衣帶拱手跪坐無敢回顧無敢諠譁無敢頻數出入雖素所親狎者言語之際務爲相敬社長或出入則諸講員皆起立童蒙則諸講員出入時亦必起座中如有失儀之事直月必痛加規責

一講時務以思索論辯爲主如有文義疑晦又或見解各殊者則直月一一錄出聚質于書院院長院長不在則稟先生或他士友亦可必以不恥下問爲也

一講訖必議定下面起止以爲後日繼講之地或有新入人員則亦令小學初頭始

一小學講誦已畢則令他書必更就小學初頭隨其編數多少預定以某月某日了一編講日往往抽栍溫習務要爛熟終而復始循環不已以各期眞知實踐而後已

一講罷長幼各拜揖而退一如上儀

一講員有實病或遠出則先期呈單以告不能赴講之由無故不參者初則社長前受面責再次則淸座面責三次則社長以施夏楚以愧其心

一每講日諸講員一齊赴會于院如非大段病故毋敢或廢又連次不赴則直月告于師長而責罰之（陶庵集）

## 靈光郡講學節目（趙重晦爲郡守時）

一本郡二十四坊四十八面內各面各出訓長一員以有文行者擇定貴在得人不必苟備其數雖合兩三面而設一訓長亦可

一面內諸生中年少聰敏可以爲學者從公論抄出或隨自願錄成一冊名之曰講案自童子十歲以上有志者皆許入案成報于官長雖秩卑之人願入者聽而亦不可使昧分依館學例坐末坐

一鄉校掌議二員別擇有司望者使主講事又出直月一人以佐之

一所學之書先以擊蒙要訣（起立志章止處世章）次小學次大學或問次論語孟子中庸訖仍及詩書易

一朱子白鹿洞規辭約而義盡允爲學校之模範精寫一通臨講必讀一遍令諸生慣熟以爲眞知實踐之地

一每月朔官長詣聖廟展拜後仍以常服坐明倫堂各面訓長各率面內以諸生入講案者具巾服追詣齋會學讀與官長立東階下諸訓長同行諸生以次立西階下相向而揖以次揖讓而升詣官長前再拜官長立而答拜

一直月詣書案前跪抗聲讀白鹿洞規諸生肅然聽之而一三十以上臨講三十以下背講而背講者誰則臨講篩講者正文與註同然雖三十以上自願背講者聽

一講時設書案於堂中官長坐北壁掌議直月及諸訓長坐東壁諸生坐西壁（西壁人多坐不盡則坐南壁）東壁諸人以次皆掛案前講講訖仍及諸生訓長年老者否諸生則一以抽栍爲先後

一每講就所當講之編以人抽栍相繼講誦以一章爲率而人多章少則篇盡後又抽栍未講之人復自第一章循環講誦而止人少章多則畢讀後又抽栍已講之人繼誦其下盡編而止

一講時官長出栍而務以文義爲主勿徒取誦讀之熟

一講訖掌議以下諸生詣官長再拜官長立而荅揖又就庭下東西相向揖而退如上儀

一初講會時必分排一歲內逐朔所當講之書如某月講要訣幾篇某月講小學立教某月講明倫之類使諸生預先肄習以爲臨期應講之地而所定篇數必須不多不寡要以熟讀精究爲主

一每講必列書會中人姓名名下錄其所講起止一件留于校中一件上于官長各得以考其勤慢

一講案成冊時當參而不參者多則主張抄報入論實講會日無故不至者就本案一一考點再犯則其人停舉罰長亦論責

一四時每季朔取講案通計畫數多少論其賞罰賞則豊海隨官力爲之罰則少者夏楚稍長者滿座面責附座[illegible]

同居戒辭

兄弟初從父母一體而分是無異於一體也宜相親愛少無彼此物我之心也古人有九族同居者況吾等早喪父母伯兄又早沒惟吾輩生存者務相友愛同財而居莫相分離可也若或分離則少[illegible]以度歲月此豈偶然之事哉茲以畧記存心修行之方每月初朔相會讀過使皆聞知焉

孝者百行之源而父母既沒則更無致孝處只有祭祀一事而已凡有所得必先取藏以爲祭祀之需不得妄爲他用且當祭祀之時必極其誠心齊潔身體必期於先靈之歆饗也

凡少輩事父母以古聖所訓爲心以致其孝也

吾丘嫂是一家之長祭祀之主凡爲其下者特致恭敬待之如待母可也

凡有所喜惡不可有偏仄之心常須和顏溫言以接之有所教責切勿有拂意外處切勿[illegible]則管而戒之妾則嚴戒之而後不悛則出逐之

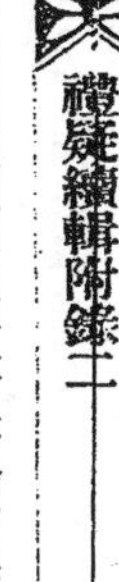



凡同居者不可有私儲不得已而有所私用亦主家之一人分與之自家不可有求多之慾適於用而已要爲久遠之圖可也

妻妾之間妾則極其恭順妻則慈愛無間各以誠心無違家長之心則寧有不諧之事哉

凡家衆坐而執事之時長者過則須即起立大凡操心常以恭順爲則可也

一家之內凡於叔父則如事父之禮從兄弟則如親兄弟之禮相與親愛如一身凡相接之時必恭順言必和悅顏色必溫平可也

婢僕雖有不諧亦勿高聲詬詈須溫言教戒不聽然後告于家長而責罰之少者雖其私使奴僕亦勿輕加捶撻須告于家長

凡一家人務相輯睦其心和平則家內吉善之事必集若相偏側乖戾則凶沴之氣生矣豈不懼哉吾從者能相恭父則愛子子則孝親夫則刑妻妻則敬夫兄愛其弟弟順其兄妻慈其妾妾恭其妻少者以誠事長者長者以誠愛少者雖有不逮之事亦須從容教戒無相憎惡其有善行則爭相效法有所不平者相與忍之以至於家主慈愛婢僕婢僕敬愛家主絕無不平之言不平之色一家之內常有和善之氣則豈不樂乎須各知此意而自勉可也 栗谷全書



## 雜禮

### 鄉約

#### 退陶鄉約

退溪先生鄕立約條父母不順者不孝之罪邦有常刑故姑擧其次 兄弟相鬩者兄曲弟直均罰兄直弟曲止罰弟曲直相半兄輕弟重 家道悖亂者夫妻毆罵出其正妻者妻悍逆者減等男女無別嫡妾倒置以妾爲妻以婢爲妾嫡不撫庶庶反陵嫡 事涉官府有關鄉風者 妄作威勢擾官行私者 鄉長陵辱者 守身孀婦誘脅汚奸者 已上極罰上中下 親戚不睦者 正妻疏薄者妻有罪者減等 隣里不和者 儕輩相毆罵者 不顧廉恥汚壞士風者 恃强陵弱侵奪起爭者 無賴結黨多行狂悖者 公私聚會是非官政者 造言構虛陷人罪累者 患難力及坐視不救者 受官差任憑公作弊者 婚姻喪祭無故過時者 不有執綱不從鄉令者 不服鄉論反懷仇怨者 執綱循私冒入鄉參者 舊官餞亭無故不參者 已上中罰上中下 公會晚到者 紊坐失儀者 座中喧爭者 空座退便者 無故先出者 已上下罰上中下 常變通致

#### 海州鄉約

立約凡例

一初立約時以約文遍示有志入約者擇其能操心檢身遷善改過以參約契者若干人會于書院議定約法選定都副約正及直月司貨

一衆推一人有齒德學術者爲都約正以有學行者一人副之約中輪回爲直月司貨直月必以有奴僕可使令者爲之司貨必以書院儒生爲之都副正非有故則不遞直月每會輪遞司貨一年輪遞



一置三籍凡願入籍者書于一籍德業可觀者書于一籍過失可規者書于一籍直月掌之每會以告于約正而授其次

一初立約時會于書院行禮之儀見後設先聖先師紙榜焚香再拜訖直月持誓告之文右文見後跪于都約正之左都約正及在位者皆跪直月讀告文畢約正以下皆起及在位者皆再拜若隨後參約者則亦於會時禮先聖先師畢初入者跪于兩楹間少西直月亦持告文文亦跪讀于其左讀之約正以下及在位者不跪讀畢初入者再拜在位者不答

一凡隨後願入約者必先示以約文使之數月滿量自度必能終始力行然後乃請入請入者必具單子陳其願參之意於會集時使人呈于約正約正詢于衆以爲可許然後乃答書使於後會得參若相知未熟之人及先不操持者願入則必使謄寫約文熟讀解義依約文治身一兩年待衆人明知遷善改過然後乃請入

一同約之人每間一月朔日一會謂正月三月五月七月九月十一月之朔日也朔日有故則預定期日不出初旬可也若約員居于遠地則一歲一再至若其他聚吊之會則隨時定日

一凡會集時有病故不能參則必具由成單子其日早朝使子弟無子弟則使奴呈于直月傳示諸位若明知托故則直月告于約正論以犯約若居遠地者則不必呈單子

一凡善惡之籍皆自參約後書之約前雖有過失皆許令洗滌不復論說必仍舊不改然後乃書于籍惡籍則明知過然後於會集時食議乃書籍則雖有過亦不爻必有其不孝父母不友兄弟淫姦犯禁賊刑辱身等大段悖理之行然後乃爻議籍而黜約

一直月若聞同約善惡之行則細詢得實私作簿記於會日衆中告之若直月知而不告則約正副正詰其故論以犯約員籍過未爻至三而終不改則食議黜約黜約者內悔改則許令復入如初入例

一初入約時參約之人各出縣布麻布各一疋米一斗委司貨藏于書院擇齋直謹幹者掌其出入以爲後日慶吊救恤之資又每年

十一月會時同約各出米一斗委于司貨司貨賍收藏之以糴用度若用之餘則糶米于民取其息十分之二如社倉之法若用之不足則同約僉議量宜加出以補之布則不斂散用之將盡則又各出一疋以足用若米積漸多則亦可貿布以儲若年久儲蓄漸裕則有可裒物時不收合于同約可以司貨所藏用之隨後入約者亦依初立約例出米布

一凡慶事有贈以禮之大小定幣之多小多則綿布五疋米十斗次則綿布三疋米五斗小則綿布一疋米三斗如及第爲大禮生進次之其餘冠子笄仕加堦之類爲小禮若婚禮則助以綿布三疋米五斗

一凡喪事有賻物有助役賻物者若約員之喪則初喪司貨告于約正送麻布三疋同約令各出米五升空石三葉以助治喪又於致賻時以司貨所藏綿布五疋米十斗具賻狀同是臨葬各出壯奴一名賫三日糧往役若同約父母之喪則初喪送麻布二疋同約各出米三升空石二葉次賻以綿布三疋米五斗臨葬各出壯奴一名賫三日糧往役若妻子之喪則（子年未滿十歲則吊而不賻）初喪送麻布一疋同約各出米一升空石一葉次賻以綿布一疋米三斗臨葬各出壯奴一名賫一日糧往役

一凡失火盡燒其家者則同約僉議裒蓋草各三編材木各二條且出壯奴一人持三日糧往助搆屋之役

一同約員之喪致奠時同約各出米三升備酒饌餠果須先期預裒

一同約之人非居一鄕則凡慶吊不能親往只送人具書同約連名若及第則贈物綿布五疋生進則綿布三疋其餘小慶則只致書無贈有送物則專伻人若無可送之人則必雇可信者給價以送無送物則因便傳送若死喪亦不能親往只送賻物具吊狀同約連名當身之喪則送賻綿布五疋麻布三疋父母之喪則送綿布三疋麻布二疋妻子之喪則送賻綿布麻布各一疋當身之喪則必遣約中幼少者賫奠致奠賫則同約各出米三升備送其餘救恤等事皆力所不能接也（力所可接者或可圖之）

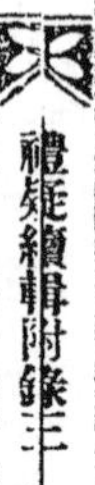



一同約居異鄕者聞約中吉凶之報則只具書慶吊或專人或因便各隨其情勢但於約員當身之喪若不能隨衆同致奠則必自具奠物致賻已葬後則奠于墓必具祭文其餘救恤等事則力所不能接也（力所可接者或可圖之）

一同約居異鄕者則不能於每年出米斗只於三年出綿布一疋又三年出麻布一疋循環爲常其餘不時賻物等事則皆不能參也

一凡約中會集賻物助役等事皆直月掌之凡當會集直月於約正及尊者之家皆親進問故（此所謂尊者則以齒月之年計之後放此）然後通于副正（副正於直月爲尊者則亦當親進後放此）會于一處定其期日出回文通諭副正直月同署名（約正則不署）若約員於副正爲尊者則不書于回文約正亦不書于回文直月當親進告期約員大槩無故則雖數三人有故亦可會也若慶吊賻贈有定數者則直月通于司貨依例具單子直月司貨先署名後受署名于副正訖直月持進約正家受署名以司貨所藏米布送之若有可加送者則直月司貨須與副正進約正家議定始具單子自下次次署名若回文賻物而其數前定者則直月依例書回文若事急者則書回文二度分東西收合直月先署名後受署于副正訖乃持進約正家受署此回文則雖尊者皆署若當賻物而其數不定者則直月必須與副正詣約正家議定其數然後乃出回文約正亦難於自定者則於會時詢衆定議若事急者則使直月稟于約中尊者五員參詳定議若董役直月不離役所檢其怠慢未到者則籍之凡助役時亦出回文如上例使之一時助役不可先後此等事直月不能如法則副正糾之副正不能糾則亦當論以犯約

增損呂氏鄕約文

大槩倣呂氏鄕約而節目多不同

凡鄕之約四一曰德業相勸二曰過失相規三曰禮俗相交四曰患難相恤

德業相勸

德謂孝於父母　忠於國家　友于兄弟　悌于長上　治身以道　正家以禮　言必忠信　行必篤敬　懲忿窒慾　放聲遠色　見善必行　聞過必改　能治其身　喪致其哀　睦族交隣　擇友親仁　敎子有方　御下有法　貧守廉介　富好禮讓之類

業謂讀書窮理　習禮明數　能整家政　能蒞課程　營家不苟　濟物行仁　能踐約信　能受寄托　能救患難　能廣惠施　能導人爲善　能規人過失　能爲人謀事　能爲衆集事　能解鬪爭　能決是非　能興利除害　能居官舉職　能畏法令　能謹租賦之類

右件德業同約之人各自進修互相勸勉會集之日相與推擧其能者書于籍以警其不能者

右德業可觀者約中有能行者則同約隨所聞當告于都副正及直月

過失相規

過失謂犯義之過六一曰嬉戲無度謂縱酒喧競呢近淫倡圍棊局戲凡放蕩廢學之事皆是

二曰忿爭鬪訟謂爭恨小故或發忿或罵詈毆打或起訟于官可已不已之類

若有實抱冤悶而訴官者非此類也

三曰行止踰違謂持身不謹侮其檢束或侮慢齒德或持人長短或恃強陵人或自高卑人或治家無法或太昵或太踈纖約過不改聞諫愈甚凡踰禮違法衆惡皆是

若約者輕視不恭者則是亦自高卑人也

四曰言不忠信謂發言無實誣罔他人或譏短毀過憎人糾正或私囑直月請勿記過或戲言弄人有所侮或巧詐飾言有所掩覆或爲人謀事反以敗事或與人要約退而食言或妄傳虛報熒惑衆聽或誣人過惡以無爲有以小爲大面是背非或作嘲咏文字及發揚人之私隱無狀可求及喜談人之舊過凡言語之失皆是

五曰營私太甚謂與人交易傷人利己專務進取不恤餘事苟于求人物侵苦村民及山寺之僧或受人寄托而有所欺昧或受人請賂諂媚官司或居官守職而不能廉潔凡營私自利之事皆是

六曰不斥異端謂一家共尙淫祠而不可禁或惑於術家風水之說妄移葬先墓及過葬不葬及因瘡疹廢祀凡不指左道之事

一家若有父母不斥左道則子當諫止若堅不聽從則亦無奈何如此之類非子之過也

犯約之過四一曰德業不相勸二曰過失不相規三曰禮俗不相成四曰患難不相恤

不修之過五一曰交非其人謂所交不限士庶凡凶邪及游惰無行衆所不齒者已與之游處親密則爲交非其人

若因不得已之事暫與往還者非此類也

二曰游戲怠惰謂無故出入及謁訪人家止務閑適及不好學問不修事業不治家事不潔門庭之類

三曰動作無儀謂進退粗率不恭行步不安詳及放手掉臂跂倚箕踞衣冠或太華飾或全不完整或不束帶[illegible]

[illegible]及當言或不當而言凡言語辭令之不合禮者皆是

四曰臨事不恪謂主事廢忘期會後時或托故不會及租賦不謹凡臨事怠慢者皆是

五曰用度不節謂不量財力過爲多費或妄設酒饌而不能安貧非道營求者

右件過失同約之人各自省察互相規戒小則密規之大則衆戒之且告于都副正直月使籍之不聽則會集日直月以告于約正約正以義理誨諭之謝過請改則書于籍以俟若其爭辨不服與終不改者皆聽其出約

凡聞同約之過失當卽規戒且告于約正直月不可掩匿覆蓋若不言則非責善之道也

禮俗相交

禮俗之交有四一曰尊幼輩行凡五等其一曰尊者謂長於己二十歲以上在父行者
若是師弟之間則年雖不高當待以尊者
其二曰長者謂長於己十歲以上在兄行者
若長者或是父執或是洞長官少敵者或是有德位可尊之人則當待以尊者
其三曰敵者謂年上下不滿十歲者長者爲稍長少者爲稍少
其四曰少者謂少於己十歲以下者
其五曰幼者謂少於己二十歲以下者
年雖幼少而若是有德位可尊之人則尊長當從之抗禮視以敵者
二曰造請拜揖凡三條其一曰幼者於尊者歲首之拜 正月初一日拜謁若其日有故則當拜于三日或三日不可過三日也 及辭 下直遠行 見 謁則 賀
皆具名啣著團領帶靴若有疾則具狀遣意雨雪則行次翌日
則躬謝若造微物則只當具狀稱謝不必躬往 皆爲禮見
此外候問起居質疑白事及被召而進皆爲燕見
單袷襦道領靴鞋皆可通著
尊者受謁不報
有慶則貽書賀之
少者於長者只行歲首之拜及賀謝 只來訪則躬報若造則具狀以謝之 此爲禮見



具名啣著團領或紅直領後乃報
若燕見則惟所服但不可以私服見 長者於歲首則具名啣親往報之如其服若賀謝則使子弟具己名啣代報其
少者之家有慶則長者亦當親往賀謝之禮
凡敵者於歲首之拜及賀謝 無則以書 相往還
歲首之拜 具名啣 及賀則著紅直領謝則惟所服
凡尊者長者或往幼者少者之家非禮謁則惟所服
其二曰幼者見尊者門外下馬俟於外次乃通名
凡往尊長之家至門必問主人食否有他客否有他幹否 官所營爲之事 度無所妨 雖有客不妨相見則亦通名 乃命展刺有妨則日後以俟若至數
主人 即尊者後放此 使將命者先出迎客客趨入至 入立俟于堂上揖客使升堂若禮見則再拜而坐燕見則一拜
以下家非否
幼者拜則主人跪而微俯首 若主人 則客堅請納拜主人許則立而受之主人命之坐則更俯伏興然後就坐
退則主人起送于堂上客拜而退出大門上馬
若主人於客齒德殊絕平時納拜者則主人不必起動凡客見主人別無稟白之事而主人語終不更端則告退或主人有倦色或
方幹事而有所俟者皆告退可也 入有所語而欲留則辭謝而還坐下至敵者以下皆倣此
少者至長者之家亦於門外下馬通名主人使將命者出迎客客趨入主人降堦客趨進主人揖之升堂若禮見則再拜燕見則只恭
揖

少者拜則主人跪而半拜以答之
退則主人送于堦下客恭揖而退亦出門上馬
若於尊長之家少者幼者一時旅見則少者先進爲一行旅拜 非禮見則旅揖 而後幼者亦爲一行旅拜凡旅見不可續續進拜須俟諸人
皆就位成列一時旅拜
凡見敵者亦門外下馬使人通名俟于門內主人出中門迎之相揖分路而進每門讓於客客固辭主人先入至堦又讓登客客固辭
主人先升自東堦客升自西堦若是禮見則主人與客相向再拜燕見則只揖而就坐
客若旅見則俟諸人皆升堂成列然後乃與主人行禮敵者少者幼者一時旅見則先與敵者行禮次進少者行禮次進幼者行禮
退則主人出中門揖送
客若徒行則主人出大門揖送
長者至少者之家則先遣人通名主人具衣冠 若禮見則著團領或紅直領 以俟客至門下馬則主人趨出迎揖引入升堂來報禮則再拜謝退則
出中門揖請上馬客固請入主人揖而回身行數步而立客上馬然後乃入
客若徒行則出迎于大門之外送亦如之
尊者至幼者之家則先遣人報通主人具衣冠 若因慶事或報謝則爲禮見當著團領 出中門以俟客至門則少避俟客下馬乃出迎拜引入升堂雖燕
見請納再拜之禮 禮見則必納再拜 客止之則止退則送之大門客請入則拜而回身行數步而立俟客上馬然後出門望見客行百餘步而
後入
客若徒行則迎拜于大門之外送亦如之仍隨其行揖止則止望其行遠乃入



凡見尊者必拜見長者必恭揖侍尊長坐客至尊長不起則亦不起
凡侍尊長坐敵者以下若至則主人 侍尊長之主人也 不下堂使人告有某客不能出迎客入升堂主人始起客先與主人行禮乃拜于尊
長若侍師長及遠尊殊絕之人則見敵者以下師長遠尊不起則在座者雖主人亦不敢起客入升堂先拜于師長遠尊然後就座
俯伏爲禮而在座者亦只俯伏爲相見之禮
其三曰凡遇尊長於道皆徒行則趨進以拜尊者與之言則對否則拜而退立於道下俟尊者過遠乃行若皆乘馬則必回避如不能
回避則下馬以俟尊者固請乘馬則乘馬俯伏俟尊者過數十步乃行
凡遇長者於道皆徒行則趨進恭揖不言則揖而退立於道下俟長者已過乃行若皆乘馬則立馬下俯伏致敬俟過乃行
凡遇尊者長者於道若已徒行而尊者乘馬則望見回避若不及回避則趨而進長者下馬則對面恭揖若者不下馬則俟馬過恭揖
尊者於馬上爲禮 者下馬拜若已乘馬而尊長徒行則望見下馬趨進拜揖 拜尊者揖長者 尊長雖固避亦然過既遠乃上
凡過敵者於道皆乘馬則分道相揖而過若一騎一徒則徒者回避不及避則騎者下馬相揖過則上馬皆徒行則相揖而過
凡徒行過所識乘馬則皆當回避
三曰請召迎送凡四條其一曰凡請尊者飲食必具單子親往以請 若禮薄則不具單子
若專爲他客設筵則不可兼請尊者
若請長者則不必親往只具單子 使人請之尊長既來赴則明日親往謝之召敵者則以書明日交使相謝召少者幼者則以
回文 若請者不多則亦當以書 明日客親往謝
其二曰凡聚會坐以齒若庶孽及非士族則別序雖非士族而學行出人者則亦序以齒有親戚妨於位次者則亦別序若有異爵者

則列坐不序以齒
異爵謂堂上官以上及侍從臺諫之類
凡宴集或迎勞出餞皆以尊爵者爲上客如婚禮則姻家爲上客皆不以齒爵爲序
其三曰凡宴集初坐別設桌子於兩楹間（若設宴於堂處則設卓子於堂前中央）置大杯於其上主人降席立於卓東西向上客（即尊請者）亦降席立於卓東西向主人取杯親洗上客辭主人置杯卓子上執事者進酒注主人親執酒注斟酒于杯以注授執事者遂執杯以獻上客上客受之復置卓子上主人西向再拜上客東向再拜（幼少者對拜亦再拜）興取酒東向跪祭（少傾酒於地）遂飲以杯授執事者遂拜主人答拜
若少者以下爲上客則飲畢拜時主人跪受如常儀若主人是少者以下則上客飲後主人乃拜上客跪而半拜
上客酢主人如前儀訖主人乃獻衆賓
若衆賓中有齒爵可尊者則獻酒如上客之儀再拜但客不酢若衆賓歡以下則獻酒時不再拜只於飲後相拜亦無酢
既畢就座始以俗禮行酒而罷
尊者行酒則幼者皆離所執杯以進長者行酒則少者起而跪伏可也
其四曰凡遠出及自遠而歸則有送迎之禮直月舉其事期會一處各持酒肴而往既會拜揖行禮如儀
所謂遠出遠歸者謂或因事別往遠地或赴任他鄉之類若常常往來之處則不可一一迎送
四曰慶吊贈遺凡四條其一曰凡同約有吉事則慶之
所謂吉事者謂及第生進入格及新筮仕及陞堂上以上階資及冠子之類皆可賀
同約期日俱進行禮如常儀有贈物
衆議量其禮之大小定賻弔之數
婚禮雖不往賀亦以物助其費凡有慶事及婚禮其家力有不足則同約之人爲之借助器用及爲營辦惟力所及當不憚其勞也
其二曰有凶事則吊之
謂死喪水火之類
灾之小者則同約以書吊之灾之大者則同約期日齊進吊之
小者謂水火不至太甚者也大者謂水火盡沒家業者也若幼者則雖小灾亦親吊凡吊慶之會雖先已與主人相見致慰者亦可隨衆同進
若喪事則聞喪卽時直月周告同約往哭吊
喪事謂約員及父母妻子之喪也死之日喪家當訃告于直月直月出回文遍于同約卽以玄冠素服黑帶往哭且吊同約若先聞訃則不待直月之報可以先往不識生者則不吊不識死者則不哭凡初喪未成服前則非親戚及分密者不敢入見喪者但在外助治喪具主人成服乃吊（吊儀見下）
且議喪祿及助具凡百經營之事主人成服後乃退
若主人成服後則客當以素服素帶行吊若妻子之喪則同約行吊後皆退只留其親切者使治喪成服後退
其三曰同約之喪有致奠
謂約員自己之喪也直月預定期日周告同約備奠物具祭文賻狀且先使人通于喪家
同約遵名作長刺先入刺于喪家齊會于外次皆素服素帶喪家具香火布席皆哭以俟護喪出迎賓賓推最長者爲首以次入至靈

禮疑續輯附錄三　六

座執事設奠物訖護喪引賓入至靈座前賓作頭行序立訖俯伏哭盡哀再拜賓（最長者）焚香跪酹酒（通奠二酹〇若獨奠則只一酹）俯伏興少退立
護喪止哭者祝跪讀祭文賻狀於賓之右畢興賓復位賓主皆哭盡哀賓再拜而退
若死者於己爲幼者則尊者只入靈座前坐哭使長者以下行奠禮
賓降階（喪家若布席石于庭）主人哭出立于庭東邊西向賓以次序立于庭西邊東向主人西向稽顙再拜賓東向答拜主人謝曰伏蒙奠酹不勝哀感又再拜賓答拜而出
若死者於己爲幼者則奠畢尊長先出使人致吊意于主人
若賓有未吊主人者則不隨衆序立少避他處衆賓退後乃進于西庭行吊禮
凡吊禮賓自靈座退若（賓不拜靈座則只行吊禮致奠內非親戚則不拜靈座）主人自喪次哭出庭東西向賓立于西庭東向主人稽顙再拜賓答拜賓主皆哭賓進曰不意凶變遽至極何以堪處主人對曰某罪逆深重禍延某親伏蒙臨慰不勝哀感（若賓致奠則曰伏蒙奠拜賜臨慰不勝哀感）又再拜賓答拜又相向哭盡哀賓先至寬譬主人曰修短有命痛毒奈何願抑孝思俯從禮制乃出主人哭而入護喪送賓至外次賓既出主人以下止哭（凡吊必具名銜）
若族吊則序立行禮而賓之最長者進而致辭若吊妻子之喪則只一拜吊辭隨宜稱道非情重則不哭吊畢又拜而退
及葬齊進會葬
父母之喪亦然尊者則使子弟會葬（尊者己以死者同輩計年）若妻子之喪則任情厚薄不必親往會葬但直月往監其助役
小祥大祥皆往吊禮後往慰
父母之喪亦然尊長（此以喪者計其年）以書慰之不親往凡喪家不可具酒食以待吊客吊客亦不可受當自齎飲食以往
其四曰若約員在他鄉身死則同約會于一處設位而哭遣約中幼者一人持奠賚及祭文賻狀往致奠發行之日同約齊會一處衣吊服再拜哭而送之
幼者之喪則尊者哭而不拜
若已葬而致奠則哭奠于墓（過期年則不哭情重則哭之）
右禮俗相交之事直月主之有期日則爲之期日當糾集者督其違慢凡不如約者以告于約正而詰之書于籍
患難相恤
患難之事七一曰水火小則遣人救之甚則親往率多人救且吊之若因此絕糧則僉議以財濟之
二曰盜賊近者同力追捕有力者爲告之官司其家貧則爲之助出募賞若因此失朝夕之供且亦脫衣裳則僉議以財濟之
三曰疾病輕則遣人問之甚則爲訪醫藥
直月主之使約中年少者輪往問醫
貧則僉議助其養病之資若闔家臥病不能耕耘則同約協力出奴及牛耕耘可給并作處則擇幹信之人給之
四曰死喪吊賻已見上若貧乏不能克襄事者則僉議於常賻之外加財以濟之
五曰孤弱謂約中之人死而有子孤弱無依若其家足以自贍則擇其親族之忠信幹事者使區處考其出納族中無其人則以約中親切者爲之若其家貧乏不能自給者同約協力濟之無令失所若有侵欺之者則衆人力爲之辨理若其子稍長則擇人教之且爲求婚姻若放逸不檢則亦防察約束之無令陷於不義至於終不可救然後乃止
六曰誣枉若約中之人被人誣訴過惡不能自伸者勢可以聞於官府則爲言之有方略可以救解則爲解之或其家因而失所者衆

禮疑續輯附錄三　七

共以財濟之

七曰貧乏之約中有安貧守分而生計窘束至於絕食則以財濟之有處女過期則同約連名呈狀求濟於官司

右患難相恤之事凡當有救恤者則其家告于約正或直月（隨其近處告之）若同約聞知則不待自告而爲之告約正或直月直月徧告之且爲之糾集而經營之凡同約者財物器用車馬奴僕皆有無相假若不及之用及有所妨者則不必借可借而不借及踰期不還及損毀借物者約正直月知之則論以犯約之過書于籍鄰里或有緩急雖非同約而先聞知者亦當救助或力不能救助則爲之告于同約而謀之有能如此者亦書善於籍以告鄉人

會集讀約法

凡預約者閒一月講約于書院

[illegible]之會則各持香燭果且持點心之米委司貨使辦直炊飯只炊飯而已凡器皿饌物皆不資于書院違者論以犯約狀請之時只令書院直饌酒只用香燭紙錢而已亦不用器皿犯者亦論以犯約餘月之會則只設點心不持香果點心則司貨掌之香果則直月掌之

會日夙興都約正副約正直月皆會于書院

皆具團領條帶納靴者是儒生則皆具冠巾團領條帶納靴貨則雖先至外次與他員同行禮

先以長少之序拜皆于東齋如常儀

副約正以下會于他齋俟都約正入東齋改服然後就東齋行禮

乃於講堂設大成至聖孔子之位於北壁



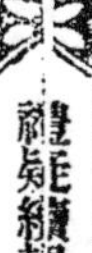

孔子以下皆以紙榜題之以淨紙副正直月中蓋香案於處爲皆設屏風以紙榜糊于屏上設先師顏子之位先師曾子之位先師子思子之位先師孟子之位於東壁設先師周子之位先師程伯子之位先師程叔子之位先師朱子之位於西壁設香爐香盒之卓於堂中

文憲公廟亦依此門灑掃設香爐香盒

同約者至俟於外次

同約之人皆隨約正直月之服長者以下爲一次隨至隨以齒拜揖序坐異爵者亦與長者同次異爵者別坐尊者別爲一次（此長者皆尊者以約計其年）尊者皆至則異爵者長者以次就尊者之次揖畢於東邊序立敵者以下俱詣尊者之次重行爲位拜畢敵者少者於西邊序立幼者及庶孽之類於南序立以次出就門外之位凡會集少當先至不可後於尊長凡同約之家子弟雖未能入籍亦許隨衆序拜未能序拜亦許觀禮各齋點心會食于他處

既集皆以齒爲序立於門外東向北上約正以下出門西向南上

約正之立與尊者正相向

約正揖尊者入門諸人隨之入至庭中約正以下立於東庭尊者以下立於西庭皆重行北面東庭則西上西庭則東上

尊者爲一行副正直月爲一行若副正於直月爲尊者則直月別爲一行尊者異爵者爲一行敵者爲一行長者爲一行幼者庶孽爲一行

立定皆再拜

使少者以下二人先行再拜禮後分東西立唱拜盥上香跪次先呼鞠躬拜興拜興平身次呼跪次呼上香次呼拜興鞠躬興平身禮畢

都約正六自東塔上香降與在位者皆再拜（若有告文則此時可讀）禮畢直月與幼者升堂收合先聖先師紙榜焚于塔上以其灰納于香爐（此時寧當下定也）

凡升降都副正直月自東階尊者以下自西階

約正揖尊者隨詣文憲公廟諸人隨之分東西立行焚香先後再拜禮如上儀（亦有呼唱）畢還就講堂之庭分東西相向立如門外之位約正三揖請升客（謂尊者）三讓約正先升客從之既升行禮見之儀

約正以下升階西上而立尊者以下升塔東上而立皆北面尊者以下人多則爲重行直月引尊者升堂於西邊東向南上而立約正以下升堂於東邊西向南上而立副正直月幾退約正之後約正以下再拜（此約正拜尊者也）尊者答拜退詣北壁下少西南向東上立異爵者長者升堂於西邊東面南上立約正以下再拜（此約正拜異爵者也）異爵者長者答拜異爵長者退詣西壁下北上立於是約正與堂中少東南向立副正直月西上北面再拜（此副正直月拜約正）約正答之如常儀訖副正直月東壁下北上西向再拜（此副正直月相拜）於是尊者於立所南向再拜（此尊者相拜）於是異爵者長者就尊者前東上北向再拜（此長者拜尊者）尊者答之異爵者長者退立於西壁北上東向再拜（此長者相拜）訖異爵者就北壁序立於尊者之西東上長者序立于西壁北上於是約正回身於東壁西向而立副正直月少退其後於是直月引敵者升堂東西北上與約正以下交再拜訖（此敵者拜約正）敵者詣尊者異爵前東上北西再拜（此敵者拜尊者）尊者異爵者答之如儀敵者退詣長者之前北上西向再拜（此敵者拜長者）長者答拜敵者於西壁下北上東面叙立於長者之南東向再拜（此敵者相拜）於是直月引少者升堂北上東向再拜（此少者拜約正）約正以下答之如儀少者就尊者異爵者前東上北面再拜（此少者拜尊者）尊者異爵者答之如儀少者就長者敵者前北上西向再拜（此少者拜長者敵者）長者敵者答之如儀少者於西壁敵者之南北上東向叙立再拜（此少者相拜）於是直月引幼者升堂北上東向再拜（此幼者拜約正）約正以下答之如儀幼者就尊者異爵者前東上北向再拜（此幼者拜尊者）尊者異爵者答之如儀幼者就敵者以下位前北上西向再拜（此幼者拜長者敵者少者）長者以下答之如儀幼者退於南行西上北向再拜（此幼者相拜）於是直月引庶孽升堂[illegible]之儀畢退於南行西上北向立再拜（此庶孽相拜）直月凡引客客是敵以上（此以年計）則下堂引升若是少者以下則立于堂上揖（揖手也）之使升



約正揖就座

約正坐于北壁之東南向副正直月坐于東壁北上西向有親或妨于位次者亦坐東壁直月之南北上西向用北位不屬尊者異爵者坐于北壁之西東上南向長者敵者少者坐于西壁北上東向幼者坐於南行西上北向庶孽亦坐於南行西上北向與幼者別其位不雜

坐定直月抗聲讀約文[illegible]一過副正推說其意未達者許其質問於是約中有善者衆推之有過者直月糾之約正詢其實狀于衆無異辭乃命直月書于籍[illegible]以記過籍偏呈在座各默觀一過訖乃飲食或少休于[illegible]

約正以下立於[illegible]起立一時作揖以次退于各齋少休復會時皆就位一時作揖而坐

復會說書或習禮已之或講約中之事或質經書疑義講論從容

講論須有益之言不得道鄙褻怪邪僻悖辭之語及私議朝廷州縣政事得失及揚人過惡諸位皆拱手端坐正色正襟不得傾倚

[illegible]約正皆于講坐未罷前如因事起出則當出位俯伏敵者以上則約正答之少者以下則不答其入也亦然若尊者異爵者及約正起出則在座俯伏而起在位者皆俯伏而起其入也亦然（起正俯伏）

至夕乃散

飮時在位者皆起立立其位再拜拜畢一時俱揖坐者以下以次皆出若都約正有故不參則副正以下亦可會聚行禮參者以
下皆以次出然後約正以下乃出
若都約正有故不參則副正以下亦可會聚行禮參者以下皆以副正之年計之 栗谷全書

西原鄕約

立議

鄕約古也同井之人守望相助疾病相救出入相扶且使子弟受敎於家塾黨庠州序以惇孝悌之義三代之治隆俗美良由是別世
衰道微政荒民散敎督於上俗敗於下吁可悲哉余以迂儒叨守大邑不閑政務固多疵累惟是化成民俗之志惓々不已玆與縣中
父老商議導迪之方鄕人皆以爲冀如得明鄕約旋勸邑自李使君增榮始申鄕約厥後李公遣因而損益之良規可觀第恨李公遞
歸鄕人意沮竟爲文具余欲繼李公之緒因采前規參以呂氏鄕約煩者簡之疎者密之更爲條約雖不敢自謂得中庶勸懲之術無幾
無大繆戾矣既而竊慮邑屯條約行之實則無以令契長契長非正直之士則無以糾鄕人鄕人之趨善去惡繫於契長契長之賢否
激厲繫於邑主余當激勸求賞罰自勉不懈契長有司亦宜體我之意先自修飭以起鄕人若無疾視之意以致章條則西原之俗其丕
變乎嗚呼懋哉　隆慶五年季秋謹書

凡善惡之事皆自立約後行賞罰約前雖有罪惡皆勿論許其自新約後依前不改然後乃論罰

右示契長有司等

條目

置都契長四人

每掌內各置契長一人 清州二十五掌內也

童蒙訓誨一人色掌一人 色掌別檢勿論良賤擇勤幹向善者爲之

每里各置別檢

一 置善惡籍以昭勸戒所謂善者能孝父母能友兄弟能治家政 內外齊整 能睦親故能和鄕里能以儒行持身能以義訓子弟能守廉介能廣施惠能勸學問能謹租賦能遵約令能與人爲信能導人爲善能解人爭鬪能救人患難能伸人冤枉能辨人曲直之類所謂惡者不孝不慈不友不悌不敬師傅夫婦無別踈薄正妻朋友無信臨喪不哀不敬祀事崇信異端輕蔑禮法好作淫祀族類不睦鄰里不和少陵長賤陵貴縱酒賭博好訟害人恃强凌弱造言誣毁不謹租賦不畏法令營私太甚挾技宴飮怠惰廢事之類有司色掌別檢掌其籍隨所聞從實以記之使稟告于都契長

一 四孟朔擇無故之日設約會同約者皆會講信

一 里中有喪色掌別檢糾告有司同約之人各出米一升空石一葉賻之 或貧窮不能賻者許以身役 永葬時各出壯丁一名助之士族多則專掌給之役少則折半給之其餘不役人數收米各一升給之

一 凡干營事聚會時毋得設杯盤飮酒犯者以輕蔑禮法論

一 凡有家故不得已遷葬者具由告官若惑於風水將已不已及過期不葬者以崇信異端論

一 年壯處女貧甚過時未嫁者報官給資裝約中亦隨宜扶助

一 有遇闔家病患廢農業者里中各出力耕耘以助

一 年三十以下非文非武者皆令讀小學孝經童子習等書不讀者論罰



一 民間凡有爭訟者就契長有司辨其曲直契長有司開諭曲者以止其訟契長有司若不能獨斷則通于約中士類會議 他員會者滿三員若爲分釋開論曲直明著而曲者猶不止則以非理好訟論 輕則罰于鄕重則告官 若自鄕中不能自斷則聽其告官

一 管四寸以下則契長有司自斷過此則報官

一 官吏奴等周行閭里求請作弊者及勸農色掌等村民侵噴者一一摘發報官治罪

一 草竊穿窬摘發治罪

一 無故屠牛者治罪若有不得已之故等殺則具由告契長

一 犯罪之人稍被罰枉將受刑戮則同約連名呈官伸理一偕於修飭不欲參約或違約作過終不悛改者報官治罪後黜鄕

一 犯罪須即治者不待四孟之會隨宜論罰

一 凡約會之事若非四孟之會則通于約中諸員一員滿三員然後商議報官 他員皆若異契長特罰有司他員則罰也

一 都契長一年一度會各面契長有司于一處議約法

一 契長有司若有營公營私不明不正者都契長報官黜改色掌別檢則各掌內契長有司糾察其失甚者改之

一 都契長若有報官之事則不時相通聚會 四人內二人聚會則報官

一 各掌內契長與都所相通時用關子通于都契長則用牒是都契長則不與鄕所通文字

鄕會讀約文

凡四孟朔有司色掌出回文使別檢傳告同約者皆會春冬則各持壺果秋夏則只齎點心務從簡略毋或貽契
坐次則契長有司東壁餘員西壁以齒序坐一依常時坐次毋得別立議以起忿爭之端



庶人以下皆揖行庶人有職者居前行士族之庶孽亦爲一行庶人有職者居東西上士族庶孽居西東上爲兩頭坐
約中有鄕吏則爲一行東上庶人之無職者爲公私賤爲末行庶人居東西上私賤居西東上以齒間坐
色掌與庶人有職之行爲別坐居東則檢於鄕吏之行爲別坐居東西上約中無鄕吏則爲別坐東上
若庶類有老人堂上則於西壁爲後行別坐
衆會皆坐于齋舉手無或喧笑失儀坐定有司抗聲讀約使在座者咸聞未解文者亦開諭知其意色掌以善惡籍遍示諸位諸位中或
所聞各擧則更與商議酬一覽畢有司起揖爲善者前出庶人以下則色掌揖出設別座于前衆皆推獎且加勸勉又招爲惡者輕則
切責使改行然後及其籍重則隨宜論罰既畢講論修約之意以相規戒一年一度都契長出回文會各掌內契長有司色掌別檢
于一處坐次則都契長以下西壁以齒序坐色掌別檢爲兩行色掌居前別檢居後皆東上坐定諸有司各以善惡籍呈
于都契長遍示諸位覽畢相與商議善惡之尤表顯者可報官者及各面契長有司能守約條能變風俗者與私相作弊者詳悉報
官
若或他人之事則都契長與其面契長有司皆署若報契長有司之事則只都契長自署且相規戒以遂行約條之意 栗谷全書

社倉契約束

立約凡例

一 契中一人爲契長又得一人爲之擇可堪任使者爲有司二員 約長則無大故不遞有司則一年相遞

一 庶民中擇可任者爲掌務一人庫直一人使令四人掌務使令行有司之令庫直掌守倉穀 掌務使令則一年相遞庫直則三年相遞 凡一應出物皆例
減不出

一社契爲伍長一員當察五家內孝悌之行及疾病患難凡吉凶一々告于有司

一士人定爲敎訓(擇定隣近)隣里之人不解文不知法者(或其比時之)每朔一會解釋約法使詳知之

一爲善惡籍以記得失有善事之善講信時告于約長僉議命同則書於簿籍以俟後改

一凡善惡之記皆自立約後爲始約前有過失之許令洗濯不復論說必仍前不改然後乃書于惡籍則明知改過然後於會集

不孝不友淫奔等大段悖理之行然後乃文書籍而黜約具告官治罪

例入

一凡爲契約者必有二十里內居人許之家在二十里外者則不許(以社倉所在爲限)

一每年春秋約中上下之人俱會講約論賞罰(各依簿籍所)有司前期考忌案寘于約長副約長出回文使使令傳之

一凡公事約長副約長有司主之若非約長有司而擅斷是非者有罰

一推約中齒最尊者爲尊位(或二員或四員五員)凡非會集而有大事當議者則約長使有司議于尊位而定之

一非講信時若有可議公事副約長有司議約長皆處(凡賞罰必須並施者則皆時會處斷)

一契中人每年十月內出回文各出造米一斗五升(下人則)有司幹務收合付庫直藏于社倉以爲救急之資(會穀數足用則更不收合)

一每年正月初一日爲始位長察五家放牛馬

一凡會集時有大故不參則具單子呈于約長處(下人則所志狀)若托故不參及不告緣故者論以犯約

一講信及致賀書團領凡吊慰者着白直領

禮疑續輯附錄三　十二

每於講信時契員僉可入者僉議可入否爲可然後許入(可否多少隨時斟酌)

約束

凡契中之約有四一曰德業相勸二曰過失相規三曰禮俗相交四曰患難相恤

德業相勸

德業謂孝於父母

孝謂質心愛親所得甘旨皆以奉親承順其志不敢違逆常時恭敬應對必順不惜己財任親之用父母有病憂念不弛必求其藥盡心救療臨喪盡哀守制以禮祭祀以誠之類　庶賤則父母忌日書紙榜以祭四名日祭于墓無墓則亦書紙榜以祭餘孝親之事則同上

忠於國家

忠謂盡職奉君守職奉公忘身許國之類下人則事上典以誠不敢少有欺隱有所使令奔走服役不憚勤苦若有所得之物必獻于上典之類

友于兄弟

友謂同生相愛有無相通所得飲食必與分食凡事相救助無異一身之類

弟于長上

弟謂恭事長者二十歲以長則見之必拜十歲以長則不敢爾汝之類　下人則敬長者如右而又恭敬士族見士族則知與不知間必拜晉謁恭遜若騎牛馬則必下跪于路側凡事無慢雖非同契待之皆當如此

男女有禮

謂夫婦相敬不相爾詰且不昵狎亦不疎薄之類○下人則不敢淫姦他人妻女里中男女路次相遇則相避而行不相親狎之類

言必忠信　行必篤敬　懲忿窒慾　見善必行　聞過必改　睦族交隣

愛族黨和隣里有無相假貸疾病患難相救助之類

敎子有方

謂敎子必以善行使之修身勤事不敢嬉遊若與人相詰則勿論曲直必撻訶其子之類

御下有法　貧守廉介　富好禮讓　不貪他物

謂見人之物不生窺覬欲心路中若有遺棄之物則必推其主而給之

能勤事功

謂已事他事皆盡心用力毋敢怠忽之類

能踐約信

謂契中約令一々遵行毋敢少緩之類

能受寄托　能救患難　能導人爲善　能規人過失　能爲人謀事　能爲衆集事　能解鬪爭　能決是非　能興利除害　能居官擧職　能畏法令　能勤租賦之類

右件德業可觀者同契之人各自進修互相勸勉有能行者則同契隨所聞告于有司有司私作置簿講信時告于約長詢于衆

禮疑續輯附錄三　十三

得其實然後表表特異者報官請褒奬其餘則書于善籍以憑後考

過失相規

過失則謂持身不謹事上無禮接下無恩不遵約令之類凡有大過惡者及累次論罰終不自悛壞敗約令者皆告官治罪後黜契契

中人絕之不相接話(悔過遷改自新則許復入如初入例)

大過惡謂不孝父母者毆打及擠跌父母舅姑者下人背逆上典者兄弟不和者毆打同生兄及三寸五寸叔父者下人凌辱毆打士族者之類

上罰(士類則立庭謝事能後乃止飮食時使別坐末端以示罰○長者則滿座面責○下人則笞四十)

次上罰(士類則滿座面責長者半減○下人則笞三十)

中罰(士類則西壁以上面責長者半減○下人則笞二十)

次中罰(士類則及席位以上面責長者出位坐罰一巡○下人則笞一十)

下罰(士類則出位坐罰一巡○長者則避席出坐受規責○下人則下人滿座面責)

凡尊者有過則使子弟代受其罰無子弟則管奴其罰如右例

凡稱尊者長者皆以約長年次計之

下人年老及有病不堪受笞者則贖以罰酒每笞一十贖酒一盆以次加等

與父母變色相詰者叱辱三寸叔父及同生兄者不從父母敎令者親貧于富而不養者親死不哀一月內飮酒者

右五過約長以下無時會集召而責之請改過則上罰後書于籍以俟若爭辨不服無改過之意則告官治罪

居喪醉酒者祭祀不敬者下人不行忌祭墓祭者叱辱五寸叔父及外三寸從兄者右上罰

父母所見處踞坐者騎牛馬過父母所見處者右次上罰凡舅姑同於父母（妻父母同於外三寸）

下人於上典前言辭不恭者外處罵上典者右上罰不順從上典之教令者行上典之令而凡事不直欺罔取利者右次上罰

上典所見處騎牛馬過者中罰

士族前下人言辭不恭者中罰

下人見士族而不拜者騎牛馬不下者士族所見處踞者右次中罰

與三寸父同生兄變色相詰者次上罰

與五寸叔父及外三寸從兄變色相詰者中罰

三寸叔及兄所見處踞坐者騎牛馬過者言辭不恭者右中罰

外三寸及五寸叔父從兄所見處踞坐者騎牛馬過者言辭不恭者右次中罰

扶執長者下手者上罰

叱辱長者中罰

長者所見處踞坐者騎牛馬者言辭不恭者右下罰

兄以私憾打弟年甚於孩侮者中罰

下人妻打夫者上罰傷打則告官

無罪而打妻者中罰傷打則上罰



妻於衆中罵夫者中罰

不能敎其妻子使作惡者重則中罰輕則下罰

疏薄正妻者上罰不悛者告官

不能睦族相與鬪詰者中罰

里中男女無禮發昵狎淫戲之言者次中罰

與他人妻女扶執相狎者中罰

凡下人相鬪毆打者察其年齒老少情理曲直被毆輕重論罰

年長者理直而所毆無傷則下罰（猶擅行之罪）

理直而傷打則中罰

理曲而傷打則上罰

理曲而所毆無傷則次中罰

年少者不論曲直而傷打則告官

理直而所毆無傷則次上罰

理曲而所毆無傷則上罰

年次相敵則理曲而傷打者上罰

不傷打者次上罰

理直而傷打則次上罰

不傷打者次中罰大抵傷處重大則當告官

士人敵者相詬罵則次中罰

士人敵者相扶執毆打則次上罰

士人私打下人則中罰重傷則許其告官

士人長者毆打幼少者中罰

潛姦他人妻及女者告官若悔過願受罪自新者上罰

誘納他人逃奴婢及止接荒唐人者次上罰

潛盜他人之物及草竊者上罰輕則次上罰徵其盜還本若不悛者告官

放牛馬于田禾者初犯中罰再犯上罰次上罰三上罰（有司錄其度數）伍長則遂減一等若田穀已盛後則皆宜徵給其主好訟而可已不已者中罰

非理好訟者上罰

盜人溝水者侵耕他人田界者右中罰（田別還陳）

醉酒詬罵者次中罰

言語不實者中罰

詆毀他人者上罰輕則次上罰



擇會人使相鬪者次上罰輕則中罰

凡自占便利務私太甚不恤他人之利害者中罰（欲散時不及子母相當之法恐好過分者亦爲私太甚也）

太慳吝不以器具相假借凡事太鄙俗者次中罰

懶惰不事事浪遊度日者下罰

受賂而干請者中罰

崇信異端好行淫祀者次上罰若有父母不能自斷者勿論巫女則上罰

侵奪他人及山僧之物者上罰

用度不節自取貧乏者下罰

不謹納租賦後時惹緩者中罰

衆會處坐起不端喧譁妄笑戲言譏人及發不美之言者重則中罰輕則下罰

凡向人發惡言者下罰重則次中罰

社倉穀納不以實者中罰

斗升減縮者次中罰（如捧準納）

有司不能正事者不能檢察他人者收錄不致下人者伍長不告五家內善惡吉凶者次中罰

凡論議不公平者中罰

凡憑公作弊者上罰

凡見人過失不匡救而私自非議揚於衆者次上罰

惡聞規戒者次上罰

非約長有司而擅論是非不有所主議使衆心不安者上罰

使令掌務庫直輩不恭畏有司不從教令者中罰

聽人時不用意者次中罰

下人有不平之事而不告有司私自怨詈者中罰

凡會集時晚到者下罰

凡一切不應爲而爲之者最重者次上罰次則中罰輕則次中罰

凡不從契中約束者（[illegible]）再犯次中罰三犯上罰（[illegible]）三犯上罰四犯則告官治罪黜契亦削其約

度數錄於籍從時過考三度以下已論罰而能改者去其記

凡上罰受罰後皆紀于惡籍不服而怨怒者則黜契

若有過失同契之人互相規戒不聽則告于有司有司於講信會集之日告于約長約長以義理曉諭之謝過請改則書其籍

罰上罰則記其過以俟其改爭辯不服怨咎記過之人終不悔悟者黜契

凡有過者許其自明辭無理直則契之約長[illegible]強辯者罰加一等又不服然後黜契

禮俗相交

凡長於我二十歲以上則爲尊者十歲以上則爲長者路中遇同契尊者則下馬（尊者強辭乃則俯伏馬上）凡見尊者則必拜長者則揖拜（洞內年長十五歲者亦拜）

契中員年雖不高若有德位可尊者則待以尊者禮者亦抗禮

歲時同契人相往還致禮謁尊長則亦必往幼少者之家子女婚嫁時（率居子女則）給米三斗（下人則半數）臨時出回文各出紫木一馱給之（下人財不出柴亦不給米）男則行新婦禮時給之男之禮也各出燭一名自備炬以往（士人家出炬士人婦時下人出於下人婦時）若契員家在十里外則只給米而不給柴及炬單炬亦不出（同居同生婚嫁時則依若例半減而下人則給一斗）

契中人有年滿八十七十以上者及登科司馬得官者則各持酒果會于空處賀之（下人則否下人年滿七十以上者亦使下人持酒果賀之）

契員有過三年喪者則亦如賀禮慰之（下人能行三年喪則亦下人會慰且記其善）

契中有喪則契中人皆往吊之（下人則否）若當身及父母妻之喪則成服永葬小祥大祥皆往吊慰（妻子喪則吊於成服及葬子未成人則否）亦各持米多少（多少隨力多不過五升少不下二升）往助之有司募取斗米送於喪家（[illegible]故不給亦送米下人則不出米）

契員當身喪則有司出回文于同契各出米一升俱奠物（有司具）撰祭文致進致奠（下人則否）

凡千喪當聚會時不可以酒食館各路若有則各當自警勵心以往違此者各主皆論以犯約（若喪家[illegible]則無妨）

下人葬時亦不許辭酒若有論以犯約下人則三虞祭後許飲但過一月後乃許飲士人居喪中非有病不可飲

患難相恤

若大水火盜賊[illegible]則給米五斗（下人半數）契中人皆出壯丁一名自齎一日糧各持藁艸三編材木一條藁葉十把往役（下人則給半數）若盡燒其家而得出資產則只持物往役不給米若不盡燒則隨其輕重各出空石二葉或一葉給之只燒少許而全家在焉則否凡失火時同契之人勿間上下皆當奔往救之



時同契之人勿間上下皆當奔往救之

契中人遇盜賊則同往救之同力追捕若財物盡被偷則僉議給米（隨時多少相議定）

契中人有疾病重者則有司人若當難救之有司使使令傳命若國家病患廢農事則同契之人量宜出力耕耘使免飢困

契中人有被誣枉得罪不能自伸者則同契之人連名報官以救解

契中人有年壯處女而家貧未嫁者則報官請給資裝契中亦隨宜扶助（下人則不出）

契中有貧乏絕食者則僉議隨宜賑救

契中當身之喪則給米六斗父母喪則給四斗妻子喪及同居喪父母喪則給二斗（下人則半減）若當身及父母妻子之喪則（[illegible]葬時）名出壯丁一名持炬一柄燭一[illegible]（下人則不[illegible]）發引時前夕往喪家因護至葬所就役夕始還士人給全軍下人喪則給半軍（下人受役[illegible]）則一人出米一升給之

契中父子兄弟皆參約則喪米各以其名送給役軍則不疊役（凡役軍有司子喪家定送）

凡契中急難之事同契聞知則不待任長之報急往救之且告諸人能如此者亦書于善籍

講信時違三無故不參黜契雖有故狀違三不參上罰

社倉契

一社倉穀副約長有司掌之出給年分給以周前乏收時取息每一斗加二升公其取與明其件記毋使有後議有司督散秋收後乃還

一社倉之穀非同契則不得受食若有切親及奴僕求糶契而有求食者契員自以其名受糶秋後自督以納未納則契員自備以納

一倉穀未殖前則收息每一斗加三升若殖穀則同契之人納穀（租粟豆太隨所有）十斗（下人則五斗）以補倉穀倉穀既足則否

一社倉分給自正月十一日爲始每月初一日十一日二十一日分給以穀盡爲限是日副約長有司當往社倉之所契中人求糴者當以是日往受若受納則自九月爲始以終于十一月亦以初一日十一日二十一日收納

一收糴時十家內定一人爲統主使催促不勸者論罰若統主自己之家及統內五家畢納則改差統主以未納人定統主代其催促之任

一若過十一月而未納者則論以上罰其統主論以中罰若過十二月不納則黜契而其統主論以上罰若所給之穀不實則[illegible]

一歲後願入契中者納社倉穀二石下人則[illegible]斗置籍罰改備（[illegible]）

一契中人有赴外任者則有司送書于所守官送米三石（[illegible]）以助社倉之穀（[illegible]）

一社倉分給前期一日伍長須知其家所欲受出之數及用于某處之事翌日早朝詣于副約長有司會處與副約長有司商議

商議定其多少之數分給（[illegible]）

一社倉分給之穀不可徵以私債違者論以犯約

一凡契員遇喪事同契之人家同力措置各出藁草三編大藁索各十把以蓋覆

講信

講信之日早早食後約長副約長有司率掌務使令輩先詣會所俟契員皆集（契員爲別次而會少者當先往下人亦會他處少者亦先往）有司一人（[illegible]）引尊位

自尊約長以下出迎于[illegible]之次[illegible]長者與約長相對揖讓約長先升（副約長有司隨升）尊位次升約長以下皆

向尊位東向相對再拜後尊位於北壁南向而立有司引其次尊者（有西序者）皆升東向約長以下相對再拜後尊者就坐以次回身北向尊位再拜尊位答拜後尊長以下於西壁東向而立上約長於東壁之東西向而立副約長有司於東壁西向而北上其餘契員皆升以齒序立北向東上爲重行立定北向再拜尊位約長尊長副約長以下皆一時答拜訖皆坐（坐次見後）坐定下人列立再拜訖就坐皆定副約長讀約法訖（未解文者願釋使知其意又如約文一讀于下人所坐處諭于下人皆詳知）有司呈善籍惡籍衆議賞罰書于籍畢飲酒以次行巡杯禮（凡巡杯先進尊位然後乃進之于約長副約長有司先行後位次行以酒）於是有司起設食饌者出設別席于庭下約長別行巡杯以飲之推奬而勸勉之飲酒畢中各因其位起立一齊再拜後尊位先出尊長以下契員盡出後約長以下則受下人拜辭然後乃出

會時坐次

尊位則坐於北壁之西東上約長坐於北壁之東若有與尊位則坐于尊位之西尊長者坐于西壁北上（坐位亦則難敵者坐于南行）副約長有司坐于東壁北上其餘契員皆於南行以齒列坐東上爲重行庶孽及庶族有職者（校生忠義別作之）後行分班庶族則東邊西上庶孽則西邊東上員多則亦爲重行下人東人坐于東邊西人坐于西邊皆北上年少者坐于南行亦分東西如右人多則重行

凡契員子弟雖未參契者欲參會觀禮則亦持蔬果來參坐次如右（果全）

禮疑續輯附錄三

# 禮疑續輯附錄四

雜禮

## 鄉飲酒禮考證

謀賓介主人（諸侯之鄉大夫）就先生（鄉中致仕者）而謀賓介（賓一人介一人大比興賢能者於其君以禮賓之與之飲）

戒賓介主人夙興深衣往戒賓（戒告也）賓拜辱如主人服出門左西面迎再拜乃入東面答再拜乃請賓賓禮辭（一辭而許）主人再拜賓許（不固辭者素所有志）主人再拜賓答再拜主人退賓拜辱○介亦如之○衆賓亦人戒

設席主人既戒將而布席○席布筵賓席牖前南面東上○介席西階上東面○衆賓年六十以上坐于堂上席于賓席之西南面東上皆不屬焉（其德各特）賓長三人謂之三賓坐不屬介席之北○五十者（不足六十者之通稱）立于西階下東面北上統於堂○若有在門西者（賓者衆）北面東上（統於門）○主人之贊者立於阼階下西面北上統於洗南及西階前皆設賓介坐席○洗北及阼階前皆設主人坐席

陳器尊兩壺于房戶間（賓主共之）上有絡冪下有禁玄酒在西（教民不忘本也）設篚于禁南大頭在西東肆（爵三觶一獻用爵其他用觶加二）勺于兩壺覆之南柄○設洗于阼階東南（洗用承盥手）南北以堂深東西當東榮（洗取於榮上）水在洗東（水用罍有料）篚在洗西大頭在北南肆下篚之爵二觶一磬一堵縣階間縮霤北面鼓之○鼓一在阼階之西南（鄉飲酒大夫士鼓而已）

具饌其牲狗也（取擇人）亨于堂東北（祖陽氣之發也）既熟載俎饌東方（陳於東壁）○賓俎正脊代爲肩肺○主人俎脡脊長爲臂肺○介俎橫脊短爲胳肺（凡牲脊有三分一分正脊次中脡脊後分橫脊脅亦有三分前分代脅中爲長脅後分短脅前脛骨三肩臂臑後脛骨二）肺皆離右體（吉禮牲尚右）進腠（腠理也進理謂前其本也）○載以體大肩臂臑在上端脊脅肺在中肫胳在下端（載有上下）○徹俎面乃羞脯醢也（賓主人介進俎各進）○薦脯五挺（亦作脡猶職也其尺二寸）橫祭於其上祭半膱用籩○醢用豆陳於東方南上脯在南○獻賓薦脯醢○賓酢主人薦脯醢○獻介薦脯醢○獻衆賓（衆）三人薦脯醢○獻遵薦脯醢○獻衆賓辯（偏）有脯醢○獻工薦脯醢○獻衆工辯有脯醢（不祭）○獻笙薦脯醢○獻衆笙辯有脯醢（不祭）○司正中庭奠觶有脯醢（不祭）○主人之贊者無算爵然後與辯有脯醢（不祭）

速賓戒定（肉謂之戒定）主人速賓賓出門左西面迎再拜主人東面答再拜退賓送再拜（衆賓）○介亦如之○衆賓遣人速○主人先還○賓介及衆賓從之

迎賓主人一相（主人之吏擯贊傳命者）迎于門外出門左○賓介與衆賓東面北上○主人西面與賓正東西相當再拜賓賓答再拜○主人側身向西南一拜介介答一拜○主人揖衆賓衆賓答揖○主人揖賓賓答揖○主人先入門右至內霤西向對賓○賓厭（推手曰揖引手曰厭）介介厭衆賓皆入門左東西北上（立不當門則門西北面東上統於門也）賓少進○賓既北上主人西面相向主人揖賓亦揖○乃相背各向堂塗既北面曲主賓相向揖如前○當碑相向揖如前○及階（介與衆賓亦隨賓至西階下東面北上三揖之節）主人讓登於賓（讓曰請先升）賓對曰某不敢主人再讓曰某固以請賓對曰某不敢主人三讓曰願勿固辭賓對曰某不敢聞命○主人西面先右足升一等賓東面先左足升一等主人與賓皆前足躡一等後足從之併涉級聚足連步以上（主人先升賓後升以初至之時賓客之道進宜難故主人先升導之）○主人阼階上當楣北面再拜（拜至）賓西階上當楣北面答再拜

獻賓主人之贊者一人升自西階適尊所徹絡冪奠于禁上加二勺于尊降復位○主人進詣尊南坐取爵于篚降洗自阼階賓降自西階當西序東面○主人阼階前西面坐奠爵興辭降曰某也行事不敢煩吾子賓對曰吾子辱有事某未敢在堂○主人坐取爵

禮疑續輯附錄四　一

興適洗北南面坐奠爵于篚下○贊者之末位二人進主人前西北面立○主人興一人奉洗承盥水一人奉水用枓沃盥○主人坐取爵興奉洗者承洗水奉水者用枓沃洗○賓進洗西南主人前東北面辭洗曰吾子無自辱焉主人坐奠爵于篚興對曰某有不腆之酒將以行禮不敢不致潔○賓復西階下位○主人坐取爵興沃洗如初卒洗贊者授巾帨手○主人及階與賓相向一揖主人讓登於賓 讓曰請先登 賓對曰某不敢主人與賓俱升 [illegible] 主人西面先右足升一等賓東面先左足升一等聚足連步以上○賓西階上當楣北面一拜 拜洗 主人阼階上北面奉爵俟賓拜訖主人坐奠爵答一拜 不起 興降盥 爲拜手 ○賓降西序東面立○主人阼階前西面辭降曰某也行事不敢煩吾子賓對曰吾子辱有事某未敢在堂○主人適洗北南面贊者二人西北面一人奉洗一人奉水沃盥○賓進洗西南東北面辭盥曰無自辱焉主人對曰某也將行禮不敢不致潔○賓復西階下位○主人卒洗帨手及階與賓一揖一讓升如初○賓西階上疑立 疑音凝正立自定之貌 主人坐取爵興酌酒南西北面與酒用勺實之爵奉之賓席前西北面獻賓奉之以立○賓西階上北面一拜 拜受 主人少退○賓進北面受爵于席前以復西階上位○主人阼階上北面一拜 送爵 賓少退○贊者以脯醢出自左房薦于賓席前西上脯左朐右末 [illegible] 中席南面○贊者以折俎由東塾自西階升設于薦南西上 [illegible] ○賓坐左執爵右祭脯醢于薦西興右手取肺卻 仰 左手執本 [illegible] 坐弗繚右絕末以祭 [illegible] 尚左手嚌之 嚌嘗也 ○興加于俎坐挩 拭 手遂祭酒 [illegible] 興席末坐啐酒 [illegible] 興○主人阼階上答拜○賓西階上北面坐卒爵 [illegible] 興坐奠爵拜 [illegible] 執爵興 [illegible] ○主人阼階上答拜

賓酢主人賓以虛爵降洗○主人降立阼階東西面○賓西階前東面坐奠爵興辭降曰某也行事不敢煩吾子主人對曰吾子辱有事某未敢在堂○賓坐取爵興適洗南北面贊者二人進賓前西南面立○主人進洗北南面辭洗曰無自辱焉○賓坐奠爵于篚下興對曰某也將行禮不敢不致潔○主人復阼階東位西面○賓東北面盥一人奉洗一人奉水賓坐取爵興卒洗贊者授巾帨手及階與主人相向一揖主人讓登於賓 讓曰請先登 賓對曰某不敢主人西面先右足升賓東面先左足升如初○主人阼階上北面拜洗○賓西階上北面奉爵俟主人拜訖主人坐奠爵答拜興降盥○主人降阼階東西面○賓辭降曰某也行事不敢煩吾子主人對曰吾子辱有事某未敢在堂○賓適洗南北面盥贊者奉洗奉水○主人進洗北面辭盥曰無自辱焉○賓對曰某也將行禮不敢不致潔○主人復阼階東位西面○賓卒洗盥水及階一揖一讓升○主人阼階上疑立○賓坐取爵興酌酒南東北面實爵 用勺 奉酢主人之席前東南面酢 報也 主人奉之以立○主人阼階上北面拜賓少退○主人進受爵于席前以復阼階上位○賓西階上北面拜主人少退○贊者薦脯醢于主人席前南上 [illegible] ○主人執爵升席自北方中席西面○贊者設折俎于薦南上○賓西階上疑立○主人左執爵右祭脯醢奠爵于薦西興右手取肺卻左手執本坐右絕末以祭尚左手嚌之○興加于俎坐挩手執爵祭酒興席末坐啐酒 [illegible] 興自席前適阼階上北面坐卒爵興坐奠爵拜執爵興○賓西階上北面答拜○主人坐奠爵于東序端 [illegible] 興阼階上北面再拜 崇酒 ○賓西階上答再拜

主人酬賓[illegible]○賓降○主人阼階前西面坐奠爵興辭降曰某也行事不敢煩吾子賓對曰吾子辱有事某未敢在堂○賓不辭洗 以其將自飲 當西序東面立○主人坐取觶興適洗南面坐奠觶于篚下○贊者二人進西北面○主人興一人奉洗一人奉水沃盥○主人坐取觶興沃洗帨手及階與賓一揖一讓升○賓西階上疑立○主人進觶賓席前西北面實酒于



觶酢阼階上北面坐奠觶遂拜執觶興○賓西階上北面答拜主人坐祭遂飲卒觶興坐奠觶遂拜 拜既爵 執觶興 [illegible] ○賓西階上北面答拜○主人降洗○賓降○主人坐奠觶于階前興辭降曰某也行事不敢煩吾子賓對曰吾子辱有事某未敢在堂○主人坐取觶興適洗南東坐奠觶于篚下興坐取觶興洗觶○賓進洗西南東北面辭洗曰吾子無自辱焉主人坐奠觶于篚興對曰某有不腆之酒將以行禮不敢不致潔○賓復西階西序東面立○主人坐取觶興卒洗帨手及階與賓一揖一讓升○賓不拜洗 [illegible] 西階上疑立○主人酌實觶于賓席前北面立○賓西階上北面拜主人少退俟賓卒拜進坐奠觶于薦西 [illegible] ○賓辭主人奠觶進坐取觶以興復西階上位○主人阼階上北面拜賓少退○賓進北面坐奠觶于薦東復西階上位 [illegible] ○主人揖降 [illegible] 賓降立于階西當西序東面 [illegible]

主人獻介主人至阼階下西南與介相向一揖主人讓登於介 讓曰請先登 介對曰某不敢主人西面先右足升一等介東面先左足升一等聚足連步以上 [illegible] ○主人阼階上北面拜介西階上北面答再拜○主人南面坐取爵于東序端興降洗○介降自西階當西序東面○主人阼階前西面坐奠爵興辭降曰某也行事不敢煩吾子介對曰吾子辱有事某未敢在堂○主人坐取爵興適洗北南面坐奠爵于篚下興奉洗者奉水者西北盥○主人坐取爵興沃洗○介進東北面辭洗曰吾子無自辱焉○主人坐奠爵于篚興對曰某也將行禮不敢不致潔○介復西階下位東面○主人坐取爵興沃洗卒洗及階與介一揖一讓升○介不拜洗 [illegible] 西階上疑立○主人進爵酌酒西北面實酒[illegible]介席前西南面獻介[illegible]之以立○介西階上北面一拜主人少退○介進北面受爵以復西階上位○主人介右北面一拜介少退 [illegible] ○主人立于西階東 即介右 ○贊者薦脯醢于介席前南上○介執爵進升席者北方中席東面○贊者設折俎于薦南上○介坐左執爵右祭脯醢奠爵于薦南興右手取肺卻左手執本坐右絕末以祭不嚌肺興加于俎坐挩手執爵祭酒不啐酒不告旨 [illegible] 降席自南方北面坐卒爵興坐奠爵拜執爵興○主人介右答拜

介酢主人介以虛爵降洗 記曰以爵拜者不徒作言拜既爵者不徒起必酢主人賓介之酢主人逸也 主人復阼階上降立○介西階前坐奠爵興辭降曰某也行事不敢煩吾子主人對曰吾子辱有事某未敢在堂○介坐取爵興適洗南北面○主人進洗北南面辭洗曰無自辱焉○介坐奠爵于篚下興對曰某也將行禮不敢不致潔○主人復阼階東位○介東北面盥坐取爵興卒洗進西階前○主人適洗北南面盥 [illegible] 及階與介一揖一讓升○介進兩楹間南面授主人爵 [illegible] 立于西階上○主人坐南北面實酒于爵進于西階上介右坐奠爵拜遂爵興○介答拜○主人坐祭遂飲卒爵興坐奠爵拜執爵興○介答拜○主人坐奠爵于西楹南 [illegible] 與介右再拜 [illegible] 介答再拜○主人復阼階揖降介降立于賓南

主人獻衆賓主人至阼階下西南面三拜衆賓衆賓皆答一拜 [illegible] ○主人揖北面升坐取爵于西楹南降洗○主人適洗北南面坐奠爵于篚下與沃盥坐取爵與沃洗○衆賓之一人進洗西南東北面辭洗曰吾子無自辱焉○主人坐奠爵于篚與對曰某也將行禮不敢不致潔○衆賓長復西階下位○主人坐取爵興卒洗升酌實爵奉臨西階上西南面獻衆賓奉之以立○衆賓長一人升西階上北面拜主人少退○衆賓長北面進受爵○主人賓長之右北面拜賓長少退○主人立于西階東 [illegible] ○贊者薦脯醢于賓長席前西上○衆賓長執爵升席自西方中席南面坐左執爵右祭脯醢祭酒興降席自西方復西階上北面立飲卒爵不拜授主人爵 [illegible] 降立于介南○主人以爵降洗坐奠爵于篚與沃盥坐取爵與沃洗 [illegible] 升酌實爵奉酒西階上西南面○衆賓長次一人升拜受主人拜送○衆者薦脯醢于席前 [illegible] 衆賓升席自西方中席南面坐左執爵右祭脯醢祭酒興降席自西方復西階上北面立飲卒爵授主人爵降復位 立于賓長下做此 ○主人降洗升實爵衆賓長又次一人升拜受爵主人拜送薦脯醢坐祭立飲授爵降如初 [illegible] ○主人實爵不洗 獻衆賓于西階上皆如初衆賓以次升不拜受

爵皆薦脯醢于其席前介北東面者之北南上西階下東面者之西南上門內北面者之西東上坐祭立飲授爵皆如初○辯獻立者皆薦以脯醢謂薦之北面東上○位在下者亦升受爵降復位薦脯醢于其位坐祭立飲升授主人爵乃降○主人之贊者不與無算爵然後與　○主人以爵降奠于下篚

一人舉觶主人進及階與賓相向一揖一讓升賓厭介介厭衆賓主人西面升賓東面升介從衆賓北面序升皆卽席○主人之贊者一人適洗南北面盥坐取觶于篚興洗升自西階舉觶于賓鄉酒禮曰舉此一人舉觶爲旅酬始也從上至下徧飲訖而又從上而起也適西階上北面坐奠觶拜執觶興賓席末西方答拜○舉觶者坐祭飲卒觶興坐奠觶拜執觶興○賓答拜○舉觶者降自西階凡升降唯主人由阼階洗坐奠觶興沃盥坐取觶興沃洗升酌降南實觶立于西階上賓拜○舉觶者進賓席前北面坐奠觶于薦西○賓辭奠觶坐取觶以興○舉觶者西階上拜送○賓坐奠觶于其所此西待立司正取此觶以酬主人　○舉觶者降

主人獻遵賓若有遵者遵一作尊一作僎一作遵觶之遵者方以禮樂化民欲其遵法之也諸公大夫則既一人舉觶乃入門左東面○設席于賓東南面統於尊西上席于賓東明與賓夾尊不與鄉人齒人也公三重大夫再重○主人降迎遵于門內不出門別於賓○賓介及衆賓皆降復門內位東面不敢居堂俟遵入也○主人與遵三揖至于階三讓有公有大夫則公如賓禮大夫如介禮有公無大夫則公如賓禮上文主人迎賓至階之時介與衆賓退至階下則此上迎至階時衆遵亦當階至其賓介與衆賓此時亦當復西階下位矣○主人先升遵乃升○主人阼階上北面再拜拜至遵西階上答再拜○主人將獻遵南坐取爵于篚降洗遵降自西階當西序東面○主人阼階前西面坐奠爵興辭降曰某也行事不敢煩吾子○遵對曰吾子辱有事某未敢在堂○主人坐取爵興適洗北南面坐奠爵興沃盥坐取爵興沃洗遵進洗西南東北面辭洗曰吾子無自辱焉主人坐奠爵興對曰某有不腆之酒將以行禮不敢不致潔○遵復西階下位○主人坐取爵興卒洗及階與遵一揖一讓升○遵西階上北面拜洗○主人阼階上北面奉爵俟遵拜訖主人坐奠爵答拜興降盥○遵降主人辭降曰某也行事不敢煩吾子遵對曰吾子辱有事某未敢在堂○主人適洗沃盥遵進洗西南東北面辭曰無自辱焉主人對曰某也將行事不敢不致潔○遵復西階下位○主人卒洗及階揖讓升○遵西階上疑立○主人坐取爵興實爵奉之遵席前西北面獻遵○

禮疑續輯附錄四　四

遵西階上北面拜主人少退○遵進北面受爵于席前以復西階上位○主人阼階上北面拜送遵少退○遵辭加席使一人去之辭曰請去加席○辭不以己尊加賢者也主人對對曰固勿辭不去加席不去者公大夫尊席正也○贊者薦脯醢西上○遵執爵進升席自東方中席南面○贊者設折俎于薦南西上按醴洗之不用於介俎其用於遵俎也卒爵則只作三分而無餘則遵俎所載或脫或肩及肺及而已馬氏所謂大夫雖於不與於三正禮者是也然狩骨前後脛則脫脛雖卑於賓俎而尊於介俎矣○遵坐左執爵右祭脯醢奠爵于薦西興右手取肺卻左手執本坐右絕末以祭尚左手嚌之○興加于俎坐挩手遂祭酒興席末東方坐啐酒降席坐奠爵拜告旨執爵興○主人阼階上答拜○遵西階上北面坐卒爵興坐奠爵拜執爵興○主人阼階上答拜

遵酢主人遵以虛爵降洗○主人降遵西階前東面坐奠爵興辭降曰某也行事不敢煩吾子○主人對曰吾子辱有事某未敢在堂○遵坐取爵興適洗南北面○主人進洗北南面辭洗曰吾子無自辱焉遵坐奠爵于篚下興對曰某也將行禮不敢不致潔○主人復阼階東位○遵東北面盥坐取爵興沃洗及階與主人揖讓升○主人阼階上北面拜洗遵西階上奉爵俟主人拜訖坐奠爵答拜興降盥○主人降遵辭降曰某也行事不敢煩吾子主人對曰吾子辱有事某未敢在堂○遵適洗南北面盥主人進洗北南面辭盥曰無自辱焉遵對曰某也將行禮不敢不致潔○主人復阼階下位○遵卒盥及階揖讓升○遵坐取爵興酌南東北面實爵奉踏主人之席前東南面奉之以立○主人阼階上北面拜遵少退○主人進受爵于席前以復阼階上位○遵西階上北面拜送主人少退○主人執爵升席自北方中席西面坐祭酒按脯醢俎已設至此恐不當復設興席末坐啐酒執爵興降席自南方自席前適阼階上北面坐卒爵興坐奠爵拜執爵興○遵西階上答拜○主人坐奠爵于東序端興阼階上北面再拜遵答再拜○主人揖降遵降立于西階下位按鄉射禮大夫酢訖降立于賓南鄉射則有賓無介而北以大夫乃別介故降立賓南亦是階下介位此則有介已當賓南之位而鐵遵如賓亦遵如介則是有兩賓兩介矣階下位當於何所耶馬氏謂公大夫雖位不與人之此處然則恐當序大於賓介之南賓長之北矣○今按獻遵一節經傳所未詳以鄉射及燕禮記參攷則可得以交互推見矣蓋有諸公及大夫則公爲上遵而如賓禮大夫爲次遵而如介禮公卿大夫皆上遵而如賓禮公若一則主人辨獻公之長一人乃酢如賓酢主人之禮大夫若衆則主人辨獻大夫之長一人乃酢如介酢主人之禮公之席雖在東南面之位則大夫之席主人之北西面北上統於公公辭加席則大夫不辭此公大夫隆殺之別也但記曰坐卒爵者拜既爵立卒爵者不拜既爵又曰以爵拜者不徒作爵者不既爵者也必酢主人然則惟公大夫之長將作主人者坐卒爵拜既爵其不酢者當於西階上立飲卒爵奠爵于西楹南面然卿一人酢主人只是殺之而其餘則其次當有隨之義故自當拜既爵如經

恥要詳之○主人阼階下與賓一揖一讓升賓介及遵及衆賓皆升卽席

樂賓爲工設席于西階上少東東上北面○工四人二瑟二歌瑟先升歌後升○衆賓之少者四人爲相相扶工也二人相瑟二人相歌瑟相二人皆左荷瑟後首燕禮小臣左荷瑟而鼓北面挎越挎持也越瑟下孔也以手指持瑟底孔也內絃右手相內絃以左手於外側指之使絃內向也由西階升○樂正先升北面立于西階東工席之東○工升自西階北面坐卽席瑟相二人東向坐遂授瑟○相者乃降立于西方○工二人鼓瑟二人歌鹿鳴四牡皇皇者華○

卒歌主人取爵于上篚不洗實酒西南面坐獻工先獻左瑟一人左瑟一人拜不興受爵○主人阼階上拜送爵○贊者薦脯醢于席前上東使人相祭祭薦祭酒飲不拜既爵坐授主人爵○主人受爵以次獻衆工次右瑟次左歌次右歌衆工不拜受爵皆薦脯醢不祭祭酒飲授主人爵○笙四人記三笙一和而成聲入堂下磬南北面立樂南陔白華華黍三篇皆笙詩有聲無詞○主人實爵獻于西階上笙之長者一人拜于磬南衆階不升堂受爵○主人西階上拜送○薦脯醢于磬南笙坐祭薦祭酒立飲不拜升受主人爵○主人實爵以次獻衆笙不拜受爵于西階上皆薦脯醢不祭祭酒立飲於其位升受主人爵按左瑟一人笙長一人外皆不拜受爵不拜受者主人亦當無拜送一節○主人以爵降奠于下篚反升就席○乃閒堂下吹笙堂上升歌一歌一吹相代而作歌魚麗笙由庚歌南有嘉魚笙崇丘歌南山有臺笙由儀○乃合樂周南關雎葛覃卷耳召南鵲巢采蘩采蘋合樂謂堂上有歌瑟堂下有笙磬合奏此詩○工不興告樂正曰正歌備樂正告于賓乃降立于西階東北面

司正中庭奠觶主人降席自南方側降側特也賓介不從使相爲司正將樂之正既成將留賓爲有懈惰立司正以監之辭曰請爲司正司正禮辭辭曰某不敢○主人復請辭曰某固以請司正乃許辭曰吾子有命某敢不從主人南面再拜司正北面答再拜○主人升復席○司正適洗南北面盥取觶于下篚洗升自西階由楹內適阼階上執虛觶北面受命于主人主人曰請安于賓欲留賓○司正適西階上北面告于賓告曰主人請安賓禮辭辭曰某不敢司正復請辭曰固以請賓許辭曰某敢不從命○司正阼階上北面告于主人辭曰賓許主人阼階上再拜賓西階上答再拜司正立于楹間以相拜○主人與賓皆揖復席○贊者設司正席于兩階間南北當中庭統於堂北上○司正齒降南觶降自西階右旋階間升席自南方北面坐奠觶興退拱少立自正慎其位也已帥以正孰敢不正○贊者薦脯醢于觶南東上○司正進坐取觶不祭遂飲卒觶興坐奠觶拜執觶興適洗洗觶反坐奠觶于其所席前興少退北面立于觶南洗觶奠之示潔敬立於其南以察衆

旅酬賓北面坐取薦西之觶卽上文一人舉觶者興詣阼階上北面酬主人奉以立○主人降席立于賓東賓坐奠觶拜執觶興主人答拜○賓不祭立飲卒觶不拜不洗記凡旅不洗不洗者不祭詣尊南實觶進阼階上東南面授主人主人阼階上北面拜賓少退○主人進受觶賓北面拜送于主人之西旅在同階故也賓揖復席○主人以觶適西階上北面酬介介降席自南方入于主人之西○主人坐奠觶拜執觶興介答拜○主人立飲卒觶實觶西南面授介○介北面拜主人少退介進受觶○主人北面拜送于介之東主人揖復席按若有遵及衆遵則當酬主人後遵若介介亦次遵次遵酬衆賓無算爵○司正升自西階立于西階西北面以相旅少長以齒作受酬者曰某子受酬受酬者以姓或以伯仲或以字○受酬者衆賓長降席○司正退立于西序端東面辟受酬者又使其可以命之○受酬者自介右立于介之東凡授受之法授由其右受由其左位也○介坐奠觶拜執觶興受酬者答拜介立飲實觶東南面授之○受酬者北面拜介少退受酬者進受觶介北面拜送于其西揖復席○司正作次受酬者曰某子受酬○次受者降席立於酬者之西此以下皆酬者拜興飲實觶西南面授之受者拜受觶酬者拜送于其東揖復席皆如之○在下者皆以次升受于西階上辯卒受者以觶降坐奠于下篚復位○司正降復觶南之位以相拜樂上無事也○鄉射記古者於旅也語謂禮成樂備乃可以言語也疾今人於旅酬樂賓

禮疑續輯附錄四　五

二人舉觶司正既復位使贊者二人舉觶于賓介 [illegible] ○二人適洗立于洗南西面北上序進盥取觶于下篚洗
序升酌賓南皆實觶適西階上北面東上皆坐奠觶拜執觶興○賓介皆席末答拜 [illegible] ○二人皆坐祭飲
卒觶興坐奠觶拜執觶興○賓介皆席末答拜○舉觶者逆降洗升實觶皆立于西階上北面東上○賓介皆席末拜○舉觶者一
人進賓席前坐奠觶于薦西賓辭坐取觶以興一人進介席前坐奠觶于薦南介坐受觶以興 [illegible] ○舉觶者退反西階上皆
拜送乃降復位○賓介皆坐反奠觶于其所
徹俎司正升自西階 由楹內 適阼階上北面受命于主人主人曰請坐于賓 [illegible] 司正適西階上
北面告于賓 辭曰主人請坐 ○賓辭以俎 [illegible] ○司正反命于主人主人曰 [illegible] ○司正適西階上請徹俎
于賓 [illegible] 賓許 [illegible] ○司正降自西階階前命弟子 弟子少者 俟徹俎○司正升立于西序端 待事 ○賓降席西階上北面立主人
降席 自南方 阼階上北面立介降席 自南方 西階上北面立遵降席 自南方 席東南面 [illegible] ○賓取俎還授司正司正以降出授從者 [illegible]
○主人取俎還授弟子 主人之弟子 弟子以降自西階遂於東方○介取俎還授弟子弟子以降出授從者 [illegible] ○遵取俎還授弟子弟子
以降出授從者 [illegible] ○賓主人介遵皆從降 [illegible] 復階下位衆賓亦皆降復位
○說屨 [illegible] 主人與賓一揖一讓升遵介及衆賓皆升復席坐○乃羞進狗胾醢 [illegible] ○無筭爵 [illegible]
[illegible]
有遵用爵 [illegible] 司正使二人舉觶 如初 賓遵不興取奠觶飲卒觶不拜○舉觶者升受觶皆實酒賓觶以授主人遵觶以授介卒受
不興卒觶不拜○舉觶者又進受觶實主人之觶以授衆賓長實介之觶以授次遵皆受不興卒觶不拜○舉觶者又進受觶實次



遵之觶以授次衆賓長賓衆觶長之觶以授第三遵三飲如初○舉觶者又實次賓長之觶以授第四遵實第三遵之觶以授第三
賓長○賓四遵第三賓長卒受者執觶興適西階上北面以旅在下者第四遵以酬賓黨第三賓長以酬主人之贊者皆以齒升西
階上受酬々者不拜飲卒觶自實觶以授之乃復位受酬者北面不拜受觶 衆賓之長在賓西者三人若大夫四人則與介及衆賓等得交錯相酬若一大夫則衆賓三人無所酬直三人迭飲而已若大夫多於三賓自三人之外亦無所酬則亦自相酬迭飲而已衆賓之末飲而酬主人之贊者大夫之末飲而酬賓黨其末飲二觶者皆衆賓則先酬主人之贊者皆大夫則先酬賓黨自此以後則皆酬者自實不使舉觶者 ○舉觶者二人皆降復位東階下西面○賓黨以
次而酬主黨主黨以次而酬賓黨皆如此交錯以辯○執觶者皆與旅終於沃洗者 皆序齒 ○凡主人之屬皆於其位薦脯醢○卒受
者以虛觶降奠于下篚○及其辯也執觶者洗升實觶反奠于賓與遵又錯以辯 其數無定辭乃止 ○無筭樂或間或合盡歡而止工及笙復
入與於無筭爵
賓出賓出樂正命奏陔 大夫士以鼓 賓降及階陔作賓出介及衆賓皆出主人送于門外門東西面再拜賓介不答拜 不答拜禮有終 ○大夫後出
下鄉人不干其君主之親主人送賓遵入門揖大夫乃出 主人送于門外再拜
賓拜賜主人拜辱明日賓服鄉服以拜賜于主人之門外 謝恩惠 主人不見 不褻禮也 如賓服遂從之拜辱于賓之門外乃退 彼此賓主不相見而門外拜謝而已
息司正主人釋服 更服玄端 乃息司正 息勞也勞賜昨日贊執事者獨云司正以其昨日尤勞倦也 司正爲賓無介 勞禮略也於飲酒也 不殺 無俎故也 使人速迎于門外不拜入升不拜至
不拜洗薦脯醢無俎賓酬主人主人不崇酒不拜衆賓既獻衆賓一人舉觶遂無筭爵不立司正賓介不與羞唯所有徵惟所欲 召以
也謂所欲請呼 以告于先生君子可也 告請也先生鄉大夫致仕者君子有德行不仕者可者召不召惟所欲 鄉樂惟欲 鄉樂周南召南六篇之中唯所欲作不從次也

樂章

鹿鳴呦々鹿鳴食野之苹我有嘉賓鼓瑟吹笙吹笙鼓簧承筐是將人之好我示我周行呦々鹿鳴食野之蒿我有嘉賓德音孔昭視
民不恌君子是則是傚我有旨酒嘉賓式燕以敖呦々鹿鳴食野之芩我有嘉賓鼓瑟鼓琴鼓瑟鼓琴和樂且湛我有旨酒以燕樂嘉
賓之心
四牡四牡騑々周道倭遲豈不懷歸王事靡盬我心傷悲四牡騑々嘽々駱馬豈不懷歸王事靡盬不遑啓處翩翩者鵻載飛載下集于
苞栩王事靡盬不遑將父翩翩者鵻載飛載止集于苞杞王事靡盬不遑將母駕彼四駱載驟駸駸豈不懷歸是用作歌將母來諗
皇皇者華皇皇者華于彼原隰駪々征夫每懷靡及我馬維駒六轡如濡載馳載驅周爰咨諏我馬維騏六轡如絲載馳載驅周爰咨謀我
馬維駱六轡沃若載馳載驅周爰咨度我馬維駰六轡既均載馳載驅周爰咨詢 右三篇歌詩
南陔　白華　華黍 右三篇笙詩有聲無詞
魚麗魚麗于罶鱨鯊君子有酒旨且多魚麗于罶魴鱧君子有酒多且旨魚麗于罶鰋鯉君子有酒旨且有物其多矣維其嘉矣物其
旨矣維其偕矣物其有矣維其時矣
南有嘉魚南有嘉魚烝然罩罩君子有酒嘉賓式燕以樂南有嘉魚烝然汕汕君子有酒嘉賓式燕以衎南有樛木甘瓠纍之君子有
酒嘉賓式燕綏之翩々者鵻烝然來思君子有酒嘉賓式燕又思
南山有臺南山有臺北山有萊樂只君子邦家之基樂只君子萬壽無期南山有桑北山有楊樂只君子邦家之光樂只君子萬壽無
疆南山有杞北山有李樂只君子民之父母樂只君子德音不已南山有栲北山有杻樂只君子遐不眉壽樂只君子德音是茂南山
有枸北山有楰樂只君子遐不黃耇樂只君子保艾爾後 右三篇間歌詩
由庚　崇丘　由儀 右三篇間笙詩有聲無詞
關雎關々雎鳩在河之洲窈窕淑女君子好逑參差荇菜左右流之窈窕淑女寤寐求之求之不得寤寐思服悠哉悠哉輾轉反側參
差荇菜左右采之窈窕淑女琴瑟友之參差荇菜左右芼之窈窕淑女鍾鼓樂之



葛覃葛之覃兮施于中谷維葉萋萋黃鳥于飛集于灌木其鳴喈喈葛之覃兮施于中谷維葉莫莫是刈是濩爲絺爲綌服之無斁言
告師氏言告言歸薄污我私薄澣我衣害澣害否歸寧父母
卷耳采々卷耳不盈頃筐嗟我懷人寘彼周行陟彼崔嵬我馬虺隤我姑酌彼金罍維以不永懷陟彼高岡我馬玄黃我姑酌彼兕觥
維以不永傷陟彼砠矣我馬瘏矣我僕痡矣云何吁矣 周南
鵲巢維鵲有巢維鳩居之之子于歸百兩御之維鵲有巢維鳩方之之子于歸百兩將之維鵲有巢維鳩盈之之子于歸百兩成之
采蘩于以采蘩于沼于沚于以用之公侯之事于以采蘩于澗之中于以用之公侯之宮被之僮僮夙夜在公被之祁祁薄言還歸
采蘋于以采蘋南澗之濱于以采藻于彼行潦于以盛之維筐及筥于以湘之維錡及釜于以奠之宗室牖下誰其尸之有齊季女 召南
○右二南各三篇合樂詩

## 禮疑續輯跋

霽山先生尙書李公德學文章冠冕一世我先君子亦以道義相砥礪莫逆也晳自孩提因緣出入門下問字請業父師事公公又不我棄也訓誨切而期望厚今距公沒數十年晳遠邈及之矣緬仰謦音未嘗不泫然以淚也公於文編尺謹嚴溫雅縝密讀之知其爲有德者言其論政談治發民國利病又極精明剴切要之爲必可行而卒不得用惜哉雖然公固無求於世耳用不用又何嘗損乎公哉公嘗病禮疑類輯一書多所闕漏裒先儒禮說爲續輯十有四卷晳時常拜床下見丹黃塗乙字蠅頭細者積而成秩金科玉條信乎爲禮家指南所以嘉惠後學者其功甚大是豈與一時柄用者比也嗚呼自公在世知公者已鮮況寥寥如今日孰知禮之爲貴又孰知公用工之勤爲公之大也嗚呼晞矣公之孫庚萬甫介然有操執與之仕不受固窮力學唯公之緒餘式遵勿墜今又辦貲於縣以此入梓誠亦無愧乎其爲先生之孫矣此將傳百世之下必有子雲堯夫者出知先生之爲先生尙庶幾俟之壬子陽月後學宜山南廷晳謹跋

## 跋

此書吾師文憲公霽山李先生之所著也夫敘有典而秩有禮典禮之所以大道之成而人文備矣若爲爲人之行不可廢者禮也自周禮戴記以後節目之正不爲不多矣至於礩節細故變之又變疑難聽皮者迷就乎　先生門正焉　先生亦以開道爲己任此無他如失之毫釐謬以千里末迺涇渭之混濁不辨湜沚然則人文漸滋而天倫逃之患不提敬可不慎歟　先生於是集古昔衆賢疑禮說成編或前輩之皆疑未正處援以他賢說折衷之或趨向雖從者擇確論立言以措縱之左右之衆疑冰釋微類粉解矣凡變禮之茅塞難通開卷則條目之瞭然若觀火敬訓之如承諄諄欲治身及家者非此莫可奈何也玆豈非迷津之渡頭岐路之指南乎本孫庚萬祇承厥志不憚力絀敎工入鋟十五卷爲三卷略干布行于遐邇得之者可以爲木難但欠不均焉　門下生月城后金商五謹跋

# 梅山禮說

## 提要

《梅山禮説》四卷，朝鮮洪直弼撰、金奉洽選編，韓國成均館大學藏朝鮮一九〇〇年寫本，共二冊。書高二十九點八釐米，寬十九點七釐米。無絲欄。每半葉十行二十八字，注文小字雙行。是編卷一述冠禮、婚禮、喪禮；卷二為葬禮；卷三為祥禮、緬禮、廟禮；卷四為祭禮、繼禮、墓禮。卷首附一八八五年金奉洽書序、目録。洪直弼（一七七六—一八五二），字伯應，號梅山，南陽人。師承近齋朴胤源，歷任刑曹書判、大司憲等職，有《梅山先生文集》存世。

梅山禮說

年譜畧曰先生姓洪氏系出唐城諱直弼字伯應生于　崇禎後三丙
申也正宗大王御極元年六月十三日甲子申時也　生有異質儀形魁偉潤頰長白聲如洪
鍾自幼不好嬉戲有巨人度乙亥四歲受千字文自能曉解壬寅七歲光海
君餕餘不食外氏家奉光海君祀癸卯八歲有詠日詩羿射落九烏一烏彿賜彩自是課業益進
書籍不暫離手丙午十一歲　文孝世子疹候平復後數日薨逝藥院醫
官不慎試劑痛惡之草疏數百言戊申十三歲　祇受　内賜錦囊有詩天吳
紫鳳爛相光出自　坤宮囊匕香馥
手摩挲仍佩服丹心一片貯兹囊　庚戌十五歲冠辛亥十六歲聘全州李
氏壬子十七歲　以書爲贄往拜近齋先生姓朴氏諱胤源近齋先生一見心許謂
吾道有托云自是刻苦下工冬不處温室飢則餐松葉危坐一榻學業
日修聲聞日達　正廟聞而嘉尚屢詢所知曰洪某近日猶着道袍危
坐讀書乎癸丑十八歲　丁内憂哀毁　皇考判書公大責曰汝知母不知父
祖畧會少許奉几筵往留判書公任實任所乙卯二十歲　陪往大邱任所
己未二十四歲哭近齋先生着襲斂殯成服心喪三月庚申二十五歲　正宗大
王昇遐舉哀進敦化門外壬戌二十七歲遊金剛山乙丑三十歲　觀安城任所丙寅
三十一歲遊頭輿浮石寺丁卯三十二歲觀全州任所庚午三十五歲除參奉不就觀容
陽任所辛未三十六歲觀海至東萊癸酉三十八歲觀慶州任所甲戌三十九歲除洗
馬肅謝遆丙子四十一歲遊木覓山戊寅四十三歲拜尤菴先生畫像贊畫像楨奉每月朔望
及晬諱搗于中堂行再拜禮用寓羹牆之慕又得孔朱兩夫子小像同奉焉己卯四十四歲作續寓賦銘朱子四十四作
寓賦銘故續之庚辰四十五歲觀寧越任所甲申四十九歲作　毅宗皇帝遺詔跋三月十九

殉社之三周甲也不堪於戲之思作送子一純于老洲吳公受學丁亥五十二歲丁判書公憂
癃瘁成疾持制愈嚴三年不入中門時有邦慶洛下有喪之家多廢哭而饋奠以爲以邦慶禁私哭三代
以後所未聞哭行如禮也戊子五十三歲遷考妣朴氏墓于始興梅山自稱梅山老夫甲午
五十九歲　純祖大王昇遐舉哀戊戌六十三歲吏曹薦己亥六十四歲除都事不就庚
子六十五歲除軍資監正不就辛丑六十六歲選經　筵官領相趙寅永筵奏秋又除持平
下別諭敦召疏辭○疏入政院承旨李公冀徐元淳以不書偏辭還出給先生引朱子貼黃故事并論前輩已例仍舊元疏上之
疏未徹副應教金穰根上疏畧曰伏聞前經　筵官洪直弼封章到院而政院誘以不書偏辭卽而退却而不受云設令儒賢疏本或違格例
其在朝家禮待之義固當徹稟呈徹而況此事自是儒家故規原不可以違格言者乎揆以事體踈忽莫甚在院承旨并施譴罷之典仍以別
意下別諭敦召事批曰政院極爲驚駭請罷輕矣施以譴削敦召事亦好矣冬執義辭遆壬寅六十七歲移居鷺
湖屋曰蘆漪精舍室曰持學樓曰高明齋曰悅樂癸卯六十八歲下　別諭疏辭春史官宣　召見啓辭
閤臣宣下別諭啓辭承旨傳　諭書啓迫於促召進詣登對于　龍驤鳳翥亭
奏陳而請退　命司謁扶腋下階又下敦召啓辭甲辰六十九歲下敦召啓辭秋拜
工曹參議疏辭又下敦召啓辭又拜同副承旨辭遆乙巳七十歲拜祭酒疏辭丙午七十
一歲綏陵遷奉受緦服哭班丁未七十二歲告廟屬于攝祀戊申七十三歲作敬叙文
正月初四日皇明太祖皇帝開國回甲日有風泉之感而作秋率子省覲山告榮爲榮養除果川己酉七十四歲
憲宗大王昇遐舉哀秋下敦召啓辭辛亥七十六歲　賜衣資食物疏辭右相權敦仁筵奏
春拜大司憲疏辭壬子七十七歲拜資憲大夫知敦寧府事春　駐蹕健陵行幸時遣
史官存問書啓又拜刑曹判書旋遆壬子七月十七日乙丑考終門人加麻者
百餘人遣禮官致祭九月七日甲寅葬于廣州九壽洞　賜謚文敬道德博聞
曰文夙夜儆戒曰敬丙辰价川景賢祠陞享屛溪尹先生三山李公常寓享公并享乙丑有祠孫録用

之命（左相金炳學邃奏）從遊老洲吳先生（諱熙常）樸溪李公（諱鳳秀）并錄於鰲谷公
（先生胤）所撰家狀中先生所著文集印行凡二十六冊也
崇禎五乙酉仲秋金奉洽謹選

梅山禮說凡例

一全集中禮說之參錯於書牘問答者彙分類聚截去首尾單舉其禮論
奉遵朴公雲壽輯成近齋禮說時　先生命意

一分類名目之各立太詳詳則煩煩則似便於考覽而恐致胡亂故其或
不倫者揔會於原目下者如友服之附師服餘他倣此

一諸條中一事之互見者不嫌重複而并載用備參考如冠主婚主

一原集中論禮固無無問之答而或出於爲人問而問者并不載之盖其
答問之經權章程雖无問目自可分曉而遵法

一諸說下小註姓氏與名字一依原集而門人則如答字以著其異

梅山禮說目錄

卷之二

梅山禮說目錄終

梅山禮說卷之一

金海　金奉洽輯

## 冠禮

### 告廟

冠禮前期告庙者以冠者家庙而云爾也繇高祖之宗子雖主冠禮若是異宮則不必先告也冠畢當先見于庙次及尊丈宗家庙遠則當從便而處之不可云先後倒置也 答任憲晦

禮有經有變變而不失其宜則不害爲經也前期告固經也而預告者亦變而不失其正所謂從宜也後世冠婚幷擧與古者二十冠三十有室不同則一時預告宜悖禮意又迫事勢通變者何必誠之有哉與其固是而不遵禮無寧成禮之爲愈也先賢所歎拘於小不備而歸於大不備者不可不知也 朴宗輿

### 冠主

祖主孫之冠禮則告祠堂當云某之子某之子某 姜周欽

士婚禮曰宗子無父母命之親皆沒已躬命之此與家禮宗子自婚則以族人之長主之之文不同然父母沒族屬尊者主之無則躬命之可也儀禮之所未言朱子發之也雖非宗子無父母族屬則自命之已矣外親非我族也不可主婚大防不可逾也魏氏堂家禮會成曰孤而無族長者毋舅主之無毋舅者父執里宰主之此出於通变之論而毋舅有違雖親不主之義決不可從父執里宰卽符隣里主之之文然恐不若遵儀禮已躬命之之爲正也已躬命之似欠養廉遠耻之意然苟其不義而周公言之哉何休釋春秋公羊傳宋公使公孫壽來納幣章而曰禮有母母當命諸父兄師友稱父兄師友以行宋公無母莫使命之辭窮故自命之自命之則不得不稱此使爲可譏也 朴宗輿

### 戒賓

旣無無賓之冠禮則戒宿等節恐可不擧醮而字之次第件事是宜可已而得已禮賓拜謝卽冠禮結殺處尤不可闕 姜周欽

令允冠期期以是月之內則鄙行之不及期也決矣縱使及期固當百拜以辭以義則固不敢辭而以分則不必敢當也故人之子卽吾子曷可爲備例飾讓自歸於不誠哉宗理然也世自有賢而好禮者何取乎悾悾碌碌無所比之人而遠勞翰墨申戒乃爾耶冠者所以重成人之禮竊恐由我而反輕是豈細故哉世雖乏人豈無勝於賤子者哉如泉谷李承旨丈卽其人而有宿則必赴且陶庵之冠也文簡先生爲之賓焉是亦講世之一端竊謂徵此公則莫可且沙溪嗣孫忠州丈 箕憲氏 亦莫宜居先此丈於先家事其何說之可辭耶未知意下如何苟使頻翁而在者固不可舍而他求而其奈巓崖之曠阻何哉如頻翁卽適用之學也但恨所處非所宜耳 李鳳秀拂禊溪

### 祝義

冠者將以責成人之道也自斯禮之廢天下無成人焉以故程夫子曰旣冠不責以成人之事則終其身不以成人望之也冠之於人其重如此所以爲四禮之首而責四者之行其禮可不重與三祝辭字字句句無非從

爛用天理中流出而每段精義重在中間兩句兼幼志順成德修其內也敬成儀淑慎德內外交修也以成厥德〻之盛也若无自修之宗安能壽考維祺受天之慶乎常〻誦味參倚前衡用作終身服膺之資焉（任翼常）

凡厥有生均稟是性其性維何萬善綱領克全天畀乃受命（明）運用性善妙在持敬主宰一心包括百行即天下理敬致中正堯欽舜寅禹祗湯聖文武篤恭四方无競千聖傳心惟此惺〻洛建倡道用作憲令修己直內所以德載（武）德爲輿如錦尚褧首陽世冑丕膺餘慶猗歟文元仁賢天挺嘉錫嗣孫惟言前定名善字德敬爲肯綮主一勿貳嚴肅齊整方寸收斂止水明鏡事至理得如形隨影卓爾有立不與俱往體用不貳原于主靜〻存動察表裏修省上達天德步趨匪遠匪亟匪徐中自涵泳心爲嚴師操捨有秉慮己受人謙爲德柄坤輿厚載積累攸併苟不明理敬怠相勝誦讀（詩）書是乃喚醒知至知終自非兩境至德凝道茲爲究竟任重詣極階級井井居家爲善至樂淵永求仁有本孝友爲政循名責實夙夜儆戒乃祖攸訓永垂燠炳亟思踐述堂構是肯旨玷賓筵元服加頂追舉緞辭用副申請我言非誣勗哉與味（吳敬善）

上服

冠禮之必要執事準禮者以禮義由賢者出而爲一世之所慕也況先先訓而恔孝心有裨於世教者大矣乎古者深衣制度短无見膚長无被土欲其得身也家禮自有準尺雖不稱身不如遵家禮之爲寡過雖長者乃爾況少者乎祗取其深邃之意可矣長短濶狹亦不必細較也先王法服之傳後者惟有深衣則不可以不稱身而不服其不宜代用也的矣既難新造借用亦可尹教傳所製近古有據借服恐宜回揆杉洛中士友家在在有之未知其制之无差而依據以成者也古亭金相公家所造最勝云借之有道亦不必代用蓋所謂中亦莫衣之最俗者恐不可爲再加之上服耳氏禮服之借於人無奈笼不假有異恐不必爲嫌也終加之必用草笠道袍所以附程子常着之訓也賤見則一而已矣穎翁遂於禮冠子時必有所酌古今可遵依者幸執兩者而用其中焉儀節之用備笏記亦有非造次可爲須如穎翁具服者可以刪煩就要幸更叩之近者吳士敬氏冠二子亦應（盡）禮可從而問也兩賢存焉愚何敢言耶（朴宗輿）

冠者禮之始也三加備儀在所不已而舉世倚閣久矣獨爲其所不爲无乃如孫昌胤之發憤行之歟便覽比家禮尤爲省約恐當遵也三加服色不必苟定須以程子所云若刷古服而冠〻了不常着是僞也須用時之服爲準恐宜三加當青袍草笠是爲時之服然非禮服也初加用深衣幅巾再加用襴衫幞頭三加彌尊故洛下用朝服而非縉紳所有用公服紗帽恐亦得禮也禮賓之幣多少隨宜而縉者蔑〻乎爲力一束紙亦足矣何以布帛爲哉繼高祖之宗子當主冠禮而家禮亦云宗子有故則命其次宗子若其父自主之賢者是已與孺文年齒不甚懸絶與之抗禮已矣（答權輝晃）

深衣

深衣家禮本註只云用布不分綿麻故禹景善云當用麻布全而精云當用綿布質退溪答曰未知是何布然綿布韌无乃好乎今俗皆用細麻布

而通用綿布亦甚便宜以寠者之所易辦也色必用白者以上下吉凶通用之色也朱子深衣之綿麻姑无所考而亦未謂綿布非朱子所服也 答任憲晦

解衽爲襟鄭氏亦有然者喪大記左衽註衽向左是也盖衽字屢見於經而鄭氏解之各不同曲禮請衽何趾注作卧席檀弓衽每束一注作小要至續衽注又作裳幅交裂者此因字義隨文而異不可互相牽合爲說也其爲斟酌分量各有精義非可以後儒一時之見率然攻破也 沈宜晋

衽字既作交襟則覆縫之云无所施故不得不爲此句搯之說耳 上仝

裁破之說不惟戾於家禮雖以古經言之可以運肘者謂袼之寬大可以屈其肘而出入也 玉藻袂可以回肘者亦此意 非但欲其便於脫着之意也故注肘不能不出入跡袪二尺二寸肘尺二寸故可以運肘之云俱不可廢也 上仝

禮記之爲書乃是漢儒雜取聖人之言每篇自爲一義也豈有次第綱條之可言哉以愚論之非彿深衣在前玉藻後録之說自爲落空抑亦玉藻爲經深衣爲傳之論未知其必然也 上仝

衣前小幅昉於朱氏則用布之說後儒亦多有喜其便身而欲遵用者然要之非古經之制則明矣 上仝

內外之衽云者即上文所謂內外襟也表裏交掩故云爾也 上仝

綴衣而交掩之論係是自家刱說安問明證之有无就如其說亦有多少擘肘處衣身二尺二寸 見此解制十有二幅條小註 則一方之聯衣者當亦爲二尺二寸裳之狹頭每幅爲七寸餘 此亦見十二幅條小註 而衣前小幅當屬裳二幅則一方之屬裳者當爲一尺四寸餘安得謂兩方俱爲一尺耶是未可知也 上仝

經但言曲袷如矩而不言服時裁時則彼亦將以家禮兩襟相掩後其會自方之說爲創出大抵深衣之論所以不一者只在於看得衽字之如何於此不合則自餘枝葉之剏出與否有不足論耳 上仝

此只欲論袂緣之在於布外與否袷制之不及論何足怪也 上仝

深衣小帶雖不見於家禮備要而家禮補註曰今人又裁破腋下而縫合之綴小帶於右邊如俗常服之衣非古制也雖曰非古小帶之所由來久矣爾雅衿謂之袸註云衣小帶而喪大記左衽跡生向右左手解抽帶便也此所謂帶即是小帶特以爲物少故无所見耳然則未可以深衣玉藻之所不載而謂无小帶也審矣今俗所謂內外小帶要其稱身而便於服耳未必知所自然自合古意恐不可廢也 金尚九

程子冠制度考諸程書有曰伊川所戴帽桶八寸簷七分四直而與全書兩程像所戴者其制不侔故嘗倣像本製成而不僭於尺度矣右本這去依樣造着爲可程冠似用布帛而以駿以竹俱无不可也服克服行克行是亦克而已冠程冠而不能學程學其異乎曹交之九尺者幾希矣知所發省否 閔慶鎬

禪衣雖不見于禮而往哲之所服也其制則道袍之去一邊幅也 李祺淡

## 拜禮

兄拜弟一欵窃詳語類本旨雖兄亦答拜云者即常時言以上文但古人兄受拜禮及下文君亦然云而知其不就加冠之始言也盖因冠禮母拜子之文而推說恒日之兄亦答拜也禮冠者見母與兄皆先拜然則不應

謂答拜也恒日之答拜冠禮之先拜其爲兩項事也審矣然冠見則固可從古禮拜常時則不可爲已故曰未定之論也且朱子之意槩言古人无坐受他人之拜雖於子弟亦答云爾非要必遵也渼翁亦據語類而言不識以行於冠禮者謂可行於祠墓耶渼翁之旨亦不認爲冠禮之拜特援无亦答拜之文爲證而已然難從也未宜施於其生者豈容施於其死耶秪行揖禮可矣未知如何 上仝

服中

古禮凡言服中冠子婚子咸以文言而家禮并乳母焉古禮之不言母者卽以家无二尊而婦人之私服无干於夫家也若母之私服朞以上喪則其父在者冠婚皆可行蓋冠之見母權殺其禮婚之婦見醴醮與戒女父可獨行也若无父者婚則无爲之見婦送女者恐不得行而冠則可行也但母服舅姑若長子三年則朞年後身雖无服冠禮亦不當行是爲正論不可易者也朱先生以本領未正百事俱碍爲喪中婚娶者之大閑而家禮以身及主婚无朞以上喪爲成婚之期朞服猶然況三年之喪乎晋法朞喪嫁娶者至杖劾治　大明律居姑兄姊喪而嫁娶者杖八十朞喪之降爲大功者猶不可行也今俗不知三族不虞之義忌憚借吉諉以婚不失時或忽於守經或寃岩之舍朱子成訓而惟李繕善是遵者无乃苟乎 李承憲

大功之末以卒哭當之雜記註待變除卒哭而冠是爲證也降服大功者情禮差殊而冠子則一視他大功已矣 答任憲晦

雜附

不賀之禮載消其吉想何等嘉悅但徹卽尚未及成童而遽然冠娶无已太早乎古禮二十而冠三十而娶雖不能行當遵家禮男子年十五以上皆可冠十六以上皆可成婚而今也則以蚤爲貴不識父母之道而有生育之事血氣未定而傷於情欲教化不明而民多夭折殆以此也每讀王子陽疏令人竦神宜以教子義方而亦爲是乎曷不以竦水翁必俟旣長而議婚者取法乎 林孝憲

四禮何莫不重而禮始於冠故聖人尤所用心責以成人而不以其道可乎以故先先生所述三禮篇有曰古人於闔城中行冠子禮今於平常時廢之何爲也古人指尹穀也尹穀事亦録奉章觀焉此事當爲天下万世法蓋禮義者與生同生與死同死一息未泯此意不可忘也昔春翁冠子而草草尤翁復之曰自兄草草何處得見不草草於老兄亦云爾尊門旣行時祭又將行冠禮親迎亦不容已然後可以盡擧三禮一遵先生之教章幷圖之 朴宗與

事林廣記曰揖時須直其膝曲其身低其頭眼看自己鞋頭爲準使手上可至膝畔不得入膝內家禮源流揖禮圖上禮躬身擧手齊眼中禮躬身擧手齊口下禮躬身者鞠躬之謂也禮奇拜空首拜只一拜君答臣之禮也凡禮云拜者文也拜皆再拜而不鞠躬而揖謂之半揖也 趙直温

曲禮遇先生於道趨而進正立拱手不言拜抑以原野之禮在所當略歟古今異宜不可以路次而无拜朋友相逢曷可以昧然无事亦當相揖致敬禮不可斷須去身也 答任憲晦

禮固有壓屈而不敢自伸者矣至先生長者之前恐先壓尊廢禮之義然則侍坐於君子客至則起拜揖致敬禮無二敬非是之謂如何 許懋

周公著儀禮孔門諸子述禮記儀禮爲經有冠禮婚禮〻記爲傳有冠儀婚儀讀禮之士當先儀禮而後禮記周禮亦周公所著而有周一王之制如皇明之大明會典　本朝之大典通編雖列於三禮當繼以經傳通解暨勉齋續解信齋圖說以家禮爲重開元時禮及杜氏通典溫公書儀瓊山儀節參看而備要宗家禮而兼採諸家說卽吾東禮家之三尺也 尹光演

## 婚禮

### 婚主

士婚禮曰宗子無父母命之親皆沒已躬命之此與家禮宗子自昏則以族人之長主之〻文不同然父母沒族屬尊者主之無則躬命之可也儀禮之所未言朱子發之也雖非宗子無父母族屬則自命之已矣外親非我族也不可主婚大防不可踰也魏氏堂家禮會成曰孤而無族長者母舅主之無母舅者父執里宰主之此出於通變之論而母舅有違雖親不主之義決不可從父執里宰卽符隣里主之之文然恐不若遵儀禮已躬命之之爲正也已躬命之似欠養廉遠恥之意然苟其不義而周公言之哉何休釋春秋公羊傳宋公使公孫壽來納幣章而曰禮有母〻當命諸父兄師友稱諸父兄師友以行宋公無母莫使命之辭窮故自命之自命之則不得不稱使此爲可證也 朴宗輿

### 婚書

君子造端夫婦粤稽六禮之文男女願有室家載合二姓之好玆循庞史之令典庸趂鴈雝之佳期伏承令愛貞靜夙彰於未笄儼然四德之備孝敬自著於共脈允矣石行原之僕之孫一純以身而先教未聞於過庭詩禮同心是勉德莫違下於體葑菲念女士婉芳之令姿伊好誼孔云之願結協雷風澤山之像元亨利貞笙琴瑟鍾鼓之和與子偕老酒食之需是議漢孟光之擧案伯聲饁耨之禮無愆晉冀缺之如賓相敬佩結褵之懿訓縱威聞九十其儀遵戒贐之古視非敢擬百兩以御肅然先辦仰其家實犬之風至則盡歡學孔氏摯羊之禮庶士其吉奄及梅摽之辰之子于歸容俟桃夭之日乞述朱考亭故事亟遵黃勉齋定書玆當迨氷之期爰修納幣之禮 一純昏書 代大人作

上以事下以繼將合二姓之歡男有室女有家載舉百兩之迓禮有四備幣象五行顧念衰替之家聲竊仰甲乙之族望千年之喬木挺立風霜不推八世之文獻足徵詩禮斯在伏承令從侄女早襲閨訓已著四德之称僕之孫最秀幼蒙庭聞未習六藝之教要修事契之彌篤仍驗聲氣之相求乾坤爲八卦之門健配於順夫婦爲五倫之首剛先乎柔載遵附遠之文爰卜先近之日庶士今迨政值梅其寀之辰之子于歸佇聞桃有賁之詠冀述朱子之成法用荅黃氏之定書惟此悃款敷宣罔旣 嗣孫最秀婚書

### 六禮

婚禮儀節朱子於家禮不載問名納吉兩節只存納采納幣親迎從簡也然而親迎者亦鮮矣古禮縱莫之及并與親迎而不爲則非所以重昏姻

之始也自此禮之廢共牢合巹皆於婦家爲之主而壻家不與焉豈男先於女剛柔之義哉納采問名納吉納徵請期親迎是爲六禮六禮不備非昏也六者俱是朱先生所謂我家裏做成者也家禮改納徵爲納幣而今俗不解其爲兩項事認納幣爲納采納采卽家禮所謂言定而卽今壻婦兩家之面約也近俗柱單擇日衣樣俱不可已者而擇日卽請期也柱單當送納采之餘衣樣亦在請期之後幸一遵儀禮而反古之道焉 金基叙

禮納幣新迎不同日　孝廟朝申命前期一月納幣按之以禮意律之以邦禁決不可違而今也則行於同日非禮也犯禁也必自我復古各占其日如何同日先行未知昉於何時而卽所以占便陋矣曷足言其所從來乎 崔[illegible]

禮須從儀禮爲正到古今異宜不得不通變處方參家禮士昏牢席壻西東婦西者爲東面也東者爲西面也疏云取便亦是也書儀註曰古人尚右今人尚左須從俗金本庵駁之曰不察古禮之義不在尚右也且古之席爲就坐也而書儀則坐以椅故席止爲拜耳所以婦席亦不得在設饌後此言亦有義也古者陽居幽宅與夫置坐次位皆以向爲主耳壻向東婦向西順陰陽之位不必疑其方而從家禮之文 任，曾孫頴西

儀禮夫妻牉合二字當如何解牉是半也猶言合其半而爲一體耶又是分也自路人而爲配以成至親故云牉合耶註疏俱无所釋伏幸見教 李謙溪

男女定位于内外何可不交拜乎遵家禮婦拜壻答拜之文恐宜夫婦相拜雖不見於古禮交拜致恭亦事理之也宜韓退之詩弱妻出拜之云可認中國之禮俗而吾東儒賢亦多行之尤翁云自數日以上與妻相拜雖一日亦當拜相敬如賓之道用作造端正始之義諦如何 趙明熙

廟見

古禮三月而廟見者以天時少變婦道始成也家禮嫌其太遠改用三日今俗婚日廟見卽非禮之大者然成婚旣久則恐不必以三日爲度見舅姑後卽日拜廟有退溪兩賢定論恐可遵也生死異禮則禰廟亦不可奠幣近俗不惟施諸禰廟幷及於群位野哉此禮雖出情勝豈可云禮以節之哉禮有舅姑沒則新婦廟見奠菜之文用象生時之腶饋菜必用菫而吾東則无菫故代菫以芹是爲通行之禮也然此言其常耳喪中行禮者旣闕贄饋兩節則恐當幷廢奠菜祗用酒果告由辭曰維歲次云云孝子某敢昭告于顯考云云某之婦某氏敢見當行奠菜用象腶饋而祖考朞制在躬未敢備禮謹以酒果用伸虔告謹告 任翼常

新婦廟見時奠贄幣不著于古今禮書而惟士婚禮有舅姑沒則奠菜之文而菜用菫取謹敬也吾東不知菫爲何物故好禮之家代用芹因芹與菫音同也生而腶饋殁而奠菜卽家婦之禮也禮婦庶不饋則恐亦不可奠菜介婦於舅姑之廟只宜拜見而已近俗至薦棗脩如生時之奠贄死用生者之禮已非所宜亦无可稽昧然无事雖欠人情之所安情勝則失禮準禮不行恐爲得正耳禰廟亦當乃爾而或薦於祖曾以上者尤爲非禮不直拖長而已 李學縣

新婦廟見宜有適庶之異主人引叔母見廟而曰庶叔某之婦某氏敢見云云可也 李潞

奠贄

孫婦見祖舅姑奠贄雖无見於古禮家禮云尊於舅姑如見舅姑之儀則恐當有贄不但行四拜已矣既見舅姑舅姑以其婦見于祖舅姑之室而奠贄如舅姑以家禮任長之義也 荅任憲晦

家无二尊故婦人私服不敢干於夫家若母之私服朞以上喪則其文在者冠婚皆可行而新婦見舅姑〻〻不可即席受幣如平時亦不可以姑不受幣而退行見禮奠贄腶脩等禮恐當獨行於舅也心喪雖與持衰差殊周旋于樽俎筵席之間爲禮之盛者詎可以心有重喪而抑而行之哉見舅禮畢見姑于房室而贄則陳而不行以示變恐宜 荅趙秉德

舅服中行于婦新禮者已是權宜不當備禮受幣受饋秪宜用俗所云廟見禮之禮而初見于姑不可單拜是爲異耳 任翼常

舅没姑存亦當奠贄於中堂而但不據南面之坐也朱先生荅婦腶脩之問曰母若有服則亦難行此禮尤翁援是說爲廢盥饋之證奠幣重於饋禮非斬衰服中所可行者兩者并廢恐宜 上仝

儀禮士昏禮婦升階進拜而書儀始云婦進立于阼階下北向拜蓋襲開元之禮也溫公亦曰古者拜于堂上今拜于下恭也可從家以故家禮亦襲書儀程先生嘗云君臣以義合有貴賤故拜于堂下父子主恩无貴賤故拜于堂上若婦於舅姑亦是義合有貴賤故拜於堂下禮也白雲金氏以爲家人之禮與朝廷別况婦人有事不下堂是禮之大防則今之拜下恐異乎禮此言恐爲得也竊謂子冠而拜父母父母爲之起故拜于堂上婦奠贄拜舅姑舅姑无荅禮故拜于堂下子婦異拜之意无乃出於此耶未敢質言今俗冠昏咸拜于堂上自符古禮可遵也 金尚九

妾子婦見夫之所生母不奠贄幣固極謹嚴已聞命矣庶弟方娶婦故諭以斯義則庶母以近俗通行而已獨闕焉不自勝其缺然是亦常情无怪乃甬也入私室行此禮不甚害理否願安承教 吳熙常 荅老洲

衣制

先王制禮切〻乎衣章容飾所以別於夷狄禽獸也吾邦衣冠文物一遵中華有帝者作必來取法而獨婦人服飾尚襲韃子之餘辮髮繞首窄袖短衣而下施裙裳尚嚴於華夷之辨則可忍漸染膠固因循苟然而不反之正乎詩所謂髢卽儀禮所謂髮小牢主婦被裼是已髮益髮也髮少則取他人之髮益之也不特剔刑人之髮而已髡己氏之髮爲呂姜之髢其事固悖理然亦不可因之而廢髢至若鄘風不屑髢者以鬒髮如雲无藉於他髮也曲禮斂髮无髢卽言无垂餘如髢非謂不作髻以首飾也周禮王后首服爲副編〻列髮爲之是亦假髻假髻所以攝盛也周公用髢朱子用假髻苟其非禮而周公朱子爲之哉但不當高大其制如漢宮中之爲耳傳記所載飛仙朝天墮馬參鸞流蘇芙蓉三角九鬟之屬雖是異名同是假髻但競尚豐侈不可恒戴是爲可慮閨閤之所深戒也老峯之所購尤翁之所行卽所稱花冠花冠固未詳其自出而其爲華制則審矣然其制无傳今俗所行花冠未知是否 英廟朝尹尚書汲使燕而購來一髻以鐵爲機衣以黑繒以蔽髻旣如唐髻之頂板櫟泉見之以爲大手髻上廣下

挾其形如手故云角而俱不見其樣亦未敢質言也內則男女未冠笄者櫛縰總角註謂收髮結之蓋結爲兩角而无冠笄至男冠女笄則合兩角作一髻即是而參諸傳記圖像皆如此也聞參吾輩所傳則中國女髻猶存古而在室者於額前分髮爲兩界至頂後束而上之頂中額留少髮至是與頂後者同束爲髻覆以繒板所謂唐髻然不爲總角而界額斂後者此其古今之殊也今欲去辮髮之陋歸華夏之正則當遵古禮斂上全髮當中作髻而笄之施縰韜髮即符婦人不冠之文足爲進善而如年老而頭童或年少而髮小者靡可收結則不容不用假髻如大手髻之類若謂婦人不宜戴他髮則恐欠疏觀是不惟從古乃爾且婦人盛服與男子殊曷可專用己髮取飾乎未論己髮與他髮交紐者夷也不交紐者華也華夷之分在此而不在彼也髻必用縰者即不欲見髮而唐髻婦人皆見髮不知縰廢之在何時也男子之縰當之以網巾婦人之縰以中國之蔽髻吾東之唐髻頂板用以隱髮者當之歟着假髻而不交紐去珠翠則用夏變夷由奢入儉一舉而該是豈可已而(得已)者哉第 英廟丁丑 正廟戊申禁髢而用爲殢垷(俗稱簇頭里) 內外尊卑之所通行是爲時王之制也當時有司之臣不能對揚 明命代大髢之簇頭里既无所稽且所謂娘子頭係舊是辮髮其異乎夷於夷者幾希而增飾其花鈿珠翠費不減於大髢以故有禁髢之名而无禁髢之實識者所悶懣也然獨用花冠或假髻者亦恐有違於從周之義從俗用簇頭里抑不辨髮是爲寡過耶至若衣制之依古者在男子惟緇冠深衣已矣則況婦人乎婦人朝祭之服代各異制而惟不殊衣裳則均也漢志八庙紺上皂下蚕服青上縹下隋志亦云大袖連裳皆深衣之遺制也深衣男女吉凶之所通服背子之爲長袖兩裾相掩兩腋相縫者與今男子長襦畧同即今之唐衣也當用青碧深衣以備古齊用唐衣以備覲見短衣裳袪堪作燕居之褻服而行之已久久則難變宜稍大襦制用承禮服不歸於服妖已矣近俗唐衣圓衫長襖三者稍近華制唐衣長襖亦好作燕服也蓋古來服飾隨時成俗仍俗制宜固當因畧以致詳推舊以爲新然亦不須太泥而不通也但髢不交紐服不殊衣裳是爲大體大體既正則其稱身飾容自成時宜是在婦女不必屑屑於制作尺度未知如何 李正觀

## 再醮

再醮者以中饋无人有墳土未乾而是爲傷風敗俗之大者也三年之娶所以達子之情而情窮勢迫者有雖掩遲則當以撤靈爲期曷可服未除而絃已續華衰樂于一身混吉凶於一室乎固知正倫篤恩決不乃爾爲此慮者得无歸於日下添燈耶 徐有質

子於母屈而期心喪猶三年故父雖爲妻期而除然必三年乃娶者通達子之心喪之志也若无子者十五月禫而即吉然後乃娶是爲得禮也先儒有云妻喪必三年而娶禮當然耳非專爲達子心喪之志也所以終牉合之義焉若謂惟主於達子之志則妻之无子而死者其失可以无嫌三年而娶乎斯言謹嚴而恐違喪服傳文正義亦有行不得者也今俗不許有子无子往往卒哭而娶傷風敗俗孰大於此有子 女者當待三年无子

女則待禫已矣尤翁長孫殷錫氏以三世鰥居有難待三年呈文禮曹禫除而娶乃有不得已也恐難爲後人法耳 答任憲晦

## 服中

尤翁答南溪問曰其服既除則雖曰心喪而自是无服之人故可嫁而无嫌也耶 也耶二字未决之辞 爲文歷屈而哀痛之猶在則无閒於已嫁未嫁而已嫁者既許其歸于夫家則未嫁者之嫁恐无異同斯言釋禮経故二十三年而嫁之文而云爾非謂其當然也即今喪記蕩然幾无禮防父在母喪禫後在室女不拘心喪往往嫁人乃以尤翁說爲口實每不勝憂慮近見尹教傅得觀氏答人問引尤翁說而曰據此則在室女父在母喪禫后行婚禮恐不可謂非但尤翁未及辨破禫后心喪之名之非尤翁則有爲而發而尹說則援引乃爾竊恐承訛襲謬壞了大防是豈細故哉父在母喪禫而喪制已畢故始行心喪以盡二十七月之期尹說禫后心喪之名之非云者誠莫曉其何謂也幸取尤翁說更下一轉語用釋援用者之疑是爲扶植世教之一端故謹兹詮稟 吳老洲

## 離附

娶異姓所以附遠厚別也不計外屬之尊卑遠近而結昏者恐未成倫理雖云破族亦當順序以故朱先生常論姑舅子爲昏亦自以孫女妻外孫而曰從古已然只怕位不是位不是者失序之謂也漢惠之娶甥女自不免亂倫内外兄弟以總親而相昏者非所以遠別故 大明律禁外姻有服尊屬卑幼共昏至及異姓再從亦不得昏而再從之子女爲昏有尤翁定論恐可遵也自從七寸宜若可爲而非同行也終欠倫序近齋有云即材之外七寸非兄弟行以即材之母親而言則與五寸叔爲查恐似未安世人之以六寸爲查成俗已久而五寸爲查則未之聞也親戚既踈昏媾復合雖是斂聚之理曷可不論行第而爲之哉退翁說恐是守経爲永世法者也 李承憲

新婦之見于夫家内外親禮也而近俗拕及於夫之姊妹夫姑姨夫大无防閑所謂非禮之禮正指此等處也弟於此執之甚固人或譏之以詭異而自以爲得禮之正未知意下如何 李承達

朱子婚事原書中叱兒云者安知不爲第三兒耶禮主循序倒昏恐非當然縱使拘於事勢而致然非爲法於後世者也曷可以 大賢所行而苟從乎 答趙秉德



爾雅曰女子同出先生爲姒後生爲娣註云同出謂同嫁事一夫也事一夫者以已先生爲姒後生爲娣又云長婦謂姒稺婦謂娣稺婦謂長婦爲姒疏云世人疑娣姒之名皆以先妻呼弟婦爲娣弟妻呼兄妻爲姒然公羊傳諸侯娶一國二國往媵以姪娣從娣者何弟也是以其弟稱娣自然以長稱姒長謂身之年長非夫之年長也左傳穆姜不以聲伯之妻爲姒又叔向之嫂謂叔向之妻爲姒二者皆呼夫弟之妻爲姒豈計夫之長幼乎内則曰娣姒猶兄弟合璧事類曰娣姒今世曰妯娌即此詳究則娣姒之外非别有妯娌 趙明淵

田昏之名不載於古禮中國人文字亦未之見焉尤翁有云今俗所行或

合於理聖人必制爲節文人子之情不能昧然則不過設酌以賀斯言得正至若衣衾措備吾垂死八耆則當做何如人哉 荅一純

周禮曰九嬪掌婦學之法以教九御婦德婦言婦容婦工陳子昂亦云宗廟象敬仁孝也娣姒祗和謙順也蠲潔酒食婦儀也黼黻玄黃女工也洪此四德而務夫親可以作範母儀昭宣壼則此四德二字之所自出也 荅任憲晦

喪禮

喪主

奔喪云凡喪父在父爲主疏曰子有妻子喪則其父爲主乃所以統於尊也服問所云君主適婦亦此義也當以亡子婦題主祝用舅告婦之辭焉小註雖云婦之喪虞卒哭其夫若子主之祔則舅主之然既是統尊則虞卒祔練祥禫舅當幷主若不與祭則祝用使子某之文恐宜 尹鍾燮

古禮父沒兄弟同居各主其喪註云各爲其妻子之喪同居猶然況異宮乎今李氏既異宮矣又有以襁抱之嗣子當以子名題主行三年之喪可無多少窒碍也嬰孩不能自將則諸祝當云屬世父敢昭告于云云日月不居已下數句語非嬰兒之所可道而案理則然一遵于告父之辭恐宜不可以攝行而變其辭也 荅任憲晦

父在爲祖服斬卽因天子諸侯父有廢疾不任國政不任喪事而云爾以故勉齋續通解天子諸侯正統旁期圖說父有廢疾孫爲祖後亦斬衰三年而後儒有云鄭志雖專爲天子諸侯而言然臣庶之家父有篤疾不能執喪而子代父執祖父母喪者宜均用此禮尤翁南溪之所施於閔愼家之變禮者也帝王家事不可爲證只以本服攝祀者春翁說恐爲得正 荅趙東德

當承重而承重者何待既葬何待朔望父喪成服後當卽服承重以喪不可以一日無主也或云小祥或云朔望或云成服翌日雖出先儒恐難盡從惟尤翁說父服後不待朔望卽服祖服是爲不易之論也承重衰服恐當新製不可襲父之舊蓋喪中死者設襲服於靈座故耳兩喪告由先前賢所述而亦不容不告祖喪當云先考以某月某日喪逝今日成服不肖準禮代服哀隕罔極謹告父殯當云顯考持喪未終小子準禮代服哀隕罔極謹告云云由時不用酒果恐宜 金元博

大傳曰自義率祖順而下之至于禰名曰重推此義也代父服祖者父祖雖同一斬衰而終是祖服重爲祖服雖練而不可但持父服云云父所當服之服以終祖喪乃所以順父之孝豈可以未練者重於已練而捨祖服父也哉謂當持父服者應援杜朴互服之說而愚則以爲杜朴逼逼於品節之間而不識禮之本也須如尤翁之論乃得大經耳祖服固不可去而父服亦不可不兼宜引閒傳包特之文以施之也除首矣特加父喪之經易腰矣包存父喪之帶以至祖祥可也此以常持者言祭奠則各服其服矣世人都占方便幷有喪者互服而已弁髦包特之訓久矣大功之喪猶當兼服況承祖之重者乎若謂練服輕而但服父衰則是身死祖服焉在其爲承重乎豈以親心爲心之意乎又何以表幷有喪乎故曰包特不可以不施也豈可以不宜於俗而不之行乎哉 朴宗輿

今有人死而適子先亡適孫又無子而亡只有適孫之弟矣當立適孫之

子以承曾祖之重而無可繼嗣者誰當主喪耶禮無婦人尸祀之義則子婦孫婦俱不可爲主矣次孫承重沙溪南溪咸欲從范宣說然殷及之禮既無父祖治命則義不敢自爲承重以冒奪宗之罪也徐邈曰可使一孫攝主而服本服朞裴松之曰次孫本無三年之道宜爲喪主終三年不得服三年之服二說得禮之正當遵無疑也司馬操駁二說曰共服宜三年外襄葬事内奉靈席爲練祥禫可無主者乎斯言似然而禮有無后無亡主亡者詎盡三年乎大功者主人之喪有三年者則必爲之再祭大功猶然況期制乎有母而毋斬則自可行練禫何必承重然後可乎哉近齋亦主承重之論而曰待異日長孫立后告由歸宗然既承重則移宗矣移宗而復改之則宗不嚴未若服期攝主之自無闕禮而罔嫌干統也祝稱攝祀孫某題以孫某攝祀待立凡子改題遷遞恐爲寡過也彼其所叩見答乃爾而或恐由我而誤禮統亡乎靡敢自信謹茲仰質伏幸明教俾作禮家之定案焉 吳老洲

長子死死後則次子之子奉祀固有沙慎諸賢說而此以移宗傳重者言耳以故不可舍次嫡而用季子尸祀非移宗傳重而但攝主其喪則曷可舍服三年之季子而用服朞之次孫乎古禮主喪親同長者主之不同親者主之今也子與孫親既不同且同是非適則以長以親季子之當主母喪也審矣季子既主喪則題主當云顯妣介子某攝祀祥後祔廟姑奉于東壁雖過二十七月之期不舉祫事不入正龕待立嗣孫改題合櫝恐爲得禮蓋改題遞遷非攝主者之所敢擅未改題則亦不敢合櫝忌墓祭皆單獻無祝而行之惟虞卒祔練祥禫則雖攝祀當準禮三獻爲是喪中之祭而靡所嫌乎于統也 韓弼教

無嗣子主喪而只有弟與出系之子者援以古禮親同則親者主之之文出系子似當主之而過房者既尸宗祀恐難攝行生家喪事立后前亡者之弟當攝主以顯仲兄題主祝用弟告兄之辭恐宜不用過房子攝祀者亦所以別貳本之嫌也 李容斗

三代俱沒者固當立後以主喪未繼嗣之前既有先死者之兄則所謂長者親者也當主其三喪而以亡弟亡從子亡從孫題主已矣禮無男主然後始妻主且顯辟顯舅顯祖舅之稱俱有可據而是爲禮窮則變乃不得已也豈禮之正哉今有朞功之親則曷可以老且死而不爲之尸厥喪乎其子之代父服祖固已得禮則其妻之從夫承重者何可以夫喪中而不終其制乎凡父死喪中而代父服祖者祗服其殘月而已不更服三年也然則其妻之承重者亦當以祖舅喪二十七月爲除服之期已矣 答趙秉德

既攝主宗事則尊伯氏靈筵亦當告由若是未及告令侄之喪因上食并告恐宜告辭當云維歲次云云從弟某敢昭告于顯從父兄某官府君宗澤以某月某日死靡所繼嗣宗祧無托某權攝宗事并主府君喪祭痛増悲痛敢告 沈宜健

叔父之喪無應服三年者則爲從子者當主喪朞而除服因之撤靈元無練祥之可言故也初期當行祭如忌而若值　國恤葬前則是日也當除服設奠獻泄哀伸情因入廟班祔恐是得禮也既非小祥則無備禮退行

之義耳 莒任憲晦

令從姪婦戕己之生願續兒之命者其心極苦千載閨閤中一人耳苐有難盡從者不設饋不立主不合祔也禮喪有无后无无主故曰夫黨无兄弟使夫之族人主之執事之於逝者雖則服盡既无他緦功之親則宜主其喪喪既有主則曷不設靈行座饋奠乎遵雜記雖疎亦虞之文虞而祔廟仍撤几筵恐宜所謂卒哭三虞後祭名始喪朝夕之間哀至則哭至此而止有朝夕哭而已哭无服之戚者豈有卒不卒之可言秪當有三虞而无卒哭也雖无卒哭亦不忍无祭而祔遵朋友虞祔之文三虞明日而祔（葬一款今從姪兩喪從今擬議於越中終遂逝者之苦願始莫爲力則既有座左）祔祭後不復返寢卽從所祔位入廟恐爲得正也至若祔之地當用同穴之例所以同夫婦之道寔非不可以已之者乎 金基叙

出亡異於廢疾祝文實難措辭而承重一節未敢硬判出亡在外者死生未分而告由祖靈代父服斬恐當難慎父雖不在家孫爲攝主自可无闕禮何必代服然後乃可乎承重有祖命則可无祖命則不可苟其无者告于宗伯一聽朝家處分如尤翁之勸閔家者恐宜攝主措辭當曰孝子某不克主喪使子某云云只云不克主喪殆不成說而下得不出亡二字亦无如之何矣鄭志所論天子諸侯之喪皆斬云者諸孫不服以祖服服以君服故勿論承襲不承襲皆爲之三年非爲承襲而服斬也士庶異乎此只當以本服攝事已矣朱子所論未見其爲自天子達庶人之通禮也亡與疾雖不侔而其不處之以死則一也遭變事而不失其經是爲寡過未知如何 李樸溪

庶子爲父後者使其次子主所生母喪則其孫爲父所生母題主及祝屬稱當云亡祖母耶其父承嫡服其母以庶母則其子當處以庶祖母於庶祖母恐當无服而備要不杖朞條云庶子之子爲父之母而爲祖后則不服據此則餘子之爲祖後者當準禮服朞否禮妾母不世祭其孫當喪畢而埋主雖則埋主不可无屬稱稱以祖母服以朞年恐不容已願服明教 上仝

長子无后而无則爲之立嗣服承重祖喪是爲常經而无可以繼絶則過房之子似當攝祀而出後者還主生親之喪恐非所以遠嫡重統若有庶子則用庶子名題主而旁題云庶子某攝祀恐宜 國典亦云適長子无后則衆子冢子无后則庶子奉祀（奉祀乃權攝也）斯可爲據也陶庵曰爲本生親喪題主終非別嫡之義若不得已爲之恐當稱仲父（長年所後父則稱伯父隨所稱）而去旁題也出繼子及妾子之攝祀皆旁而已而擇於斯二者處之若无異日干統之患則庶子權攝行三年之喪自无多小窒礙斯爲遭變事而不失其權者也 金寅根

雜記曰姑姊妹其夫死而夫黨无兄弟使夫之族人主之妻之喪雖親不主夫若无族則前後家東西家无有則里尹主之婦人外成故也外成故本宗視之如外親以故不主其喪亦不許其女壻外孫尸之所以別內外定嫡疑也既不可主喪則大防不可踰也 朴宗輿

## 易服

婦人之笄卽男子之冠也以故小記云男子免而婦人髽是謂男子去冠而免則婦人去笄而髽也齊衰以下始喪不去笄者至小斂而去之矣書

儀引檀弓榛以爲笄之文爲小斂髽而笄之證然據喪服經及註齊衰以上婦人之髽至成服着笄而猶不改則檀弓髽笄亦據成服後而言也家禮襲書儀故乃有當從古禮 答李在慶

括髮髽免註疏諸說煩而難會恒書儀註稍詳 答任憲晦

白巾環絰之制以孝子去冠不可免飾以視斂故士喪禮之所不言而檀弓言之家禮之所不載而備要載焉從檀弓備要行之恐宜尤翁之不行恐篤信家禮而致然ㄷ不可據此爲廢也 林宗七

奠

三年內饋奠即是喪中之禮故前賢亦有援曾子問殷事則帰之文爲不廢朔望之證朔望猶不廢殷事況奠乎成服（疑大喪時）前或有廢下室之饋停是皆哭者是爲死稽不可從也 李晉淵

襲奠即設於靈座卓上待小斂撤而更設酒果襲與小斂不同日則非一日兩奠也或過時而襲者仍爲小斂則同日兩奠亦非可已也此與一日不再祭者其義不類也 答任憲晦

喪中薦新似當并設於上食而家禮喪禮有新物則薦註曰如上食儀備要註曰盛大盤陳于靈座前卓子則可知其各設也然薦廟固難待朔望有新即獻几筵則有一日兩祭恐不必各設也若各設則當哭如上食也

四月八日即所謂浴佛日也東俗懸燈出自勝國崇佛之餘習識者當廢懸燈焉可因宴樂而薦先靈乎凡薦新物亦當先寢廟而後几筵況寢廟之所不可舉者可獨舉於靈座乎未可以象生而行非禮之禮也他人已例固不足言耳 答權達善

女子ㄷ於父母雖降服朞年其居喪之節則與男子宜無異同喪中雖或從權死後則祭奠不可用肉當一依喪中身死者例限葬前用素饌爲可耶喪中身死者祭奠用素饌禮輯固有其文而只論朝夕上食如朔望殷奠初不議到何也喪人與平人不同上食外朔望殷奠不當設故耶朔望雖不行如祖奠朝時大節目似不容廢闕而若以憂服中不可設盛饌只薦蔬果則無脯醢餠炙而不成祭禮此果如何且上食雖用素斟酒則爲之耶酒肉無異既不肉則酒亦當廢耶 李檫溪

禮士無月半奠故家禮備要只許朔日則於朝奠設饌士喪記疏大夫以上已許月半奠士行大夫之禮者無已僭乎問解望奠差減於朔奠云者似從俗情勝而云爾恐難遵也 答李公敃

雜記曰有殯聞外喪哭之他室入奠卒奠出改服即位註云有殯父母喪未葬也外喪兄弟之喪在遠者也據此則異宮兄弟之喪未服成前上食無可廢之義也昔有問於遂菴曰喪中遭昆弟子侄之喊雖異宮未殯前上食當廢否答以不當廢是爲正論也家禮朞九月之喪三不食生者三不食則死者亦當停三時上食此以同宮者而云爾若異宮則恐當遵外喪入奠之文已矣 李光敏

古者士無月半奠然備要則望日亦用果一盤不設酒不出主依此行之爲當此先生答直弼月半奠行否之問而區ㄷ所奉以信及者也且伏聞哀日欲復行望參而未果云哀若先舉望奠於靈座葬後繼行於祠宇

則豈不用先於繼志之孝耶若以事力不逮雖不得行於祠宇靈座之獨行恐无豈眡之嫌未知如何 朴宗輿

几筵異於祠宇朔奠異於祭禮則以妣位合祔之日而廢考位朔日之奠可乎行之恐宜 上仝

生忌之祭非禮也而往哲許行於三年內即所以象生也雖即象生用生時早飯例別設早奠於殷奠之前者恐陟太眡從陶翁說朝上食後別設饌如朝夕奠恐宜 洪萬燮

虞而後事之以神道雖象生之饋難準生者三日不食之禮雖在同宮之憾亦當乃爾也 國哀雖重當準以異宮之禮 成服前上食恐无可廢之義至若朔望奠推以曾子問殷事則歸之文則亦不可廢 成服前後恐无可拘也 尹養善

飯含

飯含主人之事也未論喪之尊卑惟主喪者左袒右袒者取便也餘人无可袒之義主人若老病不能而子孫替行則替行者當袒 答任憲晦

士喪禮主人出左扱米者尸方南首而主人由足西牀上坐東面宰從立于牀西在右左手不便於用而乃用之者由下飯含之順也主人東面坐用右手則必反用其掴且加手於死者之面非孝敬之道故不爲也或云舉巾以右手不得不用左手扱米此說亦通扱收取也 上仝

士喪禮宰洗柶建于米家禮插匙于米盌柶變而爲匙匙變而爲柳匙今俗用柳未知何據而從俗亦宜 上仝

士喪禮秪云布巾環幅不鑿而已雜記秪云鑿巾以飯而已註疏家因鑿而與不鑿文勢之不類而言大夫士之別蓋推說也士則親含大夫則不親含不火槩見於禮特鄭賈輩自爲之說耳飯含本爲孝子弗忍虛口之義則豈容使賓大夫之責恶乎可施乎註疏決不可從也公孫賁鑿巾以含親是嫌恶也安得免不孝之刑乎尤翁使客云云亦襲註疏未敢信及當一遵儀禮家禮本文主人自爲之可矣不當使祝使祝則恐尸爲祝所恶耳奉珠與祝佐以行之者與使賓何以異哉發巾親含縱有所至不忍而至難抑者因之一承親顔亦天理人情之所當然也贈幣家禮亦言主人奉置柩傍而无使祝之文蓋含與贈俱係主人之禮決不可代人无貴賤一也況家禮以下无大夫士之別乎 李樑溪

襲斂

古者死者不冠但以帛裹首謂之掩蓋所以保護肌體貴於柔軟堅束冠則磊硯難安所以男爲女通用也後世幅巾作而掩廢然幅巾者男子之服也女喪秪當用掩掩制載士喪禮而其詳則陶庵答蔡命洪書可考也

士喪禮不言掩色則可知是白蓋反太古冠布之義女帽通俗之所用而其出无稽焉可舍禮服而從俗制乎 李承憲

士喪禮疏云死者不冠以其長卧故不可以冠也冠是戴於頭者爲物甚尊且重非寢時所宜著也生死不可異禮也 答任憲晦

深衣男女吉凶之所通服婦人襲亦當用深衣男女不嫌同服則帶亦何異哉衣用布純用黑无內外之別也袖是皆衣制如深衣但緣用紅色是

爲殊耳若色用青綠用紅則禒衣已矣禮婦人復不以禒卽事鬼神當以祭服之義也禒猶不可以爲復況襲乎圓衫近俗皆喪之所通用而其制无所考或云是 皇命明婦之服未知是否圓衫長衣亡棠相續有古禮服遺意而終未若深衣之爲有經據也 李承憲

按備要小斂憑尸哭擗後括髮免髽遷尸後襲絰則斂㕣時不斂髮可推而知也小斂時白布巾環絰家禮所不言而備要言之以古禮之不可廢也沙溪擧儀禮用補家禮之闕曷敢不遵耶 朴宗輿

開元禮小大斂无結絞書儀小斂陳衣註曰今俗死大小斂家禮附註高氏說有云今之喪者衣衾旣薄絞冒不施懼夫形之露也遽納于棺以仐棺爲小斂盖棺爲大斂則是大小斂皆廢據此則唐宋以還小大斂俱失古禮溫公好禮故採儀禮而行斂絞大斂則文缺家禮本書儀大斂之无絞亦襲書儀也小斂鋪絞至將入棺而始結之則似合兩斂而爲一恐非有精義而然也小斂之未絞結固出於孝子時見其面之意則不待廢大斂而後盡悅孝思也苟其有害於不忍之心則周公豈載諸儀禮哉故曰襲書儀也非有精義于其間也家禮未及再修故此等處當更正而不更正恐不當以出於朱子而膠守无改也 金基叙

絺綌紵不入之說竊更思之葛布非東俗所用行布之不用卽俗忌非有所稽也然猶以未得一據爲欝卽考喪大記註絺綌紵者襲衣也襲尸重形冬夏用袍及斂則正服絺綌紵褻衣故不入陳云云盖古人以絺綌作褻衣若東俗單袴衫不作上衣故不入於陳衣也若作上衣如吾東青白紵布之類則曷可以紵而不用乎用與不用係服之正褻不係于絺紵禮意卽然而今俗不解此義凡係紵屬則雖正服亦不入斂可歎自凡爲度痛革陋俗則巨室之所慕一國慕之是爲望耳 李穙溪

鞱縫合縫之留末不縫者欲令弄鞱其趺也斯義也沙溪載諸家禮輯覽而今人或袛跓趺面而不弄鞱者爲非近俗或有弄鞱趺者是爲得正 答任憲晦

喪大記曰君松槨大夫栢槨士雜木槨所以別貴賤也今也大夫士之家非松不爲棺槨擧皆取關東而用之關東禁山而梓宮之所由出也邦有常憲而不少畏憚取之乃已是穿窬也朱子所謂法制之所不當得者雖得之而有財亦所不欲也盖非義而事親非孝而薰腸題湊卽梓宮所用而用之於私家則僭也按以孔子仁者之粟以祭之義則亦有所不慊於心爲誦孟子荅充虞之問筆之於書冀承理論焉 李穙溪

束帛

魂帛卽古禮之重只有主道而已出納如神主者恐涉无義帕覆椅子奠上食時不豆置恐爲得正未知如何 吳老洲

束帛始見於雜記聘禮而家禮結絹則非古束法而其所云束帛者只以結束言其用白則似如虞主以桑之義其制様豆儀之同心結肖人形國俗之用布爲神主様者類皆不經五禮儀 大喪用白綃一匹加捧圅安於交椅而綃多少旣无定數姑依聘禮丈八尺其結之倣書蔡傳卷首三帛圖而結之之絲用白恐宜 答朴海隱

渼湖夫人喪禮魂帛用束帛之制常時不覆盖帕是亦可遵而但神道尚

幽覆盖覆怕恐不害理奉靈床只安衾上是爲得正 答任憲晦

靈筵

檀弓曰奠以素器以生者有哀素之心也疏曰奠謂始死至葬之祭名士虞禮不用素器據此則未葬當用素器既葬當用吉器椅卓筵席當視器之素吉爲度耶陶庵引檀弓奠以素器之文爲葬後床卓帷帳用素之證而檀弓則以未葬而言恐難爲的證集考所謂除椅卓筵席外當用吉器者亦有何據器與筵床恐不可分而爲二用素用吉亦不宜差殊未知如何 吳老洲

有事則告廟與几筵當同況尊祖妣遷祔卽先丈遺意乎啓墓前因上食告來示恐得 李載毅

成服

沙溪答人祖父母及父母并喪襲斂成服先後之問曰喪在一日內襲斂成服當先祖後父泉翁引此爲亡人後者祖與母成服先後之證斯言如何沙翁說卽先重後輕之意襲斂固當乃爾至若承重者成服恐當先母卽由下而上之義也近有人妻者未期而又身死立繼后孫其家據兩賢說欲先成祖服故愚力勸其先父不成父服何由而承重乎願服明教

（出嫁女除服下見小祥）

（出嫁女除服後恐不）宜縞素以終三年然亦不宜純吉衣用玉色冠用皂色玄笄爲紒爲心喪之服恐宜古者除服（不宜直接於吉）踰月服微吉如何 吳老洲

問免者以何爲也曰不冠者之所服也禮曰童子不緦惟當室者緦亡者其免也當室者免而杖矣註曰當室則杖而免亡冠之細別以次成人也

玉藻曰童子聽事不麻孫忠蔚曰聽事則不麻知不聽事麻矣如使童子本自免麻禮腰首聽與不聽俱闕兩經惟擧免麻是明不備宜得言聽事則不麻乎以此言之有經明矣且經者實也明孝子有忠實之心也詎有冠童之別哉孝巾屈冠雖不當加首經則恐不可已也若未及成服遵沙翁說不害爲寡過之道如已成服遵古禮仍加首經恐宜 答李在慶

承重之義由下而上成服恐合以母爲先而且母喪在祖母喪前日則母喪第四日當先成母服翌日承重成服尤恊沙翁成服亦然之論而沙翁又云疊遭父母喪一二日之内者後喪入棺之前不可據成前喪之服後喪入棺後服前喪之服以翌日服後喪之服似亦爲得斯言恐不可易也成服各有其日則不須以先輕後重爲拘此與喪在一日而襲斂先後爲棄情之事者不倫故也 申錫愚

年長未及冠而遭父母之喪者難以童子成服當援雜記喪冠者雖三年之喪可也之文以成人之服成服若過成服亦當遵武王崩成王既葬而冠卒哭而冠恐有得禮也鄭康成曰遭喪冠月則成服因冠非冠月待變制卒哭而冠蓋古者必用正月而冠所謂非冠月卽非正月之云也卒哭後加冠不爲无稽吉凶相錯終不如吉祭後卜日行之之爲得正耳 徐穉淳

儀禮雖輕服无去負版衰辟領之文鄭註雖有衰版辟領孝子哀戚之云此特擧其重者也喪服記首以凡衰統五服而言負適衰則其五服皆有可知況衰所以通名斬衰以至錫衰疑衰者則何得去之推此而可見負適也續通解疑其旁親皆不用而家禮附註楊氏以爲朱子後來議論之定

者然恐當斷以喪服記已矣齊衰有三年杖期不杖期之別而統謂之齊衰无所區別家禮至大功條云始死負版衰辟領則期服之不去負版衰辟可知已非直期服爲高祖三月曾祖五月同是齊衰故不去秪當以家禮爲正楊氏說恐不可從耳 答李齊信

緦戚之不製衰服雖緣貧莫爲力而亦可見喪紀之壞也不服衣裳則卽是不受服今俗之只用巾帶陋矣不可從也妻父母服卽服問所謂從重而輕者緦服之重者也曷可從俗而不服衰乎 朴宗輿

逮事從高祖者未可以服盡而昧然无事三日袒免成服具弔服加麻臨喪事則用之既葬而除恐爲得禮也 南秉善

## 正服

父母之愛其子子之愛父母皆出於自然而无窮則子之報施豈計歲月而爲之哉喪止於三年者以天運再周非以三年充懷而然耳三年之愛似當統看父母與子而父母之愛其子可但以三年爲度哉此以子在父母之懷而云爾卽本文於其二字可斷以子之愛父母也三年之內未嘗離懷處惡接續无所間斷既長雖懷寢久寢失者斯義得正也 李埈

今日遭外艱明日遭內艱者當用父喪中母喪之禮服以三年恐无可疑也蓋喪服疏父卒三年內母卒仍服朞云者卽錯看喪服經文父卒則爲母之則字生出許多葛藤詎不闕乎其曰父卒則爲母者卽對父在爲母朞而言也經不曰父卒爲母而曰父卒則爲母者正見父卒之後遭母喪卽服三年也何必父服除而母卒然後行三年之服乎且子所以不得遂三年者爲父屈也父既沒矣誰爲屈而不爲母三年乎馬融所云父卒无所復屈故得伸重服三年固已得正而孔仲達釋雜記三年之喪既穎條謂先有父喪而後母喪練祥亦然以前文父死爲母三年也故齊衰三年章云父卒則爲母是也杜預亦云父已葬母卒則服母服至虞訖返父服既練則服母服喪可除則服父服以除訖則服母服據此數說則古人未嘗謂父服除乃得伸母三年者可見也賈疏曲解之害將不免薄於天性非少憂也沙溪尤庵兩先生皆疑疏說而至若陶庵所云一依經文則父先卒而母死者雖一日之內可伸三年者斯爲不易之正論百世以俟周孔而不惑者也以三年次第行前後喪練祥禫吉祭則一日并行恐宜賀循所謂父死未殯服祖以周者全不成義理未忍變在之義亦說不去決不可援證也李文菴不信師而信疏者未知其何說也 林景鳳

妻亡夫不知以病故不告也又未及成服而死其子不可以夫未及知而不用父在母喪之禮題主則以顯妣服則以杖期而无禫禫者以父喪也講定如此未知不悖於禮意耶 任穎西

并服曾祖祖兩喪承重者未葬當服祖喪斬衰卽斬衰未葬不敢變服之義也既葬當服曾祖練衰卽所謂常持重服是亦統尊之義也 答李在慶

祖父母服正統期也程朱皆不許赴擧至若偏期已葬似赴擧而晋楊旄伯母喪未除而應孝廉擧時議紛紜古人之以服中應擧爲重也如此禮大功未葬不可行冠昏況應擧乎大功之末始許冠娶則葬而後應擧恐宜姊妹之服降期而爲大功則不可比例於他大功尤不宜未葬而赴

擧也上仝

旬期雖下於正統同是朞服也服莫重於期年而身持齊衰之服口誦聲律之文於心不安所以奉質也檀弓所謂廢業與誦皆以大功言而不及期則期服之廢誦與業自在不言之中也所謂誦可也者可是未定之辭也大功猶然况期乎期喪已葬有難廢讀而至於誦詩則不可詩律則尤不可爲〻詩與學舞射琴瑟无異其廢也尤當矣至於挽誄之述事係哀死不可與閒言語比而同之作亦不至害義耶 李稭漢

祖父母服中不當赴擧程先生明訓存焉不可違盖正統朞卽所謂至尊之服也所以致哀之道亞於親喪以故於其服之在躬不可服闋亦不可赴擧雖服闋不宜赴於大科借使得之豈非一不幸乎 李載毅

妻爲主婦則主婦之喪死主婦父在父爲主則子婦不當行主婦之禮亞終獻主人之子若孫爲之恐宜 答李道用

妻喪雖具三年之體服名則期也恐不可喚做三年之喪也天子亦爲長子斬則當與父母之喪幷稱三年然中庸之意只主父母而言旣言三年又言父母者所以申明三年卽父母之喪是爲反結也 沈景澤

爲長子三年者與父喪同是斬制而爲卑幼之慽也故居喪及出入服不倫於大故國法亦不許解官未可以喪服從官故笠用麁黑漆笠袍用生布道袍帶用麻絞居恒服布中衣網巾不合用布用布歸遣已矣雖非從官者亦當乃甬方笠蔽陽子俱不宜着也應擧則係是求榮之事非情禮之所當出也 答孫輝冕

父在則不杖疏說也不論父在與否而皆杖家禮也禮家舍疏說而從家禮爲不易之正經也爲夫者不可以其父之主祭而不杖〻則當練祭而不變除則恐在其爲練乎練服之制如大功一遵三年喪変除恐宜父若與祭則子不敢以杖卽位杖不入於堂室厭尊故也 金述鉉

儀禮喪服註適子父在爲妻不杖以父爲之主也雜記曰爲妻父母在不杖不稽顙母在不稽顙疏曰適子父在不敢爲婦杖父沒母在得杖而不得稽顙據此則杖與不杖秪係父在與否而已母无與焉以母无主喪之道故也然則俗之以母在而不杖者全不識禮意家禮則不許父在與否而皆杖亟備齊衰之杖用具三年之體焉 金益哲

所後子服南塘云所後子爲所後父同於所生父則其所后父爲所後子亦當同於所生子此言峻截而竊詳傳文本義惟正體傳重三者咸備然後始許三年也所后子大倫旣定則正與傳重固无間於己出亦不可謂所生以故秪當屬正而不體是則非拘於疏說也尤庵陶庵皆許以衆子服農翁亦論閔彦暉繼后子之服而曰不得與正體長子同而同於支子承重恐爲得禮愚則信三賢已矣 沈弘模

儀禮喪服不杖期條曰爲衆子註曰妾子女子在室亦如之以故備要五服圖亦不區別男女而統擧於衆子之中圖上方圖云姑姊妹女及孫女在室或已嫁被出而歸幷與男子同則其本服期而出嫁降可知也喪服兄弟之子與己子同服期檀弓曰喪服兄弟之子猶子也盖引而進之也所謂引進者是牽引之同乎己子也古人於兄弟之子直稱父子如疏廣蔡邕之

所云爾也自晉以來始有叔姪之稱然服則猶同期例也婦從夫服降夫一等而爲夫之兄弟之子女孫曾則無降是爲相報亦引同己子之義也 答李膺信

喪服姑姊妹女子子適人無主者姑姊妹報女子子不言報者爲父母自然猶期不須言報故也家禮不杖朞條曰爲姑姊妹適人而無夫與子者無夫與子者爲其兄弟姊妹及兄弟之子也還服不杖朞只舉兄弟姊妹及姪男女不言父母者爲父母還服三年則是違不貳斬之義只當遵父母猶期之文已矣沙溪載父母猶期之文於備要而曰一說三年更詳之更詳云者雖若未决之辭而非以三年處可否之間也 安生

嫂叔親非骨肉不異尊卑恐有混交之失推使無服故曰嫂叔無服推遠之義是爲禮之正也唐太宗引同爨緦之文而謂嫂叔無服未爲得宜魏徵獻議云若推而遠之爲是則不可生而同居生而同居爲是則不可死同行路重其生而輕其死厚其始而薄其終稱情立文其義安在請服小功是出於情勝也程子云嫂叔無服先王之權後聖有作雖復制服可也朱子亦云看推而遠之原是合有服但安排不得故推而遠之若有鞠育恩義心自任不得如何無服程朱之論皆從厚也不可以貞觀君臣之所義起而遽從古禮〻者所以斟酌古今緣情制宜故家禮亦服以小功恐不可易也 答任憲晦

小記有所從雖沒亦服之文沙溪先生又有未服猶服之訓推斯義也爲孫婦者無論夫在與夫亡夫之已承重與未承重皆當從夫服〻祖姑以三年恐無可疑耳 黄鍾昌

倫要夫黨服圖中夫從祖姑即夫之同姓五寸姑母而舅之從姊妹也其服雖不見於儀禮家禮而儀節與　國制俱許服緦沙翁又載之備要亦出從厚之義從之恐是 朴宗輿

小學不百里而奔喪只言不越境而不分喪之重輕何哉按雜記曰婦人非三年之喪不踰封而弔如三年之喪則君夫人歸註曰三年之喪父母之喪也嫁者爲父母期此以本親言也据此則不百里而奔喪非父母之謂即期功之慽也古者嫁於異國者父母生則歸寧生則歸寧而死不奔喪宜理哉也今有援小學爲出嫁女不奔父母喪之證故愚指雜記以爲正未知如何 任穎西

親父母喪有舅姑在則不可哭於正寢就別舍哭之似宜然既聞父母訃何可先擇哭處耶一哭後則更就別室設位哭之爲宜而祖父母喪則有聞於父母喪承訃初即就別室而可也 答鄭奎元

殯寢路寢今無其制只可於所處外室哭之而有服者則當成服日又設位哭之哭時只就其死者所居之方東西南北隨其所在爲可耳 上仝

収養之服不見于儀禮者何哉古者無異姓相養之理而然歟養母之名肇見於開宝禮而服以齊衰年三然家禮則不載〻諸家禮圖者非朱子之筆也既有養母宜有養父而開宝之只舉養母者亦何義抑以乳哺拊育恩參造化存乎養母而父不得與焉耶至　國制始并服養父母是爲可從耶收養非繼后也雖遵大典服三年無降服父母之義而收養者使之尸祀則當祭幾代耶既服養父母三年則服收養子以替收養子之子

以大功耶侍養之名古今禮家之所不言近俗或有之然非禮也然既爲侍養則當服侍養父祖母如養父母而服侍養孫如養子耶祭止幾代耶恐當止侍養子之身以報鞠育之恩而已若上祀高曾則與爲人後而奉祀者无異所以要止祭當代也被人誅反如是爲對而言固无稽未敢自信伏幸明教 吳老洲

若爲子行則當爲繦子而以其孫行也不可以爲嗣故謂之侍養侍養二字不見于禮似因養母之文而從而爲名吾東之俗称也三歲以前收養卽同己子雖載于 國典許服三年然此以遺棄子及同宗異姓親无服者而言耳昔韓文公以被養於兄嫂爲服加等橫渠譏之曰族屬之喪不可有加若爲收養便以有恩而加服則是待兄之恩至薄无母不養於嫂更何處可養若爲族屬之親有恩加等則待己无恩者可不服乎斷言也得禮之正也 朴命壁

收養與出繼名義不同故備要圖有養母而无養父以養育之功專在於母故也所云養母者養同宗及三歲以下遺棄子與親同服齊衰三年而備要心喪三年條曰己之父母在則爲養父母據此則父母在者不可爲養母服齊衰只伸心喪三年以報養育之恩而已也父母不在則當爲養母服而收養父則不許父母在否只伸心喪而三年則過斷以朞年恐宜 金正綸

凡以私恩服者不於其身受恩者不服无推及於妻子之義則爲夫之收養者與父母收養者恐當无服李草廬以爲師服三年而妻无服亦何以異此云者恐得精義渼翁許從夫服恐欠絕施服之義恐難遵也若以全然无事爲未安從尤翁說服同爨緦恐爲得正 答李膺信

爲再從祖收養者當服以本服緦亡盡後申心喪三年而今也則不然舉哀被髮題主以顯考則昭穆失序名義不正悖禮大矣白屋易以姪孫爲後而未聞爲後者服斬近世老稼齋金公爲族侍養而祇尸厥祠而已今其人覺非而反之正則事係大倫卽日當告改題 勿題不書 何待節祀乎爲其侍養祖當立別廟祭止其身恐得耳 朴命壁

外祖父母本服小功此載經傳及開元家禮 皇朝三禮而有甚大膽人移易儀禮乃爾耶曾見武曌制禮外祖父母服大功僭汰之罪有不可容誅有誰捨元聖而取賊耶 尹光演

外祖父母與內舅雖同是小功而內舅則與外祖差殊成服後无不可赴試之義况出繼降服者乎 申𢯱

以禮經從政式揆之則外祖父母成服後恐无不可赴舉之義愚伏南溪竹庵論諸皆許未葬前赴舉以服是小功也應舉亦不爲无說而情禮事體自與他小功差殊外祖父母卒哭前廢舉恐不害爲從厚也 洪在島

喪服士爲庶母服以名服也不論无子有子皆緦至家禮只許父妾之有子者服蓋本於喪服小記士妾有子而爲之緦无子則已也今不敢舍朱而從周然雖无子慈己或攝小君則嫡子爲之小功不爾而或服勤至死功勤紀于一家則安忍无服此則當遵同爨緦之禮恐不可以家禮所不載而已之也家禮之所不通參以儀禮然後不違朱子之旨豈可膠守而已乎 李襟溪

爾雅曰父之妾爲庶母子妾之於父妾亦當從君而曰庶母而已禮兩妾子各呼其父之妾曰庶母此其證也禮子之妻妾於父之妾无服无服者非闕文也遠別於尊姑也若以淀厚之義苟欲相服則爲同爨之緦而已然則称謂但如臧獲之所呼而書牘亦用此例自道則當云某室可也近俗或称姑與妾子之妻称其所生姑何别哉焉有死无服而生呼姑之理乎以无服而知其決不可称姑也自道以嫡子婦則嫌於女君以子婦則嫌於所生子婦故曰称謂但如臧獲之爲而自道亦如閨中所称而已服事之則致敬致禮可矣无姑婦之名而有姑婦之道然後倫理正恩義篤矣 李義秉號畸岩

未承重之妾子爲其母當服嫁母出母之服无論父在與殁齊衰杖朞盖義雖絶而恩不可絶也期而當伸心喪以終三年可矣其妻則亦無生育之恩但依婦從夫服降一等之文服大功而已不必伸心喪也至若其子尤无可服之義雖非爲祖後者无服已矣 任賴西

妾之事女君如臣事小君之義相類故亦服齊衰不杖朞此則以貴妾言也古人有婢買爲妾或仍婢爲妾當爲女君之服而服期耶當爲内主之服〻以侍者之服與他奴婢等耶備要侍者服註曰侍婢當依丘儀衆妾服制〻如妾服而已之謂也非謂妾服當從侍婢三年也所謂婢妾雖出於侍婢爲夫之妾則已免賤矣〻當爲女君服期已矣未知如何 上仝

喪服小記從服者所從亡則已疏曰四徒從之中惟女君雖没妾猶服女君之黨服此據雜記文而言也徒從之禮可施於生不可施於死所從既亡則止而不服者人情之宜也禮者緣情而制宜服死女君黨宜於情乎宜於禮乎决知其无義小記可遵而雜記不可遵雜記不可遵則小記疏可知也况已經朱先生勘定乎秖當從家禮圖論女君存亡不服已矣家禮備要爲常禮者已得之宜容更商 李楪溪

喪服妾爲女君齊衰不杖朞傳曰何以朞也妾之事女君與婦之事舅姑等也妾之事女君既與婦之事舅姑等則爲之服也亦不宜過于婦爲舅姑之服故服期已矣古禮婦爲舅姑期故也 沈能岳

妾爲女君不杖朞肇自喪服而家禮備要之所俱載恐不可易也傳雖曰妾之事女君如婦之事舅姑此以服勤而云爾未可以婦服舅姑之陞三年而亦爲女君三年也老洲嘗云雖婢妾既御於君則當免賤而不爲女君三年也秖服不杖朞則被髮非可議到也被髮本非古禮子婦之爲舅姑被髮尤爲非禮今不可猝改而後有周公者出而制禮則必去被髮也審矣 答趙秉德

妾子父在爲本生母喪當被髮杖朞一遵正室子父在母喪之禮以雜記主妾之喪則練使其子主之之文而知其然耳杖故練不杖則朞而除服宜有練不練之可論哉小記又云庶子在父之室則爲其母不禫註妾子父在厭屈也此以同宫者而云爾若異宫則父在亦當行禫也近翁答賤子問始而不敢同於正室子父在母喪之禮似當服不杖朞亦不被髮而禮无明文爲疑後得雜記小註之爲杖朞之證丞改前見至若嫡母在爲所生母寒岡主服朞陶庵主伸服三年而妾子无爲嫡母厭屈之義則陶

庵恐得正而 近翁於此兩說始末決從違後答尊王考丈曰家禮勿論嫡
母有无並許三年陶庵以從家禮爲正見此方无疑於是焉看詳則可認
初晩之别而不违於裁取也上仝
喪服不杖朞條爲衆子註衆子者長子之弟及妾子教紬公曰士妻爲妾
子亦期據此則嫡母之服妾子一視衆子已矣妾子服嫡母如親母則嫡
母安得不服妾子如己子乎善乎退溪之言古人雖嚴於嫡庶骨肉之恩
則无異故不分差等 國典亦一遵古禮也上仝
庶子之子父死而後不爲妾祖母代服三年者以无重之可承也承重者
承祖之重也不受祖之重者詎可承妾祖母之重乎妾祖母宜有可傳之
重乎以故尤庵有云凡孫之爲祖父母三年是承重故也今其祖母是其
祖之妾而已則其孫宜可以承重而服三年乎不惟尤庵成訓乃爾 明
陵之世有朝令申禁曷敢有越當服本服朞已矣喪畢而埋主是爲妾母
无世祭之義也洪在周
禮喪服曰慈母如母傳曰妾之无子者妾子之无母者父命妾曰汝以爲
子命子曰汝以爲母若是則生養之終其身如母死則服之三年如母貴
父之命註曰不命則亦服庶母慈己者之服可也所謂慈己之服小功也
令庶弟若受命而被養於令庶母則當齊衰三年不受命則雖有養育之
恩秪服小功已矣縱服三年不當被髮行練祥禫一遵三年喪體段恐宜
三年而不被髮所以與親母差殊也庶子之妻不服慈姑婦從夫尚不服
則其子之死服亦可知已慈母本无天屬之愛故无從服之義也徐有畬

父卒母嫁與得罪於父而被黜者雖似有間而不知終身不改之義不養
舅姑不奉祭祀不下惡子是自絶也其絶於夫與黜者何異哉通典屋廬
必禫之說恐不可從檀弓註无禫縱爲出母設而亦可施於嫁母嫁出不
可差殊觀也雖與父在母喪同是杖朞而父在則不敢伸私故爲母降期
具三年之體而被髮練禫宜也嫁出兩母不許父在與否而爲之杖期非
降服也特以子无絶母之理而服之而已初无三年具體之義既不具體
矣不被髮无練禫恐爲一串事變制亦不必待中月期而除服伸心喪三
年一遵本生喪禮恐爲得正古禮婦爲舅姑降夫服期則爲夫之嫁出兩
母无不可降服之義必服大功已矣李縡溪
古禮有三年之喪者於小功以下无變服如雜記有殯聞外喪改服即位
所謂改服是初喪免經而非具冠經成服然後世則重喪中亦服輕喪之
服父喪中改葬母亡喪中改葬父者曷可不前服喪之緦乎有事兩喪各
服其服而常居當持重喪尹養善
齊衰以下布帶精粗各視其冠而廣則无文可稽立儀擬以四寸而四寸
是大帶之廣布帶之象革帶者以之爲準殊无所當家禮集考云母寧做
斬衰絞帶率腰經之義以次爲差布絞猶然答任憲晦
有人无父母无弟惟從兄是依及娶而亡去今焉爲七年矣旁求不知處
存沒莫聞知其妻當如何處之欲考服通典荀組說則以子而待父年滿
百亦未可必況齊年之妻乎終身不行喪制服有所不可欲從劉智說則
亡人年未三十耳三年求之不得而即制服歷喪亦所不忍也遵泉翁說

告廟而求之三年三年不得而更告之告之而又求三年終不能得然後乃舉哀服喪允叶於天理人情欲爲之立後則當與其所後母同時發喪而其親戚之服之也亦宜在此時耶幸幷覆之 李襟溪

妾子之爲嫡母黨服一視君母之在不在不以曾服先嫡母黨而已之者是爲不易之定論也喪服傳君母在則不敢不從服者專出於畏敬誰敢以既服而不服哉徒從既死情寂則與妾子承嫡者有異恐不當叙戚展廟以死報服而可知也款緒公亦云庶子雖服君母之父母姊妹彼指君母之父母姊妹於此子則死服益庶子以君母之故不得不服其親而彼之視已寂非外孫與姊妹之子故略而不服推斯義也其不爲叙戚展廟審矣通典瞰齋云所既服前嫡母黨則後嫡母黨義無異者恐爲得正至若徐藻庚蔚之則以外氏無二統而謂不可忘服外服無二者即以出繼者之爲本生外黨承嫡者之爲所生外黨而云爾妾子服嫡母黨非以外黨以賤不敢不從服耳爲有二統之嫌哉徐庚説恐不可從未審意下如何通典説載讀禮通考十三編君母父母姊妹條下 伏幸檢覽焉 吳老洲

遂翁之論曰年過長殤則雖未嫁娶親戚之服之也皆如成人據此則外孫如年過長殤未笄而夭者服緦恐無可疑蓋三殤未冠笄者計其年而以三等服其服焉已笄冠則雖殤年死者不以殤服服之也 徐簡修

都下有妻殺夫之變惡其夫漁色割勢而致命也爲其子者處其母當如之何魯桓被戕文姜與焉而莊公不絶母子之情以其生育之恩也梁人有繼母殺其父者而其子殺之漢防年繼母殺其父防年亦殺繼母在夫則妻道絶矣在子則母道絶矣禮云繼母如母者爲其配父也配體之誼已絶絶不爲親禮也殺之以復父讎固也至若親母則與繼母不等子無絶母之理爲其子者不忍讎母而告官告則母死即子殺母也秪宜含哀忍痛自廢自靖而已是爲處變事而不失其經也昔有人問於程子曰祖殺其父告之其罪如何程子曰孫告祖當死此不可告明矣父爲子綱故以父殺子罰止徒年而孫告祖當死者以悖天逕理也其身當死猶不可告況告母殺父母當伏法乎然則其子之不可告非爲自活也斯事也人倫之大變苟非義精仁熟未易處得其正願服知言爲 吳老洲

文章亦有小心放膽之異爲學者亦何爲不然哉南塘講學論理師心自得不免太快至于論禮一掃經傳註疏創立己説是所謂放膽也其所謂天子諸侯不爲長子斬及由旁支入承大統而不得以先君爲父者當稱其私親爲父爲之服三年者靡所考據取辦胸臆者不幾近於無忌憚乎非直惶恐已矣鹿門辨説明白痛快無復餘蘊其有裨於禮教者詎可量哉九原可作南塘亦應悔謝之不暇也 答趙秉德

頃拯虛宇痛覓因極副封仰認盛旨而　英廟朝收議時諸公皆難慎於服斬以有許多層節有難俱陳故以　國朝往例爲對而斷自　宸衷引庚子君臣服制復舊之義定爲三年載之使編者一洗千古之陋而在丙午則難準故　服朞如今日　正體之地尤宜承用至若疏家適適相承三世之説恐不可議到於　王朝也 吳老洲

春秋胡傳文公元年即位下小註聞康王釋喪服被袞冕皆謂禮之變獨

禰氏以爲失禮未知如何區處朱子曰如伊訓元祀十有二月朔亦是新喪奉嗣王祗見厥祖固不可用凶服漢唐新主卽位皆行冊禮君臣亦皆吉服追述先帝之命以告先君易世傳受國之大事當嚴其禮雖先君之喪猶爲已私服斯言終恐遜了於東坡守經之論恐難從也三年之喪旣成服釋之而卽吉無時而可者受顧命見諸侯獨不可以喪服云者其言眞正恐不可易易世傳授有國大事則尤不可釋喪服冕吉凶相襲變易無常恐乖斬衰未葬不敢變之義然則喪服嗣位乃所以嚴其禮也伊訓元祀見祖則不言冕服三祀歸亳始擧冕服則是可認除喪而後服冕也且以喪服朝祖之義揆之則祗見厥祖者亦當用縞服（如視事服白衣冠之類）後世拘於服色亮陰三年廢謁廟之禮禮意恐不必然也集傳咸用師說則釋冕反喪服註亦述舊聞恐當爲定論也 上仝

降服

爲人後者爲本生降服卽恩爲義壓情爲禮雖然苟無傷於貳統之嫌伸情盡禮於其中是亦天理之不容已者洵不易之論也至若衰服所以表哀非直爲臨喪從祭而設者古人亦有衰絰出入者私室持衰接賓受吊固無害於壓重故亦不欲其奪情而渠以非喪所服衰爲不自安非有所忌諱也近俗所着蔽陽子深衣縱非禮服祗當用此以受吊已矣生親喪未葬廢所後廟事患亦云爾而向稟中斷以期服不可以廢夏云者失之大快旋悔其率易矣如賤息者雖不與祭亦不當拜年於廟耶身不操潔頭不巾櫛則入廟非時當幷廢歲謁乎願更承教 吳老洲

宋禮之降舅姑三年者有乖不二斬之義朱子載諸家禮者爲時王之制非謂得禮之正也爲本生舅姑大功者以不二降也禮婦從夫服降夫一等夫服本生父母之期則婦服大功宜也豈可比例於降服三年而從夫服期乎兄弟之子之婦服夫之伯叔父母大功則服本生舅姑亦如之此固相準而制服者也家禮備要一遵儀禮曷敢低昂於其間哉雖則大功除服後當爲之心喪三年此其亦異於他大功者耳 答朴宗塾

竊念程子之意以爲先王制禮出繼者降服本生以正統緒爲世叔父母幷降大功而爲本生父母則不以正統之親疎而皆爲齊衰期以別之所以明其至重而與世叔父母不同也雖稱濮王以伯父而其恩義之別別於尊者一体此之謂至重也不同也歟程子本旨蓋言喪服立文命意之如許而已未見其爲爲濮王服乃爾也天子諸侯絶旁期而期之喪達于大夫是爲禮之大經也借使英宗爲濮王服準禮不服必申心喪三年然後允符禮意若以爲本生異於旁期尊之同不同不可施云爾則斯事也非情勝乃義起情勝者失禮之正義起者非聖人不能也且禮者別嫌明微所以爲經紀人倫也當絶而不絶當降而不降則惡在其爲節文耶禮疑從厚是爲寡過而此則非可疑者從厚之過至無所等殺則幾何不野哉乎是宜競競也伊川請以濮王之子襲爵奉祀其後一遵斯言朱子謂以濮主國祀可見天理自然不由人安排而至論伊川濮議則云未爲允當未允當者卽指何事耶幸見教焉 李樸溪

禮有適子則無適孫故有適婦則亦無適孫婦其姑不在則服小功者爲適

孫婦也其姑在則服緦者同衆孫婦也既服衆孫以大功則當降一等服衆孫婦以小功而又降一等而緦者以別於適孫婦也既爲衆孫婦緦則爲出系孫之婦當降而無服而服出系孫以兄弟之孫故爲之小功其妻則降緦是則無再降之義也 李 采拂華泉

沙溪答外親適人者當降之問引喪服疏而曰外親雖適人不降惟爲人後者爲本生母黨當降又引鄭氏雖外親無二統之論而曰爲本生母黨降一等爲是然則爲本生母黨者宜不可降服乎是所謂私親之爲之也亦然也或者以外親雖適人不降之文爲出繼者仍服本服之證者其於報服之義何如哉所謂不降云者以內外從出嫁者而云爾郎以本服緦者降則無服有此從厚之論而亦非禮之正也曷可爲不降外親之證哉 答趙秉德

禮無服不再降之文惟兩男各爲人後及兩女各出嫁者不再降而已昆弟姊妹一体也未忍其服輕而趨於薄故不再降也出繼者固已降服降服者又爲出繼降而又降幾乎無服故尤翁嘗云出繼子孫復出繼爲其父生家亦不再降是爲從厚之論無関二統之嫌當遵無疑也至若婦從夫服降夫一等此是統論也爲夫伯叔父母大功郎是本服出繼則當服小功乃一降也非再降也其夫既服大功其妻同服大功則恐在其爲降夫一等哉 答李膺信

禮兩男各爲人後不再降兩女各出亦不再降而儀禮喪服曰爲其人後者爲其姊妹適人者小功焉註以爲大宗後殊之降二等故小功也蓋以爲人後而降一等又以適人而降一等所以爲小功耳凡降服各有名義各爲人後者以出繼之名而已各出家者以出家之名而已故不再降惟出繼而出家然後再降者以名義各殊也然則渝友之於其本生妹氏出家者服以小功恐無可疑耳 金基厚

禮云繼母如母以其在父之室事之猶母見育猶子故同之所生而齊服三年若父歿繼母自出而爲僧尼則是絕於父也所謂子無絕母之理者以有生育之恩也雖出雖嫁當服杖朞至若繼母則恩不出已義絕於父非恩非義何可待以出母嫁母乎生絕母子之名死則無服已矣親屬爲僧者前儒斷其無服況繼母乎 李寅文

喪服小記嫡婦不爲舅後者癈疾者姑爲之小功故家禮備要載諸小功條而既陞爲大功則當移載大功條無疑 答蘇輝冕

庶子爲父後者爲其所生母服以庶母者以承父之體不敢伸私也雖則服緦三月中當盡居喪之禮出八當服布深衣蔽陽子除服郎受心喪服墨笠墨帶練布直領以終二十七月之期而郎吉是爲不可易者也子之於母情雖無窮禮所不許則情亦不充自遂祇伸心喪三年以報生育之恩而已 洪圭周

凡未行三年之喪者撤几筵當限以主喪者之除服則承重妾子於其所生母撤靈亦當緦服除日爲限是爲得禮之正學齋說心喪行饋奠以終三年者出於情勝恐不可從也若有在室女應服三年者則當爲之再祭如古禮無則祇當以緦服之盡爲撤靈之期已矣情理雖甚缺然亦無如之何矣若不按禮律擅行三年之喪則非禮家之所知也 答趙秉德

人死族子可繼取其弟之妾子而子之因承嫡所謂妾子之母乃父之本妾畜者當服以嫁母齊衰杖期者也過房則當爲之降服服不杖期乎若服不杖期則與本生嫡母死差殊當如之何備要嫁母圖註曰爲父後者不服此以承嫡者言也至若過房而承適者秪論出系降等而已不當復論承嫡與否也然則若可以只降一等而死別於本生嫡母則遵出嫁女爲嫁母大功之例服大功伸心喪三年恐宜顧承明教 李樵淡

尊從叔父之於吾兄覆育生成恩參造化申心喪於除服之後宜也蓋有屈而不得服其服而行心喪之禮爲今兄當服期而降九月則九月後心喪以盡降服之月數斯可矣若抱至三年則不幾近於賢者過之耶昔有收養於祖母者欲伸心喪三年宋翁不許曰收養之恩可論於他人不可論於祖母本服外不當別申心喪幼養之恩比天屬爲輕若別申於本服之外則欲厚而反薄斯言得精義不可易也其不可施於祖父母者獨可施於伯叔父母乎鄭綏文門處之服世父三年以情則然於禮則過以兄弟之子而被養於伯叔父母天理所當然非以不足而爲有餘也先王制禮苟爲徑情宜復有限節哉 李穉秀

稅服

稅服當以曾子說小功不稅則是遠兄弟終無服也而可乎云者爲正鄭康成亦云若限內聞喪則追全服通典步熊賀循皆同鄭義而惟王肅以但服殘月限滿卽止立論而庾蔚之亦以求之人情未爲允愜者謂死殘月之制是符曾子成訓也然則追後聞喪者不拘服期之已過未過追服其全服恐宜 答趙秉德

儀禮追後聞喪者先滿先除後滿後除云者卽主親喪而亦指期功在中家禮奔喪條不奔喪者月數既滿次月之朔哭而除之檀弓疏鄭康成義若限內聞喪則追全服步熊賀循皆同鄭說庾蔚之亦云死服殘月之例推斯義也期緦之聞訃成服俱在易月之後則亦當計十三月而除服不當以小祥爲準也除服月數以死月計泓翁亦當云爾而卽指喪出月晦成服在次月之初者也若聞訃差晚而成服在次月則恐不當以死月計謙齋朴公舉以質諸泉翁泉翁答云聞訃晩而成服於次月者當以成服日計是爲不易之正論爾 李樵淡

凡服有正服降服之別降服重於正服正服則不稅降服則必稅曾子云小功不稅則是遠兄弟終無服也其可乎只言正服降服皆當追服也小功既稅則緦可知也鄭玄以爲大功以上則追服小功則不追服此所謂以義斷恩而曾子則以終無服爲疑是主於恩而從厚也當以曾子說爲正 答安永[illegible]

凡稅服日月已過乃聞喪而服若限內聞喪則追全服而今者繼后子爲所後父之生父當追服大功然未出繼之前既以本服服緦緦服已盡詎可更服大功乎先儒定論死服殘月之制恐不當稅服 答李在憲

繼后者若在於朞大功服未盡之前則死不可稅服之義耶以喪在於未入後之前準以小記生不及祖父母諸父昆弟而父稅喪己則否之例父母喪反承重外尤庵陶庵兩賢俱不許稅服而出后之日未可用追後聞

訃之禮否不責非時之恩秖施於喪服年月已過者則曷可謂所後之非天屬而訃較恩義輕重當稅不稅乎願聞明教 吳老洲

殤服

賈疏曰中殤從上或從下是則殤有三等制服惟有二等者欲使大功以成人言下殤有服故也若服亦三降則大功下殤无服愚按殤有三等長中下之謂也服有二等中殤不別占一等而從上從下之謂也從上從下而不別占一等者爲服大功下殤也大功以成人言之殤卽從父昆弟姊妹及庶孫本服大功者也長殤降一等服小功中殤若降二等服緦則下殤无服大功以成人言服之重者不可以下殤而不服所以殤有三等而服有二等也凡服之之道親者上附疎者下附故大功之殤中從上齊衰以成人言重於大功故亦中從上也以故特創七月以處齊衰以成人言中殤此聖人盡倫之義也蓋禮无七月之服惟齊衰中殤有之長殤降一等下殤降二等中殤則无定位以齊衰以成人言而降服大功殤服則中從上而降一等以大功以成人言而降服小功殤服則中從上而降一等以小功以成人言而降服緦殤服則中從下而降二等降二等者固與下殤之无服同齊衰中殤降一等者不可卽與長殤大功同所以大功之中別設七月以處之也同是大功以成人言或從上或從下者丈夫於從父昆弟姊妹庶孫正服也故未忍其下殤之无服々中殤以小功殤服婦人於夫之叔父義服也故服中殤以緦所以々親疎而附上下也來教所謂以恩之重輕而從厚從薄者得之矣諸凡中殤之從上下可以類而推也儀禮以三殤準本服分二等降服固也國制之不分三殤皆降二等或无等別恐无意義雖時王之制不可從也至若舅之長殤從祖姑之長殤當服緦以本服小功也不見於喪服者闕文也嫡曾玄孫及昆弟之子女本服期長中殤降一等服大功下殤降二等服小功曾玄孫之庶本服緦長殤降而无服不載喪服亦闕文也從祖々父本服小功則長殤當降一等服緦而儀禮　皇朝制國制俱不見故沙溪祇云當服緦而不敢載圖諸以涉自專也雖不載當服也周公作經舉上而明下或舉下而明上不見者以此求之可也禮宗乎周故雖　皇明集禮　本朝大典違乎周則舍之而從周惟補儀禮之闕而準禮當服則服之以從厚也備要所謂今制　皇朝制也　國制　本朝制也古禮有大夫士之別而吾東則无別服之也同雖好禮之家未有異以也若夫義起之舉非盛德者不能爲也 李載毅

小記云丈夫冠而不爲殤女子笄而不爲殤家禮則以男已娶女許嫁爲殤者襲開元禮也似因後世冠不待長而笄禮廢也冠已成人不宜待娶爲重女雖許嫁而不笄何得爲成人乎只合從小記而其未笄者遵國典以嫁爲制斷義也家禮集攷說得正恐不可易也 答任憲晦

自下殤立主程子義起立論朱子載諸家禮好禮之家所宜遵也凡殤喪常因痛毒慘烈而不遑爲禮以故不立主卽除靈者亦多是又不爲无據以有開元禮之文也從家禮及吾東諸賢之論則立主設靈座追主喪者除服之月卽祔于廟恐宜而旣不能然則於其亡日設紙榜行忌祭以終父母之身 朴雲壽

殤喪不當用成人之禮故古禮无虞卒哭至開元始行虞而亦不立主至洛閩始言立主亦无卒哭祔之文蓋殤與无后喪升班祔旣已祔食祖廟則祔祭固似在其中而據開元旣虞撤靈座无卒哭一則節所云卒哭明日而祔者將焉所施哉虞者所以安神也從古禮不立主則无虞從家禮立主則有虞虞亦只一祭卒哭斷不可行也旣不能虞而撤靈則以主喪者服盡爲喪畢之期豈有練祥之可言哉自從初期用忌祭禮恐宜虞及忌祭當三獻有祝不三獻則不成祭也 荅任憲晦

上殤終兄弟之子之身中殤終兄弟之身者弟妹豈有差殊耶祭儀无三殤之別也祝文用兄告弟之辭而曰兄告于殤弟殤妹虞祭當云悲痛猥至情何可處忌祭當云亡日復至不勝感愴若遵開元之禮不立主則忌日當設紙榜而祭者何可倫禮單酌无祝恐宜從家禮立主是爲得正而始葬不立主則亦不必追成是與成人之禮不倫故也 荅李應辰

哭夭慘惻雖未成殤而猶有易月之哭則曷可告榮於祖母之廟哉出痊後方可議到同宮異宮亦不必論也 朴宗與

師服

師服一主大義者恐无容議竊謂師服无當於五服故无服无服故心喪心喪之必準三年者所以同父之恩同君之義也君師父雖各爲一倫其義則互相兼之實理然耳當以檀弓文及孟子註爲師心喪三年若喪父而无服云者爲不易之定論而獨程張二子及栗翁欲量其恩義淺深而輕重其服者是則可施於百工技藝鄉塾句讀之師非可施於傳道受業之地也者若於道義之師差以情誼厚薄而不一其服則是貳視於君親幾何不爲父師輕重之歸乎一主大義斷以三年然後方可謂生三事一苟非然者豈所以合君親之恩義哉世趨靡靡馴致於三綱淪九法斁者咸由於師道之不立學絶教乖念之哀痛心喪之必準致方兩喪者以不可差殊觀也顧今師生二字爲世大諱往往視其師如弁髦士使若復以三年爲度比隆於君親則必拘於心喪而不承師問學者有之然曷可慮其弊而廢其經哉心本非服故借朋友麻爲弔服加麻之制旣葬而除仍伸心喪是爲得禮弔服自服弔心喪自心喪不可混而一之也孔子之喪二三子皆絰而出者指未葬云爾乎抑通看三年乎若三年則當以弔服爲心制乎黃王金三賢之服師用冠絰加絲武又具深衣及帶則非直加麻便是受服惡在其爲若喪父而无服乎所謂深衣及帶亦非疑衰則視以弔服而不嫌於无服乎全厚齋以淡黑笠帶爲師心喪服色是固可遵否處心喪雖於壓致方兩喪无斬齊之服而懷疾慽之情以不被於外而不存諸中則非所以致哀也不與宴樂不處內寢是爲節度而應舉做官當如何處之兩者俱可廢否從宦差異於求榮當遵長子斬服中不去官之例否古人亦有師喪去位是則加於人一等者恐難爲一切法幸更明教焉 吳老洲

師无服心喪三年是爲不易之正理而程子栗谷情義淺深之論又不可已者也當據檀弓弔服加麻三月麻除心喪三年爲宜其不能者是爲朋友麻非師服云者集考說固爲守經而心喪三年是豈可責於夫夫者乎

必準三年如勉齋之於朱子則得正否則如沙溪之於栗谷尤菴之於沙溪以期年爲度恐爲得中也名爲三年而不嚴於心喪則未若減其期而盡其禮也當還就於情禮之間而處之恐難局定也若責祗見伊川面者以服三年則竊恐師生之名從此絶矣詎非可悶乎蓋師不立服不可立也當以情之厚薄事之大小處之若顔曾之於孔子雖服斬衰三年亦可其成己之功與君父并其次各稱其情已矣 答趙秉德

卓夫人郭劉少傅子羽繼室而珙之母也朱子十四歲奉母從劉屏山子翬於崇安五夫里少傅屏山之兄而珙爲屏山後者也朱子師服屏山而於少傅一事之故曰受恩深厚也蓋自幼升堂而拜故有書古道也古之人於其師妻之喪有爲祭文者以生時升堂而拜故也　本朝卞春亭爲文祭鳳陽夫人李師善妻亦爲栗谷心喪三年蓋卞李即圃隱栗谷門人也 尹光演

喪大記弔者襲裘加武帶經然則古者弔服亦有帶而家禮弔皆素服註亦曰幞頭衫帶皆以白生絹爲之但未知帶制如何耳所謂弔服无定制隨時而異首加單服之經腰加夾縫之帶用倣宋儒及本朝諸賢之論庶乎寡過也帶用布絞終是嫌近於服緦不如夾縫而兩耳垂紳之爲彖常耳近世爲朋友麻[illegible]者亦用此帶耳 朴宗輿

老洲吳丈指謫吾輩之於此翁當處以栗谷之服退溪而只素帶三月庶有所依據故欲加麻加麻如緦三月而除是爲得禮也未知盛見如何 李襟溪

喪服記不曰朋友緦而曰朋友麻者非服緦也只是加麻於弔服之上而已故註云相爲緦服之經帶而處於五服之外則非緦服可知也既葬而除麻非若更行心喪如師服然也朋友墓草宿不哭以過期則不復哭也引朋友期而爲爲師三年之證者鄭注看得甚正而三年者心喪也期者哭已矣 答趙秉德

朋友雖屬五倫之一而不比父子兄弟之天親君臣夫婦之定名若不交則不成朋友必須以義合而有定分然後方許爲朋友所以必加之交二字也 申錫範

守制

朝夕哭象生時之晨昏定省雖練則而止亦不可闕然死事故退溪義起始有展拜几筵之論然展拜非常侍之義恐當行瞻禮所謂瞻禮侍立而不拜也農岩祗言朝而不言夕夕亦不可廢也當從陶庵說并行於晨昏故嘗質諸近翁而行之不識執事所處何如向叩朝哭入哭之異愚亦云爾矣曾與深於禮者商論而其言以爲是日既有入哭一節則不必先行朝哭兩相不下而罷今焉命之矣茲自信耳 李襟溪

家禮昧爽適父母舅姑之所省問丈夫唱喏婦人道萬福即禮之晨省也既夜丈夫唱喏婦人道安置而退即禮之昏定也唱喏揖時聲則晨昏祗行揖禮可推而知此是常侍无拜之義也故父母喪朝夕哭而无拜練後則瞻謁而已獨慎齋金先生義起行晨昏拜雖寢亦拜沙翁以父兄臥則不拜爲教而慎齋終不廢愚嘗從之後準家禮不拜矣近聞渼湖門子弟晨昏祗行揖禮云遠法朱子近遵渼湖則恐不迷於適從而亦可以得禮之正如何 尹光演

宋時習俗喪家設酒宴客〻亦恬不知愧故程子之訓乃甭是所謂以禮自處而以禮處人也食於有喪者之側猶當不能况會下而飲酒食肉乎喪葬時秪宜以素食對客〻亦食素晦翁亦云祭饌只可分與僕從以其可施於僕從而不可施於賓客也 李承憲

古人居憂固不許汗漫出入而或為喪故及不得已者亦有樸馬布鞍之說至若朱先生葬前亦從師〻生相與非比餘人過從故也春翁繼過又祥往拜師門俱為可述而賢者引此為見訪賤陋之證非愚之所敢當也 答任憲晦

非兄弟雖隣不往是為不易之常經也為彼衆則不專於親為親衆則是妄弔云者寔有精義雖居近而情厚亦不適閑也胥子弔子張雖載於檀弓恐違孔子所云三年之喪而弔哭不亦虛乎之文有未敢信及也 上仝

自從邦慶洛下有喪家皆廢哭而行饋奠於禮有據乎禮郊之祭喪者不敢哭凶服者不敢入敬之至也又曰國禁哭則止朝夕之奠卽位自因也三代以後未聞因祭而禁哭亦无由慶而設禁今日之不哭者認以義分所當然而孤子則不忍不哭縱欲隨衆亦不可得而有不敢自安仍憶己巳邦慶値執事居憂不識如何處之若以不哭為度則三日而止耶停哭俗也非禮家之所與知此等處說分義不得也 李禝溪

居喪有病亦許董桂而惟不入中門一節為大閑不可以逾也苟係奉親享先不獲不對客而莫客言傳者則以書可也若大故掣碍而回語屋外則似不甚悖而嫌疑之際在所當慎不如其已之為得正耳周舜弼以為終祥不入妻室漢之武夫亦能吾人稍解不待防閑之嚴而自不忍為朱子孫之近齋朴先生心喪中夫人病困而不引醫切脉其嗣勸之而亦莫承順竟使親屬診視茲事準正可法耳 上仝

親父母之服旣為期年故練而歸後亦就內寢但近世吳寧齋丈其外舅練祥之後欲就內寢則夫人曰雖降而為朞心喪之義可以終三年願夫子圖之寧齋丈大加稱美而許之寧齋公沒夫人絶食而殉貞善見義理分明者辨大義涎容也 答鄭奎元

禮雖許有疾則飲酒食肉然肉助胃氣可以已疾猶可也酒則不可矣曾下者飲酒程子猶戒以陷惡況自飲乎若老人寬酒戶者垂死疾篤則亦或沾唇以扶衰而不至醉焉可也附註所載語類說必指此而言而至謂勉循尊長之意而强飲則恐失朱子本旨未敢信及耳 李禝溪

父喪稱孤子母喪稱哀子俱亡稱孤哀子所謂俱亡卽幷有喪之謂也今人認俱亡之為先後亡雖非幷有喪者混稱孤哀則是新舊喪无別也其可乎家禮題主祝註云母亡稱哀子者卽父已先亡而子為主亦稱哀子之明證也盖孤與哀皆是喪中之稱則父母之先後亡者居後喪而幷前喪所稱極涉无義至若祖父母之先後亡者或有其父生時先已服喪已則服朞今於父死之後忽引曾所服朞之喪於承重之喪稱孤哀孫者不成禮意若非三年中俱亡者則祝文及書疏秪舉見在之稱恐宜然則如哀今日所値只稱哀子恐為得禮 鄭海尚

居喪之實不存乎毁瘠為病柴骨槃心惟戕形惟肖以底須寧是為純孝不宜治切令之業嫌近於媒榮也吾師近齋先生喪配不令胤子習科業

或曰詩賦則固非喪人所作如疑義時習何妨先生終不許是為守經之論不可易者也惟哀侍欽念哉 答朴鼎鎮

喪言不文故往哲居憂除非述家狀答人問萬不獲已者未嘗泚筆祭文雖異於閒漫文字亦不宜作雖在至親當待服吉也喪中不弔人之喪者為其忘己之哀也不採文奠酌亦此意也縱不押韻恐不可為朱先生所云古人全不弔祭者即以此也 答任憲晦

朱先生嘗與呂成公論喪中講學而不以為不可陸子靜則以朱呂所處為失以有父於不旅行不齊立之義而云爾耶於斯二者何居焉 吳老洲

居憂者固不當出便而至於不簟則无已太過乎盛暑不勝衰絰而又不颸風則必致中暍幾何不病上添病乎此非喪紀所關恐不須固執乃爾也 答任憲晦

君既侍側則尊府恐不當閉梅而賞花恐傷胤子守制之志也父有服宮中子不與樂推此意也子有喪房中文宣翫花乎以守制之者不宜於疎影暗香之間也幸稟于尊庭梅龕許借鄰所待到君除服而還之也非為梅也為君父子之盡於禮也可能有會否 答朴民赫

居喪者凡係閒漫人事固宜擱閣而至若應公家之役則當如平人蓋料民算賦專藉於戶籍即所以稽其阜蕃辨其減耗也故曰民之大紀國之治端詎可以在憂服之中而闕書數之版乎若使侍哀而居鄉當納租庸調三者應籍即三者之總目也是豈可已乎 答權達善

弔慰

曲禮鄭註曰弔傷皆謂致命之辭也據此說則弔與傷皆生者致辭之謂也蓋賓弔主人之時知死則致傷其悼之辭知生則致其弔慰之辭非以傷為哭也哭死曰傷問生曰弔弔而不傷只弔喪人而不入哭於靈筵傷而不弔只入哭而不請弔於喪人也據此說則傷弔皆哭也禮貴乎誠故方氏亦有近論近俗之論然如戚誼世契宜相識而未及相見者曷可準以不知者之例而不傷不弔乎況弔傷皆致命之辭則非謂不相知而不哭也知生者亦當哭死知死者亦當哭生恐不可太泥曲禮之文而當哭不哭也 許懋

弔禮差等莫无害理否近檢語類朱子曰古人无受拜禮雖兄亦答拜君亦然 朱子說止此 受拜云者坐受他拜自己不動也兄之於弟君之於臣猶然則於卑賤之拜不宜昧然无答況弔乎然吾東名分成俗莫能一遵古禮高下曲折隨時折中而當自牧則卑處人則尊可以拜可以不拜則拜可也柳公綽居藩子弟呼幕賓為丈皆許納拜斯事甚好 李楳溪

先儒於族弟姪之喪不拜不施於死者可施於生乎受親戚卑幼之弔者哭而已矣 答李在慶

本生父母雖與他伯叔父母差殊慰狀一遵伯叔父母例是為得禮之正尤陶兩賢說不可易也然世俗不知禮意只加本生二字於大孝至孝之上者斯豈章二本嫌微之旨哉近齋先生有所著慰本生父母狀而裁酌情禮愚所遵述故玆以謄呈不疑其所行如何 答任憲晦

兩喪家相慰答尤庵先生有答用其式之語喪中慰人父母亡既不稱稽

顙而稱頓首推斯義也喪中慰人期功之慽恐當不稱疏而稱狀也疏狀
若與常時不同則往哲亦應云爾而不少槩見恐當一遵常式奈何二字
若嫌喪人之自寬則改以如何役事所靡四字改以衰麻在身亦宜 答李寅龜
父母喪中答人疏必在於卒哭後而若事關喪葬亦無所拘往哲之所許
也況降期者乎期服答人慰狀不待卒哭禮也 答李道用
唁疏不當用邦國不幸四字代以不意凶變奄捐館舍四字代以奄違色
養恐宜蓋卿大夫死於罪則諱當遵士禮故也 答趙秉德
禮慰人父母亡者祥后禫前猶稱疏答者亦稱疏與孤哀禫前喪未畢故
一遵未祥之禮也禫則終制書牘往復當如平人近俗或自稱禫制人而
禫制之云不見於禮且人之施之也不當稱制候制候亦無稽之言也若
示異於即吉則彼此俱稱狀上恐宜 金鉐
喪中往復忌稱疏者爲加尊於平時人之施之也亦然而至親則無加尊
之義故仍舊稱書後蒙存訊勿復用疏字至可 朴來敎
禮無喪人稱罪人之文惟有答吊狀中罪逆不滅一句而已以故往哲咸以
書疏中稱罪人爲非禮在餘人猶然況至親乎 上仝
喪人之稱不見于古禮而本生喪自稱喪人則有沙溪定論無容議到狀
用頓首用稽顙之文恐宜除服則當稱心制人頓首二字恐不必改 答朴稚升
慰人嫡母喪疏禮無稱嫡母之文只稱先夫人與施於正室子者同爲若
其私親則當云先慈氏以別於嫡母也妾子亦自云私親已矣 權矩夏

恩賜

二品以上受賜祭者儀節自有鴻臚指揮恐當一遵已矣三年內受祭易
衰絰以素服者即不以凶服拜命之義也謹按五禮儀王世子臨師傅喪
條有曰主人以下五屬之親各服其服就堂下位哭及乘輿至主人去杖
免絰云云免絰則恐當祇去腰首兩絰而已喪冠衰服則不易是可以援
用於受祭也憂服中不可以宴賓此外諸禮恐當如禮行幣亦不可廢也 宋欽成

國恤

綿布樸素士庶之於方喪恐無不可服之義況冬綿夏麻是爲因時之宜
乎 答李膺信
際見泗園喪患在 至尊爲慽切也姑不敢選勝退以成服後恐不爲拘
也 任翼常
文武前啣皆受服齊衰期年則居憂不可以親喪之衰而廢君喪之服即
持齊衰服成服于 闕門外班恐宜 李定鉉
方喪縞素之中曷可看墨巾守用布作素冠如濂溪程子冠之類恐宜有
官者駿宕非禮也何可取法乎 答嚴星茂
鄉中士民之哭於本邑賓館者與都民之哭於闕門其義一也何與地主之
在不在哉遵朱先生望闕謝恩之例行於私次不爲無說而哭諱與謝恩
不倫赴哭於賓館外恐宜 答任憲晦
退翁之不作輓栗翁之不會葬恐是無忘己衰之意而皆以 大葬前而
言也 上仝
東俗無服錦繡者紬帛苧布是爲華盛 國慽中恐不可服而貧不能具

麻布或紫士色於衫衣用當麻布舉俗所通行者也麻布帶生熟俱無不可而始受縞服者恐當用生　戒令生進布服庶人白衣是為所區別而為士者何可自處以庶人而不服布乎上仝

内衰在先補緬所載燕居服之用白笠者有所未敢知者閭巷匹庶雖以齊禮之衰具三年之體猶用笠黑況在　至尊乎且笠是俗制而所謂黑色亦非純吉也勿論祥前祥後恐當用黑而補緬緬輯時未及釐正恐襲五禮儀之謬也受教條緬輯堂上所奏内衰在先公除後臣服雖未變而殺下視事服燕居服既用翼善冠黑笠則進見時亦當用淺淡服之制此乃從上服之義也斯言得正如此然後上下服色俱是微言而靡所参差也趙斗淳

曲禮曰孤子已孤暴貴不為父作諡註云作諡嫌以己尊加於父也漢光武上繼元帝故於鉅鹿南頓君未有進尊之稱晉元帝宋英宗亦嘗自加尊稱於共王濮王也　宣祖朝不為德興大院君上諡　章陵之未及追宗只稱定遠大院君而亦無諡今日事一遵德興大院君已例已矣節忠之典不當施於全溪大院君則何可施於恩彥君乎挨以事體不宜用君贈臣之禮感諭得禮之正而毋寧初不擬議用存慎重之義云者見理卓然一洗世儒之陋不勝賀歎上仝

按衰禮補緬竹杖條堂上曾經判決事堂下参下曾經侍從以上外官曾經水使以上皆有杖各品曾經侍內職據此則如汝堂上外官當無杖吾雖不以侍從自居既受衰矣當有杖與一純

梅山禮說卷之一

# 梅山禮說卷之二

金海　金奉洽輯

## 葬禮

### 相地

墓地是三才之一既有天人之理則地獨無理哉晉水淤滯其民諂楚水淖弱其民果宋水輕勁其民好正此水所使然也山東出良相山西出猛將此山所使然南方之强北方之强以風氣而言也唐虞都于冀州武王之定鎬京以形勢而言也申呂之自岳降以靈秀而言也君子之言地理如是而已何嘗以子孫榮枯諉其先之所藏哉程子固有避五患埋五綵彼安此安之論朱夫子還葬齋墓議山陵狀而亦何嘗言其砂破吉凶哉殷周求福於祭者致誠盡禮是從人道也晉唐以還求福於山者肆欲妄行是壞人心以徼天幸也以若黑窣有若挾雜其不覆人宗而禍人家者幾希亦可哀也已淵翁之詩曰世人幽陰怪說紛不尊祠屋重丘墳功名夭壽違心際歸咎其山穴不真讀此詩而顙不泚是真無人心者耳因以自警更為家執事誦之李潞

### 葬期

王制曰大夫士庶人三日而殯三月而葬註曰大夫三月同位至士踰月外姻至䟽曰左傳大夫言三月士言踰月此總云三月而葬者記者以降二為次故總云三月左傳細言其別故云大夫三月士踰月其宗大夫除死月為三月士數死月為三月故是踰越一月故云踰月據此則所謂士踰月葬者數死月則為三月而踰一月故曰踰月今人不解斯義以死之翌月為踰月而葬

恐失三月之喪一時之義也士虞記及檀弓家禮備要并无大夫士之別而皆三月而葬若不滿三月者報葬也今纔易月而葬其无渴葬之嫌乎事勢所拘若難停喪姑出殯於墓所以待禮月恐宜得正 答李在慶

王制曰士庶人三日而殯三月而葬殯與葬自是兩項事也出殯不克葬而曰葬可乎愚則以爲不可謂之葬也然則雖過三月之期一以未葬斷之已矣王制喪三年不祭之文今雖不可從於其身死未及世而祭其所奉位恐是情勝尤翁所教百日爲斷雖是通變之論而終恐過於禮未敢信及 朴宗輿

已遵踰月之禮用體逝者之心而禮无貴賤非三月則渴葬終不可以爲法者也陶庵以士之踰月而葬謂非報葬而卒哭不必待三月者恐難從也小記所言報葬則報虞三月而後卒哭者非獨指大夫而言則士之踰月葬者何可謂非報葬而待三月而卒哭乎 任穎西

啓先葬告葬期者葬期若退則當以更卜吉合窆之日告墓告辭當云維歲次云々某親某官府君合窆涓吉業已告期而事勢所拘退定於某月某日謹以酒果用伸虔告謹告 李晋淵

葬前告由用酒果在墓則薦在廟則不薦不薦者廢祭也薦者爲營窆也各有其義耳 尹養善

祖父母喪祭文不見於先賢集中農淵兩先生於同樞公亦无祭文抑以至親无文无間於親喪歟雖不撰文致奠恐不可闕也 答任憲晦

京宅寄也鄉第歸也歸鄉第閱月而窆則祖遣兩奠既不可徑行又不宜疊設發引前日夕奠以明日下鄉之意告于几筵翌曉啓輀還鄉臨葬行朝祖其夕設祖奠上山時設遣奠恐爲得禮自京發靷時朝祖々奠遣奠恐无意義是負庵說可遵也告辭當云明日啓靷向于鄉舊第用待葬期謹告 上仝

春秋之法君弑賊不討則不書葬者以復讎之大義爲重而掩葬之常禮爲輕以示萬世臣子者遭此非常之變則必能討賊復讎然後爲有葬其君親也匹庶之家不幸遭此變故雖過三年當待復讎而後始窆不悖春秋之義也喪服小記三年而葬者必再祭註曰祭畢必舉練祥祭故云再祭也二祭仍作兩次舉行如此月練祭次月祥祭除喪服既過時矣祥而即吉无復禫也妻之讎當如兄弟之讎不反兵而鬪雖與父母之讎不共戴天者差殊其必報乃已則同報復而後克窆克窆後行虞卒祔々之明月行練又明月行祥无禫而即吉則與三年之喪其禮亦同耳父在母喪則縱過期練祥々後仍行心制必準二十七月之期而即吉也 朴重洪

祠土

祠土地必書死者之名尊神之義也以子孫而告神則不敢呼父祖之名餘人則不可諱也方營建宅兆而不舉其名則何以知所葬者爲誰人耶 金希聖

一日之內告諸一山之神而疊設祭者果近於瀆從其開域啓墓之先行者兼告兩項事措辭則當曰某親某封某氏將啓窆遷祔于某親某官之墓云々未知如何 李禝溪

遷舊墓而合新墓者開塋域祠土神祝當云今爲某親某官姓名宅兆不

利於改葬于此且為某封某氏營建宅兆葬時當云今為某親某官姓名某封某氏合封窆兹幽宅 洪彥謨

告先塋

告先塋者葬地遠近同則告于最尊位遠近不同則只告同岡之尊者是為通行之禮恐當依此行之而先塋只是一位則相距雖遠恐不容不告也先葬位雖未行祔左之禮恐亦當告告時或用服輕者而喪人躬往則亦宜自告以與廟事不倫故也 鄭海尚

附葬

并有父母喪而一日合窆者三虞卒哭當先重後輕而各設於兩位几筵祔祭亦當各行所謂鋪筵設同几精氣合之義當論於喪畢合櫝之後三年內雖喪葬同日當各設靈座各行饋奠也同日而葬者安神為急不出是日而先後舉虞祭祔事則不可并日疊設以亡者祖妣之不可一日無祭也 李益永

母喪中改葬父不可以持母衰而不為父緦緦雖輕為父服則象斬衰之義而具三年之體反為重於齊衰所以不可不服也兩靈座當設上會上會時則各服其服兩斲並啓服緦以隨合祔時贈玄纁於妣位亦當用緦以父葬為重也若非合封則各服其服而雖合封至母虞始還齊衰耳 池景喆

父喪逾月而母死將同日而葬葬先輕而後重虞先重而後輕自有孔曾定論无容議到而父喪則三月母喪則逾月而葬者當待三月卒哭而祔三月而葬者則即當卒哭而祔无待後事耶小記所謂先葬者不虞祔待後事以葬母既竟不即虞祔更脩葬父之禮父喪在殯未忍為虞祔也今也則同日而窆同日而虞焉初无脩葬事之可言然則母喪未卒哭无不可行父喪卒祔之義耶卒哭在所即行而祔事固无早晚待母喪卒哭同日而先後舉兩祔未知如何未若卒哭而即祔為得禮之正也對人問而終莫自信願從決之 吳老洲



雙墳雖非同穴塋域同石儀同歲祭祀時亦同其與合封不同者幾希何必同穴而後可乎孔聖雖善魯祔之合而亦不曰衛祔之離乎哉雖離亦祔如可得已已之恐宜以无他故而遷之為難耳如不可已則亦奈何新舊壙相距不能以步則祀土地似不必各設而開塋啓墓非一時則恐可不各告其由乎決知其為兩項事也 李載毅

所謂合葬者以婦祔於夫也故曰百歲之後歸于其室今人生存而合前後妻之葬葬何所祔乎虛其中而兩配雙墳則可矣前配祀墓告辭夫當主之而用改葬禮不當云合葬新葬位亦不可槩及元配夫在无兩配合窆之義故也 答李道用

兩配下棺當在一時耶元配先葬則事畢奠墓不容少緩繼配返虞當不出是日以先重後輕之義先奠元配墓恐宜 上仝

前後母一是改葬一是新葬而同時發靷則隨後者當服衰改葬位饋奠下棺時當服改葬之服事訖還服新葬齊衰是為各服其服也 上仝

父服雖重緦也母服雖輕齊衰也恐當常服齊衰有事父殯當服緦訖還服母喪齊衰合窆後設奠墓前用安體魄即舉母喪虞祭不出是日恐

宜 洪彦謨

啓殯

儀禮代哭如初註云棺柩有時將去不忍絶聲然初喪代哭止於未殯爲柩見也推是義也啓殯而哭至窆而止恐爲得禮也第今俗所謂破殯與遷柩不同日則未可謂已啓殯而代哭代哭當待遷于廳事然今也則旡遷廳一節朝祖後行之說于下棺如何 吳致箕

禮啓殯遷柩自是一事故啓殯告以遷柩且有啓殯而旡破殯破殯日家說也若從俗破殯隨其日時則當別設奠如朝奠而用遷柩告辭恐宜發引前日不宜疊告 上仝

啓殯非奪情之事則恐當先重後輕 金箕夏

支子攝祀者若旡父兄遺命則啓殯日當告攝祀之由如陶庵說而尊門既有素日治命則旡所事於更告然事異常經恐不容旡告 李勉愚

朝祖

朝祖象生時出告之義婦女有行何不可辭於尊者乎周禮天官王后之喪朝廟則爲之蹕熊氏引此爲母喪亦朝祖之證曾春姜纚笄而朝於君生當有兎朝何不然愼齋以朝夫几筵爲得禮恐當爲不易之論也 朴敦行

士喪禮命訃在始死遷尸之後告廟亦當在此時而既不告廟遽行朝祖恐涉逕庭而禰廟在宗家則亦不可奉魂帛往朝使服人替告恐宜告辭曰維歲次云云某親某敢昭告于某親府君某親孺人以某月某日喪逝禮宜告廟而悲遽不遑今日啓殯亦宜朝祖而以喪在異宮罔克行禮謹告○廟在異宮罔克朝祖則几筵亦當告由辭曰今日當朝祖而廟在異宮罔克成禮謹告 答沈燮澤

魂魄神魂之所依將返以木爲主者也尸柩體魄之所在一往而不回者也朝祖者以體魄之永辭也以神魂代體魄豈非失朝祖本意哉吾人家祠宇狹隘難於轉遷故往往廢禮丘儀亦以魂帛代柩謂非古禮而猶愈於不行沙翁載之備要者用備一說非謂其可從也廟宇可以容柩則自當如禮不可苟且從俗也 李勉在

朝祖同宮之禮也支子異宮之喪恐不可行覲路若出宗家門前回柩向宗家用寓朝祖之義尙春亦云有哀痛惻怛之意雖旡於禮亦何所妨是爲可遵也 答任憲晦

朝墓雖不見于禮既難先兆未忍昧然旡事奉柩而辭恐非可已而崇岡峻坂難如涉𭸳遵備要魂帛朝祖之禮代以魂帛恐宜而魂帛已埋則舉輦時向祖塋停柩用當辭墓亦宜不以柩不以魂帛而祗銘旌則恐旡所據也 答任憲晦

今從侄喪先朝祖後朝其親喪靈座恐宜祖是廟禰故只奉禰廟者亦云朝祖而靈座非廟也故不可云朝祖告以請朝顯考靈座未知如何 沈宜健

婦人外成也雖死於本宗不可朝本宗之廟矣至若告死推以有事則告之義則告出嫁女喪未爲旡據 李㮚溪

祖奠

家禮祖奠註溫公曰柩自他所歸葬則行日但設朝奠至葬乃備此及下

遣奠推此義也先期發靷停櫬於墓下者似當及窆時奠祖及遣而喪在於洛下本第則非他所也雖先期啓殯既越月逾時矣祖遣兩奠不容不行既行矣不可以淹違丙舍而再行以浔于黷也其不曰黷于祭祀是爲不欽乎牛溪愼齋陶庵諸賢已説盡固所信及且先生荅人問曰前期發靷之家祖遣奠祝辭依不留往卽幽宅云云似无太顯之嫌安用添入告辭又曰自京第既行祖遣奠則山下停柩雖多日臨窆不必更告蓋前已以往卽幽宅告之矣有何更告之語再告亦涉煩禮恐不可爲斯言較諸賢説尤明白正當不敢不從耳 朴宗輿

遣奠

家禮納大轝於中庭脫尙加楔載畢始設遣奠而今也則人家常患狹隘就轝門外既乖禮意路次行奠尤非其所大門內如可容轝設諸中庭恐宜如不可爲卽小轝加素錦褚出門而就大轝仍舉遣奠事勢之所使然也遣奠是爲送死之終奠故必行於靈輀既駕之後者精義存焉以其所則當行於中庭以眞禮則當舉於大轝縱失所其當遵其禮且近世因地勢皆施於路次故亦名路祭亦已成俗從宜已矣 李禩溪

發靷

喪大記註曰翣在塗則障車入椁則障柩而掩壙則无悪見其死之義故自書儀之家禮止以行柩不入壙是爲可從 荅任憲晦

父母喪發靷在塗當先父後母卽男先之義也況祖母反母葬乎祖母靷行之當先恐非可疑也 申錫禧

行者哭婢宜隨男女哭從白幕夾幃之外而近世在喪車之前有若引路然者行之已久久則難變此等處亦何妨從俗耶 荅任憲晦

贈幣

古禮公贈曰玄纁束主人贈曰制幣玄纁束玄纁是束帛何可无束家禮不言束自是束帛无待言也近世用紅束玄用青束纁恐取其華而用玄用紅各從其色亦无不可也 荅任憲晦

玄纁位置家禮所云柩傍之傍未見其爲棺槨之間奠于柩上之東則庶乎同符禮家禮之文未知何如從尤翁説分奠玄纁于柩傍右左固不害理而棺槨之間非奠幣之所且久來歷未敢信及者殆以此也 李教信

返哭時不辭墓爲其全意于神主云者沙翁説眞得禮意宜陶庵發歎也秖宜遵用已矣曷可捨禮而從俗哉贈玄纁再拜非爲辭也爲贈幣也以故惟主人行之而已南溪所云各當其宜未嘗悖重於人情者恐涉曲解也贈玄纁再拜卽奠幣于后土禮拜于地神云者盛示必有來歷而愚无所考不識見在何書雜記魯人贈疏曰贈謂以物送亡者于槨中也然則贈幣爲亡也者拜爲贈幣也斯禮也恐无與于后土之神也尤屬至不忍之地禮无立文以不哭辭于墓如不哭辭于柩云者甚得眞正歎服 李教信

士喪禮曰公贈玄纁束又曰至于邦門公使宰夫贈玄纁束乃窆又曰主人贈用制幣玄纁束雜記曰魯人之贈也三玄二纁爲主人贈尸也贈用制幣玄纁束凡幣皆用制者取以儉爲節也卽其制幣二字而可知君贈主人贈之界分自異也賈疏以主人贈君爲物者其言无稽後世則无君贈

而主人自具爲之矣士喪禮襲斂陳衣必區別庶襚君襚明非主人所具豈有君贈而混稱主人而云爾哉且禮拜眾賓而不拜棺中之賜許人自致其情也君命宗幣柳中自合以之納壙是存君恩也豈容主人還出之柳中而拜而贈之爲若已之所具哉君贈親賓贈之外別有主人贈無疑此家禮所以特言主人贈也是贈也寔原於古禮恐非出於存羊之義也古禮公贈即施於命士之禮而主人自贈則無貴賤之別爲詎可以無君贈而不爲哉凡贈幣稱家之有無力可及者當遵正禮六玄四纁而貧者則玄纁各一已矣蓋贈者所以亡物送亡者於椰中者未宜以難辨而闕之者也君贈賓贈主人贈皆是情禮之不可已者何謂虛禮乎 林宗七

柩衣

柩衣即既夕禮所云幠用夷衾也本爲尸柩見時故小斂而設殯而撤啓而復設則窆固無所用也以故農岩渼湖俱不用惟在裁處之如何耳疏曰夷衾本覆柩故無撤文當隨柩入壙開元以下咸從疏說用之恐不悖禮也柩衣當倣夷衾之上緇下赬而貧者未須用繒代以綿布是爲稱家有無也 答任憲晦

倫要圖順書倒書各有義例惟茲玄纁之不從柩衣順書而反從北上而倒書者是未可知也上玄下纁即柩衣之色柩衣既從尸首南上而書則玄纁亦當書之以一例而今乃不然位置之上下則同而從書之南北則異是爲疑耳蓋斯圖也即其圖面從上而書其勢爲順如圖中所書靈反銘旌靈座卓子阼階西階之類是也以故柩衣則從尸首南上而書玄纁則從圖勢北上而書北上者視柩衣則倒而視圖勢則順也以柩衣倚殯字之從北書而可知也且靈幄中枕衾便亦從南爲上而書而靈幄與帝字則從北上書推是而翫照則可得其意也凡屬於尸者則從尸首南上而書外是而泛稱者則從圖面北上而書愚見如此可幸不悖否 李基敬

題主

行職贈爵均是公朝之賜先行後贈汝溪尤翁所爲遵也戶籍試封以先贈後行告祝題主先行後贈仰述朱子恐宜 李升淵

題主當用末職而近俗咸用所經之右職經筵官自參下至二品皆所兼帶者則當書祭酒之下講院兩銜書諸經筵官之下恐宜銘旌與題主無異同而或未該於題旌者俱書於題主老洲吳丈喪亦乃爾題主并書贊善及傅不以講院之見罷而不書也 宋欽成

曾經假注書者亦去假字於銘旌題主將作官上恐是不必加一假字假字非可書於終事者也此雖小節如其非是斯速改之何待葬後乎 金述鉉

禮記親同長者主之不同親者主之以各主其喪而云也過房之孫無嗣而死則本生祖當主其喪以亡從孫題主有應服三年者爲行練祥禫大祥後入祔祖廟待立後當行改題而遞遷立後前四位廟墓之享當單獻無祝也次子不敢遽題而只稱攝行者大防也尤翁說得斯義甚嚴恐不可易也所云攝主當因主無後之喪而并攝其先祖之祀然則令孫葬後以既主其喪當攝先祀之意告廟告廟後更無用攝主名告祝之節攝祀者單獻單獻故無祝也恐無兄弟次序之可拘也喪祭不可各主大資之

幷攝廟事是亦親者主之然非可已宋文吾立論可謂得正也令孫喪中當不廢先廟單獻之享何待其喪畢而改攝乎 李光正

中庸事亡如事存註曰指先王也推此義也妾子以亡母題主亦非卑之之意况有朱子成訓乎 李畸岩

子有長衆之名而題主則統称亡子不分冢介然至若妾子則當加庶字以別之苟非然者相混於嫡妻所生之支子故也禮者所以章嫌明微何可任其淆同乎 尹光演

奔喪曰親同長者主之不同親者主之所謂親者不分嫡庶而言也舍兄弟而取遠兄弟情有所不忍禮有所不愜愚意則庶兄主喪題主則當云故弟而不敢書名祝辞當用敢昭告諱以等字恐宜只言故弟太無分別亦似簡忽誠如老洲所教而嫡弟之称既無經據未宜翻用既云庶兄又下敢諱等字又改亡字為故字則亦可見隆殺也其庶兄豈非承嫡則攝行先祀固多窒碍而既不敢改題遞遷則未立后之前單獻無祝而行廟墓之祭恐不至於太難處也若以妾子攝祀為僭則小宗大宗均為可行於繼禰之家者亦可行於繼高祖之家曷可舍其親而從小功之親乎至若顯辟之題婦人無奉祀之義苟非僻窮万不獲已者則靡可議到也 閔泰鏞

古者不娶同姓故婦人不書姓貫東俗娶異貫之同姓故書貫而別之既是異姓則當不書貫用遵古禮且買妾不知其姓則卜之豈有知其為同姓而為妾者推此義也妾喪尤不宜書貫雖無封爵只書姓氏恐是 李畸岩

君主妾之喪當題其主行其禮雜記所謂自祔者以其祭于祖廟故自為之也士虞禮婦之喪祔則舅主之亦此意也雜記所謂練祥使其子主之主是主饋奠之謂也小記婦之喪虞卒哭其夫若子主之亦同此意也或曰虞卒或曰練祥互文也不以不主虞卒而不主婦喪則何可以不主練祥而不主妾喪乎妾雖卑賤得主之者以其攝女君也且凡喪父在父為主則庶子在父之室曷敢自主其母之喪乎虞卒練祥皆在非尊者所可與故使其夫若子主之主之云者非主其喪也主其饋奠而已此是古禮也饋奠亦當自主於尊者以尊長坐哭之文而知其未嘗不與也妾祔之禮世俗所不行而以古禮則廟中有壇祭之若無妾祖姑則祔於女君可也斯禮也固無不可行者幸亟及古俾以從化為故曰禮儀由賢者出耳 上仝

葬而不立主固已失禮之大者而及今追行恐不容少緩亦何待再期之祀乎妻喪十五月而喪畢則再期非祥而忌也苟欲趁忌祭立主前一日設虛位于所嘗饋奠之室題主於其所後設酒果告由恐宜始不立主於窆穸之日則不可謂神返室堂固當成主於塋域而既行下室之饋又擧練祥之祭則不可復求神於虛墓故題主於饋奠之所者以魂靈之所為留也告辞當曰維歲次云云夫昭告于亡室某封某氏始初塋窆僅掩淺土貧不為禮罔克立主式擧闕典神主追成惟靈是憑是依 答趙秉德

成墳

始葬者因地凍未完封莎待陽和追行則當用改莎之禮既告當位幷及土神而完役後祇慰安當位而已告辞曰歲次云云夫某昭告于云云始行襄奉凍日未解未完封莎今將修葺惟靈勿震勿驚謹以酒果云云歲

次云云今爲某親云云塚宅未完將加修治神其保佑俾无後艱謹以云云歲次云云某親云云旣封旣從塚宅始完惟靈永世是寧 金廣洲

返魂

近俗返哭時有位者設軒軺无位者設鞍馬用儆 王朝返魂儀者无已儕乎秪用靈車 以俗所云要轝當之 恐爲得禮未知如何 吳老洲

返魂時不辭墓爲其專意於神主寔有精義存焉沙翁見得眞正當遵无疑而樑泉之從南溪以哭辭爲是者有不敢知情勝哀至有不遑念及於失禮耶 上仝

恩賜

禮葬與 賜祭名義不倫自祖遣至虞卒只官庀膳羞而已祭則當屬主家受禮賓之設侈 君賜也倫豆鉶之具遵曲禮也是爲幷行而不悖者也祖遣兩奠秪云如朝奠固无定品則不可更容他儀者已得其正至若虞卒陳設具饌自有儀節恐不可秪薦 賜饌參以饎羹豚腊用準祭式恐非可已也獻以主人之禮祝以主人之名則是祭也公乎私乎旣是私祭則曷可以饌出於公而禮廢於私乎 助饌事勢自異 致侑何所嫌而不用私祝乎无祝則單獻單獻則非祭以虞易奠而祭不成儀可乎儀不及物猶曰不享況儀物幷虧何以成享哉又有一事可證古者公贈玄纁束主人贈制幣玄纁束君賵之外別有主人贈而幷納于壙亦不以公私相混爲嫌贈幣猶然況安神之祭乎 洪顯周

虞祭

初虞之不出是日卽不忍一日離之義也實土而後題主返哭而後行虞自有層節亥時下棺者曷可行虞於是日耶若欲行之草率苟簡恐不成禮上當事辦而行要使窆與虞相近可也日辰則當用翌日干支不必以不出是日爲拘也路中若値柔日則依初虞禮當於所館擧再虞逆旅若難辦殷需去米食行之恐宜未可以儀物不具而越柔日不擧也三虞雖値剛日不可行於所館爲其成事也故至家乃行也至家若爲剛日則恐當卽擧三虞於是日尤翁所云三虞不可以至家日爲準者似以有違質明之文爲疑欲退行於後剛日然剛日差遠恐未若於神返室堂日行之之爲得也魂氣彷徨遑安爲禮不須以質明行事爲拘耳返虞至家若値望日則以行者廢食之義擧朝上食於所館至家而擧殷事夕上食恐當兼設若行三虞則當廢望奠以一日不再祭之義也 柳弘根

曲禮食居左羹居右而特牲禮黍稷居東是在羹外家禮之右飯却如小牢之角黍右之羹居酒左如特牲之酳奠鉶南而沙翁云恐出當時俗禮家禮從書儀未改者似得其寔也虞以後生事畢鬼事始故其設饌用祭禮飯右羹左上食當象生從曲禮飯左羹右之設是爲先儒定論之可遵者也 許棨

小記所謂不虞祔待後事卽指父母偕喪葬不同時者言而亦爲所行不得者體魄歸土魂氣飄散故亟設祭而安之要不出是日禮意卽然也雖在重喪未葬之前不可不立主旣立主不可不祭曷可使將散之神閱月而无所憑依耶尤翁答人母喪將祔父墓旣穿壙而遣妻喪成服后當葬

而虞卒祔行否之問曰初再虞則行三虞則葬妻后擇日行之而三獻皆不可廢此為重喪中遭輕喪者設而亦是以葬服最急於安神无輕重之別也母喪未葬行妻之虞雖似未安虞者葬之餘既葬即虞恐无可拘等

三虞卒哭俱是成事恐當退行於重喪卒祔之後未知如何 趙鎮壽

以成服日入就位然後朝哭之文推之則虞卒祔練入哭即兼朝哭而言非朝哭於外而又入哭於內也家禮就虞祭言翔奠而獻酒无從以至練祥禫恐是闕文丘儀具炙并設進饌而不從於獻恐失其儀須從士虞記具肝肉每獻從之如時祭是為得正一遵古禮即朱子之意也 答任憲晦

主人以下入哭註尊長坐卑幼立據此則坐哭立哭各有次序而以初獻註曰主人跪以下皆跪而无主人以下俯伏興之文立哭者當伏哭〻止復位辭神則當立哭祝與置祝版伏哭亦无不可近例然矣朱子亦云伏哭居齋者伏哭亦宜 上仝

家禮既云哭再拜復位哭止則可知其且哭且拜也哭且拜本自開元禮而開元禮一奠爵遂闔門故於此內外皆哭至書儀則三獻用古事尸之禮而獻必哭但无餘人哭也亞獻條曰禮如初但不讀祝四拜既云如初而特著其不祝與四拜則哭亦在如初中矣且以禫祭特言三獻皆不哭者推之亦可見自虞及祥亞終獻之人皆哭如初虞也斯義也古人已言之 上仝

三虞日與節日相值則新墓祭備禮設行恐宜 鄭海尚

三虞既值望日則望奠恐當廢以一日不再祭之義也 上仝

三年中有常侍之義則无所事于辭神而虞祭特言者之是日也以虞易奠備一初之祭禮故要見其祭終也陶庵說雖名曰辭神只是告以撤饌之意者恐得精義无容議到 李承憲

斬衰絞帶虞後之變麻服布出自公士之衆臣而卑賤之故布帶繩屨降而屈之此是義服之變禮也賈疏之見取圖式之見載固有所不敢知者而沙溪先生既稱諸備要行之已久〻則難變也腰經重絞帶輕腰經既變葛則絞帶亦當變若嫌服布之无分於斬衰則熟麻亦可用布則當練而不緝邊也絞帶既用練布則冠之制纓武无差殊也斬衰練服當緝邊之論即因如功衰之文而發然如功衰之如字祇言去負版辟領衰如之已矣若用緝邊則恐違斬衰三年之義或云斬衰三年之文特蒙始初而云爾非三年仍衰之謂然練服緝邊誠有如李寬宕所譏期斬之嫌制雖如大功而不緝邊恐為得正 林宗七

士虞禮卒哭薦設之以貧者亦一如虞至祔祭始言如饋食禮而疏曰祔祭主婦薦家禮卒哭進饌已以主人主婦者恐因檀弓吉易喪之文推之太過也虞是喪故祝進饌卒哭吉祭故主人主婦進饌是為家禮之意而祔祭視卒哭尤吉而進饌以祝如虞者恐是不欲以凶衰而親將於祖者也若主人非宗子而宗子主之則宗子夫婦進饌當如時祭之儀而為喪家而設故猶用喪祭歟或云三年內喪祭斷以古禮无主人主婦進饌之節斯言恐得盡哀皇不能執事也 答金復亨

左脯右醢生人之禮也葬前饋奠當象生而備要襲圖之右脯左醢恐失

照檢遷襲圖則左右得正也虞而神之則自從虞祭當右脯左醢也蓋脯屬陽醢屬陰故生死之饌左右乃爾也 荅任憲晦

家禮凡祭皆位于階下而惟虞卒哭練祥禫序立於堂上即本之士虞禮即位于堂而以喪中之祭歟祔祭則宗子主之而爲所祔祭而設故用階下之位 上仝

妻喪再虞後告妻喪几筵曰三虞卒哭及祔祭固宜紬行而當待顯考顯妣虞卒祭畢茲因上食茲告考妣喪卒祔后行妻喪三虞卒祔恐宜 崔士亨

主伯叔父母喪者虞卒祝无見于禮者援用慰狀荅辭摧痛酸苦不自堪忍八字恐不爲无據也自虞至卒練祥恐當通行喪畢後忌墓祭祝只用不勝感愴四字恐宜 李宬在

虞卒祔練日朝哭有无未及援據而儀禮士虞禮門内位條曰宗人告有司具遂請拜賓如臨入門哭婦人哭註曰臨朝夕哭蹶曰朝夕哭時門外送賓訖入門男子婦人共哭此當爲虞祭日朝夕之證推諸卒哭祔練皆然家禮備要出主後入哭即沿士虞之入門哭曷可謂是日无朝哭乎不當如何 宋正熙

時祭則次奉妣位盞盤故考位盞盤姑奠于故處待奉妣位盞盤同時祭茅虞祭則只是當位故斟酒受盞即爲祭茅所以異也 荅李公旼

從曾孫之主祔從曾祖母喪者虞祝當云從曾孫某官某昭告于祔從曾祖母某封某氏日月不居奄及初虞悲悼无已謹以清酌庶羞陳此云云恐宜若有爲亡者應服三年者爲之再祭即指練祥若有服朞者即出嫁女爲之練祭靡所行練只指其名而撤靈若无三年及朞者從跡家小功緦麻至祔及依服月數而止之說爲之虞祔而撤靈至若所謂卒哭所以卒无時之哭惟有朝夕二哭漸就於吉禮故曰成事總喪豈有无時朝夕哭之可言乎无祭可以卒哭秖行虞祔恐爲得禮既无練祥則自從初忌祝當用不勝感愴四字 荅趙秉德

嚴内外固爲喪紀之大防而臨祭則主人主婦各舉其禮非所可拘自虞卒至祥禫皆用主婦亞獻則何獨於祔祭而嫌其共事哉 上仝

凡内外序立皆在於階下今或位於爲堂上非禮也有事則陞无事則降大小祥亦當乃爾入哭時與衆賓擧哀於階下位所謂重服在前亦以降復位而言耳 白宗杰

尤翁荅虞祭時祭亞獻先後之問曰虞祭猶是喪祭故與時祭略有異同寒岡亦曰虞祭哀遑其禮當簡時祭嚴敬不得不備合而論之其義可見而卒哭以後吉以易喪告成讀祝咸易其方酌獻之節亦應隨變而自卒至禫并同虞禮是未敢知也恐是家禮之當改未改備要所以仍舊者秖當遵之已矣 李楪溪

體魄歸土魂氣飄散故初虞之不出是日再虞之必於途中或於所館以不忍一日離而无所歸也再祭以安之不待返哭于家自有精義存焉返哭而行再虞流俗之出於占便也曷可捨禮而從俗乎虞祭若值朔望則朔望奠當廢以一日不再祭之義也 李敎信

## 卒哭

葬而未卒哭當用未葬之禮則忌墓祭朔望參恐當不擧而尤翁以爲若據古經葬而後祭之說則三虞之後亦可言葬後從殺行之恐不爲无說至於新墓之祭則尤无所疑同春亦云卒哭前如值節祀新墳旣從俗設祭則於先墓都无事恐甚缺然据兩賢說旣是葬後則雖卒哭前亦當行忌墓祭然栗谷斷以卒後者當爲不易之論所宜準正也第新墓旣設秋夕殷奠昧然无事於局內相望之先塋亦有所不安旣薦局內先塋而獨廢於尊祖考墓所者恐涉逕庭亦當畧設是爲禮窮則變也 鄭海尙

所後喪卒哭及祔祭不可還就於本生喪葬後蓋卒无時之哭屬昭穆之次不容少緩也然則允令爲其所後喪三虞後卽行卒哭及祔祭是爲得禮也 閔達鎬

竊伏念笠制白黑宜有三年朞年隆殺之分而補編所載擴圖中 內喪在先泯用純白者反有重於傳之服重亦有違於羣下進見時用淺淡服以從上服之意且與朞制公除後燕居服黑布黑笠之定式編纂之臣所奏視事燕居服黑笠之文及五禮儀 內喪在先卒哭後進見時黑笠云者大相逕庭而靡所厘整有不敢知者 孝顯王后喪卒哭後大殿燕居制議

## 祔祭

士虞禮祔用嗣尸一祝兩告蓋同一几席與饌其義精微而至開元禮各設祖考及亡者位至書儀始用各祝家禮備要之所沿襲也家禮祔祭初獻酌獻先詣祖考妣前讀祝後次詣亡者前云爾則所祔位獻酌讀祝之幷先於祔位而仍行再拜可知也不特言再拜者包在幷同卒哭之中也 答任憲晦

祔事之必於卒哭之明日以祭昭穆之次而屬之者未可一日淹也或拘事勢不及行於卒哭之翌日者用進行之禮而卜或丁或亥日恐宜不爾則遵孔聖吾殷之訓旣練而祔未爲失禮當在小祥之明日否則追擧於大祥之前亦宜不祔祭而遽入廟恐涉逕庭必要趂未入廟而行之也祔之爲禮甚重主人非宗子則宗子主之非可以攝行者也然祖廟在遠則喪家設所祔位紙榜而主人攝宗子之禮主人若病莫承祭支子當援斯例而替行恐得也祝文所祔位當曰孝曾孫某病未將事使弟某謹以云云祔位亦曰孝子某病未將事使弟某謹以云云 答李鎭玉

祔祭專主所祔位故於祔位亦不哭歷尊故也今爲行祔於王父几筵則當哭而將事凡有事靈筵未有不擧哀而行禮故也 李晋淵

祔祭祝祗稱孫者子以諱父也若宗子主之則當稱孫某況宗子之吉祖考何可諱莇親之名乎 答任憲晦

喪主哭而先行云者以祭於祠堂者言耳宗子將納舊主于龕中喪主則不待宗子卒事卽奉新主于靈座故不容不先行耳 答金復亨

與宗家異居設虛位行祔者前一日告所祔位固有閒解說而若形格勢禁則雖先期預告亦不害禮不須切切於爲日之遠近也異宮者往往非所以祭昭穆之次而屬之之義也雖則預告紙榜降神用家禮初祖祭告辭恐非无據亦用宗子名恐得 答趙秉德

祔祭宗子之事而宗子旣死喪期未畢宗子之子於所祔位爲五代孫則宗已毁矣恐死主祔祭之義也儀禮祔祭只孝子主之以孝子名主祭恐

爲近古孝子主之則所祔位祝去孝字祗稱曾孫某若承重喪則稱玄孫恐宜祔位當因上食告由辭曰云云裔孫某云云顯祖妣某封某氏來日祔祭宗子當主之而宗子喪期未終所祔位神主未祧宗子之子親盡宗毁故謹遵古禮不肎自主祔事謹告支子家行祔祭則宗家祠宇當前期告由所祔位未祧之前五代孫宜主其事告辭曰云云五代孫某云云顯五代祖考某官府君顯五代祖妣某封某氏將以來日隮祔孫婦某封某氏喪在異宮當設顯五代祖妣紙榜行祔祭于喪家謹以酒果云云 尹養善

元配立主追行於繼配未葬之前則追行祔祭當在於繼配卒哭之後而卜日行祔先元配而後繼配是爲得禮繼配祔祭宜在卒哭之明日而旣擧元配祔事則勢將退行卒哭祝末來日隮祔一句語去之恐得待到筮日更爲告由爲宜 徐瑗輔

爲長子斬雖與父喪差殊其爲斬衰未葬則一也曷可主支子家祔祭乎旣有宗子則支子亦何敢自主乎勢將待宗家葬畢而如或過期未克卒哭而祔則從殷禮練而祔恐得 答任憲晦

父喪逾月而母死將同日而葬〻先輕而後重虞先重而後輕自有孔曾定論无容議到而父喪則三月母喪則逾月逾月而葬者當待三月卒哭而祔三月葬者則卽當卒哭而祔无待後事耶小記所謂先葬者不虞祔待後事以葬母旣竟不卽虞祔更脩葬父之禮父喪在殯未忍爲虞祔也今也則同日而窆同日而虞爲初无脩葬事之可言然則母喪未卒哭无不可行父喪卒祔之義耶卒哭在所卽行而祔事固无早晚待母喪卒哭同日而先後擧而祔未知如何未若卒哭而卽祔爲得禮之正也答人問乃爾而願决之 吳光洲

妣位合祔之由當告於考位几筵而因上食恐宜 朴宗輿

宜在冠禮上服

四䙆衫制度不見於禮車服誌曰䙆衣裾分也通鑑集覽曰馬周上議請襴袖褾襈爲士人上服開胯者名缺骻衫庶人服之卽今四䙆衫事物記原註亦云有缺骻衫庶人服之今四骻衫也家禮爲將冠者之服今世好禮之家所遵用者也其制則无稽祗是四幅而不合縫故曰四䙆其濶狹長短亦宜稱身黑緣則衆深衣領表裏各二寸其餘則表裏各一寸半而度用指尺恐宜 金基厚

梅山禮說卷之二

梅山禮說卷之三

金海　金奉洽輯

小祥

小祥之練練以其練衰裳也所謂練者其重實存乎正服若只練冠與中衣而不練正服則恐在其練之義乎且練冠而不練服則冠衣不相稱其可乎疏家所云正服不可變者其言不足信愚嘗居憂往復老洲吳丈并練衰裳矣 答趙輝晃

大小祥內外序立於階下行禮於堂上無事則降氏入哭時與衆賓擧哀於階下位所謂重服在前亦以降復位而言耳 白宗杰

正服不練吏考喪服四制曰十三月而練冠閒傳曰期而小祥練冠縓緣檀弓曰練練衣黃裏縓緣而不特擧裳而言故疏家有正服不可變之云而不知功衰之爲已練也喪服大功布註曰大功布者其鍛治之功麤沽之也鍛治麤沽即所謂練也受服功衰無容更練故只言冠與中衣也鄭玄註雜記三年之喪功衰而曰功衰既練之服橫渠釋有父母之喪尚功衰而曰尚功衰謂未祥猶衣所練之功衰橫渠又云小祥乃練其功衰而衣之則練與功衰非二物練亦謂之功衰蓋練其功衰而衣之也勉齋亦云受以大功之衰則爲傳記註疏同謂鍛鍊大功之布以爲上之衣非特練中衣亦練功衰據此諸說則正服不練之論恐涉無義不練則已既練云乎則當先練衰何謂正服不可變乎張黃兩賢固得精義而爲疏說所先入襲謬久矣伏幸主論革誤而反之正焉 吳老洲

玉藻再繚四寸註士練帶惟廣二寸而再繚腰一匝則亦是四寸尤翁亦謂是再繚腰之義其下兩耳自是別事南塘云圍腰結前兩語與再繚兩耳兩語爲上下貼應之文上泛言圍腰而下言再繚以申圍腰之必再繚上泛言結於前而下言爲兩耳以申結於前之必爲兩耳兩賢說恐得正義當從 答任憲晦

十二日之於十四日其間纔一日因反致齋何以行祭乎母喪之練當待妻喪之祔遵禮行事因之變除當日畧設泄哀恐宜前一日當因上食告由辭曰今以顯妣初朞之日當行常事而妻喪纔葬不克致齋謹俟卒哭退行來日則敢用一獻畧伸情禮彌增罔極謹告 徐迴淳

妻喪祔祭後當卜或丁或亥日行母喪練祭而前一日因朝上食告追行之期恐宜辭曰今以顯妣小祥卜以來日追行常事謹告 徐舜卿

練祥日若值先忌則三年中忌祀雖不備禮既是享先則恐不當後廢明行忌質明行練祥如何 李樑溪

古者練祥皆筮日其計日月寀數即朱子定論固無容議到而至若主人有疾因克與祭則不容不通變嘗遵禮經卜以是月中或丁或亥日雖至踰月恐不害理練祥之祭雖不爲除喪曷可不與祭而變除乎此與忌墓祭逈別恐不可替行也追後成服者亦追後練祥追行則筮日亦禮也且遂庵荅人問曰練祀長子有重病則擇日退行可也其病數月內如難差復則祝辭當曰孤子某病重使介子某敢昭告于云云亦可斯說政好援用但徑先替行恐合更商也若以退行爲定則本祥日未可昧然無事當

設殷奠若朔望然單獻无祝當云今以顯某位初期之日禮當行練祭而孤哀子某瘇發于背罔能將事擬以病差之後筮日追行今日則只行一獻之禮彌增罔極謹告未知如何 安養曾

父喪既葬而祖歿則父喪題主當待祖喪々畢改題而同行吉祭然練祥禫祝不可以未及改題而仍亡子之稱當用子祭父之辭一遵備要所載亦不可昧然无告練事前一日因上食告由恐宜告辭曰云云孝子某敢昭告于顯考某官府君始喪題主顯祖考主喪以其屬稱書之矣顯祖考不幸以某年某月某日棄世不肖謹依禮家定論當待顯祖考喪畢改題而自從明日小祥謹用子告父之祝冞增罔極敢告此就羣賢說略有損益惟在取舍之如何耳 答趙秉德

父在母喪父為之主以亡室題主者父又喪於母喪未畢之前則母喪練祥當用子告母之祝前一日因上食告由恐宜辭曰維歲次云云孝子某云云顯妣某封某氏顯妣始喪顯考府君為之主故以亡室題主矣顯考下世不肖主喪將以來日練事當用子祭母之禮哀痛罔極謹以上食用伸虔告謹告 黃斋源

杖朞之慽聞訃於閏月之後亦當從成服之第十一月而練十三月而祥禫則過時不祭恐宜追練若值喪月則即初忌日擧祭不必用或丁或亥日也雖則過朞追行大祥之前不宜撤靈座仍行饋奠恐非可已也喪服小記雖云朞而祭禮也朞而除喪道也祭不為除喪然此以三年喪追服者再期行祥而云爾至若杖期之喪朞而未祥者何可處以行祭而撤靈是為處變而得正也 宋英老

尊祖妣葬前行尊先妣練事可否之問妄引尤翁說父母與祖父母既是父子則是同宮同宮則雖臣妾葬而後祭之文謂不當備禮行之矣近更思之於子而言異宮禮有明文父子而異宮則當遵異宮之禮異宮之喪未葬无不可行練祥之義雜記曰父母之喪將祭而昆弟死既殯而祭註將祭將行大小祥也註說止此此亦以異宮而言也沙溪引此為自期以下既殯後行練祥禫之證正統之期雖重於傍期祇當以期為準蓋練祥即喪中之祭亦所以為孝子変制故不宜過時與時忌墓祭不類故也雖異宮若不殯則不可祭成服後卜日以行可也成服後則无所拘於儀物俱不當節略也雖屬遂事不敢不追陳者恐犯誤禮之罪也幸俯諒焉 李春滋

心本非服而不可與平人同故特借三年之喪禫服黲制而為冠帯父在母喪禫後本生親喪除服後同一服色也心喪中有喪則當各服其服不惟期功雖緦小功亦當舍黲帯而受衰服之帯縱入心喪几筵亦不須変服黲帯也非直喪服心制中行忌祭者亦當変黒以白蓋不可以非服之黲而廢當服之素也除服後因還黲帯恐宜 答任憲晦

出嫁女除服後恐不宜縞素以終三年然亦不宜純吉衣用玉色冠用皂色玄笄烏紒為心喪之服恐宜古者除服不直接於吉踰月服徽吉未知如何 呉老洲

朞翁問若於朞後撤几筵則練祥之祭雖以忌日行之而恐不可以小祥大祥名之其祝辭當以初朞再朞歟沙溪曰只用忌祭祝而不必言初再

朞此則以亡三年撤遙於初朞者而言也若有應服三年者而撤靈於再朞則練祥禫當準禮行之而祝辭則當觀主祭者屬稱之親疎而改措也若亡妻若在室女而惟有妾之服斬者則亦當爲之三年妾雖非齊體自在五服之列則勿論其貴賤俾之伸情恐爲得禮也妾服與女君同則是亦五服之親云者儘然儘然 李穡溪

令允之喪以亡孫題主統尊之義也小祥祝既莫用祖告孫之辭則當遵古禮父沒兄弟各主其喪之文象侍宜主其祭小祥前日因上食告于令允靈几曰維歲次云云父告于亡庶子始汝之死顯考某官府君以統尊之義主喪而以亡孫題主矣顯考府君不幸以某年某月某日喪逝吾朞行練祥茲告 李晉淵

旅店遇先忌當設位伸情而京洛寓所恐難泄哀若是至親練祥未忍昧然無事則侵晨登麓望哭非可已設位焚香非所議到惟向其所向哭盡哀已矣 答鄭瑩達

練時衣裳制如大功衰服而布亦同云者以去負版辟領衰而布用七升故也斬衰之裳至小祥而緝邊則無斬衰終三年之意且儀禮家禮之所不言者故斷然以不緝邊爲定矣聞近齋從兄宕說小祥不緝邊云矣頗聞其詳 任顗西

舅主子婦之喪而死於子婦練祥之前則子婦練祥當退行於舅喪卒哭之後而其夫當主之祝用夫告妻之辭祝與題主不同恐不必拘也祥祭前日當以退行之由告于妻几筵告辭曰云云夫某昭告于亡室云云始喪先府君主之故題主以亡子婦矣明日將退行練事或称祥事祝用夫告妻之禮茲告 李仁楨

過房者換主本生而親喪。喪家無應服三年者則無練祥之名初朞除服當卽撤靈而本生兄雖未終制而死卽以顯考題主則此與本無爲三年者不同練祥不可不行雖死變制之人行祥祭八廟恐爲得禮禫則無可行之義也本生親練祥祝當云日月不居奄及大小祥夙夜悲哀不能自寧而其餘一遵僃要本文爲宜 朴聲遠

本宗之絕嗣靈座之中撤奉几筵以終三年者非加服也期而除猶不廢上食以至再期用報劬勞之恩其情切慽以故引春翁說用僃申情之道非謂其必可行也若謂非禮而勿之則守經也情雖無寵分則有限終不如朞而撤之之爲經得之正耳 姜周欽

重喪中遭輕喪者輕喪葬前不可擧重喪練祥卽同宮之喪雖妾臣葬而後祭之義也小祥前一日因上食當告退期之由告辭曰歲次云云孝子某云云明日當行常事而亡妻尸柩在殯準禮廢祭將退行於卒哭後彌增罔極謹因上食云云是爲并有喪之禮與主人在外聞喪而似聞訃日行祭除服者反　國恤葬前不同則不可於亡日略設伸情雖是輕喪殯在同宮則畧設亦不可擧故也 趙道淳

練冠武纓恐當從腰絰變麻以葛葛用練洒爲宜 鄭海尚

練服葛絰三重四股如麻絞帶之法而但於兩端相結處各綴細繩其制與成服時腰絰同而其體差少也至若散垂當用三尺而受服時卽絞也

盖腰絰即大帶也垂即紳也豈有无紳之帶乎变麻服葛即古禮也不可以不載家禮而廢之上仝

為人後者主本生親喪則祥祭祝奄及大祥下當云夙夜悲哀不能自寧清酌庶羞下當從備要小祥則曰常事大祥則曰祥事而以无為之三年者小祥而撤靈則只當祥事 金正善

本生親喪即期服也曷可以未與常事而過朞不除乎朞功以下諸親過期不葬者月數已足準禮除服亦有前賢之定論所後親癠中不克承祭於本生喪小祥則當援月數滿足除服之例練日設虛位哭而变除收藏衰服待赴其本生喪所服其服而除之恐宜 朴來教

國練後不可遽服純吉 大喪內喪雖有三年朞年之別而臣庶致哀之道抵宜如喪考妣而人於父母之喪焉有貳視之者哉 李載叙

大祥

閒傳大祥后復寢非復內寢也復殯宫之寢也家禮大祥復寢似出於閒傳而認殯宫以內寢也沙翁之移復寢於吉祭之後者得禮之正也喪大記禫而從御吉祭而復寢御是御婦人也御與復寢非兩項事而分禫吉而言之者何義況乃互文也近齋云御是侍御之謂寢是衽席之謂而夠侍亦不可為直到吉祭而后始可復寢若是者方可謂終喪不御於內未前不可入中門是為禮之大防也故孔疏所云雖禫之後必待四時之祭訖然後復寢者極是極是未知如何 吳老洲

大祥入廟祔于亡者之祖龕者不以宗支而差殊支子異宫則異廟故不充注祔於祖龕或祔於禰或仍于寢是亦通行之禮也若同宫則當祔於祖用寓同昭穆之義待吉祭遷于新廟恐為得正沙翁亦以父先入廟母喪畢且祔于曾祖妣俟祫時配于父為近古意推斯義也母先父後者恐當一揆也祥后仍奉故處祫祭合櫝入廟即先尊丈素日篤信鹿門說而行之者也仰述先志亦或一道也婦人无廟待男位合櫝始可入廟先尊丈祥后入奉配位祠堂是无所據恐不可為也祥后若不祔祖廟待祫立廟不為无稽擇於斯兩者而處之哉祔祖廟則告辭當一遵備要所載若待祫立廟祭說納主无告恐宜 金圭善

服喪服行前喪之祥卒事而反後喪之服所重在於前喪有終恐不必以壓尊為嫌也且祥服縞素即非純吉恐无旋吉旋凶之嫌耳反喪服當在祭說奉主入廟之後 金箕夏

祥服冠衣皆縞而網巾獨黑則豈不斑駁乎今之網巾即古之纚古之縞冠色纚在中尤翁謂白笠巾亦白為宜以故屛溪櫟泉鹿門諸賢皆用白恐當遵也白黑鬃雜造者是為駭俗决不可用至禫变當用黑鬃網巾方称於黲布冠帶也上仝

古禮祥而主仍在寢今雖從家禮祥后祔廟然支子異宫別立一廟則有難奉祔於宗家祖廟也考位入廟前一日告妣位措辭尤翁說可準而將以顯妣祔焉一句刪之亦可以不即合櫝而又將有祫祝配享之文也者詳芝湖之問尤翁之荅必指只奉妣廟者言耳新主只請入祠堂似不分祠堂之為何所而異宫之故不祔祖廟神道之所饗諒果如盛教不必更

添他說耳 朴宗輿

不祔祖廟則前一日亷所告廟而凡遷死告恐涉昧然大祥前日因上食告由曰大祥後禮當入于祖廟而祖廟居遠恐難往祔支子異宮各自爲禮則勢當入于新廟直躋正龕謹告 答任憲晦

大祥後布帶豈有定制乎廣狹恐當隨俗而兩股雙垂亦宜如絛帶革帶也上仝

孝巾始見丘儀而所以承喪冠者也祥而後除服則孝巾亦當并冠而去之何可因着大祥後乎當從俗用布帽而帽子頭銳雖不可單着而見人客然燕居時以帽代巾恐不可已也上仝

令從子之於令季氏不惟以本生親又身是宗子則碁服雖盡而當主其大祥祭前一日因上食告由當曰府君之喪先府君主之故以亡弟題主今先府君又卒而府君大祥奄及矣祭不可以死主不肖敢代主其事謹告事由云云 沈能岳

親祖父母祥日望哭情理似然而於忌祭則恐未安然爲父母哭者則出於天理人情之不能已者也此意甚好 答鄭奎元

服祥祭之服以示前喪有終即因雜記有父之喪未沒喪而母死除父之服也服其除服卒事反喪服而云爾也是爲輕喪中重喪変除當服白笠白布直領白帶行父祥無可疑者也有以承重喪中行父之祥與母喪中行父之喪不同有壓屈之義不可服白衣冠問諸近翁近翁引沃溪說雖於緦功輕服亦當暫釋重服而服其服況大祥之服本非吉服又何疑云者而曰壓尊之嫌非所當論是爲可遵然樑泉祖母喪中除父服行祥以全廢重服未安以布直領素帶蔽陽子変除恐爲得中也承重喪中猶然況所後父喪中除本生喪者乎本生除喪即受黲制黲制非可施於斬衰服中者也持三年之喪者於緦功之喊成服猶可以釋重服輕而黲制則與緦功衰服不倫恐不當比擬於輕服而変服黲服也祗合以樑泉所行爲正耳 答趙秉德

喪大記曰祥而外無哭者禫而内無哭者註曰外無哭者於門外不哭也内無哭者入門不哭也疏曰練後三日一哭於次次在中門外謂堊室也至大祥則不復於外若有吊者則入即位哭是外無哭者是祥後禫前受吊之證也未禫則未除喪曷可不受吊乎古者堊室雖在中門之外今則設倚廬於中門之内而禮無祥後撤廬之文恐當受吊于廬次如未祥之禮至禫而内無哭方始撤廬耳倚廬與靈座處所自殊恐不必并靈座同撤也愚亦禫後撤廬而可幸無悖於古禮否 答朴宗塾

玉藻云縞冠素紕既祥之冠間傳云大祥縞素麻衣釋之者以縞爲白獨詩縞冠註誤引間傳註而云黑經白緯曰縞朱先生未及照檢載諸集傳家禮之黲色爲祥服者盖出於此栗沙兩先生皆以黑白雜色爲祥服者是乃一字不明之害也任鹿門著說分曉可知黑經白緯者纖也非縞也縞爲祥服既是古禮則未可以有違於家禮備要而不從也況有五禮儀及丘儀之得禮之正者乎 答李在慶

家禮大祥章不陳祥服而直陳禫服恐是未及再修之致也備要仍之亦

次照檢至四禮便覽分別纖縞各置陳服之節于祥禪兩章用補備要之闕是爲不可易者 答蘇輝冕

爲從姪攝祀者當告從侄大祥祔廟而屬稱亦不容不書告辭當云攝祀玄孫某云云顯云云列書諸位茲以從侄某大祥已而禮當祔食於顯某親某官府君不勝感愴謹以酒果用伸虔告謹告禮祗告正位不告祔位尊伯氏縱與他祔位差殊既未入正龕則祗當處以祔位已矣不舉於告辭恐宜 沈宜健

樸馬布鞍祥後恐不必改待到禪変未知如何 吳老洲

禪祭

家禮備要禪祭卜日于祠堂外主人禪服西向此禪服以何服當之乎似仍上文大祥設次陳禪服而云爾然今據古禮大祥受縞服則設次陳禪服云者當移載於下文禪條而至禪始服然則禪祭告廟當用祥服未知如何 吳老洲

禪後笠帶皆用黲色則巾何獨用白乎此與孝巾不同俗所云亟頭也祥後禪後所着秖當笠帶而用白用黲也 答任憲晦

南溪雖引中林中逵之中爲祥月行禪之證獨不念喪服小記中一而祔及學記中年考校中之皆以中爲間乎鄭康成以爲二十七月禪者以雜記文在爲母爲妻十三月祥十五月禪豈容三年之喪乃祥禪同月乎斯言明白可破王肅諸說之差也惟禪值仲朔則遵士虞記是月吉祭之文上旬行禪中下旬擧祫而猶未配焉況祥禪可以同月乎 答李在慶

少牢禮日用丁巳註曰內事用柔日必丁巳者取其令名疏曰曲禮內事以柔日謂冠昏祭祀又筮旬有一日註曰以先月下旬之巳筮來月上旬之巳疏云若用丁亥先月下旬丁辛乙之等皆然又來日丁亥註曰丁未必亥也直擧一日耳禘于太廟禮已亥辛亥亦用之无則苟有亥焉可也疏曰吉事先近日若上旬之內不得丁巳以配亥或无亥以配日餘陰辰亦用之故春秋云辛巳有事於太廟癸酉有事于武宮皆不獨用丁巳與亥也必須亥者月令元辰註云元吉蓋吉亥也其所取義者如此至若陰陽家亥爲天倉故祭祀所以求福宜穡于田云者是爲不經也筮日恐不必太拘當朱子說丁日外雖非亥日柔日則皆可用曆書宜祭祀日尤翁亦云當用而是則无稽恐難遵也禪祫同月則吉事雖取先近一旬中幷擧耳祭恐欠漸次上旬行禪中旬行祫恐愜禮意未知如何 申應朝

禪時還奉故處猶存喪祭之義故无出主告辭云者近翁說儘有精義而无告出主終涉昧然告辭則遵丘儀原祝則遵備要恐宜前已告日故不告云者其言似然二吉祭前期告廟而亦有出主告辭禪祫當恐一揆也 上仝

大祥无參神以常侍无之拜義也禪是出主而祭者則曷可无參神乎其曰如大祥之儀者卽統論也恐未必爲不行參神之證也禪屬於吉則廢哭而行參神以別於喪祭云者恐有精義是爲可遵也 上仝

本生親喪守制雖與他伯叔父母不同然朞服則均朞服中曷可不擧禪吉乎禪吉變除之大者吉祭則有遞遷改題之節所關尤重何可以私親之服廢閣而不行是爲陶庵定論而服色亦許借吉不可易也禪吉之期

若在本生葬前恐當退以辛哭後而禫則過時不祭 答任憲晦

自虞至祥而无叅神以有常侍之義也以禫祭條行事皆如大祥之儀云而謂禫亦无叅神則竊恐未然祥而入廟已非常侍禫而出主宜行叅謁以不特言叅神而闕之可乎遂翁所云文不備者恐得之未知如何 吳老洲

禮禫祭着吉服祭訖着微吉之服〃有古今之殊而論者混并為說故擕二而不契甲者曰祭笠青袍黑帶以承祭為吉服祭訖着祭笠白袍白絲帶為微吉之服乙者曰祭笠白袍白帶以承祭為吉服祭訖着黲布笠帶白直領為微之吉服兩者為禮家未決之案難於適從而祥縞禫纖卽禮服之大經不可易者也纖之黑經白緯後世无傳焉以黲色當之則安得不祭訖服黲用遵古禮乎禫纖服色見載於間傳註疏涑水南溪之主黲者皆權於興間傳何恤人之疵毁哉禫月值仲朔則上旬行禫中旬或下旬行祫者以三年廢祭之餘正祭為急也間傳禫而纖疏曰若吉祭在禫月猶未純吉士虞記云是月也吉祭而猶未配註云是月禫月也當四時之祭月則祭而猶未以其妃配則禫之後月乃得復平常據此則雖行祫踰月而純吉恐為得禮是所謂踰月其善也 答朴宗塾

為長子以不禫為定而考諸喪服小記有曰為父母妻長子禫此長子卽以服斬者而言也為之斬則為之禫也宜也若不服斬而服朞則與妻喪杖朞具三年之體者有異固无練祥禫之可言其不禫也亦宜也老兄雖則服朞有三年者子婦也故為之再祭既為練祥則亦為之行禫〃是除服之祭而无可除之服朞服則禫固无義然當為令子婦行之已為主而致其哀恐得小記為長子禫疏曰妻為夫亦禫此為可行之明證也未知如何 李祿溪

禫祭服吉卽以主人言至若旁親與祭者有服制則恐不當借吉也且外祖母與從叔均是小功之親外親功服中不必借吉於從旁親禫事以白袍布帶承祭恐宜禫是吉事生布衣則不可耳 朴雲壽

父在母喪十五月已禫喪矣又當二十七月畧行哭禮以存行禫之義則似淡再禫之嫌尤翁恐是未定之論且心喪者當服吉於私次亦不當哭陶庵墓下哭除之論恐亦難從也心本非服既无受服之節豈有易服之節當用吉月之或丁或亥日復常无事於喪除之而自為喪除慎齋說最得精義吉祭本為正位遞遷而行之妻喪既非正位則豈可為祔位而祫享於祖先哉祔位喪畢无所事於迭遷則初无舉祫之義而特以三年廢祭之故陶庵有喪畢後吉祭之論而非謂不拘孟季朔而行之也此吉祭嗅做時祭恐宜正祭之外誰可別舉吉祭乎吉月若值仲朔行時祭日不行心喪哭除而直服常服以行祭者南溪說可遵也素不行時祭者雖如三年喪畢必行吉祭之例未示誠然吉月中卜日畧擬於心以為此日當行吉祭以此為節云者尤翁之說善看得者不疑其所行而復常之期必用吉月者卽所謂踰月其善也 申應朝

女子无禫以出嫁女不杖故不禫云爾耶若是在室女則小記既云主喪者不杖則子一人杖之杖則當禫恐无可疑若主喪者當杖則女子〃雖服三年而不杖蓋禮童子不杖惟當室者杖女子〃雖曰在室非當室也无男昆弟主喪俾同姓攝之而无杖者然後惟在室長女杖焉所以成三

年之喪也然則何可无禫乎无禫者似以出嫁女不杖者而言非在室女之謂也縱非長女在室則當爲之禫矣何可以不杖而不禫乎童子不杖者當從其兄當室者而行練禫变除女子之爲之也恐亦乃爾耳 李様溪

本生親喪一斷以朞服則朞服中宜有不行禫祫之義乎栗翁曰以朞大功葬后祭如平時但不受胙據此則吉祭準禮行之而惟不受胙以示变已矣旣斷以當行則无朞衷心喪之分擧禫祫于當擧之月恐宜且禫過時不祭逾二十七月之期則无禫因私喪之服廢傳重之禫可乎三年廢祭之餘正祭爲急且有遞遷改題多小節目是豈可以惟意退却乎月數久近恐不必論也借使本生練祭在於十數月之遠則亦當退行吉祭乎曷可拘於服色當擧不擧以情處禮以恩奪義乃爾乎哉陶庵亦云中丁過禫者非謂行於心喪而不可行於朞服也特因其本生練祭之在於旬前故云爾其荅李公敏坤書則盛言本生服中不可廢祥禫之義其曰拘於情而廢於禮伸於公而屈於私云者說得眞正恐不容異論禮窮則变變則通〻变達權非聖人不能况斯禮也初非窮而可變者乎 李載毅

家禮沿書儀書儀沿開元而開元仍祥服就位哭盡哀釋祥服着禫服斷爲得正而不着禫訖之服者恐是闕文也書儀不遵開元禫服而於祥祿禫〻仍其服又无吉祭家禮不復言禫服者即以此也大祥旣據古受以縞服則家禮所云陳禫服當至禫始服大祥條當改以陳祥服而備要不克如吉祭之更正者是爲未備其曰如大祥之儀者恐難該看也便覽見補是所謂後出者愈明祥禫受服恐當一遵便覽古禮吉祭用朝服則有官者之當着黑團領不爲无稽而未若深衣之通貴賤同服也 申應朝

尊祖妣尊先妣祥禫俱在同月祥則用忌日不拘重輕禫則卜日當先重後輕而一日之内次第行之恐无不可雖行兩禫於同日決不可一時并行若祫祀然也若以一日兩祭爲難行亦不必待中旬丁亥必用上旬中辛日如何不直辛日凡柔日皆可祭也若分日擧兩禫則前喪之禫當用微吉之服承祭祭訖反後喪祥服後喪之禫始用純吉之服承祭祭訖反微吉之服而方喪中无他变制以布道袍當吉服以布直領當禫服已矣縱令用涅日行禫禫是殷祭柰是小祀恐无一日再祭之嫌 尹蓍善

練祥禫雖是趨吉而實爲[illegible]喪祭故朞服未葬前无不可行之義至若吉祭似與練祥禫有異而陶庵亦云喪餘之薦與時祭有間雖朞服未葬旣其異宮則未見不可行據此則禫祫之不當廢也審矣若正統朞則有不敢行者當待卒哭擧祫而窃朞則當祫而祫不失变除之期可也 俞元頫

吉祭

禫月行吉祭後合櫝一節合櫝即純吉之禮故禫月吉祭猶未配待踰月以少牢配近齋說不爲无義而旣有尤翁定論則舍近齋從尤翁恐宜明儒萬斯同以猶未配三字謂但合祭羣祖而不以新死者配食也寧有子孫之除喪而去祖妣不配之理乎此言於義如何吉祭後若不即合櫝則考妣神主暫時還奉于東西壁行祫而不即入正龕亦甚未安所以遵尤翁爲寡過也雖即合櫝從疏說禫之後月乃得復平常是爲踰月其善之義也忽草供對 李様溪

古者祭皆用筮練祥亦卜日而祭今俗往々行祫於朔日者是豈以先月筮來月之義哉亦豈无渴変之嫌乎只當但以非禮已矣吉事先近則固當用上旬祭而上旬丁亥兩日若值先忌則遵疏說餘陰辰亦用之文於柔日之中諏筮而行之恐宜 上仝

吉祭卜日告辭中祖考之稱包祖與考而言雖祇奉祧主不可改以五代祖考以將合祭新主故也考妣位與他雖祔位有異而未入正龕之前當用祔位禮々祇告正位不告祔位 朴雲壽

吉祭固當盛服而盛服不必用公服有官者亦玄冠青袍黑帶恐宜期親之與祭者曷可以外親私服而不服吉以將事乎本生喪中行所後禫祫亦不嫌暫時借吉況以小功之制而有事於祖廟乎 上仝

閏月雖非正朔喪期自有定限是以々月數者計閏三年之喪禫亦計閏尤翁有曰吉凶大事閏月皆可行之又曰閏月行事自古有之非直指禫而云爾也遂翁說吉祭不可行於閏月者為其非常月而不告朔也然不告閏朔非禮也先儒斥以棄政焉推斯義也如之何其不可舉祫哉禫后徙月則似涉拖長不幾近於太古之喪期无數乎閏月吉祭恐為得正 李寅溥

祫事雖是喪畢之祭々名以吉則當用吉禮即時祭之異名也倫要亦許受胙而曰弃如時祭則嘏辭曷可闕乎此與服中時祭不受胙者其義不倫耳 答朴宗塾

為長子服朞者耳朞之祀用忌祭禮則無禫吉之可言而祖不壓孫故為其孫行禫祫不直変除當準禮舉祭而祭則其祖主之祝當用父告子之辭措語當如何吉祭既无隮廟配享等節目則喪制有期式遵典禮等句語恐不可用祇用時祭祝未知如何倫要吉祭及時祭祔位則無祝々其可已乎雖則祔位而與祔食於正位之祭者有異特用時祭祝不至害義莫無為無於禮之禮乎因吉月朔參服吉恐亦便宜願承盛教 吳老洲

禮有三年者必為之再祭再祭即練祥也長子朞服雖盡於小祥而既有亡者之妻子則為之行大祥宜也向日奉質祇用忌祭祝云者失之率爾自承明教即改前見矣蓋練祥禫即喪禮之大節而亦一統事也无祥而有禫極涉徑庭故大祥祝擬用日月不居奄及大祥之文而當有措辭於其間矣即承祝辭々理俱得信及已矣詎容異論哉主祥禫於除服已久之後祭之名義衡決云者盛教極正當所以不容无措語耳既无隮廟配享之節則无所事于祫祭當舉時祭以服吉而吉月非仲朔非仲朔而舉時祭恐亦无義縱令舉祭以祔位也故无祝无祝而行盛祭亦无於禮者用吉月朔參即吉未知如何 吳老洲

禰位祥后從古禮仍奉靈座故處行禫々后翌月行吉祭々訖入新廟則祇告禰入于祠堂四字恐不宜更設酒果也 趙龍淵

喪服不忍頓除故雖三年而後葬者亦必既祔明月練又明月祥者為其異時也古者祥禫同月故退祥於禫月者當上旬舉祥下旬舉禫至若過禫期者不可以无禫而同月即吉也開元所云祥而即吉非謂大祥後即月舉祫乃明祥祫之間靡所禫変也若祥月服吉則是其所以為之漸以安孝子之心哉踰月行祫而即吉是為得正 沈魯完

國恤

大祥既退行於 大葬卒哭後則雖過二十五月之期當用未祥之例雖死於二十七月之後凡筵未撤衰絰在躬則便是未祥而死者也焉有未祥之喪而死主人者乎當論既祥未祥不當論喪期盡否然則其子之承父服祖處變禮不失其正何疑之有父喪卒哭後當卜日行祖母大祥其諸父可諉以喪期已盡而未祥先除耶當於其兄卒哭後卜日行大祥偕兄子承重者而同時除服已矣復何疑乎其兄追後成服則其弟先滿先除者固有之矣所謂先滿者祥期之謂也若夫金氏所謂初定十九日非祥期也不過 國喪卒哭後初丁而已有甚意義而必於是先除耶先滿先除之文恐非可證也禫則過時矣當不祭而祥後或丁或亥日卽吉可矣逾月而吉尤可耶 朴宗輿

大祥當遵戒令退行於 卒哭後而告辭曰 大行大王梓宮在殯明日祥事謹依戒令將退行於 卒哭後謹告大祥本日前期告辭 大行大王卒哭已過將以明日追行祥事謹告大祥追行前日告辭 李用九

退行練祭者初期日出系出嫁子女除服當否故引尤翁南溪說除服正服兩期皆令除服於期日矣其人援寬岩說而曰大功以下計月除之期則必待小祥而除之禮意已然中間還就月數不當計之必欲待 卒哭後退行小祥日而除服斯言如何或云他期服猶可除於本祥日而出系出嫁者則不忍不祭而除是亦出於情勝情勝則失禮恐不可從也祭不爲除服則期制者曷可過期不除淹違時月以待追練乎孔子所云非弗能勿除患其過於制者政指此等處也然則寬岩不當計還就月數之論過情過禮恐難遵未知意下如何 吳老洲

上丁 國忌之遇不遇退翁亦云先考據如正朝寒食端午秋夕等節日公私并薦而未嘗以行於上而廢於下則禫祫卜日之偶値廟享者豈云僭乎 金周教

賢閤大祥在大資出疆之後則不可以主喪者之不承祭而退行常事當用初朞準禮行大祥祥後入廟卽家禮備要所載而通行然古禮祥後主仍在寢祫後入廟好禮家遵行星樵淏 命若及於十五月當禫之朔則祥後不撤几筵廢上食朔望且擧殷奠既禫而祔廟恐爲伸情之道而逐第若過禫月則有難淹違用致過時而不禫令允亦當援行禫事而変除如禮禫祭日當卽入廟也大資若不及禫期則雖在旅館當禫之月擬用或丁或亥日変除恐宜第方喪縞素之時私喪禫服恐靡所変制也 金景善

本生父母服是不杖朞朞而除服與他朞同心喪二十七月之朞與兄弟共其卽吉是爲通行之禮也今有因 國哀退祥行祫於三十一月者其異乎喪期死數者幾希焉有心制而拖長乃爾乎退練者出后子除服於初期日與他朞均則退祥者亦宜傍照先滿後除之義先除於二十八月未知如何 李襟溪

心制変除當於在吉月之朔吉月初丁雖不行吉祭不哭而易服於私次是有慎齋說可遵而近齋所推言也斯禮也雖爲父在喪而云爾可以援用於本生喪変除否若使本生家紬有私喪待後喪畢而擧祫則靡有

丁時只宜盡廿七月之朔據諸心而卽吉蓋心本非服故也方喪服吉不過易直領以道袍已矣雖除心喪生家吉祭前不應參覓官不與燕樂如禫月行祫者之爲以終退祥之月不必更生層節否兒子所值乃爾而揆以情禮不宜遽就於三十一月之久然而以無的據有不敢自專爲上仝

緬禮

戒辭

緬事開已克襄有悅於孝心否改葬較始葬尤極難愼故除非萬不獲已則未可議到每誦三淵詩蓋棺猶有事難知子大孫多被掘移生存華屋安身久死作飄蓬豈不悲不勝其瞿瞿也研經講禮如輪翼之不可廢一然必須先經而後禮可得其本而不歸於儀文度數之末也 答安永集

告廟

朱先生所謂告廟哭而後事畢告時卻出主於寢云者祗告改葬之當位而已雖祔於考墓考墓尸柩不見且所事在於妣位則恐不宜並告于考位神主亦以有援尊之嫌也祗用空櫝奉出當位神主于正寢而行之可也雖考之葬而合於妣之墓亦當爾也陶翁說恐更詳之 李載毅

改葬畢而歸出主于寢哭而告之禮也不于廟而于寢者爲哭也事在齊体未敢擧哀則恐不必出主如初禮行于廟中恐宜告辭當曰維歲次云云夫某今以亡室貞夫人某氏新改幽宅禮事已畢追舊感新不勝悲愴茲以酒果用伸告儀茲告備要太略故改措如此取舍焉 金基淳

出柩

便覽還家之云卽以自他所歸葬者言非以出柩還家爲一層節也若出柩而無所停喪則還安故宅趂葬期遷于新兆恐咋事宜若以經過舊居而故爲留連則恐非有進無退之義也 答安永集

南溪曰改葬之柩入奉家中非喪事卽遠之意斯言得正而別行若歷舊第不容不停柩則神理人情之所不獲已也遣祝所載新宅卽以幽宅而云爾不宜以停喪古宅而改其措辭也且祖遣兩奠先儒謂非可施於改葬者宜倣司馬溫公柩自他歸之說祗設朝奠而行恐是 答任憲晦

既夕禮埋重於祖廟門外之東重變爲魂帛而丘儀三虞後至家埋之據此則未必埋於墓所也今俗行初虞墓下仍埋魂帛者恐欠藏之箱中升車在後之精義也始變時埋諸墓左者如不淪於朽壞當隨埋新兆如已朽盡仍舊恐宜 上仝

奠

按儀禮註改葬出柩奠如大斂而大斂奠酒果脯醢而已非殷事也士喪記朔月不饋于下室疏曰大小斂朝夕奠等皆無黍稷惟下室若生有黍稷今此殷奠自有黍稷故不復饋食於下室大夫又有月半奠亦不饋於下室楊氏又曰朔奠則又爲主者朔殷奠以尊者爲主據此則朝夕奠非殷而朔月月半之奠乃殷也備要朝夕則祗奠蔬果脯醢朔望則用魚肉麵米食羹飯以饌品加損而辨其爲殷爲非殷也其曰設蔬果羹飯如常儀此合奠如上食而言與朔望殷奠不同以下文止留酒果而知其兼上食也啓墓若値朔日若月半出柩卽設蔬果脯醢如大小斂朝夕奠繼設

殷事（爲朔望奠）兼上食（殷奠將至撤前奠殷奠畢止留酒果）可也出柩之奠非殷則豈有一日再祭之嫌哉始以出柩終以朔望各有其義非數也不數則不煩不煩則不瀆 朴宗輿

返葬設靈座者節爲尸柩所在也出柩而旋殯於舊兆則當其殯所而鋪筵饋食无魂魄神主而設饋於所館則竊恐无義也今俗所謂成殯非埏坎塗殯只安尸柩而已則尸柩所在何可廢饋乎 吳致箕

備要始葬反哭行虞在成殯之後則返葬者亦當乃爾而不虞而奠墓者尤當待封墳雖至踰日必待畢事恐宜 答任憲晦

返葬之虞發自王肅而傅純難之曰返葬之神在廟久矣安得退而虞之者得卓然宜其見許於朱子也然體魄震驚亦不容不慰安此所以有葬畢之奠也奠祇爲安體魄也與安神之祭體段不同虞則三獻有祝奠則設饌以終其事若認爲虞則不可也告廟而葬葬畢而告廟今人不知精義之在於告廟而以虞祭爲重可歎備要仍儀節儀節仍開元開元之論本於王肅愚則祇循于朱子說已矣 李載毅

祖遣兩奠即始喪之禮非可施於返葬者立儀所載告辭恐難從依家禮祇設朝奠戒輀是爲无遣奠之名而有遣奠之實也恐不須以到家啓行而更舉駕輀之奠也凡喪事有進无退返葬之无此兩奠亦斯義也至若葬畢告廟出主哭奠爲禮甚重恐難行於 國恤停祭之日祇舉廟中而用備要告辭去謹以酒果四字恐宜公私葬前凡係告廟皆不用酒果嫌近於少祀也集者无虞而猶有告廟之祝不可以備要告辭之爲行虞後節次而舍之未知意下如何 李襟溪

成服

小記男子免而婦人髽見柩故變也返葬亦是見柩則婦女之應服緦者外出嫁女及有服婦人待出柩亦當服素加麻加麻者當在於望哭之後耶當待返哭於廟耶尤翁雖云吊服加麻者葬訖而除然按以小記緦小功虞卒哭則免之義則男女加麻者畢事而歸告廟後除之恐宜未知如何 吳老洲

返葬時諸孫之方持衰者吊服加麻與否尤翁曰所重在此當加麻有人難之曰凡服從祖爲主布巾加麻非服也不可以是而去斬衰愚謂此言似然而雖不持斬齊然以將事孝巾布深衣亦是喪服則因之加麻何去斬齊之爲嫌哉各有其義不相壓屈則不特爲祖緬爲伯叔父母兄弟子姪亦可矣幸教焉 任穎西

尤翁以子思所云无服則吊服加麻謂專指期親者似以答司徒文子返葬叔父之問而言然竊恐子思本旨未必爾也推以餘有服之文則似无親疏之別雖緦小功之親爲之加麻以從厚也可況外祖父母恩義之重不可與他小功例之乎但衆方持斬衰故有此不決之疑以古禮則有三年之喪者於小功以下无變服而據家禮則重喪未除遭輕喪爲之制服推此意也无不可加麻之義特斬衰未葬不敢變服而已已葬則亦當變重服輕且會下之行既莫持衰則只持孝巾直領以臨壙但環絰於孝巾則使爲吊服耳何去重服之爲嫌哉 李襟溪

泉翁以五代祖遷葬服緦決於承重與否既不承重則只當吊服加麻而

己云者恐為未定之論也五代祖親雖已盡而統則正矣宗可毁而統不可絶謂以五代而不承重則是絶其統也其可乎无高曾祖稱則五代祖即父也何可誘以親盡宗毁而不服其喪乎親盡宗毁云者以代遠不逮事者而言也語類為五代祖齊衰三月亦以不承重者言耳不直五代上及於六七代一準此例已矣三年喪畢有長房則遷无長房則埋亦宜有奈五代之嫌乎既承重則改葬而服緦是豈可已乎至若不遷之祖廟未毁則亦當服緦已矣許孟所謂雖不受重於祖據為主者恐得精義愚見則許説與遂翁説并從无疑若夫五代以上不承重而已毁宗者則无緦服之義吊服加麻而已未知盛解如何 上仝

改葬緦子思曰非父母无服據此則父母外雖服三年者似不當緦而緦以三月而具三年之體服三年者不可以不服也以故儀禮喪服疏曰服緦者臣為君子為父妻為夫通典戴徳并舉妾為夫孫為祖後亡賢推[illegible]之於婦為舅姑曾玄五代孫之承重者以服三年也故必服緦也禮以淺出為明正指此等處耳子思所云无服則吊服加麻似指期親而推以通典餘親皆吊服之文則自期至緦之親皆可服已此為泛學之道也所謂吊服古有錫衰緦衰疑衰三者公卿諸侯大夫士之別為庶人白布深衣以白布深衣庶人之常服故得為吊服也宋黄王全三子之喪其師遵孔門諸子吊服加麻之制或深衣加冠經或深衣加帶経冠加絰或加経于白巾経如緦麻而小帶如細苧此以白巾環経當古之吊服而或言帶或不言帶抑以所重在經故詳於經而畧於帶耶周禮環經註言大如緦麻而亦不言帶朋友麻註獨言服緦之経帶則可見其與吊経之環且无帶者不同而檀弓子游襲裘經帶疏曰朋友故加帶為朋友則有経有帶為吊服則有経无帯耶檀弓註繆経曰兩股相交五服之経皆然惟吊服之環経一股此單服之制所由始也麻當以熟巾亦用練此為不服之服故所以別於緦制也故曰吊服不得稱服 朴宗輿

父在而舉母緬者服緦為非禮考諸前賢成説學齋閔庵咸曰杖朞實兼三年之體又申心喪三年以服緬為禮之正蓋父在母喪者雖壓屈不能自伸而本服則三年也降服亦具三年之體是亦應服三年者也家禮集考斷以不當服至云大義所係不可易者則亦過矣以具體三年之服而服緦終恐无悖于不敢伸私之義也未知意下如何 金基叙

喪服記曰改葬緦註妻為夫也疏不言妾為君以不得體君然則以不得體君而不為之服緦耶應服三年者皆服緦則妾何為獨不然乎儀禮妾為君之黨服得與女君同則喪服註妻為夫包妾在中也非謂體君則服不體君則不服也疏説只釋不言妾為君之故也亦非謂不得體君而无服也如是看破未知如何 任頳西

改葬緦惟服三年者為之妻服杖朞雖曰具三年之體非應服三年者也以故不服祇吊服加麻已矣父在為母雖同杖朞而本服三年故準禮服緦也妻緬无服不繫於有子服緦亦不以无服而不為之主也 金基厚

禮家所謂啓墓即開墳出柩而云爾術家所謂破墳即畧破一方而云爾破墳與出柩之日差遠則畧開莎草者不可以謂啓墓也服緦即在始役

雖有尤翁說而破墳亦可云始役自始役至出柩小則曠日大則曠月始役服緦非所以見柩而变也見柩而哭如始喪擧哀就殯後服緦如成殯之後成服若是者方有層節以故愚審服緦乃爾老洲亦以潛冶說為可據也 李櫟溪

始葬者過時而不葬雖出三年子服不变以故昔有問於子思子曰喪服既除然後乃葬則服何服子思曰三年之喪未葬服不变除何有焉推斯義也改葬者受服於啓墓六月而始克襄則當服緦以守尸柩安可未葬而除乎所謂改葬緦以不忍无服送至親也非直六月雖過歲年亦當既葬而除已矣緦服鄭玄謂從三月而除王甫謂事畢而除馬融亦謂葬事已而除不必三月朱先生以禮宜從厚當從鄭是為通行之禮而窃詳禮意則馬王說契子思既葬而除之論恐為得正然秪當遵從厚之訓已矣至若受緦服過時而变者宜有更服三月之義乎三年而後始葬者練祥則當比月而行之禫則過時不擧亦何可以過時而不擧吉祭乎改葬與初葬未葬前不除服則同既葬而除則不同初葬者自有練祥吉諸祭當以漸而变也改葬者靡所变制當卒事而卽除何待以日易月乎 答趙秉德

婦翁緦襄而荆布非應服三年者則不服緦矣欲從王甫无服則吊服加麻之說然婦人加麻於禮无稽亦難從自改墓至葬當素服哭臨虞而還華盛之服雖未會下亦當素服以終虞未知如何 朴宗輿

人還其親墓旋被掘倉卒草殯方謀窆宅而姑難以時月期矣緦服盡三月當除耶留待改葬耶被掘莫大之变也其為禍之慘甚於新宮之火因哭不可三日而止當素服素食朝夕哭臨至葬而乃已也草殯異於權厝尸柩不入地則雖過三月之期當持服以待克襄克襄而卽除耶緦是变事而此為变事中变事故有茲疑耳 李櫟溪

謹按儀禮喪服記改葬緦註云臣為君子為父妻為夫疏云父為長子子為母同通典許猛又云諸有三年者皆當緦先正文元公 臣金長生亦載疏說於喪禮備要而曰禮意應服三年者皆服緦盖為長子三年則父母同耳疏言父為長子緦則母統於父可知也惟我 大王大妃殿以正體之服〻 翼廟三年則遷陵時服緦禮所當然當三年者猶言服緦況已服三年者乎揆以經禮斷无可疑也喪禮補編本无改葬儀故儀曹秪據泩例定以淺淡之制者雖不為无稽而今日事體與癸丑己酉差殊及今追正恐不可已也 綏陵遷奉時 大王大妃殿服儀

行祭

緬禮出柩當用初喪禮墓廟俱廢祭子祥亦不可擧祥則退行於改葬告廟之後恐宜且異宮祖喪殯後祥則可行禫則不可行固有前儒說而改葬出柩差殊於始葬異宮承祭亦異於同宮且非承重而服緦者殯後行禫恐不害理而禫屬吉事與練祥喪中之祭不倫祖父改葬後窆日而行親喪禫事恐愜情禮朔望小祀恐不當廢耳 答任憲晦

緬服緦也緦喪成服後祭如平時則緬服雖重於他緦禮无廢祭之文吉祭恐亦當行但不受胙耳吉祭猶然況禫乎然則初六日擧緬者以初十日丁亥行禫何嫌于吉凶相襲乎 答趙秉德

緦服中當行時祔否雖他緦不倫是亦緦服无不可舉盛祭之義服色當用朞服中忖祭之例耶祔祭則當用緦服𧙕帶服其服行其祭无嫌也時祔兩祭俱不宜受胙是爲示變幸教爲 李襟溪

除服

三月而除服設虛位哭而若以文在而哭於寢爲拘不敢伸私則哭除墓所恐宜 金基厚

凡除服咸從受服月計雖朞功之喊聞訃成服而追後奔哭者越月曠時而猶然况緦衰見柩而受服者乎出柩與下棺雖在各月從受服月計至第四朔朝設虛位哭除或於墓所亦宜 徐有賁

改葬服緦爲其親尸見柩也必三月而除者亦法天道一時故也既受服於出柩矣出柩而新山有変則必當權厝若過三月則當除緦及其完窆又見尸柩則更當服緦以伸月三雖未及除亦當仍服不害爲從厚也既葬而除雖有子思說而自鄭玄及晦翁已不充從則毋將更終其月數已矣見柩爲重故雖仍舊復土當終月數况再出尸柩乎永窆前後三月之服雖似拖長再見柩故再受服恐不可情勝而已之也 答李寅龜

先妣緬禮暮春將遷厝矣朴近齋先生所撰壙誌存焉伏幸視至虞殯之歌雖非聖人之言既載左傳則所由來遠矣前輩集中多有 婦人輓詩非无稽也幸須發揮金玉之音用副不有之望焉 任赬西

廟禮

不遷

奉不祧位者拘五世之嫌遷高祖位于別廟者自有沙溪先生定論故爲舉俗之所取法矣既得劉歆宗不在世數之論而見許於朱子則是爲可遵也天子諸侯之廟世室不在正數中則私家之有功臣不遷亦猶天子諸侯之有宗有廟則祭之不限多少本无嫌於僭也金豁谷三世不祧而其家并祭于一廟不祧既在四世之外則亦何嫌其多乎五禮儀及大典通編亦曰親盡祖爲功臣不遷則代數之外別立一室而祭之所謂一室非別廟也即一龕也劉歆之說既得其正時王之制又不可易當爲公私通行典禮也 李埈

尤翁奏議援朱先生論宋僖宗當正太祖東西之位請以 穆祖居太祖之位太祖以下列序昭穆斯事也莫无以天子之禮施諸〃侯耶禮天子禘其祖以配天如虞夏之於黃帝殷人之於帝嚳周尊后稷爲太祖而文武居世室焉諸侯則以受命建國者爲太祖如魯祖周公齊祖太公燕祖召公之類是已未聞齊魯諸國又祖周公太公所自出即禮所謂不王不禘諸侯及其太祖者也如近世公族只以別子爲始祖爲百世不遷之宗而已顒服明教 吳老洲

忠烈公不祧之典固宜即爲立主用承 恩命其不可淹也審矣第宗孫居喪〃中不可舉盛禮待吉祭時造主并行祫事遞遷而入廟是爲得禮之正耳受 侑曠歲固爲惶悶於其俎豆之所未備之憾俱无不可何必于家廟而乃可哉殉節之日不忍昧然无事而忌祭之以紙榜自有可據亦何待立主後不廢哉以待喪畢爲難則忠烈公子孫中屬尊者皆行斯

事爲文告由于墳墓仍奉出已埋之舊主如不枯傷改粉改題必于墓前可也以神靈之所寓體魄之所隣也奉出埋主時告辭維歲次云云幾代孫某官某敢昭告于顯幾代祖考某官府君顯幾代祖妣某封某氏之墓神主祧遷既埋于墓所不祧之　恩爰自　先朝成命之下又在是日因太歲之重回擧　致侑之盛禮禮當立新主用承　寵命而舊主神魂之所憑依也體魄之所隣近也今將開破塋域奉出改題不勝感愴謹以酒果用伸虔告謹告 洪萬燮

奉出舊主改施粉面後題以顯幾代祖考某官府君顯幾代祖妣某封某氏旁題當云孝幾代孫可也立主後告祝當用宗孫名而曰孝幾代孫某憂服在躬罔克將事屬某親某云云恐宜（攝行者若於宗孫爲卑幼當改屬爲使）上仝

立主後祝當曰維歲次云云今以不祧有　命還奉埋主伏惟尊靈是憑是依若舊主已朽造成新主則還奉埋主四字改以神主重成如何家禮備要題主只焚香斟酒而已者以有虞祭也今也則使飄散之神更依於主非祭不可即擧殷事用作安神之圖如何上仝

三年之中不可行遞遷則不祧之主曷可入廟姑奉于別廟或西舍以待祫事忌辰當單獻無祝如家廟祭可矣上仝

舊主毁傷莫之改題則當仍舊還埋而不容不更告于墓告辭曰維歲次云云謹啓塋域奉審埋主已化于土幾泯其形仍舊還安將立新主不勝感愴謹以云云上仝

立新主亦當設靈幄于塋域之前題主設祭然後奉還于所安處恐當上仝

追成祠板於祧埋既久之後者當設幄次造主於墓所而具由告墓在所當先告辭曰維歲次云云八代孫（立主之前不當稱孝）某敢昭告于顯八代祖考某官府君顯八代祖妣云云之墓府君神主親盡祧埋者已三十四年矣盛德大業爲永世所誦慕今月十五日朝參因大僚仰請　特命不祧錄用嗣孫　恩徹泉塗榮動門閥今將追成神主還奉家廟宗祏既毁而復立祀享既絶而復續不勝感愴謹以酒果用伸虔告謹告 閔致文

告墓後當設虛位于幄次題主奉安仍薦殷奠恐宜初喪則以有虞祭也故題主奠只斟酒已矣追後立主以奠兼虞是爲飲食依神神靈飄散已久恐不可備例畧設也主成後奉安卓子而行禮祝辭曰維歲次云云孝八代孫某敢昭告于顯八代祖考某官府君顯八代祖妣云云府君神主親盡祧埋已近三紀大僚仰請不祧　成命已下　恩禮曠絶幽明俱榮今已追成神主伏惟尊靈是憑是依行將祗奉家廟謹以清酌庶羞恭伸奠獻尚饗上仝

嗣孫先廟恐當前期告由告辭曰維歲次云云孝玄孫某敢昭告于顯高祖考云云諸位（列書）先八代祖考某官府君神主親盡祧埋今因大僚仰請特命不祧今方追成祠板祗奉家廟顯高祖考顯高祖妣已下四禮位當以次遞陞謹以酒果用伸虔告謹告上仝

神主既成薦殷事于幄次因就擧逐第直躋奉于家廟正龕之右位設酒果安神已矣不必疊告羣位亦不宜并設也上仝

正位

祥後入廟且祔諸東壁不敢直奉于正龕待吉祭始就正龕故曰隮入于廟〻與祠堂有二歟大祥後請入于祠堂云者泛称也隮祔云者即指正龕也 答孫輝晃

祫祭前不入正龕故大祥入廟當奉于東壁西向配位先已入廟則當奉新位于其上而各用卓子朔望參亦各設未合櫝之前不可用鋪筵同几之義待祫祭始合櫝而合享焉 上仝

備要合祭新主祝以母存父亡者言而小註喪期已盡禮當配享云〻即父先亡母喪母先亡父喪通用之辭以其某親二字而可知也然全无隮入廟于之語便覽祝辭比備要頗詳而亦欠配享之語愚意兩者俱是未備因其本文而改措曰某親喪期已盡禮當配享今以吉辰隮入于廟時維孟春 既非仲春則則之亦可 追感歲時昊天罔極敢以清酌庶羞祗薦歲事云〻配是合意母先亡父喪恐无不可用之義且依備要註可矣新主祝出自儀節備要而通指始爲廟與繼累世者言耳 朴宗輿

禮祗告正位不告祔位尊伯氏縱與他祔位差殊既未入正龕則祗當處以祔位已矣不擧於告辭恐宜 沈宜健

朱子既有前後配并祔合祭之論則雖三四娶亦當合櫝配食退溪細室別櫝之說恐不可從也櫝體重大飯羹難容皆俗論也曷可拘其小而失其大乎 答金正洙

二妻祔者男位居中而左右祔焉者世俗通例而呂坤以兩婦夾夫爲褻夫一位婦一位左右既分雖三五婦同當一位斯言恐爲得禮 答趙秉德

龕是書塔下室家禮備其名爲奉主之所也語類云欲立五架以後一架作長龕以板隔作四五架之義未詳即吾東所謂五梁歟家禮每龕內置一卓龕中常用卓安主至祭正寢則安主以椅 俗云交椅 別以卓 俗云祭床 設饌也南溪所云下不用板者以置卓于龕中故歟尤翁所云非別有卓子者以龕內下板成卓北端安主餘地設酒果如備要圖也今世龕室狹窄僅容神主故設卓于龕外用設時節朔望之薦是爲俗制而奉主薦獻之同卓恐不成體貌當以後出者爲正也今俗龕前或簾或窓俱无不可而不宜并設也龕制亦當隨地制宜恐不必爲定耳 答任憲晦

祠宇宣額之命賢孫至誠格天之所爲致近額承祭亦當称家之有无千萬祢傳以爲存家之圖焉 李夏永

綽楔之必施於宗家門閭者即以祠版之所在然祠版雖已祧埋而丹門則自在所以樹風聲於百世者不可隨祠版而存亡也門閭狹隘則或設於墓下第宅圮毀則或設於遺墟是爲通行之例也 答任憲晦

皇是大意即虛字而胡元之必改皇爲顯者嫌其爲皇帝之皇而云爾也顯考称雖是胡元之制而既出於古禮又有朱子祝文有惟我顯祖之語非胡元之初行沙翁所以載諸備要也尤翁雖欲祗。考妣称祗称考妣亦无可翻遵備要用顯字恐非可易也 或人

國典資窮代加代加者亦受即階告身既受於生則當書於死生未及受則死不當書不可以當受不受元告身而題神主也是爲事神以誠之道也

古者代各立廟ㄷ各有室有堂後世廟制莫之復舊秪以一廟中各立龕室以一龕為一代矣長房遞奉祧主者當與祖禰并奉一廟同行時祭以小宗合大宗之嫌於是焉非所可疑塞固亦有共安祠堂仲月時事之論矣昭穆之法今不能刱行故高曾祖禰四位循序奉安而若至祧位與祖禰之位非父子則當間一龕用存不失其倫之義未知如何 李中立

遷廟消吉之必用末位之命未知所稽亦用祖先生年終洩瀆褻所謂主人尸祀者也祖考精神即我之精神一氣流通神係於人故人之所之神亦從焉只取主人生旺其實則相須之理存乎其移間奉几筵者不可以象生而不從主人擇日也移宅生者之事非為死者死者隨生者之所之而已不可謂有所重而推其命選其日以張大其事也 上仝

一日不再祭即以殷事而言嫌其瀆也若朔望忝及有事告秪設酒果者雖與忌祭同日非所謂禮煩則乱也時祭則羣主并舉恐不必疊行忝禮也祥禫雖異時享若值朔日則恐亦當廢若累世之廟不可以新而廢舊亦不可或行或否并舉於新舊位恐宜 答任憲晦

古禮祭在廟開元時著死廟之儀韓魏公祭式以正寢代廟室書儀註影堂隘則擇廳堂寬潔處為祭所家禮則遵韓式要訣時祭亦行於祠堂是據五禮儀云爾也愼獨齋曰秪奉一位者仍祭於其所而告辭當云請出前堂非直稱廟雖奉高曾祖廟龕室外行事恐宜只奉禰位者亦當薦忌祀于龕外也盖神道尚靜不必以遷動為禮耳 上仝

祔位

新主祔廟不可昧然而退當行再拜非為安神兼展晨謁也喪中當廢晨謁及新主入廟而更行是為禮也 鄭海尚

凡祥而祔廟者雖考位已入正龕妣喪畢亦不直祔于考位姑祔于亡人祖龕待祫而與考位合櫝今者尊祖妣祥後當祔于尊高祖妣位待伯父喪畢後當舉吉祭吉祭時始為合櫝禮也直祔不直祔不係于子喪承重孫待父喪之畢而舉祖喪之祫是為異耳喪中不可舉盛祭故父喪畢并行祫事改題遞遷亦在此時外此无變禮可言耳 尹克善

祔者所以祭昭穆之次而屬之疏曰孫與祖昭穆同故以孫就祖而祭之也故雜記曰王父死未練祥而孫又死猶是祔於王父也疏曰王父无廟其孫就王父所祔之中而祔於王父也推斯義也既有當祔之位而用中一之制則詎不未安於禮義乎盖祔者非專為祔食為其神之始之欲其上屬于祖考昭穆之次有所依歸也所謂中一而祔者祖父母生存則祔諸祖父之祖父高祖云孫亦同昭穆故也以長房而祭高祖則當祔食於高祖尤翁亦嘗云爾然亡者祖廟既在宗家支子當用紙榜行祔祀于喪家而宗子主之當前期告由于祖廟恐宜祥後入廟當用中一之禮祔于亡者高祖以祧主之遞遷在家也祔祭與祔廟之不同各有精義也 朴齊近

无後班祔亦當并告諸位告辭當一遵備要五代共為一板而并書考妣恐宜茲以下當云先仲父某官喪期已盡固當祔於曾祖考某官府君而以无後嗣永行班祔之禮先仲母某封某氏并祔不勝感愴云ㄷ 李中立

祔祝恐當并舉顯曾祖妣而古禮家禮只舉顯曾祖者以男子之主祔於

皇祖故也沙翁說恐出於斯義耳 金述鉉

神主既祔祖龕則雖是禫前當用廟中之例名節朔望與所祔位同行叅
禮何可出就西別設乎若食不能為禮則新舊位并闕方挍於心 答任憲晦

祔廟告辭當祔於顯曾祖妣之下當云先妣未終祥而先考棄官下世不
肖主婦喪行禮謹以云云 答李道甫

繼后者承嫡者之婦當祔於祖舅之元配蓋舅雖被養於繼母有養育之
情為人后者本主於義義當奪情也宋子答人問曰適婦 承嫡者之婦 祔於妾
祖姑誠似未安然舍此扗揍不得既承嫡則服生母以庶母庶母雖是親
者曷敢處所祔之位乎朱子說恐難遵秪當祔于嫡祖姑而亦以元配也 答李齊信

準禮則代各異廟廟各有龕故當祔神主于所祔位之龕即所謂東遷西
向也後世廟制不古龕室狹窄難容祔位故入祔於廟中之東壁者乃有
所不得已也不于西而于東者神道尚右故避尊而取卑也所祔之龕可
以容祔則祔待朔望節日出置東壁下行禮如退翁說恐亦可遵而否則
因地勢奉安東壁不害為通變雖安遍廟之東壁祔于所祔之意則自如
也 申應朝

祔祭時祔位並設放諸家禮及儀節源流備要圖而具不載陶翁所謂圖
式則正祔位各有者未知何據祔位不別設香案以求諸陽之義可統於
尊位也降神亦然而若至祔位祭酒不可混并於所祔位並設恐當別設
已矣家禮備要時祭圖降神並設在香案前祭酒並設在逐位前此為可
證也 朴宗輿

仲父祔祭家親以宗子主之所祔位祝當書亡者名耶備要之不書以子
而諱親也以兄告而祖曷可諱旁之名書之恐當未知如何 上仝

伯氏祥後入廟當祔於尊祖考而祖考尚居祔位則當為祔位之祔位雜
記王父死未練祥而孫又死猶是祔於王父未練祥者尚云乃爾況已祥
而入廟乎廟狹難容則當因地勢妥排已矣未可以死祔可祔而不入廟
也 崔現默

問其孫婦喪畢當祔其亡室而亡室尚在祔位當祔於祔位乎抑中一而
祔乎揆以雜記王父死未練祥而孫又死猶是祔於王父之文則孫婦之
祔於亡室恐无可疑而時祭欲祔食於亡室則祔位无祝可告多少窒碍
有如此者未若用中一之禮直祔於其祖妣以待其人身死入廟而改祔
未知如何渼湖亦以斯禮問及鹿門而鹿門集中无答語顯承明教 吳老洲

令孫祔祭當遵中一之禮祔于尊祖考位而尊祖考位以未克定嗣祭用
單獻无祝之禮然祔事為祔位設故雖三年喪中略設先忌而祔祭則所
祔祭及祔位并三獻有祝攝事者之替行祔事亦當備禮恐无干統之嫌
前後異同恐不必拘是為禮窮則變也 洪顯周

祔與遷當為兩項事故移改題遞遷于吉祭此備要所以補家禮闕文而
有功於禮教者也神返室堂不可一日无歸故以昭穆次之上屬于祖考
於是虞而安之則告以祫事卒哭而神之則制祔而合饗之祥而不復饋
食則入祔祖龕且待祫祭行迭遷之事而始躋正龕其所以新舊相合者
神理幽妙往哲之所云爾以故母喪纔畢不可直與父合櫝姑祔于曾祖

妣祫而配文是有精義存焉妻喪祥後亦當祔于祖母雖無事亦遑遷宜
用有事則告之禮并告羣位沙溪說當遵備要祔廟祝辭告以祔曾祖而
列書諸位并薦酒果未可以事體差殊而只告所祔之位 申應朝

某親即言主祭者之屬稱也故曰府君若是當位之親屬則詎敢下府君
二字乎以祔祭祝祇擧孫某官不書府君而知其非當位屬稱也 吳顯相

祔食即指旁親無后及殤喪之班祔者也其曰某親者以主祭者屬稱而
云爾也 李百源

禮婦人無廟妻喪畢當祔於祖廟而廢于異宮者若難準禮則奉安孝室
合以祠堂已矣繼配喪畢亦當同祔於元配祠宇而各設椅卓恐宜凡大
祥前期而告者告其當祔于祖龕也兩配各奉靡所相須宜有先告之節
乎祭訖祇告新主以請入于祠堂而已 朴雲壽

孫與祖同其昭穆故孫祔於祖以與先祖合爲安也以故凡禮之言祔皆
不分適庶親疎詎可以妾孫而廢之哉揆以易牲而祔之文則以卑援尊
非可嫌者妾孫祔祖亦當用易牲之禮所祔位稍加饌品恐宜 吳致敏

孫婦當祔祖姑中親者則妾孫婦亦當祔於妾祖姑否朱先生嘗云適婦
祔於妾祖姑未安然不得已且從祔於親者之文舍此他擬不得所謂適
婦承即嫡之子婦也承嫡子婦固當祔於適祖姑朱子說恐難從也妾孫
祔於祖考則其妻亦祔於適祖姑名義乃正不宜從其親者祔之也莫無
悖禮否 李襟溪

忝謂

晨謁家廟固是主人禮而朱先生亦率子弟晨謁吾東先賢亦有主人有
故則子孫替行之論或云非主人則不可行者恐是不通之說也晨謁即
象生時定省之禮則父在母喪亡畢入廟曷可廢晨謁乎父固壓子而祖
不壓孫則豈容以祖爲之主而孫不伸情乎又況異宮乎遷就於情禮之間
而行之恐得愚嘗於重侍日不廢斯禮矣 趙明熙

家禮晨謁只擧深衣深衣已幅巾在中二者相須闕一不可也幅巾禮服
道袍俗制何可參用乎既服道袍則當加笠子屛溪以幅巾之失古制用
程子冠深衣晨謁恐難從耳 上仝

薦新物品有難局定且約月令王制而參以五禮儀孟春青魚仲夏大麥
櫻桃瓜季夏少麥孟秋梨仲秋稻柿棗栗又從俗石魚葦魚銀魚西瓜甜
瓜恐宜亦稱家力恐爲得中若有物皆薦則恐涉於瀆也 上仝

晨謁主人之禮也而主人衰病不能行則子弟之代之固也謂其嫌於主
人之事則禮有攝行之節焉有傳重之義焉何獨於晨謁而不爲耶既曰代
行則曷論創與不創哉得一說爲據亦足而況有春遯兩賢說可以奉循
而無疑乎 李襟溪

同宮之喪雖則廢祭晨謁無可廢之義以其與祭祀不同故初無齊戒也
雖期功之慽成服後當行無疑 答李膺信

除夕拜廟不識如禮何是固象生人舊歲之拜而廟中之禮非所以象生
也莫無近於褻乎禮無日朝廟之文而家禮是擧晨謁故昔人以體輕情
勝爲嫌然揆以事亡如存之義不可以近情而廢之如除夕拜廟亦當以

斯義處之已矣願承門下所行焉 吳老洲
家禮正至朔望特言齋宿故不徒嚮齋所行乃與同春常吊人初終先生
女閔驪陽夫人時尚幼問朔參在明何為祀粱先生解說其止齋其前夜
之義此事載集考中蓋齋宿之宿字看得重也愚亦作此見解久矣近更
思之前一日之義為重未可齋一夜而止此不吊喪而齋戒中一事雖非
初喪亦不可為也先先生嘗論產故行祭當否曰若節日朔望則本只一
日齋宿產七日後客一日齋宿則可行 自註云產七日之夕為齋宿翌日為行參日也 其齋宿須
戒猶恐其不潔淨者於產如此則於喪可知其不從嚮齋所行也審矣向
云不以為不可者自知出於錯認罪不可勝贖也 朴宗輿
緦小功喪既不祀粱則固無違於前一日齋宿之文曉成緦服朝行廟參
固無吉凶相錯之嫌耳 上仝
愼齋曰外親輕服私服不可以私服入廟若本族重喪葬前當廢祭而參
謁則權着黑帶尤翁亦云以外黨妻黨之喪素服入廟似為未安恐當變
着吉服近齋先生又有大功晨謁別具夾縫白布帶小功別用素帶緦服
暫着黑帶之論 朴雲壽
魚果瓜菓之屬有難待朔望俗節則當單獻於晨謁而單薦則恐當用生
生薦亦行於　太廟禮亦許用生魚肉恐非可拘也 吝仕憲晦
家禮備要望日不設酒不出主不出主以無酒果薦亦殺禮於朔也愚則
從語類所載朱先生所行望日設茶不出主參神辭神如禮士無月半奠
故未敢薦酒果如朔參也茶用生薑麥芽雀舌之類恐非難致者耳 上仝

王者各以行盛日為社衰日為臘故漢戌魏辰晉丑即用衰日也　本朝
庫藏在未故用未為臘初非清廟所用云者澤堂說可遵也當從栗谷尤
翁用臘日薦廟也 或人

告由

昔人問於愼齋曰今若改官反追贈在時享月內則待時享日若已過時
享則俟次仲月時享愼齋曰以有事則告不可留待據此則告官榮亦當
於筮仕之翌日不可遲待節日而執事既病莫之行則望參告廟恐不害
義雖未躬將替告亦宜矣甫　命日亦當以公服謁廟未知如何 朴宗輿
既付軍銜曷不因朔望參告耶遽書其銜於祝文亦沒來歷恐祭前當設
酒果告由辭曰維歲次云云孝玄孫某官某敢昭告于云云 列書諸位 某因
國恤差宗戚執事之任已付軍銜冠帶常仕謹以酒果用伸虔告謹告待
拜宗職當更告廟一遵備要所載授官告辭如何 朴雲壽
特贈命下恐當即日告廟辭曰維歲次云云孝子某官某云云顯考云云
顯妣云云顯考純孝正學允為士林所欽慕以至道臣狀籲銓臣　筵白
特贈通訓大夫司憲府持平顯妣從　贈令人仰荷殊恩有此褒贈祗奉
教書摧咽罔極謹以酒果用伸云云 申光贇
有事則告即事死如事生之義積究伸雪貫徹幽明雖無復爵改題之節
恐當告廟并及羣位而　國恤卒哭前不敢設酒果告由秖焚香如朔禮
而已既告廟恐不必告墓此與焚黃有異也告辭製呈必待停啓行禮恐
宜辭曰維歲次云云孝玄孫某敢昭告于某親某官府君某親某封某氏

諸位列書先考府君橫罹文網名登白簡煩冤莫暴飲恨没世昨秋籲 蹕獲
蒙恩諭日夕攢祝永脫覆盆 聖明嗣位霈澤旁流 慈教誕宣首擧先
考 先朝遺意用全外家白日回照丹書洞洗九載冤誣一朝快雪 成
命荐降亟停傳啓湛恩鴻渥洋溢泉塗聖德罔極天地莫量即日滅死死
復餘憾伏惟尊靈悅豫冥〻幽明圖報隕結是期謹告 金宅善
擢柑魁告廟曰蒙 恩魁黃柑科直赴 殿試云云矣今參 殿試告由
當蒙 恩授 殿試丙科及第云云而上下句語已從簡要所載矣今又
遵用似重疊然告直赴告 殿試爲兩項事則恐无嫌未知盛見如何 任楨西
所云焚黃者即因中國制書〻諸黃紙而焚則无義或爲其通幽明之故
歟若其埋主後有貤典則只當告墓否則當遵朱先生所行吉胄丰令司
堂而今俗有焚黃呈辭爲其行於墓所也然設廢事于家廟而行之恐爲
得禮改題焚黃又不同日則焚黃日當更告由辭當云維歲次云云今茲
恩贈特出常格祇奉 命書且喜且悲焚黃告墓雖无稽古處自中國以
及 本朝已成常典禮不可廢敬錄以焚黃哀隕罔極謹以酒饌用伸云
云 丘瓊山用三獻禮而此異時忌而祭恐宜單獻若并奉諸位則出主於
正寢而行之祇奉单位則薦于廟中恐宜 中光寶
抱子而拜自有精義抱之當左顧〻陽也婦人拜必四拜而爲再拜者爲
是其子之拜也 答任憲晦
應萬既是先尊丈所肇錫而蔵諸夢寐者則定小字以應萬因以告廟三
加時名以萬教是亦通幽明之故也 上仝

內則三月之末妻以子見於父見父之後當見廟而家禮則曰滿月而見
尤齋云生子日數滿一月當從家禮然近世儒先有云待三月遇時饗則
告〻而不見者恐得便宜擇此兩者而行之如何 上仝
禮孤子不更名若有所不得已者存則亦不容不改〻則只當告以更名
之由而用諸祝辭已矣旁題恐不可改不可改者以子孫之故而擅改題
主恐涉褻越也唱榜日設酒果告蒙仍及改名之由恐爲得正也因科改
名者向後還復舊名用存不更義之恐合事宜復名時當更告廟也 徐璟淳

## 改題

改題主當行於大喪吉祭前一日而既過時不擧則及今 追行不容少緩
卜日改題當設酒果告由辭曰云〻茲以先考某官府君喪畢入廟固已
改題舉主而貧不爲禮已積歲年昭穆未序情文俱闕顯曾祖妣云〻今
將追行改題不勝感愴謹以酒果用伸云〻改題還奉後當撤酒果即所
以歆食依神也改題合享不可以後時而不擧今値仲朔則改題翌日亟
行時祭恐宜 答沈樂元
先告廟後改題爲日不同則改題日又當告由辭云當維歲次云云獲蒙
榮贈今將改題神主謹以〻下上同所設酒果待奉主復位而撤即所以
歆食依神也 中光寶
祧主遞遷當先嫡而後庶行列尊卑恐不須論也若以庶族尊行先已改
題則恐當告由追改告辭當曰維歲次云云玄孫某敢昭告于顯高祖考
云〻顯高祖妣云〻顯曾祖考云〻顯曾祖妣云〻兩世祧主當遷于長

房先嫡而後庶已有注哲定論而誤以庶從叔屬称題主事異常經禮宜
改題移奉于不肖之房謹以酒果用伸云云 朴秉殷
氏改題待宗子三年喪畢吉祭前一日爲之而三年中若蒙貤　典則當
以宗孫名告由告辭當云維歲次云云孝曾孫某敢昭告于某親某官府
君某親某封某氏因叔從祖進秩上御奉某月某日　教書贈某親某官
府君爲某官某封某氏爲某封祇奉　恩慶有此榮贈不勝感慕某方持
憂服不敢行改題常禮當待後日祫祀謹以酒果用伸謹告虔告 雖未改題前亦
稱孝孫郎祔祭祝而可知 申在植
前後配姓貫皆同者或慮其相混郎其題主而標別恐涉苟且尤翁答畏
齋曰婦人不書真誥紙書其　贈此則俗例然也如欲并書真誥則依朱
子大全封户例書實封二字於貞夫人之上竊恐宗封二字亦非可施於
題主者繼配改題亦從前配紙書　贈誥恐爲得正蓋婦人封號雖從夫
子宗職若云淑夫人　贈貞夫人則恐无可稽此與男子之并書行贈兩
職事體差殊故也 李承敬
叔父神主期而入祔又无攝事則叔母改題不必待再期也第喪中无廢
時祭之義則不可以喪畢而別行吉祭當待時祭改題合櫝以祔食之如
不行時享因朔參告由行之亦宜也 姜周欽
追後立主者亦當追舉祔祭而喪畢既久之後追行祔祭禮所不言然亦
不可无祭而徑祔主主後權安于房室祔祭畢并所祔位同時入廟恐宜
辭曰維歲次云云孝曾孫某云云顯曾祖妣某封某氏事力不逮先妣某封

某氏隮祔之禮過時未行極爲悲缺喪畢雖久不容終闕將用來日祇薦
祔事不勝感愴謹以酒果用伸虔告謹告 祖廟告辭 維歲次云云孝子某云云
顯妣某封某氏事力未逮祔事失時喪畢雖久禮當追行將以來日隮祔
于祖妣某封某氏不勝哀慕謹以酒果用伸虔告謹告 新主告辭 徐璜輔
攝祀者以孝子奉祀題主已祀奉之宗罪不可但以失禮言也禮貴別嫌
曷容晷刻苟淹乎神理人情不能一日安於所不安則雖明日立後今日
改題何可以頻數告由爲嫌乎告辭當曰始喪題主荒迷失禮以孝子某
奉祀僭題己犯干統之罪不可遲待先兄立嗣今將改題以介子攝祀謹
以酒果用伸虔告謹告 答尹穉維
賢閤改題係是告榮恐不可與尊叔父改題同日退行於吉祭後恐宜 李沆

祧遷

吉祭祝既有百拜告辭之文又郎祧埋則奉往墓所時恐不必置告而既
安別廟曠延時月則恐不宜昧然无事往臨墓所更告恐宜辭曰維歲次
云云五代孫某敢昭告于顯五代祖考云云顯五代祖妣云云祧埋神主
當在祫祀之後而形格勢禁因郎行禮今將奉往墓所不勝感愴謹以酒
果云云 或人
氏祧主遞遷并奉于長房祖禰者誠有以小宗合大宗之嫌時享俗節及
朔望參禮先祭祧主後祭祖禰是爲得正而既不能仍爾則獨於吉祭曷
可爲別嫌明徵不合祭埋主乎備要所載合祭埋主祝雖宗子主而言亦
不言長房之不可爲則何忍无祭而祧埋乎原祝中刪先王制禮祀止四

代心雖无窮分則有限四句神主下添準禮二字恐宜祧埋之節當依歲一祭禮行高年長者當主之答趙秉德

祧主臨埋經由古宅則奉安暫次于舊堂攸等者所以通幽明之故叶人神之情是不容已者而若至設祭一欵无稽也无名也抑情而不踰節禮也任情而不知裁非禮也非禮而祭神其享諸然祧埋死生之大契濶也或恐不安於情殷奠卑酌用寓无窮之慕不甚悖理又有祖先往例可以遵述者則不害爲无於禮之禮也三獻而後成祭則一獻无祝亦是伸情而止雖則疑宗行禮于旧宅則宗孫恐當主獻未知如何金述鉉

遞遷二字雖就五代祖以下而言然幷告最尊不祧位曰而今而遞遷有事云爾則恐似逕庭改遞遷以合享恐宜或稱合享先儒已言之吳顯相

某五世祖殉於孝已蒙旌閭設丹門於丙舍者久矣先考喪畢則行將準禮祧埋神主而分限有定薦誠无所私心感痛方謀移綍柎于宗家用作後世子孫瞻依興慕之資不識盛意如何墳菴亦故宅而以其有宗鄉近遠之別而乃爾然建主既久未敢自擅謹茲稟裁吳老洲

第斯禮也與 孝定殿屬稱相爲始終故有不容舍點 殿下之於 憲宗大王纘緒傳重无父子之名而有父子之道故穪禰廟而稱嗣王盡致喪之制行諒闇之義尊敬嚴重无間於繼體則五廟世數一遵父子昭穆之禮已矣謹按朱子大全禘祫議載周世數圖及四時祫圖孝王時懿王居左昭共王居右穆孝王即共王之弟而兄弟各爲昭穆孝王即懿王之叔而世序无異父子也朱子嘗歎宋朝廟制兄弟相繼者共爲一世爲禮之末失其議狀則曰太祖爲穆擬周之文王太宗爲昭擬周之武王又云哲宗爲穆徽宗爲昭欽宗爲穆高宗爲昭太祖太宗哲徽欽高爲兄弟而祭各有室也先正臣宋時烈嘗議祧廟之疏亦曰帝王家以承統爲重雖以兄繼弟以叔繼姪然猶以爲父子而各爲昭穆以春秋言之則魯閔公弟也僖公兄也而孔子書曰躋僖公譏其逆祀也朱子請以兄弟各爲一世如父子今我 仁廟 明廟親雖兄弟義則父子也前頭遷奉永寧之時猶可以二其昭穆以正其已事之未安先正臣李縡亦以宋張齊賢所謂兄弟繼及亦移昭穆之列者爲正挨以孔朱之訓參以先正之論則我 殿下之於 真宗大王當準五世之數而行祧遷之儀恐符禮意是所謂秉天理以正人倫觀會通以行典禮者也憲宗大王祔廟 真宗大王祧遷當否議

別廟

祧主權奉宗家別廟時不可无告辭曰維歲次云云庶玄孫某官某敢昭告于顯高祖考妣云云神主當祧遷于不肖之房而居遠家貧无計承祭謹遵近例今方權安于宗家別廟謹以酒果用伸虔告謹告朴齊近

祧主權奉宗家別廟之日亦當告廟告辭曰維歲次云云孝玄孫某敢昭告于列書諸位云云六代祖考妣云云祧主當遷于次長房而居遠家貧罔克承祭今已權奉祧主于家中別廟謹以酒果云云上仝

祧主移安宗家別廟後當即改題改題次長房主其事宗孫之居憂恐无可拘向後損祀時當準禮行事不可用宗家喪中行祭之例也朔望之參名節之薦當先別廟而後家廟是爲不先父食之義也上仝

无後本生親班祔于祖廟此有沙溪定論而所後家廟无亡者當祔之親則禮不當祔祖廟又在宫異不克注祔則勢將當祭於別廟以待後立若无可繼則當用傍親无後祭終兄弟之孫之禮祭出繼子之子之身祭本生者雖與他旁親不倫揆以別嫌明微之義恐不當以情掩禮 李沆

奉祀之至于玄孫以其有服之親也等有服耳无嫡庶之別遞遷以祭之此朱先生所義起而天理人情之至者也曷可以貧不能尸祀而徑埋當遷之主乎長房既无廟可奉則勢將創立別廟于宗家是為權而得正者也題主以庶玄孫屬稱為之若不克與祭則祝辭當云庶玄孫某病未將事使某親云云恐宜 沈獻永

繼祖之宗與繼禰者不同禰位之自祔而升龕以次于祖廟者亦可謂世次迭遷昭穆繼序雖无遞遷祧埋之節此二句恐不當刪而迭字改以式字然則備要合祭祖以上祝當用於禰位不必用父先亡母喪祝措語耳 李襟溪

大祥入廟當祔於亡者之祖而支子繼祖之宗異宫異廟者亦當祔其父於宗家祖廟待袷而入其廟耶遜菴李齋咸主祔祖之論是為守經而亦有形格勢禁不得祔於祖廟者將權祔於考廟東壁則大祥前日告辭當改措云當祔於曾祖考而支子繼禰準禮立廟往祔祖廟勢有所拘權安于東壁云云未知如何 吳老洲

五代祖母生存五代祖考神位全本庵曰祖母雖存禮固謹嚴埋安為宜屏溪曰祭別室為宜未知門下何所從違愚意藏主別室待五代祖母死後合埋恐當未知如何 李直輔歸中洲

收養尸祀改題時告由辭曰維歲次云云族從孫某官某敢昭告于顯族從祖父某官府君顯族從祖母某封某氏收養小子恩兼生育居喪尸祀敢云報德至若顯考顯妣題主昭穆失序大悖禮經不得不及速改正令方以養祖父養祖母改題屬稱以侍養孫非敢處薄所以歸厚伏惟尊靈俯鑒焉謹以酒果用伸虔告謹告 朴命璧

妾主

禮妾母不世祭故為壇而祔是為不可易者而近世祭及于曾玄至或有遞遷者神不享非禮是歆享而反薄也祖妻卒哭後固宜即埋妾高祖母神主而三年后當有改題遞遷之擧則祧埋亦待喪畢已矣吉祭時恐不當并祀妾高祖母吉祭前日告由當位曰歲次云云亡高祖母某貫某氏不世其祭經有定訓情勝失禮已過數代顯祖考喪期已畢追正之擧宜及此時神主當埋于墓所不勝感愴謹以酒饌百拜告辭尚饗 吳致敏

傍注施於所尊云者節朱子答妻主傍題之問而備要載諸庶子所生母題主之下故視以不可為所生母傍題之證然此為卑幼及傍親而言非指所生母也所生母雖不敢與嫡母班而在其子則不可謂不尊亦非傍親也傍題何可已乎祇當云子。奉祀某不當下孝字孝是老字之義老即長也長子故曰孝子庶子之於其母宜有長衆之別乎且不宜僭擬於長嫡之禮而曰孝子 李疇岩

祭妾祝何可書名如祭妻乎但云名告于亡妾某氏可也統尊之義妻妾何異以亡妾題主然後可以得禮之正宜以難慎乃爾 上仝

## 長房

禫月喪而朞已盡喪朞已盡一句何拘禫月吉祭乎只奉祧位者合祭祧位祝先王制禮以下十六字恐當刪入廟下直接以新主當祧將遷于某親某之房如何 朴雲壽

長房之奉祧主雖與宗家差殊喪未畢而遷遷者恐有所不安當待祫事遞遷于次長房恐宜長房卒哭後遷于次長房出於尼尹而爲尤翁所取擧俗之所通行而好禮者亦不苟從也若從俗卒哭而遷則不容無告 答任憲晦

長房之遞奉祧主者固不可以喪中爲拘而改題則當待吉祭雖無世代迭遷昭穆繼序之禮改題一節非可行於喪中故也自宗家遞遷後當設酒果告由祝辭曰維歲次云云玄孫某敢昭告于顯高祖考某官府君顯高祖妣某封某氏神主祧遷于不肖之房宜遵曲禮以屬稱改題而先考某官府君喪朞未盡當俟喪畢行禮謹以酒果用伸虔告謹告三年中祧位忌墓祭當用單酌無祝 洪哲謨

次長房廟龕當虛右用奉祧位不可不先告告辭曰維歲次云云顯高祖考妣云云祧位今遞遷于不肖之房改題神主奉安右龕府君神主差退左龕謹以云云 李宛在

房名始見于唐書宗室世系表有曰三房稱四公子房即以名子孫之居者也語類亦云子房私房蓋由儀禮南宮北宮而發也家禮一書多從宗族同居之禮故爲此遞遷長房之禮歟向脈下詢長房未娶者遞遷當否故以無未娶及廢疾人不許遞遷之論仰對矣竊更思之不成人則不成房且禮官備則具備而既無以夫婦親之則何以具祭乎是謂不成享以故禮宗子雖老亦再娶爲備外內之官也然則不娶者之不宜奉祧主也審矣祇當移奉于次長房而若無可移之房則以其名改題仍祭于宗家別廟未知如何親既未盡矣以不成人而不遷遞然祧埋亦有所不忍焉故耳 吳光洲

## 移奉

祠板奉安龕次時最尊位在其南最下位在其北奉出時先奉最尊位安于龕室其他諸位以次奉安則勢順而序正未知是否 宋煥箕稀性潭

祠板移奉時當設酒果告由移奉後祇設酒果以安之告辭不必爲也 李載毅

昔尤庵祠板過洛時出迎于路傍稟諸近齋鞠躬致敬而不行拜禮矣今聞出迎栗谷祠版者皆行拜禮云從衆爲宜古人於師夫人之喪或有拜堂而拜者栗翁百世之師也雖有奉配位於一龕龕前瞻拜恐不必爲嫌也內外合窆之所外人亦行拜禮龕與墓何異哉 與一純

## 攝主

陶庵雖有權攝之擧而題主則無傍題之說然凡係遞遷長房者亦用長房名銜題支子攝祀無不可銜題之義當云介子某攝祀祝文亦當云攝祀介子某也 李勉愚

攝祀之亦宜告廟而在祔祭前日告辭曰維歲次云云攝祀玄孫某敢昭告于顯高祖考妣云云 列書諸位 伯兄早歿無子先考府君宜立嗣孫用主喪祭而靡所繼絕不肖因先考遺命權攝祀事痛慟罔極謹以酒果用伸虔

告諭告 上仝

舍庶子而以從子題主縱出於嚴嫡庶之義而恐乖禮經親不同親者主
之之文思意表則以庶子主之廟事則從子主之一以存嫡庶之防一以
遵親主之訓並行而不悖未立後之前凡係先廟之事所謂攝主者只是
单献无祝而已雖則從子主之亦何妨於俾庶子而主三年之喪乎禮亦
有喪祭異主之文故也喪畢入廟之後則不可以攝祀而行三献用異於
羣位亦俾從子主事恐不害理願賜明教 任赖西

尊立嫂之喪令允主之故以其屬称題主以顯伯母禮當小祥脈除因之
入廟雖則入廟姑置安於東壁下以待立嗣孫改題合櫝以躋正龕是為
得正何可以继后之淹遅遽然合櫝乎兩位異題而合櫝者 隹艮无豪王

權俱失雖曰禮窮則变詎敢為先猶之舉乎一廟五世之主題有三殊雖
拯閙迫事到不可奈何處當以不可奈何處之而已事勢情理恐不當叅
錯於其間也最尊位雖是當祧姑未遷遷則曷可獨用三献之禮一廟而
異禮乎亦當諸位单献而祭待遞遷備禮行祭然後情禮兩安此等處通
变不得守經之外恐无他道耳 金基叙

令從姪歿而无所継絶故尊季父丈以親者主之々義攝行宗事而改題
遞遷非權攝者所敢議到陶庵先生立論嚴正故歲月滋久而惟待嗣孫
之生矣未及立嗣而尊季父丈又奄然長逝則尊從叔叅議丈當以長房
遞奉祧位神主而未改題也故不得遞遷亦以門長及長房宜攝其祖考
仲父兩位之祀而揆以朱先生七十老傳之義則自家廟事亦難躬行况
為宗家攝祀乎况居百里之遠躋八耋之齡者何可以筋力為禮乎勢將
有攝祀攝祀恐是行不得者也且尊仲氏祖子孫三位合用親者主之々
禮一廟之中用兩攝主恐不成事理尊伯氏攝主五代之祀是為禮窮則
变處变事而不失其權也令宗姪三年喪畢應在祔位待嗣子改題遞遷
然後始入正龕則權攝者宜有祭五代之嫌乎攝祀告廟恐非可已而當
翔侄叅仍告其辞曰維歲次云々曾孫某官某敢昭告于顯曾祖考某官
府君顯曾祖妣某封某氏顯仲祖從父某官府君顯仲從祖母某封某氏
顯從叔父某官府君顯從叔母某封某氏嗣孫叅夫靡所継絶先季父府
君攝行宗事今又奄逝從叔父叅議以最長房當尸攝事而年過老傳居
隔百里凡係祀享恐難以筋力為禮且五位中三位自有親者主之々義
一廟中兩攝主亦涉逕庭等是權攝不肖代行其事恐叶情禮痛慟感慕
謹因翔叅敢告 李埒

祔於祖廟者當在三年之後而必先就祖而祭者以未忍一日无所帰也
曷可以宗子死而闕其禮也哉主人既攝行其宗子之事則當以其名先
告曾祖後行祔祭於喪家恐為得正也紙榜行事已極虛遠歧所云神之
格思不可度思詎可不告而祭之乎先告後祭亦不可以者已也既无宗
子則以喪主而攝宗事者祔祭告祝當用其屬称亦以此意并為告由然
則何干統之可嫌哉告辞曰維歲次云々曾孫某敢昭告于顯曾祖考云
云顯曾祖妣云々以某日干支将舉先考府君躋祔之禮于其所畧官行
祀方設紙榜且宗子當主祔事而宗子死无後嗣不肖攝行其禮謹以酒

果用伸云云 答趙秉德

无男主者婦人之奉祀題主出於萬不獲已權宜之道也无後喪有大功之親則婦人不得爲主如今庶從家既絶大功之服又无繼世之望以顯辟〻〻子改題之外无恐他道也其子有妻似亦以顯辟改題而有母則當統於尊故也夫位改題告辭曰年月日云云主婦某氏告于顯辟某官府君嗣子某既死无子无從立後又絶大功之親可以主祭謹遵禮經之文將以顯辟改題不勝哀痛謹以酒果用伸虔告謹告子曰年月日云云母告于亡子某官當初題主時宗子某官以亡從弟書之矣今宗子喪期已盡主祭无人立後繼世亦斷其望用權宜之道將以亡子改題不勝悲愴玆以酒果用告事由玆告 金基厚

丁憂

私喪未葬與國恤未卒哭前事體差殊尸柩在家何可議到於廟事乎凡係葬前告廟亦不可用酒果況薦新乎雖生薦亦不可爲也 答任憲晦

三年喪中雖廢家廟晨謁而本生喪葬後所後家忌墓祭準禮行之則曷可廢晨謁乎未葬則不可入所後家廟也 答李道用

禮有事則告事莫大於死喪曷可不告士喪禮命訃在始死遷尸之後告廟當在是時用親屬皆告〻辭當云孝玄孫某以某月某日卒逝謹告喪禮從簡只焚香恐宜告廟既不及時則亦宜追告朝祖死告廟之節以有始死之告故也 李寅行

被灾

祠屋被床〻之患則移安于他房室宜也用酒果告由辭當云孝玄孫某云〻顯云〻 列書諸位 雨水攸漏廟宇欠淨今方移奉于他所謹以酒果用伸云〻還奉時亦當告由辭當云屋漏既改廟宇乾安載涓吉日今方移奉上下文同 李景嵇

廟主被灾當遵新宮焚三日哭之義嗣子當朝夕哭臨于廟墟第四日造主當在於是地即以魂靈之所留也立主時當設虛位待主成薦以酒果恐宜告辭曰維歲次夫某身在謫所因克躬將使子某昭告于亡室孺人某封某氏欝攸告灾禍及廟主傷痛罔涯今已改造神主既成惟靈是憑是依玆以酒果用伸告儀玆告 金佐銘

神主見失因極驚痛而既得之則當仍舊奉安以憑依已久〻則難改也若主身破傷則暫將改造否則新粉面而改題已矣改題時先設酒果如吉祭題主之儀題訖還奉而撤節所以飲食依神也 朴鳳陽

改題時當先告羣位告辭當云維歲次云〻孝玄孫某官某云〻顯云〻 列書諸位 某不肖无狀罔克慮患竊發之變至及廟主震驚尊靈痛隕罔極今方改題舊主維新謹以酒果云〻 朴瑞喆

國恤

卒哭前宗廟陵寢朔望只行焚香故校院及私廟亦不廢焚香至若薦新公家之所不廢者故私家亦行之而五穀魚鮮只合生薦亦不設酒以示变於常時也凡薦新不出主只開龕已矣 答任憲晦

國哀之告私廟禮无其文而因山卒哭前私廟當依戒令廢祭廢祭

之由合先告廟告辭當云　國有大慽卒哭前停大中小祀私家亦廢薦
獻敢告癸前告廟不設酒果以停祭也上仝
謹稽朱子祧廟議狀有曰方及十世者僖祖爲一世宣祖爲二世太祖太
宗爲三世真宗爲四世仁宗爲五世英宗爲六世神宗爲七世哲徽爲八
世欽高爲九世孝宗爲十世也有曰八世者太祖太宗雖析爲二以足八
世之數既與哲徽欽高之例不同則其實合爲一室云八世有曰析一爲
二者以宋新制分太祖太宗爲二廟故云也有曰九世十二室者太祖太
宗哲徽二宗欽高二宗兄弟合爲一室世爲九而室則各異故爲十二室
也此皆歷舉當時廟制襲謬者而云爾非謂其可遵也蓋兄弟傳國者以
其嘗爲君臣便同父子各爲一世而天子七廟宗不在世數中此爲禮之
正法若今日見行廟制則兄弟共爲一世而太祖增爲九世宗者又不在
世數中此爲禮之末失斯言也卽不易之常經也至若横渠自高至禰皆
不可不祭者遍考張子書无見處不敢議到也　本朝太宗在上王位四
年而　世宗三年始祔寧永殿祧遷　穆祖而自　翼祖以下爲六室則
其將虛禰廟而待之耶　仁明兩宗之合爲一室已是失禮之大者元翁
之追正於祧廟云者卽述朱子之訓也朱張兩賢不定廟數之云愚見之
所不及者也有祔則有祧祧自有當位詎容携貳於其間哉　翼憲兩廟
若在昭穆之外則其將如私家之班祔耶千秋萬歲將何以究竟耶唐禮
志所云兄弟不相爲後不得爲昭穆云者悖理之甚者曷可舍朱子正論
而取拘儒曲解乎盛諭辭嚴義純可以藉手而見往哲豈不爲世教之光
哉尹致秀

春秋躋僖公註高氏閌以漢光武當繼平帝之統而以世次當爲元帝後
遂上繼元帝者爲非斯言如何朱先生答何叔京以成哀皆致寇亡國之君
卽陵爲廟爲當苟其然者光武所處亦自得正耶元帝光武同祖景帝而
元帝則爲五世光武則爲六世故序昭穆而爲元帝後追尊宣帝爲中宗
祀昭元於太廟卽禰元帝之義也別祀其四親於舂陵而不入太廟者卽
不可以小宗合大宗之統是爲得禮也高閌當繼平帝之統云者卽譏躋
僖公之義而以承統爲主也卽陵爲廟不祀太廟所以著亡國之罪者固
爲竣正而不合於春秋未知當何所適從耶舂陵四廟不以伯升子奉祀
令太守令長侍祀有乖於朱訓而其不以非禮進宗章貳本嫌微之旨者
千古帝王中惟光武一人而已願服明教　李襟溪

鄉社

鄉社既毀位板且移則更无所於俎豆奉埋于當位塋所是爲處變事而不
失其宜也祭廟子孫之禮祭社士林之事位板之先埋不可拘於神主之
未祧也位板移奉及埋安時當有告辭曰維歲次云云某孫某官某敢昭
告于顯某親某位府君神位金浦章甫始因府君儒化遺愛建祠俎豆已
積歲年近者廟宇告頹无力改建移奉位板于牛渚書院事體苟艱不容
淹遲將奉于府君墓所情禮俱窮不勝愴慟謹以酒果云云維歲次云云
某孫云云顯云云之墓金浦章甫創祠以祭府君者已積年所今因廟宇
頹圮无所於俎豆形格勢禁因克改建將埋安位板于府君墓所謹以酒

果云云 金寅根

達禮祠竣役安靈否本諱且書於告祝按以古禮祝辭室祖伯某之文則亦无不可而古今異宜有所未安如盛示孤書大先生小先生恐宜夷齊則有謚有贈故只書清惠侯仁惠侯禮意當然而至若達禮祠則更无他稱只用大小二字區別已矣伯季字亦未若仍本文大小之爲得春秋享祀若與他相値則未須用或丁或亥日凡係柔日則皆可祭不宜越仲月而行於季月也季月亦祭禮有可證而未若用仲月之爲正也兩丁祝恐不宜合設推以時祭祝各位各版之例則各設已矣配位若遵時祭祝末某親祔食之文則无祝亦宜也 答李源長

梅山禮說卷之三

# 梅山禮說卷之四

## 祭禮

### 時祭

金海 金奉洽 輯

凡祭祀之禮誠爲本而物爲末信能盡愛敬之實則簞食瓢飲亦可以格神否則雖準四簋八簋之數神不享焉故曰在誠不在物是以朱先生嘗云隨家豐約如一羹一飯皆可自盡其誠重峯設時祭只飯羹及粟末爲餅瓜蔬各一器愼齋每時祀至有一位用乾石魚一尾者此所謂貧家有无而爲貧者法者也家禮時祀果爲大品而沙溪云六品難備則或四或二庶合禮意至若正至朔望參禮則家禮只設新果一大盤一盤即一品之謂俗節薦事亦遵斯禮已矣禮五年祀以下牲天子諸侯猶然況大夫士之家乎今秋冬宗告歛果品難具從諸賢說減籩豆之數恐不害義 朴宗善

禮所云官備則具備以夫婦親之而言也又以衆子衆婦之相宗子宗婦爲備內外之官而如无可以相祭者惟夫婦親之已矣若喪配者亦不可以无官而廢盛祭必邀親賓執事毋闕其儀是爲得禮以无期切之憾而刊落胙餕之節可乎至若告成雖无祝主人亦无不可獨行之義也 答任憲晦

時祭三獻獻者皆東向立執事者斟酒乃聽命於神之義也所以與虞祭不同耳蓋虞祭主人未詣注卓之前當有執事者開酒取巾拭瓶口宗酒于注一節如朔望參與時祭而文不具也以俱詣靈座前北面推之則執事之開酒與取盞立左者亦可知其爲北面也 答孫輝晃

周人先求諸陰故灌鬯在先殷人先求諸陽故焫蕭在先而後世禮家以

焚香代焫蕭而在酹酒之先者是用殷人先求諸陽之義也今且從書儀
家禮先焚香後酹酒亦可謂不悖於古也焚香酹酒俱屬降神而朱諭以
焚香與降神合而二之者何也朱子嘗以温公書儀降神一節謂亦四似
僭禮見語類論家祭條而家禮則盖因襲司馬儀也崔鴻錫
曲禮凡祭祀犬曰羹獻言犬肥則可為羹以獻也周禮夏行腒鱅膏臊註
犬膏治腒鱅以犬膏是用於時食之薦者也以故　宗廟亦薦犬肉而獨
士大夫不用於祀享狃於習俗者東人之陋也三年中只薦於上食者為
其衆生也勿論忌墓時祭用作鼻俎之需恐无所不可耳趙明㬎
家禮亞獻以主婦三獻以子弟而无伯叔父母為之文然廟中以有事為
榮則固可以逮賤亦不可以逮貴乎使得以申其敬一也然則諸父之終
祭无所事誠甚缺然退溪說思无間然矣家禮本意似為其尊者而不與
然以尊祖敬宗之義為宗祝有司之職者豈降屈執敬為執事已矣朴宗輿
國法許士大夫止祭曾祖以下而以高祖為有服之親也故士大夫家不
拘　國法并祭高祖推斯義也庶人雖許止祭考妣而并祭祖父母恐不
至為僭也祧主遞遷不可施於庶人埋主後歲一薦于墓无貴賤之别也荅任憲晦
郊特牲曰血腥爓祭用氣又曰腥肆爓腍祭豈知神之所饗推斯義也魚
肉之用生用熟俱无不可而家禮則不言生其用熟可知也然語類有云
祭用血肉者要藉生氣是出於古禮祭尚用氣也生熟固當參用而用生
則作膾恐宜上仝
大統曆不書初字故　翼廟代理時與感風泉命　皇壇祝文删初字士
夫好禮者亦不書初字是亦出尊周之義一遵　皇朝統曆之舊恐宜上仝
孝子孝孫之孫出自古禮歷程朱羣賢而未或見改注哲豈皆自處以純
孝而云爾我禮註孝字便是老字之義老即長也長子故曰孝子然則自
孫孝子亦何嫌之有愚嘗奉教於先師者乃爾故舉而論之改孝以嗣恐
无所據昔人所處亦出率爾何可取法乎上仝
主婦亞獻時无他婦女可以執事者則主人庶母與庶祖母之助主婦執
事似是不得已而為之者也以栗谷庶母於主婦前之義推看則恐不
可行而栗翁所行終涉未安已有牛溪兩賢所議到者恐不當取則也女
僕之不可為執事未示得之矣朴宗輿
凡祭祀之禮雖云內外親之无主婦者滌器潔釜具祭饌當使衆婦女
為之而亞獻則決不可攝行以嫂叔舅婦之不宜對待為禮也然終獻亞
獻不倫无攝主婦之嫌故朱先生許弟婦為終獻弟婦猶然況子婦乎子
為亞獻子婦為終獻恐无害於盡敬盡禮无主婦之家往〻乃爾不疑其
所行者也李道在
古禮三獻之外有長兄弟衆賓之加爵皆有酢餘至室中及庭故均被神
惠而開元每獻有飲福故祝與在位者皆再拜用存均惠之義獨主人不
拜者既出笏俛伏興再拜故立於東階所以不與在位者同其禮也荅金復亨
侑食主人之禮也禮无使執事代行之文縱使老病罔克躬將使執事添
酌再拜則自為之已矣以其非執事〻也已不與祭而使人替行則攝事
者自行侑食之拜固也若至主人與祭而執事者侑食則是无主人也其

可乎雖不得已代主人侑食拜則不可耳 徐鼎輔

點茶之文已見於家禮叅禮主婦升執茶筅執事執湯瓶隨之點茶儀節釋曰之古人置末茶於哫中投以滾湯用茶筅調之時祭條註有茶盒茶筅茶盞則時祭之亦點茶可知也不曰點茶而曰奉茶者以諱於祭禮而變其文耳非謂不點而奉之已也時虞之儀未見其不同 金尚九

祭統鋪筵同几小牢特牲一尸共饌節所謂精氣合也考妣同卓極有精義當遵无疑而家禮襲開元書儀之謬各卓而異饌備要〻訣惟家禮是循而愚意欲捨家禮從古禮既同几而共饌則恐不宜有合有各飯羹盞盤亦當并設而五禮儀有云大夫士時享考妣合餞惟飯羹酒匙箸各設先儒有取之者遵用何妨第一行若難并設盞盤差退於第二行庸何傷乎此等處因地勢分排不必局定其所耳 答 趙秉德

左袂李指之文出自特牲疏曰掛袪以小指者便卒角也但右手執角左手掛袪以小指不于左手言便卒角者飲酒時之恐其遺落故云便卒角也卒角猶言啐酒角即爵之類也 答 任憲晦

告成時祝與主人相拜非直禮所不言亦无義意洛下知禮者秪相向而揖已矣 上仝

時祭行於正寢禮也而家狹則先賢或有行之於祠堂者君家既貧家狹則姑行於祠堂而行祭亦如愼齋之布毋案飯重峯之挾山漁水堂非賢於已乎 答 李道用

飲食所以交神而最重灌鬯者幽氣臭相感自有難形之妙也醋者酒之流而其氣味乎格有過於酒者以故古人祭必用醋家禮備要之所同載遵用无疑 答 李在慶

邪諱俗忌君子之所不道也惟婦言是聽而至於廢祭者如禮何痘是瘡腫故患其不潔而停薦者有之是則似然而至闕家生之饋或行之而不焚香不擧哀其為痘神地至矣獨不念先靈之赫臨乎所謂痘神佛罰竈下老姆之言也痘豈有神乎縱其有者疾痛慘怛當呼父母仰冀宜薦可恐媚外神而簡於先靈乎頤庵所歎昧求於本而致曲於末者豈不信哉 上仝

記曰凡糗不煎註云以膏煎之則褻非敬疏云凡糗直空糗而已不用脯膏煎和之又云惟葬奠有糗已矣據此則秪當用於葬奠而已自虞以後似不可用而三代之時祭尚氣臭氣臭所以格神也然則所謂凡糗止指米食非謂魚肉亦不膏煎也至若油蜜果即糗煎而東俗所以供佛者也用諸私祭亦有邦禁以禮以律俱不可用薦神已久〻則難變以故愼齋尤翁皆不許其不設且祖先所嗜蜜果者則其在思其所嗜之義秪薦於當位忌祭恐宜盖不用者得禮也用之者從俗也從俗亦不甚害理恐不必局定耳 答 任憲晦

進羹進茶是為兩件事不相關非撤羹而進茶也羹茶進處亦无可稽此備要所以无撤羹也排羹之地甚窄而還就安茶鄙家所行者乃爾 上仝

邦特牲祝受而於肝燔則加于俎而已士虞禮亞獻尸如主人儀又曰賓以燔如初如初則加燔亦如俎可追而知也家禮時祭初獻後撤酒反肝置盞故處故陶庵有魚肉不同盛之論然今俗初獻亞獻後止撤盞而不撤

矣亞獻加炙者是爲古禮不可易者也上仝

倫要祭饌圖所云鹽似是食鹽食鹽不見於禮故尤翁亦云食鹽之用只是東俗禮家所謂鹽則是海物之加鹽者并用恐无妨鄙家亦用并二者矣上仝

凡内外序立皆在階下今俗或不知禮意爲位於堂上非禮之正也位在階下而行禮於堂上故有事則陞无事則降 白宗杰

承重妻子不可廢四時之祭故不敢伸私親之服禮只許三月不舉祭此所以因是服絕也除服後祭如平時而時祭但不受胙以身有心制也 洪在周

王制曰大夫祭器不假祭器未成燕器不造疏云此謂有地大夫曲禮曰凡家造祭器爲先又曰无田祿者不設祭器家禮言祭器與燕器同故曰得皆具之數語類曰籩豆簠簋乃古人所用故祭享皆用之今以燕器代祭器常饌代俎豆是亦以平生所用是爲從宜據此則亦有大夫士之別當量力而處之不可句定也曲禮曰祭器敝則埋之是可驗不宜通用如可爲力且宜別具貯於櫝中如家禮所訓恐爲得正衾枕之屬可倣櫝而子柳時餘班諸兄弟之會者先儒亦嘗云爾以子孫而服父祖壹床之衾何褻之有哉此與曲禮祭服敝焚之之義不倫又異於不能讀父之書不能飲母之梧棬當畢生服用敝而後已也 吳任憲 晦

好學崇禮宜有貴賤之別乎以庶人遵士大夫尤爲可尚 國法許庶人只祭考妣考妣之祠行四時正祭恐不爲僭也上仝

禮无瘟疫廢祭之文流俗之弊往往有不忍聞者但瘟疫及潔病所不可具祭祭則決不可廢也宋頤菴所謂災厄之來未必非廢祭之因而顧不知悔罪致誠修祀復禮惟憑巫覡覬回天命災愈集而惑愈甚者可以扶植世教也 李升淵

卜日

時祭家禮因用杯珓卜日而朱先生且云祗用分至亦可以故好禮家或用二分二至行四時之正祭分至若值祖先忌日家廟則當告由筮吉或丁或亥而行之異宮異廟則恐不必爲拘以神道事之故固以祖先之諱日不舉子孫之盛祭也 李晉淵

祭在朔日者據朱先生致仕告廟文只稱某朔而不繫以日恐宜 李推達 善

衆慶不可同日以喪餘之辰舉合歡之禮禮之大防存焉是則非所議到而雖齋日亦不可行无論近婚近婦自有許多儀節非一乃心力而可做者如是而可以湛然純一乎亦宜專心想念所祭之義乎雖微事心不可二用況祭祀爲有家大事乎昏禮請期當用兩家无拘之日各專所事靡有妨奪可也 朴宗輿

日月食時祭祀孔曾問答或言接或言廢區別其天子及大夫也嚴陵方氏所謂位尊則以事廢禮者少卑位則以事廢禮者多輕重之別云者得之而後賢亦未嘗以薄蝕廢祭莫尤以古禮難盡從耶如四時正祭則卜吉也避是日而更卜亦可矣至如忌虞卒哭等祭自有定期不可易日之義爲重何可廢也況如朔望之小祭祀乎祗避其時而先後之可也上仝

齋戒

祭統曰散齋七日以定之致齋三日以安之開元制禮減其日數爲散齋二日致齋一日書儀合開元散致之日并行散致之事而曰致齋然其云致者非祭統所謂致也家禮襲書儀(而又无書儀)專致思祭祀之文則只是散齋之事而泛稱致也亦從簡耳要訣添以致齋者本之祭統祭義祭義齋日五思註曰致齋思此五者也散齋七日不御不樂不弔此要訣所以合家禮而從古禮也家禮所著四事者雖只是散齋行禮者節四者而盡純一警惕之道則是爲致齋致者所以自盡於心也齋三日乃見其所謂齋云者亦由是而致之而已 答趙秉德

曲禮曰齋者不樂不弔註曰齋者致其精明之德也樂則散哀則動皆有害於齋曲禮又曰祭事不言凶註曰吉凶之事不相干據此則雖已葬不可弔也審矣且喪中不弔以忘己之哀也推此義也如忌祭散齋日固不可爲況四時盛祭亦出於感時追慕則曷可諉以非祀禁而弔之哉祭无大少其所以接鬼神之義則一也不專致其精明之德而可交於神明哉故曰不許大祀小祀而不當弔勿論已葬未葬而不可弔也未知如何 朴宗輿

既曰不弔喪問病則除却二者外亦當出入以要訣猝遇凶穢掩目而避云者而可知也已然此以四日散齋而言耳若如家禮之合散致而一之則不過前期三日而已雖非弔喪問病恐不可出入耳 答趙秉德

齋者所以專心想念也用志不分乃凝於神若是方能通幽明之故也書固損心而恐不可看讀於齋日以齋則敬不專以書則心爲奪是其所以主一无適哉 上仝

緦小功成服前廢祭成服後當祭如平時栗翁說爲禮家三尺不敢不從也妻父母之戚外喪也喪出於鄉既不犯染又在成服翌日則恐无不可行祭之義也主婦哭擗難自備具固有違於祭統夫婦親之之文而視滌祭則爲疏節他婦女代幹可也是亦古之禮經所謂有故則使人者也凡、祭之可行可停一視主祭者之爲已矣主婦則无與焉耳但外內悲撓有欠純一之義而祗當以不通喪側已經成服爲斷則恐不必以致齋之專不專爲行廢耳 朴宗輿

以言乎吉凶則忌祭爲凶之禮已戒可以爲吉乎以言乎大少則盛祭爲大之祀入齋亦可以爲吉乎齋之散致固有輕重緊慢之殊而其齋心則同曷可以慢且輕而爲之哉不純乎誠則祭如不祭未可區別乎四者之中而有拘有不拘耳 上仝

致齋專心想念所祭之人則非可以近接謝客恐宜寒岡於齋日亦不見客是固得正然若客自遠來不可辭遣又難淹留則暫時展覿而亦何害於湛然純一之義哉 答任憲晦

同宮則雖臣妾葬而後祭今茲婢子殤既出痊矣自出痊至忌辰爲四日則中間爲日已滿備要前一日齋戒要訣散齋二日致齋一日之限恐无不可祭之義也无患乎不潔又不害禮意不停恐宜俗所謂生三死七其說无據非禮家之所與知耳 姜周欽

## 出主

出主祝今以二字上不書屬稱與名者恐是闕文壹遵家禮時補祭出主

祝例恐得未安如何家禮忌祭祝之只書今以二字者卽因屬稱之未定而備要因之也顧承尊門所行焉 吳老洲

納主條曰奉帰祠堂如來儀云則出笏前導當如出主祗言主人歛櫝不擧執事者省文也卜吉告由反初獻讀祝咸用祝而獨出主亡人自告者以請出主就爲禮甚重故也初祖祭請神居神位亦自告以子孫而請祖先非可以使人爲也 答金復亨

始祖先祖

始祖先祖之祭出於程子義起卽孝子慈孫報本追遠靡極不至之誠也朱子之始行而終廢者避僭上之嫌也各有精義而當以朱子所行爲正也至若禰祭與禘祫不倫恐无不可行之義若廢祖廟時祭而獨擧禰祭則宗有嫌於豐昵已之可也行正祭如禮而爲其豐昵廢禰祭此所以不載於要訣備要而恐過矣朱子於程子義起之三祭獨存禰者蓋以不至如始祖先祖祭之爲僭遵家禮行之恐宜 林宗七

忌祭

晦齋奉先雜儀援程氏祭禮爲忌日配祭考妣之證後人皆認程氏爲程子然二程全書初无并祭之語惟有人問忌日祀兩位否程子曰只一位據此則并祭之非爲程子可知也有所謂程氏祀先凡例祖考忌日則只祭祖考及祖妣祖妣忌日則只祭祖妣及祖考晦齋擧程氏卽此也若是程子則豈可泛言程氏乎程氏卽毋山程氏而姓名亦未詳也蓋只祭當位禮之正也配祭考妣禮之厚也忌祭本出情勝則亦何妨從厚乎且妣位統於考位則妣忌之援尊前後配之相及恐不甚害義也以故 國朝羣賢并祭考妣者多爲其人情之所相近也雖則并祭當用一分饌以鋪。同几筵精氣合之義也非直忌祀時祭亦不當用二分饌也 孟鳳淳

忌祭服色諸賢所論固宜遵述而古今異宜故用黑笠白布袍帶祖曾以上則用白絲帶矣 答任憲晦

忌者終身之喪也以故夫日不樂而哭于宗室唐人則孝服受弔孝服受弔雖則過禮其忌日必哀則可見於此矣家禮亦云是日不飲酒食肉夕寢于外其所戒愼反有加於齋日可忍出入爲哉忌日罷齋不見於古書而近俗輒稱罷齋若无事在非直尋常出入之爲悖理而已讀書則恐若可爲而亦不宜作聲咿唔詩與樂記之類尤不可讀 答趙秉德

擬諸心將不哭而行之才讀祝舊時女奴之逮事者不待指揮謂當哭而先哭既發矣不可而止也寧失於厚之意不肖亦從而哭然哀未至而哭有欠事先以宗之道也既荷牖迷罔克奉遵自愧不敏禮所謂君子有終身之喪忌日不樂等說皆以考妣言也家禮只許哭考妣之忌亦出此耳然祖禰等殺其間幾何既逮事而不哭其忌无薄乎沙溪之所損益可知。舍家禮而從備要已矣愚嘗謂不惟祖考妣上焉而曾高下焉而旁親逮事則皆哭可也 俞當柱

忌祭之哭與不哭備要以逮事不逮事爲度而與祭者或哭或不哭莫无相拘否黎湖則以有服无服爲限云然則高曾以下雖未逮事之祭亦當哭不害爲從厚乎只宜施之於傍親之祭乎傍親則不許逮事與否祗當

有服則哭乎高曾正統之服而不逮事則猶不哭况傍親乎傍親亦當準以逮事已矣願服明教 李襟溪

生日之祭於禮无之憑善生忌之薦見斥於先賢者以其情勝故也雖甚缺然不如其已也 沈獻永

不知親死之日者用是月或丁或亥日擧祭恐非可已繆邕胡劉球皆死於今忌而莫知其日故卽其聞諱日行祀茲爲可遵也忌祭卜日无所於稽惟不詳死日者乃可爲耳 答趙秉德

## 旁親

備要祝式諸旁親皆書告者之屬稱而獨於告嫂祗云某者可訝其不書屬稱也夫兄夫弟之云不著于禮故祗書其名歟稱以顯嫂則其爲兄嫂可知若是弟妻當云弟婦某封某氏已矣備要告妻祗云夫某不書姓且先賢集中祭伯叔母文亦不書姓蓋婦人外成故夫黨一視同姓之親不稱已姓也 答朴宗塾

弟婦忌祭祝當曰維歲次云云夫兄某昭告于亡弟婦某封某氏歲序遷易忌日復至不勝感愴茲以云云可也 姜周欽

兄子之祭季父者既以顯季父題主則亦當三獻主人既初獻則主婦亞獻恐非可已斯禮也不可以旁親而廢之也 金元方

正室子於庶母自道云何爲之祭則祝文當書屬稱不識如何則可祗書名曰而某昭告于庶母云云耶禮妾母不世祭而高曾祖妾之死於胄玄孫之身者不可不祭當終其身而止未知如何 李中洲

嫂叔雖有推遠之義既主兄嫂之祭則出主祝遠諱之辰四字恐不必改措追慕之二字可施於祖禰不可施於旁尊恭伸追慕四字去之恐宜原祝諱日復臨當如遠諱之云云追遠以下八字只云不勝感愴恐得是用旁親也 答任憲晦

## 土神

后土之名始見於武成而曰告于皇天后土註云后土社也句龍爲后土禮記月令季夏其帝黃帝其神后土註云土官之神顓頊氏之子黎也句龍初爲后土後祀以爲社后土官闕黎雖火官實兼后土所謂北正黎司地者也周禮大宗伯王大封則先告后土註云后土土神也左傳云舜擧八凱使主后土漢武帝汾陽祠后土望拜如上帝禮光武北祠后土蓋后土卽對皇天之稱而后皇兩字尤見其對待也所謂句龍正黎皆司地之官而因以爲神非喚做句龍正黎爲后土也朱先生嘗論土神祭曰極言之亦似僭然此卽古人中霤之祭而今爲土地者郊特牲取財於地取法於天是以尊天而親地教民美報焉故家主中霤而國主社觀此則天不可祭而土神在民亦可祭雖曰土神而只以少者言之非如天子所謂祭皇天后土之大者也然則祭土神非僭而稱后土爲其僭爲名號之尊嚴也殯山所云士庶之家有似乎僭者其言非无稽也但朱子於家禮則曰土地墓祭則后土其義有未敢知者爲其保佑先壠而特施尊稱歟抑當改而不改歟苟嫌其僭則山神家神曷可差殊觀乎備要從立儀改后土以土地者恐不可易南塘說恐難遵 答趙秉德

## 攝祀

攝有兼代兩義有主人而攝祀則當三獻有祝无主人而攝祀則當單獻无祝單獻无祝者遠于統之嫌也攝祀祇不廢祭已矣安敢盡行主人之禮不必示變乎鹿門任公有云支子孫攝祀則改題非所可論而祭時祝辭則直云攝祀子某敢昭告云云而行三獻然三獻有祝恐涉僭擬則非禮陶庵先生所論攝祀者一獻為正法是乃守經而已不可易者也至若寒岡以攝主三獻主婦終獻而為退翁所印可然恐難從也夫禮以後出者為明故沙翁為禮家之集大成得尤庵陶庵兩先生而盡返正經是猶法律之有斷例也 李光正

攝行者若卑幼則當用使某之文若尊屬則當用屬某之辭屬字雖不見於經禮而南溪亦嘗云甫恐當遵也入廟不諱云者讀祝而不諱父祖之名也至若以卑幼而直書尊屬之名恐涉凌犯未若祇書屬稱之為安心也尊屬同行而衆兄弟則區別其伯仲叔季恐宜 答趙秉德

沙溪曰以子而名父祭母固為未安祭祖先則壓尊故猶可猶可云者有所未盡之辭也然援以入廟不諱之義則讀祝而不諱父名恐為得正若攝父行禮亦恐難讀父與祭則父為主故不當諱父不與祭則子為主故當諱當諱不當諱恐當以攝行親行為準 上仝

尸祀者若不與祭則忌祭祝當云孝孫某居某他所因先躬將屬仲父攝祀者若是卑幼則當云使某親某敢昭告云云恐宜出主祝不以攝祀而改其屬稱亦宜 金元方

紬配之祭前配禮無所見主後前不可改題則无屬稱之可言祇宜單酌无祝因闕忌日之薦已矣 答趙中植

## 紙榜

紙榜所書神位當用支子承祭者屬稱不當從宗子也并祭考妣與祇祭當位是則一遵宗法恐宜 答趙秉德

遠代宗家不克與祭者遵朱子紙榜行祀之訓可謂得禮之變而不失其宜吾東諸賢亦多行之而是為伸情已矣則祇當忌祀不當及正祭既不可備禮又不可略設則不成盛祭備禮則恐涉宗事朱子說雖若許正祭然恐難遵也忌日之薦亦當施諸考妣不宜上及於祖曾以致掩長之嫌也斯禮也祇為泄哀則恐不必盡用祭禮无祝單獻哭盡哀辭神而撤恐宜祭茅侑食闔門亦非所施然與以長房而祭祧主名義不倫故也鹿門紙榜行祀祝文以始舉也故不容不詳告而未必用此為歲例亦未必因有祝而行三獻也宗法至嚴此等處尤宜兢兢毋貽于統之嫌焉 上仝

紙榜則先降神後參神而虛位行禮尤屬怳惚不可度思之意尤倍於神主雖先无祝降神不可无告辭當援家禮初祖祭例而行之恐宜於焚香前告 金鍵

## 服中

若為傳重之長子斬衰三年則三年喪中曷可備禮行祭乎忌墓祭當單酌无祝時祭當廢若上服朞制時當遵石潭定論葬後備當禮舉忌墓二祭而時祭當停與他期服不倫也宋先生為長子服斬故不舉歷祭忌墓之三獻與否无可考據而難以不舉正祭之儀則忌墓亦應略設而不備

禮也 答任憲晦

期服葬後行時祭則不可攝盛服〻何服當遵栗翁說以玄冠素服黑帶行之耶既服素矣帶亦用白未知如何 李㮨溪

緦服中當行時禰祭否雖與他緦不倫是亦緦服无不可擧盛祭之義服色當用朞服中行祭之例耶禰祭則當用緦服布帶服其服行其祭无嫌也時禰兩祭俱不宜受服是爲示變幸教焉 上仝

朞服葬後忌墓祭當備禮行三獻而妻喪杖朞也實且三年之禮且是宗婦則宗婦喪中恐不可準禮行祀朱子嘗云忌祭似无可嫌而正寢已設几筵卽无祭處恐亦可暫停先儒援此論而曰祭如平時未安禫前恐當單酌无祝也 答藴輝晃

曾子問緦不祭所祭於死者无服則祭古者无忌墓祭惟四時正祭而已同姓之緦於祖考皆有服之親異姓之緦於祖考无服故不敢不祭是以同異之别爲重輕之辨而已詎能於死者有服則皆不祭也哉措令考妣并祭者外親之喪於考則无服於妣則有服其將一行一廢耶決是推不去行不得者也此栗翁所以不從古禮然凡喪從死者祭從生者當視主祭者服之重輕而行廢而已所祭位之於死者有服无服固不當論未知如何 李㮨溪

本生父母喪雖重於他朞服而其爲朞制則同成服後當行所後家忌墓祭單酌无祝用子弟皆行葬後則備禮行之恐宜時祭則期服葬後亦不廢但不受胙已矣持本生期制而行盛祭終有所未安以待除服恐合情禮心制中當行如禮而亦不可受胙也 答李道用

妻喪中忌墓祭无祝單獻是爲通行之禮而已撤靈矣服長子期年者又過練而除服矣未可以几筵在寢而廢先祀備禮行事恐爲得中四時正祭則待長子喪二十七月之期宜恐若服斬則忌墓祭亦當待喪畢已矣 答李寅龜

喪中忌祭侑食沙溪則曰不當行尤翁則曰當行南塘斷之曰侑食禮之加也一獻禮之殺也禮之殺先自加者始亰野之禮殺於庿中故墓祭亦无侑食宜有殺於正禮而反存其加者哉斯言有契於古禮三飯不侑之義沙溪說當遵單獻後揷匙正箸已矣 答權達善

女弟之喪已斁而殯于夫家葬地未占莫得以禮月克襄矣大功之戚未葬固當以單獻无祝行忌墓之祭而若過三月之期則當如之何此爲過期之禮當有變通之論倘無書籍可考伏幸見教焉三月而葬者爲天時少變也天時變而猶不克葬則異宮之祀恐不當用未葬之禮以閱三月爲準未知如何似有可據而姑莫詎存謹玆就正焉過期不葬則期功諸親皆於當除之月除服是則前賢之所爲許而通行者也推斯義也自從第四月備禮行祭恐无更商而未敢自信願得歷指以爲取舍 吳老洲

期大功卒哭後固當祭如平時而杖朞且三年之體主婦任中饋之重故朱先生内喪廢四時正祭而存節祀嘗云忌祭似无可嫌而正寢已設几筵卽无祭處亦可暫停推斯義也妻喪中忌祭墓祭恐當單酌无祝而行之禫而喪畢然後始爲三獻亦擧盛祭恐爲得禮也 李㮨溪

服中時祀當以玄冠素服黑帶果有要訣之文遵用固无妨而愼齋曰外

喪輕服是私服不可以私服入廟若本族重喪葬前當廢祭而參謁則權着黑帶尤翁亦云以外黨妻黨之喪素服入廟似為未安恐當變着吉服近齋先生又有大功晨謁別具夾縫白布帶小功別用素帶緦服暫着黑帶之論推斯義也雖傍親吉祭有事于先祖不可以外親私服承祭衣青帶黑恐得袷是吉事服則輕服借吉行禮恐不害義至若期大功之慽則一遵要訣如何 朴雲斎

師喪禮无廢祭之文既是五服之外則雖成服前恐當準禮而損行恐宜成服後則時祭但不受胙矣 尹先濱

國恤

國哀卒哭前卿士庶人之家不敢行祭 肅廟朝君臣服制復古之後事體尤異至喪禮補編出而忌墓練祥諸祭并許 卒哭後行之已成 邦禁而略設一欵无妨更議也大疫之世山川百靈亦不遑顧歆故也是日設虛位泄哀恐非可已也 沈獻永

臘十九日即先妣忌日也无祝單獻而行之可乎否乎 服制何如云耶按喪禮補編戒令小喪則公除後行祭如常即以大中小祀而言也 朝家既停祭則私家亦不敢行今日事即補編所云小内喪也公除前忌墓祭亦不可略設公除後則當備禮行之可也雖則不行當於是日設位以哭禮也 國有喪臣民无不可哭私之義故身服制壹捘補編則臣民无受服之節未知儀註竟如何是則有司存焉一遵 朝家指揮已矣 惠慶宮喪時上仲舅朴公聲漢

喪禮補編 大喪内喪則 卒哭後始舉大中小祀故大夫士之家亦不敢略設於 復土之前 小喪則公除後行祭如常故私家亦略設伸情此以忌墓祭而言也朔望參俗節是為吉祭并待 卒哭已矣丙午 孝世子之喪近齋先生答人問曰公除後雖行忌祭三獻則不可具私服替大功葬前忌墓祭略行則況 儲君之喪未葬何敢備禮忌日在公除前則當廢斯言當為不易之定論也所謂略設當用喪中行祭之禮魚肉三品果四品或二品餅麪飯羹炙肝菜醢諸饌當如禮單獻无祝去闔門侑食等節已矣所謂湯不載於家禮備要者去之恐宜 朴宗喜

内喪在先公除後在 王朝則雖行大中小祀而在臣子則詎敢差殊於大喪而遽行私祭乎矧有 英廟朝受教尤翁成訓遵述已矣豈容異論於其間哉受 教亦在 貞聖〻母喪時則其不可視 王朝為行廢可知 答蘇鄉晃

奉補之宗吉祭亦當受胙嘏辭即勸勉之意詎可上施于孫胥而不施于子乎受胙則當餕也 國哀卒哭後及服中行時祭者廢此一節恐宜 答任憲晦

臣民所以處 儲君之喪者雖與大喪有間卒哭前恐不宜備禮行祭公除後忌墓祭略設朔望參俗節比忌祭為吉是則當廢待卒哭并舉恐宜 答李膺信

繼禮

大宗

禮惟大宗无子得立後然有弃者從殺及之禮喪服長子疏庶子為後與小記適婦不為舅後註夫死无子不受重可見也不直古禮為然 國典亦

然而尤翁有訓兄妻在而欲立后則其弟難行主人之事又云近世宗法至嚴有長子妻則立后承宗而不敢泛弟及之文愚則常以尤翁說爲正當不計兄妻存亡而立兄之后傳祖之重何可擅自承重不恤奪嫡之嫌耶若祖父有命不爲長子長孫之后而傳重于庶子庶孫則是之謂移宗政程子所云旁枝爲正幹者也无治命自服三年卽所謂季子何敢奪乎者也其可乎亟繼亡兄之后以其名題主是爲第一義如无可擬者則庶孫以本服主喪旁題去孝字可矣喪有无后无亡主无主則至令里尹主之非必服三年然後乃可主喪也禮无大功之親始許婦人主喪有庶孫則何可使孫婦旁題乎 李載毅

禮斜文字係是 君命告由時奉安卓上告訖而撤恐宜 洪鞠周

大小宗重輕自別大宗旣无所繼絕則出後於小宗者當移繼於大宗而爲小宗後者若已告君則已移天矣不可易也今焉未及出禮斜旣不成父子向前之服喪題主已是失禮曷可膠守而不思通變乎告由于大少兩廟卽日聞官移宗亟立大宗之祀恐不容少緩小宗則待嗣子生更爲立後未前屬近者爲之攝祀恐然情禮 李正鉉

金厚齋問叔姪爲友婿叔娶其妹姪娶其姊姪年後於叔而叔則大宗也叔无子又无繼后處大宗奉祀將至廢絕將以姪繼之今以叔與姪觀之姪繼叔後禮也以叔姪之妻觀之則妹爲姑姊爲婦以兄行婦道於弟未安南溪曰弟爲姑兄爲婦果爲人倫倒置之嫌然大宗絕祀其事尤重以此準彼輕重差別婦人禮當從夫則姪旣以叔稱父姊亦當以妹稱姑云云姊爲婦妹爲姑則大是人倫之易置若南溪說恐不可泛至若姊爲姑妹爲婦則其序甚順矣論昭穆年齒雖差以一二歲似无窒礙之端矧茲宗中元无他繼后處者乎揆以禮意律以人情少无相悖復何疑乎南溪說外无他的證者而賤見則然更叩于達權之君子焉 徐翰修

惟告君命下之日卽大倫已定之辰不淹時刻告由于先廟恐宜无攝祀者則自告而仲父旣攝祀則當用攝祀者告由辭曰維歲次云云攝祀玄孫某云云顯 列書高曾祖諸位及兄與嫂 顯兄早歿无嗣宗祀靡托今茲議定以亡弟某之子某繼后禮斜 命下秪奉 恩慶不勝感慕謹以酒果用伸云云 金蓮陽

兄弟之子猶子然非己出也惟人繼絕惟天屬之人君代天理物故必告君而後與天屬同雖取兄弟之子爲子不告不爲子矣此大義也不可不嚴 尹光演

大宗人死而无子惟有長數年之族子他无擬議立後處嗣將絕矣或謂大宗不可不繼絕旣有族子則年雖長當立而爲后愚謂子長於父悖理之大者大宗雖絕不可爲后爲子者若年同而月日差後則可耶父子同庚亦不近理若小數歲則不必爲拘耶顧承爲論 任穎西

## 傳重

長子有廢疾不堪主宗廟則雖正體亦不傳重是爲喪服疏說而廢疾亦有分數若有人道可以娶婦生子則不可以廢疾而不傳重雖无子而死當爲之繼絕用承宗事若生而不慧不克成人則亡宜傳重於次子已矣至若所謂次養於禮无稽非禮家之所知也 答任憲晦

## 升嫡

喪服記曰庶子爲後者爲其外祖父母從母舅无服朱子載之家禮而曰庶子爲父後者爲其母之父母兄弟姊妹則无服沙溪拳以編于倫要之中爲禮之大經也盖爲之无服者降其母故絶其黨不服所以致一乎傳重之地而不敢伸其私也爲人後者服本生外黨而降是則絶〻嚴於降別嫌之義大矣哉服嫡母黨固不係于升嫡與否而升嫡則書嫡外祖于四祖之列斯爲宗正明本以一其統者也旣書其嫡外祖又絶其母黨服則所以〻嫡母黨爲外家也雖外家亦无二統則傳重之庶子何可以所生母黨爲外家乎庶子爲嫡母黨服嫡母死則不服而承重則嫡母死亦服當如正室子之爲外黨也市南謂庶子升嫡與繼后不同似无防其外祖之理此區區所信不及也出繼者猶爲本生父母降一等而升嫡妾子服其母緦是爲庶母之服也此其遠嫌之尤大者也豈可仍其所生外祖乎又比諸繼室子奉祀而曰无差異則尤所未曉繼配之於前配地醜體齊其子之奉祀常經也至若庶子升嫡以賤爲貴以輕爲重名分之所大変也胡可擬諸繼室子奉祀之例乎竊謂是未定之論恐難從也 趙光鎭

大宗者尊之統而收族者也不可以絶故以支子後大宗是重大宗也小宗无子可以絶者也故不爲之立後小宗不可擬大宗故後大宗而不後小宗是爲禮之大經也後世則不惟小宗雖支庶间不爲之立后固出於繼絶存亡之義而非古禮也禮无適子則立適孫无適孫則立庶子庶子通妻妾所生而言也近俗小宗與支庶亦有〻妾子而立族子爲后者斯事也非直有違於　國典嫡妾俱无子然後立后之文含亞亂而取踈屬其於天理人情安乎否乎大典立后條有嫡長有妾子願以弟之子爲后則聽之文斯爲有子而繼后者所援證然有親姪則可无親姪則不可在大小宗則可在支庶則不可以故栗谷愼齋南溪及鄭畸菴李貞翼咸遵國典用妾子承嫡苟其非義而羣賢爲之哉旣是支子无宗祧爲重且乏親姪可取以爲子間又取養踈屬而不遂其願則宜鑑前事之得失裁以在我之權衡上遵時王之定制下述往哲之成法待到側室子成立〻以爲嗣是爲遭變事而不失其宜也近世爲不可承嫡之論者屑〻於貴賤之分而庶以承嫡則以免賤而爲貴矣父爲大夫則亦可謂子以父貴矣父子天性也秪以順理而處之而已至若商進取之通句計門户之尊卑者皆出於計較利害非義之正也詎可論於繼體之地者乎 朴宗喜

侍養

以從孫繼從祖則昭穆失序倫理不成昔白樂天取姪孫爲後先儒非之矣吾東有侍養之名老稼齋金公爲其再從祖侍養而尸其祀雖則尸祀非繼后也叔父无後則當祔其主於祖廟而祭之以終其子之身方爲得禮之正以其次子爲叔父侍養其可乎所謂侍養旣非所告君又不出禮料則非嗣孫也非嗣孫而立廟承祭不亦苟乎 金基厚

次養无稽于古始自宋平都尉而士大夫家往〻援以爲例然非禮正之也今茲沈氏裕之家取能順爲子又取能格爲子所謂能格次養也次養者卽不過一時攝祀當爲其兄立後傳重而能格不比之爲用兄亡弟反禮者已乖正經而其不稱孝於旁題則猶存干統之嫌也能格旣死則爲

能格之子者无父命而出后於伯父揆以情禮俱有所不可為門長者更立能須之嗣以承其宗事能格則為裕之之介子自為別宗如此而宗統得正而死者俱无遺憾也昔圃隱先生宗孫道濟无後而死其弟夏濟次繼又死而无子陶庵先生斷之曰欲立宗子則不可不乘此機會以正其失今當為道濟之立后以主先祀或有難之者曰次繼子夏濟既為本生替又為承重祖母服則是宗子也道濟則雖十年主祀既死此二事且其罷繼已久若舍宗子而還為已罷立後者豈有是理陶翁斥之曰夏濟之代其兄政所謂不當立而立者頭腦已不是中間二事何足論也道濟則所謂不當廢而廢者既知其失則不為之釐正乎今茲能須則既（無）罷繼之擧而不立後傳重是无罪而見黜其可乎凡繼后者不告君則不成為父子能須若不出禮斜則不能得為裕之之子若能須能格并出禮斜則能須為裕之之適子當立其后能格已死與受俱亡則宜聞亦不宜出后於能須當取其族子為能須后承裕之之祀能格為裕之之支子已矣兄亡弟及殷禮也舍子立孫周禮也孔子殷人也固宜善殷而以立孫為正所以絕萬世非分覬覦之漸也豈苟然哉幸取覽陶庵集圃隱立宗議則庶不迷於裁處也 朴岐壽

奔喪

為人後者在父母并喪葬後者初无父在之可言恐无為父屈降服母之義不合用父在母喪之禮々斜到日先成父服繼成母服同服三年恐為得中也 李鍾懸

繼后者若已被擬奔（喪）則不可入廟自告服人當替告辭曰玄孫某幼而无後取族人子某為嗣禮斜 命下方擧哀敢告 朴齊近

凡進告辭當云宗黨議定取府君族子某為府君嗣公文已下今方擧哀敢告 上仝

追後

追後立后者練祥本日祇設奠（服）以泄哀待嗣子服喪日行二祥受除撤靈矣近古諸賢據喪服小記祭不為除喪之文衆忌日行練祥如禮再朞入廟以祭與服不同也嗣子變制只當從聞訃日計之哀至之哭不可拘於撤靈與否神主雖已入廟而居廬於中門之外如不得已當廬墓終喪是為不易之正論也或拘事勢難於廬墓則在家居廬而設虛位哀至則哭恐宜哀至之哭亦有節或一日一哭以別於朝夕哭可矣 金述鉉

立後於祥後而擧祫於禫月者妣位祝不當用罪逆不滅歲及免喪兩句改措以顯妣喪制有期今以吉辰式遵典禮將配于先考謹以云云恐宜 金景善

前後妻皆沒後始為之子者當為前妻之子尤翁說即不易之正論而遂翁以後妻之父為外祖前妻稱以前母云者竊當滋惑南塘則主張師說甚力至以為々后於俱亡之後而以後妻為繼母是子生之先已有繼母非正名之義斯言也亦從過於分殊中做病出來不直不可信及而已至若繼母在則從繼母為外家愚亦十數年來作此見解矣近檢全說為人后者本主於系々須棄情一句語意卓然其曰為后之義繼絕為大非為養育又曰繼絕是大義也（無）復養育之恩為重則其無養育之恩者大義為

不完此是善看出者殆所謂發前人所未發常常誦味而賛歎淮舊見以
從之矣師服高論益信不怫廊柱之感也盛諭繼后者繼父之後非繼母
之後雖有十母咸統於父均有母道母道之隆殺厚薄不係于外祖之称
不稱若謂之有係則是母子之倫輕矣云云見得正經而命辞峻整道得
全說之所未道精義所到不勝欽服　呉老洲

宜在傳重

泌漢之爲長子尤庵之爲伯兄不立其後而傳重於次嫡何哉嫡妻无子
則稽　國典而不悖宗法至嚴則質禮經而當然且殷及之禮當用於未
成人而死者若既娶者以无后而絶其嗣恐在其爲嫡子之重哉恐不當
以大賢家法而效之未知如何　李宜朝鏡湖

成忠文先生題主事來問而曰成氏之宗以忠文立後事今秋上言下廟
堂稟處廟堂以近代已遠祀穆久替不可立後秪使其傍孫別建祠宇用
攝祀例奉祭之意回啓蒙　允屬称傍題未知何如云故答曰是事也非
愚之所及也非其後而奉不祧之祀於古未之有也嗅做攝祀則所以代
主人行事而今也則主人不在非攝祀也嗅做權奉則權奉者所以姑待
立後而今也則繼絶无地非權奉也非攝非奉又非祖先之爲之後而特
以從傍孫奉其祀百世不遷於禮无稽也題主似當從傍祖從傍孫而傍
字禮所不言也未當盛見如何　任穎西

爲後於喪畢之後者當改題遞遷待仲月擧盛祭可也與吉祭異名而同
意云者泉翁說得精義矣爲后之由已告於改題之時恐不必疊陳于祝
辞罪逆不滅歲及免喪八字改以祗奉宗事始擧祫享世次以下十六字
仍舊文恐宜合祭禋主及新主兩祝喪期已盡及喪制有期四字改以喪
畢已久外是則并依本文未知如何　李襟溪

所后子追服後當二十七月之期而行禫变除如禮此與并有喪者前喪
禫祭遇時不擧不同故也喪中廢禫者不忍以凶服行吉事也嗣子行禫
者自可以許月而盡喪期也　金述鉉

爲後者既是宗子則當自告公文到家之日先告廟而後擧哀恐宜當遵
葬前告由不用酒果之例而用祝板告由不必列書屬位辞曰不肖某方
爲先府君嗣子告　君命下令將擧哀謹告　洪翰周

先告廟次告几筵然後當擧哀告辞當如告廟而今將擧哀下添哀痛罔
極四字恐宜　上仝

追後成服者成服日五服亦當相吊而无拜禮五服之人不容不入哭几
筵爲其新立喪主有若告喜亦爲嗣子助哀　上仝

嗣孫入廟當拜而後告已後又拜服用微吉練布白袍帯是已　上仝

## 本生

稱本生父母以伯叔父母自有程朱定論故尤翁亦云此子爲其本生祖
爲從祖也高曾可推而知也本生祖非旁親不可称從祖只称祖又云者
南塘說恐无所稽也服本生父母以伯叔父母之服則合用旁親例本生
祖亦降服大功則曷可不称從祖乎禮无二考則詎有二祖乎尋常書牘
称祖称孫出於情勝而若係公私文字爲世章程者則正其屬称不容
不嚴所以彰二本嫌徽之旨也　答任憲晦

爲人後者義莫嚴於正統而專孝不移故降義於私親爲私親者亦當處

以斯義不宜稱過房者以本生稱屬也所後父與所生父相對其子喚所
後爲父終不成又喚所生爲父茲爲朱子定論爲子者旣不敢兩皆稱父
則爲父者亦何可兩皆稱子乎出後者以本生父母以伯叔父母者以本
不可二〻而統不可貳也其子旣云從子而其父仍舊則稱父不幾於亂倫
乎出繼所以移天也氏係本生屬稱一遵叔侄之禮而不可変〻則其可
曰如乾坤定位乎以故禮家於其子過房者雖尋常赫蹄皆自道伯父或
叔父劉拜之兄珙以子羽之子出繼於子翬故朱子代拜述珙之狀自稱
以從弟渼湖老洲尤嚴斯義於其至親過房者亦自稱所後家屬稱近世
李丈述源氏於其子馨秀稱仲父是爲不易之定理也本生二字以區別
所後而云爾不見于禮經非可施於屬稱若也曰本生父本生兄弟固出
於別嫌明微而終未若稱伯叔父從兄弟之爲正耳盖情勝則失禮近俗
混稱父子而无辨者非所以正名也名不正則言不順恐不容不戒也 趙寅永
禮生曰父母死曰考妣只施於所後而不敢施於本生者所以別二親之
嫌也自稱只云從子雖尋常書牘亦不可去一從字而至若碑碣文字當
加不肖二字於從子之上以示異於他伯叔父无嫌微之失而伸至爱之
私也以故渼湖於竹醉外内行狀誌表咸稱不肖從子泣血謹書是爲可
從也贈贊成宋公閒靜堂集跋只稱從子某泣識泣識二字示別於他叔
父而恐不若特加不肖之爲愜情禮也老洲與公亦取渼湖成法斯乃禮
家之所遵述者耳 上仝
喪服或舉重以推輕或舉親以該疏因其見者而卽知其不見者經之例

宜在喪禮降服

然也以故爲人後者爲本生祖父母世叔父母姑適人者咸不著于經而
亦服大小功者卽用疏說爲本宗降一等之文也若至爲昆弟大功而不
世舉叔爲姊妹小功而不舉其姑者固似可疑而昆弟疏曰於昆弟降一
等故大功於本宗餘親皆降一等然則因昆弟而可該世叔也姊妹註曰不
言姑者舉其親者而輕者降可知然則因姊妹而可該其姑也以不言姑
而明不降姑者馬融說不通恐難從也出后降服上自高曾祖父則自昆
弟以下云者或說无乃未思乎喪服經於爲人后者之爲本親及本親之
出嫡人者咸以昆弟姊妹發例其爲祖曾又當以父母推之推類而可該
其餘也然則不見者非有精義而然耳 李載毅
二本之嫌在所當嚴而所生之恩亦非可斷故所後家廕所推榮則移
贈於本生是爲 國典推斯義也 資寵者代加施諸本生弟姪恐不害
理也程太中五得任子以均諸父子孫諸父子孫當乃爾况弟姪乎事係
推恩不宜別嫌爲拘也 尹光演
嗣子本生父廟亦當告由而當自告〻辭維歲次云〻孝子某敢昭告于 顯考云〻
顯伯父府君早世无嗣宗黨議定以不肖繼后已聞于 朝禮斜 命下
府君神主將卜日改題哀隕罔極謹以酒果用伸虔告謹告 金益陽

宜在婚禮奠贄

家禮有尊於舅姑則如見舅姑之文爲受贄之證而愚則終是情勝不如
其己之爲守經也所謂如見舅姑之禮卽指兩階下四拜已矣未必指奠
幣而祖舅姑則正統之地不敢班諸他尊長舅姑先受幣後以婦見而奠
贄猶可也若至本生舅姑傍親也雖曰世父之尊本生親之異乎他伯叔

父其非正統則一世固當如見祖舅姑之禮而用贄則非禮之正也旣行于本生舅則當奠菜于本生姑廟而婦人无廟尤非可論也禮義由賢者出如老先輩禮守正之君子爲循俗牽情之擧則夫夫皆云某是當世之宗儒而亦嘗乃爾吾輩何人乃爲禮所拘而莫之任情乎然則世俗所謂幣帛將无限節伏幸勝之以理裁之以禮章二本嫌微之旨立一世人道之極焉 李襟溪

墓禮

墓祭

墟墓之禮殺於家廟故家禮不分言設蔬果進饌之時如他祭則知凡饌一時並設先儒亦嘗云爾然旣具三串炙則三獻各進炙如家祭之儀不爲无稽也旣不侑食則初獻插匙正筯亦宜 答任憲晦

地道尚右故合窆者當夫右婦左而或拘形家之論易其左右之祔者多矣墓祭設饌祇當尚右尚右者乃所以正祔左之失也 答金正洙

歲一祭墓者若値　國恤不克行於十月則當行於十一月有故則亦可行於十二月也據禮註春祭過春不祭仲月有故季月亦可也穀梁傳正月至三月郊之時也是爲季月亦祭之證也 答徐贊奎

古者无墓祭祭墓者爲壇蓋神道尚幽不可逼瀆塋域故通典亦云宜設於塋南山門之外然今已成俗有難從古若至遠祖考妣之或傳或不傳者卽其所傳之地當遵望墓爲壇之禮如金太師墓壇之例並祭考妣而以石爲上恐爲處變而不失其正也 答金復亨

祭祀須用宗子法而宗家歲事不能備禮則支子之祔葬者當爲之助祭用薦羞奠若不並擧於高曾以上諸位則恐難差殊用祀豐昵之戒也諸墓雖在他所恐不宜異同也支子若別占塋域恐不必視宗子爲禮耳 答任憲晦

鄭康成說極有精義且老洲丈亦云三年內合窆墓祭不得合設而各行以其未合櫝也以葬畢奠墓之各奠爲宜兩賢之言乃爾各祭者禮之經也合享者禮之通變者也變固未易言止當守經已矣 李襟溪

碑碣

古者宮廟皆立碑以識日影而辨早晚宗廟則又繫牲卽祭儀所云牲入麗於碑也秦漢以來刻石記功德而曰碑蓋始於李斯之嶧山頌耳後世墓道碑碣无尊卑之別大曰碑小曰碣而其體則一也　國典只許二品以上神道立碑而位當建大碑者亦用碣焉是則出於謙約可遵也　贈二品者不許竪碑旣係　邦憲又有尤漢兩賢成訓曷敢有越乎尊門貤贈旣是亞卿則舍碑取碣恐爲得禮也朴松崖　贈以正卿則用大碑固也大碑用否惟係於所　贈二品正從之分耳若經府尹則雖未躋亞卿亦用大碑以府尹之爲二品也 答金平默

古人述文說及凡某處未嘗下嫡庶等字所云五常二惠兩驥八龍未必皆同母非獨微子之爲庶母兄也凡係譜籍碑誌事關正名處當書庶字至若尋常文字不須綜名數宗裔伍不失正倫篤恩固宜並行而不相悖也然則庶某記事當云介弟小弟何必稱庶弟乎吾東重名分故所以處庶派者往往太薄或不齒人類幾何不滅其天常乎常教親愛之心有踰操

束之度是爲盡倫也天顯之親一氣之分喘息呼吸相爲流通詎有間於貴賤乎不人其人宜所以因心篤慶哉 朴宗善

始葬及改葬誌石當埋於天灰上近南而追埋者若値改莎則封墳中奉安恐宜是家禮所云壙内也若難待改莎則埋諸墳前家禮所云壙南也家禮用磚下鋪上覆而追埋者恐不必用磚盛瓮缸覆盖茲爲通行之例也埋安時不宜告地神只告當位告辭曰維歲次云云孝孫某官某敢昭告于云云之墓墓隧有誌用倫洞丘之易而形格勢禁尙闕納銘近者受某官姓名之文某是府君執友之孫而叙被知遇者也以故知德深而狀德眞庶幾爲不朽之圖者也燔瓮爲幾斤埋于塚墓之南謹以酒果用伸虔告謹告 尹致麟

尊先參議公茅三胤之茅三胤有子食正而居誦洪原子孫世居不與京洛諸宗相關涉故見漏於世譜而其名俱載於兩世碑版則其可曰无徵不信乎後世冒多勧狄青以出狄梁公伊郭崇韜以祖郭汾陽者而今也則顯判不泐而茅四房後孫之認以奪宗者竊恐是事之外理也宗毁旣久何干統之患仍碑本所載而編諸譜書恐非无稽也 洪理禹

瞻掃

秋夕適墓時帶黑中路忽思上墓自異謁廟雖无服當著白衣帶盖瞻掃塋域自不禁孺慕非徒以霜露之感而已仍黑帶行歲事而甚不慊于心怖考禮經曲禮曰適墓不謌檀弓曰墟墓之間未施哀於民而民哀可見彝性所存古今一致也今而後展墓與節祀當以白衣帶爲定矣出身而柴掃者尤不宜張樂願承量敎 任穎西

柴奠

柴掃之奈雖不以祭山神之薦宜无異同此朱子所云盡寧親事神之意勿令有豐殺者也向擧栗翁說非妥也遵也今承雖單獻與墓奠一揆允符鄙意爲之幸已單獻之禮雖不成祭何可无告開塋窆葬改莎時不三獻而亦有告告不告恐无関於奠蓄豐約耳 朴宗輿

焚黃節所以達于神靈不可謂无義唐宋及皇明士夫所通行之禮也吾東或行於祠廟或行於丘墓朝家亦許給由今茲恩贈不克及時改題則焚黃墓所恐不害理宗孫旣在憂服貤典出自己身則介子亦當自告以墓事差輕於家廟也告辭當云歲次云云介子某官某敢昭告于顯考某官府君顯妣某封某氏之墓不肖竊住于朝特陞上卿仰荷聖恩推榮所生贈顯考爲某官顯妣爲某封祇奉命書不勝喜慶而祿不逮養推。鞴任咽改題當待宗孫喪畢而焚黃事輕改題墟墓禮異家廟敬錄以焚顯增罔極謹以清酌庶羞用伸虔告斯禮也與節亨差殊介子雖自告无干統之嫌亦有同春說可徵耳 申在植

禮登壠不謌南軒松江適父母墓輒哭以體魄之所托也自不禁怵愴之心非直以霜露之感也然則張樂柴掃其心安乎歌猶不可况樂乎 李在邦

祠土地祝當云維歲次月日干支某官姓名敢昭告于土地之神茲以某親某官某爲柴掃有事于某親某官府君某親某封某氏之墓惟時保佑實賴神休敢以酒饌敬伸奠獻尙饗亦行殺祭而饌品无得隆殺三獻如

禮不必用宗子名亦宜自告 朴宗善

會下之行仍爲榮掃寔有吉凶相襲之嫌必宿齋稍戒累日然後行禮恐宜 上仝

失傳

若失傳之先墓旣非不祧之位可以祭廟又何據以祭墓乎墳墓雖失傳而爲祭酒之祀壇墠以其故宅遺墟之尚存也金太師之墓壇亦以有舊山洞名之可證也牧隱墓在韓山鏡城影堂即用祭社之禮也楚翰林旣无墓又无影何所於祭乎設壇壝於子孫世葬之上歲一行祀似愜於報本之義而終未見可行之證情雖无窮禮无可準恐未若其已之爲得正也 林宗七

服中

喪中哭先墓可施於祖考妣及兄弟曾高以上及傍尊則不必爲也蓋哀情所觸天理自然之後可哭哀未至而哭非哭也所以拖長不可耳雖然當哭之地葬後則止以存新舊之分可也至於父喪中母墓母喪中父墓則亦異乎祖墓雖葬後當哭矣 李襟溪

三年之内墓祭還寀弱訊單獻不爲无據而亦无不可三獻之義也家禮備要諸墓所云者安知不包參神在中耶南塘有云墓祭先進饌原野之禮從簡也旣先進饌則又不可立視故先參而後降去侑食以從簡也立儀補入進饌侑食要訣先佈後參皆未安斯言恐得禮義可遵也 答任憲晦

期喪哭墓當以除服爲度然恐難以草宿而不哭未撤靈之前當哭於几筵哭几筵者亦當哭墟墓出於情勝而亦非可已也大祥祔廟之後恐不當哭祥而外无哭在孝子乃甫翊茲期制乎緦小功則除服後雖上墓不哭恐宜 上仝

禮緦小功成服後當祭如平時則從叔母葬後无廢祭之義不可以葬在同山而不舉歲事雖則會下前一日齋戒而上墓行禮恐非可拘也 答沈樂元

心喪未除上墓當哭墟墓異於家廟恐无可嫌 答任憲晦

喪畢後哭墓之非禮敬聞命矣愼齋狀德松江而刊此一節者以其事之不中節而非可以爲法也旣知其非禮之正則曷敢徑情直行用違引人當道之至意乎 李襟溪

古者居憂行不祿坐不羣倚廬而不言故雖盡廢生人之事而无憾焉今世則凡百事爲殆无倚閣而獨不舉祖墓展省可乎拜年及承祭俱不害理墓廟恐无區別也然此以葬後言耳即旣葬與人立之義也 答任憲晦

改莎

改莎雖不在墳墓旣在兆域之内則恐當告由告辭在下　國恤卒哭前有事于廟墓有告而无薦爲其嫌近於小祀也辭云云孝子某云云顯考云云顯妣云云伏以兆域修治不謹歲久莎頹今將改葺伏惟尊靈永世是寧謹告事由右告當位 維歲次云云某官姓名云云土地之神今爲某官某封某氏兆域莎頹將加修治神其保佑俾无後艱謹告 尹養善

梅山禮説卷之四終

# 春秋經傳集解（一）

# 提　要

《春秋經傳集解》三十卷，晉杜預撰，朝鮮集賢殿集解，韓國成均館大學藏朝鮮肅宗年間（一六七四—一七二〇）金屬活字本（戊申字），共十五冊。書高三十三點二釐米，寬二十點八釐米，四周單邊，每半葉框高二十四點九釐米，寬十六點七釐米。每半葉有界欄十行十七字，注文小字雙行，白口，雙花紋魚尾，版心題「左傳」。是編乃朝鮮世宗二十二年（一四四〇），由集賢殿儒臣以杜注為藍本，并裒輯《春秋》《左傳》諸家之說合而成之。杜預（二二二—二八四），字元凱，京兆杜陵（今陝西省西安市東南）人。長於弓馬，晉伐東吳時，以鎮南大將軍都督荊州諸軍事，指授群帥，累克城邑，後以功進當陽縣侯。其又覃思經籍，博學多通，故得「杜武庫」之譽，復有《春秋釋例》等著述。

# 春秋左氏傳序

杜預元凱序

春秋者魯史記之名也朱曰春秋者魯國史官記事本有此名非孔子始名之也記事者以事繫日朱曰繫者以下綴上之辭言於此日而有此事故以事綴於日以日繫月以月繫時以時繫年所以紀遠近別同異也朱曰凡此所以紀理年月遠近而分別事之同異也音訓別彼列反故史之所記必表年以首事朱曰表顯也首始也年有四時故錯舉以為所記之名也朱曰四時不可徧舉故交錯互舉春秋二字以為史記之名蓋言春則可兼夏言秋則可見冬也音訓錯七各反下皆同周禮有史官朱曰周禮春官之屬有大史小



史內史外史御史之官掌邦國四方之事達四方之志朱曰小史掌邦國之志內史凡四方之事內史讀之外史掌四方之志掌達書名于四方諸侯亦各有國史朱曰言上文史官是天子之史至於諸侯之國亦各自有史官大事書之於策小事簡牘而已朱曰策即編簡也連編諸簡故名為策大事如經之所書是也簡牒也以竹為之牘版也以木為之小事如傳之所記是也孟子曰楚謂之檮杌朱曰檮杌者四凶之一言頑凶無儔匹也楚國之史名曰檮杌以記惡為主也音訓檮徒刀反杌音兀晉謂之乘朱曰乘車乘也古者賦田出車晉國之史名曰乘者以田賦為主也音訓乘繩證反而魯謂之春秋其實一也朱曰三者其名雖異其實為諸侯之史則一也韓宣子適魯朱曰韓宣子晉大夫名起諡曰宣適魯在昭公

二年見易象與魯春秋曰周禮盡在魯矣朱曰易象者周易爻彖之辭文王作彖辭周公作爻辭春秋遵周公之典以序事故曰周禮盡在魯矣吾乃今知周公之德與周之所以王朱曰易象春秋是文王周公之所制故見春秋則知周公之德見易象則知周之所以王音訓王于況反又如字韓子所見蓋周之舊典禮經也朱曰韓宣子所見魯春秋蓋是周之舊日正典禮之大經也周德既衰官失其守朱曰史官失其職守上之人不能使春秋昭明朱曰在上之人又非賢聖故不能使春秋褒貶勸戒昭明赴告策書朱曰赴告謂告於隣國也崩薨曰赴禍福曰告赴告然後載於冊書音訓告古毒反一音古報反諸所記注朱曰與夫其他所記之事音訓注張住反或作註多違舊章朱曰



赴告記注多與舊典禮經相違仲尼因魯史策書成文考其真偽而志其典禮朱曰考謂校勘也真者因之偽者改之志謂記識也合典法者褒之違禮度者貶之上以遵周公之遺制下以明將來之法其教之所存朱曰謂名教善惡義存於此事文之所害朱曰若文無褒貶以示勸戒則是文之害教則刊而正之以示勸戒朱曰刊削舊策改而正之以示後人使聞善而知勸見惡而自戒音訓刊苦干反其餘則皆即用舊史史有文質辭有詳略朱曰文則其辭詳質則其辭略不必改也故傳曰其善志朱曰引左傳之言以證之此傳在昭公三十一年言春秋之書善於志記也又曰非聖人孰能修之朱曰此傳在成四年蓋周公之志朱曰

傳言善志者蓋周公記事之法也仲尼從而明之朱曰傳言非聖人孰能修之蓋孔子能修春秋使之昭明也左丘明受經於仲尼以為經者不刊之書也故傳或先經以始事或後經以終義朱曰左氏作傳解經或先經為文以始後經之事或後經為文以終前經之義音訓先悉薦反後户豆反或依經以辯理或錯經以合異朱曰或依經之言以辯此經之理或錯經為文以合此經之異隨義而發其例之所重朱曰例即五例也此言左氏皆隨經義而發明春秋五例之所重者舊史遺文略不盡舉非聖人所修之要故也朱曰春秋多有舊史遺餘之文孔子不曾刊改則左氏略之不復為之作傳以此等皆是舊史遺文非孔子修改之要領也身為國史躬覽載



籍必廣記而備言之朱曰漢藝文志云左丘明魯史也所見既博故春秋所不書之事亦必廣記而備言之其文緩其旨遠朱曰言左氏為文辭不迫切而其旨意却甚深遠將令學者原始要終朱曰推原其事之始要截其事之終音訓令力呈反下令學者同要於遙反尋其枝葉究其所窮朱曰因枝葉而究極根本之所窮優而柔之使自求之饜而飫之使自趨之朱曰言左氏富博其文以寬舒學者之心使自求索其高意又精華其大義以範足學者之好使自奔趨其深致音訓饜於豔反飫於預反趨七住反又七俱反若江海之浸膏澤之潤渙然冰釋怡然理順然後為得也朱曰譬如江海以水深之故所浸者遠如膏澤以雨多之故所潤者博以諭傳之廣記備言亦欲浸潤經文使義理

適洽也故學者之心渙然解散如春冰之釋怡然喜悅而衆理皆順然後真有所得也音訓浸子鴆反其發凡以言例朱曰自此以下至一經之通體此一節說舊發例也左傳之中發凡言例如隱公七年凡諸侯同盟於是稱盟之類有五十條皆以凡字發明類例皆經國之常制周公之垂法史書之舊章仲尼從而修之以成一經之通體朱曰仲尼作經不過因周公垂法史書舊章從而脩明之耳故春秋一經之通體由此而成也其微顯闡幽裁成義類者朱曰自此以下至曲而暢之也此一節說新意也此言左氏作傳於經之顯明者微而隱之幽隱者闡而明之所以裁制而成義理倫類者音訓闡昌善反皆據舊例而發義指行事以正褒貶朱曰皆是據舊典凡例而起發經義指其人行事是非以正春秋之褒貶諸



稱書不書先書故書不言不稱書曰之類朱曰承上文發義而言有此七類也左氏作傳有稱書者有稱不書者有稱先書者有稱故書者有稱不言者有稱不稱者有稱書曰者皆所以起新舊發大義朱曰言此七者之類皆所以起新舊之例令人知發凡是舊例七者是新發明經中之大義也謂之變例朱曰以發凡是正例故知此七者為變例也然亦有史所不書即以為義者朱曰又有舊史元来不書正合仲尼之意遂即以為義不復增改者此蓋春秋新意朱曰此結上文兩節之意故傳不言凡曲而暢之也朱曰言左氏於春秋新意遂事發傳不以凡字起例所以委曲而通暢其意也音訓暢勅亮反其經無義例由行事而言則傳直言其歸趣而已非例也朱曰此一

節說經無義例者蓋國有大事史必皆因其行事而書之左氏於此但言其指歸趣向而已非褒貶之例也故發傳之體有三朱曰發凡正例一也新意變例二也歸趣非例三也而為例之情有五朱曰言經有此五情故傳為經發例亦以此五者也一曰微而顯朱曰此五曰五句見成公十四年傳微而顯者謂辭微而義顯也文見於此【音訓】朱曰辭之所以微也見賢遍反下同而起義在彼朱曰義之所以顯也稱族尊君命舍族尊夫人梁亡城緣陵之類是也朱曰引三事以證微而顯之說成公十四年經曰秋叔孫僑如如齊逆女九月僑如以夫人婦姜氏至自齊此文見於此也傳釋之曰稱族尊君命也舍族尊夫人也蓋叔孫是族氏僑如是名方其奉君命而逆女則君命為尊故稱叔孫及其與夫人俱還則夫人為尊故舍其族而但稱其名此起義

左傳序　五

在彼也僖公十九年經書梁亡十四年經書諸侯城緣陵此文見於此也傳釋之曰不書其主自取之也又曰不書其人有闕也蓋秦人滅梁而但書梁亡所以見取之者無罪齊率諸侯城緣陵而但書諸侯所以見諸侯之有闕亦起義在彼也【音訓】舍音捨二曰志而晦朱曰志記也晦隱也謂約言以記事事敘而文隱也約言示制推以知例朱曰約言記事以示法制所謂志也推尋其事以知其例所謂晦也參會不地與謀曰及之類是也朱曰引此事以證志而晦之說戚公二年經曰公及戎盟于唐公至自唐傳例曰特相會往來稱地讓事也自參以上則往稱地來稱會成事也蓋唐地名也二人共會則相讓而莫肯為主會事不成故書至自某地也三國以上共會則一人為主會事有成故書至自會而不書其地故曰參會不地也宣公七年經曰公會齊侯伐萊傳例曰凡師出與謀曰及不與謀曰會蓋彼我共

謀征伐則以相連及為文而書曰及彼不與我謀不得已而往應命則以相會合為文而書曰會故曰與謀曰及也凡此二者皆約於一字以示法制因此推尋可知其例所謂志而晦者也【音訓】參七南反與音預三曰婉而成章朱曰婉曲其辭以成章篇曲從義訓以示大順朱曰屈曲回互從其義訓所謂婉也以示其道之大順所謂成章也諸所諱辟璧假許田之類是也朱曰引諸諱避及許田事以證婉而成章之說春秋以諱國惡為禮多有諱避而不直述其事者故言諸以揔之也如威公元年經曰鄭伯以璧假許田傳釋之曰為周公祊故也蓋許田是魯國朝宿之邑因創周公別廟焉祊田是鄭國湯沐之邑二者皆天子所賜也鄭伯因地勢之便欲兩相易而代魯祀周公故祊田之薄不足當許故加璧以易之然魯不宜聽鄭祀周公又不宜擅易祊田春秋諱之但書璧假許田若進璧以假田非久易也

左傳序　六

此皆委曲以示大順所謂婉而成章也【音訓】辟音避四曰盡而不汙朱曰直盡其言無所汙曲【音訓】汙音迂直書其事具文見意朱曰直書其事所謂盡也具為其文以見譏意所謂不汙也丹楹刻桷天王求車齊侯獻捷之類是也朱曰引三事以證盡而不汙之說莊公二十三年經書丹桓宮楹二十四年經書刻桓宮桷三傳曰皆非禮也桓公十五年經書天王使家父來求車傳曰諸侯不貢車服天子不私求財莊公三十一年經書齊侯來獻戎捷傳例曰諸侯不相遺俘凡此三者皆直書其事具為其文以見譏誚之意所謂盡而不汙也五曰懲惡而勸善求名而亡欲蓋而章朱曰為惡者欲求得名而名反亡没欲掩蓋其名而名反章露書齊豹盜三叛人名之類是也朱曰引四事以證懲惡勸善之說昭公三十年經書盜殺

衛侯之兄縶襄公二十一年經書邾庶其以漆閭丘來奔昭公五年經書莒牟夷以牟婁及防茲來奔三十一年經書邾黑肱以濫來奔盖春秋之例非命卿不書其名齊豹衛國之卿也忿衛侯之兄而殺之欲求不畏彊禦之名耳而春秋抑之但書曰盜則是求名而亡也邾庶其黑肱莒牟夷三人皆非命卿不當書名其以邑來奔求食而已不期名之著於春秋也而春秋故書其名所謂欲蓋而彰也此二者皆懲惡之事懲惡所以勸善也推此五體以尋經傳朱曰前言情有五此言五體者情言其意體言其狀其實一也觸類而長之【音訓】長丁丈反附于二百四十二年行事王道之正人倫之紀備矣或曰春秋以錯文見義朱曰謂春秋錯雜文辭以見意義文之異者義亦異焉若如所論朱曰今如杜預所論乃謂仲尼因魯史舊文文害者刊以正之不害



者不必改也則經當有事同文異而無其義也先儒所傳皆不其然【音訓】傳平聲荅曰春秋雖以一字為褒貶然皆須數句以成言非如八卦之爻可錯綜為六十四也朱曰八卦各三爻錯綜重之而六爻則成六十四卦然卦之爻也一爻變則成為一卦經之字也一字異不得成為一義故不可錯綜經文而成義理也【音訓】綜宗宋反固當依傳以為斷朱曰事同文異者左氏不為義傳蓋決知仲尼必無異義所以當依傳而斷經也【音訓】斷丁亂反古今言左氏春秋者多矣今其遺文可見者十數家大體轉相祖述進不得為錯綜經文以盡其變朱曰事同文異本無他義而強為之說理不可通所以進不成為錯綜經

文以盡其變也退不守丘明之傳朱曰已無定見隨人遷就故退不能守左氏之說也於丘明之傳有所不通皆沒而不說而更膚引公羊穀梁適足自亂朱曰膚淺也公羊氏穀梁氏皆有春秋傳其說與左氏不合今言左氏者不能研究其旨乃反引公羊穀梁淺近之說以解左氏適足以自錯亂也預今所以為異專修丘明之傳以釋經經之條貫必出於傳朱曰條條如木之有條貫如繩之能貫以左傳與經同條共貫也傳之義例總歸諸凡朱曰傳之發義皆有正例必左傳發凡言例也推變例以正褒貶簡二傳而去異端蓋丘明之志也朱曰若有例無凡則傳有變例可推之以正褒貶若左氏不解則就二傳而簡用其合義者黜去其異端者以此立說非我臆



見蓋是左氏之本意也【音訓】去起呂反其有疑錯則備論而闕之以俟後賢朱曰備論其可疑之處而闕其所不知然劉子駿創通大義賈景伯父子許惠卿皆先儒之美者也朱曰劉向之子名歆字子駿漢武帝置五經博士獨左氏不列學官劉歆治左氏始引傳文解經故曰創通大義後漢賈逵字景伯父徽字元伯受業於劉歆作春秋條例逵傳父業作左氏傳訓詁許惠卿名淑亦治左氏傳春秋三人皆先儒之美【音訓】駿音俊末有潁子嚴者雖淺近亦復名家朱曰其後又有潁子嚴名容比於劉賈許之徒學識雖淺近然亦注述春秋名為一家之學【音訓】復扶又反下同故特舉劉賈許潁之違以見同異朱曰杜預以先儒之內四家差長故舉其議論之違異不同者而叅攷之【音訓】見賢遍反下同分經

之年與傳之年相附朱曰左傳本自為一書杜預以經傳異處不便觀覽乃逐年分析經文各以其傳附於本年之下比其義類各隨而解之名曰經傳集解朱曰凡經之義與傳之義各從其類以相比附既解經文又解傳文故以經傳集解為名【音訓】聚集經傳而解之比毗至反又別集諸例及地名譜第歷數相與為部凡四十部十五卷朱曰諸例謂不在凡例之內者地名謂土地稱號譜第謂世族圖譜歷數謂六十甲子此四者別集為一書以類相從每類名為一部共四十部分而為十五卷皆顯其異同從而釋之名曰釋例朱曰義例有異同者皆表顯而出之又解釋其所以異同之類以其別集諸例故以釋例為名將令學者觀其所聚異同之說釋例詳之也或曰

春秋之作朱曰此問孔子作春秋之早晚左傳及穀梁無明文朱曰左氏穀梁二傳皆不曾有明文惟孔舒元公羊傳本云麟孰為而至為孔子之作春秋說者以為仲尼自衛反魯修春秋朱曰自衛反魯在哀公十一年說左氏者謂孔子自衛反魯便修春秋三年文成而致麟立素王朱曰此又問素王素臣之說素空也謂無位而王也麟為王者至今為孔子至故知孔子為素王也【音訓】王于況反下王魯同丘明為素臣朱曰孔子修春秋為素王故知丘明傳春秋為素臣也言公羊者亦云黜周而王魯朱曰此又問王魯之說何休註公羊傳於隱公元年曰唯王者然後改元立號春秋託新王受命於魯此即黜周王魯之說也危行言孫以辟當時之害朱曰危險其行謂黜周而王魯孫順其言即下文所謂微其文隱其義者也所以言



孫者恐危言以得罪當時而為己之害也【音訓】行下孟反孫音遜本亦作遜辟音避故微其文隱其義公羊經止獲麟而左氏經終孔丘卒敢問所安朱曰此又問春秋之所止公羊春秋傳止哀公十四年西狩獲麟而止左氏春秋傳獲麟之後更有經文至書孔丘卒乃止答曰異乎余所聞仲尼曰文王既沒文不在茲乎朱曰文者道之顯華所以經天緯地者也孔子言己得文王之道也此制作之本意也朱曰杜預言孔子制作春秋正以文王之道自任也歎曰鳳鳥不至河不出圖吾已矣夫朱曰大皞時鳳鳥至故以鳥名官孔子言今世亂鳳鳥不復至矣伏羲時龍馬負圖而出於河今世亂河不復出圖矣言世亂無明王吾道其不行已乎蓋傷時王之政也麟鳳五靈王者

之嘉瑞也朱曰麟鳳龜龍謂之四靈并白虎而為五今麟出非其時虛其應而失其歸朱曰上無明主則是虛其應也為人所獲則是失其歸也此聖人所以為感也朱曰孔子先有制作之意又為獲麟所感所以作春秋也絕筆於獲麟之一句者所感而起固所以為終也朱曰孔子感麟乃作春秋非易文成而致麟也既因感麟而起所以終於獲麟之一句也此以上答春秋止於獲麟之說曰然則春秋何始於魯隱公答曰周平王東周之始王也隱公讓國之賢君也考乎其時則相接言乎其位則列國本乎其始則周公之祚胤也朱曰隱公之初當平王之末是其時相接也魯爵為侯其地則廣是其位為列國也周公子伯

禽始封於魯承周公之後者是其福祚之遺嗣也【音訓】祚才故反胤以刃反若平王能祈天永命紹開中興【音訓】中丁仲反隱公能弘宣祖業光啓王室則西周之美可尋文武之迹不隊【音訓】隊直類反是故因其歷數朱曰因其年月之歷數附其行事采周之舊以會成王義垂法將來朱曰采周公之舊典禮經以會合成就一王之大義所書之王即平王也所用之歷即周正也所稱之公即魯隱也安在其黜周而王魯乎朱曰書王正月則非是黜周也於魯書公則非是王魯也子曰如有用我者吾其為東周乎此其義也朱曰言春秋之義正欲興周何嘗黜周也此以上答黜周王魯之說若夫制作之文所以彰往考來情見乎辭言高則旨遠辭約則義微此理之常非隱之也聖人包周身之防朱曰聖人防患必周自知無患於身方始作之既作之後方復隱諱以辟患非所聞也【音訓】辟音避子路欲使門人為臣朱曰此答素王素臣之說孔子以為欺天而云仲尼素王丘明素臣又非通論也先儒以為制作三年文成致麟既已妖妄又引經以至仲尼卒亦又近誣據公羊經止獲麟而左氏小邾射不在三叛之數朱曰哀公十四年書小邾射以句繹來奔在西狩獲麟之後若獲麟之後脩是孔子所脩之經則小邾射當與庶其

左傳序　廿一

黑肱牟夷同列而為四叛人矣今左氏獲麟而小邾射不在其數則引經以至孔丘卒者其誣甚矣【音訓】射音亦故余以為感麟而作作起獲麟則文止於所起為得其實至於反袂拭面稱吾道窮亦無取焉朱曰此又貶毀公羊之說公羊傳稱孔子聞獲麟云袂拭面涕霑袍曰吾道窮矣聖人樂天知命豈復下霑袍之泣悲吾道之窮矣

左傳序　廿二

春秋左氏傳註釋非一家杜預集解精要而或失之簡林堯叟朱申句解纖悉而頗傷於繁必須參考始會歸趣歲庚申夏五月

上命集賢殿裒輯數家之說合成一書以杜本為主林朱則刪繁撮要特加附註二字入于逐節之下又採陸德明釋文林朱飜音名曰音訓以附其後若乃年上經傳兩字皆用陰字與夫年書甲子節加圈點實倣林朱之例至於十二公年首列國紀年本出林註今依大全不標姓氏以剗其煩凡此規模皆稟

宸斷於是文辭曉析節目分明不費考較而便於覽閱誠有補於後學云

# 春秋經傳集解卷第一　諸家註音訓附

杜氏 盡十一年

## 魯隱公

公名息姑魯惠公之子姬姓侯爵自周公伯禽始受封傳世一十三而至隱公攝主國事諡法不尸其位曰隱

**周** 文武開基始都豐鎬幽厲板蕩平王東遷洛陽盡舉故都而棄之秦所謂東周也於是王室微弱至平王四十九年而入春秋魯隱公三年平王崩桓王立

**鄭** 姬姓伯爵自桓公始受封周厲王之子宣王之弟也傳世武公莊公莊公元年封弟段于京二十二年克段于鄢入春秋

**齊** 姜姓侯爵自太公相武王定殷受封于齊受命專征侯伯傳世十三至僖公九年入春秋

**宋** 子姓公爵周武王定殷封微子啓于宋以奉殷祀傳世十四至穆公七年入春秋魯隱公三年穆公卒弟殤公與夷立

**晉** 姬姓侯爵自唐叔始受封傳世十一而至昭侯昭侯封文侯之弟成師于曲沃晉始亂分為二以翼曲沃別之

**翼** 昭侯之後傳孝侯鄂侯鄂侯二年入春秋隱公五年曲沃伐翼翼侯奔隨王命虢公立鄂侯之子光于翼是為哀侯隱六年晉逆晉侯于隨納諸鄂謂之鄂侯

**曲沃** 成師之後傳曲沃莊伯曲沃莊伯之十一年十一月魯隱公之元年正月也蓋用夏正建寅之月為歲首不惟改元又改曆矣隱公七年曲沃莊伯卒子稱代立是為曲沃武公

衛 姬姓侯爵自康叔始受封傳世十三至桓公十三年入春秋魯隱公四年衛州吁殺
桓公自立冬殺州吁宣公晉立

蔡 姬姓侯爵蔡叔之子蔡仲率德改行成王復封于蔡傳世十三至宣公二十八年入
春秋魯隱公八年宣公卒子桓侯封人立

曹 姬姓伯爵自曹叔振鐸始受封傳世十二至桓公終生三十五年入春秋

滕 姬姓侯爵至魯隱公七年見滕侯卒其後稱子蓋為時王所黜

陳 嬀姓侯爵舜之後自胡公始受封傳世十二至桓公二十三年入春秋

杞 姒姓侯爵夏禹之後自東樓公始受封傳五世至武公二十二年入春秋魯莊公二
十七年書杞伯來朝蓋為時王所黜其後又稱子

薛 任姓侯爵至魯隱公十一年見來朝莊公三十一年書薛伯卒蓋為時王所黜其後
至昭公三十一年見薛獻公

莒 己姓子爵至魯文公十八年見庶其

邾 曹姓附庸國自儀父入春秋後為子至魯莊公十六年書邾子克卒

許 姜姓大嶽之後至魯隱公十一年見許莊公及許叔魯桓公十五年許叔入于許即
僖公四年許男新臣卒葬許穆公也

小邾 曹姓顓頊之後魯莊公五年書郳黎来来朝蓋附庸而未爵命其後數從齊桓
公尊王室王命為諸侯至魯僖公七年始書小邾子

楚 芊姓子爵自熊繹始受封八世至熊渠立其長子康為句亶王中子紅為鄂王少子
執疵為越章王此僭王之始也又八世至熊儀是為若敖又二世至熊眴是為蚡冒
又一世熊通是為楚武王武王十九年入春秋



秦 嬴姓伯爵顓帝之後也殷有蜚廉周有造父周孝王使非子畜馬番息分土為附庸
邑之秦六世至襄公將兵救周送平王東遷有功封為諸侯襄公卒文公立文公四
十四年是為隱公元年又六世至穆公任好穆公立四年迎婦于晉是為穆姬其歲
齊桓公伐楚至召陵

吳 姬姓子爵自大伯作吳五世至周章而武王克殷因封之吳又十四世至壽夢而吳
始益大稱王魯成公七年始見春秋

越 其先禹之苗裔少康之庶子也封於會稽以奉禹祀後二十餘世至於允常魯昭公
五年偕楚伐吳始見於春秋允常與闔廬戰而相怨伐定公十四年允常卒子勾踐
立是為越王是年吳伐越越敗之于檇李

**傳** 惠公元妃孟子 言元妃明始適夫人也子宋姓【附註】林曰元大
也嘉耦曰妃【音訓】妃芳菲反【註】適本又作嫡 孟子卒 不稱薨不成喪也無
謚先夫死不得從夫謚 繼室以聲子生隱公 聲謚也蓋孟子
之姪娣也諸侯始娶則同姓之國以姪娣媵元妃死則次妃攝治內事猶不得稱夫
人故謂之繼室【音訓】【註】姪直結反兄女也娣大計反如弟也媵以證反又繩證反
宋武公生仲子仲子生而有文在其手曰
為魯夫人故仲子歸于我 婦人謂嫁曰歸以手理自然成
字有若天命故嫁之於魯 生桓公而惠公薨 言歸魯而生男惠公
不以桓生之年薨 是以隱公立而奉之 隱公繼室之子當嗣
世以禎祥之故追成父志為桓尚少是以立為大子帥國人奉之為經元年春不書
即位傳【音訓】【註】禎音貞為于嬀反少詩照反大音泰舊太字皆作大後大子皆放

此為經于嫣反後凡為經為傳張本起本之例皆放此

【經】元年【己未】春王正月隱公之始年周王之正月也凡人君即位欲其體元以居正故不言一年一月也隱雖不即位然攝行君事故亦朝廟告朔也告朔朝正例在襄二十九年即位例在隱莊閔僖元年【附註】林曰孔子因魯史作春秋故以魯紀年而書王正月見周之正朔猶行於天下也周正建子正月子月也其曰元年春王正月者謂之體元居正告朔朝王其義皆通無事而書春王正月者無事必書首時者謹始也【音訓】【註】朝直遙反○三月公及邾儀父盟于蔑附庸之君未王命例稱名能自通於大國繼好息民故書字貴之名例在莊五年邾今魯國鄒縣也蔑姑蔑魯城魯國卞縣南有姑城【附註】林曰此私盟之始【音訓】父音甫凡人名字皆放此蔑亡結反【註】好呼報反鄒側留反卞皮彥反本或作弁○夏五月鄭伯



克段于鄢不稱國討而言鄭伯譏失教也段不弟故不言弟明鄭伯雖失教而段亦凶逆以君討臣而用二君之例者言段強大儁傑據大都以耦國所謂得儁曰克也國討例在莊二十二年得儁例在莊十一年母弟例在宣十七年鄭在熒陽宛陵縣西南鄢今潁川鄢陵縣【附註】林曰鄢鄭地【音訓】鄢音偃【註】不弟音悌又如字儁音俊熒户扃反本或作榮非宛於阮反又於元反○秋七月天王使宰咺来歸惠公仲子之賵宰官咺名也咺贈死不及尸弔生不及哀豫凶事故貶而名之此天子大夫稱字之例仲子者桓公之母婦人無謚故以字配姓來者自外之文歸者不反之辭【附註】林曰此王室下交諸侯之始【音訓】咺吁阮反賵芳鳳反○九月及宋人盟于宿客主無名皆微者也宿小國東平無鹽縣也凡盟以國地者國主亦與盟例在僖十九年宋今梁國睢陽縣【附註】林曰魯宋宿三國共為盟參

盟之端見矣【音訓】【註】與音預睢音雖○冬十有二月祭伯来祭伯諸侯為王卿士者祭國伯爵也傳曰非王命也釋其不稱使【附註】林曰此私交之始【音訓】祭側界反傳祭仲同【註】使如字又所吏反○公子益師卒傳例曰公不與小斂故不書日所以示薄厚也春秋不以日月為例唯卿佐之喪獨託日以見義者事之得失既未足以褒貶人君然亦非死者之罪無辭可以寄文而人臣輕賤死日可略故特假日以見義【音訓】【註】斂力驗反見賢遍反

【傳】元年春王周正月言周以別夏殷不書即位攝也假攝君政不修即位之禮故史不書於策傳所以見異於常【音訓】林曰隱公將讓國於桓公故假攝君事也【音訓】【註】見賢遍反○三月公及邾儀父盟于蔑【附註】林曰及者內為主也邾子克也克儀父名未



王命故不書爵曰儀父貴之也王未賜命以為諸侯其後儀父服事齊桓以奬王室王命以為邾子故莊十六年經書邾子克卒【音訓】【註】奬將丈反公攝位而欲求好於邾故為蔑之盟解所以與盟也【音訓】好呼報反【註】與如字又音預○夏四月費伯帥師城郎不書非公命也費伯魯大夫郎魯邑高平方與縣東南有郁郎亭傳曰君舉必書然則史之策書皆君命也今不書於經亦因史之舊法故傳釋之諸魯事傳釋不書他皆放此【音訓】費音祕【註】郁於六反放甫往反○初鄭武公娶于申曰武姜申國今南陽宛縣【附註】林曰姜申姓武姜從夫謚朱曰傳凡言初者因此年之事而推其所由始也【音訓】【註】宛於元反生莊公及共叔段段出奔共故曰共叔猶晉侯在鄂謂

之鄂侯【音訓】共音恭凡國名地名人名字氏族皆不重音疑者復出圖鄂五各反
莊公寤生驚姜氏故名曰寤生遂惡之寐寤
而莊公已生故驚而惡之【附註】林曰杜氏謂寤寐而莊公已生非也如此當喜何得
復驚而惡之史記云寤生生之難是也此當為難生故武姜困而後寤【音訓】惡烏路
反愛共叔段欲立之欲立以為大子亟請於武公
公弗許【附註】林曰亟數也【音訓】亟欺冀反及莊公即位為
之請制【附註】朱曰武姜請於莊公欲封叔段於制【音訓】為于僞反公曰
制巖邑也虢叔死焉佗邑唯命虢叔東虢君也恃制
巖險而不修德鄭滅之恐段復然故開以他邑虢國今滎陽縣【附註】朱曰虢仲虢叔
皆王季之子一封東虢一封西虢也【音訓】圖復扶又反請京使居之

左傳一　六

謂之京城大叔公順姜請使段居京謂之京城大叔言寵異於衆臣
京鄭邑今滎陽京縣【音訓】大音泰祭仲曰都城過百雉國
之害也祭仲鄭大夫方丈曰堵三堵曰雉一雉之牆長三丈高一丈侯伯之
城方五里徑三百雉故其大都不得過百雉【附註】林曰凡邑有宗廟先君之主曰都
無曰邑【音訓】圖堵丁古反長直亮反又如字高古報反又如字徑古定反先王
之制大都不過參國之一三分國城之一【音訓】參七南反
又音三中五之一小九之一今京不度非制
也不合法度非先王制【附註】朱曰今京城過於百雉不合法度君將不
堪【附註】朱曰言叔段據有大邑將為鄭國之害莊公必不堪也公曰姜
氏欲之焉辟害【音訓】焉於虔反辟音避對曰姜氏何

厭之有不如早為之所使得其所宜【附註】林曰言武姜何厭
足之有不如早為區處使得其所【音訓】厭於鹽反無使滋蔓蔓難
圖也【附註】林曰無使叔段之惡如草之滋長蔓延及至蔓延難為圖謀【音訓】蔓
音萬蔓草猶不可除況君之寵弟乎公曰多
行不義必自斃子姑待之斃踣也姑且也【音訓】斃婢世反
圖踣蒲北反既而大叔命西鄙北鄙貳於己鄙鄙
邊邑貳兩屬【附註】林曰令屬鄭之邑兩屬於己公子呂曰國不堪
貳君將若之何公子呂鄭大夫【附註】林曰言國家不可使人有攜貳
兩屬之心欲與大叔臣請事之【附註】朱曰君若欲以鄭國傳於
叔段則我請事叔段以為君也若弗與則請除之無生民

左傳一　七

心叔久不除則舉國之民當生他心公曰無庸將自及言無
用除之禍將自及大叔又收貳以為己邑前兩屬者今皆
取以為己邑至于廩延言轉侵多也廩延鄭邑陳留酸棗縣北有延津
【音訓】廩力錦反子封曰可矣厚將得衆子封公呂也厚謂
土地廣大公曰不義不暱厚將崩不義於君不親於兄非衆
所附雖厚必崩【附註】林曰言不義之人不為衆所親暱【音訓】暱女乙反大叔
完聚完城郭聚人民【音訓】完音桓繕甲兵【附註】林曰繕治其甲冑與
兵器【音訓】繕市戰反具卒乘步曰卒車曰乘【音訓】卒尊忽反乘繩證反下同
將襲鄭【附註】林曰無鐘鼓曰襲將掩鄭國之不備夫人將啓之
啓開也【附註】林曰夫人即武姜將開段而道之公聞其期曰可矣

命子封帥車二百乘以伐京（古者兵車一乘甲士三人步卒七十二人【附註】林曰二百乘蓋甲士六百人步卒一萬四千四百人）京叛大叔段段入于鄢公伐諸鄢五月辛丑大叔出奔共（共國今汲郡共縣）書曰鄭伯克段于鄢段不弟故不言弟如二君故曰克稱鄭伯譏失教也謂之鄭志不言出奔難之也（傳言夫子作春秋改舊史以明義不早為之所而養成其惡故曰失教段實出奔而以克為文明鄭伯志在於殺難言其奔【音訓】難乃旦反）遂寘姜氏于城潁（城潁鄭地【音訓】寘之豉反）而誓之曰不及黃泉無相見也（地中之泉故曰黃泉）既而悔之潁考叔為潁谷



封人（封人典封疆者【附註】林曰潁谷即城潁之谷）聞之有獻於公（【附註】林曰獻者卑奉尊之辭或以計謀或以時物皆曰獻）公賜之食食舍肉公問之對曰小人有母皆嘗小人之食矣未嘗君之羹請以遺之（食而不啜羹欲以遺問也宋華元殺羊為羹饗士蓋古賜賤官之常【附註】林曰食公所賜之食而舍置其肉味【音訓】舍音捨遺唯季反下同【訓】啜川悅反華戶化反）公曰爾有母遺繄我獨無（繄語助【音訓】繄烏兮反又烏帝反）潁考叔曰敢問何謂也（據武姜在設疑也）公語之故且告之悔（【音訓】語魚據反）對曰君何患焉若闕地及泉隧而相見其誰曰不然（隧若今延道【附註】林曰闕掘也若掘地及泉水之處即是黃泉隧地中道也【音訓】闕其月反隧音遂下同）公從之公入而賦大隧之中其樂也融融（賦賦詩也融融和樂也【附註】林曰人隧之中想當時所賦之詩今無存不可復考朱曰莊公入隧所道見武姜乃作詩而歌之其辭略曰大隧之中云云其樂也融融此句亦詩中要語【音訓】樂音洛下同）姜出而賦大隧之外其樂也洩洩（洩洩舒散也【附註】林曰大隧之外想亦當時武姜所賦之詩朱曰莊公與武姜出隧道又作歌詩其辭略曰大隧之外云云其樂也洩洩此亦詩中要語【音訓】洩音曳）遂為母子如初君子曰（【附註】朱曰按傳文所稱君子曰者蓋左氏設君子之言以為論斷然其言多淺陋不能之以正大之理後凡君子曰君子謂皆此）潁考叔純孝也（純猶篤也）愛其母施及莊公



（【附註】林曰施猶廣也言能廣施孝道感悟莊公【音訓】施以豉反又式智反）詩曰孝子不匱永錫爾類其是之謂乎（不匱孝也公雖失之於初孝心不忘考叔感而通之所謂永錫爾類詩人之作各以情言君子論之不以文害意故春秋傳引詩不皆與今說詩者同他皆放此【附註】林曰孝子之心無有窮匱長以己之孝誠錫及其疇類皆為孝也【音訓】匱其位反）○秋七月天王使宰咺來歸惠公仲子之賵緩且子氏未薨故名（惠公葬在春秋前故曰緩也子氏仲子也薨在二年）天子七月而（賵助喪之物【附註】林曰一舉兩事皆非禮故名咺示貶）葬同軌畢至（言同軌以別四夷之國【附註】林曰中國廣大不七月不足以盡遠人之情）諸侯五月同盟至（同在方嶽之盟【附註】林曰五月

而葬殺於天子同方嶽之盟其地漸近故五月可至不言畢至不至無所拘也

大夫三月同位至古者行役不踰時士踰月外姻

至踰月度月也姻猶親也此言赴弔各以遠近為差因為葬節贈死不

及尸尸未葬之通稱【訓】【註】稱尺證反【音】弔生不及哀諸侯已上

既葬則縗除無哭位諒闇終喪【註】上時掌反諒音亮又音良闇如字【音訓】豫

凶事非禮也仲子在而來賵故曰豫凶事○八月紀人

伐夷夷不告故不書夷國在城陽莊武縣紀國在東莞劇縣隱

十一年傳例曰凡諸侯有命告則書不然則否史不書於策故夫子亦不書于經傳

見其事以明春秋例也他皆放此【音】【訓】【註】莞音官見賢遍反下三見同有蜚

不為災亦不書蜚負蠜也莊二十九年傳例曰凡物不為災不書又

左傳一　十

於此發之者明傳之所據非唯史策兼采簡牘之記他皆放此【附註】林曰蜚蓋食苗

蟲之屬【音訓】蜚扶味反【註】蠜音煩又音盤○惠公之季年敗宋

師于黃【音訓】黃宋邑陳留外黃縣東有黃城敗必邁反敗他也後放此公

立而求成焉九月及宋人盟于宿始通也

經無義例故傳直言其歸趣而已他皆放此○冬十月庚申改

葬惠公公弗臨故不書以桓為大子故隱公讓而不敢為喪惠公之薨也有

主隱攝君政故據隱而言【附註】林曰臨臨棺而哭

宋師【附註】林曰敗黃之師太子少葬故有闕【附註】林曰桓公

幼少葬禮有所闕少【音訓】少詩照反是以改葬○衛侯來會

葬不見公亦不書諸侯會葬非禮也不得接公成禮故不書於策

他皆放此衛國在汲郡朝歌縣【音訓】【註】朝如字○鄭共叔之難公

孫滑出奔衛公孫滑共叔段之子衛人為之伐鄭取

廩延鄭邑【附註】林曰為公孫滑伐仇【音訓】為于偽反鄭人以王師

虢師伐衛南鄙西虢國也弘農陝縣東南有虢城【附註】林曰凡師

能左右之曰以【音】【訓】【註】陝失冉反請師於邾【附註】林曰鄭請濟師於邾

邾子使私於公子豫公子豫魯大夫私請師豫請往

公弗許遂行及邾人鄭人盟于翼翼邾地不

書非公命也新作南門不書亦非公命也

非公命不書三見者皆興作大事各舉以備文【附註】林曰二事以見大夫專擅之端

○十二月祭伯來非王命也【附註】林曰以王臣無王命

左傳一　十一

而私交於魯王室事可知矣○衆父卒衆父公子益師字【音訓】衆音終

公不與小斂故不書日禮卿佐之喪小斂大斂君皆親臨之

崇恩厚也始死情之所篤禮之所崇故以小斂為文至於但臨大斂及不臨其喪亦

同不書日【附註】林曰謂經不書衆父卒日蓋傳者釋經有書日書月書時之例【音訓】

與音預

【經】二年【庚申】春公會戎于潛戎狄夷蠻皆氐羌之別種也戎

而書會者順其俗以為禮皆謂居中國若戎子駒支者陳留濟陽縣東南有戎城潛魯地

【附註】林曰此外交之始也是故會戎于潛春秋之始會吳黃池春秋之終此春秋之所以

終始也【音訓】【註】氐都兮反種章勇反濟子禮反水名凡地名皆同○夏五月

莒人入向向小國也譙國龍亢縣東南有向城莒國今城陽莒縣也將卑師少

稱人不地曰入例在襄十三年〔附註〕林曰此入國之始也〔音訓〕向舒亮反〔圖〕譙在遙反亢音剛又苦浪反將子匠反○無駭帥師入極無駭魯卿極附庸小國無駭不書氏未賜族賜族例在八年〔附註〕林曰無駭帥師大夫專兵之端見矣〔音訓〕駭戶楷反○秋八月庚辰公及戎盟于唐高平方與縣北有武唐亭八月無庚辰庚辰七月九日也日月必有誤〔附註〕林曰唐魯地此盟戎之始也〔音訓〕〔圖〕與音預○九月紀裂繻來逆女裂繻紀大夫傳曰卿為君逆也以別卿自逆也逆女或稱使或不稱使昏禮不稱主人史各隨其實而書非例也他皆放此〔音訓〕繻音須〔圖〕為于偽反下為魯同冬十月伯姬歸于紀無傳伯姬魯女裂繻所逆者○紀子帛莒子盟于密子帛裂繻字也莒魯有怨紀侯既昏于魯使大夫盟莒以和解之子帛為魯結好息民故傳曰魯故也比之內大夫而在莒子上稱字以嘉之也字例在閔元年密莒邑城陽淳于縣東北有密鄉〔附註〕林曰此外特相盟之始也〔音訓〕〔圖〕解如字又戶買反好呼報反○十有二月乙卯夫人子氏薨無傳桓未為君仲子不應稱夫人隱讓桓以為大子成其母喪以赴諸侯故經於此稱夫人也不反哭故不書葬例在三年○鄭人伐衛凡師有鐘鼓曰伐例在莊二十九年〔附註〕林曰伐天子之權此諸侯專征伐之始

〔傳〕二年春公會戎于潛脩惠公之好也戎請盟公辭許其脩好而不許其盟禦夷狄者不一而足○莒子娶于向向姜不安莒而歸〔附註〕林曰姜向女姓不安莒者琴瑟不和故不安於莒而歸其父母之國夏莒人入向以姜氏還傳言夫昏姻之義凡得失小故經無異文而傳備其事按文則是非足以為戒他皆放此〔音訓〕還音旋後皆同○司空無駭入極費庈父勝之魯司徒司馬司空皆卿也庈父費伯也前年城郎今因得以勝極故傳於前年發之〔音訓〕庈音琴○戎請盟秋盟于唐復脩戎好也〔音訓〕復扶又反○九月紀裂繻來逆女卿為君逆也○冬紀子帛莒子盟于密魯故也○鄭人伐衛討公孫滑之亂也治元年取廩延之亂

〔經〕三年〔辛酉〕春王二月己巳日有食之無傳日行遲一歲一周天月行疾一月一周天一歲凡十二交會然日月動物雖行度有大量不能不小有盈縮故有雖交會而不食者或有頻交而食者唯正陽之月君子忌之故有伐鼓用幣之事今釋例以長歷推經傳明此食是二月朔也不書朔史失之書朔日例在桓十七年〔音訓〕食本或作蝕〔圖〕量音亮○三月庚戌天王崩周平王也實以壬戌崩欲諸侯之速至故遠日以赴春秋不書實崩日而書遠日者即傳其偽以懲臣子之過也襄二十九年傳曰鄭上卿有事使印段如周會葬今不書葬魯不會〔音訓〕〔圖〕即傳直專反○夏四月辛卯君氏卒隱不敢從正君之禮故亦不敢備禮於其母○秋武氏子來求賻武氏子天子大夫之嗣也平王喪在殯新王未得行其爵命聽於家宰故傳曰王未葬釋其所以稱父族又不稱使也魯不共奉王喪致令有求經直文以示不敬故傳不復具釋也〔附註〕林曰賻助喪之物此求之始〔音訓〕賻音附〔圖〕共音恭本又作供令力呈反復扶又反○八月庚辰宋公和卒稱卒者略外以別內也元年大夫盟於宿故來赴以名例在七

年○冬十有二月齊侯鄭伯盟于石門來告故書石門齊地或曰濟北盧縣故城西南濟水之門[附註]林曰此特相盟之始書石門以志諸侯之合書鹹以志諸侯之散以見春秋之終始鄭齊為之也○癸未葬宋穆公無傳魯使大夫會葬故書始死書卒史在國承赴為君故惡而薨名改赴書也書葬則舉謚稱公者會葬者在外據彼國之辭也書葬例在昭六年[音訓][註]惡為于偽反惡烏路反

[傳]三年春王三月壬戌平王崩赴以庚戌故書之○夏君氏卒聲子也不赴于諸侯不反哭于寢不祔于姑故不曰薨不稱夫人故不言葬夫人喪禮有三薨則赴於同盟之國一也既葬日中自墓



反虞於正寢所謂反哭于寢二也卒哭而祔於祖姑三也若此則書曰夫人某氏薨葬我小君某氏此備禮之文也其或不赴不祔則為不成喪故死不稱夫人薨不言葬我小君某氏反哭則書葬不反哭則不書葬今聲子三禮皆闕釋例論之詳矣[音訓]祔音附不書姓為公故曰君氏不書姓辟正夫人也隱見為君故特書於經稱曰君氏以別凡妾媵[音訓]為于偽反[註]見賢遍反○鄭武公莊公為平王卿士卿士王卿之執政者言父子秉周之政[附註]朱曰此亦推言其事之所由始也王貳于虢虢西虢公亦仕王朝王欲分政於虢不復專任鄭伯[音訓][註]復扶又反任而鴆反後不音者皆同鄭伯怨王[附註]朱曰此鄭伯指莊公也王曰無之[附註]朱曰平王紿曰我無此意故周鄭交質[附註]朱曰平王恐莊公不信故交質

其子以堅其約[音訓]質音致下同王子狐為質於鄭鄭公子忽為質於周王子狐平王子[附註]林曰忽鄭莊公子王崩周人將畀虢公政周人遂成平王本意[音訓]畀必二反與也四月鄭祭足帥師取溫之麥秋又取成周之禾四月今二月也秋今之夏也麥禾皆未熟言取者蓋芟踐之溫今河內溫縣成周洛陽縣也[附註]朱曰祭足即祭仲也[音訓][註]芟所銜反周鄭交惡兩相疾惡[音訓]惡去聲君子曰信不由中質無益也[附註]林曰言周鄭之誠信不出於中心以子交質無益於事明恕而行[附註]林曰明則彼此相知恕則彼此相諒要之以禮[附註]林曰要結之以上下大小之禮節[音訓]要於遙反雖無有質誰能間之[音訓]間去



聲苟有明信[附註]朱曰誠使此心明白而信實澗谿沼沚之毛谿亦澗也沼池也沚小渚也毛草也[附註]朱曰毛即下文所謂菜也[音訓]谿苦兮反沚音止蘋蘩蕰藻之菜蘋大萍也蘩皤蒿蕰藻聚藻也[音訓]蕰音蘊[註]萍蒲丁反皤蒲多反筐筥錡釜之器方曰筐圓曰筥無足曰釜有足曰錡[音訓]筥音莒錡其綺反潢汙行潦之水潢汙停水行潦流潦[音訓]潢音黃汙音烏潦音老可薦於鬼神可羞於王公羞進也而況君子結二國之信行之以禮又焉用質通言盟約彼此之情故云二國[音訓]焉於虔反[註]約如字又於妙反風有采蘩采蘋采蘩采蘋詩國風義取於不嫌薄物雅有行葦泂酌詩大雅也行葦篇義取忠厚也泂酌篇義取雖行潦

可以共祭祀也【音訓】葦于充反洞音迴【註】共音供昭忠信也明有忠信
之行雖薄物皆可為用【附註】朱曰愚按周天子鄭諸侯左氏不當並稱周鄭又不當
日結二國之信周亦不當與侯國交質【音訓】行下孟反○武氏子來
求賻王未葬也【附註】林曰求賻以葬王室事可知已○宋穆
公疾召大司馬孔父【附註】林曰孔父嘉孔子六世祖也而
屬殤公焉【附註】朱曰屬謂付託於孔父使立為君也【音訓】屬音燭殤音傷
曰先君舍與夷而立寡人先君穆公兄宣公也與夷宣公
子即所屬殤公【音訓】舍音捨與如字一音余寡人不敢忘若以
大夫之靈得保首領以沒先君若問與夷
其將何辭以對請子奉之以主社稷寡人

左傳一　卅六

雖死亦無悔焉【附註】林曰亦無媿悔於先君之前對曰羣
臣願奉馮也馮穆公子莊公也【音訓】馮皮冰反公曰不可
先君以寡人為賢使主社稷若棄德不讓
是廢先君之舉也豈曰能賢言不讓則不足稱賢【附註】
林曰若我棄遜讓之德不與殤公是廢宣公舉賢之意也豈曰能賢於人光昭
先君之令德可不務乎【音訓】令去聲吾子其無
廢先君之功先君以舉賢為功我若不賢是廢之使公子馮
出居于鄭辟殤公也八月庚辰宋穆公卒殤公
即位君子曰宋宣公可謂知人矣立穆公
其子饗之命以義夫命出於義也夫語助商頌曰殷

受命咸宜百祿是荷其是之謂乎詩頌言殷湯武
丁受命皆以義故任荷天之百祿也帥義而行則殤公宜受此命宜荷此祿公子馮
不帥父義忿而出奔因鄭以求入終傷咸宜之福故知人之稱唯在宣公也殷禮有
兄弟相及不必傳子孫宋其後也故指稱商頌【附註】林曰此言宣公以義制命能使
其子任荷天祿合此詩之義也朱曰愚按宣公遜國於弟而使之遜其子也穆公遜國
於姪而使之殺其身然則何百祿是荷之有公羊傳曰君子大居正宋之禍宣公為
之也斯言當矣殤公遇弒在桓公二年【音訓】荷上聲任音壬稱尺證反傳直專反
○冬齊鄭盟于石門尋盧之盟也盧盟在春秋前
盧齊地今濟北盧縣故城【附註】林曰尋盟脩好也庚戌鄭伯之車
僨于濟既盟而遇大風傳記異也十二月無庚戌日誤【附註】林曰鄭莊公每

左傳一　卅七

車仆于濟水【音訓】僨弗問反○衛莊公娶于齊東宮得
臣之妹曰莊姜得臣齊大子也大子不敢居上位故常處東宮【附註】
林曰莊姜從夫謚也朱曰此亦推言其事之始也妹女弟也美而無子
衛人所為賦碩人也碩人詩義取莊姜美于色賢于德而不見
答終以無子國人憂之【音訓】為于偽反又娶于陳曰厲嬀生
孝伯早死陳今陳國陳縣【音訓】嬀音歸其娣戴嬀生桓
公莊姜以為己子嬀陳姓也厲戴皆謚雖為莊姜子然大子之位
未定公子州吁嬖人之子也嬖親幸也【音訓】嬖必計反賤而
得幸曰嬖有寵而好兵公弗禁莊姜惡之【附註】朱曰
惡州吁恐其為亂【音訓】好呼報反禁居鴆反一音金惡烏路反石碏諫曰

臣聞愛子教之以義方石碏衛大夫〔附註〕朱曰義以方外所以制事之宜也〔音訓〕碏七略反弗納於邪驕奢淫泆所自邪也〔附註〕朱曰驕謂恃己陵物奢謂夸矜僭上淫謂嗜慾過度泆謂放恣無藝四者邪之所從來也〔音訓〕泆音逸四者之來寵祿過也四者皆自外至故曰來將立州吁乃定之矣若猶未也階之爲禍言將立爲大子則宜早定若不早定州吁必緣寵而爲禍夫寵而不驕驕而能降降而不憾憾而能眕者鮮矣如此者少也降其身則必恨恨則思亂不能自安自重〔附註〕林曰得君寵愛而不驕矜已驕而能自降其心降其心而不怨憾有怨憾之心而能自重強其身者少矣〔音訓〕夫音扶發句之端後放此憾胡暗反眕音軫鮮息淺反且夫



賤妨貴少陵長遠間親新間舊小加大小國而加兵於大國如息侯伐鄭之比〔音訓〕少詩照反長丁丈反間去聲淫破義所謂六逆也〔附註〕林曰以庶孽之賤而防害嫡長之貴以卑少而陵犯尊長以踈遠而離間親近以新進而離間耆舊以小國而加兵大國以淫慾而破壞義理此六者皆逆天理君義臣行父慈子孝兄愛弟敬所謂六順也臣行君之義〔附註〕林曰君能制命爲義此六者皆順天理去順效逆所以速禍也〔音訓〕去起呂反下同君人者將禍是務去而速之無乃不可乎不聽其子厚與州吁游禁之不可〔附註〕林曰石厚不聽桓公立乃老老致仕也四年經書州吁弑其君故傳先經以始事〔音訓〕[illegible]先

悉薦反

經四年壬戌春王二月莒人伐杞取牟婁無傳書取言易也例在襄十三年杞國本都陳留雍丘縣推尋事跡桓六年淳于公亡國杞似并之遷都淳于僖十四年又遷緣陵襄二十九年晉人城杞之淳于杞又還都淳于牟婁杞邑城陽諸縣東北有婁鄉〔附註〕林曰此伐國取邑之始〔音訓〕杞音起[illegible]易以鼓亢雉於用反○戊申衛州吁弑其君完稱臣弑君臣之罪也例在宣四年戊申三月十七日有日而無月○夏公及宋公遇于清遇者草次之期二國各簡其禮若道路相逢遇也清衛邑濟北東阿縣有清亭〔附註〕林曰此特相遇之始○宋公陳侯蔡人衛人伐鄭〔附註〕林曰此諸侯會伐之始亦東諸侯分黨之始於是齊鄭一黨也魯宋陳蔡衛一黨也東諸侯分黨而天下



始多故矣○秋翬帥師會宋公陳侯蔡人衛人伐鄭公子翬魯大夫不稱公子疾其固請強君以不義也諸外大夫貶皆稱人至於內大夫貶則皆去族稱名於記事之體他國可言其人而魯之卿佐不得言魯人此所以爲異也翬溺去族傳曰疾之叔孫豹則曰言違命此其例也〔附註〕林曰此大夫專將之始於是翬得兵而稍至於弑君〔音訓〕翬音揮[illegible]強其丈反去起呂反○九月衛人殺州吁于濮州吁弑君而立未列於會故不稱君例在成十六年濮陳地水名〔附註〕林曰於是州吁不稱公子石碏得書人討賊之義著矣〔音訓〕濮音卜○冬十有二月衛人立晉衛人逆公子晉而立之善其得衆故不書入於衛變文以示義例在成十八年〔附註〕林曰桓公弟宣公立

傳四年春衛州吁弑桓公而立公與宋公

為會將尋宿之盟未及期衛人来告亂夏公及宋公遇于清宿盟在元年【附註】林曰因衛亂而簡其禮以相見○宋殤公之即位也公子馮出奔鄭鄭人欲納之及衛州吁立將修先君之怨於鄭謂二年鄭人伐衛之怨而求寵於諸侯以和其民諸篡立者諸侯既與之會則不復討故欲求此寵【音訓】【註】復扶又反下復伐同使告於宋曰君若伐鄭以除君害害謂宋公子馮君為主敝邑以賦與陳蔡從則衛國之願也言舉國之賦調【附註】林曰敝邑衛自謂言以衛國之賦調與陳蔡之兵從宋【音訓】從才用反【註】調徒吊反宋人許之於是陳蔡方睦於衛



蔡今汝南上蔡縣故宋公陳侯蔡人衛人伐鄭圍其東門五日而還公問於衆仲曰衛州吁其成乎衆仲魯大夫【音訓】衆音終對曰臣聞以德和民不聞以亂亂謂阻兵而安忍以亂猶治絲而棼之也絲見棼緼益所以亂【附註】林曰治絲之道以和緩為先棼猶紛也若棼之益見亂而難治和民之道猶是【音訓】棼音焚【註】緼於云反夫州吁阻兵而安忍【附註】朱曰阻恃也言恃其兵威而安於殘忍阻兵無衆安忍無親衆叛親離難以濟矣恃兵則民殘民殘則衆叛安忍則刑過刑過則親離夫兵猶火也不戢將自焚也【附註】林曰若不戢止將自焚其身【音訓】戢側立反夫州吁弑其君

而虐用其民【附註】林曰用其民以爭戰朱曰又以刑威虐用其民於是乎不務令德而欲以亂成必不免矣【附註】朱曰令善也德可和民而州吁不務之亂不可和民而州吁乃作亂以圖成事必不能免於討也○秋諸侯復伐鄭宋公使来乞師乞師不書非卿公辭之從衆仲之言羽父請以師會之羽父公子翬公不許固請而行故書曰翬帥師疾之也諸侯之師敗鄭徒兵取其禾而還時鄭不車戰○州吁未能和其民厚問定君於石子石子石碏也以州吁不安諮其父石子曰王覲為可【附註】朱曰若能朝覲天子得其寵命乃可安也【音訓】覲其靳反見也曰何以



得覲曰陳桓公方有寵於王【附註】林曰此時陳桓公尚存未應有諡蓋左氏追書之陳衛方睦若朝陳使請必可得也【音訓】朝直遥反後不出者皆放此厚從州吁如陳【附註】林曰如往也石碏使告于陳曰衛國褊小老夫耄矣無能為也此二人者實弑寡君敢即圖之八十曰耄稱國小己老自謙以委陳使因其往就圖之【音訓】褊必淺反一音必殄反耄音冒陳人執之而請涖于衛請衛人自臨討之【音訓】涖音利又音類九月衛人使右宰醜涖殺州吁于濮【附註】林曰右宰官名醜衛臣石碏使其宰獳羊肩涖殺石厚于陳【附註】朱曰宰家臣也獳羊肩宰之姓名【音

【訓】孺奴侯反君子曰石碏純臣也惡州吁而厚與焉大義滅親其是之謂乎子從弒君之賊國之大逆不可不除故曰大義滅親明小義則當兼子愛之【附註】林曰仲君臣之大義而滅父予之私親合於古語大義滅親之說【音訓】惡烏路反與音預○衛人逆公子晉于邢冬十二月宣公即位公子晉也【音訓】邢音刑國名書曰衛人立晉衆也

【經】五年【癸亥】春公矢魚于棠書陳魚以示非禮也書棠譏遠地也今高平方與縣北有武唐亭魯侯觀魚臺【附註】林曰棠魯地○夏四月葬衛桓公○秋衛師入郕將卑師衆但稱師此史之常也【音訓】郕音成國名【註】將予匠反○九月考仲子之宮初獻六羽



成仲子宮安其主而祭之惠公以仲子手文娶之欲以為夫人諸侯無二嫡蓋隱公成父之志為別立宮也公問羽數故書羽婦人無謚因姓以名宮【音訓】【註】為別于偽反○邾人鄭人伐宋邾主兵故序鄭上○螟無傳虫食苗心者為災故【音訓】螟音冥○冬十有二月辛巳公子彄卒大夫書卒不書葬者臣子之事非公家所及【音訓】彄苦侯反○宋人伐鄭圍長葛潁川長社縣北有長葛城【附註】林曰此書圍之始也伐國不言圍邑僖之前書之

【傳】五年春公將如棠觀魚者【音訓】魚者本亦作漁者臧僖伯諫曰凡物不足以講大事臧僖伯公子彄也僖謚也大事祀與戎其材不足以備器用則君不舉焉材謂皮革齒牙骨角毛羽也器用軍國之器君將納民於軌物者也【附註】林曰軌法也物采也可法謂之軌可采謂之物言君之所爲將納民於可法可采之中故講事以度軌【附註】林曰講習大事以準度軌法非一苟然而講事【音訓】度待洛反一音如字量謂之軌【附註】林曰此申明軌字之義合度量而後謂之軌【音訓】量去聲取材以章物【附註】林曰取鳥獸之材以章明物采非苟然而取材采謂之物【附註】林曰此申明物字之義可采飾而後謂之物不軌不物謂之亂政言器用衆物不入法度則為不軌不物亂政亟行所以敗也敗之所起【音訓】亟欺冀反故春蒐夏苗秋獮冬狩蒐索擇取不孕者苗為苗除害也獮殺也以殺為名順秋氣也狩圍守也冬物畢成獲則取之無所擇也【音訓】蒐音搜獮息淺反說文作獮狩手又反【註】索素百反孕以證反為苗



于偽反皆於農隙以講事也各隨時事之間【附註】林曰古者藏兵於農故四時之田皆於農事之間隙恐其妨農三年而治兵入雖四時講武猶復三年而大習出曰治兵始治其事入曰振旅治兵禮畢整衆而還振整也旅衆也【音訓】【註】復扶又反而振旅歸而飲至以數軍實飲於廟以數車徒器械及所獲也【附註】朱曰歸則告至於宗廟因而飲酒也【音訓】數所主反昭文章車服旌旗【附註】林曰昭著也君大夫士車服旌旗各有文章明貴賤【附註】林曰田獵之制貴者先殺此所以明君大夫士庶人之貴賤辨等列等列行伍【附註】林曰辨上下之等第行列坐作進退皆是也【音訓】【註】行戶郎反順少長出則少者在前還則在後所謂順也【附註】林曰出則少者在前趨敵之義還則少者在後殿師之義【音訓】少詩照反長丁丈反

習威儀也 [附註]林曰有威而可畏謂之威有儀而可象謂之儀 鳥獸之肉不登於俎 俎祭宗廟器[附註]林曰不足登於俎以共祭祀 皮革齒牙骨角毛羽不登於器 謂以飾法度之器[附註]林曰有毛曰皮去毛曰革小齒曰齒頷上大齒曰牙翼上長毛曰羽 則公不射古之制也 [音訓]射食亦反 若夫山林川澤之實器用之資皁隸之事官司之守非君所及也 士臣皁皁臣輿輿臣隸言取此雜猥之物以資器備是小臣有司之職非諸侯之所親也[音訓]皁才早反隸音麗[註]猥烏罪反 公曰吾將略地焉 孫辭以略地略摠攝巡行之名傳曰東略之不知西則否矣[音訓][註]行下孟反 遂往陳魚而觀之 陳設張也公大設捕魚之備而觀之[音訓][註]捕音步

左傳十　二十四

一音傳 僖伯稱疾不從 [音訓]從才用反 書曰公矢魚于棠非禮也且言遠地也 矢亦陳也棠實他竟故曰遠地[音訓]竟音境[註] ○曲沃莊伯以鄭人邢人伐翼 曲沃晉別封成師之邑在河東聞喜縣莊伯成師子也翼晉舊都在平陽絳邑縣東邢國在廣平襄國縣[附註]林曰晉亂分爲二故以翼與曲沃別之 王使尹氏武氏助之翼侯奔隨 尹氏武氏皆周世族大夫也晉內相攻伐不告亂故不書傳具其事爲後晉事張本曲沃及翼本末見桓二年隨晉地 ○夏葬衛桓公衛亂是以緩 有州吁之難十四月乃葬傳明其非慢也 ○四月鄭人侵衛牧 牧衛邑經書夏四月葬衛桓公今傳直言夏而更以四月附鄭人侵衛牧者於下事宜得月以明事之先後故不復

備舉經文三年君氏卒其義亦同他皆放此 以報東門之役 東門役在四年 衛人以燕師伐鄭 南燕國今東郡燕縣[音訓]燕音煙 鄭祭足原繁洩駕以三軍軍其前 [附註]林軍其前攻其前也經與盧戎兩軍之鄭子罕胥軍之皆此義也[音訓]洩息列反 使曼伯與子元潛軍軍其後 [音訓]曼音萬 燕人畏鄭三軍而不虞制人 北制鄭邑今河南成皋縣也一名虎牢[附註]林曰制人曼伯子元之軍也不虞不料度也 六月鄭二公子以制人敗燕師于北制 二公子曼伯子元也 君子曰不備不虞不可以師 [附註]林曰不備禦不虞度不可以行師 ○曲沃叛王秋王命虢公伐曲沃 [附註]林曰西虢君仕于王

左傳十　二十五

朝者也 而立哀侯于翼 春翼侯奔隨故立其子光 ○衛之亂也郕人侵衛故衛師入郕 郕國也東平剛父縣西南有郕鄉[音訓][註]父音甫 ○九月考仲子之宮將萬焉 萬舞也[附註]朱曰禮諸侯無二嫡不應立廟故曰宮也 公問羽數於衆仲 問執羽人數 對曰天子用八 八八六十四人 諸侯用六 六六三十六人 大夫四 四四十六人 士二 二二四人士有功賜用樂 夫舞所以節八音而行八風 八音金石絲竹匏土革木也八風八方之風也以八音之器播八方之風手之舞之足之蹈之節其制而叙其情[附註]朱曰八風東方谷風東南清明風南方凱風西南涼風西方閶闔風西北不周風北方廣莫風東北融風也八音皆奏而舞曲齊之故舞所以節八音

也八方風氣由舞而行故舞所以行八風也故自八以下唯天子得盡物數故以八為列諸侯則不敢用八公從之於是初獻六羽始用六佾也魯唯文王周公廟得用八而他公遂因仍僭而用之今隱公特立此婦人之廟詳問衆仲衆仲因明大典故傳亦因言始用六佾其後季氏舞八佾於庭知唯在仲子廟用六【音訓】佾音逸○宋人取邾田

邾人告於鄭曰請君釋憾於宋敝邑為道釋四年再見伐之恨曰敝邑邾自謂道向導也【附註】林鄭人以王師會之王師不書不以告也鄭莊尚為王卿故得用周師【附註】林曰伐宋入其郛以報東門之役郛郭也東門役在四年【音訓】郛音孚宋人使来告命告命策書曰来魯告受伐【附註】林公聞其

左傳一　二十六

入郛也將救之問於使者曰師何及【音訓】使所吏反對曰未及國忿公知而故問責窮辭公怒乃止辭使者曰君命寡人同恤社稷之難【音訓】難乃旦反今問諸使者曰師未及國非寡人之所敢知也為七年公伐邾傳○冬十二月辛巳臧僖伯卒公曰叔父有憾於寡人諸侯稱同姓大夫長曰伯父少曰叔父[illegible]恨恨諫觀魚不聽寡人弗敢忘葬之加一等加命服之等○宋人伐鄭圍長葛以報入郛之役也

【經】六年【甲子】春鄭人来渝平和而不盟曰平【附註】林曰書渝平以志諸侯之合書及鄭平以志諸侯之歃諸侯合而天下始多故矣【音訓】渝羊朱反○夏五月辛酉公會齊侯盟于艾泰山牟縣東南有艾山【附註】林曰艾齊地也齊魯交好之始○秋七月雖無事而書首月具四時以成歲他皆放此○冬宋人取長葛秋取冬乃告也上有伐鄭圍長葛長葛鄭邑可知故不言鄭也前年冬圍不克而還今冬乘長葛無備而取之言易也【音訓】易以豉反傳同

【傳】六年春鄭人来渝平更成也渝變也公之為公子戰於狐壤為鄭所執逃歸怨鄭鄭伐宋公欲救宋宋不使者失辭公怒而止忿宋則欲厚鄭鄭因此而来故經書渝平傳曰更成【附註】林曰更成言變更而為平成【音訓】【□】使所吏反○翼九宗五正頃父之子嘉父逆晉

左傳一　二十七

侯于隨翼晉舊都也唐叔始封受懷姓九宗職官五正遂世為晉強家五正五官之長九宗一姓為九族也頃父之子嘉父晉大夫【音訓】頃音傾【□】長丁丈反下文同納諸鄂晉人謂之鄂侯鄂晉別邑諸地名疑者皆言有以示不審闕者不復記其闕他皆放此前年桓王立翼侯之子於翼故不得復入翼別居鄂【音訓】【□】復扶又反○夏盟于艾始平於齊也春秋前魯與齊不平今乃棄惡結好故言始平于齊【音訓】【□】好呼報反○五月庚申鄭伯侵陳大獲【附註】林曰大獲俘馘往歲鄭伯請成于陳成猶平也陳侯不許五父諫曰親仁善鄰國之寶也君其許鄭五父陳公子佗【音訓】【□】佗徒何反人名皆同陳侯曰宋衛實難可畏難也【附註】林曰宋衛大國

賓可畏難【音】【訓】難乃旦反鄭何能為【附註】林曰鄭小國何能為害遂

不許君子曰善不可失惡不可長其陳桓

公之謂乎【附註】林曰此言陳桓公不許鄭成是失善樸而長惡念長

惡不悛從自及也【音訓】悛止也從隨也悛音銓雖欲救

之其將能乎商書曰惡之易也如火之燎

于原不可鄉邇商書盤庚言惡易長如火焚原野不可鄉近【音訓】燎

音療鄉許亮反其猶可撲滅言不可撲滅【訓】撲普卜反【音】周任

有言【音訓】周任周大夫任音壬曰為國家者見惡如農

夫之務去草焉【附註】林曰見惡非獨惡人凡惡念惡事皆是【音訓】去

起呂反芟夷蘊崇之絕其本根勿使能殖則

左傳十一　二十八

善者信矣【附註】芟刈也夷殺也蘊積也崇聚也朱曰如此則惡之不長如

草之不復生也善惡無兩立之理惡者不長則善者伸也【音訓】信音申○秋

宋人取長葛○冬京師來告饑公為之請

糴於宋衛齊鄭禮也告饑不以王命故傳言京師而不書於經

也雖非王命而公共以稱命已國不足旁請鄰國故曰禮也傳見隱之賢【附註】林曰

京大也師衆也天子之居必以衆大之辭言之五穀不熟曰饑【音訓】饑音飢為于僞

反糴音狄見賢遍反【圖】○鄭伯如周始朝桓王也桓王

即位周鄭交惡至是乃朝故曰始王不禮焉周桓公言於

王曰我周之東遷晉鄭焉依周桓公周公黑肩也周采

地扶風雍縣東北有周城幽王為犬戎所殺平王東徙晉文侯鄭武公左右王室故

曰晉鄭焉依【音訓】焉如字【圖】雍於用反左右音佐佑善鄭以勸來者

猶懼不蔇蔇至也【附註】林曰厚善撫鄭以勸獎諸侯來朝猶恐諸侯之不

至【音訓】蔇其器反況不禮焉鄭不來矣為桓五年諸侯從王

伐鄭傳

【經】七年【乙丑】春王正月叔姬歸于紀無傳叔姬伯姬

之娣也至是歸者待年於父母國也不與嫡俱行故書○滕侯卒傳例曰不書名

未同盟也滕國在沛國公丘縣東南【音訓】【圖】沛音貝○夏城中丘城例在莊

二十九年中丘在琅邪臨沂縣東北【附註】林曰此書城之始也【音訓】【圖】沂魚依反○

齊侯使其弟年來聘諸聘皆使卿執玉帛以相存問例在襄九年【附】

【註】林曰此齊聘之始也○秋公伐邾【附註】林曰此伐邾之始也○冬

左傳十一　二十九

天王使凡伯來聘凡伯周卿士凡國伯爵也汲郡共縣東南有凡城【附】

【註】林曰周聘之始【訓】凡本作汎音凡【音】戎伐凡伯于楚丘以歸

戎鳴鐘鼓以伐天子之使見夷狄強譏不書凡伯敗者單使無衆非戰陳也但言以歸非

執也楚丘衛地在濟陰成武縣西南【附註】林曰此戎患之始也【音訓】【圖】使所吏反見賢遍

反暴蒲報反陳直覲反

【傳】七年春滕侯卒不書名未同盟也凡諸

侯同盟於是稱名故薨則赴以名盟以名告神故

薨亦以名告同盟告終稱嗣也以繼好息民告亡者之

終稱嗣位之主嗣位之主當奉而不忘故曰繼好好同則和親故曰息民謂之

禮經此言凡例乃周公所制禮經也十一年不告之例又曰不書於策明禮經

皆當書於策仲尼修春秋皆承策為經丘明之傳博采衆記故始開凡例特見此二
句他皆放此【附註】林日經常也謂之常禮○夏城中丘書不時
也【附註】林日夏非城築之時妨農事也○齊侯使夷仲年来
聘結艾之盟也艾盟在六年○秋宋及鄭平七
月庚申盟于宿公伐邾為宋討也公距宋而更與
鄭平欲以鄭為援今鄭復與宋盟故懼而伐邾欲以求宋故曰為宋討【音訓】為于僞
反【圖】援于眷反復扶又反○初戎朝于周發幣于公卿
凡伯弗賓朝而發幣於公卿如今計獻詣公府卿寺【附註】林曰弗賓弗以
賓客之禮待戎冬王使凡伯来聘還戎伐之于楚
丘以歸傳言凡伯所以見伐○陳及鄭平六年鄭侵陳大獲今

左傳十一　三十

乃平十二月陳五父如鄭涖盟涖臨也壬申及
鄭伯盟歃如忘志不在於歃血【附註】林日眼處日如而也蓋歃血而
忘之【音訓】歃音宴忘亡亮反泄伯曰五父必不免不賴
盟矣洩伯鄭洩駕【附註】林曰言五父必不免於禍不藉盟歃以為重鄭良
佐如陳涖盟良佐鄭大夫辛巳及陳侯盟亦知
陳之將亂也入其國觀其政治故揔言之也皆為桓五年六年陳亂蔡
人殺陳佗傳【音訓】治直吏反○鄭公子忽在王所故陳
侯請妻之以忽有王寵故【附註】林日忽三年為質於周【音訓】妻七計反
鄭伯許之乃成昏為鄭忽失齊昏援以至出奔傳
【經】八年【丙寅】春宋公衛侯遇于垂垂衛地濟陰句陽縣

東北有垂亭【附註】林曰特相遇不書書宋衛將以為祭盟也【音訓】【圖】句古侯反○三
月鄭伯使宛来歸祊宛鄭大夫不書氏未賜族祊鄭祀泰山之邑在
琅琊費縣東南【音訓】宛音苑祊音崩庚寅我入祊桓元年乃卒易祊田知此
入祊未肯受而有之○夏六月己亥蔡侯考父卒無傳襄六
年傳曰杞桓公卒始赴以名同盟故諸侯同盟稱名者非惟見在位二君也嘗與其父同
盟則亦以名赴其子亦所以繼好也蔡未與隱盟蓋春秋前與惠公盟故赴以名【音訓】【圖】
見賢遍反○辛亥宿男卒無傳元年宋魯大夫盟于宿宿與盟也晉荀偃
禱河稱齊晉君名然後自稱名知雖大夫出盟亦當先稱已君之名以啓神明故薨皆從
身盟之例當告以名也傳例曰赴以名則亦書之不然則否辟不敏也今宿赴不以名故
亦不書名諸例或發於始事或發於後者因宜有所異同亦或丘明所得記注本末不能

左傳十一　三十一

皆備故【音訓】【圖】與音預下不與同○秋七月庚午宋公齊侯
衛侯盟于瓦屋齊侯尊宋使主會故宋公序齊上瓦屋周地【附註】林曰此
祭盟之始也有祭盟然後有主盟○八月葬蔡宣公無傳三月而葬
遠○九月辛卯公及莒人盟于浮来莒人微者不嫌
敵公侯故直稱公例在僖二十九年浮来紀邑東莞縣北有邳鄉邳鄉西有公来山號日
邳来間【附註】林日此好莒之始吾君將會外大夫始此○螟無傳為災○冬
十有二月無駭卒公不與小斂故不書日卒而後賜族故不書氏
【傳】八年春齊侯將平宋衛平宋衛於鄭有會期
宋公以幣請於衛請先相見宋敬齊命衛侯許
之故遇于犬丘犬丘垂也地有兩名○鄭伯請釋泰

山之祀而祀周公以泰山之祊易許田三月鄭伯使宛来歸祊不祀泰山也成王營王城有還都之志故賜周公許田以為魯國朝宿之邑後世因而立周公別廟馬鄭桓公周宣王之母弟封鄭有助祭泰山湯沐之邑在祊鄭以天子不能復巡守故欲以祊易許田各從本國所近之宜恐魯以周公別廟為疑故云已廢泰山之祀而欲為魯祀周公孫辭以有求也許田近許之田【音訓】泰如字東嶽【註】復扶又反欲為于偽反

○夏虢公忌父始作卿士于周周人於且遂界反政

○四月甲辰鄭公子忽如陳逆婦嬀辛亥以嬀氏歸甲寅入于鄭陳鍼子送女先配而後祖鍼子曰是不為夫婦誣其祖矣非



禮也何以能育鍼子陳大夫禮逆婦必先告祖廟而後行故楚公子圍稱告莊共之廟鄭忽先逆婦而後告廟故曰先配而後祖【附註】林曰娶妻本為繼宗守祀計今誣其祖則不為祖宗所佑何以能生育乎【音訓】鍼其廉反誣亡符反【註】共音恭本亦作恭

○齊人卒平宋衛于鄭秋會于温盟于瓦屋以釋東門之役禮也會温不書不以告也定國息民故曰禮也平宋衛二國忿鄭之謀鄭不與盟故不書【音訓】【註】與音預

○八月丙戌鄭伯以齊人朝王禮也言鄭伯不以虢公得政而背王故禮之齊稱人略從國辭上有七月庚午下有九月辛卯則八月不得有丙戌【附註】林曰鄭莊因齊僖在周地故以齊朝王【音訓】【註】背音佩

○公及莒人盟于浮来以成紀好也二年紀莒盟于密為魯故今公尋之故曰以成紀好【音訓】好呼報反

○冬齊侯使来告成三國齊侯冬来告稱秋和三國公使衆仲對曰君釋三國之圖以鳩其民君之惠也寡君聞命矣敢不承受君之明德鳩集也【附註】林曰言齊僖解釋三國相圖之患使三國不相攻戰以安集其民人

○無駭卒羽父請謚與族【附註】林曰謚死者易名之稱號也族氏也羽父為無駭請謚及為其子請族氏於君也公問族於衆仲衆仲對曰天子建德立有德以為諸侯因生以賜姓因其所由生以賜姓謂若舜由嬀汭故陳為嬀姓【音訓】【註】汭如銳反胙之土而命之氏報之以土而命氏曰陳【附註】林曰因其所封地名為之族氏若胡公封於陳命曰陳



氏也【音訓】胙才故反報也諸侯以字諸侯位卑不得賜姓故其臣因氏其王父字為謚因以為族或使即先人謚稱以為族之官有世功則有官族邑亦如之謂取其舊官舊邑之稱以為族皆稟之時君【附註】林曰謂世世居其官而有功者則以其官為族若晉之士氏中行氏之類或以所封之邑若趙氏韓氏魏氏之類【音訓】【註】稱尺證反公命以字為展氏諸侯之子稱公子公子之子稱公孫公孫之子以王父字為氏無駭公子展之孫故為展氏

【經】九年丁卯春天王使南季来聘無傳南季天子大夫也南氏季字也○三月癸酉大雨震電庚辰大雨雪三月今正月【音訓】電徒練反雨于付反○挾卒無傳挾魯大夫未賜族【音訓】挾

音叶○夏城郎○秋七月○冬公會齊侯于防防魯地在瑯琊華縣東南音訓諺華户化反

傳九年春王三月癸酉大雨霖以震書始也書癸酉始雨日附註林曰經書大雨震電傳言霖以震見自此連綿雨霖且震也庚辰大雨雪亦如之書時失也夏之正月微陽始出未可震電既震電又不當大雨雪故皆為時失凡雨自三日以往為霖此解經書霖也而經無霖字經誤平地尺為大雪○夏城郎書不時也○宋公不王不共王職音訓諺共音恭本亦作供鄭伯為王左卿士以王命討之伐宋宋以入郛之役怨公不告命入郛在五年公以七年伐郛欲以說宋而宋猶不和也音訓諺說音悅公怒絕宋使音訓使所吏反○秋鄭人以王命來告伐宋遣使致王命也伐宋未得志故復更告之音訓諺復扶又反○冬公會齊侯于防謀伐宋也附註林曰春秋之初齊鄭一黨也故鄭告伐宋而齊僖公會魯以謀之○北戎侵鄭附註林曰言北戎以別戎之雜處中國者也鄭伯禦之患戎師曰彼徒我車懼其侵軼我也徒步兵也軼突也附註林曰懼車戰難於進退為步兵之所侵突音訓軼直結反又音逸公子突曰使勇而無剛者嘗寇而速去之公子突鄭厲公也嘗試也勇則能往無剛不恥退附註林曰勇而輕進可以試敵之堅瑕無剛易退則可以致敵之追躡君為三覆



以待之覆伏兵也附註朱曰言先伏兵三處以待戎之逐我音訓覆扶又反下同戎輕而不整貪而無親附註林曰言戎兵輕易而不整其行伍戎性貪利而不相親附音訓輕遣政反勝不相讓敗不相救先者見獲必務進附註林曰戎人之在前者見有所獲必務先進此言勝不相讓進而遇覆必速奔後者不救則無繼矣乃可以逞逞解也附註林曰乃可以快志於戎朱曰如此然後可以解患音訓逞勅領反從之戎人之前遇覆者奔祝聃逐之祝聃鄭大夫音訓聃他甘反又乃甘反衷戎師前後擊之盡殪為三部伏兵祝聃帥勇而無剛者先犯戎而速奔以遇二伏兵至後伏兵起戎還走祝聃反逐之戎前後及中三處受敵故曰衷戎師殪死也附註林曰衷戎師伏兵横擊戎師之中第一伏擊其前祝聃與第二伏擊其後并第三伏擊其中戎前後中三處受敵故曰衷戎師前後擊之朱曰衷戎師謂戎兵在三伏兵之中也音訓衷去聲又音忠殪音翳諺處昌慮反戎師大奔後軍不復繼也音訓諺繼丁住反十一月甲寅鄭人大敗戎師此皆春秋時事雖經無正文所謂必廣記而備言之將令學者原始要終尋其枝葉究其所窮他皆放此音訓諺令力呈反要於遙反

經十年戊辰春王二月公會齊侯鄭伯于中丘傳言正月會癸丑盟釋例推經傳日月癸丑是正月二十六日知經二月誤○夏翬帥師會齊人鄭人伐宋公子翬不待公命而貪會二國之君疾其專進故去氏齊鄭以公不至故亦更使微者從之伐宋不言及明翬專行非鄭

之謀也及例在宣七年音訓註去起呂反○六月壬戌公敗宋師于菅齊鄭後期故公獨敗宋師書敗宋未陳也敗例在莊十一年菅宋地音訓菅音姧註陳直覲反辛未取郜辛巳取防鄭後至得郜防二邑歸功于魯故書取明不用師徒也濟陰成武縣東南有郜城高平昌邑縣西南有西防城附註林曰郜防宋二邑鄭入之以歸于我也鄭取郜歸于我不書鄭讓不在鄭晉取濟西汶陽鄆田歸于我不書晉讓不在晉也音訓郜音告又工笠反○秋宋人衛人入鄭宋人蔡人衛人伐戴鄭伯伐取之三國伐戴鄭伯因其不和伐而取之書伐用師徒也取克之易也戴國今陳留外黃縣東南有戴城音訓註易以豉反○冬十月壬午齊人鄭人入郕

傳十年春王正月公會齊侯鄭伯于中丘



癸丑盟于鄧為師期尋九年會于防謀伐宋也公既會而盟盟不書非後也蓋公還告會而不告盟鄧魯地○夏五月羽父先會齊侯鄭伯伐宋言先會明非公本期釋翬之去族○六月戊申公會齊侯鄭伯于老桃會不書不告於廟也老桃宋地六月無戊申戊申五月二十三日日誤壬戌公敗宋師于菅庚午鄭師入郜辛未歸于我庚辰鄭師入防辛巳歸于我壬戌六月七日庚午十五日庚辰二十五日鄭伯後期而公獨敗宋師故鄭獨進兵以入郜防入而不有命魯取之推功上爵讓以自替不有其實故經但書魯取以成鄭志善之也君子謂鄭莊公於是乎可謂正矣以王命討不庭下之事上

皆成禮於庭中不貪其土以勞王爵正之體也勞者序其勤以答之諸侯相朝逆之以饔餼謂之郊勞魯侯爵之尊鄭伯爵卑故言以勞王爵附註朱曰以二邑歸魯故曰以勞王爵音訓勞力報反註餼許氣反○蔡人衛人郕人不會王命不伐宋也附註林曰三國不會伐宋蓋九年鄭以王命來告伐宋想皆告于諸侯故曰不會王命○秋七月庚寅鄭師入郊猶在郊鄭師還駐兵於遠郊附註林曰伐宋還入鄭之遠郊宋人衛人入鄭宋衛奇兵乘虛入鄭蔡人從之伐戴從宋衛伐戴也八月壬戌鄭伯圍戴癸亥克之取三師焉三國之軍在戴故鄭伯合圍之師者軍旅之通稱音訓註稱尺證反宋衛既入鄭而以伐戴召蔡人伐戴



乃召之蔡人怒故不和而敗言鄭取之易也附註林曰蔡人怒宋衛不同其入鄭之功○九月戊寅鄭伯入宋報入鄭也九月無戊寅戊寅八月二十四日○冬齊人鄭人入郕討違王命也

經十有一年己巳春滕侯薛侯來朝諸侯相朝例在文十五年附註林曰此諸侯朝魯之始亦旅見之始○夏公會鄭伯于時來時來郲也滎陽縣東有釐城鄭地也音訓註郲音來釐音來○秋七月壬午公及齊侯鄭伯入許與謀曰及還使許叔居之故不言滅也許潁川許昌縣音訓註與音預還音環○冬十有一月壬辰公薨實弒書薨又不地者史策所諱也

【傳】十一年春滕侯薛侯來朝爭長薛魯國薛縣【附
註】林曰滕薛同為侯爵故爭為長【音訓】長丁丈反下同薛侯曰我先
封薛祖奚仲夏所封在周之前滕侯曰我周之卜正也
卜正卜官之長【附註】朱曰言我祖為周卜官之長薛庶姓也我不
可以後之庶姓非周之同姓公使羽父請於薛侯
曰君與滕君辱在寡人【附註】林曰辱臨朝于魯君周諺
有之曰山有木工則度之賓有禮主則擇
之擇所宜而從之【音訓】度大洛反周之宗盟異姓為後盟誓
書皆先同姓例在定四年【附註】林曰此言周家宗室有盟誓之事皆先同姓而後異
姓寡人若朝于薛不敢與諸任齒薛任姓齒例也

左傳十一　三十八

【音訓】任音壬君若辱貺寡人則願以滕君為請
【附註】朱曰貺賜也謙言薛君來我國是有賜於我寡人也薛侯許之乃
長滕侯○夏公會鄭伯于郲謀伐許也鄭
伯將伐許五月甲辰受兵于大宮大宮鄭祖廟【附
註】林曰授兵賦車馬也蓋授兵車于祖廟也凡出師必告于祖廟而奉還廟之主以
行【音訓】大音泰公孫閼與潁考叔爭車公孫閼鄭大夫【音訓】
閼音遏潁考叔挾輈以走輈車轅也【附註】林曰授車之時未有
馬故以手挾轅而走【音訓】輈張留反子都拔棘以逐之子都公孫
閼棘戟也及大逵弗及子都怒逵道方九軌也【音訓】逵音葵
○秋七月公會齊侯鄭伯伐許庚辰傅于

許傅於許城下【附註】林曰傅附也【音訓】傅音附潁考叔取鄭伯
之旗蝥弧以先登蝥弧旗名【音訓】蝥音矛弧音胡子都自
下射之顛顛隊而死【音訓】射食亦反下同隊直類反瑕叔盈
又以蝥弧登瑕叔盈鄭大夫周麾而呼曰君登矣
周徧也麾招也【附註】林曰徧麾蝥弧之旗而呼【音訓】麾音揮又許偽反呼火故反
鄭師畢登壬午遂入許許莊公奔衛奔不書與
亂道逃未知所在齊侯以許讓公公曰君謂許不
共不共職貢【音訓】共音恭本亦作供下同故從君討之許既
伏其罪矣雖君有命寡人弗敢與聞【音訓】與音
預乃與鄭人鄭伯使許大夫百里奉許叔

左傳十一　三十九

以居許東偏許叔許莊公之弟東偏東鄙也【附註】林曰言居許東偏以
見不全得國也曰天禍許國鬼神實不逞于許君
而假手于我寡人借手于我寡德之人以討許寡人唯
是一二父兄不能共億父兄同姓羣臣共給億安也【音訓】億
於力反其敢以許自為功乎寡人有弟不能
和協而使餬其口於四方弟共叔段也餬鬻也段出奔在
元年【附註】林曰使叔段寄食於四方之國【音訓】餬音胡鬻本又作粥之育反又與
六反其況能久有許乎吾子其奉許叔以撫
柔此民也吾將使獲也佐吾子獲鄭大夫公孫獲
若寡人得沒于地以壽終【附註】朱曰得善終而葬于地下天

其以禮悔禍于許言天加禮於許而悔禍之無寧茲許公復奉其社稷無寧寧也茲此也【附註】林曰言寧止此許叔居許東偏許莊公復返國而奉其社稷之祭祀朱曰言異日復奉許之社稷者寧非此許公爭【音訓】復扶又反又音服唯我鄭國之有請謁焉如舊昏媾謁告也婦之父曰昏重昏曰媾【附註】朱曰許公復國之後若我鄭國有所請求於許爾許於鄭當如舊日姻戚不可疎外也【音訓】媾古豆反【註】重直龍反其能降以相從也降降心也無滋他族實偪處此以與我鄭國爭此土也【附註】朱曰汝當守其國毋使其他族類處於此地以相逼害與我鄭國爭許國之地也【音訓】逼音必處上聲下同吾子孫其覆亡之不暇而況能禋祀許乎絜齊



以享謂之禋祀謂許山川之祀【附註】朱曰設使他族處此以與我爭則我之子孫將顛覆危亡救之不暇何暇能禋祀許之山川乎【音訓】覆芳服反禋音因【註】齊側皆反本亦作齋寡人之使吾子處此不唯許國之為亦聊以固吾圉也圉邊垂也【音訓】為于僞反圉音語乃使公孫獲處許西偏曰凡而器用財賄無寘於許我死乃亟去之【附註】朱曰而汝也【音訓】賄呼罪反亟音棘急也吾先君新邑於此此今河南新鄭舊鄭在京兆【附註】朱曰莊公之父武公始遷邑於河南王室而既卑矣周之子孫日失其序鄭亦周之子孫夫許大岳之胤也大岳神農之後堯四岳也胤繼也【音訓】大音泰天而既厭周德矣吾其

能與許爭乎【附註】朱曰此言公孫獲不可久居之意【音訓】厭於豔反君子謂鄭莊公於是乎有禮禮經國家定社稷序民人利後嗣者也【附註】林曰言禮之用經理其國家安定其社稷教民長幼尊卑之序為後嗣萬世無疆之利者也許無刑而伐之服而舍之刑法也【附註】朱曰言許亂無刑政故鄭伐之既服罪而不取其國【音訓】舍音捨度德而處之量力而行之【附註】林曰度許德之厚薄而處之度鄭力之強弱而行之【音訓】度待洛反下同量音良下同相時而動無累後人我死乃亟去無累後人【音訓】相息亮反累去聲可謂知禮矣○鄭伯使卒出豭行出犬雞以詛射潁考叔者百人為卒二十五人為行



行亦卒之行列疾射潁考叔者故令卒行閒皆詛之【附註】林曰豭牡豬也【音訓】卒尊忽反豭音加行戶剛反詛側慮反【註】令力呈反君子謂鄭莊公失政刑矣政以治民刑以正邪既無德政又無威刑是以及邪大臣不睦又不能刑於邪人【附註】林曰臣下不懷德畏威是以及邪僻之行【音訓】邪似嗟反邪而詛之將何益矣○王取鄔劉二邑在河南緱氏縣西南有鄔聚西北有劉亭【音訓】鄔烏古反【註】緱古侯反蔿邘之田于鄭蔿邘鄭二邑【音訓】蔿羽委反邘音于而與鄭人蘇忿生之田蘇忿生周武王司寇蘇公也溫今溫縣原在沁水縣西【音訓】【註】沁七浸反絺在野王縣西南【音訓】絺勑之反樊一名陽樊野王縣西南有陽城【音訓】樊扶袁反隰郕在懷

縣西南〔音訓〕隰音習郲音成 欑茅 在脩武縣北欑才官反〔音〕向 軹縣
西有地名向上〔音訓〕盟 今盟津〔音〕州 今州縣
向音尚闉軹音紙
陘 闉〔音訓〕陘音刑 隤 在脩武縣北〔音訓〕隤音頹 懷 今懷縣凡十二邑皆蘇忿
生之田欑茅隤屬河內 君子是以知桓王之失
鄭也恕而行之德之則也禮之經也己弗
能有而以與人人之不至不亦宜乎 蘇忿生以叛王
十二邑王所不能有爲桓五年從王伐鄭張本〔音訓〕已音紀 ○鄭息有
違言 以言語相違恨 息侯伐鄭鄭伯與戰于竟息
師大敗而還 息國汝南新息縣〔音訓〕竟音境 君子是以知
息之將亡也 〔附註〕朱曰楚滅息見莊公十四年傳 不度德 度鄭莊
賢 不量力 息國弱 不親親 鄭息同姓之國 不徵辭 不
察有罪 以言語相恨當明徵其辭審曲直不宜輕聞 犯五不韙
而以伐人其喪師也不亦宜乎 〔音訓〕韙是也韙音偉
喪息浪反 ○冬十月鄭伯以虢師伐宋壬戌大
敗宋師以報其入鄭也 入鄭在十年 宋不告命
故不書凡諸侯有命告則書不然則否 命者
國之大事政令也承其告辭史乃書之于策若所傳聞行言非將君命則記在簡牘
而已不得記於典策此蓋周禮之舊制〔音訓〕闉傳直專反 師出臧否亦
如之 臧否謂善惡得失也滅而告敗勝而告克此皆互言不須兩告乃書〔音訓〕
否音鄙又如字 雖及滅國滅不告敗勝不告克不

書于策 ○羽父請殺桓公將以求大宰 大宰
官名〔附註〕朱曰羽父度公欲終據其位故請殺桓公〔音訓〕大音泰
其少故也吾將授之矣 授桓位〔音訓〕爲于僞反少詩照反 公曰爲
使營菟裘吾將老焉 菟裘魯邑在泰山梁父縣南不欲復居魯
朝故別營外邑〔音訓〕菟音徒裘音求闉父音甫復扶又反 羽父懼反譖
公于桓公而請弑之 〔附註〕林曰以隱公從而懼禍及己反譖
隱公於桓公謂隱將殺桓 公之爲公子也與鄭人戰于
狐壤止焉 內諱獲故言止狐壤鄭地 鄭人囚諸尹氏 尹
鄭大夫 賂尹氏而禱於其主鍾巫 主尹氏所主祭
林曰祈禱於尹氏所主鍾巫之神〔音訓〕賂音路巫亡夫反 遂與尹氏
歸而立其主 立鍾巫於魯 十一月公祭鍾巫齊
于社圃 社圃園名〔音訓〕齊側皆反 館于寪氏 館舍也寪氏魯大夫
〔音訓〕寪于委反 壬辰羽父使賊弑公于寪氏立桓
公而討寪氏有死者 欲以弑君之罪加寪氏而復不能正法
傳言進退無據 不書葬不成喪也 故桓弑隱篡喪禮不成

春秋經傳集解卷第一

# 春秋經傳集解卷第二

杜氏 盡十八年

諸家註音訓附

## 魯桓公

公名軌惠公之子隱公之弟弑兄自立史記亦名允謚法辟土服遠曰桓

周 桓王九年魯桓公十五年桓王崩子莊王立

鄭 莊公三十三年魯桓公十一年莊公卒昭公忽立是年忽奔衛厲公突立桓十五年厲公奔蔡昭公歸鄭秋鄭伯突入櫟桓十七年昭公弑立子亹桓十八年齊[illegible]亹鄭祭仲立子儀

齊 僖公二十年魯桓公十四年僖公卒子襄公諸兒立

宋 殤公九年魯桓公二年殤公弑莊公馮立



晉 翼 哀侯七年魯桓公二年哀侯侵陘庭陘庭與曲沃武公謀桓三年曲沃伐翼獲哀侯晉人立其子小子侯桓七年曲沃武公殺小子侯桓八年曲沃滅翼冬王命虢仲立晉哀侯之弟緡于晉 ○ 曲沃 武公五年

衛 宣公八年魯桓公十二年宣公卒惠公朔立桓十六年惠公奔齊公子黔牟立

蔡 桓侯四年魯桓公十七年桓侯卒子哀侯獻舞立

曹 桓公四十六年魯桓公十年曹桓公卒莊公射姑立

滕 詳見隱公元年

陳 桓公三十四年魯桓公五年陳桓公卒陳佗殺太子免而自立桓六年蔡人殺陳佗厲公躍立桓十二年厲公卒莊公林立

杞 武公詳見隱公元年

薛 詳見隱公元年

莒 詳見隱公元年

邾 儀父詳見隱公元年

許 許叔詳見隱公元年魯桓十五年許叔入于許

小邾 詳見隱公元年

楚 武王三十年魯桓公六年伐隨使隨請周尊楚號周室不聽還報楚桓公八年熊通怒自立為楚武王與隨人盟而去詳見莊公四年傳註

秦 詳見隱公元年

吳 詳見隱公元年

越 詳見隱公元年



經 元年 庚午 春王正月公即位 嗣子位定於初喪而改元必須踰年者繼父之業成父之志不忍有變於中年也諸侯每首歲必有禮於廟諸遭喪繼位者因此而改元正位百官以序故國史亦書即位之事於策桓公篡立而用常禮欲自同於遭喪繼位者釋例論之備矣 附註 林曰春秋自隱至文六君惟桓文書即位亦惟桓文書錫命請命之禮廢矣成公以後皆書即位而無錫命王室感諷諸侯之意不復講也

○三月公會鄭伯于垂鄭伯以璧假許田

○夏四月丁未公及鄭伯盟于越 公以篡立而脩好於鄭鄭因而迎之成禮於垂終易二田然後結盟垂犬丘衛地也越近垂地名鄭求祀周公魯聽受祊田令鄭廢泰山之祀知其非禮故以璧假為文時之所隱 音訓 註 好呼報反令力呈反

○秋大水 書災也傳例曰凡平原出水為大水

○冬十月

傳元年春公即位脩好于鄭附註林曰脩隱公之好于鄭鄭人請復祀周公卒易祊田事在隱八年音訓復扶又反公許之三月鄭伯以璧假許田為周公祊故也魯不宜聽鄭祀周公又不宜易取祊田犯二不宜以動故隱其實不言祊稱璧假言若進璧以假田非久易也附註林曰周公祊二事也音訓為于偽反○夏四月丁未公及鄭伯盟于越結祊成也結成易二田之事也傳以經不書祊故獨見祊音訓註見賢遍反盟曰渝盟無享國渝變也○秋大水凡平原出水為大水廣平曰原○冬鄭伯拜盟鄭伯若自來則經不書若遣使則當言鄭人不得稱鄭伯疑謬誤附註林曰拜謝于越之盟音訓註使所吏反○宋華父督見孔父之妻于路華父督宋戴公孫也孔父嘉孔子六世祖音訓華戶化反氏也後皆同督音篤目逆而送之附註林曰目迎其來而送其去曰美而豔色美曰豔音訓豔音艷

經二年辛未春王正月戊申宋督弒其君與夷及其大夫孔父稱督以弒罪在督也孔父稱名者內不能治其閨門外取怨於民身死而禍及其君○滕子來朝無傳隱十一年稱侯今稱子者蓋時王所黜○三月公會齊侯陳侯鄭伯于稷以成宋亂成平也宋有弒君之亂故為會欲以平之稷宋地附註林曰弒君之禍接迹天下蓋於是始○夏四月取郜大鼎于宋戊申納于大廟宋以鼎賂公大廟周公廟也始欲平宋之亂終於受賂故備書之戊申五月十日音訓大音泰○秋七月杞侯來朝公即位而來朝○蔡侯鄭伯會于鄧潁川召陵縣西南有鄧城○九月入杞不稱主帥微者也不地曰入音訓註帥所類反○公及戎盟于唐冬公至自唐傳例曰告于廟也特相會故致地也凡公行還不書至者皆不告廟也隱不書至謙不敢自同於正君書勞策勳附註林曰此書至會之始

傳二年春宋督攻孔氏殺孔父而取其妻公怒督懼遂弒殤公君子以督為有無君之心而後動於惡雖有君若無也故先書弒其君會于稷以成宋亂為賂故立華氏也經稱平宋亂者蓋以魯君受賂立華氏貪縱之甚惡其指斥故遂言始與齊陳鄭為會之本意也傳言為賂故立華氏明經本書平宋亂為公諱諱在受賂立華氏也猶璧假許田為周公祊故所謂婉而成章督未死而賜族督之妄也音訓為于偽反註除為會一字並同註惡烏路反婉於阮反宋殤公立十年十一戰殤公以隱四年立十一戰皆在隱公世民不堪命附註林曰宋之民皆不堪殤公爭戰之命孔父嘉為司馬督為大宰故因民之不堪命先宣言曰司馬則然言公之數戰則司馬使爾嘉孔父字附註林曰司馬主兵之官音訓註數音朔已殺孔父而弒殤公召莊公于鄭而立之以親鄭莊公公子馮也隱三年出居于鄭馮入宋不書不告也以郜大鼎賂公郜國所造器也故繫名於郜濟陰成武縣東南有北郜城齊陳鄭皆有賂

故遂相宋公【附註】朱曰華督弑君恐諸侯之討已故親鄭而賂四國也
【音訓】相息亮反下註傳相同　○夏四月取郜大鼎于宋
戊申納于大廟非禮也臧哀伯諫曰臧哀伯魯
大夫僖伯之子　君人者將昭德塞違以臨照百官
猶懼或失之【附註】朱曰昭德謂昭明善德使益彰聞也塞違謂閉塞違
邪使逆命者止絕也　故昭令德以示子孫是以清廟
茅屋以茅飾屋著儉也清廟肅然清靜之稱【音訓】【註】音張慮反後不音者同稱
尺證反　大路越席大路玉路祀天車也越席結草【附註】林曰越席結草
爲席也【音訓】越音活　大羹不致大羹肉汁不致五味【附註】朱曰不致不和
五味也　粢食不鑿黍稷曰粢不精鑿【音訓】粢音咨食音嗣鑿子洛反精



米也字林作糳子沃反云糲米一斛舂為八斗　昭其儉也此四者皆示儉
袞冕黻珽袞畫衣也冕冠也黻韋韠以蔽膝也珽玉笏也若今吏之持簿
【音訓】袞古本反黻音弗珽音挺【註】韠音必簿步古反持簿手版也　帶裳幅
舄帶革帶也衣下曰裳幅若今行縢者舄複履【附註】朱曰幅謂幅束其脛自[illegible]
膝也【音訓】幅音逼舄音昔【註】縢徒登反複音福　衡紞紘綖衡維持冠者
冠之垂者紘纓從下而上者綖冠上覆【音訓】紞多敢反紘音宏綖音延【註】而上時掌
反　昭其度也尊卑各有制度　藻率鞞鞛藻率以韋為之所以
藉玉也王五采公侯伯三采子男二采鞞佩刀削上飾鞛下飾【音訓】率音律鞞音丙
鞛布孔反【註】藉在夜反削音笑　鞶厲游纓鞶紳帶也一名大帶厲大帶之
垂者游旌旗之游纓在馬膺前如索帬【音訓】鞶音盤游音留【註】膺於陵反索悉各反

昭其數也尊卑各有數　火龍黼黻火畫火也龍畫龍也白與
黑謂之黼形若斧黑與青謂之黻兩已相戾【附註】林曰此上衣下裳之飾【音訓】黼音
甫【註】戾力計反　昭其文也以文章明貴賤　五色比象昭其
物也車服器械之有五色皆以比象天地四方以示器物不虛設【音訓】比并是
反　鍚鸞和鈴昭其聲也鍚在馬額鸞在鑣和在衡鈴在旗動
皆有鳴聲【音訓】鍚音揚鈴音零【註】鑣彼驕反　三辰旂旗昭其明
也三辰日月星也畫於旂旗象天之明【音訓】旂勤衣反　夫德【附註】朱曰總上
文昭德之事而言之　儉而有度【附註】朱曰儉謂昭其儉也有度謂昭其尊
卑之制度也　登降有數登降謂上下尊卑【附註】朱曰謂昭其數也尊者
登其數卑者降其數也　文物以紀之【附註】朱曰謂昭其文昭其物所



以紀綱此德也　聲明以發之【附註】朱曰謂昭其聲昭其明所以發揚此
德也　以臨照百官百官於是乎戒懼而不敢
易紀律【附註】林曰不敢變易國家之紀綱法律　今滅德立違
謂立華督違命之臣　而寘其賂器於大廟以明示百
官百官象之其又何誅焉國家之敗由官
邪也官之失德寵賂章也【附註】朱曰百官之所以失德而
由郜者蓋由人君受賂而章遂彰著也　郜鼎在廟章孰甚焉
武王克商遷九鼎于雒邑九鼎殷所受夏九鼎也武王克
商乃營雒邑而後去之又遷九鼎焉時但營雒邑未有都城至周公乃卒營雒邑謂
之王城即今河南城也故傳曰成王定鼎于郟鄏【音訓】雒本亦作洛【註】郟古洽反鄏

音辱義士猶或非之蓋伯夷之屬而況將昭違亂之賂器於大廟其若之何【附註】朱曰其何以臨照百官乎公不聽周內史聞之曰臧孫達其有後於魯乎君違不忘諫之以德內史周大夫官也僖伯諫隱觀魚其子哀伯諫桓納鼎積善之家必有餘慶故曰其有後於魯【附註】朱曰臧孫達即哀伯也○秋七月杞侯来朝不敬杞侯歸乃謀伐之○蔡侯鄭伯會于鄧始懼楚也楚國今南郡江陵縣北紀南城也楚武王始僭號稱王欲害中國蔡鄭姬姓近楚故懼而會謀○九月入杞討不敬也○公及戎盟于唐修舊好也惠隱之好冬公至自唐告于廟也



凡公行告于宗廟反行飲至舍爵策勳焉禮也爵飲酒器也既飲置爵則書勳勞於策言速紀有功也【音訓】舍音赦特相會往来稱地讓事也特相會公與一國會也會必有主二人獨會則莫肯為主兩讓會事不成故但書地自參以上則往稱地来稱會成事也成會事【音訓】參七南反一音三上時掌反初晉穆侯之夫人姜氏以條之役生大子命之曰仇條晉地大子文侯也意取於戰相仇怨其弟以千畝之戰生命之曰成師桓叔也西河界休縣南有地名千畝意取能成其衆師服曰異哉君之名子也師服晉大夫【音訓】名如字或彌政反夫名以制義名之必可言也【附註】林曰義者宜也

名字以制其宜也朱曰夫命子之名必因其字而取其義義以出禮禮從義出禮以體政政以禮成政以正民【附註】朱曰己率以正孰敢不正故政以正民是以政成而民聽易則生亂反易禮義則亂生也嘉耦曰妃怨耦曰仇古之命也自古有此言【附註】朱曰耦匹也【音訓】耦五口反今君命大子曰仇弟曰成師始兆亂矣兄其替乎穆侯愛少子桓叔俱取救戰以為名所附意異故師服知桓叔之必盛於晉以傾宗國故因名以諷諫【音訓】替他計反少詩照反【註】惠之二十四年晉始亂故封桓叔于曲沃惠魯惠公也晉文侯卒子昭侯元年危不自安封成師為曲沃伯靖侯之孫欒賓傅之靖侯桓叔之高祖父言得貴寵



公孫為傳相【音訓】欒力官反師服曰吾聞國家之立也本大而末小是以能固故天子建國立諸侯也諸侯立家卿大夫稱家卿置側室側室衆子也得立此一官大夫有貳宗適子為小宗次者為貳宗以相輔貳士有隸子弟士卑自以其子弟為僕隸庶人工商各有分親皆有等衰庶人無復尊卑以親踈為分別也衰殺也【附註】林曰自天子至於庶人各有等第降殺此皆本大而末小所以辨上下定民志也【音訓】分扶問反又如字親七刃反又如字衰初危反【註】復扶又反別彼列反殺所界反是以民服事其上而下無覬覦下不冀望上位【音訓】覬音冀覦羊朱反今晉甸侯也而建國本既弱矣其能久乎諸侯

而在向服者惠之三十年晉潘父弑昭侯而納桓叔不克潘父晉大夫也昭侯文侯子晉人立孝侯昭侯子也惠之四十五年曲沃莊伯伐翼弑孝侯莊伯桓叔子翼晉國所都翼人立其弟鄂侯鄂侯生哀侯鄂侯以隱五年奔隨其年秋王立哀侯于翼哀侯侵陘庭之田陘庭翼南鄙邑陘庭南鄙啓曲沃伐翼附註林日啓曲沃伐翼蓋開而導之也



經三年壬申春正月公會齊侯于嬴經之音時必書王明此歷天王之所班也其或廢法違常失不班歷故不書王嬴齊邑今泰山嬴縣音訓嬴音盈○夏齊侯衛侯胥命于蒲申約言以相命而不歃血也蒲衛地在陳留長垣縣西南附註林日惟天子稱命此私相命也諸侯不請命而私相命於是始音訓註約如字又於妙反○六月公會杞侯于郕○秋七月壬辰朔日有食之既無傳既盡也曆家之說謂日光以望時遙奪月光故月食日月同會月奄日故日食食者上下者行有高下日光輪存而中食者相奄密故日光溢出皆既者正相當而相奄間疏也然聖人不言月食日而以自食為文闕於所不見○公子翬如齊逆女禮君有故則使卿逆九月齊侯送姜氏于讙讙魯地濟北蛇丘縣西有下讙亭已去齊國故不言女未至於魯故不稱夫人音訓讙呼端反註蛇以支反公會齊侯于讙無傳告於廟也不言翬以至者齊侯送之公受之於讙夫人姜氏至自齊○冬齊侯使其弟年來聘○有年無傳五穀皆熟書有年

傳三年春曲沃武公伐翼次于陘庭韓萬御戎梁弘為右武公曲沃莊伯子也韓萬莊伯弟也御戎僕也右戎車之右附註林日凡師再宿為信過信為次逐翼侯于汾隰汾隰汾水邊附註林日下隰日隰音訓汾扶云反驂絓而止驂騑馬附註林日蓋哀侯驂絓於木而止音訓驂七南反絓音卦註騑芳非反夜獲之及欒共叔共叔桓叔之傅欒賓之子也身傅翼侯父子各殉所奉之主故并見獲而死音訓註殉似俊反○會于嬴成昏于齊也公不由媒介自與齊侯會而成昏非禮也音訓註介音界○夏齊侯衛侯胥命于蒲不盟也○公會杞侯于郕杞求成



也二年入杞故今來求成○秋公子翬如齊逆女修先君之好故曰公子昏禮雖奉時君之命其言必稱先君以為禮辭故公子翬逆女傳稱修先君之好公子遂逆女傳稱尊君命互舉其義齊侯送姜氏非禮也凡公女嫁于敵國姊妹則上卿送之以禮於先君附註林日以加禮於先君之遣禮公子則下卿送之附註林日公所自生之女降姊妹二等於大國雖公子亦上卿送之於天子則諸卿皆行公不自送於小國則上大夫送之○冬齊仲年來聘致夫人也古者女出嫁又使大夫隨加聘問存謙敬序殷勤也在魯而出則日致女在他國而來則摠日聘故傳以致夫

人釋之○芮伯萬之母芮姜惡芮伯之多寵人也故逐之出居于魏為明年秦侵芮張本芮國在馮翊臨晉縣魏國河東河北縣附註林曰萬芮伯名姜母之姓以芮伯內寵外寵皆非賢德之人逐芮伯音訓芮如銳反惡烏路反

經四年癸酉春正月公狩于郎冬獵曰狩行三驅之禮得田狩之時故傳曰書時禮也周之春夏之冬也田狩從夏時郎非國內狩地故書地○夏天王使宰渠伯糾來聘宰官渠氏伯糾名也王官之宰當以才授位而伯糾攝父之職出聘列國故書名以譏之國史之記必書年以集此公之事書首時以成此年之歲故春秋有空時而無事書首月今不書秋冬首月史闕文他皆放此音訓糾居黝反

左傳二　十一

傳四年春正月公狩于郎書時禮也郎非狩地故唯時合禮○夏周宰渠伯糾來聘父在故名○秋秦師侵芮敗焉小之也秦以芮小輕之故為芮所敗○冬王師秦師圍魏執芮伯以歸三年芮伯出居魏芮更立君秦為芮所敗故以芮伯歸將欲納之

經五年甲戌春正月甲戌己丑陳侯鮑卒未同盟而書名者來赴以名故也甲戌前年十二月二十一日己丑此年正月六日陳亂故再赴赴雖日異而皆以正月起文故但書正月慎疑審事故從赴兩書音訓鮑步飽反○夏齊侯鄭伯如紀外相朝皆言如齊欲滅紀紀人懼而來告故書○天王使仍叔之子來聘仍叔天子之大夫稱仍叔之子本於父字幼弱之辭也譏使童子出聘○葬陳桓公無傳○城祝丘無傳齊鄭將襲紀故○秋蔡人衛人陳人從王伐鄭王自為伐鄭之主君臣之辭也王師敗不書不以告附註林曰自伐鄭無功而後王命始不行於天下音訓從如字又才用反○大雩傳例曰書不時也失龍見之時附註林曰書大雩之始音訓雩音于見賢遍反○螽無傳蚣蝑之屬為災故書音訓螽音終蚣相容反蝑相魚反○冬州公如曹不書奔以朝出也為下實來書也曹國今濟陰定陶縣

傳五年春正月甲戌己丑陳侯鮑卒再赴也於是陳亂文公子佗殺大子免而代之佗桓公弟五父也稱文公子明佗非桓公母弟也免桓公大子音訓免音問公

左傳二　十二

疾病而亂作國人分散故再赴○夏齊侯鄭伯朝于紀欲以襲之紀人知之附註林曰假朝禮將以襲紀紀人知其詐○王奪鄭伯政鄭伯不朝奪不使知王政附註宋曰隱公三年周人將畀虢公政八年虢公作卿士于周至是王盡以政與虢不使莊公復知王政莊公積恨不復朝桓王○秋王以諸侯伐鄭鄭伯禦之王為中軍虢公林父將右軍蔡人衛人屬焉虢公林父王卿士音訓將子匠反下同周公黑肩將左軍陳人屬焉黑肩周桓公也鄭子元請為左拒以當蔡人衛人子元鄭公子拒方陳附註林曰請為左軍結方陳音訓拒俱甫反下並同陳直覲反下之陳同為右拒

以當陳人曰陳亂民莫有鬬心若先犯之
必奔王卒顧之必亂【音訓】林曰顧見陳奔必驚而亂【音訓】卒尊
忽反蔡衛不枝固將先奔【註】不能相枝持也【附】林曰蔡衛固將
先王卒而奔敗既而萃於王卒可以集事從之萃聚
也集成也曼伯為右拒【訓】曼伯檀伯【音】曼音萬祭仲足為
左拒原繁高渠彌以中軍奉公為魚麗之
陳先偏後伍伍承彌縫司馬法車戰二十五乘為偏以車居
前以伍次之承偏之隙而彌縫闕漏也五人為伍此蓋魚麗陳法【音訓】麗音离縫扶
容反【註】乘繩證反戰于繻葛【訓】繻葛鄭地繻音須【音】命二拒
曰旝動而鼓旝旃也通帛為之蓋今大將之麾也執以為號令【音訓】旝



音檜【註】麾許危反蔡衛陳皆奔王卒亂鄭師合以
攻之王卒大敗祝聃射王中肩王亦能軍
雖軍敗身傷猶殿而不奔故言能軍【音訓】射食亦反中丁仲反祝聃請從
之【附註】朱曰欲追王也公曰君子不欲多上人況敢
陵天子乎苟自救也社稷無隕多矣鄭於此收
兵自退隕羽敏反【音訓】夜鄭伯使祭足勞王且問左
右祭足即祭仲之字蓋名仲字仲足也勞王問左右言鄭志在苟免王討之非也
【附註】朱曰愚按莊公以不朝見討不知服罪請命敢抗王師至於射王中肩其無君
不道甚矣杜註乃謂鄭志在苟免王討之非也毋乃未之思歟【音訓】勞力報反○
仍叔之子弱也仍叔之子來聘童子將命無速反之心久留在魯故

經書夏聘傳釋之於末秋○秋大雩書不時也傳十二公唯此
年及襄二十六年有兩秋此發雩祭之例欲顯天時以指事故重言秋異於凡事【音】
【訓】【註】重直用反凡祀啟蟄而郊言凡祀通下三句天地宗廟之事也
啟蟄夏正建寅之月祀天南郊【音訓】蟄直立反【註】正音征龍見而雩龍見
建巳之月蒼龍宿之體昏見東方萬物始盛待雨而大故祭天遠為百穀祈膏雨【音】
【訓】【註】宿音秀為于僞反始殺而嘗建酉之月陰氣始殺嘉穀始熟故薦
嘗於宗廟閉蟄而烝建亥之月昆蟲閉戶萬物皆成可薦者衆故烝祭宗
廟釋例論之備矣過則書卜日有吉否過次節則書以譏慢也○冬
淳于公如曹度其國危遂不復淳于州國所都城陽
淳于縣也國有危難不能自安故出朝而遂不還【音訓】度待洛反復音服【註】難乃旦



反
【經】六年【乙亥】春正月寔來寔實也不言州公者承上五年冬經
如曹間無異事省文從可知【音訓】寔音植【註】省所景反○夏四月公會
紀侯于成成魯地在泰山鉅平縣東南○秋八月壬午大
閱齊為大國以戎事徵諸侯之戍嘉美鄭忽而忽欲以有功為班怒而訴齊魯人懼之
故以非時簡車馬【附註】林曰書大閱之始【音訓】閱音悅○蔡人殺陳佗
佗立踰年不稱爵者簒立未會諸侯也傳在莊二十二年○九月丁卯子
同生桓公子莊公也十二公唯子同是適夫人之長子備用大子之禮故史書之於
策不稱大子者書始生也○冬紀侯來朝
【傳】六年春自曹來朝書曰寔來不復其國

也亦承五年冬傳淳于公如曹也言奔則來行朝禮書朝則遂留不去故變文言寔來○楚武王侵隨隨國今義陽隨縣朱曰隨姬姓國侯爵【附註】使薳章求成焉薳章楚大夫【附註】朱曰求成求與之平也【音訓】薳于委反軍於瑕以待之瑕隨地【附註】林曰楚軍於瑕以待隨之報【音訓】瑕下加反隨人使少師董成少師隨大夫董正也【附註】朱曰董成如涖盟也謂兩君不相見而使人往臨之【音訓】少詩照反鬬伯比言於楚子曰吾不得志於漢東也我則使然鬬伯比楚大夫令尹子文之父【附註】林曰我則失策而使之然朱曰漢水名【音訓】被音彼我張吾三軍而被吾甲兵以武臨之彼則懼而協以謀我故難間也【附註】林曰彼諸侯則恐懼而協心以謀我之策故難離間其心協與楚之謀失策【音訓】間去聲



漢東之國隨為大隨張必棄小國張自侈大也【音訓】張豬亮反一音如字小國離楚之利也【附註】林曰小國離心則隨勢孤而無援此楚國之利也少師侈請羸師以張之羸弱也【附註】林曰隨少師之心素自侈大請楚子藏其精兵示以羸弱以張大小師之心使忽楚【音訓】羸劣追反熊率且比曰季梁在何益熊率且比楚大夫季梁隨賢臣【音訓】率音律且子餘反鬬伯比曰以為後圖少師得其君言季梁之諫不過一見從隨侯卒當以少師為計故云以為後圖二年蔡侯鄭伯會于鄧始懼楚楚子自此遂盛終於抗衡中國故傳備言其事以終始之王毀軍而納少師從伯比之謀【附註】林曰毀其軍

容而納少師蓋少師來楚師董成故藏楚精兵以示羸弱楚師隨侯將許之信楚弱也季梁止之曰天方授楚【附註】朱曰言楚勢方盛乃天授之楚之羸其誘我也君何急焉臣聞小之能敵大也小道大淫【附註】林曰小國有道大國淫虐無道所謂道忠於民而信於神也上思利民忠也祝史正辭信也正辭不虛稱君美【附註】林曰祝太祝史太史皆主祭今民餒而君逞欲祝史矯舉以祭臣不知其可也詐稱功德以欺鬼神【音訓】矯居兆反公曰吾牲牷肥腯粢盛豐備何則不信牲牛羊豕也牷純色完全也腯亦肥也黍稷曰粢在器曰盛【音訓】牷



音全腯音突粢音咨盛音成下同對曰夫民神之主也言鬼神之情依民而行是以聖王先成民而後致力於神【附註】林曰先養人民使之成就而後致力於事鬼神故奉牲以告曰博碩肥腯謂民力之普存也博廣大也【附註】朱曰言告神以博碩肥腯者蓋緣民力之普偏安存所以能如此也謂其畜之碩大蕃滋也謂其不疾瘯蠡也謂其備腯咸有也雖告牲以博碩肥腯其實皆當兼此四謂民力適完則六畜既大而蕃滋也皮毛無疥癬兼備而無有所【音訓】畜音嗅瘯音蔟蠡力果反又音羅【註】疥音界癬息淺反說文云乾瘍奉盛以告曰絜粢豐盛【附註】林曰言黍稷絜淨而在器豐厚謂其三時不害而民和年

豐也三時春夏秋【附註】林曰謂其政不害農時春夏秋無有災害使得盡力耕耘故和氣致祥而年穀豐登也奉酒醴以告曰嘉栗旨酒嘉善也栗謹敬也【附註】林曰言有嘉善敬謹之德以將其美酒謂其上下皆有嘉德而無違心也所謂馨香無讒慝也馨香之遠聞【附註】林曰此言牲牷粢盛酒醴之所以馨香者上下皆無讒慝故慝之於所以馨香也書曰黍稷非馨明德惟馨此即無讒慝也【音訓】【附註】聞音問又如字故務其三時修其五教父義母慈兄友弟恭子孝【附註】朱曰修君臣父子兄弟夫婦朋友之五教而使民有常心親其九族以致其禋祀禋絜敬也九族謂外祖父外祖母從母子及妻父妻母姑之子姊妹之子女子之子并己之同族皆外親有服而異族者也【附註】朱曰親其上至高



祖下及玄孫之九族而使家道可和然後致力於神而竭精意以享之於是乎民和而神降之福故動則有成今民各有心而鬼神乏主民飢餒也【附註】朱曰民為神之主民心不和是鬼神無主也君雖獨豐其何福之有【附註】朱曰君之享神雖獨豐厚神將吐之心不降福也君姑修政而親兄弟之國庶免於難隨侯懼而脩政楚不敢伐【附註】林曰為八年楚伐隨張本○夏會于成紀來諮謀齊難也齊欲滅紀故來謀之○北戎伐齊齊侯使乞師于鄭鄭大子忽帥師救齊六月大敗戎師獲其二帥大良小良甲首三百以獻於齊甲首

被甲者首【附註】林曰大良少良二帥名【音訓】二帥所類反少詩照反於是諸侯之大夫戍齊齊人饋之餼餼生曰使魯為其班後鄭班次也魯親班齊饋則亦使大夫戍齊矣經不書蓋史闕文鄭忽以其有功也怒故有郎之師郎師在十年公之未昏於齊也齊侯欲以文姜妻鄭【附註】子忽大子忽辭人問其故大子曰人各有耦齊大非吾耦也詩云自求多福詩大雅文王言求福由己非由人也在我而已大國何為君子曰善自為謀言獨絜其身謀不及國及其敗戎師也齊侯又請妻之欲以他女妻之固辭人問其故大子曰



無事於齊吾猶不敢今以君命奔齊之急而受室以歸是以師昏也民其謂我何言必見怪於民遂辭諸鄭伯假文之命以為辭為十一年鄭忽出奔衛傳【附註】朱曰愚按詩鄭國風有女同車序云鄭人刺忽之不昏于齊卒以無大國之助至於見逐又按左氏曰善自為謀其載祭仲之言曰必取之君多內寵子無大援將不立三公子皆君也與詩序之言實相表裏然此皆以成敗論是非也惟東萊云忽得之於辭昏而失之於微弱使其不辭而娶文姜則拉幹之禍不在魯而在鄭誠哉是言也○秋大閱簡車馬也○九月丁卯子同生以大子生之禮舉之接以大牢大牢牛羊豕也以禮接夫人重適也卜士負之士妻食之禮世子生三日卜士

負之射人以桑弧蓬矢射四方卜士之妻為乳母【音訓】食音嗣【註】弧音胡射食亦反
公與文姜宗婦命之世子生三月君夫人沐浴於外寢立於阼
階西鄉世婦抱子升自西階君命之乃降
蓋同宗之婦【附註】林曰公與文姜及同宗
之婦命之名也【音訓】【註】阼才故反公問名於申繻對曰名
有五有信有義有象有假有類申繻魯大夫以
名生為信若唐叔虞魯公子友【附註】林曰若唐叔虞魯公子友生而有文
在其手故曰以名生以德命為義若文王名昌武王名發【附註】朱曰若
文王名昌知其必昌盛周國武王名發知其必發兵誅暴也以類命
為象若孔子首象尼丘取於物為假若伯魚生人有饋之魚因
名之曰鯉取於父為類若子同生有與父同者不以國國君



之子不自以本國為名也不以官【附註】林曰不以本國官職之號為名不
以山川【附註】林曰不以本國山川之名為名不以隱疾隱痛疾患
辟不祥也不以畜牲畜牲六畜【訓】畜音嗅【音】不以器幣幣玉
帛周人以諱事神名終將諱之君父之名固非臣子
所斥然禮既卒哭以木鐸徇曰舍故而諱新謂舍親盡之祖而諱新死者故言以諱
事神名終將諱之自文至高祖皆不敢斥言【附註】林曰人死曰終朱曰既有諱法則
命名之後終久諱之而不敢道也【音訓】【註】舍音捨故以國則廢名
國不可易故廢名【附註】林曰廢名不諱朱曰以國為名則終諱其國之號是廢其國
名也以官則廢職【附註】朱曰以官為名則終諱此官之號是廢其官職
也以山川則廢主改其山川之名【附註】林曰國主山川令以山川

為名當改其山川之名是廢主以畜牲則廢祀名豬則廢豬名羊則
廢羊【附註】朱曰以六畜為名則不敢用此牲以祭是廢祀禮也以器幣則
廢禮【附註】朱曰以器幣為名則不敢用此器幣以行禮是廢其禮也晉以
僖侯廢司徒僖侯名司徒廢為中軍【註】朱曰此引實事以證之【註】宋
以武公廢司空武公名司空廢為司城先君獻武廢
二山二山具敖也魯獻公名具武公名敖更以其鄉名山【音訓】【註】敖五羔反
是以大物不可以命公曰是其生也與吾
同物命之曰同物類也謂同日○冬紀侯來朝請
王命以求成于齊公告不能紀微弱不能自通於天子
欲因公以請王命公無寵於王故告不能



【經】七年【丙子】春二月己亥焚咸丘無傳焚火田也咸丘
魯地高平鉅野縣南有咸亭譏盡物故書○夏穀伯綏來朝○鄧
侯吾離來朝不總稱朝者各自行朝禮也穀國在南鄉筑陽縣北【音訓】【註】筑
音逐
【傳】七年春穀伯鄧侯來朝名賤之也辟陋小國
賤之禮不足故書名以春來夏乃行朝禮故經書夏【音訓】【註】辟本又作僻○夏
盟向求成于鄭既而背之盟向二邑名隱十一年王以與
鄭故求與鄭成【音訓】背音佩秋鄭人齊人衛人伐盟向
王遷盟向之民于郟郟王城【附註】林曰盟向之民不欲從鄭故
王遷盟向之民于郟○冬曲沃伯誘晉小子侯殺之

曲沃伯武公也小子侯哀侯子【附註】林曰以討誘而殺之非用兵也

【經】八年【丁丑】春正月己卯烝無傳此夏之中月非為過而書者為下五月復烝見瀆也例在五年【音訓】註復扶又反見賢遍反○天王使家父來聘無傳家父天子大夫家氏父字○夏五月丁丑烝無傳○秋伐邾無傳○冬十月雨雪無傳今八月也書時失【音訓】雨于付反○祭公來遂逆王后于紀祭公諸侯為天子三公者王使魯主昏故祭公來受命而迎也天子無外故因稱王后卿不書舉重略輕【附註】林曰祭公來不稱王使王未有成命也遂專也是故書遂始於此

【傳】八年春滅翼曲沃滅之○隨少師有寵楚鬬伯比曰可矣【附註】林曰伯比告楚子言前年張隨之計可行矣讎有釁不可失也釁瑕隙也無德者寵國之釁也○夏楚子合諸侯于沈鹿沈鹿楚地【附註】林曰欲以求隙討隨也黃隨不會黃國今弋陽縣使薳章讓黃責其不會楚子伐隨軍於漢淮之閒季梁請下之弗許而後戰下之請服也【音訓】下遐嫁反所以怒我而怠寇也【附註】林曰欲使隨人怒楚之不怒而楚人不直其君亦有怠心也朱曰下之則楚師怠不許則我師怒彼怠我怒則可戰也少師謂隨侯曰必速戰不然將失楚師隨侯禦之望楚師遙見楚師季梁曰楚人上左【附註】朱曰季梁又言楚國之法以左為貴蓋夷狄之俗如此若左衽之類是也君必左君楚君也【附註】朱曰言楚君必在左軍則左軍皆精兵也無與王遇且攻其右右無良焉必敗偏敗眾乃攜矣【附註】林曰偏師敗楚師之眾乃有攜貳之心矣少師曰不當王非敵也弗從不從季梁謀戰于速杞隨師敗績隨侯逸速杞隨地逸逃也鬬丹獲其戎車與其戎右少師鬬丹楚大夫戎車君所乘兵車也戎右車[illegible]右也寵之故以為右秋隨及楚平【附註】朱曰既敗[illegible]而服楚請和[illegible]子將不許鬬伯比曰天去其疾矣[illegible]少師[illegible]獲而死【音訓】去起呂反隨未可克也乃盟而還○[illegible]王命虢仲立晉哀侯之弟緡于晉虢仲王卿士虢公林父【音訓】緡音民○祭公來遂逆王后于紀禮也天子娶於諸侯使同姓諸侯為之主祭公來受命於魯故曰禮

左傳十　二十二

【經】九年【戊寅】春紀季姜歸于京師季姜桓王后也季字姜紀姓也書字者伸父母之尊○夏四月○秋七月○冬曹伯使其世子射姑來朝曹伯有疾故使其子來朝【音訓】射音亦又音夜

【傳】九年春紀季姜歸于京師凡諸侯之女行唯王后書為書婦人行例也適諸侯雖告魯猶不書【音訓】註為于偽反○巴子使韓服告于楚請與鄧為好韓服巴行人巴國在巴郡江州縣【音訓】好呼報反楚子使道朔將巴客以聘於鄧道朔楚大夫巴客韓服鄧南鄙鄾人攻

而奪之幣鄾在今鄧縣南沔水之北【音訓】鄾音憂殺道朔及巴行人楚子使薳章讓於鄧鄧人弗受言非鄾人所攻夏楚使鬬廉帥師及巴師圍鄾鬬廉楚大夫鄧養甥聃甥帥師救鄾三逐巴師不克二甥皆鄧大夫鬬廉衡陳其師於巴師之中以戰而北衡橫也分巴師爲二部鬬廉橫陳於其間以與鄧師戰而僞北北走也【音訓】衡如字一音橫陳直覲反又如字北如字一音佩鄧人逐之背巴師而夾攻之楚師僞走鄧師逐之背巴師巴師攻之楚師自前還與戰鄧師大敗鄾人宵潰宵夜也【附註】林曰民逃其上曰潰○秋虢仲芮伯梁伯荀侯賈伯伐曲沃梁國在馮翊夏陽縣荀賈皆國名○冬曹大子來朝賓之以上



卿禮也諸侯之適子未誓於天子而攝其君則以皮帛繼子男故賓之以上卿各當其國之上卿享曹大子初獻樂奏而歎酒始獻施父曰曹大子其有憂乎非歎所也施父魯大夫【音訓】施色豉反

經十年己卯春王正月庚申曹伯終生卒未同盟而赴以名○夏五月葬曹桓公無傳○秋公會衛侯于桃丘弗遇無傳衛侯與公爲會期中背公更與齊鄭故公獨往而不相遇也桃丘衛地濟北東阿縣東南有桃城【音訓】中如字一音丁仲反○冬十有二月丙午齊侯衛侯鄭伯來戰于郎改侵伐而

書來戰善魯之用周班惡三國討有辭【音訓】惡烏洛反又烏路反

傳十年春曹桓公卒終施父之言○虢仲譖其大夫詹父於王虢仲王卿士詹父屬大夫【音訓】詹章廉反詹父有辭以王師伐虢之【附註】林曰詹父有直辭怨於王王右詹父故以師助詹父伐虢夏虢公出奔虞虞國在河東大陽縣○秋秦人納芮伯萬于芮四年圍魏所執者○初虞叔有玉虞叔虞公之弟【附註】林曰虞姬姓國公爵周大王之子仲雍之後周武王封之于虞虞公求旃旃之也弗獻既而悔之曰周諺有之曰匹夫無罪懷璧其罪人利其璧以爲罪吾焉用此其以賈害也賈買也【音訓】焉於虔反賈音古乃



獻之又求其寶劍叔曰是無厭也無厭將及我將殺我【音訓】厭於鹽反遂伐虞公故虞公出奔共池共池地名闕【音訓】共音洪一音恭○冬齊衛鄭來戰于郎我有辭也【附註】林曰郎魯地初北戎病齊在六年諸侯救之鄭公子忽有功焉齊人餼諸侯使魯次之魯以周班後鄭【附註】林曰魯以周五等之爵班鄭在後鄭人怒請師於齊齊人以衛師助之故不稱侵伐不稱侵伐而以戰爲文明魯直諸侯曲故言我有辭先書齊衛王爵也鄭主兵而序齊以禮自釋交綏而退無敗績衛下者以王爵次之也春秋所以見魯猶秉周禮【音訓】見賢遍反

【經】十有一年【庚辰】春正月齊人衛人鄭人盟于惡曹惡曹地闕【附註】林曰此戰郎之諸侯也戰稱君盟稱人略之也鄭敗王師齊戚后之母家衛亦抗子突而自立自有參盟莫甚於惡曹故略之也○夏五月癸未鄭伯寤生卒同盟于元年赴以名○秋七月葬鄭莊公無傳三月而葬速○九月宋人執鄭祭仲祭氏仲名不稱行人聽迫脅以逐君罪之也行人例在襄十一年釋例詳之【附註】林曰此書執之始突歸于鄭突厲公也爲宋所納故曰歸例在成十八年不稱公子從告也文連祭仲故不言鄭鄭忽出奔衛忽昭公也莊公既葬不稱爵者鄭人賤之以名赴【附註】林曰此書奔衛始忽繫鄭而突不繫鄭以突爲簒也○柔會宋公陳侯蔡叔盟于折無傳柔魯大夫未賜族者蔡叔蔡大夫叔名也



折地闕【附註】林曰此大夫會盟諸侯之始[illegible]貶之至公子結不貶矣【音訓】折之設反又[illegible]列反○公會宋公于夫鍾無傳夫鍾郕地○冬十有二月公會宋公于闞無傳闞魯地在東平須昌縣東南【音訓】闞口暫反

【傳】十一年春齊衛鄭宋盟于惡曹宋不書經闕

○楚屈瑕將盟貳軫貳軫二國名【附註】林曰屈瑕楚大夫將[illegible]師盟之【音訓】屈居勿反鄖人軍於蒲騷將與隨絞州蓼伐楚師鄖國在江夏雲杜縣東南有鄖城蒲騷鄖邑絞國名州國在南郡華容縣東南蓼國今義陽棘陽縣東南湖陽城【音訓】鄖音云騷音蕭又音騷絞音狡蓼音了本或作鄝同莫敖患之莫敖楚官名即屈瑕【音訓】敖音遨鬭廉曰鄖人軍其郊必不誡且日虞四邑之至也虞度也四邑隨絞州蓼也邑亦國也【音訓】度待洛反君次於郊郢以禦四邑君謂屈瑕也郊郢楚地我以銳師宵加於鄖鄖有虞心而恃其城恃近其城莫有鬭志若敗鄖師四邑必離莫敖曰盍請濟師於王盍何不也濟益也【音訓】濟箋計反對曰師克在和不在衆商周之不敵君之所聞也商紂也周武王也傳曰武王有亂臣十人紂有億兆夷人成軍以出又何濟焉莫敖曰卜之對曰卜以決疑不疑何卜遂敗鄖師於蒲騷卒盟而還卒盟貳軫

○鄭昭公之敗北戎也在六年齊人將妻之昭公辭祭



仲曰必取之君多內寵子無大援將不立【音訓】援於眷反三公子皆君也子突子亹子儀之母皆有寵【音訓】[illegible]亹亡匪反弗從○夏鄭莊公卒初祭封人仲足有寵於莊公祭鄭地陳留長垣縣東北有祭城封人守封疆者因以所守爲氏莊公使爲卿爲公娶鄧曼生昭公故祭仲立之曼鄧姓【音訓】爲公于僞反宋雍氏女於鄭莊公曰雍姞生厲公雍氏姞姓宋大夫也以女妻人曰女【音訓】雍如字女尼據反姞其吉反又其秩反雍氏宗有寵於宋莊公故誘祭仲而執之祭仲之如宋非會非聘見誘而以行人應命曰不立突將死亦執厲公而求賂焉祭仲

與宋人盟以厲公歸而立之秋九月丁亥昭公奔衛己亥厲公立

【經】十有二年【辛巳】春正月○夏六月壬寅公會杞侯莒子盟于曲池曲池魯地魯國汶陽縣北有曲水亭○秋七月丁亥公會宋公燕人盟于穀丘穀丘宋地[illegible]燕人南燕大夫○八月壬辰陳侯躍卒無傳厲公[illegible]十一年與[illegible]大夫盟於折不書㚇魯不會也壬辰七月二十三日書於八月從赴○公會宋公于虛虛宋地○冬十有一月公會宋公于龜龜宋地○丙戌公會鄭伯盟于武父武父鄭地陳留濟陽縣東北有武父城【音訓】父音甫地名有父字者皆同○丙戌衛侯晉卒無傳重書丙戌非義例因史成文也未同盟而赴以名【音訓】重直用反○十有二月及鄭師伐宋丁未戰于宋既書伐[illegible]重書戰[illegible]見宋之無信也莊十一年傳例曰皆陳[illegible]尤其無信故以獨戰爲文【音訓】見賢[illegible]陳直覲反

【傳】十二年夏盟于曲池平杞莒也隱[illegible]莒[illegible]杞自是遂不平○公欲平宋鄭秋公及宋公盟于句瀆之丘句瀆之丘即穀丘也宋以立[illegible]公故多責賂於鄭鄭人不[illegible]不平【音訓】句音鈎瀆音豆宋成未可知也故又會于虛冬又會于龜宋公辭平故與鄭伯盟于武父宋公貪鄭賂故與公三會而卒辭不與鄭平遂帥師而伐宋



戰焉宋無信也【附註】林曰言宋既許魯來會而中背之無信也君子曰苟信不繼盟無益也詩云君子屢盟亂是用長無信也詩小雅言無信故數盟數盟則情疏情疏而[illegible]結故云長亂【音訓】長丁丈反數音朔○楚伐絞軍其南門【附註】林曰屯軍以攻絞之南門莫敖屈瑕曰絞小而輕[illegible]則寡謀【音訓】輕遣政反請無扞采樵者以誘之[illegible]也樵薪也【附註】朱曰行軍之法別有役[illegible]以供采樵之役也使正軍扞衛以往【音訓】[illegible]扞戶旦反從之絞人獲三十人獲楚人也明日絞人[illegible]爭出驅楚役徒於山中楚人坐其北門而覆諸山下坐猶守也覆設伏兵而待之【音訓】覆扶又反大敗之



爲城下之盟而還城下盟諸侯所深恥伐絞之役楚師分涉於彭彭水在新城昌魏縣【附註】[illegible]曰言涉者深厲淺揭非以[illegible]濟也羅人欲伐之使伯嘉諜之三巡數之姓國在宜城縣西山中後徙南郡枝江[illegible]伯嘉羅大夫諜伺也巡徧也【附註】林[illegible]徧數其師之多小【音訓】諜音牒數色主反伺音笥

【經】十有三年【壬午】春二月公會紀侯鄭伯[illegible]巳及齊侯宋公衛侯燕人戰齊師宋師衛師[illegible]燕師敗績大崩曰敗績例在莊十一年或[illegible]人或稱師史異辭也衛宣公未葬惠公稱侯以接鄰國非禮也○三月葬衛宣公無傳○夏大水無傳○秋七月○冬十月

【傳】十三年春楚屈瑕伐羅【附註】林曰討其去年欲伐楚師
鬬伯比送之還謂其御曰莫敖必敗舉趾
高心不固矣趾足也【附註】林曰凡人志氣揚揚則舉足高蹈今莫敖舉趾
趾高益驕甚備敵之心已不固矣遂見楚子曰必濟師
屈瑕將敗故以益師諷諫【音訓】見賢遍反難乃旦反楚子辭焉
其言拒之故入告夫人鄧曼鄧曼曰大夫其非
眾之謂鄧曼楚武王夫人言比意不在於益眾也其謂君撫
小民以信訓諸司以德而威莫敖以刑也
【附註】朱曰言伯比欲楚王慰撫小民以信以恩信教訓諸偏裨之將而率之以
獨以刑威加之屈瑕使之畏懼不敢輕敵也莫敖狃於蒲騷之



役將自用也狃忲也蒲騷役在十一年【附註】朱曰將自用其計不聽
言【音訓】狃女久反忲時世反又時設反必小羅【附註】林曰以羅國為小
而忽之君若不鎮撫其不設備乎【附註】林曰君若不鎮
壓而撫綏之屈瑕必以不設備取敗也夫固謂君訓眾而好
鎮撫之撫小民以信也【音訓】好呼報反又如字召諸司而勸
之以令德訓諸司以德也【音訓】令去聲見莫敖而告諸
天之不假易也諸之也言天不借貸慢易之人威莫敖以刑也【音訓】
易以豉反不然夫豈不知楚師之盡行也楚子
使賴人追之不及賴國在義陽隨縣賴人仕於楚者莫敖
使徇于師曰諫者有刑徇宣令也【附註】林曰言敢以伐羅事

諫者有刑罰及鄢亂次以濟鄢水在襄陽宜城縣入漢【附註】林曰
兵度鄢水亂其行列遂無次且不設備及羅羅與盧
戎兩軍之盧戎南蠻【附註】林曰羅兵與南蠻之盧戎夾攻屈瑕大敗
之莫敖縊于荒谷羣帥囚于冶父縊荒谷
冶父皆楚地【附註】林曰將佐諸帥自囚于冶父【音訓】縊一致反以聽刑楚
子曰孤之罪也皆免之【附註】林曰諸侯自稱曰孤○宋
多責賂於鄭賂立突鄭不堪命故以紀魯及
齊與宋衛燕戰不書所戰後也公後地期而及其戰
故不書所戰之地○鄭人來請脩好
【經】十有四年【癸未】春正月公會鄭伯于曹



脩二年武父之好以曹地曹與會【音訓】與音預○無冰無傳書時失○夏
五不書月闕文○鄭伯使其弟語來盟○秋八月
壬申御廩災御廩藏公所親耕以奉粢盛之倉也天火曰災例在宣十六年
乙亥嘗先其時亦過也既戒日致齊御廩雖災苟不害嘉穀則祭不應廢故書以
示法【音訓】先悉薦反又如字○冬十有二月丁巳齊侯祿
父卒無傳隱六年盟於艾○宋人以齊人蔡人衛人陳
人伐鄭凡師能左右之曰以例在僖二十六年【附註】林曰以一國而用諸侯之師
於是始此伯者之所由興也
【傳】十四年春會于曹曹人致餼禮也熟曰饔生
曰餼○夏鄭子人來尋盟且脩曹之會子人即弟

語也其後為子人氏○秋八月壬申御廩災乙亥嘗
書不害也災其屋救之則息不及穀故曰書不害○冬宋人
以諸侯伐鄭報宋之戰也在十二年焚渠門入
及大逵渠門鄭城門逵道方九軌伐東郊取牛首東郊鄭郊
牛首鄭邑以大宮之椽歸為盧門之椽大宮鄭祖廟[illegible]
門宋城門告伐而不告入取故不書【附註】林曰椽即榱也圓曰椽方曰桷以鄭祖[illegible]
之椽為宋城門之椽辱之也【音訓】大音泰椽直專反
【經】十有五年【甲申】春二月天王使家父來求
車○三月乙未天王崩無傳桓王也○夏四月己
巳葬齊僖公無傳○五月鄭伯突出奔蔡突既簒[illegible]

左傳二　三十一

權不足以自固又不能倚任祭仲反與[illegible]造賊盜之計故以自奔為文罪之也例在[illegible]
三年鄭世子忽復歸于鄭忽實居君位故以復其位之例[illegible]
也稱世子者忽為大子有母氏之寵宗[illegible]援有功於諸侯此大子之盛者也而[illegible]
以失大國之助知三公子之彊不從祭仲之言修小善絜小行從匹夫之仁忽社稷之[illegible]
計故君子謂之善自為謀言不能謀國[illegible]卒而不能自君鄭人亦不君之出則降[illegible]
赴入則逆以大子之禮始於見逐終於[illegible]三公子更立亂鄭國者實忽之由復歸例[illegible]
成十八年【音訓】匹介音界行下孟反更音庚○許叔入于許許叔許莊公
弟也隱十一年鄭使許大夫奉許叔居許東偏鄭莊公既卒乃入居位許人嘉之以守告
也叔本不去國雖稱入非國逆例○公會齊侯于艾【附註】林曰齊地
○郲人牟人葛人來朝無傳三人皆附庸之世子也其君應稱名

故其子降稱人牟國今泰山牟縣葛國在梁國寧陵縣東北○秋九月鄭
伯突入于櫟櫟鄭別都也今河南陽翟縣未得國直書入無義例也【音訓】櫟
音曆○冬十有一月公會宋公衛侯陳侯于袲
伐鄭袲宋地在沛國相縣西南先行會禮而後伐也【音訓】袲昌氏反匹相息亮反
【傳】十五年春天王使家父來求車非禮[illegible]
諸侯不貢車服車服上之所以賜下天子不私求財[illegible]
諸侯有常職貢○祭仲專【附註】林曰祭仲[illegible]公立厲公遂專鄭[illegible]
鄭伯患之使其壻雍糾殺之將享諸郊雍[illegible]
姬知之【附註】林曰雍姬雍糾之妻祭仲之女謂其母曰父與
夫孰親其母曰人盡夫也父一而已胡可

左傳二　三十二

比也婦人在室則天父出則天夫女以為疑故母以所生為本解之遂告
祭仲曰雍氏舍其室而將享子於郊吾惑
之以告【音訓】舍音捨祭仲殺雍糾尸諸周氏之
汪汪池也周氏鄭大夫殺而暴其尸以示戮也【音訓】汪烏黃反匹暴步卜反公
載以出愍其見尸故載其尸共出國曰謀及婦人宜其
死也○夏厲公出奔蔡六月乙亥昭公入
○許叔入于許○公會齊侯于艾謀定許
也○秋鄭伯因櫟人殺檀伯而遂居櫟檀伯
鄭守櫟大夫○冬會于袲謀伐鄭將納厲公也
弗克而還

經 十有六年乙酉春正月公會宋公蔡侯衛侯于曹○夏四月公會宋公衛侯陳侯蔡侯伐鄭春既謀之今書會者魯諱議納不正蔡常在衛上今序陳下蓋後至秋七月公至自伐鄭林用飲至之禮故書之曰此書至伐之始附註○冬城向傳曰書時也而下有十一月舊說因謂傳誤此城向亦俱是十一月但本事異各隨本而書之耳經書夏叔弓如滕五月滕成公傳云五月叔弓如滕即知但稱時者未必與下月異也又推校此年閏在六月却而節前水星可在十一月而正也詩云定之方中作為楚宮此未正中也功役之事皆揔指天象不與言曆數同也故傳之釋經皆通言一時不月別○十有一月衛侯朔出奔齊惠公也讒構取國故不言二公子逐罪之也



傳 十六年春正月會于曹謀伐鄭也前年冬謀納厲公不克故復更謀音訓圕復扶又反○夏伐鄭○秋七月公至自伐鄭以飲至之禮也○冬城向書時也附註林曰向魯邑凡土功水昏正而栽今已冬水星將正故曰書時○初衛宣公烝於夷姜生急子夷姜宣公之庶母也上淫曰烝音訓上時掌反急如字詩作伋一音如字圕屬諸右公子音訓屬音燭下同為之娶於齊而美音訓為于偽反公取之生壽及朔屬壽於左公子左右媵之子因以為號夷姜縊夫寵而自經死宣姜與公子朔構急子宣姜宣公所取急子之妻構會其過惡音訓構古豆反公使諸齊音訓使所吏反使盜待諸莘將殺之莘衛地陽平縣西北有莘亭壽子告之使行行去也附註林曰使急子出奔他國不可曰棄父之命惡用子矣惡安也音訓惡音烏有無父之國則可也附註朱曰謂必不為人所容也及行飲以酒附註朱曰壽子欲竊急子之旌故辭之以酒也音訓壽子載其旌以先盜殺之附註林曰旌使者之旌急子至曰我之求也此何罪請殺我乎又殺之林曰急子語盜曰君將使汝求殺我也二公子故怨惠公十一月左公子洩右公子職立公子黔牟黔牟羣公子音訓黔其廉反又音琴惠公奔齊



經 十有七年丙戌春正月丙辰公會齊侯紀侯盟于黃黃齊地○二月丙午公會邾儀父盟于趡趡魯地稱字義與蔑盟同二月無丙午三月四日也日月必有誤音訓趡翠軌反○夏五月丙午及齊師戰于奚奚魯地皆陳曰戰附註林曰此齊魯交兵之始戰於奚而終於艾陵○六月丁丑蔡侯封人卒十一年大夫盟于折○秋八月蔡季自陳歸于蔡蔡季蔡侯弟也言歸為陳所納○癸巳葬蔡桓侯無傳稱侯蓋謬誤三月而葬速○及宋人衛人伐邾○冬十月朔日有食之甲乙者曆之紀也晦朔者日月之會也日食不可以不存晦朔晦朔須甲乙而可推故日食必以書朔日為例

傳十七年春盟于黃平齊紀且謀衛故也齊欲滅紀衛逐其君○及郳儀父盟于趡尋蔑之盟也蔑盟在隱元年○夏及齊師戰于奚疆事也爭疆界也於是齊人侵魯疆疆吏來告公曰疆場之事音訓場音亦愼守其一附註其一林曰謹守之疆界[illegible]備其不虞虞度也不虞猶不意音訓度待洛反姑盡所備焉事至而戰又何謁焉齊背盟而來[illegible]以信待故不書侵伐○蔡桓侯卒蔡人召蔡季于陳桓[illegible]故[illegible]季而立之季內得國人之望外有諸侯[illegible]助故書字以善得衆稱歸以明外納秋蔡季自陳歸于蔡蔡人嘉之也嘉之故以字告○伐邾宋志也邾宋爭疆魯從邾宋志背趡之盟○冬十月朔日有食之不書日附註林曰不書甲乙之日官失之也[illegible]林曰日官失其甲乙之日天子有日官諸侯有日御日御典曆數者日官居卿以底日禮也日官掌曆[illegible]在六卿之數而位從卿故言居卿也底平也謂平曆數音訓底音旨日御不失日以授百官于朝日官平曆以班諸侯奉之不失天時[illegible]以授百官○初鄭伯將以高渠彌為卿昭公惡之音訓惡烏路反下及註所惡皆同固諫不聽昭公立懼其殺己也辛卯弒昭公而立公子亹公子亹昭公弟君子謂昭公知所惡矣公子達曰公子達魯大夫高伯其為戮乎復惡已甚矣復重也本為昭公所惡而復弒君重為惡也附註林曰高伯即高渠彌音訓復扶又反註重直用反



經十有八年丁亥春王正月公會齊侯于濼濼水在濟南歷城縣西北入濟音訓濼盧朴洛三音公與夫人姜氏如齊公本與夫人俱行至濼公與齊侯[illegible]禮故先書會濼既會而相隨至齊[illegible]遂○夏四月丙子公薨于齊不言戕[illegible]戕例在[illegible]年丁酉公之喪至自齊無傳告廟也[illegible]月一日有日○秋七月○冬十有二月己丑葬我[illegible]無傳九月乃葬緩慢也

傳十八年春公將有行遂與姜氏[illegible]行事申繻曰女有家男有室無相瀆有禮易此必敗女安夫之家夫安[illegible]違此則為瀆[illegible]如齊故知其當致禍亂公會齊侯于濼遂及齊齊侯通焉公謫之謫譴也音訓謫[illegible]譴遣戰反[illegible]告齊侯夏四月丙子享公齊侯為公之禮音訓[illegible]偽反使公子彭生乘公公薨于車彭[illegible]拉公幹而殺之附註林曰盖享禮[illegible]彭生上車與公同載音訓乘如字又[illegible]反註上時掌反拉力答反魯人告于齊曰寡君畏君之威不敢寧居來修舊好禮成而不反無所歸咎惡於諸侯附註朱曰魯國恥辱之惡聞於諸侯請以彭



原書有污損

生除之 除恥辱之惡也 齊人殺彭生 不書非卿 ○秋齊侯師于首止 陳師首止討鄭弒君也首止衛地陳留襄邑縣東南有首鄉 子亹會之高渠彌相 音訓 不知齊欲討己 相息亮反 七月戊戌齊人殺子亹而轘高渠彌 車裂 轘音患 祭仲逆鄭子于陳而立之 鄭子子亹弟子儀 是行也祭仲知之故稱疾不往人曰[illegible] 以知免仲曰信也 時人譏祭仲失節仲以子亹為[illegible] 立本既不正又不能固位安民[illegible] 故即而然譏者之言以明本意[illegible] 音智又如字 ○周公欲弒莊王而立王[illegible] 桓王大子王子克莊王弟子儀 辛伯告王遂與王[illegible]

本傳三

黑肩王子克奔燕 辛伯周大夫 初子儀[illegible] 桓王桓王屬諸周公 音訓 屬音燭 辛伯[illegible] 后 妾如后 匹嫡 庶如嫡 兩政 臣擅命 耦國[illegible] 之本也周公弗從故及 音訓 及於難也 難乃旦[illegible]

春秋經傳集解卷第二

原書有污損

# 春秋經傳集解卷第三

諸家註音訓附

杜氏 盡三十二年

魯莊公 名同桓公之子毋文姜 諡法勝敵克亂曰莊

周 莊王四年魯莊公十二年莊王崩子僖王立莊十七年僖王崩孫惠王立

鄭 子儀元年魯莊公十四年鄭傳瑕殺子儀而納厲公莊二十一年厲公卒子文公立

齊 襄公五年魯莊公八年襄公弒莊九年齊桓公小白入于齊是年齊管仲為政

宋 莊公十八年魯莊公二年宋莊公卒子閔公捷立莊十二年閔公弒弟桓公御說立

晉 翼 晉侯緡十四年侯緡之二十七年魯莊公之十六年也曲沃武公伐晉滅之

曲沃 武公二十三年魯莊公十六年滅晉侯緡周僖王命曲沃伯以一軍為晉侯始

本傳三

更號曰晉武公魯莊公十七年武公卒子獻公佹諸立

衛 惠公七年黔牟四年魯莊公六年齊納惠公放黔牟于周莊二十五年惠公卒子懿公赤立

蔡 哀侯二年魯莊公十年楚敗蔡師執哀侯以歸莊十九年哀侯卒于楚蔡人立其子肸為繆侯

曹 莊公九年魯莊公二十三年曹莊公卒子僖公夷立魯莊公三十二年僖公卒子昭公班立

滕 詳見隱公元年

陳 魯莊公元年十月莊公林卒弟宣公杵臼立

杞 詳見隱公元年及僖公元年

薛 魯莊公三十一年薛伯卒
郳 魯莊公十六年郳子克卒即儀父也郳子瑣立莊公廿八年郳子瑣卒文公蘧除立
許 許叔入許五年即僖公四年許穆公新臣也
小邾 魯莊公五年郳黎来来朝詳見隱公元年
楚 武王四十八年魯莊公四年卒子文王熊貲立莊十九年文王卒子堵敖熊囏立莊二十二年熊惲弑兄堵敖代立是為楚成王史記以莊十八年為堵敖元年堵敖立五年遇弑楚成立十六年齊桓公以兵侵楚至陘山○莊公三十年楚子文為令尹
秦 詳見隱公元年
吳 詳見隱公元年
越 見上註



經 元年戊子春王正月○三月夫人孫于齊 夫人莊公母也魯人責之故出奔内諱奔謂之孫猶孫讓而去【音訓】孫音遜傳同 ○夏單伯送王姬 無傳單伯天子卿也單采地伯爵也王將嫁女于齊既命魯為主故單伯送女不稱使也王姬不稱字以王為尊且别於内女也天子嫁女於諸侯使同姓諸侯主之不親昏尊卑不敵【音訓】單音善【註】别彼列反 ○秋築王姬之館于外 公在諒闇慮齊侯當親迎不忍便以禮接於廟又不敢逆王命故築舍於外【音訓】【註】迎魚敬反 ○冬十月乙亥陳侯林卒 無傳未同盟而赴以名 ○王使榮叔来錫桓公命 無傳榮叔周大夫榮氏叔字錫賜也追命桓公褒稱其德若昭七年王追命衛襄之比【附註】林曰此錫命之始桓弑君兄自立不請命而王追錫命故王不稱天【音訓】【註】比必利反 ○王姬歸于齊 無傳不書逆公不與接 ○齊師遷紀郱鄑郚 無傳齊欲滅紀故徙其三邑之民而取其地郱在東莞臨朐縣東南郚在朱虛縣東南北海都昌縣西有訾城【附註】林曰此遷邑之始【音訓】郱音萍鄑音茲郚音吾【註】朐其俱反訾子斯反

傳 元年春不稱即位文姜出故也 文姜與桓俱行而桓為齊所殺故不敢還莊公父弑母出故不忍行即位之禮據文姜未還故傳稱文姜出也姜於是感公意而還不書不告廟 ○三月夫人孫于齊不稱姜氏絶不為親禮也 姜氏齊姓於文姜之義宜與齊絶而復奔齊故於其奔去姜氏以示義【音訓】【註】復扶又反去起呂反 ○秋築王姬之館于外為外禮也 齊彊魯弱又委罪於彭生魯不能讎齊然喪制未闋故異其禮得禮之變【音訓】【註】闋苦穴反



經 二年己丑春王二月葬陳莊公 無傳魯往會之故書例在昭六年 ○夏公子慶父帥師伐於餘丘 無傳於餘丘國名也莊公時年十五則慶父莊公庶兄 ○秋七月齊王姬卒 無傳魯為之主比之內女 ○冬十有二月夫人姜氏會齊侯于禚 夫人行不以禮故還皆不書不告廟也禚齊地【音訓】禚音灼 ○乙酉宋公馮卒 無傳再與桓同盟

傳 二年冬夫人姜氏會齊侯于禚書姦也 文姜前與公俱如齊後懼而出奔至此始與齊好會會非夫人之事顯然書之傳曰書姦姦在夫人文姜比年出會其意皆同

經 三年庚寅春王正月溺會齊師伐衛 溺魯大夫

疾其專命而行故去氏〔音訓〕溺乃狄反〔註〕去起呂反◯夏四月葬宋莊
公傳無◯五月葬桓王◯秋紀季以酅入于齊
季紀侯弟酅紀邑在齊國東安平縣齊欲滅紀故季以邑入齊為附庸先祀不廢社稷有
奉故書字貴之〔音訓〕酅音攜◯冬公次于滑滑鄭地在陳留襄邑縣西
北傳例曰凡師過信為次兵未有所加所次則書之既書兵所加則不書其所次以事為
宜非虛次〔附註〕林曰此書次之如

〔傳〕三年春溺會齊師伐衛疾之也傳重明上例〔音
訓〕〔註〕重直用反◯夏五月葬桓王緩也以桓十五年三月崩
七年乃葬故曰緩◯秋紀季以酅入于齊紀於是
乎始判判分也言分為附庸始於此◯冬公次于滑將



會鄭伯謀紀故也〔附註〕林曰鄭伯子儀也鄭伯辭以
難厲公在櫟故〔音訓〕難乃旦反凡師一宿為舍再宿為
信過信為次為經書次例也舍宿不書輕也言凡師通君臣

〔經〕四年〔辛卯〕春王二月夫人姜氏享齊侯于
祝丘無傳享食也兩君相見之禮非夫人所用直書以見其失祝丘魯地〔音訓〕〔註〕食
音飼又如字本或作饗以見賢遍反◯三月紀伯姬卒無傳隱二年裂
繻所逆者內女唯諸侯夫人卒葬皆書恩成於敵體◯夏齊侯陳侯鄭
伯遇于垂無傳〔附註〕林曰自參以上非邦交之舊矣◯紀侯大去
其國以國與季季奉社稷故不言滅不見逼逐故不言奔大去者不反之辭
六月乙丑齊侯葬紀伯姬無傳紀季入酅為齊附庸而紀侯大

去其國齊侯加禮初附以崇厚義故攝伯姬之喪而以紀國夫人禮葬之◯秋七
月◯冬公及齊人狩于禚無傳公越竟與齊微者俱狩失禮可
知〔音訓〕〔註〕竟音境本亦作境

〔傳〕四年春王三月楚武王荊尸授師孑焉
以伐隨尸陳也荊亦楚也更為楚陳兵之法揚雄方言孑者戟也然則楚始
於此參用戟為陳〔附註〕林曰以戟授其師眾焉〔音訓〕〔註〕孑吉熱反為陳直覲反將
齊入告夫人鄧曼曰余心蕩將授兵於廟故齊蕩動散
也〔附註〕朱曰齊者其心湛然純一武王將齊而心忽動散故驚而入告夫人鄧曼也
〔音訓〕齊側皆反鄧曼歎曰王祿盡矣盈而蕩天之
道也先君其知之矣故臨武事將發大命



而蕩王心焉楚為小國僻陋在夷至此武王始起其眾僭號稱王陳兵
授師志意盈滿臨齊而散故鄧曼以天地鬼神為徵應之符〔附註〕朱曰人生則心氣
盛故將死而蕩天道盈虛與時消息人亦如之〔音訓〕〔註〕僻匹亦反若師徒
無虧王薨於行國之福也王薨於行不死於敵
行卒於樠木之下樠木木名〔音訓〕樠狼門瞞三音令尹鬬
祈莫敖屈重〔音訓〕重直用反又直容反除道梁溠營軍
臨隨隨人懼行成秘王喪故為奇兵更開直道溠水在義陽厥
縣西東南入鄖水梁橋也隨人不意其至故懼而行成〔音訓〕溠側嫁反又平聲莫
敖以王命入盟隨侯且請為會於漢汭而
還汭內也謂漢西〔音訓〕汭音芮濟漢而後發喪◯紀侯

不能下齊以與紀季（不能降屈事齊盡以國與季明季不叛【音】【訓】下遐嫁反）夏紀侯大去其國違齊難也（違辟也【音】【訓】難乃旦反）

【經】五年【壬辰】春王正月○夏夫人姜氏如齊師（無傳書姦）○秋郳犂來來朝（附庸國也東海昌慮縣東北有郳城犂来名【音訓】郳五兮反犂力兮反【諺】慮如字又力於反）○冬公會齊人宋人陳人蔡人伐衛

【傳】五年秋郳犂来来朝名未王命也（未受爵命爲諸侯傳發附庸稱名例也其後數從齊桓以尊周室王命以爲小邾子【音訓】【諺】數音朔）○冬伐衛納惠公也（惠公朔也桓十六年出奔齊）



【經】六年【癸巳】春王正月王人子突救衛（王人王之微官也雖官卑而見授以大事故稱人而又稱字【音訓】林曰書救始此自救衛無功而後王命益不行於天下）○夏六月衛侯朔入于衛（朔爲諸侯所納不稱歸而以國逆爲文朔懼失衆心以國逆告也歸入例在成十八年）○秋公至自伐衛（無傳告於廟也）○螟（無傳爲灾）○冬齊人来歸衛俘（公羊穀梁經傳皆言衛寶此傳亦言寶唯此經言俘疑經誤俘因也【音訓】俘芳夫反）

【傳】六年春王人救衛○夏衛侯入放公子黔牟于周放甯跪于秦殺左公子洩右公子職（甯跪衛大夫宥之以遠曰放【音】【訓】甯音佞跪其毀反【諺】宥音又）乃即位君子以二公子之立黔牟爲不度矣（【音】【訓】度待洛反下同）夫能固位者必度於本末而後立衷焉不知其本不謀知本之不枝弗強（本末終始也衷節適也譬之樹木本弱者其枝必披非人力所能強成【附註】林曰不知其本之可托不謀其事【音訓】衷丁仲反又如字強其丈反【諺】披普靡反又普知反）詩云本支百世（詩大雅言文王本支俱茂蕃滋百世也）○冬齊人来歸衛寶文姜請之也（公親與齊共伐衛事畢而還文姜諂於齊侯故求其所獲珍寶使以歸魯欲說魯以謝慙【音訓】【諺】說音悅）○楚文王伐申過鄧（【附註】朱曰申姜姓國）鄧祁侯曰吾甥也（祁諡也姊妹之子曰甥【附註】朱曰楚文王是夫人鄧曼之子故鄧侯曰吾甥也）



（【音訓】祈巨支反）止而享之騅甥聃甥養甥請殺楚子（皆鄧甥仕於舅氏也【音訓】騅音錐）鄧侯弗許三甥曰亡鄧國者必此人也若不早圖後君噬齊（若齧腹齊喻不可及【音訓】噬市制反齊粗兮反【諺】齧五結反）其及圖之乎圖之此爲時矣鄧侯曰人將不食吾餘（言自害其甥必爲人所賤【附註】林曰爲人所賤故不食吾餘食）對曰若不從三臣抑社稷實不血食而君焉取餘（言君無復餘【附註】林曰凡宗廟之祭必薦毛血故曰血食【音訓】焉於虔反【諺】復扶又反下文同）弗從還年楚子伐鄧（伐申還之年）十六年楚復伐鄧滅之（魯莊公十六年楚終強盛爲經書楚事張本【附註】朱曰愚按三

甥之謀亦愚矣不能使鄧侯自強其國而徒使為我賊之謀縱使楚文王可得而殺安知後來無滅鄧者邪

〔經〕七年〔甲午〕春夫人姜氏會齊侯于防防魯地○夏四月辛卯夜恒星不見恒常也謂常見之星辛卯四月五日月光尚微蓋時無雲日光不以昏沒〔音訓〕見賢遍反夜中星隕如雨如而也夜半乃有雲星落而且雨其數多皆記異也日光不匿恒星不見而云夜中者以水漏知之〔音訓〕中丁仲反又如字〔註〕匿女力反○秋大水無傳○無麥苗今五月周之秋平地出水漂殺熟麥及五稼之苗〔音訓〕〔註〕漂匹妙反又匹遙反○冬夫人姜氏會齊侯于穀無傳穀齊地今濟北穀城縣

〔傳〕七年春文姜會齊侯于防齊志也文姜數與齊侯會至齊地則姦發夫人至魯地則齊侯之志故傳略舉二端以言之〔音訓〕〔註〕數音朔○夏恒星不見夜明也星隕如雨與雨偕也偕俱也○秋無麥苗不害嘉穀也黍稷尚可更種故曰不害嘉穀



〔經〕八年〔乙未〕春王正月師次于郎以俟陳人蔡人無傳期共伐郕陳蔡不至故駐師于郎以待之甲午治兵治兵於廟習號令將以圍郕夏師及齊師圍郕郕降于齊師二國同討而齊獨納郕〔音訓〕降戶江反傳皆同秋師還時史善公克己復禮全軍而還故特書師還○冬十有一月癸未齊無知弒其君諸兒稱臣臣之罪也〔音訓〕兒如字一音五兮反

〔傳〕八年春治兵于廟禮也〔附註〕林曰凡師行必告于大廟而奉祧廟之主以行故曰治兵于廟夏師及齊師圍郕郕降于齊師仲慶父請伐齊師齊不與魯共其功故欲伐之公曰不可我實不德齊師何罪罪我之由〔附註〕林曰言我實無德可以服郕齊君實專其功齊之師衆何罪罪由我之無德夏書曰皐陶邁種德夏書逸書也稱皐陶能勉種德邁勉也〔附註〕朱曰此虞書大禹謨之文而曰夏書者蓋孔子未刪定之前名為夏書也〔音訓〕陶音遙德乃降姑務脩德以待時乎言苟有德乃為人所降服姑且也〔附註〕朱曰大禹稱皐陶能自勉以種其德故其德能降及於民也而杜預不見古文尚書誤以此句為莊公之言讀降為平聲非也秋師還君



子是以善魯莊公傳言經所以即用舊史之文〔附註〕朱曰愚按齊襄淫乎其妹而戕殺魯桓公乃莊公不共戴天之讎也莊公既不能為君父復讎又不能以禮防閑其母且與讎人共與師而伐郕獨何心哉左氏乃謂君子善魯莊公愚不知其何說也○齊侯使連稱管至父戍葵丘連稱管至父皆齊大夫戍守也葵丘齊地臨淄縣西有地名葵丘〔音訓〕稱尺證反又如字瓜時而往曰及瓜而代〔附註〕林曰蓋以瓜熟之時而使之往戍與之約曰明年及瓜熟之時則遣代期戍公問不至問命也〔附註〕林曰戍及期月襄曰不命人代之戍〔音訓〕期音基本亦作朞請代弗許故謀作亂僖公之母弟曰夷仲年生公孫無知有寵於僖公衣服禮秩如適適大子〔附

〔註〕林曰適襄公也〔音訓〕適音嫡襄公絀之〔附註〕林曰絀減其恩數〔音訓〕絀
音黜二人因之以作亂二人連稱管至父連稱有從
妹在公宮〔音訓〕從才用反下從者皆同無寵使間公伺公
之間隙〔音訓〕間如字曰捷吾以女為夫人捷克也宣無知之言
〔音訓〕女音汝冬十二月齊侯游于姑棼遂田于
貝丘姑棼貝丘皆齊地田獵也樂安博昌縣南有地名貝丘〔音訓〕棼音焚貝補
蓋反〔註〕樂音洛見大豕從者曰公子彭生也公見大豕
而從者見彭生皆妖鬼公怒曰彭生敢見射之〔附註〕林曰
言彭生既死敢見形以見我〔音訓〕見賢遍反射食亦反豕人立而啼
〔附註〕朱曰其豕忽作人立而啼哭公懼隊于車傷足喪屨



〔音訓〕隊直類反喪息浪反屨九具反反誅屨於徒人費誅責也〔附
註〕朱曰徒人徒役之人其名曰費〔音訓〕費音祕弗得鞭之見血走
出遇賊于門劫而束之〔附註〕朱曰羣賊劫徒人費將加束縛
費曰我奚御哉〔音訓〕御禦同袒而示之背信之
費請先入詐欲助賊〔音訓〕袒音但伏公而出鬬死于
門中石之紛如死于階下石之紛如齊小臣亦鬬死遂
入殺孟陽于牀孟陽亦小臣代公居牀曰非君也不
類〔附註〕朱曰言面貌不似公見公之足于戶下〔附註〕林曰公匿
戶後其足獨出戶下故為賊所見遂弒之而立無知經書十一
月癸未長歷推之月六日也傳云十二月傳誤初襄公立無常政令



無常鮑叔牙曰君使民慢亂將作矣奉公子
小白出奔莒鮑叔牙小白傅小白僖公庶子〔附註〕林曰襄公之使民有
慢易之心如葵丘期戍公問不至請代弗許是有慢易之心也朱曰政令無常故民
慢之〔音訓〕鮑步卯反亂作管夷吾召忽奉公子糾來
奔管夷吾召忽皆子糾傅也子糾小白庶兄來不書皆非卿也為九年公伐齊納
子糾齊小白入于齊傳○初公孫無知虐于雍廩雍廩
齊大夫為殺無知傳
〔經〕九年〔丙申〕春齊人殺無知無知弒君而立未列於會故不
書爵例在成十六年○公及齊大夫盟于蔇齊亂無君故大夫得
歃於公蓋欲迎子糾也來者非一人故不稱名蔇魯地瑯琊繒縣北有蔇亭〔音訓〕蔇音器

〔註〕繒才陵反○夏公伐齊納子糾齊小白入于齊
二公子各有黨故雖盟而迎子糾當須伐乃得入又出在小白之後小白稱入從國逆之
文本無位○秋七月丁酉葬齊襄公無傳九月乃葬亂故○
八月庚申及齊師戰于乾時我師敗績小白既定
而公猶不退師歷時而戰戰遂大敗不稱公戰公敗諱之乾時齊地時水在樂安界岐流
旱則竭涸故曰乾時〔音訓〕乾音干〔註〕涸戶各反○九月齊人取子糾
殺之公子為賊亂則書齊實告殺而書齊取殺者時史惡齊志在譎以求管仲非不
忍其親故極言之〔音訓〕〔註〕惡烏路反譎古穴反○冬浚洙無傳洙水在魯城北
下合泗浚深之為齊備〔音訓〕浚音峻洙音殊〔註〕泗音四
〔傳〕九年春雍廩殺無知○公及齊大夫盟

于蔇齊無君也〇夏公伐齊納子糾桓公自莒先入桓公小白〇秋師及齊師戰于乾時我師敗績公喪戎路傳乘而歸戎路兵車傳乘乘他車【音訓】喪息浪反傳直專反又丁戀反乘繩證反【註】乘他如字秦子梁子以公旗辟于下道二子公御及戎右也以誤齊師【附註】林曰公既敗師失其戎車恐為齊禽故二子以公旗辟于下道以誤齊師【音訓】辟音避又音闢是以皆止止獲也鮑叔帥師來言曰子糾親也請君討之鮑叔乘勝而進軍志在生得管仲故託不忍之辭【附註】林曰鮑叔即叔牙管召讎也請受而甘心焉管仲射桓公故曰讎甘心言欲快意戮殺之【音訓】註射食亦反乃殺子糾于生竇

左傳三　十三

生竇魯地【音訓】竇音豆召忽死之管仲請囚鮑叔受之及堂阜而稅之堂阜齊地東莞蒙陰縣西北有夷吾亭或曰鮑叔解夷吾縛於此因以為名【附註】朱曰召忽子糾之傳故徇其主而死管仲有輔佐桓公之志故請囚【音訓】稅本又作說同吐活反一音失銳反曰管夷吾治於高傒高傒齊卿高敬仲也言管仲治理政事之才多於敬仲【音訓】治直吏反傒音兮使相可也公從之【音訓】相息亮反

【經】十年【丁酉】春王正月公敗齊師于長勺齊人雖成列魯以權譎稽之列成而不得用故以未陳為文例在十一年長勺魯地【音訓】勺音灼【註】陳直覲反〇二月公侵宋無傳侵例在二十九年〇三月

宋人遷宿無傳宋強遷之而取其地故文異於邢遷【附註】林曰此遷國之始【音訓】【註】強其丈反〇夏六月齊師宋師次于郎不言侵伐齊為兵主背蔇之盟義與長勺同【附註】林曰其言次何以桓公圖霸而未集也是故書次郎以見齊伯之難書次厥貉以見楚伯之難書次于郎以見復伯之難【音訓】【註】背音佩公敗宋師于乘丘乘丘魯地【音訓】乘繩證反〇秋九月荊敗蔡師于莘荊楚本號後改為楚楚辟陋在夷於此始通上國然告命之辭猶未合典禮故不稱將帥莘蔡地【音訓】莘所巾反【註】將子匠反帥所類反以蔡侯獻舞歸獻舞蔡季【附註】林曰此書荊之始亦荊猾夏之始亦荊專執諸侯之始此夷夏之大變也荊敗蔡師于莘是猾夏之始也吳敗頓胡沈蔡陳許之師于雞父則諸侯之不亡者寡矣是故書荊自此始而來秋以吳終焉〇冬十月齊師滅譚

左傳三　十四

譚國在濟南平陵縣西南傳曰譚無禮此直釋所以見滅經無義例他皆放此滅例在文十五年【附註】林曰此滅國之始此管仲攻瑕之術也【音訓】譚音談譚子奔莒不言出奔國滅無所出

【傳】十年春齊師伐我不書侵伐齊背蔇之盟我有辭【附註】朱曰齊桓公以魯納子糾故伐魯公將戰曹劌請見曹劌魯人【音訓】劌音貴見賢遍反下同其鄉人曰肉食者謀之又何間焉肉食在位者間猶與也【音訓】間去聲【註】與音預劌曰肉食者鄙未能遠謀【附註】林曰肉食者所見鄙陋未能有深遠之謀乃入見問何以戰公曰衣食所安弗敢專也必以分人【附註】朱曰言衣食二者雖身所安然亦不敢自專其有必分於人以

分公衣食所惠不過共享之對曰小惠未徧民弗從也左右故曰未徧公曰犧牲玉帛弗敢加也必以信祝辭不敢以小為大以惡為美對曰小信未孚神弗福也孚大信也[附註]朱曰此特小信未能大孚於神神必未必降之以福也公曰小大之獄雖不能察必以情必盡己情察審也[附註]朱曰小獄爭訟之類大獄殺傷之類對曰忠之屬也上思利民忠也[音訓]屬音燭可以一戰戰則請從[音訓]從才用反公與之乘共乘兵車[音訓]乘繩證反戰于長勺公將鼓之劌曰未可齊人三鼓劌曰可矣[音訓]三息暫反又如字齊師敗績公將馳之劌曰未可下視其轍



視車跡也登軾而望之曰可矣遂逐齊師既克公問其故對曰夫戰勇氣也一鼓作氣再而衰三而竭彼竭我盈故克之[附註]朱曰齊師三鼓勇氣已竭我師初鼓勇氣方盈夫大國難測也懼有伏焉恐詐吾視其轍亂望其旗靡故逐之旗靡轍亂奔怖遽[音訓]怖普布反[註]○夏六月齊師宋師次于郎公子偃曰宋師不整可敗也公子偃魯大夫宋敗齊必還請擊之請伐宋師[附註]林曰公弗許自雩門竊出蒙皐比而先犯之雩門魯南城門皐比虎皮[附註]林曰公子偃又請自雩門潛師竊出以虎皮蒙馬而先犯宋師[音訓]雩音于比音皮公

從之大敗宋師于乘丘齊師乃還○蔡哀侯娶于陳息侯亦娶焉息嬀將歸過蔡[附註]林曰息侯之夫人將歸寧道過蔡國[音訓]過古禾反下同蔡侯曰吾姨也妻之姊妹曰姨止而見之弗賓不禮敬也息侯聞之怒使謂楚文王曰伐我吾求救於蔡而伐之楚子從之秋九月楚敗蔡師于莘以蔡侯獻舞歸[附註]林曰敗蔡而執其君經不言執蔡侯以歸蓋蔡自是服於楚也○齊侯之出也過譚譚不禮焉及其入也諸侯皆賀譚又不至以九年入冬齊師滅譚譚無禮也譚子奔莒同盟故也傳言譚不能及



遠所以亡

[經]十有一年[戊戌]春王正月無傳○夏五月戊寅公敗宋師于鄑鄑魯地傳例曰敵未陳曰敗某師○秋宋大水公使弔之故書○冬王姬歸于齊魯主昏不書齊侯逆不見公

[傳]十一年夏宋為乘丘之役故侵我[音訓]為于偽反公禦之宋師未陳而薄之敗諸鄑凡師敵未陳曰敗某師通謂設權譎變詐以勝敵彼我不得成列成列而不得用故以未陳獨敗為文皆陳曰戰堅而有備各得其所成敗決於志力者也大崩曰敗績師徒橈敗若沮岸崩山喪其功績故曰敗績[音]

【訓】【圖】撓乃孝反一音乃巧反沮在呂反壞也一音子餘反岸崩謂之沮喪息浪反得儁曰克謂若大叔段之比才力足以服衆威權足以自固進不成為外寇強敵退復殺壯有二君之難而實非二君克而勝之則不言彼敗績但書所克之名【音訓】【圖】復扶又反殺交卯反難乃旦反覆而敗之曰取某師覆謂威力兼備若羅網所掩覆一軍皆見禽制故以取為文京師敗曰王師敗績于某王者無敵於天下天下非所得與戰者然春秋之世據有其事事列於經則不得不因申其義有時而敗則以自敗為文明天下莫之得校○秋宋大水公使弔焉曰天作淫雨害於粢盛【附註】朱曰淫過也若之何不弔不為天所愍弔【附註】林曰將如之何不為天所愍弔對曰孤實不敬天降之災



又以為君憂拜命之辱謝弔厚也臧文仲曰宋其興乎臧文仲魯大夫禹湯罪己其興也悖焉悖盛貌【音訓】悖音勃桀紂罪人其亡也忽焉忽速貌且列國有凶稱孤禮也列國諸侯無凶則常稱寡人言懼而名禮其庶乎言懼罪己名禮稱孤其庶幾於興既而聞之曰公子御說之辭也宋莊公子【音訓】說音悅臧孫達曰【附註】林曰即臧文仲是宜為君有恤民之心○冬齊侯來逆共姬齊桓公也姬即王姬【附註】林曰共【音訓】共音恭○乘丘之役在十年公以金僕姑射南宮長萬金僕姑矢名南宮長萬宋大夫【音訓】射食亦反長丁丈反公右歂孫生搏之搏取也不書獲萬時未為卿【音訓】歂音遄搏音博宋人請之宋公靳之戲而相愧曰靳魯聽其得還【音訓】靳居覲反曰始吾敬子今子魯囚也吾弗敬子矣病之萬不以為戲而以為己病為宋萬弒君傳

【經】十有二年【己亥】春王三月紀叔姬歸于酅無傳紀侯去國而死叔姬歸魯紀季自定於齊而後歸之全守節義以終婦道故繫之紀而以初嫁為文賢之也來歸不書非寧且非大歸○夏四月○秋八月甲午宋萬弒其君捷及其大夫仇牧捷閔公不書葬亂也萬及仇牧皆宋卿仇牧稱名不警而遇賊無善事可褒○冬十月宋萬出奔陳奔側在宣十年



【傳】十二年秋宋萬弒閔公于蒙澤蒙澤宋地梁國有蒙縣【附註】林曰宋萬即南宮長萬遇仇牧于門批而殺之手批之【附註】林曰宋萬多力故以手批仇牧而殺之【音訓】批普迷反又蒲穴反擊也遇大宰督于東宮之西又殺之殺督不書宋不以告立子游子游宋公子羣公子奔蕭公子御說奔亳蕭宋邑今沛國蕭縣亳宋邑蒙縣西北有亳城【音訓】亳步各反南宮牛猛獲帥師圍亳牛長萬之子猛獲其黨冬十月蕭叔大心叔蕭大夫名【附註】朱曰宋蕭邑大夫名叔字大心及戴武宣穆莊之族宋五公之子孫以曹師伐之殺南宮牛于師殺子游于宋立桓公桓公御說猛獲奔衛

南宮萬奔陳以乘車輦其母一日而至乘車
非兵車駕人曰輦宋去陳二百六十里言萬之多力【音訓】乘繩證反宋人請
猛獲于衛衛人欲勿與石祁子曰不可石祁
子衛大夫天下之惡一也惡於宋而保於我保
之何補得一夫而失一國與惡而棄好非
謀也宋衛本同好國【音訓】好呼報反衛人歸之亦請南宮
萬于陳以賂陳人使婦人飲之酒而以犀
革裹之以賂絕句【音訓】飲於鴆反比及宋手足皆見宋
人皆醢之醢肉醬并醢猛獲故言皆【音訓】比必利反見賢遍反醢音海

經 十有三年 庚子 春齊侯宋人陳人蔡人邾
人會于北杏北杏齊地【附註】林曰衣裳之會一序齊於諸侯之上而獨書爵
始伯之辭也自是無特相會者矣王風之什絕筆於莊王而僖王之立齊桓公之伯皆在
是年此王伯與衰之機也○夏六月齊人滅遂遂國在濟北蛇丘縣
東北【附註】林曰遂國舜之後【音訓】蛇音移○秋七月○冬公會
齊侯盟于柯此柯今濟北東阿齊之阿邑猶祝柯今為祝阿【附註】林曰曹劌盟
劫盟魯之從齊獨後他國而復劫盟所以為禮義之國也【音訓】柯音哥

傳 十三年春會于北杏以平宋亂宋有弒君之亂
齊桓欲修伯業遂人不至○夏齊人滅遂而戍之
戍守也○冬盟于柯始及齊平也始與齊桓通好【音訓】
好呼報反○宋人背北杏之會



經 十有四年 辛丑 春齊人陳人曹人伐宋背北
杏會故夏單伯會伐宋既伐宋單伯乃至故曰會伐宋單伯周大夫【附註】
林曰於是諸侯初用王師○秋七月荊入蔡入例在文十五年
○冬單伯會齊侯宋公衛侯鄭伯于鄄鄄衛地今
東郡鄄城也齊桓脩霸業卒平宋亂宋人服從欲歸功天子故赴以單伯會諸侯為文【附註】
林曰衣裳之會二此諸侯會王臣之始是年鄭殺子儀鄭厲公復國會鄄即鄭厲公也
【音訓】鄄絹真旃甄四音

傳 十四年春諸侯伐宋齊請師于周齊欲崇天
子故請師假王命以示大順經書人傳言諸侯者摠衆國之辭夏單伯會
之取成于宋而還○鄭厲公自櫟侵鄭厲公
以桓十五年入櫟遂居之及大陵獲傅瑕大陵鄭地傅瑕鄭大夫
傅瑕曰苟舍我吾請納君【音訓】舍音捨與之盟
而赦之六月甲子傅瑕殺鄭子及其二子
而納厲公鄭子莊四年稱伯會諸侯令見殺不稱君無謚者微弱臣子不
以君禮成喪告諸侯初內蛇與外蛇鬭於鄭南門中
內蛇死六年而厲公入公聞之問於申繻
曰猶有妖乎對曰人之所忌其氣燄以取
之妖由人興也尚書洛誥無若火始燄燄未盛而進退之時以諭人
心不堅正【附註】林曰子儀在鄭常畏忌厲公之奪其國其畏忌之氣燄足以致蛇妖
之異【音訓】燄音豔人無釁焉妖不自作人棄常則

妖與故有妖○厲公入遂殺傅瑕使謂原繁曰傅瑕貳（言有二心於己）周有常刑既伏其罪矣納我而無貳心者吾皆許之上大夫之事吾願與伯父圖之（上大夫卿也伯父謂原繁疑原繁有二心）且寡人出伯父無裏言（無納我之言）入又不念寡人（不親附己）寡人憾焉對曰先君桓公命我先人典司宗祏（桓公鄭始受封君也宗祏宗廟中藏主石室言已世為宗廟守臣【音訓】祏音石）社稷有主而外其心其何貳如之（【附註】林曰子儀既為鄭國社稷之主更復謀納厲公是外其心）苟主社稷國內之民其誰不為臣臣無二心天之制也（【附註】林曰此上天之所制言天理自然）子儀在位十四年矣（子儀鄭子也）而謀召君者庸非貳乎（庸用也）莊公之子猶有八人（【附註】朱曰時子忽子亹子儀皆死獨厲公在所謂八人者不知何名字也）若皆以官爵行賂勸貳而可以濟事君其若之何臣聞命矣乃縊而死○蔡哀侯為莘故繩息嬀以語楚子（莘役在十年繩譽也【音訓】為于偽反譽音餘又如字）楚子如息以食入享遂滅息（偽設享食之具【音訓】食音嗣）以息嬀歸生堵敖及成王焉未言（未與王言【附註】林曰楚人謂未成君為敖【音訓】堵丁古反敖音遨）楚子問之對曰吾一婦人而事二夫縱弗能死其又奚言楚子以蔡侯滅息遂伐蔡（欲以說息嬀【附註】林曰楚子感息嬀之言因思滅息取嬀之故實由蔡侯伐蔡以說息嬀【音訓】說音悅）秋七月楚入蔡君子曰商書所謂惡之易也如火之燎于原不可鄉邇其猶可撲滅者其如蔡哀侯乎（商書盤庚言惡易長而難滅）○冬會于鄄宋服故也

【經】十有五年【壬寅】春齊侯宋公陳侯衛侯鄭伯會于鄄（【附註】林曰衣裳之會三）○夏夫人姜氏如齊（無傳夫人文姜齊桓公姊妹父毋在則禮有歸寧沒則使卿寧）○秋宋人齊人邾人伐郳（宋主兵故序齊上【音訓】郳五兮反）○鄭人侵宋○冬十月

【傳】十五年春復會焉齊始霸也（始為諸侯長【音訓】復扶又反長丁丈反）○秋諸侯為宋伐郳（郳附庸屬宋而叛故齊桓為之伐郳【音訓】為于偽反）○鄭人間之而侵宋（【附註】林曰間諸侯有伐郳之師【音訓】間間去聲一本作聞）

【經】十有六年【癸卯】春王正月○夏宋人齊人衛人伐鄭（宋主兵也班序上下以國大小為次征伐則以主兵為先春秋之常也他皆放此【附註】林曰齊楚爭鄭於是始）○秋荊伐鄭（【附註】林曰荊患自蔡及鄭矣）○冬十有二月會齊侯宋公陳侯衛侯鄭伯許男滑伯滕子同盟于幽（書會魯會之不書其人微

者也言同盟服異也陳國小每盟會皆在衛下齊桓始霸楚亦始彊陳侯介於二大國之間而為三恪之客故齊桓因而進之遂班在衛上終於春秋滑國都費河南緱氏縣幽宋地【附註】林曰衣裳之會四齊桓公初主盟也自是無特相盟者矣【音訓】註介音界恪苦各反緱古侯反○邾子克卒無傳克儀父名稱子者蓋齊桓請王命以為諸侯再同盟

【傳】十六年夏諸侯伐鄭宋故也鄭侵宋故○鄭伯自櫟入在十四年緩告于楚秋楚伐鄭及櫟為不禮故也【音訓】為于偽反○鄭伯治與於雍糾之亂者在桓十五年【音訓】與音預九月殺公子閼刖強鉏二子祭仲黨斷足曰刖【音訓】閼音遏刖音月又五刮反鉏仕魚反公父



定叔出奔衛共叔段之孫定諡也三年而復之曰不可使共叔無後於鄭使以十月入曰良月也就盈數焉數滿於十【附註】朱曰數始於一盈於十故十月為良月也君子謂強鉏不能衛其足言其不能早辟害○冬同盟于幽鄭成也○王使虢公命曲沃伯以一軍為晉侯曲沃武公遂并晉國僖王因就命為晉侯小國故一軍○初晉武公伐夷執夷詭諸夷詭諸周大夫夷采地名【音訓】詭音鬼蔿國請而免之蔿國周大夫【音訓】蔿于委反既而弗報詭諸不報施於蔿國【音訓】施始豉反故子國作亂【附註】林曰子國即蔿國謂晉人曰與我伐夷而取其地使晉取夷地遂以晉師伐夷殺夷詭諸周公忌父出奔虢周公忌父王卿士辟子國之難【音訓】難乃旦反惠王立而復之魯桓十五年經書桓王崩魯莊三年經書葬桓王自此以來周有莊王又有僖王崩葬皆不見於經傳王室微弱不能復自通於諸侯故傳因周公忌父之事而見惠王惠王立在此年之末【音訓】註見賢遍反復扶又反

【經】十有七年【甲辰】春齊人執鄭詹齊桓始霸鄭既伐宋又不朝齊詹為鄭執政大臣詣齊見執不稱行人罪之也行人例在襄十一年諸執大夫皆稱人以執之大夫賤故○夏齊人殲于遂殲盡也齊人戍遂翫而無備遂人討而盡殺之故時史因以自盡為文【音訓】殲音尖○秋鄭詹自齊逃來無傳詹不能伏節守死以解國患而遁逃苟免書逃以賤之○冬多



麋無傳麋多則害五稼故以災書【音訓】麋音眉

【傳】十七年春齊人執鄭詹鄭不朝也○夏遂因氏頒氏工婁氏須遂氏饗齊戍醉而殺之齊人殲焉饗酒食也四族遂之彊宗齊滅遂戍之在十三年【音訓】頒音閤又烏納反婁力侯反饗本又作享

【經】十有八年【乙巳】春王三月日有食之無傳不書日官失之○夏公追戎于濟西戎來侵魯公逐之於濟水之西【附註】林曰魯始治戎○秋有蜮蜮短狐也蓋以含沙射人為災【附註】林曰本草謂之射工【音訓】蜮音或本又作蜮廣韻並音蜮【註】射食亦反○冬十月

【傳】十八年春虢公晉侯朝王王饗醴命之

宥（王之覲羣后始則行饗禮先置醴酒示不忘古飲宴則命以幣物宥助也所以助歡敬之意言備設【附註】林曰時惠王新即位故西虢公與晉獻公俱朝于周【音訓】醴音禮）皆賜玉五瑴馬三匹非禮也（雙玉爲瑴【音訓】瑴音角字又作玨）王命諸侯名位不同禮亦異數不以禮假人（侯而與公同賜是借人禮）○虢公晉侯鄭伯使原莊公逆王后于陳陳嬀歸于京師（虢晉朝王鄭伯又以齊執其卿故求王爲援皆在周倡義爲王定昏陳人敬從得同姓宗國之禮故傳詳其事不書不告【音訓】爲王于僞反）實惠后（陳嬀後號惠后寵愛少子亂周室事在僖二十四年故傳於此並正其后稱【音訓】少詩照反稱尺證反）○夏公追戎于濟西不言其來諱之



也（戎來侵魯魯人不知去乃追之故諱不言其來）○秋有蜮爲災也○初楚武王克權使鬬緡尹之（權國名南郡當陽縣東南有權城鬬緡楚大夫【音訓】緡音民下同）以叛圍而殺之（緡以權叛）遷權於那處（那處楚地南郡編縣東南有那口城【音訓】那乃多反編必綿反一音步典反）使閻敖尹之（閻敖楚大夫）及文王即位與巴人伐申而驚其師（驚巴師）巴人叛楚而伐那處取之遂門于楚（攻楚城門）閻敖游涌而逸（涌水在南郡華容縣閻敖既不能守城又游涌水而走【音訓】涌音勇）楚子殺之其族爲亂冬巴人因之以伐楚

【經】十有九年【丙午】春王正月○夏四月○秋公子結媵陳人之婦于鄄遂及齊侯宋公盟（無傳公子結魯大夫公羊穀梁皆以爲魯女媵陳侯之婦其稱陳人之婦未入國略言也大夫出竟有可以安社稷利國家者則專之可也結在鄄聞齊宋有會權事之宜去其本職遂與二君爲盟故備書之本非魯公意而又失媵陳之好故冬各來伐【音訓】媵以證反又繩證反送也竟音境好呼報反）○夫人姜氏如莒（無傳非父母國而往書姦）○冬齊人宋人陳人伐我西鄙（無傳幽之盟魯使微者會鄄之盟又使媵臣行所以受敵鄙邊邑）

【傳】十九年春楚子禦之大敗於津（禦巴人爲巴人所敗津楚地或曰江陵縣有津鄉）還鬻拳弗納遂伐黃（鬻



拳楚大閽黃嬴姓國今弋陽縣【附註】林曰弗納楚子欲激其志使別立功【音訓】鬻音育拳求圓反閽音昏守門人也嬴音盈）敗黃師于踖陵（踖陵黃地【音訓】踖音迹又七略反）還及湫有疾（南郡鄀縣東南有湫城【音訓】湫子小反鄀音若）夏六月庚申卒鬻拳葬諸夕室（夕室地名）亦自殺也而葬於絰皇（絰皇冢前闕生守門故死不失職【音訓】絰田結反）初鬻拳強諫楚子（【音訓】強其丈反）楚子弗從臨之以兵懼而從之鬻拳曰吾懼君以兵罪莫大焉遂自刖也楚人以爲大閽謂之大伯（若今城門校尉官【附註】林曰以大伯異其名稱示寵異【音訓】大伯音泰）使其後掌之（使其子孫常主此官）君子曰鬻

拳可謂愛君矣諫以自納於刑刑猶不忘
納君於善言愛君明非臣法也楚能盡其忠愛所以興附註朱曰鬻拳所為非人臣之法傳稱其愛君此左氏見識不到處○初王姚嬖于
莊王生子頹王姚莊王之妾也姚姓音訓姚羊消反頹徒回反子
頹有寵蔿國為之師及惠王即位周惠王莊王孫
取蔿國之圃以為囿圃園也囿苑也音訓囿音又徐于月反苑於
阮反邊伯之宮近於王宮王取之邊伯周大夫
王奪子禽祝跪與詹父田三子周大夫而收膳
夫之秩膳夫石速也秩祿也故蔿國邊伯石速詹父
子禽祝跪作亂因蘇氏蘇氏周大夫桓王奪其十二邑以與



鄭自此以來遂不和○秋五大夫奉子頹以伐王石速
士也故不在五大夫數不克出奔溫溫蘇氏邑蘇子奉子
頹以奔衛衛師燕師伐周燕南燕附註林曰衛惠公亦抗
莊王以入國者與周不和故蘇子奉子頹以奔衛冬立子頹
經二十年丁未春王二月夫人姜氏如莒無傳
○夏齊大災無傳來告以大故書天火曰災例在宣十六年○秋七
月○冬齊人伐戎無傳附註林曰齊始治戎
傳二十年春鄭伯和王室不克克能也附註林曰鄭
厲公與惠王子頹為和欲使各復其舊為執燕仲父燕仲父南燕伯為代
周故音訓為于偽反下文同夏鄭伯遂以王歸王處于

櫟秋王及鄭伯入于鄔鄔王所取鄭邑音訓鄔烏古反遂
入成周取其寶器而還冬王子頹享五大
夫樂及徧舞皆舞六代之樂附註林曰徧舞黃帝堯舜夏商周六代之
樂鄭伯聞之見虢叔虢叔公字曰寡人聞之哀
樂失時殃咎必至音訓樂音洛下同今王子頹歌
舞不倦樂禍也附註林曰時頹已立而稱王子不與其為王也夫
司寇行戮司寇刑官君為之不舉去盛饌音訓去起呂反
而況敢樂禍乎奸王之位禍孰大焉音訓奸音干
臨禍忘憂憂必及之盍納王乎虢公曰
寡人之願也



經二十有一年戊申春王正月○夏五月辛
酉鄭伯突卒十六年與魯大夫盟于幽○秋七月戊戌夫
人姜氏薨無傳薨寢祔姑赴於諸侯故具小君禮書之○冬十有
二月葬鄭厲公無傳八月乃葬緩慢也
傳二十一年春胥命于弭夏同伐王城鄭虢
相命弭鄭地附註林曰相命以納王之事音訓弭音米鄭伯將王自
圉門入音訓圉魚呂反虢叔自北門入殺王子頹
及五大夫鄭伯享王于闕西辟樂備闕象魏也
樂備備六代之樂附註朱曰辟偏也王既入國鄭伯乃享王于象魏之西偏音訓辟蒲歷
反王與之武公之略自虎牢以東略界也鄭

武公傳平王平王賜之自虎牢以東後失其地故惠王今復與之虎牢河南成皋縣【音訓】【註】復扶又反原伯曰鄭伯效尤其亦將有咎原伯原莊公也言効子頹舞徧樂【附註】朱曰尤過也蓋子頹是惠王之叔雖以罪誅亦豈可歌舞而安樂之乎五月鄭厲公卒王巡虢守巡守於虢國也天子省方謂之巡守【音訓】守音狩本或作狩後放此虢公為王宮于玤玤虢地【音訓】玤蒲項反王與之酒泉酒泉周邑鄭伯之享王也王以后之鞶鑑予之后王后也鞶帶而以鏡為飾也今西方羌胡猶然古之遺服【音訓】鞶蒲官反虢公請器王予之爵爵飲酒器鄭伯由是始惡於王為僖二十四年鄭執王使張本【附註】林曰鄭厲公以王與虢厚與鄭薄由是始與王室有惡【音訓】惡



烏路反又如字【註】使所吏反冬王歸自虢傳言王之偏也

【經】二十有二年【己酉】春王正月肆大眚無傳赦有罪也易稱赦過宥罪書稱眚災肆赦傳稱肆眚圍鄭皆放赦罪人蕩滌衆故以新其心有時而用之非制所常故書【音訓】眚所景反○癸丑葬我小君文姜無傳反哭成喪故稱小君○陳人殺其公子御寇宣公大子也陳人惡其殺大子之名故不稱君父以國討公子告【音訓】御本亦作禦【註】惡烏路反○夏五月【附註】林曰無事以首時書者五十九惟此書五月昭十年書十二月○秋七月丙申及齊高傒盟于防無傳高傒齊之貴卿而與魯之微者盟齊桓諱接諸侯以崇霸業○冬公如齊納幣無傳公不使卿而親納幣非禮也母喪未再期而圖昏二傳不見所譏左氏又無傳失禮明故【音訓】

【註】見賢遍反又如字

【傳】二十二年春陳人殺其大子御寇傳稱大子以實言陳公子完與顓孫奔齊公子完顓孫皆御寇之黨【音訓】顓音專顓孫自齊來奔不書非卿齊侯使敬仲為卿敬仲陳公子完辭曰羇旅之臣羇寄也旅客也幸若獲宥及於寬政宥赦也赦其不閑於教訓而免於罪戾弛於負擔弛去離也【音訓】弛失氏反擔丁暫反【註】離力智反君之惠也所獲多矣敢辱高位以速官謗敢不敢也【音訓】謗布浪反請以死告以死自誓詩云翹翹車乘招我以弓豈不欲往畏我友朋逸詩



也翹翹遠貌古者聘士以弓言雖貪顯命懼為朋友所譏責【音訓】翹祁堯反乘繩證反使為工正掌百工之官飲桓公酒樂齊桓賢之故就其家會據主人之辭故言飲桓公酒【音訓】飲於鴆反樂音洛公曰以火繼之辭曰臣卜其晝未卜其夜不敢君子曰酒以成禮不繼以淫義也夜飲為淫樂以君成禮弗納於淫仁也初懿氏卜妻敬仲懿氏陳大夫龜曰卜【附註】林曰懿氏卜以女妻陳敬仲【音訓】妻七計反其妻占之曰吉懿氏妻是謂鳳皇于飛和鳴鏘鏘雄曰鳳雌曰凰雄雌俱飛相和而鳴鏘鏘然猶敬仲夫妻相隨適齊有聲譽【音訓】和如字又户卧反鏘音鏘本又作將有嬀之後將育于姜嬀陳姓姜

齊姓五世其昌並于正卿八世之後莫之與京京大也【附註】林曰此皆所占之辭陳厲公蔡出也姊妹之子曰出故蔡人殺五父而立之五父陳佗也殺陳佗在桓六年生敬仲其少也周史有以周易見陳侯者周大史也【音訓】見如字又賢遍反【註】大音泰陳侯使筮之蓍曰筮【音訓】筮上制反【註】蓍音尸遇觀☴☷坤下巽上觀觀古亂反【註】皆同【音訓】之否☰☷坤下乾上否觀六四變而為否【音訓】否音鄙曰是謂觀國之光利用賓于王此周易觀卦六四爻辭易之為書六爻皆有變象又有互體聖人隨其義而論之【音訓】【註】爻戶交反此其代陳有國乎【附註】林曰此下乃周史釋爻辭之義以為陳為舜後作賓于周家者

左傳三　三十

也今敬仲得此卦其當代陳有國乎不在此其在異國非此其身在其子孫光遠而自他有耀者也【附註】朱曰言所謂觀國之光者其光在他處遠地而有明耀將往而得觀之也坤土也巽風也乾天也風為天於土上山也巽變為乾故曰風為天自二至四有艮象艮為山有山之材而照之以天光於是乎居土上山則材之所生上有乾下有坤故言居土上照之以天光此【附註】林曰艮為山巽為水故曰有山之材此以互體言之巽變為乾故曰照之以天光此以變卦言山之材天之光皆居坤之上故曰居土上此以正卦變卦互體詳言之故曰觀國之光利用賓于王四為諸侯變而之乾有國朝王之象庭實旅百奉之以玉帛

天地之美具焉故曰利用賓于王艮為門庭乾為金玉坤為布帛諸侯朝王陳贄幣之象旅陳也百言物備猶有觀焉故曰其在後乎因觀文以博占故言猶有觀非在己之言故知在子孫【附註】林曰尚有觀感之義焉此以卦義言觀感而化非朝夕所能故曰在後【音訓】觀古亂反風行而著於土故曰其在異國乎【附註】林曰風動物也故行而著於土此亦以正卦言行而著於土則不在本國明矣故曰在異國【音訓】著直略反若在異國必姜姓也姜大嶽之後也姜姓之先為堯四嶽山嶽則配天物莫能兩大陳衰此其昌乎變而象艮故知當興於大嶽之後得大嶽之權則有配天之大功故知陳必衰【附註】林曰山嶽之大則與雲降雨有配天之功此亦以艮

左傳三　三十一

乾變卦互體言凡天下之物莫能兩大言敬仲與陳國莫能兩大及陳之初亡也昭八年楚滅陳陳桓子始大於齊桓子敬仲五世孫陳無宇其後亡也哀十七年楚復滅陳【音訓】【註】復扶又反成子得政成子陳常也敬仲八世孫陳完有禮於齊子孫世不忘德德協於卜故傳備言其終始卜筮者聖人所以定猶豫決疑似因生義教者也尚書洪範通龜筮以同卿士之數南蒯卜亂而遇元吉惠伯答以忠信則可臧會卜僭遂獲其應丘明故舉諸縣驗於行事者以示來世而君子志其善者遠者他皆倣此【附註】朱曰敬仲八世孫陳成子名恒弑簡公而專齊政應莫之與京之兆也恒之曾孫田和遷齊康公於海上而篡其國所謂陳衰此其昌乎者謂此也【音訓】【註】豫音預本又作預蒯苦怪反應應對之應縣音玄

經二十有三年庚戌春公至自齊無傳○祭叔來聘無傳穀梁以祭叔為祭公來聘魯天子內臣不得外交故不言使不與其得使聘音訓祭側界反圖為于僞反○夏公如齊觀社齊因祭社蒐軍實故公往觀之○公至自齊無傳○荊人來聘無傳不書荊子使某來聘君臣同辭者蓋楚之始通未成其禮○公及齊侯遇于穀無傳

蕭叔朝公無傳蕭附庸國叔名就穀朝公故不言來凡在外朝則禮不得具嘉禮不野合附註林曰此僭朝於方岳之禮○秋丹桓宮楹桓公廟也楹柱也○冬十有一月曹伯射姑卒無傳未同盟而赴以名○十有二月甲寅公會齊侯盟于扈無傳扈鄭地在滎陽卷縣西北音訓扈音戶圖卷音權字林丘權反

左傳三

傳二十三年夏公如齊觀社非禮也曹劌諫曰不可夫禮所以整民也故會以訓上下之則制財用之節貢賦多少朝以正班爵之義帥長幼之序附註林曰其班爵同者則以年齒長幼為次序征伐以討其不然不然不用命附註朱曰不朝不會則以征伐而討其罪諸侯有王從王事附註林曰諸侯朝於天子曰述職有王事也王有巡守省四方以大習之大習會朝之禮非是君不舉矣君舉必書書於策書而不法後嗣何觀

○晉桓莊之族偪桓叔莊伯之子孫彊盛偪迫公室音訓偪彼力反獻公患之士蔿曰去富子則羣公子可謀也已士蔿晉大夫富子二族之富強者音訓去起呂反下同公曰爾試其事士蔿與羣公子謀譖富子而去之以罪狀誣之同族惡其富強故士蔿得因而間之用其所親為譖則似信離其骨肉則黨弱羣公子終所以見滅音訓圖惡烏路反○秋丹桓宮之楹

經二十有四年辛亥春王三月刻桓宮桷刻鏤也桷椽也將逆夫人故為盛飾音訓桷音角○葬曹莊公無傳○夏公如齊逆女無傳親逆禮也○秋公至自齊無傳○八月丁丑夫人姜氏入哀姜也公羊傳以為姜氏要公不與公俱入蓋以孟任故丁丑入而明日乃朝廟音訓圖要於遙反任音壬○戊寅大夫

左傳三

宗婦覿用幣宗婦同姓大夫之婦禮小君至大夫執贄以見明臣子之道莊公欲奢夸夫人故使大夫宗婦同贄俱見音訓覿徒歷反圖見賢遍反夸苦瓜反○大水無傳○冬戎侵曹無傳曹羈出奔陳無傳羈蓋曹世子也先君既葬而不稱爵者微弱不能自定曹人以名赴赤歸于曹無傳赤曹僖公也蓋為戎所納故曰歸○郭公無傳蓋經闕誤也自曹羈以下公羊穀梁之說既不了又不可通之於左氏故不采用

傳二十四年春刻其桷皆非禮也幷非丹楹故言皆御孫諫曰臣聞之儉德之共也侈惡之大也御孫魯大夫附註林曰共字無音司馬公訓儉文引此言儉者上下共行之德而後漢翟輔疏亦引此作恭先君有共德而君納諸

大惡無乃不可乎以不丹楹刻桷為共○秋哀姜至公使宗婦覿用幣非禮也傳不言大夫唯舉非常御孫曰男贄大者玉帛公侯伯子男執玉諸侯世子附庸孤卿執帛音訓贄真二反小者禽鳥卿執羔大夫執鴈士執雉以章物也章所執之物別貴賤附註林曰羔取其羣而不失其類鴈取其侯而行雉取其守介而死不失其節音訓別彼列反女贄不過榛栗棗脩以告虔也榛小栗脩脯虔敬也皆取其名以示敬附註林曰栗取其戰栗也棗取其早起也脩取其自脩也唯榛無說蓋以榛聲近虔取其虔於事也音訓榛側巾反虔音乾今男女同贄是無別也男女之別國之大節也附註林曰家齊而後國治所以為國之大節而由



夫人亂之無乃不可乎○晉士蔿又與羣公子謀使殺游氏之二子游氏二子亦桓莊之族士蔿告晉侯曰可矣不過二年君必無患

經二十有五年壬子春陳侯使女叔來聘女叔陳卿女氏叔子附註林曰諸侯始交聘也前乎此非王室若姻鄰无聘者矣於是交聘齊桓公為之也音訓女音汝○夏五月癸丑衛侯朔卒無傳惠公也書名十六年與內大夫盟于幽○六月辛未朔日有食之鼓用牲于社鼓伐鼓也用牲以祭社傳例曰非常也○伯姬歸于杞無傳不書逆女逆者微○秋大水鼓用牲于社于門門國門也傳例曰亦非常也○冬公子友如陳無傳報女叔之聘諸魯出朝聘皆書如不果彼國必成其禮故不稱朝聘春秋之常也公子友莊公之母弟稱公子者史策之通言毋弟至親異於他臣其相殺害則稱弟以示義至於嘉好之事兄弟篤睦非例所興或稱弟或稱公子仍舊史之文也毋弟例在宣十七年附註林曰此內大夫出聘之始音訓好呼報反傳同

傳二十五年春陳女叔來聘始結陳好也嘉之故不名季友相魯原仲相陳二人有舊故女叔來聘季友冬亦報聘嘉好接備卿以字為嘉則稱名其常也音訓相息亮反○夏六月辛未朔日有食之鼓用牲于社非常也非常鼓之月長歷推之辛未實七月朔置閏失所故致月錯唯正月之朔慝未作正月夏之四月周之六月謂正陽之月今書六月而傳云唯者明此



月非正陽月也慝陰氣音訓正音政慝他得反日有食之於是乎用幣于社伐鼓于朝日食歷之常也然食於正陽之月則諸侯用幣于社請救於上公伐鼓于朝退而自責以明陰不宜侵陽臣不宜掩君以示大義附註林曰社比上公朱曰按此乃諸侯之禮其天子之禮見文公十五年○秋大水鼓用牲于社于門亦非常也失常禮凡天災有幣無牲天災日月食大水也祈請而已不用牲也非日月之眚不鼓眚猶災也月侵日為眚陰陽逆順之事賢聖所重故特鼓之○晉士蔿使羣公子盡殺游氏之族乃城聚而處之聚晉邑附註林曰城聚邑而處羣公子外示優寵冬晉侯圍聚盡殺羣公子卒如士蔿之計

【經】二十有六年【癸丑】春公伐戎無傳○夏公至自伐戎無傳○曹殺其大夫無傳不稱名非其罪例在文七年○秋公會宋人齊人伐徐無傳宋序齊上主兵○冬十有二月癸亥朔日有食之無傳

【傳】二十六年春晉士蔿為大司空大司空卿官【附註】林曰賞去桓莊之功○夏士蔿城絳以深其宮絳晉所都也今平陽絳邑縣【附註】林曰史記是年晉始都絳以深公宮備讎也○秋虢人侵晉冬虢人又侵晉為傳明年晉將伐虢張本此年經傳各自言其事者或經是直文或策書雖存而簡牘散落不究其本末故傳不復申解但言傳事而已【音訓】【註】牘徒木反復扶又反



【經】二十有七年【甲寅】春公會杞伯姬于洮伯姬莊公女洮魯地【音訓】洮音陶○夏六月公會齊侯宋公陳侯鄭伯同盟于幽【附註】林曰衣裳之會五齊初主盟於是書公矣○秋公子友如陳葬原仲原仲陳大夫原氏仲字也禮臣既卒不名故稱字季友違禮會外大夫葬具見其事亦所以知譏【音訓】【註】見賢遍反○冬杞伯姬來傳例曰歸寧○莒慶來逆叔姬無傳慶莒大夫叔姬莊公女卿自為逆則稱字例在宣五年【音訓】【註】為于僞反○杞伯來朝無傳杞稱伯者蓋為時王所黜○公會齊侯于城濮無傳城濮衛地將討衛也

【傳】二十七年春公會杞伯姬于洮非事也非諸侯之事天子非展義不巡守天子巡守所以宣布德義諸侯非民事不舉卿非君命不越竟【音訓】竟音境○夏同盟于幽陳鄭服也二十二年陳亂而齊納敬仲二十五年鄭文公之四年獲成於楚皆有二心於齊今始服也○秋公子友如陳葬原仲非禮也原仲季友之舊也○冬杞伯姬來歸寧也寧問父母安否凡諸侯之女歸寧曰來出曰來歸歸不反之辭夫人歸寧曰如某出曰歸于某○晉侯將伐虢士蔿曰不可虢公驕若驟得勝於我必棄其民棄民不養之【附註】林曰時虢屢伐晉而晉不能報是驟得勝於我也無眾



而後伐之欲禦我誰與【附註】林曰誰與之効死哉夫禮樂慈愛戰所畜也【音訓】畜音蓄下同夫民讓事樂和愛親哀喪而後可用也上之使民以義讓哀樂為本言不可力強【附註】朱曰禮尚謙讓故曰讓事樂以和親故曰樂和愛親慈也愛極然後哀喪哀喪謂愛也【音訓】樂音洛【註】強其丈反虢弗畜也亟戰將饑言虢不畜義讓而力戰【附註】林曰虢弗畜此禮樂慈愛之道而以數戰為事則妨奪農時將有飢饉之患此所謂兵戈之後必有凶年是也【音訓】亟欺冀反○王使召伯廖賜齊侯命召伯廖王卿士賜命為侯伯【音訓】廖音聊且請伐衛以其立子頹也立子頹在十九年

【經】二十有八年【乙卯】春王三月甲寅齊人伐

衛衛人及齊人戰衛人敗績齊侯稱人者諱取賂而還以賤者告不地者史失之○夏四月丁未邾子瑣卒無傳未同盟而赴以名【音訓】瑣素果反○秋荊伐鄭公會齊人宋人救鄭【附註】林曰諸侯救始此○冬築郿郿魯下邑傳例曰邑曰築【音訓】郿音眉○大無麥禾書於冬者五穀畢入計食不足而後書也○臧孫辰告糴于齊臧孫辰魯大夫臧文仲

【傳】二十八年春齊侯伐衛戰敗衛師數之以王命取賂而還【附註】林曰言不能正衛之罪○晉獻公娶于賈無子賈姬姓國也烝於齊姜齊姜武公妾生秦穆夫人及大子申生又娶二女於戎



大戎狐姬生重耳大戎唐叔子孫別在戎狄者【附註】朱曰大戎唐叔之後姬姓出自狐伯行故以狐為氏【音訓】重直龍反小戎子生夷吾小戎允姓之戎子女也晉伐驪戎驪戎男女以驪姬驪戎在京兆新豐縣其君姬姓其爵男也納女於人曰女【音訓】驪力知反女女昵據反歸生奚齊其娣生卓子驪姬嬖欲立其子賂外嬖梁五與東關嬖五姓梁名五在閨闥之外者東關嬖五別在關塞者亦名五皆大夫為獻公所嬖幸視聽外事【音訓】註閨音圭闥吐達反塞素代反使言於公曰曲沃君之宗也曲沃桓叔所封先君宗廟所在蒲與二屈君之疆也蒲今平陽蒲子縣二屈今平陽北屈縣或云二當為北不可以無主宗邑無

主則民不威疆埸無主則啟戎心戎之生心民慢其政國之患也若使大子主曲沃而重耳夷吾主蒲與屈則可以威民而懼戎且旌君伐旌章也伐功也使俱曰狄之廣莫於晉為都晉之啟土不亦宜乎廣莫狄地之曠絕也即謂蒲子北屈也言遣二公子出都之則晉方當大開土界獻公未決故復使二五俱說此美【音訓】註復扶又反晉侯說之【音訓】說音悅夏使大子居曲沃重耳居蒲城夷吾居屈羣公子皆鄙鄙邊邑唯二姬之子在絳二五卒與驪姬譖羣公子而立奚齊晉人謂之二五耦二耜相耦廣一尺共起一伐言二人俱共墊傷晉室若此【音訓】註耜音似廣故曠反墊苦狠反



○楚令尹子元欲蠱文夫人文王夫人息嬀也子元文王弟蠱惑以淫事【音訓】蠱音古為館於其宮側而振萬焉振動也萬舞也【附註】林曰蓋作樂以蠱之夫人聞之泣曰先君以是舞也習戎備也【附註】朱曰蓋舞有部曲行伍即陳法也今令尹不尋諸仇讎而於未亡人之側不亦異乎尋用也婦人既寡自稱未亡人【附註】林曰仇讎謂鄭也御人以告子元御人夫人之侍人子元曰婦人不忘襲讎我反忘之【附註】林曰文夫人乃婦人尚能不忘討襲仇讎之國我為丈夫而反忘仇讎之當討秋子元以車六百乘伐鄭

【附註】朱曰欲以說息嬀也入于桔柣之門桔柣鄭遠郊之門也【音訓】桔戶結反柣待結反子元鬬御彊鬬梧耿之不比為旆子元自與三子特建旆以居前廣充幅長尋曰旐繼旐曰旆【音訓】旆蒲貝反【註】長直亮反旐音兆鬬班王孫游王孫喜殿三子在後為反禦衆車入自純門及逵市純門鄭外郭門也逵市郭內道上市【音訓】如字逵音奇純縣門不發楚言而出子元曰鄭有人焉縣門施於內城門鄭示楚以閑暇故不閉城門出兵而效楚言故子元懼之不敢進【音訓】縣音玄諸侯救鄭楚師夜遁鄭人將奔桐丘許昌縣東北有桐丘城諜告曰楚幕有烏乃止諜間也幕帳也【附註】林曰大將所居以幕帳蔽禦風雨軍衆屯聚烏



不敢北令楚幕有烏知楚師已遁也【音訓】諜音牒○冬饑臧孫辰告糴于齊禮也經書大無麥禾傳言饑傳又先書饑在築郿上者說始糴經在下須得糴嫌或諱饑故曰禮○築郿非都也凡邑有宗廟先君之主曰都無曰邑邑曰築都曰城周禮四縣為都四井為邑然宗廟所在則雖邑曰都尊之也言凡邑則他築非例

【經】二十有九年【丙辰】春新延廄傳例曰書不時言新者皆舊物不可用更造之辭【音訓】廄音究○夏鄭人侵許傳例曰無鐘鼓曰侵○秋有蜚傳例曰為災【音訓】蜚扶味反○冬十有二月紀叔姬卒無傳紀國雖滅叔姬執節守義故繫之紀賢而錄之○城諸及防諸防皆魯邑傳例曰書時也諸非備難而興作傳皆重云時以釋之他皆放此諸今城陽諸縣【音訓】【註】難乃旦反重直用反

【傳】二十九年春新作延廄書不時也經無作字蓋閑凡馬日中而出日中而入日中春秋分也治廄當以秋分因馬向入而脩之今以春作故曰不時【附註】林曰凡馬春分百草始繁則牧於坰野故日中而出秋分農功始藏水寒草枯則馬還廄故日中而入○夏鄭人侵許凡師有鐘鼓曰伐聲其罪無曰侵鐘鼓無聲輕曰襲掩其不備【音訓】輕遣政反○秋有蜚為災也凡物不為災不書○冬十二月城諸及防書時也凡土功龍見而畢務戒事也謂今九月



周十一月龍星角亢晨見東方三務始畢戒民以土功事【音訓】見賢遍反下同【註】亢苦浪反又音剛火見而致用大火心星次角亢見者致築作之物昏正而栽謂今十月定星昏而中於是樹板榦而興作【音訓】栽音在又音再日至而畢日南至微陽始動故土功息○樊皮叛王樊皮周大夫樊其采地皮名

【經】三十年【丁巳】春王正月○夏次于成無傳將畢師少故直言次齊將降鄣故設備【音訓】【註】將子匠反降戶江反鄣音章○秋七月齊人降鄣無傳鄣紀附庸國東平無鹽縣東北有鄣城小國孤危不能自固蓋齊遙以兵威脅使降附○八月癸亥葬紀叔姬無傳以賢錄也無臣子故不作謚○九月庚午朔日有食之鼓用

牲于社無傳○冬公及齊侯遇于魯濟濟水歷齊魯界在齊界為齊濟在魯界為魯濟蓋魯地○齊人伐山戎山戎北狄

【傳】三十年春王命虢公討樊皮夏四月丙辰虢公入樊執樊仲皮【附註】林曰即樊皮歸于京師○楚公子元歸自伐鄭而處王宮欲遂蠱文夫人鬬射師諫則執而梏之射師鬬廉也足曰桎手曰梏【音訓】射食亦反又食夜反梏音谷【註】桎之實反○秋申公鬬班殺子元申楚縣也楚僭號縣尹皆稱公鬬穀於菟為令尹自毀其家以紓楚國之難鬬穀於菟令尹子文也毀減也紓緩也【附註】林曰自減其家祿邑之俸楚國之難由家強而國弱故子文自毀其家以緩楚國之患難朱曰以家財濟國患難傳言令尹子文之忠也【音訓】穀奴走反於音烏菟音徒紓音舒一音直汝反難乃旦反下注同○冬遇于魯濟謀山戎也以其病燕故也齊桓行霸故欲為燕謀難燕國今薊縣【音訓】【註】為于僞反薊音計



【經】三十有一年【戊午】春築臺于郎無傳刺奢且非土功之時【音訓】【註】刺七賜反○夏四月薛伯卒無傳未同盟○築臺于薛無傳薛魯地○六月齊侯來獻戎捷傳例曰諸侯不相遺俘捷獲也獻奉上之辭齊侯以獻捷禮來故書以示過【音訓】【註】遺唯季反○秋築臺于秦無傳東平范縣西北有秦亭【附註】林曰秦魯地○冬不雨無傳不書旱不為災例在僖三年

【傳】三十一年夏六月齊侯來獻戎捷非禮也凡諸侯有四夷之功則獻于王王以警于夷以警懼夷狄中國則否【附註】林曰若伐中國諸侯有功則不獻其捷於王崇恩愛示不忍也諸侯不相遺俘雖夷狄俘猶不以相遺

【經】三十有二年【己未】春城小穀小穀齊邑濟北穀城縣城中有管仲井大都以名通者則不繫國○夏宋公齊侯遇于梁丘齊善宋之請見故進其班梁丘在高平昌邑縣西南○秋七月癸巳公子牙卒牙慶父同母弟僖叔也飲酖而死不以罪告故得書卒書日者公有疾不責公不與小斂【音訓】【註】酖音鴆本亦作鴆○八月癸亥公薨于



路寢路寢正寢也公薨皆書其所詳內變○冬十月己未子般卒子般莊公大子先君未葬故不稱爵不書殺諱之也【音訓】【註】殺音試一音如字下同○公子慶父如齊無傳慶父既殺子般季友出奔國人不與故懼而適齊欲以求援時無君假赴告之禮而行○狄伐邢無傳邢國在廣平襄國縣【附註】林曰此狄入伐之始

【傳】三十二年春城小穀為管仲也公感齊桓之德故為管仲城私邑【音訓】【註】為于僞反下同齊侯為楚伐鄭之故請會于諸侯楚伐鄭在二十八年謀為鄭報楚宋公請先見于齊侯【附註】林曰宋桓公志輔齊霸請先與齊侯相見【音訓】見賢遍反又如字夏遇于梁丘○秋七月有神降于莘

有神聲以接人莘虢地【音訓】莘所巾反惠王問諸內史過曰是何故也【音訓】內史過周大夫過古禾反對曰國之將興明神降之監其德也將亡神又降之觀其惡也【音訓】監本又作鑑古暫反故有得神以興亦有以亡虞夏商周皆有之亦有神興王曰若之何對曰以其物享焉其至之日亦其物也享祭也若以甲乙日至祭先脾玉用蒼服上青以此類祭之【音訓】【註】脾婢支反王從之內史過往【附註】朱曰往至莘地享神聞虢請命聞虢請於神求賜土田之命反曰虢必亡矣虐而聽於神【附註】林曰夫民神之生也虢公虐民而聽命於神此以知其必亡神居莘六月



【附註】林曰六月乃一百八十日也虢公使祝應宗區史嚚享焉神賜之土田祝大祝宗宗人史大史應區嚚皆名【音訓】嚚音銀【註】大音泰史嚚曰虢其亡乎吾聞之國將興聽於民政順民心將亡聽於神求福於神神聰明正直而壹者也【附註】林曰聰則無所不聞明則無所不見正則自正於己直則能正乎人而壹者專一於聰明正直無有二心者也依人而行唯德是與依人善惡而行【附註】林曰善則降之福惡則降之禍朱曰善則神就之惡則神去之虢多涼德其何土之能得涼薄也為僖二年晉滅下陽傳○初公築臺臨黨氏黨氏魯大夫築臺不書不告廟【音訓】黨音掌見孟任從之閟孟任黨氏女閟不從公【音訓】閟音秘而

以夫人言許之許以為夫人割臂盟公生子般焉雩講于梁氏女公子觀之雩祭天也講肄也梁氏魯大夫女公子子般妹【音訓】【註】肄音四又以二反圉人犖自牆外與之戲圉人掌養馬者以慢言戲之【音訓】犖音洛又力角反子般怒使鞭之公曰不如殺之是不可鞭犖有力焉能投蓋于稷門蓋覆也稷門魯南城門走而自投接其屋之桷反覆門上【音訓】【註】覆芳服反公疾問後於叔牙對曰慶父材蓋欲進其同母兄問於季友對曰臣以死奉般季友莊公母弟故欲立般公曰鄉者牙曰慶父材【音訓】鄉許亮反成季使以君命命僖叔待于鍼巫氏成季友也鍼巫氏魯大夫【音訓】鍼其廉反



使鍼季酖之酖鳥名其羽有毒以畫飲之則死【音訓】【註】畫音獲曰飲此則有後於魯國不然死且無後飲之歸及逵泉而卒立叔孫氏逵泉魯地不以罪誅故得立後世其祿○八月癸亥公薨于路寢子般即位次于黨氏即喪位次舍也○冬十月己未共仲使圉人犖賊子般于黨氏共仲慶父成季奔陳出奔不書國亂史失之立閔公閔公莊公庶子於是年八歲

春秋經傳集解卷第三

# 春秋經傳集解卷第四

杜氏 盡二年

諸家註音訓附

## 魯閔公

公名啓方莊公之子史記云名開諡法在國遭難曰閔

**周** 惠王十六年
**鄭** 文公十二年
**齊** 桓公二十五年○管仲為政
**宋** 桓公二十一年
**晉** 獻公十六年是年晉作二軍
**衛** 懿公八年魯閔公二年狄滅衛宋桓公立衛戴公以廬于曹戴公名申立其年卒而立文公



**蔡** 穆公十四年
**曹** 昭公元年
**滕** 詳見隱公元年
**陳** 宣公三十二年
**杞** 詳見隱公元年及僖公元年
**薛** 魯莊公三十一年薛伯卒
**莒** 詳見隱公元年
**邾** 文公五年
**許** 穆公三十七年
**小邾** 見莊公元年
**楚** 成王十一年○令尹子文為政
**秦** 詳見隱公元年
**吳** 詳見隱公元年
**越** 詳見隱公元年

**經** 元年**庚申**春王正月齊人救邢○夏六月辛酉葬我君莊公○秋八月公及齊侯盟于落姑落姑齊地○季子来歸季子公子友之字季子忠於社稷為國人所思故賢而字之齊侯許納故曰歸 附註 林曰奔陳如郚不書賢季子故全之也○冬齊仲孫来仲孫齊大夫以季出疆因来省難非齊侯命故不稱使也還使齊侯務寧魯難故嘉而字之来者事實省難其志也故經但書仲孫之来而傳尋仲孫之志 音訓 難乃旦反傳同



**傳** 元年春不書即位亂故也國亂不得成禮○狄人伐邢狄伐邢在往年冬管敬仲言於齊侯曰戎狄豺狼不可厭也敬仲管夷吾 附註 林曰戎狄性貪如豺狼然不可得其厭足言狄既逞志於邢又將荐食諸侯 音訓 豺音柴狼音郎厭一鹽反諸夏親暱不可棄也諸夏中國也暱近也宴安酖毒不可懷也以宴安比之酖毒 附註 朱曰縱戎狄而棄諸夏者皆由懷於宴安也 音訓 酖直蔭反詩云豈不懷歸畏此簡書詩小雅也文王為西伯勞来諸侯之詩 音訓 勞力報反来力代反簡書同惡相恤

之謂也（同恤所惡救恤之謂也【附註】林曰同好惡而相救恤之謂也蓋戎狄亂華人所同惡簡書所載不過分災救患爾）請救邢以從簡書齊人救邢○夏六月葬莊公亂故是以緩（十一月乃葬）○秋八月公及齊侯盟于落姑請復季友也（閔公初立國家多難以季子忠賢故請霸主而復之）齊侯許之使召諸陳公次于郎以待之（非師旅之事故不書次）季子來歸嘉之也○冬齊仲孫湫來省難（湫仲孫名【音訓】湫子小反）書曰仲孫亦嘉之也仲孫歸曰不去慶父魯難未已（時慶父亦已還魯【音訓】去起呂反下同）公曰若之何而去之對曰難不已將自斃（斃踣也）君其待之公曰魯可取乎對曰不可猶秉周禮周禮所以本也（【附註】林曰周公典禮所以為立國之本）臣聞之國將亡本必先顛而後枝葉從之魯不棄周禮未可動也君其務寧魯難而親之親有禮因重固（能重能固則當就成之【附註】林曰魯國根本安重堅固因而成就之是因重固）間攜貳（離而相疑者則當因而間之【音訓】間去聲）覆昏亂（覆敗也【音訓】覆芳服反）霸王之器也（霸王所用故以器為喻【音訓】王于況反）○晉侯作二軍（晉本一軍見莊十六年【附註】林曰周制大國三軍次國二軍小國一軍晉本大國自曲沃武公覆滅宗國魯莊公十六年僖王命曲沃伯以一軍為晉侯遂從小國之制今始



作二軍）公將上軍大子申生將下軍趙夙御戎畢萬為右（為公御右也夙趙衰兄畢萬魏犨祖父【音訓】將子匠反【註】衰初危反犨尺由反）以滅耿滅霍滅魏（平陽皮氏縣東南有耿鄉永安縣東北有霍大山三國皆姬姓【音訓】耿古幸反）還為大子城曲沃（【附註】林曰先是莊公二十八年使大子居曲沃蓋未脩城至是始為之增築【音訓】為于偽反）賜趙夙耿賜畢萬魏以為大夫士蔿曰大子不得立矣分之都城而位以卿先為之極又焉得立（位以卿謂將下軍【附註】林曰先為大子之極處又安得復立為後蓋天下事未極則有增已極則無以復加此必然之理【音訓】焉於虔反）不如逃之無使罪至為吳大伯不亦可乎（大伯周大王之適子知其父欲立季歷故讓位而適吳【音訓】大音泰注同）猶有令名與其及也（言雖去猶有令名勝於留而及禍【音訓】令去聲）且諺曰心苟無瑕何恤乎無家天若祚大子其無晉乎（為晉殺申生傳）卜偃曰畢萬之後必大（卜偃晉掌卜大夫）萬盈數也魏大名也（【附註】朱曰魏字之名其義為大）以是始賞天啓之矣天子曰兆民諸侯曰萬民今名之大以從盈數其必有衆（以魏從萬有衆象）初畢萬筮仕於晉遇屯䷂（震下坎上屯）之比䷇（坤下坎上比屯初九變而為比）辛廖占之曰吉（辛廖晉大夫【音訓】廖音聊）屯固比入吉孰大

爲其必蕃昌屯險難所以爲堅固比親密所以得入震爲土車從馬震變爲坤震爲車坤爲馬足居之震爲足兄長之震爲長男[註]長丁丈反[音訓]母覆之坤爲母衆歸之坤爲衆六體不易初一爻變有此六義不可易也合而能固安而能殺公侯之卦也比合屯固坤安震殺故曰公侯之卦[附註]林曰水地比有合之義雲雷屯有固之義以比承屯之變故合而能固比之下卦有坤坤爲土安之象屯之下卦有震震爲雷殺之義以坤承震之變故安而能殺屯之初九曰利建侯比之大象曰建萬國親諸侯亦公侯之卦公侯之子孫必復其始萬畢公高之後傳爲魏之子孫衆多張本[附註]朱曰愚按韓趙魏三家其後共分晉國周威烈王因命爲諸侯左傳載卜筮之事甚多知莊公二十二年



陳敬仲之筮亦此類也然此等或幸而言中又恐好事者追爲之不可盡信

[經]二年[辛酉]春王正月齊人遷陽無傳陽國名蓋齊人偪徙之○夏五月乙酉吉禘于莊公三年喪畢致新死者之主於廟廟之遠主當遷入祧因是大祭以審昭穆謂之禘莊公喪制未闋時別立廟廟成而吉祭又不於大廟故詳書以示譏[音訓]禘大計反[註]祧他彫反闋苦穴反○秋八月辛丑公薨實弑書薨又不地者皆史策諱之○九月夫人姜氏孫于邾哀姜外淫故孫稱姜氏[音訓]孫音遜○公子慶父出奔莒弑閔公故○冬齊高子來盟無傳蓋高傒也齊侯使來平魯亂僖公新立因遂結盟故不稱使也魯人貴之故不書名子男子之美稱[音訓][註]稱尺證反○十有二月狄入衛書入不能有其地例在襄十三

年○鄭棄其師高克見惡久不得還師潰而克奔陳故克狀其事以告魯也[音訓][註]惡烏路反

[傳]二年春虢公敗犬戎于渭汭犬戎西戎別在中國者渭水出隴西東入河水之隈曲曰汭[音訓][註]隈烏回反舟之僑曰無德而祿殃也殃將至矣遂奔晉舟之僑虢大夫[附註]林曰虢公無君人之德而享天祿蓋敗戎斥地必有所獲故總言祿[音訓]僑音喬○夏吉禘于莊公速也○初公傅奪卜齮田公不禁卜齮魯大夫也公即位年八歲知愛其傅而遂成其意以奪齮田齮忿其傅并及公故慶父因之[音訓]齮音蟻秋八月辛丑共仲使卜齮賊公于武闈宮中小門謂之闈[附註][註]林曰賊殺也[音訓]



闈音韋一音暐○成季以僖公適邾僖公閔公庶兄成風之子共仲奔莒乃入立之[附註]林曰季友乃以僖公入魯立之爲君以賂求共仲于莒莒人歸之及密使公子魚請密魯地琅琊費縣北有密如亭公子魚奚斯也[附註]林曰慶父使奚斯請免共死[音訓][註]賁音秘又扶味反不許哭而往共仲曰奚斯之聲也乃縊慶父之罪雖重季子推親親之恩欲同之叔牙存孟氏之族故略其罪不書殺又不書卒閔公哀姜之娣叔姜之子也故齊人立之共仲通於哀姜哀姜欲立之閔公之死也哀姜與知之故孫于邾[音訓]與音預齊人取而殺之于夷以其尸歸爲僖

元年齊人殺哀姜傳夷魯地僖公請而葬之哀姜之罪已重而僖公請其喪還者外欲固齊以居厚內存母子不絕之義為國家之大計○成季之將生也桓公使卜楚丘之父卜之卜楚丘魯掌卜大夫曰男也其名曰友在公之右在右言用事間于兩社為公室輔兩社周社亳社兩社之間朝廷執政所在【音訓】間去聲季氏亡則魯不昌又筮之遇大有䷍乾下離上大有之乾䷀乾下乾上乾大有六五變而為乾曰同復于父敬如君所筮者之辭也乾為君父離變為乾故曰同復於父見敬與君同【附註】朱曰乾為父離為中女大有上離而下乾今變為純乾是與下卦同復于父也乾為君言人之敬季友如敬君也及生有



文在其手曰友遂以命之遂以為名○冬十二月狄人伐衛衛懿公好鶴鶴有乘軒者軒大夫車【音訓】好呼報反鶴戶各反乘如字將戰國人受甲者皆曰使鶴鶴實有祿位余焉能戰【音訓】焉於虔反公與石祁子玦與甯莊子矢使守莊子甯速也玦玉玦【音訓】玦音決守手又反下告守同曰以此贊國擇利而為之贊助也玦示以當決斷矢示以禦難【音訓】圖難乃旦反與夫人繡衣曰聽於二子取其文章順序渠孔御戎子伯為右黃夷前驅孔嬰齊殿傳言衛侯失民有素雖臨事而戒猶無所及及狄人戰于熒澤衛師敗績遂滅衛

此熒澤當在河北君死國敗經不書滅者狄不能赴衛之君臣皆盡無復文告齊桓為之告諸侯言狄已去言衛之存故但以入為文【音訓】熒戶扃反圖復扶又反下復逐同為于偽反衛侯不去其旗是以甚敗【附註】林曰師之耳目在旗衛懿公既敗而不去其旗是以甚敗至君臣皆盡也【音訓】去起呂反藏也一云除也狄人囚史華龍滑與禮孔以逐衛人【附註】林曰華龍滑禮孔衛大史也二人曰我大史也實掌其祭不先國不可得也夷狄畏鬼故恐言當先白神乃先之至則告守曰不可待也守石甯二大夫【附註】林曰乃使二人先歸白神二人至衛則告二大夫之守國者言狄師盛強不可坐而待滅也夜與國人出狄入衛遂從之又敗諸河



衛將東走渡河狄復逐而敗之初惠公之即位也少蓋年十五六【音訓】少詩照反齊人使昭伯烝於宣姜不可強之昭伯惠公庶兄宣公子頑也昭伯不可【附註】林曰宣姜齊女故齊人使烝之【音訓】強其丈反生齊子戴公文公宋桓夫人許穆夫人文公為衛之多患也先適齊【音訓】為于偽反及敗宋桓公逆諸河迎衛敗衆宵濟夜渡畏狄衛之遺民男女七百有三十人益之以共滕之民為五千人共及滕衛別邑立戴公以廬于曹廬舍也曹衛下邑戴公名申立其年卒而立文公【音訓】曹詩作漕音同許穆夫人賦載馳載馳詩衛風也許穆夫人痛衛之亡思歸唁之不可故作詩以

吉志【音訓】【諺】咭音彥 齊侯使公子無虧帥車三百乘
甲士三千人以戍曹 無虧齊桓公子武孟也車甲之賦異於常
故傳別見之【音】【諺】見賢遍反 歸公乘馬祭服五稱牛羊
豕雞狗皆三百與門材 歸遺也四馬曰乘衣單複具曰稱門
材使先立門戶【附註】林曰材木也【音】【諺】稱尺證反狗音苟【諺】遺于季反 歸夫
人魚軒 魚軒夫人車以魚皮為飾 重錦三十兩 重錦錦之熟細
者以二丈雙行故曰兩三十兩三十匹也【音訓】兩去聲 ○鄭人惡高
克使帥師次于河上久而弗召師潰而歸
高克奔陳 高克鄭大夫也好利而不顧其君文公惡之而不能遠故使帥
師而不名【音訓】惡烏路反【諺】好呼報反遠于萬反 鄭人為之賦清



人 清人詩鄭風也刺文公退臣不以道危國亡師之本【音訓】為于偽反 ○晉
侯使大子申生伐東山皐落氏 赤狄別種也皐落其
氏族 里克諫曰大子奉冢祀社稷之粢盛 里克
晉大夫冢大也 以朝夕視君膳者也 膳膳廚 故曰冢
子君行則守有守則從從曰撫軍守曰監
國古之制也 【附註】林曰君有朝會征伐行役之事則代君守國君使大
臣守國則大子從君而行大子從君撫軍言助君鎮撫七卒大子守國蹕曰監
國言代君監臨國家【音訓】從才用反 夫帥師專行謀 帥師者必專謀
軍事 誓軍旅 宣號令也 君與國政之所圖也非大
子之事也 國政正卿 師在制命而已 命將軍所制 稟

命則不威專命則不孝故君之嗣適不可
以帥師 【音訓】適本又作嫡下配適同 君失其官帥師不
威將焉用之 大子統師是失其官也專命則不孝是為師必不威也【音】
【諺】焉於虔反 且臣聞皐落氏將戰君其舍之【附註】
朱曰恐太子戰而被殺傷君何不捨申生勿使往也【音訓】舍音捨下同 公曰
寡人有子未知其誰立焉 【音訓】朱曰不知我死後誰得立
為君者蓋微示其將廢大子之意也 不對而退見大子大子
曰吾其廢乎 【附註】林曰大子亦揣知獻公將廢己故以此為問 對
曰告之以臨民 謂居曲沃 教之以軍旅 謂將下軍 不
共是懼何故廢乎 【附註】林曰言大子當以任大責重不共其職為



懼何故以廢立為懼乎【音訓】共音恭 且子懼不孝無懼弗得
立脩己而不責人則免於難 【音訓】難乃旦反下同 大
子帥師公衣之偏衣 偏衣左右異色其半似公服【音訓】公衣於 佩之金玦 以金為玦 狐
既反下衣身之偏衣之純衣之尨服註衣之同 突御戎先友為右 狐突伯行重耳外祖父也為申生御申生以大
子將上軍 梁餘子養御罕夷先丹木為右 罕夷晉下
軍卿也梁餘子養為罕夷御 羊舌大夫為尉 羊舌大夫叔向祖父
也尉軍尉 先友曰衣身之偏 偏半也 握兵之要 謂珮
金玦將上軍 在此行也子其勉之偏躬無慝 分身
衣之半非惡意也【附註】朱曰分君身之半以衣之非惡意也 兵要遠災

威權在已可以遠害【音訓】遠于萬反下同親以無災又何患焉【附註】朱曰分半衣以親之又遠災害無所憂患也狐突嘆曰時事之徵也數以先友為不知君心衣身之章也章貴賤佩衷之旗也旗表也所以表明其中心故敬其事則命以始賞以春夏【附註】林曰謂君若敬大子之事則賞以春夏當命以四時之始服其身則衣之純必以純色為服用其衷則佩之度衷中也佩玉者士君子常度【附註】林曰謂君若用大子之士心則當佩之玉以得士君子之常度今命以時卒閟其事也冬十二月閟盡之時【附註】朱曰令不命以始而命之於冬十二月乃時之終也衣之尨服遠其躬也尨雜色【附註】林曰衣大子尨雜色之衣服離遠其躬也非所謂服【音訓】尨莫江反佩以金玦棄其衷也服以遠之時以閟之尨涼冬殺金寒玦離胡可恃也寒涼殺離言無溫潤玦如環而缺不連【附註】朱曰服用尨雜則有涼薄之意時用窮冬則有肅殺之意金屬秋方其性剛而寒玦者訣也有離別之意雖欲勉之狄可盡乎梁餘子養曰帥師者受命於廟受脤於社脤宜社之肉盛以脤器【音訓】脤市軫反【註】盛音成有常服矣不獲而尨命可知也韋弁服軍之常也尨偏衣【附註】朱曰君命如此其意可知死而不孝不如逃之【附註】林曰雖死而使父有殺子之名猶為不孝罕夷曰尨奇無常雜色奇怪非常之服金玦不復雖復何為君有心矣有害大子之心



先丹木曰是服也狂夫阻之阻疑也言雖狂夫猶知有疑【音訓】阻莊呂反曰盡敵而反曰公辭敵可盡乎雖盡敵猶有內讒不如違之違去也狐突欲行行亦去也羊舌大夫曰不可違命不孝棄事不忠雖知其寒惡不可取子其死之寒薄也【附註】朱曰雖知君心寒薄然而去之則是取不孝不忠之惡名大子將戰狐突諫曰不可昔辛伯諗周桓公諗告也事在桓十八年【音訓】諗音審云內寵並后外寵二政嬖子配適大都耦國亂之本也周公弗從故及於難今亂本成矣驪姬為內寵二五為外寵奚齊為嬖子曲沃為大都故曰亂本成矣立可必乎孝而安民子其圖之奉身為孝不戰為安民與其危身以速罪也有功益見害故言孰與危身以召罪○成風聞成季之繇乃事之成風莊公之妾僖公之母也繇卦兆之占辭【音訓】繇音胄而屬僖公焉【音訓】屬音燭故成季立之○僖之元年齊桓公遷邢于夷儀二年封衛于楚丘邢遷如歸衛國忘亡忘其滅亡之困○衛文公大布之衣大帛之冠大布麤布大帛厚繒蓋用諸侯諒闇之服【音訓】【註】繒疾陵反務材訓農【附註】朱曰畜積木材教訓農事通商惠工加惠於百工賞其利器用敬教勸學【附註】朱曰敬重五教勸勉為學授方任能方百事之宜也

元年革車三十乘季年乃三百乘衛文公以此年冬立齊桓公始平魯亂故傳因言齊之所以霸衛之所由與革車兵車季年在僖二十五年蓋招懷逆散故能致十倍之衆【音訓】【註】逆禁靜反



春秋經傳集解卷第四



# 春秋經傳集解卷第五

杜氏 盡十五年

諸家註音訓附

## 僖公上

公名申莊公之子閔公之兄謚法小心畏忌曰僖

【周】惠王十八年魯僖公八年惠王崩子襄王立

【鄭】文公十四年魯僖公三十二年文公卒子穆公蘭立

【齊】桓公二十七年魯僖公十七年桓公卒寺人貂作亂立無虧僖十八年殺無虧孝公昭立僖二十七年孝公卒弟昭公潘立

【宋】桓公二十三年魯僖公九年桓公卒子襄公茲父立僖十九年盟于曹南○宋襄公圖霸僖二十一年爲鹿上之盟以求諸侯於楚僖二十二年及楚戰敗于泓二十三年襄公卒子成公王臣立



【晉】獻公十八年魯僖公九年獻公卒子奚齊立冬殺奚齊卓子立僖十年弑卓子惠公夷吾立僖二十三年惠公卒懷公圉立僖二十四年殺懷公文公重耳立僖二十八年使先軫將中軍敗楚人于城濮合諸侯于踐土○晉文公主霸魯僖公三十二年文公卒子襄公驩立僖三十三年敗秦于殽○晉襄公繼霸是年敗狄于箕先軫卒先且居將中軍

【衛】文公元年魯僖公二十五年文公卒子成公立僖二十八年成公奔楚衛元咺奉叔武以受盟于踐土衛成復歸殺叔武晉入執衛侯衛元咺立公子瑕僖三十年殺瑕衛成公歸衛

【蔡】穆侯十六年魯僖公十四年穆公卒子莊公甲午立

【曹】昭公三年魯僖公七年昭公卒子共公襄立僖二十八年晉文公執曹伯畀宋人是年曹伯歸曹

【滕】詳見隱公元年魯僖公十九年宋執滕宣公

【陳】宣公三十四年魯僖公十二年宣公卒子穆公款立僖二十八年穆公卒子共公朔立

【杞】杜氏年表武公二十九年入春秋至僖公二十三年始載杞成公卒弟桓公姑容立而致之史記自武公靖公共公德公至桓公姑容立共九十六年而無成公一代世本譙周索隱徐廣所說又云惠公生成公桓公各有互異又如春秋所書隱四年伐杞桓二年來朝三年會杞莊二十五年伯姬歸杞傳並不載何公今但當以左傳所載桓公及杜氏年表為正

【薛】魯莊公三十一年載薛伯卒

【莒】詳見隱公元年魯僖公二十六年傳見莒茲丕公

【邾】文公七年

【許】穆公三十九年魯僖公四年穆公卒于師僖公業立

【小邾】魯莊公五年書郳黎來至魯僖公七年始書小邾子始爵命也自郳黎來為小邾子天下無未命諸侯矣

【楚】成王十三年魯僖公元年始書楚僖四年齊桓公服楚屈完僖三十二年楚敗宋于泓皆子文為令尹時也僖三十三年子文使子玉為令尹僖二十八年晉敗楚于城濮

【秦】穆公元年魯僖公十五年戰韓始見經傳二十四年納晉文公僖三十三年晉襄公敗秦于殽遂成秦晉七十二年兵爭之始

【吳】詳見隱公元年

【越】詳見隱公元年

【經】元年【壬戌】春王正月齊師宋師曹師次于聶北救邢齊帥諸侯之師救邢次于聶北者案兵觀釁以待事也次例在莊三年聶北邢地【音訓】聶音攝○夏六月邢遷于夷儀邢遷如歸故以自遷為辭夷儀邢地○齊師宋師曹師城邢傳例曰救患分災禮也一事而再列三國於文不可言諸侯師故○秋七月戊辰夫人姜氏薨于夷齊人以歸傳在閔二年不言齊人殺諱之書地者明在外薨○楚人伐鄭荊始改號曰楚○八月公會齊侯宋公鄭伯曹伯邾人于檉檉宋地陳國陳縣西北有檉城公及其會而不書盟還不以盟告【附註】林曰衣裳之會六【音訓】檉勅呈反○九月公敗邾師于偃偃邾地○冬十月壬午公子友帥師敗莒師于酈獲莒挐酈魯地挐莒子之弟不書弟者非卿非卿則不應書嘉季友之功故特書其所獲大夫生死皆曰獲獲例在昭二十三年【音訓】酈音離挐女居反又女加反○十有二月丁巳夫人氏之喪至自齊僖公請而葬之故告於廟而書喪至也齊侯既殺哀姜以其尸歸絕之於魯僖公請其喪而還不稱姜闕文

【傳】元年春不稱即位公出故也國亂身出復入故即位之禮有闕【音訓】【註】復扶又反公出復入不書諱之也諱

國惡禮也（掩惡揚善義存君親故通有諱例皆當時臣子率意而隱故無深淺常准聖賢從之以通人理有時而聽之可也）○諸侯救邢（實大夫而曰諸侯摠衆國之辭）邢人潰出奔師（奔聶北之師也邢潰不書不告也）師遂逐狄人具邢器用而遷之師無私焉（皆撰具還之無所私取〔附註〕林曰具邢器用如歸衛祭服牛羊豕雞狗門材魚軒乘馬重錦之類〔音訓〕〔註〕撰仕眷反又仕轉反）○夏邢遷于夷儀諸侯城之救患也凡侯伯救患分灾討罪禮也（侯伯州長也分穀帛〔附註〕林曰分穀帛以別灾灾〔音訓〕分甫問反又如字〔註〕長丁丈反）○秋楚人伐鄭鄭即齊故也盟于犖謀救鄭也（犖即檉也地有二名）○九月公敗邾

左傳五　四

師于偃虛丘之戍將歸者也（虛丘邾地邾人既送哀姜還齊因戍虛丘欲以侵魯公以義求齊齊送姜氏之喪邾人懼乃歸故公要而敗之〔音訓〕〔註〕要於遙反）○冬莒人來求賂（求還慶父之賂）公子友敗諸酈獲莒子之弟拏非卿也嘉獲之也（莒既不能為魯討慶父受魯之賂而又重來其求無厭故嘉季友之獲而書之〔音訓〕為于偽反重直用反〔註〕厭於鹽反）公賜季友汶陽之田及費（汶陽田汶水北地汶水出泰山萊蕪縣西入濟）○夫人氏之喪至自齊君子以齊人之殺哀姜也為已甚矣女子從人者也（言女子有三從之義在夫家有罪非父母家所宜討也）

〔經〕二年〔癸亥〕春王正月城楚丘（楚丘衛邑不言城衛衛未遷〔附註〕林曰以魯辭書之不以封衛累齊桓公也以為天下之公義也觀木瓜以美齊定中以美衛則春秋書楚丘以善辭居然可知矣）○夏五月辛巳葬我小君哀姜（無傳反哭成喪故稱小君例在定十五年）○虞師晉師滅下陽（下陽虢邑在河東大陽縣晉於此始赴見經滅例在襄十三年〔音訓〕〔註〕大音泰一音如字見賢遍反）○秋九月齊侯宋公江人黃人盟于貫（貫宋地梁國蒙縣西北有貰城貰與貫字相似江國在汝南安陽縣〔附註〕林曰衣裳之會不在九合之數〔音訓〕〔註〕貰市夜反又音世）○冬十月不雨（傳在三年）○楚人侵鄭

〔傳〕二年春諸侯城楚丘而封衛焉（君死國滅故傳言封）不書所會後也（諸侯既罷而魯後至諱不及期故以獨城為文）○晉荀息請以屈產之乘與垂棘之璧假道於虞以伐虢（荀息荀叔也屈地生良馬垂棘出美玉故以為名四馬曰乘自晉適虢途出於虞故借道〔音訓〕乘繩證反）公曰是吾寶也對曰若得道於虞猶外府也（〔附註〕林曰府庫也言以璧馬與虞終必滅虞而取之猶寄之在外之府庫必無所失）公曰宮之奇存焉（宮之奇虞忠臣）對曰宮之奇之為人也懦而不能強諫（懦弱也〔音訓〕強其良反又其丈反）且少長於君（〔附註〕林曰宮之奇自少長養於公宮〔音訓〕少詩照反長丁丈反）君暱之雖諫將不聽（親而狎之必輕其言〔音訓〕暱女乙反）乃使荀息假

左傳五　五

道於虞曰冀為不道入自顛軨伐鄍三門前是冀伐虞至鄍鄍虞邑河東大陽縣東北有顛軨坂【音訓】軨音零鄍音冥【諺】坂音反冀之既病則亦唯君故言虞報伐冀使冀病將欲假道故稱虞彊以說其心冀國名平陽皮氏縣東北有冀亭【附註】朱曰使冀受病者以虞公能報伐故也【諺】說音悅【音】今虢為不道保於逆旅逆旅客舍也虢稍遣人分依客舍以聚衆抄晉邊邑【音訓】【諺】抄初孝反又楚稍反強取物以侵敝邑之南鄙敢請假道以請罪于虢問虢伐己以何罪虞公許之且請先伐虢喜於厚賂而欲求媚宮之奇諫不聽遂起師夏晉里克荀息帥師會虞師伐虢滅下陽晉猶主兵不信虞先書



虞賄故也虞非倡兵之首而先書之惡貪賄也【音訓】【諺】惡烏路反○秋盟于貫服江黃也江黃楚與國也始來服齊故為合諸侯【音】【諺】為于偽反○齊寺人貂始漏師于多魚寺人內奄官豎貂也多魚地名闕齊桓多嬖寵內則如夫人者六人外則幸豎貂易牙之等終以此亂國傳言貂於此始擅貴寵漏洩桓公軍事為齊亂張本【音訓】寺如字又音侍貂音彫【諺】豎上主反虢公敗戎于桑田桑田虢地在弘農陝縣東北晉卜偃曰虢必亡矣亡下陽不懼而又有功是天奪之鑒鑒所以自照【附註】朱曰鑒鏡也言天奪虢公之鑒無以照見吉凶而益其疾也驕則生疾必易晉而不撫其民矣不可以五稔稔熟也為下五年晉滅虢張本【音訓】

易以豉反稔入審反○冬楚人伐鄭鬭章囚鄭聃伯經書侵傳言伐本以伐興權行侵掠為後年楚伐鄭鄭伯欲成張本【音訓】【諺】掠音亮

【經】三年【甲子】春王正月不雨夏四月不雨一時不雨則書首月傳例曰不曰旱不為災○徐人取舒無傳徐國在下邳僮縣東南舒國今廬江舒縣勝國而不用大師亦曰取例在襄十三年【附註】林曰舒楚之同類詩所謂荊舒者也徐附齊故為齊取楚之與國【音訓】【諺】邳皮悲反僮音童○六月雨示旱不竟夏○秋齊侯宋公江人黃人會于陽穀陽穀齊地在東平須昌縣北【附註】林曰衣裳之會不在九合之數○冬公子友如齊涖盟涖臨也【附註】林曰吾君大夫如齊自僖之初年始前此適他邦必有故也○楚人伐鄭



【傳】三年春不雨夏六月雨自十月不雨至于五月不曰旱不為災也周六月夏四月於播五穀無損○秋會于陽穀謀伐楚也二年楚侵鄭故○齊侯為陽穀之會來尋盟冬公子友如齊涖盟公時不會陽穀故齊侯自陽穀遣人詣魯求尋盟魯使上卿詣齊受盟謙也【音訓】為于偽反○楚人伐鄭鄭伯欲成孔叔不可曰齊方勤我孔叔鄭大夫勤恤鄭難【音訓】【諺】難乃旦反棄德不祥祥善也○齊侯與蔡姬乘舟于囿蕩公蔡姬齊侯夫人蕩搖也囿苑也蓋魚池在苑中【附註】林曰蕩搖齊桓公之舟公懼變色禁之不可【附註】林曰禁止蔡姬姬不肯從公怒歸之未

絕之也蔡人嫁之為明年齊侵蔡傳

【經】四年【乙丑】春王正月公會齊侯宋公陳侯衛侯鄭伯許男曹伯侵蔡蔡潰民逃其上曰潰例在文三年遂伐楚次于陘遂兩事之辭楚強齊欲綏之以德故不速進而次陘陘楚地潁川召陵縣南有陘亭○夏許男新臣卒未同盟而赴以名【附註】林曰即許叔也○楚屈完來盟于師盟于召陵屈完楚大夫也楚子遣完如師以觀齊之盛大因而求盟故不稱使以完來盟為文齊桓退舍以禮楚故盟召陵潁川縣也○齊人執陳轅濤塗轅濤塗陳大夫【音訓】轅音袁○秋及江人黃人伐陳受齊命討陳之罪而以與謀為文者時齊不行使魯為主與謀例在宣七年【音訓】【註】與音預○八



月公至自伐楚無傳告于廟○葬許穆公○冬十有二月公孫茲帥師會齊人宋人衛人鄭人許人曹人侵陳公孫茲叔牙子叔孫戴伯

【傳】四年春齊侯以諸侯之師侵蔡蔡潰【附註】林曰齊桓公霸諸侯攘夷狄尊天子蔡自北杏一與中國之會而棄我諸侯甘心黨楚故齊帥諸侯伐楚而先事侵蔡蔡潰者先披楚之黨也遂伐楚楚子使與師言曰君處北海寡人處南海唯是風馬牛不相及也楚界猶未至南海因齊處北海遂稱所近牛馬風逸蓋末界之微事故以取喻【附註】林曰風逸牝牡相誘曰風言雖馬牛風逸牝牡相誘亦不相及齊楚遠不相干也不虞君之涉吾地也何故

管仲對曰昔召康公命我先君大公召康公周大保召公奭也【音訓】【註】奭音釋曰五侯九伯女實征之以夾輔周室五等諸侯九州之伯皆得征討其罪齊桓因此命以夸楚【音訓】女音汝夾古洽反舊古協反【註】夸古瓜反賜我先君履東至于海西至于河南至于穆陵北至于無棣穆陵無棣皆齊竟也履所踐履之界齊桓又因以自言其盛【附註】林曰索隱曰無棣在遼西孤竹服虔以為大公受封竟界所至不然也蓋言其征伐所至之域也愚按是時管仲相齊子文相楚正是的對楚既以地何故為問則齊不應歷言受封境界以自狄當以征討所至為正【音訓】棣大計反【註】竟音境下皆同爾貢包茅不入王祭不共無以縮酒寡人是徵包裹束也



茅菁茅也束茅而灌之以酒為縮酒尚書包匭菁茅茅之為異未審【附註】林曰徵亦問也【音訓】共音恭下同縮所六反【註】菁子丁反匭音軌昭王南征而不復寡人是問昭王成王之孫南巡守涉漢船壞而溺周人諱而不赴諸侯不知其故故問之對曰貢之不入寡君之罪也敢不共給昭王之不復君其問諸水濱昭王時漢非楚竟故不受罪【音訓】濱音賓師進次于陘楚不服罪故復進師【附註】林曰楚語云先君蚡冒之所以服陘隰也陘必為楚之要地故齊以諸侯之師進而擬之焉【音訓】【註】復扶又反夏楚子使屈完如師如陘之師觀強弱師退次于召陵完請盟故齊侯陳諸侯之師與屈完乘而觀之乘共載【音訓】乘繩證反齊侯曰

豈不穀是爲先君之好是繼與不穀同好如何言諸侯之附從非爲己乃尋先君之好謙而自廣因求與楚同好孤寡不穀諸侯謙稱音訓爲于僞反好呼報反稱尺證反對曰君惠徼福於敝邑之社稷附註朱曰徼求也言齊君惠我楚國肯與同好則楚國社稷之神必福齊也音訓徼古堯反辱收寡君寡君之願也齊侯曰以此衆戰誰能禦之以此攻城何城不克對曰君若以德綏諸侯誰敢不服君若以力楚國方城以爲城漢水以爲池方城山在南陽葉縣南以言竟上之遠漢水出武都至江夏南入江言其險固以當城池音訓圖葉始涉反當丁浪反雖衆無所用之屈完

左傳五　十

及諸侯盟○陳轅濤塗謂鄭申侯曰師出於陳鄭之間國必甚病申侯鄭大夫當有共給之費故音訓圖費芳味反若出於東方觀兵於東夷循海而歸其可也東夷郯莒徐夷也觀兵示威音訓觀音貫圖郯音談申侯曰善濤塗以告齊侯許之許出東方申侯見音訓見賢遍反曰師老矣若出於東方而遇敵懼不可用也附註朱曰恐吾師老不可用以戰鬭若出於陳鄭之間共其資糧屝屨其可也屝草屨音訓屝音翡齊侯說與之虎牢還以鄭邑賜之音訓說音悅執轅濤塗附註朱曰爲明年濤塗譖申侯張本○秋伐陳討不忠也以濤塗爲

誤軍道○許穆公卒于師葬之以侯禮也男爵以侯禮加一等凡諸侯薨于朝會加一等諸侯命有三等公爲上等侯伯爲中等子男爲下等死王事加二等謂以死勤事於是有以袞斂袞衣公服也謂加二等音訓袞古本反○冬叔孫戴伯帥師會諸侯之師侵陳陳成歸轅濤塗陳服罪故歸其大夫戴謚也○初晉獻公欲以驪姬爲夫人卜之不吉筮之吉公曰從筮卜人曰筮短龜長不如從長物生而後有象象而後有滋滋而後有數龜象筮數故象長數短附註林曰象在先數在後故以先爲長以後爲短朱曰卜人欲公從卜故托言筮短龜長其實龜筮無分長短且其繇

左傳五　廿一

曰專之渝攘公之羭繇卜兆辭渝變也攘除也羭美也言變乃除公之美附註林曰言獻公專愛驪姬必將改變其心專寵之變將奪公之所美也蓋指申生言奪公之嫡也音訓羭音俞一薰一蕕十年尚猶有臭薰香草蕕臭草十年有臭言善易消惡難除附註林曰薰譬申生之徒蕕譬驪姬之黨言香臭共處則香不勝臭猶善不勝惡音訓蕕音猶圖易以豉反必不可弗聽立之生奚齊其娣生卓子及將立奚齊既與中大夫成謀附註林曰中大夫里克也獻公欲廢大子憚里克未敢廢里克曰中立其免乎是成謀也姬謂大子曰君夢齊姜必速祭之齊姜大子母言求食大子祭于曲沃歸胙于公胙祭之酒肉公田附註朱曰時獻公適出田

獵姬寘諸宮六日公至毒而獻之毒酒經宿輒敗而經六日明公之惑公祭之地地墳〔附註〕林日驪姬謂公酒食自外來不可不試故令公祭地毒酒至地地為墳起〔音訓〕墳音汾與犬犬斃與小臣小臣亦斃〔附註〕林日又以其肉與犬食之中毒而死又以酒肉與小臣食之亦中毒而死姬泣曰賊由大子大子奔新城新城曲沃公殺其傅杜原款〔音訓〕款若管反或謂大子子辭君必辯焉以六日之狀自理大子曰君非姬氏居不安食不飽我辭姬必有罪君老矣吾又不樂吾自理則姬死姬死則君必不樂不樂為由吾也〔音訓〕樂音洛曰子其行乎大子曰君實不察其罪



〔附註〕朱日言獻公不知我實無罪而信姬氏之讒謂我欲弒君被此名也以出人誰納我十二月戊申縊于新城姬遂譖二公子曰皆知之〔附註〕林日言二公子皆知大子置毒之謀重耳奔蒲夷吾奔屈二子時在朝為明年晉殺申生傳

〔經〕五年〔丙寅〕春晉侯殺其世子申生稱晉侯惡用讒書春從告〔音訓〕〔註〕惡烏路反○杞伯姬來朝其子無傳伯姬來寧寧成風也朝其子者時子年在十歲左右因有諸侯子得行朝義而卒不成朝禮故繫於母而曰朝其子○夏公孫茲如牟叔孫戴伯娶於牟卿非君命不越竟故奉公命聘於牟因自為逆〔附註〕林日牟小國〔音訓〕〔註〕竟音境為于偽反○公及齊侯宋公陳侯衛侯鄭伯許男曹伯會王世子于首止惠王大子鄭也不名而殊會尊之也首止衛地陳留襄邑縣東南有首鄉〔附註〕林日衣裳之會七殊會世子不以世子儕於諸侯所以定世子也秋八月諸侯盟于首止間無異事復稱諸侯者王世子不盟故也王之世子尊與王同齊桓行霸翼戴天子尊崇王室故殊貴世子〔音訓〕〔註〕復扶又反鄭伯逃歸不盟逃其師而歸也逃例在文三年○楚人滅弦弦子奔黃弦國在弋陽軑縣東南〔音訓〕〔註〕軑音大○九月戊申朔日有食之無傳○冬晉人執虞公虞公貪璧馬之寶距絕忠諫稱人以執同於無道於其民之例例在成十五年所以罪虞且言易也晉侯修虞之祀而歸其職貢於王故不以滅同姓為譏〔音訓〕〔註〕易以豉反

〔傳〕五年春王正月辛亥朔日南至周正月今十一



月冬至之日日南極公既視朔遂登觀臺以望而書禮也視朔親告朔也觀臺臺上構屋可以遠觀者也朔日冬至曆數之所始治曆者因此則可以明其術數審別陰陽叙事訓民魯君不能常修此禮故善公之得禮〔音訓〕觀音貫臺以望絕句〔註〕別彼列反凡分至啓閉必書雲物分春秋分也至冬夏至也啓立春立夏閉立秋立冬雲物氣色災變也傳重申周典不言公者日官掌其職〔音訓〕〔註〕重直用反為備故也素察妖祥逆為之備○晉侯使以殺大子申生之故來告釋經必須告乃書初晉侯使士蔿為二公子築蒲與屈不慎置薪焉不謹慎〔附註〕林日寘薪於土雜而築之不堅實〔音訓〕為于偽反下乃為同夷吾訴之公使讓之譴讓士蔿

稽首而對曰臣聞之無喪而慼憂必讎焉讎猶對也無戎而城讎必保焉保而守之寇讎之保【附註】林曰言若不堅築則守官而慶君之命又何慎焉守官廢命不敬固讎之保不忠失忠與敬何以事君詩云懷德惟寧宗子惟城詩大雅懷德以安則宗子之固若城君其修德而固宗子何城如之言城不如固宗子三年將尋師焉焉用慎尋用也【附註】林曰蓋當時驪姬欲殺二公子之謀已露【音訓】焉用於虔反退而賦曰狐裘尨茸一國三公吾誰適從士蔿自作詩也尨茸亂貌公與二公子為三言城不堅則為公子所訴為公所讓堅之則為固讎不忠無以事君故不知



所從【附註】林曰以狐腋為裘貴者之裘也尨茸亂貌言貴者之多蒲屈大部耦國故獻公與二公子鼎立為三公朱曰言以狐皮為裘其毛亂雜以與下句之意【音訓】尨莫江反又音蒙如容反又音戎茸及難公使寺人披伐蒲【音訓】難乃旦反披普皮反重耳曰君父之命不校【附註】林曰言披以君父之命來伐不敢與校強弱勝負【音訓】校音教下同乃徇曰校者吾讎也踰垣而走披斬其袪遂出奔翟袪袂也【音訓】袪起魚反翟音狄【諺】袂面世反○夏公孫茲如牟娶焉因聘而娶故傳實其事○會于首止會王大子鄭謀寧周也惠王以惠后故將廢大子鄭而立王子帶故齊桓帥諸侯會王大子以定其位○陳轅宣仲怨鄭申侯之反已

於召陵宣仲轅濤塗故勸之城其賜邑齊桓所賜虎牢曰美城之大名也【附註】林曰城虎牢而美設樓櫓之備可以存莫大之名子孫不忘吾助子請乃為之請於諸侯而城之美【音訓】樓櫓之備美設【諺】櫓音魯遂譖諸鄭伯曰美城其賜邑將以叛也申侯由是得罪為七年鄭殺申侯傳○秋諸侯盟王使周公召鄭伯曰吾撫女以從楚輔之以晉可以少安周公宰孔也王恨齊桓定大子之位故名鄭伯使叛齊也晉楚不服於齊故以鎮安鄭【音訓】女音汝鄭伯喜於王命而懼其不朝於齊也故逃歸不盟孔叔止之曰國君不可以輕



輕則失親孔叔鄭大夫親黨援也【音訓】輕遣政反失親患必至病而乞盟所喪多矣君必悔之【音訓】喪息浪反弗聽逃其師而歸【附註】林曰君行師從時鄭文公已會首止故逃其師而歸○楚鬬穀於菟滅弦弦子奔黃於是江黃道栢方睦於齊皆弦姻也姻外親也道國在汝南安陽縣南栢國名汝南西平縣有栢亭弦子恃之而不事楚又不設備故亡○晉侯復假道於虞以伐虢【音訓】復扶又反宮之奇諫曰虢虞之表也【附註】林曰以虢為表以虞為裏言虢為虞之外護虢亡虞必從之晉不可啓寇不可翫翫習也【附註】林曰晉心無厭不可開啓晉兵為寇不

可翫習一之謂甚其可再乎為二年假晉道滅下陽諺
所謂輔車相依脣亡齒寒者其虞虢之謂
也[音訓]輔類輔車牙車車尺奢反公曰晉吾宗也豈害我
哉對曰大伯虞仲大王之昭也大伯不從
是以不嗣大伯虞仲皆大王之子不從父命俱讓適吳仲雍支子別封西
吳虞公其後也穆生昭昭生穆以世次計故大伯虞仲於周為昭虢仲虢
叔王季之穆也王季者大伯虞仲之母弟也虢仲虢叔王季之子文
王之母弟也仲叔皆虢君字為文王卿士勳在王室藏
於盟府盟府司盟之官將虢是滅何愛於虞且虞
能親於桓莊乎其愛之也桓莊之族何罪

左傳五　廿六

而以為戮不唯偪乎桓叔莊伯之族晉獻公之從祖昆弟獻公
患其偪盡殺之事在莊二十五年[附註]林曰桓叔莊伯之子孫皆獻公之曾祖父母
祖父母之黨也言晉若有愛祖宗之心桓莊二公之子孫以何得罪於獻公獻公圍
聚盡殺親以寵偪猶尚害之況以國乎[附註]林曰
至親而以恃寵偪害晉國獻公猶尚盡殺害之況以虞有一國之寵利晉豈無并吞
虞公之心公曰吾享祀豐絜神必據我據猶安也對
曰臣聞之鬼神非人實親惟德是依故周
書曰皇天無親惟德是輔周書逸書又曰黍稷
非馨明德惟馨馨香之遠聞又曰民不易物惟
德繄物黍稷牲玉無德則不見饗有德則見饗言物一而異用[附註]林曰民

不易物以祭而神有享有不享者惟有德則是物而神享之無德則雖有其物而神
不享[音訓]繄烏兮反是也如是則非德民不和神不享
矣神所馮依將在德矣[音訓]馮皮冰反下注同若晉
取虞而明德以薦馨香神其吐之乎弗聽
許晉使[音訓]使所吏反宮之奇以其族行行去也曰
虞不臘矣臘歲終祭衆神之名在此行也晉不更舉
矣不更舉兵[附註]林曰言將滅虢而遂事滅虞八月甲午晉侯
圍上陽上陽虢國都在弘農陝縣東南問於卜偃曰吾其
濟乎對曰克之公曰何時對曰童謠云丙
之晨龍尾伏辰龍尾尾星也日月之會曰辰日在尾故尾星伏不見

左傳五　廿七

[音訓][圖]見賢遍反均服振振取虢之旂戎事上下同服振振
盛貌旂軍之旌旗[音訓]振音真旗司馬公曰當與詩庭燎旂字皆叶句音芹鶉
之賁賁天策焞焞火中成軍虢公其奔鶉鶉
火星也賁賁鳥星之體也天策傅說星時近日星微焞焞無光曜也言丙子平旦鶉
火中軍事有成功也此已上皆童謠言也童齔之子未有念慮之感而會成嬉戲之
言似若有馮者其言或中或否博覽之士能懼思之人兼而志之以為鑒戒以為將
來之驗有益於世教[音訓]鶉述春反又常倫反賁音奔焞他門反[圖]說音悅上時掌
反齔初問反又恥問反毀齒也中丁仲反其九月十月之交乎
以星驗推之知九月十月之交謂夏之九月十月也交晦朔交會丙子旦
日在尾月在策是夜日月合朔於尾月行疾故至旦而過在策鶉

火中必是時也冬十二月丙子朔晉滅虢虢公醜奔京師不書不告也周十二月夏之十月【附註】朱曰醜虢公名也皆如童謠之言然所謂童謠者恐無此理恐好事者附會為之未可信也師還館于虞遂襲虞滅之執虞公及其大夫井伯以媵秦穆姬秦穆姬晉獻公女送女曰媵以屈辱之而修虞祀且歸其職貢於王虞所命祀故書曰晉人執虞公罪虞且言易也

【經】六年【丁卯】春王正月○夏公會齊侯宋公陳侯衛侯曹伯伐鄭圍新城新城鄭新密今滎陽密縣○秋楚人圍許楚子不親圍以圍者告【附註】林曰夷狄始圍中國諸侯遂救許皆伐鄭之諸侯故不復更敘○冬公至自伐鄭無傳

左傳五　十八

【傳】六年春晉侯使賈華伐屈夷吾不能守盟而行賈華晉大夫非不欲校力不能守言不如重耳之賢【附註】林曰乃與屈人盟必不背己而去將奔狄郤芮曰後出同走罪也嫌與重耳同謀而相隨【音訓】郤去逆反不如之梁梁近秦而幸焉乃之梁以梁為秦所親幸秦既大國且穆姬在焉故欲因以求入○夏諸侯伐鄭以其逃首止之盟故也首止盟在五年圍新密鄭所以不時城也實新密而經言新城者鄭以非時興土功齊桓聲其罪以告諸侯○秋楚子圍許以救鄭【附註】林曰圍許以救鄭者攻其所必救也諸侯救許乃還○冬蔡穆侯將許僖公以見楚子於武城楚子退舍武城猶有忿志而諸侯各罷兵故蔡將許君歸楚武城楚地在南陽宛縣北【附註】朱曰蔡楚黨故使許僖公降楚【音訓】見賢遍反【註】宛於元反許男面縛銜璧大夫衰經士輿櫬縛手於後唯見其面以璧為贄故銜之櫬棺也將受死故衰經【附註】林曰君將受死故使大夫衰經從有喪者之服【音訓】衰音催櫬初覲反楚子問諸逢伯逢伯楚大夫【附註】林曰問以受降之禮對曰昔武王克殷微子啟如是微子啟紂庶兄宋之祖也武王親釋其縛受其璧而祓之祓除凶之禮【音訓】祓音弗焚其櫬禮而命之使復其所楚子從之

左傳五　十九

【經】七年【戊辰】春齊人伐鄭○夏小邾子來朝無傳郳黎來始得王命而來朝也邾之別封故曰小邾【附註】林曰小邾始書子自郳黎來為小邾子而天下無求命諸侯自晉處父為陽處父而天下無未命大夫○鄭殺其大夫申侯申侯鄭卿專利而不厭故稱名以殺罪之也例在文六年【音訓】【註】厭於鹽反○秋七月公會齊侯宋公陳世子款鄭世子華盟于甯母高平方與縣東有泥母亭音如甯【附註】林曰衣裳之會八【音訓】母如字又音無○曹伯班卒無傳五年同盟于首止○公子友如齊無傳罷盟而聘謝不敏也○冬葬曹昭公無傳

【傳】七年春齊人伐鄭【附註】朱曰去年伐鄭而楚救之故今年復伐之也孔叔言於鄭伯曰諺有之曰心則不

競何憚於病競強也憚難也【附註】林曰言心既不能自強何畏難於早弱之病【音訓】註難乃旦反此年及八年經傳並同既不能強又不能弱所以斃也國危矣請下齊以救國【音訓】下戶嫁反公曰吾知其所由來矣姑少待我欲以申侯說對曰朝不及夕何以待君【附註】朱曰言鄭國之危朝不保暮將復何爲而少待之○夏鄭殺申侯以說于齊【附註】朱曰鄭以逃盟之罪歸于申侯而殺之以說于齊而乞降【音訓】說如字且用陳轅濤塗之譖也濤塗譖在五年初申侯申出也姊妹之子爲出有寵於楚文王文王將死與之璧使行曰唯我知女【音訓】女音汝下皆同女專利



而不厭予取予求不女疵瑕也從我取從我求我不以女爲罪釁【音訓】疵似斯反又疾移反後之人將求多於女謂嗣君也求多以禮義大望責之女必不免我死女必速行無適小國將不女容焉政狹法峻既葬出奔鄭又有寵於厲公子文聞其死也曰古人有言曰知臣莫若君弗可改也已○秋盟于寗母謀鄭故也管仲言於齊侯曰臣聞之招攜以禮懷遠以德攜離也德禮不易無人不懷齊侯修禮於諸侯諸侯官受方物諸侯官司各於齊受其方所當貢天子之物鄭伯使大子華聽

命於會言於齊侯曰洩氏孔氏子人氏三族實違君命三族鄭大夫若君去之以爲成【音訓】去起呂反我以鄭爲內臣君亦無所不利焉以鄭事齊如封內臣【附註】朱曰蓋子華欲乘間以褻國也齊侯將許之管仲曰君以禮與信屬諸侯而以姦終之無乃不可乎【音訓】屬音燭子父不奸之謂禮【附註】朱曰爲子而不犯父之命是之謂禮守命共時之謂信守君命共時事【音訓】共音恭違此二者姦莫大焉公曰諸侯有討於鄭未捷今苟有釁從之不亦可乎子華犯父命是其釁隙對曰君若綏之以德加之以訓



辭而帥諸侯以討鄭鄭將覆亡之不暇豈敢不懼若總其罪人以臨之總將領也子華奸父之命即罪人鄭有辭矣何懼以大義爲辭【附註】朱曰鄭謂我受其奸人反以大義責我且夫合諸侯以崇德也會而列姦何以示後嗣列姦用子華夫諸侯之會其德刑禮義無國不記【附註】朱曰或綏之以德或威之以刑或待之以禮或責之以義諸侯各有國史無不記錄其事記姦之位位會位也子華爲姦人而列在會位將爲諸侯所記君盟替矣替廢也作而不記非盛德也君舉必書雖復齊史隱諱亦損盛德【音訓】註復扶又反君其勿許鄭必受盟夫子華既爲大子而求

介於大國以弱其國亦必不免【訓】介因也【音】介音界鄭有叔詹堵叔師叔三良為政未可間也【音訓】堵丁古反又音者間去聲齊侯辭焉子華由是得罪於鄭【附註】林曰為十六年殺子華傳冬鄭伯使請盟于齊以齊侯不聽子華故○閏月惠王崩襄王惡大叔帶之難襄王惠王大子鄭也大叔帶襄王弟惠后之子也有寵於惠后惠后欲立之未及而卒【音訓】惡烏路反大音泰懼不立不發喪而告難于齊為八年盟洮傳

【經】八年【己巳】春王正月公會王人齊侯宋公衛侯許男曹伯陳世子款盟于洮王人與諸侯盟不譏者王室有難故洮曹地【附註】林曰兵車之會一鄭伯乞盟新服未與會故不序列別言乞盟【音訓】與音預下同○夏狄伐晉○秋七月禘于大廟用致夫人禘三年大祭之名大廟周公廟致者致新死之主於廟而列之昭穆夫人淫而與弒不薨於寢於禮不應致故僖公疑其禮歷三禘今果行之嫌異常故書之【附註】林曰向日夫人氏之喪而不言姜見絕於國之辭也今日致夫人而不言氏見絕於宗廟之辭也【音訓】大音泰○冬十有二月丁未天王崩實以前年閏月崩以今年十二月丁未告

【傳】八年春盟于洮謀王室也鄭伯乞盟請服也襄王定位而後發喪王人會洮還而後王位定○晉里克帥師梁由靡御虢射為右以敗狄于采桑傳言前年事也平陽北屈縣西南有采桑津【音訓】射食亦反梁由靡曰狄無恥從之必大克不恥走故可逐里克曰懼之而已無速衆狄恐深而羣黨來報虢射曰期年狄必至示之弱矣【附註】林曰不追其師是我先示之弱矣夏狄伐晉報采桑之役也復期月明期年之言驗○秋禘而致哀姜焉非禮也凡夫人不薨于寢不殯于廟不赴于同不祔于姑則弗致也寢小寢同同盟將葬又不以殯過廟據經哀姜薨葬之文則為殯廟赴同祔姑今當以不薨于寢不得致也○冬王人來告喪難故也是以緩有大叔帶之難○宋公疾大子茲父固請曰目夷長且仁君其立之茲父襄公也目夷茲父庶兄子魚也【音訓】長丁丈反公命子魚子魚辭曰能以國讓仁孰大焉臣不及也且又不順立庶不順禮遂走而退

【經】九年【庚午】春王三月丁丑宋公御說卒四同盟○夏公會宰周公齊侯宋子衛侯鄭伯許男曹伯于葵丘周公宰孔也宰官周采地天子三公不字宋子襄公也傳例曰在喪公侯曰子陳留外黃縣東有葵丘【附註】林曰衣裳之會九○秋七月乙酉伯姬卒無傳公羊穀梁曰未適人故不稱國已許嫁則以成人之禮書不復殤也婦人許嫁而笄猶丈夫之冠【音訓】復扶又反笄古兮反冠古喚反○九

左傳五　二十三

月戊辰諸侯盟于葵丘夏會葵丘次伯姬辛，文不相比故重言諸侯宰孔先歸不與盟[附註]林曰桓之會有天子之事三於洮序王人於諸侯之上而同盟焉於葵丘亦序周公於諸侯之上而不敢同盟焉盟于首止不但不同盟也而帥諸侯以會世子桓知節矣春秋是以予桓也[音訓][闕]重直用反與音預○甲子晉侯佹諸卒未同盟而赴以名甲子九月十一日戊辰十五日也書在盟後從赴[音訓]佹音詭○冬晉里克殺其君之子奚齊獻公未葬奚齊未成君故稱君之子奚齊受命繼位無罪故里克稱名[音訓]殺如字又音試

[傳]九年春宋桓公卒未葬而襄公會諸侯故曰子凡在喪王曰小童公侯曰子在喪未葬也小童者童蒙幼末之稱子者繼父之辭公侯位尊上連王者下絕伯子男周康王



在喪稱予一人釗禮稱亦不言小童或所稱之辭各有所施此謂王自稱之辭非諸下所稱書故經無其事傳通取舊典之文以事相接[音訓][闕]之稱尺證反釗古堯反又音昭○夏會于葵丘尋盟且修好禮也王使宰孔賜齊侯胙胙祭肉尊之比二王後好呼報反下于好弁詳同曰天子有事于文武有祭事也使孔賜伯舅胙天子謂異姓諸侯曰伯舅齊侯將下拜孔曰且有後命天子使孔曰以伯舅耋老加勞賜一級無下拜七十曰耋級等也[附註]朱曰加問勞且進一等不令下階[音訓]耋田節反一音他結反勞力報反、對曰天威不違顏咫尺言天鑒察不遠威嚴常在顏面之前八寸曰咫[附註]林曰言君尊如天[音訓]咫之氏反小白余敢貪天子之命無下拜小白齊侯名余身也恐隕越于下隕越顛隊也據天王居上故言恐顛隊于下[音訓][闕]隊直類反以遺天子羞[音訓]遺于季反敢不下拜下拜登受拜堂下受胙於堂上○秋齊侯盟諸侯于葵丘曰凡我同盟之人既盟之後言歸于好義取修好故傳顯其盟辭宰孔先歸既會先諸侯去[音訓][闕]先悉薦反遇晉侯曰可無會也晉侯欲來會葵丘齊侯不務德而勤遠略故北伐山戎在莊三十年南伐楚在四年西為此會也東略之不知西則否矣言或向東必不能復西略[附註]林曰更餘經略東方則不可知西會既畢必無心經理四



方縱晉國有亂必不遑恤也[音訓][闕]復扶又反下不復同其在亂乎君務靖亂無勤於行在察也微戒獻公言晉將有亂[附註]朱曰在察也欲使晉侯歸去察其國之亂也獻公殺嫡及庶逐二公子故宰孔以靖亂諷之晉侯乃還不復會齊○九月晉獻公卒里克平鄭欲納文公故以三公子之徒作亂平鄭晉大夫三公子申生重耳夷吾[音訓]平普悲反齊公疾召之曰以是藐諸孤言其幼賤與諸子縣藐[音訓]藐音眇又音莫[闕]縣音玄辱在大夫其若之何欲屈辱荀息使保護之稽首而對曰臣竭其股肱之力加之以忠貞其濟君之靈也不濟則以死繼

之公曰何謂忠貞對曰公家之利知無不為忠也送往事居耦俱為猜貞也往死者居生者耦兩也送死事生兩無疑恨所謂正也【附註】林曰送往謂獻公事居謂奚齊【音訓】猜七才反及里克將殺奚齊先告荀息曰三怨將作三公子之徒秦晉輔之【附註】朱曰秦人輔之於外晉人輔之於內子將如何荀息曰將死之里克曰無益也荀叔曰吾與先君言矣不可以貳能欲復言而愛身乎荀叔荀息也復言言可復也雖無益也將焉辟之【音訓】焉於虔反辟音避且人之欲善誰不如我【附註】朱曰謂里克意欲忠於申生亦如我忠於奚齊也我欲無



貳而能謂人已乎言不能止里克使不忠於申生等冬十月里克殺奚齊于次次喪寢書曰殺其君之子未葬也【附註】林曰獻公未葬荀息將死之人曰不如立卓子而輔之荀息立公子卓以葬十一月里克殺公子卓于朝【附註】林曰既葬卓子臨朝故里克又殺之于朝荀息死之君子曰詩所謂白圭之玷尚可磨也斯言之玷不可為也詩大雅言此言之缺難治甚於白圭荀息有焉有此詩人重言之義○齊侯以諸侯之師伐晉及高梁而還討晉亂也高梁晉地在平陽縣西南令不及魯故不書前已發不書例今復重發

嬴霸者異於凡諸侯【音訓】令力政反本又作命【諺】復扶又反重直用反○晉郤芮使夷吾重賂秦以求入郤芮郤克祖父從夷吾者【音訓】【諺】從才用反曰人實有國我何愛焉言國非己之有何愛而不以賂秦入而能民土於何有從之能得民不患無土齊隰朋帥師會秦師納晉惠公隰朋齊大夫惠公夷吾【音訓】隰音習秦伯謂郤芮曰公子誰恃【附註】朱曰問夷吾倚誰以為重對曰臣聞亡人無黨有黨必有讎言夷吾無黨無黨則無讎易出易入以微勸秦【音訓】【諺】易以豉反夷吾弱不好弄弄戲也【音訓】好呼報反能鬭不過有節制長亦不改不識其他【附註】朱曰及其年長亦如幼時其他則吾



不知也此蓋言其可為君也【音訓】長丁丈反公謂公孫枝曰夷吾其定乎公孫枝秦大夫子桑也對曰臣聞之唯則定國【附註】朱曰則法也唯有法者可以定國詩曰不識不知順帝之則文王之謂也詩大雅帝天也則法也言文王闇行自然合天之法又曰不僭不賊鮮不為則僭過差也賊傷害也皆忌克也能不然則可為人法則無好無惡不忌不克之謂也【附註】朱曰此釋謂意好私好也惡私惡也忌猜疑也克好勝也不識不知則無好惡不僭賊則不忌克【音訓】好呼報反又如字惡烏路反今其言多忌克既僭而賊難哉言能自定難【附註】朱曰以此定國民無則焉故曰難哉公曰忌則多怨又焉能克是吾利也

其言雖多忌適足以自害不能勝人也秦伯虖其還害己故曰故吾利 音訓 焉於虔反 ○宋襄公即位以公子目夷為仁使為左師以聽政於是宋治故魚氏世為左師 附註 林曰子魚之後以王父字為氏故曰魚氏 音訓 治直吏反

經 十年 辛未 春王正月公如齊 無傳 附註 林曰魯始屈於大國朝齊之始 ○狄滅溫溫子奔衛 蓋中國之狄滅而居其土地 ○晉里克弒其君卓及其大夫荀息 弒卓在前年而以今春書者從赴也獻公既葬卓已免喪故稱君也荀息稱名者雖欲復言本無遠謀從君於昏 ○夏齊侯許男伐北戎 無傳北戎山戎 ○晉殺其大夫里克 奚齊者先君所命卓子又以在國嗣位罪未為無道而里克親



為三怨之主累弒二君故稱名以罪之 ○秋七月 ○冬大雨雪 無傳平地尺為大雪

傳 十年春狄滅溫蘇子無信也蘇子叛王即狄又不能於狄 附註 林曰即狄之後又與狄人不相能 狄人伐之王不救故滅蘇子奔衛 蘇子周司寇蘇公之後也國於溫故曰溫子叛王事在莊十九年 ○夏四月周公忌父王子黨會齊隰朋立晉侯 周公忌文周卿士王子黨周大夫 晉侯殺里克以說 自解說不篡 將殺里克公使謂之曰微子則不及此 附註 朱曰微無也 雖然子弒二君與一大夫為子君者不亦難乎對曰不有廢也君何以興欲加之罪其無辭乎 言欲加己罪不患無辭 臣聞命矣伏劍而死于是丕鄭聘于秦且謝緩賂故不及 丕鄭里克黨以在秦故不及里克俱死 附註 林曰且謝秦以緩報入晉之賂故不及里克之禍

○晉侯改葬共大子 共大子申生也 音訓 共音恭本亦作恭 秋狐突適下國 下國曲沃新城 遇大子大子使登僕 忽如夢而相見狐突本為申生御故復使登車為僕 音訓 復扶又反下文及註同 而告之曰夷吾無禮 附註 林曰夷吾為申生改葬加謚而曰無禮或謂指其烝於賈君之事見十五年 余得請於帝矣 請罰夷吾 將以晉畀秦 附註 朱曰畀付也言將使秦滅晉國 秦將祀



余對曰臣聞之神不歆非類民不祀非族君祀無乃殄乎 歆饗也殄絕也 且民何罪失刑乏祀君其圖之 附註 林曰因怒夷吾而濫及其民是失刑以晉畀秦而自絕其祀是乏祀 君曰諾吾將復請七日新城西偏將有巫者而見我焉 新城曲沃也將因巫而見 音訓 見賢遍反又如字下同五 許之遂不見 狐突許其言申生之象亦沒 及期而往告之曰帝許我罰有罪矣敝於韓 敝敗也韓晉地獨敝惠公故言罰有罪明不復以晉畀秦夷吾忌克多怨終於失國雖改葬加謚申生猶忿傳言鬼神所馮有時而信 附註 朱曰為十五年晉惠公敗於韓張本 音訓 馮皮冰反 ○丕鄭之如秦也言於秦伯曰

呂甥郤稱冀芮實為不從若重問以召之三子晉大夫不從不與秦賂問聘問之幣【音訓】稱尺證反一音如字臣出晉君君納重耳蔑不濟矣蔑無也○冬秦伯使泠至報問且召三子泠至秦大夫【音訓】泠音零郤芮曰幣重而言甘誘我也遂殺丕鄭祁舉祁舉晉大夫及七輿大夫侯伯七命副車七乘左行共華右行賈華叔堅騅歂纍虎特宮山祁皆里丕之黨也丕子七輿大夫【音訓】行戶剛反騅音錐歂音遄纍音羸丕豹奔秦丕豹丕鄭之子言於秦伯曰晉侯背大主而忌小怨民弗與也伐之必出大主秦也小怨里丕【音訓】背音佩

左傳五　十

公曰失衆焉能殺【音訓】謂殺里丕之黨焉於虔反違禍誰能出君謂豹辟禍也為明年晉殺丕鄭傳

【經】十有一年【壬申】春晉殺其大夫丕鄭父以私怨謀亂國書名罪之書春從告○夏公及夫人姜氏會齊侯于陽穀無傳婦人送迎不出門見兄弟不踰閾與公俱會齊侯非禮【音訓】閾音閾門限也一音況域反○秋八月大雩無傳過時故書○冬楚人伐黃

【傳】十一年春晉侯使以丕鄭之亂來告釋經書在今年○天王使召武公內史過賜晉侯命天王周襄王召武公周卿士內史過周大夫諸侯即位天子賜之命圭為瑞受玉惰過歸告王曰晉侯其無後乎【附註】林曰言惠公必無後於晉【音訓】惰徒卧反王賜之命而惰於受瑞先自棄也已其何繼之有禮國之幹也敬禮之輿也【附註】林曰國恃禮而立猶木恃幹而立敬載禮而行猶車載人而行不敬則禮不行禮不行則上下昏何以長世為惠公不終張本【音訓】長直良反又丁丈反○夏揚拒泉皐伊雒之戎同伐京師入王城焚東門揚拒泉皐皆戎邑及諸雜戎居伊水雒水之間者今伊闕北有泉亭【音訓】拒俱字反王子帶召之也王子帶甘昭公也召戎欲因以篡位秦晉伐戎以救周秋晉侯平戎于王為二十四年天王出居鄭傳【附註】林

左傳五　十一

曰言平戎于王尊卑之辭也○黃人不歸楚貢冬楚人伐黃黃人恃齊故

【經】十有二年【癸酉】春王三月庚午日有食之無傳不書朔官失之○夏楚人滅黃【附註】林曰書伐書滅病桓公也以從會盟徒以亡其國耳○秋七月○冬十有二月丁丑陳侯杵臼卒無傳遣世子與僖公同盟寧母及洮【音訓】杵昌呂反臼其九反

【傳】十二年春諸侯城衛楚丘之郛懼狄難也楚丘衛國都郛郭也為明年春狄侵衛傳【音訓】難乃旦反下同○黃人恃諸侯之睦于齊也不共楚職【音訓】共音恭曰自郢及我九百里焉能害我夏楚滅黃郢楚

都【音訓】焉於虔反○王以戎難故討王子帶子帶前年召戎伐周秋王子帶奔齊【附註】朱曰為二十二年召子帶張本○冬齊侯使管夷吾平戎于王使隰朋平戎于晉平和也前年晉救周伐戎故戎與周晉不和王以上卿之禮饗管仲管仲辭曰臣賤有司也有天子之二守國高在國子高子天子所命為齊守臣皆上卿也莊二十二年高傒始見經僖二十八年國歸父乃見傳歸父之父曰懿仲高傒之子曰莊子不見知今當誰世【音訓】見賢遍反若節春秋來承王命何以禮焉節時也【附註】朱曰設若當春朝秋覲之時節而國高二卿承命於王朝則又將以何禮而待也陪臣敢辭諸侯之臣曰陪臣【音訓】陪步回反王



曰舅氏伯舅之使故曰舅氏【音訓】【註】使所吏反余嘉乃勳應乃懿德謂督不忘往踐乃職無逆朕命功勳美德可謂正而不可忘者不言位而言職者管仲位卑而執齊政故欲以職尊之【附註】朱曰督篤厚也言我嘉汝勳篤汝德篤厚而不忘也管仲受下卿之禮而還管仲不敢以職自高卑受本位之禮君子曰管氏之世祀也宜哉讓不忘其上詩曰愷悌君子神所勞矣詩大雅愷樂也悌易也言樂易君子為神所勞來故世世祀也管仲之後於齊沒不復見傳亦舉其無驗【音訓】悌本亦作弟勞力報反【註】樂音洛易以豉反來力代反復扶又反

【經】十有三年【甲戌】春狄侵衛傳在前年春○夏四月葬陳宣公無傳⊙公會齊侯宋公陳侯衛侯鄭伯許男曹伯于鹹鹹衛地東郡濮陽縣東南有鹹城【附註】林曰兵車之會二○秋九月大雩無傳書過○冬公子友如齊無傳

【傳】十三年春齊侯使仲孫湫聘于周且言王子帶前年王子帶奔齊言欲復之事畢不與王言不言子帶事歸復命曰未可王怒未怠其十年乎【附註】林曰十者數之盈也故子帶罪重必十年乃可復不十年王弗召也○夏會于鹹淮夷病杞故且謀王室也○秋為戎難故諸侯戍周齊仲孫湫致



之戍守也致諸侯戍卒于周【音訓】為于偽反下註欲為同難乃旦反○冬晉荐饑麥禾皆不熟【音訓】荐在薦反使乞糴于秦秦伯謂子桑與諸乎對曰重施而報君將何求言不損秦【音訓】施式豉反重施而不報其民必攜攜而討焉無衆必敗不義故民離謂百里與諸乎百里秦大夫【附註】林曰百里即百里奚對曰天災流行國家代有【附註】林曰言飢饉乃天降之災如水流行無有定止有國家者更代而有此災救災恤鄰道也行道有福【附註】朱曰今按百里奚之言實渾寡無計較利害之心真賢臣也平鄭之子豹在秦請伐晉欲為父報怨秦伯曰其君是惡其民何罪秦

於是乎輸粟于晉自雍及絳相繼（雍秦國都絳晉國都【音訓】雍於用反）命之曰汎舟之役（從渭水運入河汾【音訓】汎芳劍反）

【經】十有四年【乙亥】春諸侯城緣陵（緣陵杞邑辟淮夷遷都於緣陵【附註】林曰不序諸侯散辭也是故但曰諸侯者不係之伯者之辭也但曰大夫者不係之君之辭也）○夏六月季姬及鄫子遇于防使鄫子來朝（季姬魯女鄫夫人也鄫子本無朝志爲季姬所召而來故言使鄫子來朝鄫國今瑯琊鄫縣【音訓】鄫似綾反本或作繒）○秋八月辛卯沙鹿崩（沙鹿山名平陽元城縣東有沙鹿土山在晉地災害繫於所災所害故不繫國）○狄侵鄭（無傳）○冬蔡侯肸卒（無傳未同盟而赴以名）



【傳】十四年春諸侯城緣陵而遷杞焉不書其人有闕也（闕謂器用不具城池未固而去爲惠不終也澶淵之會既而無歸大夫不書而國別稱人今此總曰諸侯君臣之辭不言城杞杞未遷也【音訓】【註】澶市然反）○鄫季姬來寧公怒止之以鄫子之不朝也（來寧不書而後年書歸鄫更嫁之文也明公絕鄫昏既來朝而還【音訓】還戶關反【註】）夏遇于防而使來朝（【附註】林曰季姬自與鄫子會遇而使其來朝請己也）○秋八月辛卯沙鹿崩晉卜偃曰期年將有大咎幾亡國（國主山川山崩川竭亡國之徵）○冬秦饑使乞糴于晉晉人弗與慶鄭曰背施無親（慶鄭晉大夫【音訓】背音佩後皆同施式豉反【註】及下）

（除施毛十五年皆同）幸災不仁貪愛不祥（【附註】朱曰幸人之災是不仁也貪惜己物不以救災是不祥也）怒鄰不義四德皆失何以守國虢射曰皮之不存毛將安傅（虢射惠公舅也皮以喻所許秦城毛以喻糴言既背秦施爲怨以深雖與之糴猶無皮而施毛也【附註】朱曰先時惠公許以五城賂秦既而背之【音訓】傅音附）慶鄭曰棄信背鄰患孰恤之（【附註】朱曰言秦許城之信而背鄰國之施則國家有患民亦棄之而不恤也）無信患作失援必斃是則然矣（【附註】朱曰此皆事理之必然者）虢射曰無損於怨而厚於寇不如勿與（言與秦粟不足解怨適足使秦強）慶鄭曰背施幸災民所棄也（【附註】林曰雖吾民亦不直其君



而秦之）近猶讎之況怨敵乎（【附註】朱曰平日相親近之國猶足致讎怨也何況秦爲怨敵如秦者乎）弗聽退曰君其悔是哉

【經】十有五年【丙子】春王正月公如齊（無傳諸侯五年再相朝禮也例在文十五年）○楚人伐徐（【附註】林曰楚至伐徐伯事可知也）○三月公會齊侯宋公陳侯衛侯鄭伯許男曹伯盟于牡丘（牡丘地名闕【附註】林曰兵車之會三）遂次于匡（匡衛地在陳留長垣縣西南）公孫敖帥師及諸侯之大夫救徐（公孫敖慶父之子諸侯既盟次匡皆遣大夫將兵救徐故不復具列國別也【音訓】復扶又反【註】）○夏五月日有食之○秋七月齊

師曹師伐厲厲楚與國義陽隨縣北有厲鄉○八月螽無傳爲災
○九月公至自會無傳[附註]林曰桓公之會不至至此始書桓德衰矣
○季姬歸于鄫無傳來寧不書此書者以明中絕[音訓][註]中丁仲反又如
字○己卯晦震夷伯之廟夷伯魯大夫展氏之祖父夷謚伯字
震者雷電擊之大夫既卒書字○冬宋人伐曹○楚人敗徐
于婁林婁林徐地下邳僮縣東南有婁亭[附註]林曰病齊也[音訓]婁力侯反○
十有一月壬戌晉侯及秦伯戰于韓獲晉侯
例得大夫曰獲晉侯背施無親愎諫違上故貶絕下從衆臣之例而不言以歸不書敗績
晉師不大崩[附註]林曰秦始見經此晉秦兵端之始是故晉秦兵交始於韓而終於十三
國之伐[音訓][註]愎皮逼反



[傳]十五年春楚人伐徐徐即諸夏故也[附註]
林曰徐自三年取舒以叛楚黨威公服楚徐與有功焉三月盟于牡
丘尋葵丘之盟且救徐也葵丘盟在九年孟穆伯
帥師及諸侯之師救徐諸侯次于匡以待
之[附註]林曰穆伯即公孫敖諸侯皆遣大夫將兵救徐次于匡以待大夫之救齊
之急荒可知矣○夏五月日有食之不書朔與日
官失之也○秋伐厲以救徐也[附註]林曰大夫救徐
楚師不退故二師伐厲以救徐○晉侯之入也秦穆姬屬
賈君焉晉侯入在九年穆姬申生姊秦穆夫人賈君晉獻公次妃賈女也[音]
[訓]屬音燭且曰盡納羣公子羣公子晉武獻之族宣二年傳曰驪

姬之亂詛無畜羣公子[音訓][註]詛莊據反晉侯烝於賈君又不
納羣公子是以穆姬怨之晉侯許賂中大
夫中大夫國內執政里丕等[附註]林曰許之以賂求復國既而皆背
之賂秦伯以河外列城五東盡虢略南及
華山內及解梁城既而不與河外河南也東盡虢略從
河南而東盡虢界也解梁城今河東解縣也華山在弘農華陰縣西南晉饑
秦輸之粟在十三年秦饑晉閉之糴在十四年故秦
伯伐晉卜徒父筮之吉徒父秦之掌龜卜者卜人而用筮不
能通三易之占故據其所見雜占而言之涉河侯車敗詰之秦伯
之軍涉河則晉侯車敗也秦伯不解謂敗在己故詰之對曰乃大吉



也三敗必獲晉君其卦遇蠱䷑巽下艮上蠱
曰千乘三去[附註]林曰曰以下連三句皆卜筮之繇辭千乘諸侯也言
千乘三度敗去[音訓]去起居反又起據反一音起呂反下同三去之餘
獲其雄狐夫狐蠱必其君也於周易利涉大川往有事
也亦秦勝晉之卦也今此所言蓋卜筮書雜辭以狐蠱爲君其義欲以喻晉惠公其
象未聞[附註]朱曰狐邪媚之物而曰雄焉蓋知是晉君也蠱之貞風也
其悔山也內卦爲貞外卦爲悔巽爲風秦象艮爲山晉象歲云秋
矣我落其實而取其材所以克也周九月夏之七
月孟秋也艮爲山山有木今歲已秋風吹落山木之實則材爲人所取[附註]朱曰內
卦爲主故以占秦外卦爲賓故以占晉然則晉山而秦風也當秋之時山木結實爲

風所推而剝落則材為我所取矣實落材亡不敗何待三敗及韓晉侯車三壞【附註】朱曰應千乘三去之占晉侯謂慶鄭曰寇深矣若之何對曰君實深之可若何公曰不孫【附註】林曰惠公謂其應答不遜【音訓】孫音遜卜右慶鄭吉弗使惡其不孫不以為車右此夷吾之多忌【音訓】惡烏路反步揚御戎家僕徒為右步揚郤犨之父乘小駟鄭入也鄭所獻馬名小駟【音訓】乘如字下同慶鄭曰古者大事必乘其產【附註】林曰其所乘馬必用土地所生朱曰國之大事在祀與戎故征戰為大事生其水土而知其人心安其教訓而服習其道【附註】林曰生長其地故諳其道路素相服習唯所納



之無不如志【附註】林曰惟所用之馳驅進退無不如人之志今乘異產以從戎事及懼而變將與人易變易人意【附註】林曰及臨戎畏懼而變其常度將與人易心而變亂人意亂氣狡憤陰血周作張脈僨興外彊中乾狡戾也僨動也氣狡僨於外則血脈必周身而作隨氣張動外雖有彊形而內實乾竭【音訓】狡古卯反張中亮反僨音憤進退不可周旋不能君必悔之弗聽九月【附註】朱曰今七月也應歲云秋矣之占晉侯逆秦師使韓簡視師韓簡晉大夫韓萬之孫復曰師少於我鬬士倍我公曰何故對曰出因其資謂奔梁求秦入用其寵為秦所納饑食其粟三施而無報

是以來也今又擊之我怠秦奮倍猶未也【附註】林曰我師不直其君故懈怠秦師怒晉無禮故奮發以此觀之秦之鬬志倍猶未止公曰一夫不可狃況國乎狃伏也言辟秦則使伏來【附註】朱曰狃狎也言一夫尚不可狎而侮之況我有一國可受其狎侮而不敵乎【音訓】狃女九反伏時世反又時設反遂使請戰曰寡人不佞能合其衆而不能離也【附註】林曰能合其衆以拒秦師不能散其衆使之避秦君若不還無所逃命秦伯使公孫枝對曰君之未入寡人懼之入而未定列猶吾憂也列位也茍列定矣敢不承命韓簡退曰吾幸而得囚得囚為幸言必死壬戌戰于



韓原九月十三日晉戎馬還濘而止濘泥也還便旋也小駟不調故隋泥中【音訓】還音旋濘音寧隋大果反公號慶鄭【音訓】號平聲又如字慶鄭曰愎諫違卜愎戾也【附註】林曰愎諫謂違慶鄭之諫而乘小駟違卜謂卜右慶鄭吉而不使固敗是求又何逃焉遂去之梁由靡御韓簡虢射為右【附註】林曰梁由靡為韓簡御車虢射為韓簡車右輅秦伯將止之輅迎也止獲也【音訓】輅音迓鄭以救公誤之遂失秦伯【附註】林曰慶鄭不知其將獲秦伯呼使救惠公遂誤其御遂失秦伯所在秦獲晉侯以歸經書十一月壬戌十四日經從赴晉大夫反首拔舍從之反首亂頭髮反下垂也茇草舍止壞形毀服【音訓】茇音跋秦伯使辭

焉曰二三子何其感也寡人之從君而西
也亦晉之妖夢是踐豈敢以至狐突不寐而與神言
故謂之妖夢申生言帝許罰有罪令將晉君而西以厭息此語踐厭也【附註】朱曰秦
國在西方穆公欲執晉侯西歸秦國諱言從汝晉君而西也豈敢以至言不敢終執
晉侯而歸秦也【音訓】厭【圖】厭於舟反一音於甲反又於輒反晉大夫三拜
稽首曰君履后土而戴皇天皇天后土實
聞君之言羣臣敢在下風【附註】林曰穆公云豈敢以至是
已有歸晉君之意故羣臣敢在秦之下風順下風而請也穆姬聞晉侯
將至以大子罃弘與女簡璧登臺而履薪
焉罃康公名弘其母弟也簡璧罃弘姊妹古之宮闈者皆居之臺以抗絕之穆姬

左傳五　四十

欲自罪故登臺而薦之以薪左右上下者皆履柴乃得通【附註】林曰愚按穆姬為惠
公告罪登臺履薪宜也而帥子女以同登臺蓋將用刲制之術【音訓】罃於耕反【圖】抗
苦浪反上時掌反使以免服衰絰逆且告免衰絰遭喪之
服令行人服此服迎秦伯且告將以恥辱自殺【音訓】免音問又作絻秦令力呈反
曰上天降災使我兩君匪以玉帛相見而
以興戎若晉君朝以入則婢子夕以死夕
以入則朝以死唯君裁之乃舍諸靈臺在京
兆鄠縣周之故臺亦所以抗絕令不得通外內【附註】林曰自曰上天降災以下止舍
諸靈臺四十七字檢古本皆無尋杜註亦不得有是後人所加不敢輒删姑存于此
大夫請以入【附註】林曰秦大夫請執晉侯以入國公曰獲晉

侯以厚歸也【附註】林曰以示厚獲俘囚而歸既而喪歸焉
用之若將晉侯入則夫人或自殺【音訓】焉於虔反大夫其何有
焉何有猶何得且晉人感憂以重我謂反首拔舍【附註】林
曰謂反首拔舍以示重憂天地以要我【附註】林曰指皇天后土有同要
質【音訓】要於遙反不圖晉憂重其怒也【附註】朱曰晉人感憂
如此而我不圖謀之則是增益晉人之忿怒也【音訓】重直用反下皆同我食
吾言背天地也食消也重怒難任背天不祥
必歸晉君任當也【音訓】任音壬下同公子縶曰不如殺
之無聚慝焉公子縶秦大夫恐夷吾歸穆相聚為惡【音訓】縶張執反又
丁立反【圖】復扶又反子桑曰歸之而質其大子必得

左傳五　四十一

大成【附註】朱曰晉服秦必成大和好也【音訓】質音置下注質秦同晉未
可滅而殺其君祇以成惡祇適也且史佚有
言曰無始禍史佚周武王時大史尹佚無怙亂恃人亂為己利
【音訓】怙音古無重怒重怒難任陵人不祥乃許
晉平晉侯使郤乞告瑕呂飴甥且召之郤乞
晉大夫也瑕呂飴甥即呂甥也蓋姓瑕呂名飴甥字子金晉侯聞秦將許之平故告
呂甥召使迎己【音訓】飴音怡【圖】子金教之言曰朝國人而
以君命賞恐國人不從故先賞之於朝且告之曰孤雖
歸辱社稷矣其卜貳圉也貳代也圉惠公大子懷公衆
皆哭哀君不還晉於是乎作爰田分公田之稅應入公

者爰之於所賞之衆【附註】林曰爰易也【音訓】爰于元反呂甥曰君亡之不恤而羣臣是憂惠之至也將若君何【附註】林曰問國人將何以圖吾君衆曰何為而可對曰征繕以輔孺子征賦也繕治也孺子大子圉諸侯聞之喪君有君【附註】朱曰使外諸侯皆聞之雖喪舊君復有新君【音訓】喪息浪反後皆同羣臣輯睦甲兵益多好我者勸惡我者懼【附註】朱曰使諸侯愛晉者有所勸勉惡晉者有所畏懼【音訓】好呼報反惡烏路反庶有益乎衆說【音訓】說音悅晉於是乎作州兵五黨為州州二千五百家也因此又使州長各繕甲兵【音訓】□長丁丈反下同初晉獻公筮嫁伯姬於秦遇歸妹䷵兌下震上歸妹之睽䷥兌下離上睽歸妹上六變而為睽【音訓】睽苦圭反史蘇占之曰不吉史蘇晉卜筮之史其繇曰士刲羊亦無衁也女承筐亦無貺也周易歸妹上六爻辭也衁血也貺賜也刲羊士之功承筐女之職上六無應所求不獲故下刲無血上承無實不吉之象也離為中女震為長男故稱士女【音訓】刲音睽刺割也衁音荒貺音況本亦作况□中丁仲反西鄰責言不可償也將嫁女於西而遇不言之卦故知有責讓之言不可報償【附註】林曰兌西方也兌為口舌以兌從震是口舌雷動今將嫁女於西而遇西方口舌雷動之卦故知有責讓之言口舌既動雷震電明故知不可報償【音訓】責音債又如字償市亮反又音常歸妹之睽猶無相也歸妹女嫁之卦睽乖離之象故曰無相相助也【音訓】相息



亮反震之離亦離之震二卦變而氣相通【附註】朱曰歸妹上卦為震上六變而成離睽之上卦為離亦然變而為震為雷為火為嬴敗姬嬴秦姓姬晉姓震為雷離為火火動熾而害其母女嫁反害其家之象故曰為嬴敗姬車說其輹火焚其旗不利行師敗于宗丘輹車下縛也丘猶邑也震為車離為火上六爻在震則無應故車脫輹在離則失位故火焚旗言皆失車火之用也車敗旗焚故不利行師火還害母故敗不出國近在宗邑【音訓】說音脫輹音福又音服按車旁著畐音福老子所云三十輻共一轂是也車旁著复音服是車下伏兔□縛也如字又扶卧反歸妹睽孤寇張之弧此睽上九爻辭也處睽之極故曰睽孤失位孤絕故遇寇難而有弓矢之警皆不吉之象【音訓】□難乃旦反姪其從姑震為木離為火火從木生離為震妹於火為姑謂我姪者我謂之姑謂子圉質秦六年其逋逃歸其國而棄其家逋亡也家謂子圉婦懷嬴【附註】林曰數周必復易六位故知從姑六年而必逋亡朱曰六年其逋言子圉在秦六年當逋逃也【音訓】□逋補吾反明年其死於高梁之虛惠公死之明年文公入殺懷公于高梁高梁晉地在平陽楊氏縣西南凡筮者用周易則其象可推非此而往則臨時占者或取於象或取於氣或取於時日王相以成其占若盡附會以爻象則構虛而不經故略言其歸趣他皆放此【附註】朱曰易繫辭曰極數知来之謂占則易數固可以知来矣然安有地名人事預知於未來之先無一毫差者此恐附會為之難以盡信【音訓】虛去魚反□王于況反相息亮反及惠公在秦曰先君若從史蘇之占吾不及此夫

韓簡侍曰龜象也筮數也物生而後有象象而後有滋滋而後有數先君之敗德及可數乎史蘇是占勿從何益言龜以象示筮以數告象數相因而生然後有占占所以知吉凶不能變吉凶故先君敗德非筮數所生雖復不從史蘇不能益禍【附註】林曰言先君所行當致喪敗之德及今言之可一二數之乎朱曰天地生物之始以氣化而生人與萬物既生乃有形象形交氣感遂以形化而人與萬物其繁滋多數始於一自一以徙滋而十百千萬其數不窮入與萬物皆不逃乎數也惠公今日及禍蓋由獻公殺嫡立庶敗德所致也非卜筮之罪也蓋天下事物雖不逃乎數而禍福無不自己求之者不專在於數也【音訓】先君之敗德及絕句可數乎一讀及可數乎數則音色主反【圖】復扶又反下同詩曰下民



之孽匪降自天噂沓背憎職競由人詩小雅言民之有邪惡非天所降噂沓面語背相憎疾皆人競所主作因以諷諫惠公有以名此禍也【音訓】孽魚列反噂尊本反沓徒合反○震夷伯之廟罪之也於是展氏有隱慝焉隱惡非法所得尊貴罪所不加是以聖人因天地之變自然之妖以感動之知達之主則識先聖之情以自厲中下之主亦信妖祥以不妄神道助教唯此為深【音訓】【圖】知音智○冬宋人伐曹討舊怨也莊十四年曹與諸侯伐宋○楚敗徐于婁林徐恃救也恃齊救○十月晉陰飴甥會秦伯盟于王城陰飴甥即呂甥也食采於陰故曰陰飴甥王城秦地馮翊臨晉縣東有王城今名武鄉【附註】朱曰王城西周舊城也平王東還故西周故

地為秦所有也秦伯曰晉國和乎對曰不和小人恥失其君而悼喪其親痛其親為秦所殺不憚征繕以立圉也曰必報讎寧事戎狄【附註】林曰言必為君親力戰以報秦之讎寧可事戎狄以為君言欲致死於秦君子愛其君而知其罪【附註】林曰知晉負秦棄信背施幸災之罪不憚征繕以待秦命【附註】林曰以待秦歸惠公之命曰必報德有死無二【附註】林曰言必為君報秦之德有死而已無二心也以此不和秦伯曰國謂君何對曰小人慼謂之不免君子恕以為必歸小人曰我毒秦秦豈歸君毒謂三施不報君子曰我知罪矣秦必歸君



貳而執之服而舍之德莫厚焉刑莫威焉服者懷德貳者畏刑此一役也言還惠公使諸侯威服可當一事之功【附註】林曰即此歸惠公之一役【音訓】還音環秦可以霸納而不定【附註】朱曰謂秦初納晉君今而執之是不安定之也廢而不立【附註】朱曰因遂廢之不使復立為君以德為怨秦其不然秦伯曰是吾心也改館晉侯饋七牢焉牛羊豕各一為一牢蛾析謂慶鄭曰盍行乎蛾析晉大夫【音訓】蛾音蛾又音俄對曰陷君於敗謂呼不往誤晉師失秦一伯敗而不死又使失刑【附註】林曰君歸而出奔又使不得正誤師之刑非人臣也臣而不臣行將焉入【音訓】焉於虔反

十一月晉侯歸丁丑殺慶鄭而後入丁丑月二十九日【附註】林曰惠公先殺慶鄭而後入國以見其忌克終不化也是歲晉又饑秦伯又餼之粟曰吾怨其君而矜其民且吾聞唐叔之封也箕子曰其後必大晉其庸可冀乎唐叔晉始封之君武王之子箕子殷王帝乙之子紂之庶兄【附註】林曰晉其庸可冀望乎言未可取也姑樹德焉以待能者於是秦始征晉河東置官司焉征賦也【附註】林曰秦置官司以征河東之賦此即惠公許賂秦以河外列城五之地至是始歸之秦也



春秋經傳集解卷第五

春秋經傳集解卷第六

杜氏　盡二十六年

諸家註音訓附

魯僖公中

【經】十有六年【丁丑】春王正月戊申朔隕石于宋五隕落也聞其隕視之石數之五各隨其聞見先後而記之莊七年星隕如雨見星之隕而隊於四遠若山若水不見在地之驗此則見在地之驗而不見始隕之星史各以事而書【音訓】【註】也主反隊直類反數是月六鷁退飛過宋都是月隕石之月重言是月嫌同日鷁水鳥高飛遇風而退宋人以為災告於諸侯故書【音訓】鷁五歷反本或作鷊音同過古禾反【註】重直用反傳註同○三月壬申公子季友卒無傳稱子者貴之公與小斂故書日【附註】林曰自是季氏世為卿○夏四月丙申鄫季姬卒無傳○秋七月甲子公孫茲卒無傳○冬十有二月公會齊侯宋公陳侯衛侯鄭伯許男邢侯曹伯于淮臨淮郡左右【附註】林曰兵車之會四

【傳】十六年春隕石于宋五隕星也但言星則嫌星使石隕故重言隕星【附註】林曰星陽物隕至地則化為石六鷁退飛過宋都風也六鷁遇迅風而退飛風高不為物害故不記風之異【音訓】【註】迅音信又音峻周內史叔興聘于宋宋襄公問焉曰是何祥也吉凶焉在祥吉凶之先見者襄公以為石隕鷁退飛為禍福之始故問其所在【音訓】焉於虔反【註】見賢遍反又如字對曰今

茲魯多大喪今滋此歲喪魯季友公孫茲卒【附註】林曰大明年齊有亂君將得諸侯而不終魯喪齊亂宋襄不終別以政刑吉凶他占知之退而告人曰君失問是陰陽之事非吉凶所生也言石鷁陰陽錯逆所為非人所生襄公不知陰陽而問人事故曰君失問叔興自以對非其實恐為有識所譏故退而告人吉凶由人吾不敢逆君故也積善餘慶積惡餘殃故曰吉凶由人君問吉凶不敢逆之故假他占以對○夏齊伐厲不克救徐而還十五年齊伐厲以救徐○秋狄侵晉取狐廚受鐸涉汾及昆都因晉敗也狐廚受鐸昆都晉三邑平陽臨汾縣西北有狐谷亭汾水出大原南人河【音訓】廚直誅反註大音泰○王以戎難告于齊齊徵諸侯而戍周十一年戎伐京師以來遂為王室難【音訓】難乃旦反冬十一月乙卯鄭殺子華終管仲之言事在十年十二月會于淮謀鄫且東略也鄫為淮夷所病故也終九年宰孔之言【附註】林曰略巡行【音訓】註為于偽反城鄫役人病有夜登丘而呼曰齊有亂不果城而還役人遇厲氣不堪久駐故作妖言【音訓】呼火故反

【經】十有七年【戊寅】春齊人徐人伐英氏○夏滅項項國今汝陰項縣公在會別遣師滅項不言師諱之【附註】林曰非公命也此失兵權之漸○秋夫人姜氏會齊侯于卞卞今魯國卞縣○九月公至自會公既見執于齊猶以會致者諱之○冬十有二月乙亥齊侯小白卒與僖公入同盟赴以名

【傳】十七年春齊人為徐伐英氏以報婁林之役也英氏楚與國婁林役在十五年【音訓】為于偽反○夏晉大子圉為質於秦秦歸河東而妻之秦征河東置官司在十五年【音訓】妻七計反下同惠公之在梁也梁伯妻之【附註】林曰梁伯以女妻惠公梁嬴孕過期過十月不產懷子曰孕【音訓】過古禾反卜招父與其子卜之卜招父梁大卜【音訓】招上遙反【註】大音泰其子曰將生一男一女招曰然男為人臣女為人妾故名男曰圉女曰妾圉養馬者不聘曰妾及子圉西質妾為宦女焉宦事秦為妾【附註】林曰秦居西方故曰西質○師滅項師魯師淮之會公有諸侯之事未歸而取項淮會在前年冬諸侯之事會同講禮之事齊人以為討而止公內諱執皆言止○秋聲姜以公故會齊侯于卞聲姜僖公夫人齊女九月公至書曰至自會猶有諸侯之事焉【附註】林曰猶若有諸侯會同之畢事焉且諱之也恥見執故托會以告廟○齊侯之夫人三王姬徐嬴蔡姬皆無子齊侯好內【附註】林曰好女色也多內寵內嬖如夫人者六人長衛姬生武孟武孟公子無虧少衛姬生惠公公子元鄭姬生孝公公子昭葛嬴生昭公公子

潘）密姬生懿公（公子商人）宋華子生公子雍（華氏
之女子姓）公與管仲屬孝公於宋襄公以為大
子（【音訓】屬音燭）雍巫有寵於衛共姬因寺人貂
以薦羞於公（雍巫雍人名巫即易牙【附註】林曰共姬長衛姬善食味也
易牙善烹飪故以滋味進【音訓】囸易音亦）亦有寵公許之立武
孟（易牙既有寵於公為長衛姬請立武孟【音訓】囸為于僞反）管仲卒五
公子皆求立（【附註】林曰此言齊桓公不能脩身齊家以至身死國亂為
天下笑）冬十月乙亥齊桓公卒（乙亥月八日）易牙
入與寺人貂因內寵以殺羣吏（內寵內官之有權寵
者）而立公子無虧孝公奔宋十二月乙亥



赴辛巳夜殯（六十七日乃殯）
【經】十有八年【己卯】春王正月宋公曹伯衛人
邾人伐齊（納孝公）○夏師救齊（無傳）○五月戊寅
宋師及齊師戰于甗齊師敗績（無虧既死曹衛邾先去魯
亦罷歸故宋師獨與齊戰不稱宋公不親戰也大崩曰敗績甗齊地【音訓】甗獻言彥三音）
○狄救齊（無傳救四公子之徒）○秋八月丁亥葬齊桓
公（十一月而葬亂故八月無丁亥日誤）○冬邢人狄人伐衛（狄稱
人者史異辭傳無義例【附註】林曰狄稱人之始）
【傳】十八年春宋襄公以諸侯伐齊三月齊
人殺無虧（以說宋【音訓】囸說音悅又如字）○鄭伯始朝于

楚（中國無霸故）楚子賜之金既而悔之與之盟
曰無以鑄兵（楚金利故）故以鑄三鐘（古者以銅為兵傳言
楚無霸者遠略）○齊人將立孝公不勝四公子之
徒遂與宋人戰（無虧已死故曰四公子【音訓】勝音升又升證反）
五月宋敗齊師于甗立孝公而還○秋八
月葬齊桓公（孝公立而後得葬）○冬邢人狄人伐
衛圍菟圃（【附註】林曰圍其菟圃之邑）衛侯以國讓父兄
子弟及朝衆曰苟能治之燬請從焉（燬衛文公
名【音訓】燬音毀）衆不可（不聽衛侯讓）而後師于訾婁（陳師
訾婁訾婁衛邑【音訓】訾音貲婁郎句反又郎鉤反）狄師還（獨言狄還則邢



留拒衛言邢所以終為衛所滅）○梁伯益其國而不能實
也（多築城邑而無民以實之）命曰新里秦取之（【附註】林曰秦乘
其虛而取其地）
【經】十有九年【庚辰】春王三月宋人執滕子嬰
齊（稱人以執宋以罪及民告例在成十五年傳例不以名為義書名及不書名皆從赴）
（【音訓】嬰於盈反）○夏六月宋公曹人邾人盟于曹南
（無傳曹雖與盟而猶不服不肯致餼無地主之禮故不以國地而曰曹南所以及秋而見
圍【音訓】囸與音預下亦與同）鄫子會盟于邾（不及曹南之盟諸侯既罷
鄫乃會之於邾故不言如會）己酉邾人執鄫子用之（稱人以執
宋以罪及民告也鄫雖失大國會盟之信然宋用之為罰已虐故直書用之言若用畜產）

也不書社赴不及也不書宋使邾而以邾自用為文南面之君善惡自專不得託之於他
令【音訓】【圍】畜許六反◯秋宋人圍曹【附註】林曰諸夏圍國始此◯衛
人伐邢伐邢在圍曹前經書在後從赴◯冬會陳人蔡人楚
人鄭人盟于齊地於齊齊亦與盟【附註】林曰楚始與夏盟書法如盟幽翟
泉謹始也◯梁亡以自亡為文非取者之罪所以惡梁【音訓】【圍】惡烏路反
【傳】十九年春遂城而居之承前年傳取新里故不復言秦
也為此冬梁亡傳◯宋人執滕宣公◯夏宋公使
邾文公用鄫子于次睢之社欲以屬東夷
睢水受汴東經陳留梁譙沛彭城縣入泗此水次有妖神東夷皆社祠之蓋殺人而
用祭【附註】林曰欲徼福于神以屬東夷之泉【音訓】睢音雖嶲音蠋下同【圍】譙在消反

左傳六　六

祠音辭或音祀司馬子魚曰古者六畜不相為用
司馬子魚公子目夷也六畜不相為用謂若祭馬先不用馬【音訓】畜許六反為于僞
反下為人同又如字小事不用大牲【附註】林曰謂若釁廟用羊釁門
及夾室用雞之類而況敢用人乎祭祀以為人也
【附註】林曰所以為民祈福民神之主也用人其誰饗之
齊桓公存三亡國以屬諸侯三亡國魯衛邢義士
猶曰薄德謂欲因亂取魯緩救邢衛今一會而虐二國
之君宋公三月以會名諸侯執滕子六月而會盟其月二十三日執鄫子故云
一會而虐二國之君又用諸淫昏之鬼非周社故將以求
霸不亦難乎得死為幸恐其亡國◯秋衛人伐

邢以報菟圃之役邢不速退所以獨見伐於是衛大
旱卜有事于山川不吉有事祭也甯莊子曰昔
周饑克殷而年豐今邢方無道諸侯無伯
伯長也天其或者欲使衛討邢乎從之師興
而雨◯宋人圍曹討不服也曹南盟不脩地主之禮故
子魚言於宋公曰文王聞崇德亂而伐之
軍三旬而不降崇崇侯虎【音訓】降戶江反下同退脩教而
復伐之因壘而降復往攻之備不改前而崇自服【附註】林曰壘軍
壘也言不增兵但因舊壘而崇自服【音訓】復扶又反壘力軌反詩曰刑于
寡妻至于兄弟以御于家邦詩大雅言文王之教自近

左傳六　七

及遠寡妻嫡妻謂大姒也刑法也【音訓】御如字治也詩音五嫁反迓也【圍】大音泰
今君德無乃猶有所闕而以伐人若之何
【附註】林曰如之何可以服人盍姑內省德乎無闕而後
動◯陳穆公請脩好於諸侯以無忘齊桓
之德冬盟于齊脩桓公之好也宋襄暴虐故思齊桓
◯梁亡不書其主自取之也不書取梁者主名初
梁伯好土功亟城而弗處其【附註】林曰亟城邑而無民以
居處其地【音訓】【圍】亟欺冀反民罷而弗堪則曰某寇將至
【音訓】罷音皮乃溝公宮溝塹【附註】林曰蓋鑿池環城公宮【音訓】【圍】塹七
豔反曰秦將襲我民懼而潰秦遂取梁

【經】二十年【辛巳】春新作南門魯城南門也本名稷門僖公更高大之今猶不與諸門同改名高門也言新以易舊言作以興事皆更造之文也○夏邾子來朝無傳邾姬姓國○五月乙巳西宮災無傳西宮公別宮也天火曰災例在宣十六年○鄭人入滑入例在襄十三年○秋齊人狄人盟于邢○冬楚人伐隨

【傳】二十年春新作南門書不時也失土功之時凡啓塞從時門戶道橋謂之啓城郭牆塹謂之塞皆官民之開閉不可一日而闕故特隨壞時而治之今僖公脩飾一城門非開閉之急故以土功之制譏之傳嫌啓塞皆從土功之時故別起從時之例【音訓】塞素則反○滑人叛鄭而服於衛夏鄭公子士洩堵寇帥師入滑公子士鄭文公子洩堵寇鄭大夫【音訓】堵丁古反又音者○秋齊狄盟于邢為邢謀衛難也於是衛方病邢【附註】林曰衛自前年伐邢至今常為邢病【音訓】為于偽反難乃旦反○隨以漢東諸侯叛楚冬楚鬭穀於菟帥師伐隨取成而還君子曰隨之見伐不量力也量力而動其過鮮矣善敗由己而由人乎哉【附註】林曰善成也詩曰豈不夙夜謂行多露詩召南言豈不欲早暮而行懼多露之濡己以違禮而行必有汙辱是亦量宜相時而動之義【音訓】相息亮反○宋襄公欲合諸侯臧文仲聞之曰以欲從人則可屈己之欲從衆之善以人從欲鮮濟為明年鹿上盟傳



【經】二十有一年【壬午】春狄侵衛無傳為邢故【音訓】為于偽反下為邾同○宋人齊人楚人盟于鹿上鹿上宋地汝陰有原鹿縣宋為盟主故在齊人上○夏大旱雩不獲雨故書旱自夏及秋五稼皆不收○秋宋公楚子陳侯蔡侯鄭伯許男曹伯會于盂盂宋地楚始與中國行會禮故稱爵【附註】林曰楚始書子宋楚初爭長也【音訓】盂音于執宋公以伐宋不言楚執宋公者宋無德而爭盟為諸侯所疾故揔見衆國共執之文【附註】林曰不言楚執宋公不以夷狄執中國之辭也【音訓】見賢遍反○冬公伐邾無傳為邾滅須句故【音訓】句其俱反○楚人使宜申來獻捷無傳獻宋捷也不言宋者秋伐宋冬來獻捷事不異年從可知不稱楚子使來不稱君命行禮【附註】林曰楚大夫始見經十有二月癸丑公會諸侯盟于薄釋宋公諸侯既與楚共伐宋宋服故為薄盟以釋之公本無會期聞盟而往故書公會諸侯【附註】林曰書諸侯不予楚之專執專釋也

【傳】二十一年春宋人為鹿上之盟以求諸侯於楚【附註】林曰乞靈於楚以求諸侯為霸楚人許之公子目夷曰小國爭盟禍也宋其亡乎幸而後敗謂軍敗【附註】林曰以敗軍為天幸○夏大旱公欲焚巫尪巫尪女巫也主祈禱請雨者或以為尪非巫也瘠病之人其面上向俗謂天哀其病恐雨入其鼻故為之旱是以公欲焚之【音訓】尪音汪【註】故為于偽反臧文

仲曰非旱備也【附註】林曰言非備旱之道脩城郭【附註】林曰脩築城郭則飢民得就食貶食省用【附註】林曰君去盛饌減省費用務穡勸分穡儉也勸分有無相濟【附註】朱曰整理已旱之豫穡又勸富者分給貧民此其務也巫尫何為【附註】林曰巫尫何餘為旱天欲殺之則如勿生【附註】林曰殺之可以弭旱是天欲殺之則天何如勿生此人若能為旱焚之滋甚【附註】林曰若使此人果能為旱焚之則逆天意將愈甚其旱公從之是歲也饑而不害不傷害民○秋諸侯會宋公于盂子魚曰禍其在此乎君欲已甚其何以堪之【附註】林曰其何以堪成霸之事言必不堪得諸侯也朱曰言襄公圖霸貪欲太甚諸侯不堪其求必生變



也於是楚執宋公以伐宋冬會于薄以釋之【附註】林曰宋公請服於楚故為會於薄地以釋宋公子魚曰禍猶未也【附註】林曰子魚見宋公得釋殊無戒懼之心知襄公猶貪諸侯禍尚未已未足以懲君為二十二年戰泓傳【音訓】閭泓烏宏反○任宿須句顓臾風姓也實司大皞與有濟之祀司主也大皞伏羲四國伏羲之後故主其祀任今任城縣也顓臾在泰山南武陽縣東北須句在東平須昌縣西北四國封近於濟故世祀之【附註】林曰濟濟水【音訓】任音壬大音泰皞胡老反以服事諸夏與諸夏同服王事邾人滅須句須句子來奔因成風也須句成風家成風為之言於公曰崇明祀保小寡周禮也

明祀大皞有濟之祀保安也【音訓】為于偽反蠻夷猾夏周禍也此邾滅須句而曰蠻夷昭二十三年叔孫豹曰邾又夷也然則邾雖曹姓之國迫近諸戎雜用夷禮故極言之猾夏亂諸夏【附註】林曰諸侯皆周之臣子故言周室之禍【音訓】閭杜註所引是叔孫婼語今傳本多作豹恐是傳寫誤也宜為婼婼勑若反若封須句是崇皞濟而脩祀紓禍也紓解也為明年伐邾傳【音訓】紓音舒

【經】二十有二年【癸亥】春公伐邾取須句須句雖別國而削弱不能自通為魯私屬若顓臾之比魯謂之社稷之臣故滅奔及反其君皆略不備書唯書伐邾取須句○夏宋公衛侯許男滕子伐鄭○秋八月丁未及邾人戰于升陘升陘魯地邾人縣公



曽于魚門故深恥之不言公又不言師敗績【音訓】閭縣音玄○冬十有一月己巳朔宋公及楚人戰于泓宋師敗績泓水名宋伐鄭楚救之故戰也楚告命不以主帥人數故略稱人

【傳】二十二年春伐邾取須句反其君焉禮也得恤寡小之禮○三月鄭伯如楚○夏宋公伐鄭子魚曰所謂禍在此矣怒鄭至楚故伐之為下泓戰起○初平王之東遷也周幽王為犬戎所滅平王嗣立故東遷洛邑辛有適伊川見被髮而祭於野者辛有周大夫伊川周地伊水也曰不及百年此其戎乎其禮先亡矣被髮而祭有象夷狄秋秦晉遷陸渾之戎于伊

川允姓之戎居陸渾在秦晉西北二國誘而從之伊川遂從戎號至今為陸渾縣也計此去辛有過百年而云不及百年傳舉其事驗不必其年信音訓渾戶門反一音胡困反○晉大子圉為質於秦將逃歸謂嬴氏曰與子歸乎嬴氏秦所妻子圉懷嬴也音訓諺妻七計反對曰子晉大子而辱於秦子之欲歸不亦宜乎寡君之使婢子侍執巾櫛婢子婦人之卑稱附註林曰巾以帨手櫛以理髮皆賤役音訓諺稱尺證反下之稱同以固子也附註林曰蓋欲以安固子之心也從子而歸棄君命也不敢從亦不敢言附註林曰不敢從汝而歸恐失君臣之義不敢漏泄遂逃歸此言恐傷夫婦之恩傳終史蘇之占○富辰言於王

左傳六　十二

曰請名大叔富辰周大夫大叔王子帶十二年奔齊詩曰協比其鄰昬姻孔云詩小雅言王者為政先和協近親則昬姻甚相歸附也鄰猶近也孔甚也云旋也吾兄弟之不協焉能怨諸侯之不睦音訓焉於虔反王說音訓說音悅王子帶自齊復歸于京師王召之也傳終仲孫湫之言也為二十四年天王出居于鄭起○邾人以須句故出師公卑邾不設備而禦之卑小也臧文仲曰國無小不可易也音訓易以豉反下同無備雖衆不可恃也詩曰戰戰兢兢如臨深淵如履薄冰詩小雅言常戒懼又曰敬之敬之天惟顯思顯明也思猶辭也

命不易哉周頌言有國宜敬戒天明臨下奉承其命甚難先王之明德猶無不難也無不懼也況我小國乎君其無謂邾小蠭蠆有毒而況國乎音訓蠭芳容反本又作蠭俗作蜂皆同蠆勑邁反一音勑戒反弗聽八月丁未公及邾師戰于升陘我師敗績邾人獲公冑縣諸魚門冑兜鍪魚門邾城門附註林曰縣諸邾之城門以辱公音訓諺兜丁侯反鍪莫侯反○楚人伐宋以救鄭宋公將戰大司馬固諫曰天之棄商久矣君將興之不可赦也已大司馬固莊公之孫公孫固也言君興天所棄必不可不如赦楚勿與戰弗聽冬十一月己巳朔宋公及

左傳六　十三

楚人戰于泓宋人既成列楚人未既濟未盡渡泓水司馬曰子魚也彼衆我寡及其未既濟也請擊之公曰不可既濟而未成列又以告公曰未可既陳而後擊之音訓陳直覲反宋師敗績公傷股門官殲焉門官守門者師行則在君左右殲盡也國人皆咎公公曰君子不重傷附註林曰敵人已被傷者不忍再傷之音訓重直用反下同不禽二毛二毛頭白有二色古之為軍也不以阻隘也不因阻隘以求勝音訓隘於賣反寡人雖亡國之餘宋商紂之後不鼓不成列恥以詐勝附註朱曰敵人未成陣則我不擊鼓以進兵恥以詐取勝也子

魚曰君未知戰勍敵之人隘而不列天贊
我也勍強也言楚在險隘不得陳列天所以佐宋【音訓】勍其京反阻而
鼓之不亦可乎猶有懼焉雖因阻擊之猶恐不勝且
今之勍者皆吾敵也雖及胡耇獲則取之
何有於二毛今之勍者謂與吾競者胡耇元老之稱【音訓】耇音苟明
恥教戰求殺敵也明設刑戮以恥不果傷未及死如
何勿重言尚能害己若愛重傷則如勿傷愛其
二毛則如服焉言苟不欲傷殺敵人則本可不須鬭三軍以
利用也為利興【音訓】註為于偽反金鼓以聲氣也鼓以佐士
衆之聲氣利而用之阻隘可也聲盛致志鼓儳



可也儳巖未整陳【附註】林曰既以聲盛而致士卒勇鋭之志乘敵人之儳巖未
陳阻而鼓之可也【音訓】儳士銜反又士減反註陳直覲反又音如字○丙子
晨鄭文夫人羋氏姜氏勞楚子於柯澤楚子
還過鄭鄭文公夫人羋氏楚女姜氏齊女也柯澤鄭地【音訓】羋彌爾反勞力報反
楚子使師縉示之俘馘師縉楚樂師也俘所得囚馘所截耳
【音訓】縉音晉馘古獲反君子曰非禮也婦人送迎不
出門見兄弟不踰閾閾門限戎事不邇女器
邇近也器物也言俘馘非近婦人之物丁丑楚子入享于鄭
為鄭所饗【音訓】註為于偽反九獻用上公之禮九獻酒而禮畢庭實
旅百庭中所陳品數百也加籩豆六品食物六品加於籩豆籩豆
禮食器享畢夜出文羋送于軍取鄭二姬以
歸二姬文羋女也【附註】林曰姬二女姓叔詹曰楚王其不沒
乎不以壽終為禮卒於無別【附註】朱曰言取二甥女是無別也【音
訓】別彼列反為別不可謂禮將何以沒諸侯是
以知其不遂霸也言楚子所以師敗城濮終為商臣所弒

【經】二十有三年【甲申】春齊侯伐宋圍緡緡宋邑高
平昌邑縣東南有東緡城○夏五月庚寅宋公茲父卒三同
盟○秋楚人伐陳○冬十有一月杞子卒傳例
曰不書名未同盟也杞入春秋稱侯莊二十七年絀稱伯至此用夷禮貶稱子【音訓】註絀
本又作黜



【傳】二十三年春齊侯伐宋圍緡以討其不
與盟于齊也十九年盟于齊以無忘桓公之德而宋獨不會復名齊人
共盟鹿上故今討之【音訓】與音預○夏五月宋襄公卒傷
於泓故也終子魚之言得死為幸○秋楚成得臣帥
師伐陳討其貳於宋也成得臣子玉也遂取焦夷
城頓而還焦今譙縣也夷一名城父今譙郡城父縣二地皆陳邑頓國今
汝陰南頓縣【附註】林曰為頓築城以迫陳也子文以為之功使
為令尹【附註】朱曰子文以子玉取二城有功使代己為令尹叔伯曰
子若國何叔伯楚大夫薳呂臣也以為子王不任令尹【附註】林曰言子之
使子玉為令尹將如國家何言不任也【音訓】註任音壬對曰吾以靖

國也夫有大功而無貴仕貴仕貴位其人能靖者與有幾言必矜功為亂不可不賞【附註】林曰不矜而安靖能有幾人言不多也【音訓】與音餘幾居豈反○九月晉惠公卒經在明年從赴懷公命無從亡人懷公子圉亡人重耳期期而不至無赦【附註】朱曰上期如字約也下期音朞一年也懷公與其國中親戚相約繻一年不名歸者殺之無赦狐突之子毛及偃從重耳在秦弗召偃子犯也【音訓】從才用反下皆同冬懷公執狐突曰子來則免來期而執突以不名子故對曰子之能仕父教之忠古之制也【附註】朱曰凡人子長而能仕則為之父者必教之以忠於所事也策名委質貳乃辟也名書於所臣之策屈膝而君事之則不可以貳辟罪也【附註】朱曰質形體也言委身體而君事之【音訓】質如字辟婢亦反令臣之子名在重耳有年數矣若又召之教之貳也父教子貳何以事君刑之不濫君之明也臣之願也淫刑以逞誰則無罪【附註】林曰若欲淫濫刑罰以快君心誰無辭可加罪臣聞命矣乃殺之卜偃稱疾不出曰周書有之乃大明服周書康誥言君能大明則民服己則不明而殺人以逞不亦難乎民不見德而唯戮是聞其何後之有言懷公必無後於晉為二十四年殺懷公張本○十一月杞成公卒書曰子杞夷也成公始行夷禮以終



其身故於卒貶之杞實稱伯仲尼以文貶稱子故傳言書曰子以明之不書名未同盟也凡諸侯同盟死則赴以名禮也隱七年已見今重發不書名者疑降爵故也此凡又為國史承告而書例【音訓】見賢遍反重直用反下重詳同為于偽反又如字赴以名則亦書之謂未同盟不然則否謂同盟而不以名告辟不敏也敏猶審也同盟然後告名赴者之禮也承赴然後書策史官之制也內外之宜不同故傳重詳其義【音訓】辟音避○晉公子重耳之及於難也【附註】朱曰遭驪姬之難【音訓】難乃旦反晉人伐諸蒲城事在五年蒲城人欲戰重耳不可曰保君父之命而享其生祿享受也保猶恃也【附註】林曰受其養生之祿邑於是乎得人以祿致衆有人而校罪莫大焉校報也【附註】林曰有民人而與君父校勝負吾其奔也遂奔狄從者狐偃趙衰衰趙夙弟顛頡魏武子武子魏犨【音訓】頡戶結反司空季子胥臣臼季也時狐毛賈佗皆從而獨舉此五人賢而有大功狄人伐廧咎如廧咎如赤狄之別種也隗姓【音訓】廧音墻咎音高獲其二女叔隗季隗納諸公子【音訓】隗五罪反公子取季隗生伯儵叔劉【音訓】儵音疇以叔隗妻趙衰生盾盾趙宣子【音訓】妻七計反下同盾徒本反將適齊謂季隗曰待我二十五年不來而後嫁對曰我二十五年矣又如是而嫁則就木焉言將死入木不

復成嫁請待子【附註】林曰請終身待子不嫁廧狄十二年
而行以五年奔狄至十六年而去過衛衛文公不禮焉
出於五鹿五鹿衛地今衛縣西北有地名五鹿陽平元城縣東亦有五鹿
乞食於野人野人與之塊【附註】林曰野人無禮以土塊與
重耳【音訓】塊苦對反又苦恠反公子怒欲鞭之子犯曰天
賜也得土有國之祥故以為天賜稽首受而載之及齊
齊桓公妻之有馬二十乘四馬為乘八十匹也【附註】林曰
以宗女姜氏妻重耳公子安之【附註】林曰重耳以齊為可安不復有四方
之志從者以為不可將行謀於桑下齊桓既卒知孝
公不可恃故蠶妾在其上【附註】林曰姜氏育蠶之妾適采桑在其上



而聞其謀以告姜氏姜氏殺之姜氏重耳妻恐孝公怒其去故
殺妾以滅口而謂公子曰子有四方之志其聞
之者吾殺之矣公子曰無之姜曰行也【附
註】朱曰姜氏勉重耳使行懷與安實敗名【附註】林曰懷人之寵與安
己之居實足以敗壞功名公子不可姜與子犯謀醉而
遣之醒以戈逐子犯無去志故怒【音訓】醒星頂反及曹
曹共公聞其駢脅欲觀其裸浴薄而觀之
薄迫也駢脅合幹【附註】林曰駢合也脅肋也蓋骭下肋骨合比若一裸赤體也【音訓】
駢薄賢反觀如字絕句一讀至裸字絕句裸力果反又户化反僖負羈之
妻【附註】林曰僖負羈曹大夫【音訓】妻如字曰吾觀晉公子之

從者皆足以相國【音訓】相式亮反下同若以相若遂以為
傳相夫子必反其國【附註】林曰夫子謂重耳反其國必
得志於諸侯得志於諸侯而誅無禮曹其
首也子盍蚤自貳焉自貳自別異於曹【音訓】蚤音早乃饋
盤飧寘璧焉臣無境外之交故用盤藏璧飧中不欲令人見【音訓】飧音
孫公子受飧反璧【附註】林曰受飧以領其意反璧以示不貪及
宋宋襄公贈之以馬二十乘贈送也及鄭鄭
文公亦不禮焉叔詹諫曰臣聞天之所啓
人弗及也啓開也【附註】林曰天意所欲開開道之人人皆不可及晉公
子有三焉【附註】林曰重耳有人不可及者三事天其或者將



建諸【附註】林曰將建立之以為君也君其禮焉男女同姓
其生不蕃蕃息也晉公子姬出也而至于今
一也犬戎狐姬之子故曰姬出離外之患出奔在外而天不
靖晉國殆將啓之二也有三士足以上人
而從之三也國語狐偃趙衰賈佗三人皆卿才【附註】朱曰三士之才皆
足以居於人上而從重耳以行【音訓】從如字一音才用反晉鄭同儕儕等
也【音訓】儕仕皆反其過子弟固將禮焉況天之所
啓乎【附註】林曰其子弟之過於鄭者固將待以禮貌【音訓】過古禾反弗聽
及楚楚子饗之曰公子若反晉國則何以
報不穀對曰子女玉帛則君有之【附註】朱曰子女

謂妃妾也羽毛齒革則君地生焉其波及晉國者君之餘也【附註】林曰其餘波沾溉以及晉國者皆楚君享用之棄物也其何以報君曰雖然何以報我對曰若以君之靈得反晉國晉楚治兵遇於中原其辟君三舍【附註】朱曰三十里為一舍言晉兵當退三舍而避楚兵所以報德也【音註】辟音避若不獲命三退不得楚止命也其左執鞭弭右屬櫜鞬以與君周旋弭弓末無緣者櫜以受箭鞬以受弓屬著也周旋相追逐也【音註】弭莫爾反屬音燭櫜音皋鞬九言反【註】緣悅絹反子玉請殺之畏其志大楚子曰晉公子廣而儉志廣而體儉文而有禮【附註】朱曰文華者易至傲慢而公子能約



之以禮其從者肅而寬肅敬也忠而能力【附註】林曰盡忠事上而加之以勤力晉侯無親外內惡之晉侯惠公也【附註】朱曰以其忌克故無親也【音註】惡烏路反吾聞姬姓唐叔之後其後衰者也其將由晉公子乎【附註】林曰唐叔之子孫其後諸侯而衰歇者也則興起晉國其將由晉公子重耳乎天將興之誰能廢之違天必有大咎乃送諸秦秦伯納女五人懷嬴與焉懷嬴子圉妻子圉謚懷公故號為懷嬴【音註】與音預奉匜沃盥既而揮之匜沃盥器也揮湔也【附註】朱曰匜盛水器也沃澆水也盥洗手也言懷嬴奉匜澆水與重耳洗手也既而以濕手揮重耳而使水湔汙其衣也【音註】奉音捧匜音移一音以紙反盥音管【註】湔音薦一音箭又音牋怒曰秦晉匹也何以卑我匹敵也公子懼降服而囚去上服自拘囚以謝之他日公享之子犯曰吾不如衰之文也有文辭也請使衰從公子賦河水河水逸詩義取河水朝宗于海海喻秦公賦六月六月詩小雅道尹吉甫佐宣王征伐喻公子還晉必能匡王國古者禮會因古詩以見意故言賦詩斷章也其全稱詩篇者多取首章之義他皆放此【音註】見賢遍反趙衰曰重耳拜賜公子降拜稽首公降一級而辭焉下階一級辭公子稽首衰曰君稱所以佐天子者命重耳重耳敢不拜詩首章言匡王國次章言佐天子故趙衰因通言之為明年秦伯納之張本



【經】二十有四年【乙酉】春王正月○夏狄伐鄭○秋七月○冬天王出居于鄭襄王也天子以天下為家故所在稱居天子無外而書出者譏王蔽於匹夫之孝不顧天下之重因其辟母弟之難書出言其自絕於周【音註】難乃旦反○晉侯夷吾卒文公定位而後告未同盟而赴以名

【傳】二十四年春王正月秦伯納之不書不告入也納重耳也及河子犯以璧授公子【附註】朱曰以璧授重耳意欲要君為誓言此子犯之奸也曰臣負羈紲從君巡於天下羈馬羈紲馬韁【附註】林曰言臣供賤役【音註】紲音泄從才用反又如字【註】韁居良反臣之罪甚多矣臣猶知之而況

君爭請由此亡【附註】林曰請由此而逃去也朱曰請死于此也公
子曰所不與舅氏同心者有如白水子犯重耳投其璧
舅也言與舅氏同心之明如此白水猶詩言謂予不信有如皦日
于河質信於河【音訓】質音致濟河圍令狐入桑泉取
臼衰桑泉在河東解縣西解縣東南有臼城【音訓】令力丁反衰初危反二
月甲午晉師軍於廬柳懷公遣軍距重耳秦伯使
公子縶如晉師師退軍于郇解縣西北有郇城【附註】林
曰晉師從秦命納文公故退師【音訓】縶張立反郇音荀辛丑狐偃及
秦晉之大夫盟于郇【附註】林曰為盟于郇以定納文公之約
壬寅公子入于晉師丙午入于曲沃丁未

左傳六　二十二

朝于武宮文公之祖武公廟【附註】朱曰武公以曲沃并晉故立廟於其邑
戊申使殺懷公于高梁不書亦不告也懷公
奔高梁高梁在平陽楊縣西南弃殺不告者言外諸侯入及見殺亦皆須告乃書于
策○呂郤畏偪呂甥郤芮惠公舊臣故畏為文公所偪害【音訓】為
于偽反將焚公宮而弒晉侯寺人披請見【音訓】
見賢遍反公使讓之且辭焉辭不見曰蒲城之役
在五年君命一宿女即至即日至【附註】林曰獻公命汝一宿之
期女不待宿即日而至【音訓】女音汝下並同其後余從狄君以
田渭濱田獵女為惠公來求殺余【音訓】為于偽反命
女三宿女中宿至【音訓】中丁仲反下註中帶鉤同雖有君

命何其速也夫袪猶在披所斬文公衣袂也女其行
乎【附註】林曰汝其去乎言宥汝以遠也對曰臣謂君之入也
其知之矣知君人之道若猶未也又將及難【音訓】
難乃旦反下同君命無貳古之制也【附註】林曰奉君命者無有
二心除君之惡唯力是視蒲人狄人余何有
焉當二君世君為蒲狄之人於我有何義【附註】林曰言君在蒲則為蒲人在狄則
為狄人當此之時我知為獻公惠公而已何有於文公哉今君即位其
無蒲狄乎【附註】林曰其無如蒲如狄欲為公害者乎齊桓公置
射鉤而使管仲相乾時之役管仲射桓公中帶鉤【音訓】射食亦反
相式亮反君若易之何辱命焉言若反齊桓己將自去不須辱

左傳六　二十三

君命行者甚眾【附註】林曰懼罪而出奔者甚多豈唯刑臣披奄
人故稱刑臣公見之以難告告呂郤欲焚公宮三月晉
侯潛會秦伯于王城己丑晦公宮火瑕甥
郤芮不獲公乃如河上秦伯誘而殺之晉
侯逆夫人嬴氏以歸秦穆公女文嬴也秦伯送衛
於晉三千人實紀綱之僕新有呂郤之難國未輯睦故以
兵衛文公諸門戶僕隸之事皆秦卒共之為之紀綱【音訓】共音恭本亦作供○
初晉侯之豎頭須守藏者也頭須一曰里鳧須豎左右
小吏【音訓】豎音樹藏才浪反下同其出也竊藏以逃文公出時
盡用以求納之求納文公及入求見【音訓】見賢遍反下不

得見同公辭焉以沐【附註】林曰文公辭之不見訖以沐頭洗頭曰沐謂僕人曰沐則心覆心覆則圖反宜吾不得見也【附註】林曰言沐則低頭而心必反覆心主謀畫心既反覆則所圖謬者宜亦反覆【音訓】覆芳服反居者為社稷之守行者為覊絏之僕其亦可也何必罪居者國君而讎匹夫懼者甚衆矣僕人以告公遽見之言衆小怨所以能安衆○狄人歸季隗于晉而請其二子二子伯鯈叔劉【附註】林曰請其進退之命文公妻趙衰【附註】林曰文公以女妻趙衰【音訓】妻七計反生原同屏括樓嬰原屏樓三子之邑【音訓】屏步丁反趙姬請逆盾與其母趙姬文公



女也盾狄女叔隗之子【附註】林曰蓋趙衰在狄時娶叔隗生盾今請迎之歸晉子餘辭子餘衰字趙姬曰得寵而忘舊何以使人【附註】林曰得新寵而忘舊愛何以使人心悅服必逆之固請許之來以盾為才固請于公以為嫡子而使其三子下之【音訓】下遐嫁反下同以叔隗為內子而已卿之嫡妻為內子皆非此年事蓋因狄人歸季隗遂終言叔隗【音訓】已音紀○晉侯賞從亡者【音訓】從才用反介之推不言祿祿亦不及介推文公微臣之語助【附註】朱曰介姓推名推亦從亡不言求祿文公頒祿亦不及於推也推曰獻公之子九人唯君在矣惠懷無親外內棄之【附註】林曰惠公懷公無親

賞之援外之親鄰內之臣民皆共棄之天未絕晉必將有主主晉祀者非君而誰天實置之而二三子以為己力不亦誣乎竊人之財猶謂之盜況貪天之功以為己力乎下義其罪上賞其姦【附註】林曰貪天之功罪也在下者反以為立君之義貪天之功姦也在上者反以推立君之賞上下相蒙蒙欺也難與處矣其母曰盍亦求之以死誰懟【附註】林曰何不亦求其賞不求而死將以誰懟【音訓】懟音隊對曰尤而効之罪又甚焉【附註】林曰尤過也我以彼貪天者為過今自求賞是效其過也且出怨言不食其食怨言謂上下相蒙難與處【附註】朱曰且我已出怨言矣不嘗更食其



祿也其母曰亦使知之若何既不求之且欲令推達言於文公【音訓】令力呈反對曰言身之文也身將隱焉用文之是求顯也【音訓】焉於虔反其母曰能如是乎與女偕隱偕俱也【音訓】女音汝遂隱而死晉侯求之不獲以緜上為之田曰以志吾過且旌善人旌表也西河界休縣南有地名緜上【附註】林曰以緜上之地為介推私田以供祭祀朱曰志記也○鄭之入滑也滑人聽命入滑在二十年師還又即衛【附註】林曰又叛鄭適好于衛鄭公子士洩堵俞彌帥師伐滑堵俞彌鄭大夫王使伯服游孫伯如鄭請滑二子周大夫鄭伯怨惠王之入

而不與厲公爵也事在莊二十一年又怨襄王之與衛滑也怨王助衛為滑請【音訓】為于僞反故不聽王命而執二子王怒將以狄伐鄭富辰諫曰不可臣聞之大上以德撫民無親疏也【音訓】大音泰【音】其次親親以相及也先親以及疏推恩以成義昔周公弔二叔之不咸故封建親戚以蕃屏周弔傷也咸同也周公傷夏殷之叔世疏其親戚以至滅亡故廣封其兄弟【附註】林曰或以二叔為管蔡者非【音訓】屏上聲管蔡郕霍魯衛毛聃郜雍曹滕畢原酆郇文之昭也十六國皆文王子也管國在滎陽京縣東北雍國在河內山陽縣西畢國在長安縣西北酆國在始平鄠縣東【附註】林曰



文王於周為穆穆生昭故曰文之昭【音訓】於用反酆音豐邘晉應韓武之穆也四國皆武王子應國在襄陽城父縣西南韓國在河東郡界河內野王縣西北有邘城【音訓】邘音于應平聲凡蔣邢茅胙祭周公之胤也胤嗣也蔣在弋陽期思縣高平昌邑縣西有茅鄉東郡燕縣西南有胙亭【音訓】蔣將丈反祭側界反召穆公思周德之不類故糾合宗族于成周而作詩類善也糾收也召穆公周卿士名虎召采地扶風雍縣東南有召亭周厲王之時周德衰微兄弟道缺召穆公于東都收會宗族特作此周公之樂歌常棣詩屬小雅曰常棣之華鄂不韡韡常棣棣也鄂鄂然華外發不韡韡言韡韡以喻兄弟和睦則強盛而有光輝韡韡然【附註】林曰常棣郁李花也【音訓】鄂五各反韡韋鬼反凡今

之人莫如兄弟言致韡韡之盛莫如親兄弟其四章曰兄弟鬩于牆外禦其侮鬩訟爭貌言內雖不和猶宜外扞異族之侵侮【音訓】鬩胡歷反如是則兄弟雖有小忿不廢懿親懿美也今天子不忍小忿以棄鄭親其若之何庸勳親親暱近尊賢德之大者也庸用也暱親也【附註】林曰暱近親暱其睎近於我者即聾從昧與頑用嚚姦之大者也棄德崇姦禍之大者也衆聚也鄭有平惠之勳平王東遷晉鄭是依惠王出奔虢鄭納之是其勳也又有厲宣之親鄭始封之祖桓公友周厲王之子宣王之母弟棄嬖寵而用三良七年殺嬖臣申侯十六年殺寵子子華也



三良叔詹堵叔師叔所謂尊賢於諸姬為近道近當暱之【附註】林曰鄭居河洛北之姬姓諸侯去周最近所當暱之四德具矣耳不聽五聲之和為聾目不別五色之章為昧心不則德義之經為頑口不道忠信之言為嚚狄皆則之四姦具矣周之有懿德也猶曰莫如兄弟故封建之當周公時故言周之有懿德其懷柔天下也猶懼有外侮扞禦侮者莫如親親故以親屏周【附註】林曰以同姓諸侯為周屏翰召穆公亦云周公作詩召公歌之故言亦云今周德既衰於是乎又渝周召以從諸姦無乃不可乎變周召親

兄弟之道民未忘禍王又與之前有子頹之亂中有叔帶召狄故曰民未忘禍其若文武何言將廢文武之功業王弗聽使頹叔桃子出狄師二子周大夫○夏狄伐鄭取櫟王德狄人將以其女為后富辰諫曰不可臣聞之曰報者倦矣施者未厭施功勞也有勞則望報過甚【附註】朱曰大凡報人之施者我雖日力倦矣彼責我之報者其心終未厭足也【音訓】施如字厭於豔反又於鹽反狄固貪惏王又啓之【附註】朱曰令以其女為后是開啓其貪也【音訓】惏力南反殺人而取其財曰惏女德無極婦怨無終婦女之志近之則不知止足遠之則忿怨無已終猶已也【音訓】【圖】遠于萬反狄必為患王又弗聽初甘

左傳六　二十八

昭公有寵於惠后甘昭公王子帶也食邑於甘河南縣西南有甘水惠后將立之未及而卒昭公奔齊奔齊在十二年王復之在二十二年又通於隗氏隗氏王所立狄后王替隗氏替廢也頹叔桃子曰我實使狄【附註】林曰我實使狄師伐鄭及其女為后狄其怨我遂奉大叔以狄師攻王王御士將禦之周禮王之御士十二人王曰先后其謂我何先后惠后也誅大叔恐違先后志寧使諸侯圖之【附註】林曰蓋不欲親誅叔帶王遂出及坎欿國人納之坎欿周地在河南鞏縣東【音訓】欿大感反秋頹叔桃子奉大叔以狄師伐周大敗周師獲周公

忌父原伯毛伯富辰原毛皆采邑王出適鄭處于氾鄭南氾也在襄城縣南【音訓】氾音凡大叔以隗氏居于溫○鄭子華之弟子臧出奔宋十六年殺子華故好聚鷸冠鷸鳥名聚鷸羽以為冠非法之服【音訓】好呼報反鷸音律鄭伯聞而惡之惡其服非法【音訓】惡烏路反使盜誘之八月盜殺之于陳宋之間君子曰服之不衷身之災也衷猶適也【音訓】衷音忠一音丁仲反詩曰彼己之子不稱其服詩曹風刺小人在位言彼人之德不稱其服【音訓】己音紀稱尺證反下同子臧之服不稱也夫詩曰自詒伊慼其子臧之謂矣詩小雅詒遺也慼憂也取其自遺憂【音訓】詒以

左傳六　二十九

支反【圖】遺唯季反夏書曰地平天成稱也夏書逸書地平其化天成其施上下相稱為宜【音訓】【圖】施始豉反○宋及楚平【附註】林曰宋自子泓之敗與楚不睦至是成公改紀始及楚平宋成公如楚還入於鄭鄭伯將享之問禮於皇武子皇武子鄭卿對曰宋先代之後也於周為客天子有事膰焉有事祭宗廟也膰祭肉尊之故賜以祭胙有喪拜焉宋弔周喪王特拜謝之豐厚可也【附註】林曰言天子尚尊敬之則鄭享宋公宜豐厚其禮鄭伯從之享宋公有加禮也禮物事事加厚善鄭能尊先代○冬王使來告難【音訓】難乃旦反下同曰不穀不德得罪于母弟之寵子帶【附註】林曰

王引咎自責故云得罪于同母弟以子帶為惠后所寵故云寵子帶鄢在鄭
地氾鄙野也敢告叔父天子謂同姓諸侯曰叔父臧文仲
對曰天子蒙塵于外[附註]林曰天子出奔謂之蒙塵敢不
奔問官守官守王之羣臣[附註]朱曰天子至尊不敢斥言故但曰奔問官
守王使簡師父告于晉使左鄢父告于秦
二子周大夫天子無出書曰天王出居于鄭辟
母弟之難也叔帶襄王同母弟[音訓]辟音避天子凶服降
名禮也[註]凶服素服降名稱不穀林曰得罪懼脩省之禮[附]○鄭伯
與孔將鉏石申父侯宣多省視官具于氾
三子鄭大夫省官司具器用[音訓]鉏仕居反而後聽其私政禮



也得先君後已之禮○衛人將伐邢禮至曰不得
其守國不可得也禮至衛大夫守謂邢正卿國子我請昆
弟仕焉[附註]林曰我請為衛間諜先以兄弟往邢求仕焉此其為得國子之
道乃往得仕為明年滅邢傳

[經]二十有五年[丙戌]春王正月丙午衛侯燬
滅邢衛邢同姬姓惡其親親相滅故稱名罪之[音訓][註]惡烏路反○夏四
月癸酉衛侯燬卒無傳五同盟○宋蕩伯姬來逆
婦無傳伯姬魯女為宋大夫蕩氏妻也自為其子來逆稱婦姑存之辭婦人越竟迎婦
非禮故書[音訓][註]自為于偽反竟音境○宋殺其大夫無傳其事則未
聞於例為大夫無罪故不稱名○秋楚人圍陳納頓子于頓

頓迫於陳而出奔楚故楚圍陳以納頓子不言遂明一事也子玉稱人從告頓子不言歸
興師見納故○葬衛文公無傳○冬十有二月癸亥
公會衛子莒慶盟于洮洮魯地衛文公既葬成公不稱爵者述父
之志降名從未成君故書子以善之莒慶不稱氏未賜族

[傳]二十五年春衛人伐邢二禮從國子巡
城[附註]林曰二禮禮至兄弟也從國子巡城中警守備掖以赴外殺
之[附註][音訓]林曰手掖國子以赴外師掖音亦以手持人臂曰掖正月丙
午衛侯燬滅邢同姓也故名禮至為銘曰
余掖殺國子莫余敢止惡其不知恥詐以滅同姓而反銘功
於器[附註]林曰莫我敢止言其勇也○秦伯師于河上將納



王勤納狐偃言於晉侯曰求諸侯莫如勤王
王也諸侯信之且大義也繼文之業而信宣
於諸侯今為可矣晉文侯仇為平王侯伯匡輔周室[附註]林曰勤
王之信義宣布於諸侯使卜偃卜之曰吉遇黃帝戰
于阪泉之兆黃帝與神農之後姜氏戰于阪泉之野勝之今得其兆故
以為吉公曰吾不堪也文公自以為已當此兆故曰不堪對
曰周禮未改今之王古之帝也言周德雖衰其命未
改今之周王自當帝兆不謂晉公曰筮之筮之遇大有☲
☰乾下離上大有之睽䷥兌下離上睽大有九三變而為睽曰
吉遇公用享于天子之卦大有九三爻辭也三為三公而

得位變而為兌兌為說得位而說故能為王所宴饗戰克而王享吉執大焉言卜筮協吉且是卦也方更揔言二卦之義不繫於一爻天為澤以當日天子降心以逆公不亦可乎乾為天兌為澤乾變為兌而上當離離為日日之在天垂曜在澤天子在上說心在下是降心逆公之象大有去睽而復亦其所也言去睽卦還論大有亦有天子降心之象乾尊離卑降尊下卑亦其義也【音訓】【註】下遐嫁反晉侯辭秦師而下辭讓秦師使還順流故曰下【附註】朱曰並欲自專納王之功也三月甲辰次于陽樊【附註】林曰晉師次于周地陽樊右師圍温大叔在温故左師逆王○夏四月丁巳王入于王城取大叔于温殺之

于隰城【附註】朱曰晉人殺之也戊午晉侯朝王王饗醴命之宥既行享禮而設醴酒又加之以幣帛以助歡也宥助也請隧弗許闕地通路曰隧王之葬禮也諸侯皆縣柩而下【音訓】隧音遂【註】縣音玄曰王章也章顯王者與諸侯異未有代德而有二王亦叔父之所惡也【附註】林曰言周德雖衰天下未有代周之德者而晉欲擬天子之禮是有二王天下而有二王不惟諸侯惡之雖晉侯亦自惡之【音訓】惡烏路反與之陽樊温原欑茅之田晉於是始啓南陽在晉山南河北故曰南陽陽樊不服圍之倉葛呼曰倉葛陽樊人【音訓】呼喚故反德以柔中國刑以威四夷宜吾不敢服也此誰非王之親



姻其俘之也【附註】林曰凡居此地者誰非王室之親戚姻婭若何執拘以為俘囚乃出其民取其土而已【附註】林曰晉聞蒼葛之言知不可強取乃出陽樊之民取其土而已○秋秦晉伐鄀鄀本在商密秦楚界上小國其後遷於南郡鄀縣【音訓】鄀音若楚鬬克屈禦寇以申息之師戍商密鬬克申公子儀屈禦寇息公子邊商密鄀別邑今南鄉丹水縣戍守也二子屯兵於析以為商密援秦人過析隈入而係輿人以圍商密昏而傳焉析楚邑一名白羽今南鄉析縣隈隱蔽之處係縛輿人詐為克析得其囚俘者昏而傳城不欲令商密知因非析人【附註】林曰入而繫輿人入隱處係縛其輿衆之人【音訓】隈烏回反傳音附【註】令力呈反宵坎血加書僞與子儀子邊盟者掘地為坎以埋盟之餘血加盟書其上商密人懼曰秦取析矣

戍人反矣乃降秦師【附註】林曰見縛囚故疑取析見盟徵故疑二子已與衆反叛秦師囚申公子儀息公子邊以歸商密既降析戍亦敗故得囚二子楚令尹子玉追秦師弗及不復言晉者秦為兵主遂圍陳納頓子于頓為頓圍陳【音訓】【註】為于偽反○冬晉侯圍原命三日之糧原不降命去之諜出諜間也【音訓】諜音牒曰原將降矣軍吏曰請待之公曰信國之寶也民之所庇也【附註】林曰民無信不立故以信庇其身【音訓】庇必利反又音祕得原失信何以庇之所亡滋多【附註】林曰得原所得少失

信所失多退一舍而原降遷原伯貫于冀伯貫周守原大夫也【附註】林曰還之于晉地趙衰為原大夫狐溱為温大夫【音訓】狐溱狐毛之子溱側巾反○衛人平莒于我十二月盟于洮脩衛文公之好且及莒平也莒以元年鄭之役怨魯衛文公將平之未及而卒成公追成父志降名以行事故曰脩文公之好晉侯問原守於寺人勃鞮勃鞮披也【音訓】鞮音提對曰昔趙衰以壺飧從徑餒而弗食言其廉且仁不忘君也徑猶行也【附註】林曰飧餔也水澆飯也言趙衰昔者以壺承飯從文公於行役饑而不敢食【音訓】飧音孫從才用反舊如字徑古定反故使處原從披言也衰雖有大功猶簡小善以進之示不遺勞



【經】二十有六年【丁亥】春王正月己未公會莒子衛甯速盟于向向莒地甯速衛大夫莊子也○齊人侵我西鄙公追齊師至酅弗及公逐齊師遠至齊地故書之濟北穀城縣西有地名酅下【音訓】酅戶圭反一音似轉反○夏齊人伐我北鄙孝公未入魯竟先使微者伐之【附註】林曰此齊侯也其稱人何自隱以來以兵加我君大夫將皆書人君將書君自文十五年齊懿公始大夫將書大夫自齊高厚始訖春秋惟郲莒書人【音訓】竟音境傳同○衛人伐齊○公子遂如楚乞師公子遂魯卿也乞不保得之辭【附註】林曰乞師始此內乞師不書書乞師于楚諱中國之屈於夷狄也○秋楚人滅夔以夔子歸夔楚同姓國今建平秭歸縣夔有不祀之罪故不譏楚滅同姓【音訓】秭音姊○冬

楚人伐宋圍緡○公以楚師伐齊取穀傳例曰師能左右之曰以○公至自伐齊無傳

【傳】二十六年春王正月公會莒茲丕公茲丕時君之號莒夷無謚以號為稱【音訓】稱尺證反甯莊子盟于向尋洮之盟也洮盟在前年○齊師侵我西鄙討是二盟也【附註】林曰侵魯討魯與衛莒為洮向之二盟○夏齊孝公伐我北鄙衛人伐齊洮之盟故也公使展喜犒師勞齊師【音訓】犒苦報反勞力報反下同使受命于展禽柳下惠【附註】林曰使展喜受勞師之辭命于柳下惠齊侯未入竟展喜從之【附註】林曰展喜往從齊侯而勞之曰寡君



聞君親舉玉趾將辱於敝邑使下臣犒執事言執事不敢斥尊齊侯曰魯人恐乎對曰小人恐矣君子則否齊侯曰室如縣罄野無青草何恃而不恐如而也時夏四月今之二月野物未成故言居室而資糧縣盡在野則無蔬食之物所以當恐【音訓】縣音玄罄亦作磬盡也對曰恃先王之命昔周公大公股肱周室夾輔成王成王勞之而賜之盟曰世世子孫無相害也載在盟府載載書也大師職之職主也太公為大師兼主司盟之官桓公是以糾合諸侯而謀其不協彌縫其闕而匡救其災【附註】林曰彌縫諸侯之闕失正

救諸侯之災害昭舊職也及君即位諸侯之望曰其率桓之功率循也我敝邑用不敢保聚用此舊盟故不聚眾保守曰豈其嗣世九年而棄命廢職【附注】朱曰棄先王之命廢太公之職其若先君何君必不然恃此以不恐齊侯乃還○東門襄仲臧文仲如楚乞師襄仲居東門故以為氏臧文仲為襄仲副使故不書【音訓】使所吏反臧孫見子玉而道之伐齊宋以其不臣也言其不臣事周室可以此罪責而伐之【音訓】道音導○夔子不祀祝融與鬻熊祝融高辛氏之火正楚之遠祖也鬻熊祝融之十二世孫夔楚之別封故亦世紹其祀【音訓】鬻音育楚人讓之對曰



我先王熊摯有疾【附注】林曰熊摯即楚熊渠之中子紅立為鄂王者也【音訓】摯音至鬼神弗赦而自竄于夔熊摯楚嫡子有疾不得嗣位故別封為夔子吾是以失楚又何祀焉廢其常祀而飾辭文過秋楚成得臣鬬宜申帥師滅夔以夔子歸成得臣令尹子玉也鬬宜申司馬子西也○宋以其善於晉侯也重耳之出也宋襄公贈馬二十乘叛楚即晉冬楚令尹子玉司馬子西帥師伐宋圍緡公以楚師伐齊取穀凡師能左右之曰以左右謂進退在己【音訓】左右並如字寘桓公子雍於穀易牙奉之以為魯援雍本與孝公爭立故使居穀以逼齊楚申公叔侯戍之為二十八年楚子使申叔去穀張本桓公之子七人為七大夫於楚言孝公不能撫公族



春秋經傳集解卷第六

春秋經傳集解卷第七

杜氏　盡三十三年　諸家註音訓附

僖公下

【經】二十有七年【戊子】春杞子來朝○夏六月庚寅齊侯昭卒十九年與魯大夫盟于齊○秋八月乙未葬齊孝公無傳三月而葬速○乙巳公子遂帥師入杞不地日入八月無乙巳乙巳九月六日○冬楚人陳侯蔡侯鄭伯許男圍宋傳言楚子使子玉去宋經書人者恥不得志以微者告猶序諸侯之上楚主兵故【附註】林曰楚序諸侯上而稱人嫌予楚以霸也○十有二月甲戌公會諸侯盟于宋無傳諸侯伐宋公與楚有好而往會之非後期宋方見圍無嫌於與盟故直以宋地【音訓】圍與盟音預

【傳】二十七年春杞桓公來朝用夷禮故曰子杞先代之後而迫於東夷風俗雜壞言語衣服有時而夷故杞子卒傳言其夷也今稱朝者始於朝禮終而不全與於介葛盧故唯貶其爵公卑杞杞不共也杞用夷禮故賤之【音訓】公音恭本亦作恭○夏齊孝公卒有齊怨前年齊再伐魯不廢喪紀禮也弔贈之數不有廢○秋入杞責禮也責不共也【音訓】本或作責無禮者非○楚子將圍宋【附註】朱曰宋叛楚即晉故楚將圍之使子文治兵於睽子文時不為令尹故云使治兵習號令也睽楚邑終朝而畢不戮一人終朝自旦及食時也子文欲委重於子玉故略其事子玉復治兵於蔿子玉為令尹故蔿楚邑【音訓】復扶又反蔿于委反終日而畢鞭七人貫三人耳【附註】林曰以矢穿其耳【音訓】貫音官又古亂反國老皆賀子文子文飲之酒賀子玉堪其事【附註】朱曰國老卿大夫之致仕者也子文使子玉為令尹故賀其所舉得人也【音訓】飲於鴆反蔿賈尚幼後至不賀蔿賈伯嬴孫叔敖之父幼少也子文問之對曰不知所賀子之傳政於子玉曰以靖國也【附註】林曰述子文二十三年答叔伯之言【音訓】傳直專反靖諸內而敗諸外【附註】朱曰蔿賈度子玉必敗故云雖靖於內而必敗於外也所獲幾何【附註】林曰言所得不補所喪【音訓】幾居豈反子玉之敗子之舉也舉以敗國將何賀焉子玉剛而無禮不可以治民過三百乘其不能以入矣苟入而賀何後之有三百乘二萬二千五百人【附註】林曰言子玉力小任重將不能以入其眾而治之也苟子玉能入其眾而舉賀典未為後時而失禮朱曰若使所將兵車過三百乘以上其必不能入前敵矣甚言子文舉子玉為不當也○冬楚子及諸侯圍宋宋公孫固如晉告急公孫固莊公孫先軫曰報施救患取威定霸於是乎在矣先軫晉下軍之佐原軫也報宋贈馬之施【音訓】施式豉反狐偃曰楚始得曹而新昏於衛【附註】林曰曹共公始服楚若伐曹衛楚必救之則齊宋免矣前年楚使申叔侯戍穀以偪齊【附註】林曰去年

左傳七　十二

楚使申叔戍穀以偪齊今年楚圍宋其勢必撤圍戍以救曹衛故曰齊宋免矣於是乎蒐于被廬晉常以春蒐禮改政令敬其始也被廬晉地作三軍閔元年晉獻公作三軍今復大國之禮謀元帥中軍帥趙衰曰郤穀可【音訓】穀本又作穀同胡木反臣亟聞其言矣【音訓】亟欺冀反說禮樂而敦詩書說音悅詩書義之府也【附註】林曰詩備美刺善惡書載帝王興廢此義理之府藏也禮樂德之則也【附註】林曰禮以導中樂以導和此德行之法則也德義利之本也【附註】林曰德行義理利國利民之本也夏書曰賦納以言明試以功車服以庸尚書虞夏書也取納以言觀其志也明試以功考其事也車服以庸報其勞也賦猶取也庸功也



君其試之乃使郤穀將中軍郤溱佐之使狐偃將上軍讓於狐毛而佐之狐毛偃之兄命趙衰為卿【附註】林曰將下軍讓於欒枝先軫欒枝貞子也欒賓之孫使欒枝將下軍先軫佐之荀林父御戎魏犨為右荀林父中行桓子【附註】林曰御戎為文公御戎車【音訓】行戶剛反晉侯始入而教其民二年欲用之二十四年入子犯曰民未知義未安其居無義則苟生於是乎出定襄王二十五年定襄王以示事君之義入務利民民懷生矣【附註】林曰民皆懷土安居知生之可樂將用之子犯曰民未知信未宣其用宣明也未明於

見用之信於是乎伐原以示之信伐原在二十五年民易資者不求豐焉不詐以求多【附註】朱曰謂以貨物貿易者不求過本價也明徵其辭重言信【附註】朱曰契卷要約皆分明也公曰可矣乎子犯曰民未知禮未生其共【附註】林曰未生其恭敬之心【音訓】共音恭於是乎大蒐以示之禮蒐順少長明貴賤作執秩以正其官執秩主爵秩之官【附註】朱曰新設此官以辨羣臣之等民聽不惑而後用之【附註】朱曰民知義信禮則聽上之命無所疑惑出穀戍釋宋圍楚子使申叔去穀子玉去宋一戰而霸文之教也【附註】謂明年戰城濮林曰由晉侯以文德教民故也



【經】二十有八年【己丑】春晉侯侵曹晉侯伐衛再舉晉侯者曹衛兩來告【附註】林曰晉文公始圖霸自此至踐土凡五書晉侯予晉以霸也○公子買戍衛不卒戍刺之公子買魯大夫子叢也內殺大夫皆書刺言用周禮三刺之法示不枉濫也公實畏晉殺子叢而誣叢以廢戍之罪恐不為遠近所信故顯書其罪【音訓】刺七賜反殺也○楚人救衛○三月丙午晉侯入曹執曹伯畀宋人畀與也執諸侯當以歸京師晉欲怒楚使戰故以與宋所謂譎而不正○夏四月己巳晉侯齊師宋師秦師及楚人戰于城濮楚師敗績宋公齊國歸父秦小子慭既次城濮以師屬晉不與戰也子玉及陳蔡之師不書楚人恥敗告文略也大崩曰敗績【音訓】註慭魚覲反與音預○楚殺其大夫

得臣（子玉違其君命以取敗稱名以殺罪之）○衛侯出奔楚○五月癸丑公會晉侯齊侯宋公蔡侯鄭伯衛子莒子盟于踐土（踐土鄭地王子虎臨盟不同歃故不書衛侯出奔其弟叔武攝位受盟非王命所加從未成君之禮故稱子而序鄭伯之下經書癸丑月十八日也傳書癸亥月二十八日經傳必有誤）○陳侯如會（無傳陳本與楚楚敗懼而屬晉來不及盟故曰如會）○公朝于王所（無傳王在踐土非京師故曰王所【附註】林曰書朝王始此先朝王而後盟是以天子與斯盟也書盟而後朝春秋不以天子與斯盟之辭也）○六月衛侯鄭自楚復歸于衛（復其位曰復歸晉人感叔武之賢而復衛侯衛侯之入由于叔武故以國逆為文例在成十八年）○衛元咺出奔晉（元咺衛大夫雖為叔武訟訴失君臣之節故無賢文奔例在宣十年【音訓】咺況晚反【註】為于偽反下為其同訴本又作愬）○陳侯款卒（無傳凡四同盟）○秋杞伯姬來（無傳莊公女歸寧曰來）○公子遂如齊（無傳聘也）○冬公會晉侯齊侯宋公蔡侯鄭伯陳子莒子邾子秦人于溫（陳共公稱子先君未葬例在九年宋襄公稱子自在本班陳共公稱子降在鄭下陳懷公稱子而在鄭上傳無義例蓋會所次非褒貶也）○天王狩于河陽（晉地今河內有河陽縣晉實召王為其辭逆而意順故經以王狩為辭【附註】林曰晉侯召王以諸侯見是先狩而後會也春秋先書會後書狩者書狩而後會是以天子與斯會也先書會後書狩春秋不以天子與斯會之辭也河陽即溫晉地也）○壬申公朝于王所（壬申十月十日有日而無月史闕文）○晉人執衛侯歸之于京師（稱人以執罪及民也例在成十五年諸侯不得相治故歸之京師）○衛元咺自晉復歸于衛（元咺與衛侯訟得勝而歸從國逆例者明衛侯無道於民國人與元咺）○諸侯遂圍許（會溫諸侯也許比再會不至故因會共伐之）曹伯襄遂歸于曹（晉感侯孺之言而復曹伯故從國逆之例【註】孺乃侯反【音訓】）遂會諸侯圍許（言遂得復而行不歸國也）



【傳】二十八年春晉侯將伐曹假道于衛（曹在衛東故）衛人弗許還自南河濟（從汲郡南渡出衛南而東）侵曹伐衛（【附註】朱曰愚按侵曹者以報觀狀之怨伐衛者以雪與塊之恥也）正月戊申取五鹿（五鹿衛地）○二月晉郤縠卒原軫將中軍胥臣佐下軍上德也（先軫以下軍佐超將中軍故曰上德胥臣司空季子【附註】林曰以先軫胥臣有賢德尊上之也）晉侯齊侯盟于斂盂（斂盂衛地【附註】林曰齊侯以穀戍之迫故從晉求援【音訓】斂音廉又如字盂音于）衛侯請盟晉人弗許衛侯欲與楚國人不欲故出其君以說于晉（【音訓】說音悅又如字下同）衛侯出居于襄牛（襄牛衛地）○公子買戍衛（晉伐衛衛楚之昏姻魯欲與楚故戍衛）楚人救衛不克公懼於晉殺子叢以說焉（子叢名而殺之）以謝晉謂楚人不卒戍也（詐告楚人言子叢不終戍事而歸故殺之殺子叢在楚救衛下經在上者赴晚至）○晉侯圍曹門焉多死（攻曹城門【附註】林曰晉既致楚救衛復舍衛而圍曹）曹人尸

諸城上磔晋死人於城上【音訓】磔張宅反晋侯患之聽輿

人之謀曰稱舍於墓輿衆也舍墓爲將發冢【音訓】爲如字又

于僞反師遷焉曹人兇懼遷至曹人墓兇兇恐懼聲【音訓】兇凶勇反爲其所得者棺而出之【附註】林曰爲其所得晋人棺斂

其尸而出之於外欲加禮於晋師以兇發冢之禍【音訓】棺古患反一音官因其

兇也而攻之三月丙午入曹數之以其不

用僖負羈而乘軒者三百人也且曰獻狀

軒大夫車言其無德居位者多故責其功狀令無入僖負羈之

宮而免其族報施也報飧璧之施【音訓】施始豉反【音】魏犨

顛頡怒曰勞之不圖報於何有二子各有從亡之勞



【附註】朱曰言我軍有從亡之勞吾君尚不圖謀之此等小惠何足報也【音訓】從才

用反爇僖負羈氏爇燒也【音訓】爇如悅反魏犨傷於胷

公欲殺之而愛其材材力使問且視之病將

殺之魏犨束胷見使者【音訓】見賢遍反使所吏反曰以

君之靈不有寧也言不以病故自安寧距躍三百曲

踊三百距躍超越也曲踊跳踊也百猶勵也【附註】林曰距躍超越也百猶勵

也蓋距地向前超躍越物而過凡三次勉勵而為之曲踊跳踊也亦三次勉勵而為

之【音訓】三如字又息暫反百音陌乃舍之【音訓】舍音捨下並同殺顛

頡以徇于師立舟之僑以爲戎右舟之僑故虢臣

閔二年奔晋以代魏犨為步歸張本宋人使門尹般如晋師

告急門尹般宋大夫公曰宋人告急舍之則絶與晋

絶【附註】林曰若舍之不救則宋與晋絶告楚不許【附註】林曰告楚釋宋

楚又不許我欲戰矣齊秦未可若之何未肯戰先

軫曰使宋舍我而賂齊秦求救於齊秦藉之告

楚假借齊秦使為宋請【附註】朱曰假借齊秦使告于楚請退圍宋之師【音訓】爲

于僞反我執曹君而分曹衛之田以賜宋人

楚愛曹衛必不許也不許齊秦之請喜賂怒頑能

無戰乎言齊秦喜得宋賂而怒楚之頑必自戰也不可告請故曰頑公

說執曹伯分曹衛之田以畀宋人【附註】林曰皆與宋

激楚之怒也【音訓】說音悅楚子入居于申申在方城內故曰入使



申叔去穀二十六年申叔戍穀使子玉去宋曰無從

晋師【附註】林曰言無得從晋師與之爭戰晋侯在外十九年

矣而果得晋國晋侯生十七年而亡亡十九年而反凡三十六年至今

此四十矣險阻艱難【附註】林曰人情之險阻事之艱難朱曰山川之險

阻道路之艱難備嘗之矣【附註】林曰艱險備嘗則志慮堅民之情

僞盡知之矣【附註】林曰情僞盡知則見識明天假之年獻公

之子九人唯文公在故曰天假之年而除其害除惠懷呂郤天之

所置其可廢乎軍志曰允當則歸無求過分軍志

兵書【附註】林曰引此蓋謂齊秦既為宋請則赦宋而歸可謂允當無求過分【音訓】當

丁狼反分扶問反又曰知難而退【附註】朱曰引此志者蓋謂晋之

力強難以勝之可以退也又曰有德不可敵【附註】林曰引此蓋謂晉侯備嘗艱險盡知情僞爲有德不可與之敵也此三志者晉之謂矣謂今與晉遇當用此三志子玉使伯棼請戰伯棼子越椒也鬭伯比之孫【附註】朱曰請戰者求盡兵與晉戰也【音訓】棼扶云扶彩二反曰非敢必有功也願以間執讒慝之口間執猶塞也讒慝若蔿賈之言謂子玉不能以三百乘入【附註】朱曰子玉欲決於一戰以間破執持之使讒慝之不行也【音訓】間去聲王怒少與之師唯西廣東宮與若敖之六卒實從之楚子還申遣此兵以就前圍宋之衆楚有左右廣又大子有宮甲分取以給之若敖楚武王之祖父葬若敖者子玉之祖也六卒子玉宗人之兵六百人言不悉師以益之【音訓】廣古曠反卒子



忽反子玉使宛春告於晉師【附註】林曰宛春楚大夫【音訓】宛於元反又於阮反曰請復衛侯而封曹臣亦釋宋之圍衛侯未出竟曹伯見執在宋已失位故言復衛封曹子犯曰子玉無禮哉君取一臣取二君取一以釋宋惠晉侯臣取二復曹衛爲己功不可失矣言可伐先軫曰子與之【音訓】林曰先軫以子犯之言爲不然故曰子許之定人之謂禮楚一言而定三國【附註】林曰子玉一言而復衛封曹釋宋是安三國我一言而亡之【附註】林曰晉不許楚則晉亡曹衛楚亦亡宋是亡三國我則無禮何以戰乎不許楚言是棄宋也救而棄之謂諸侯何言將爲諸侯所怪楚有三

施我有三怨【音訓】施始致反怨讎已多將何以戰不如私許復曹衛以攜之私許二國使告絶于楚而後復之攜離也執宛春以怒楚既戰而後圖之須勝負決乃定計公說【音訓】說音悅乃拘宛春於衛且私許復曹衛曹衛告絶於楚子玉怒從晉師晉師退軍吏曰以君辟臣辱也【音訓】辟音避下同且楚師老矣何故退子犯曰師直爲壯曲爲老豈在久乎微楚之惠不及此重耳過楚楚成王有贈送之惠【音訓】國過古禾反退三舍辟之所以報也一舍三十里初楚子云若反國何以報我欲以退三舍爲報背惠食言以



亢其讎亢猶當也讎謂楚也【音訓】背音佩下同亢苦浪反我曲楚直其衆素飽不可謂老直氣盈飽我退而楚還我將何求若其不還君退臣犯曲在彼矣退三舍楚衆欲止子玉不可夏四月戊辰晉侯宋公齊國歸父崔夭秦小子憖次于城濮國歸父崔夭齊大夫也小子憖秦穆公子也城濮衛地【音訓】夭於表反楚師背酅而舍酅丘陵險阻名【音訓】酅戶圭反晉侯患之聽輿人之誦恐衆畏險故聽其歌誦曰原田每每舍其舊而新是謀高平曰原晉軍美盛若原田之草每每然可以謀立新功不足念舊惠【音訓】每音梅又梅對反舍音捨公疑焉疑衆謂己背舊

謀反子犯曰戰也戰而捷必得諸侯若其不捷表裏山河必無害也晉國外河而內山公曰若楚惠何欒貞子曰漢陽諸姬楚實盡之貞子欒枝也水北曰陽姬姓之國在漢北者楚盡滅之思小惠而忘大恥不如戰也晉侯夢與楚子搏搏手搏楚子伏己而盬其腦盬啑也【附註】朱曰楚子伏於晉文身上而以口啑其腦也【音訓】盬音古腦乃老反【圖】啑子答反又所答反又子甲反是以懼子犯曰吉我得天楚伏其罪吾且柔之矣晉侯上向故得天楚子下向地故伏其罪腦所以柔物子犯審見事宜故權言以答夢子玉使鬬勃請戰鬬勃楚大夫曰請與君之士



戲【附註】朱曰以戰為戲見子玉輕敵之甚也君馮軾而觀之得臣與寓目焉寓寄也【音訓】馮皮冰反與音預晉侯使欒枝對曰寡君聞命矣楚君之惠未之敢忘是以在此為大夫退其敢當君乎【音訓】為于偽反既不獲命矣不獲止命敢煩大夫謂二三子煩鬬勃令戒勑子玉子西之屬【音訓】【圖】令力呈反戒爾車乘敬爾君事詰朝將見詰朝平旦【音訓】見如字又賢遍反晉車七百乘韅靷鞅靽五萬二千五百人在背曰韅在胷曰靷在腹曰鞅在後曰靽言駕乘脩備【附註】林曰每乘甲士三人步卒七十二人共五萬二千五百人著掖皮曰韅軸曰靷頸皮曰鞅繫曰靽【音訓】韅許見反又去見反靷以刃反鞅於杖反靽音半

晉侯登有莘之虛以觀師曰少長有禮其可用也有莘故國名少長猶言大小【音訓】虛丘魚反遂伐其木以益其兵伐木以益攻戰之具與曳柴亦是也【音訓】【圖】攻如字又音貢己巳晉師陳于莘北【附註】林曰莘北即城濮【音訓】陳直覲反胥臣以下軍之佐當陳蔡子玉以若敖之六卒將中軍曰今日必無晉矣【附註】林曰子玉自誇其強言今日必盡滅晉師子西將左子上將右子西鬬宜申子上鬬勃胥臣蒙馬以虎皮先犯陳蔡陳蔡奔楚右師潰陳蔡屬楚右師狐毛設二旆而退之旆大旗也又建二旆而退使若大將稍卻欒枝使輿曳柴而偽遁



曳柴起塵詐為眾走楚師馳之原軫郤溱以中軍公族橫擊之公族公所率之軍狐毛狐偃以上軍夾攻子西楚左師潰楚師敗績子玉收其卒而止故不敗三軍唯中軍完是不崩晉師三日館穀館舍也食楚軍穀三日及癸酉而還甲午至于衡雍作王宮于踐土衡雍鄭地今熒陽卷縣襄王聞晉戰勝自往勞之故為作宮【音訓】雍於用反【圖】卷音權又丘權反勞力報反為于偽反下同鄉役之三月鄉猶屬也城濮役之前三月【音訓】鄉許亮反【圖】屬音燭鄭伯如楚致其師為楚師既敗而懼使子人九行成于晉子人氏九名晉欒枝入盟鄭伯【附註】林曰

晉許鄭成故使下卿入鄭為盟五月丙午晉侯及鄭伯盟于衡雍丁未獻楚俘于王駟介百乘徒兵千駟介四馬被甲徒兵步卒鄭伯傅王用平禮也傅相也以周平王享晉文侯仇之禮享晉侯【音訓】相息亮反己酉王享醴命晉侯宥既饗又命晉侯助以束帛以將厚意王命尹氏及王子虎內史叔興父策命晉侯為侯伯以策書命晉侯為伯也周禮九命作伯尹氏王子虎皆王卿士也叔興父大夫也三官命之以寵晉賜之大輅之服戎輅之服大輅金輅戎輅戎車二輅各有服【附註】林曰大輅祭祀所乘其服鷩冕戎輅兵事所乘其服韋弁彤弓一彤矢百玈弓矢千彤赤弓玈黑弓弓一矢百則矢千弓十矣



秬鬯一卣諸侯賜弓矢然後專征伐【音訓】彤徒冬反玈音盧秬黑黍鬯香酒所以降神卣器名【音訓】秬音巨鬯勅亮反卣音酉又音由虎賁三百人百人【附註】林曰周禮虎賁氏以虎士三先後王而趨侯伯始受此賜曰王謂叔父策命辭也【附註】朱曰此敬服王命以綏四國糾逖王慝逖遠也有惡於王者糾而遠之【音訓】逖勅歷反晉侯三辭從命子之命【附註】林曰三辭策命然後從天【音訓】三息暫反又如字曰重耳敢再拜稽首奉揚天子之丕顯休命稽首首至地丕大也休美也受策以出出入三覲出入猶去來也從來至去凡三見王【附註】朱曰未受命則三辭已受命則三覲禮當如此也【音訓】【註】見賢遍反○衛侯聞楚師敗懼出奔楚遂適

陳自襄牛出使元咺奉叔武以受盟奉使攝君事癸亥王子虎盟諸侯于王庭踐土宮之庭書踐土別於京師要言曰【附註】林曰載書要約之言【音訓】要平聲皆獎王室無相害也有渝此盟明神殛之俾隊其師無克祚國獎助也渝變也殛誅也俾使也隊隕也克能也【附註】林曰使隕隊其師衆無能世世祚其國家【音訓】殛紀力反隊直類反及而玄孫無有老幼【附註】林曰曾孫之子曰玄孫自玄孫而下無問老幼俱受變盟之禍君子謂是盟也信信合義謂晉於是役也能以德攻以文德教民而後用之初楚子玉自為瓊弁玉纓未之服也弁以鹿子皮為之瓊玉之別名次之以飾弁及纓詩云會



弁如星【音訓】瓊求營反先戰【附註】朱曰未戰城濮之先【音訓】先如字又悉薦反夢河神謂已曰畀余【附註】朱曰子玉夢河神告云以瓊弁玉纓與我也余賜女孟諸之麋孟諸宋藪澤水草之交曰麋【附註】朱曰蓋神意謂我能賜汝地利助汝戰勝【音訓】女音汝麋亡皮反【註】藪素口反弗致也大心與子西使榮黃諫大心子玉之子子西子玉之族子玉剛愎故因榮黃榮黃榮季也【附註】林曰因榮黃以諫子玉使以弁纓犒于河神弗聽榮季曰死而利國猶或為之況瓊玉乎是糞土也而可以濟師將何愛焉因神之欲以附百姓之願濟師之理弗聽出告二子曰非神敗令尹令尹其不勤民實自敗也盡心盡力無所

愛惜為勤既敗王使謂之曰大夫若入其若申息之老何申息二邑子弟皆從子玉而死言何以見其父老【音訓】【註】從如字又才用反子西孫伯曰得臣將死二臣止之曰君其將以為戮孫伯即大心子玉子也二子以此答王使言欲令子玉往就君戮【附註】林曰二人答王使言子玉已欲自殺我二臣者實自止之言欲令子玉往就君戮【音訓】【註】使所吏反下前使同及連穀而死至連穀王無赦命故自殺也文十年傳曰城濮之役王使止子玉曰無死不及子西亦自殺縊而縣絕故得不死王時別遣追前使連穀楚地殺得臣經在踐土盟上傳在下者說晉事畢而次及楚屬文之宜【音訓】【註】縣音玄屬音燭晉侯聞之而後喜可知也喜見於顏色【音訓】【註】見賢遍反曰莫余毒也



已【附註】林曰言子玉既死莫有為我之毒害也已蔿呂臣實為令尹【附註】林曰蔿呂臣即叔伯代子玉為令尹奉己而已不在民矣言其自守無大志○或訴元咺於衛侯曰立叔武矣其子角從公公使殺之角元咺子【音訓】從才用反又如字咺不廢命奉夷叔以入守夷諡【附註】林曰夷叔即叔武六月晉人復衛侯以叔武受盟於踐土故聽衛侯歸【音訓】【註】聽吐丁反甯武子與衛人盟于宛濮武子甯俞也陳留長垣縣西南有宛亭近濮水【附註】朱曰時從衛侯在外至是與國人為盟焉【音訓】宛於阮反曰天禍衛國君臣不協以及此憂也衛侯欲與楚國人不欲故不和也今天誘其衷衷中也【附註】林曰今

上天悔禍而誘掖衛人之中心【音訓】衷音忠或丁仲反下同使皆降心以相從也不有居者誰守社稷不有行者誰扞牧圉牛曰牧馬曰圉不協之故【附註】林曰恐居者行者不和協相安之故用昭乞盟于爾大神以誘天衷【附註】朱曰欲乞爾神誘掖衛人中心之天理自今日以往既盟之後行者無保其力【附註】林曰凡從君出行者無保恃其宣效勞力居者無懼其罪【附註】朱曰羣臣居於國內者無以不出從君而恐得罪有渝此盟以相及也以惡相及明神先君是糾是殛【附註】林曰糾正其罪而誅殛其人國人聞此盟也而後不貳傳言叔武之賢甯俞之忠衛侯所以書復歸衛侯先



期入不信叔武【音訓】先悉薦反甯子先長牂守門以為使也與之乘而入長牂衛大夫甯子患公之欲速故先入欲安諭國人【附註】林曰長牂時為衛守門以甯子為成公使衛與甯子共載而入國【音訓】牂子郎反使所吏反公子歂犬華仲前驅衛侯遂驅奄甯子未備二子衛大夫【音訓】歂音遄叔武將沐聞君至喜捉髮走出前驅射而殺之公知其無罪也枕之股而哭之公以叔武尸枕其股【音訓】射食亦反枕去聲歂犬走出手射叔武故公使殺之元咺出奔晉元咺以衛侯驅入殺叔武故至晉愬之○城濮之戰晉中軍風于澤牛馬因風而走皆失之【附註】林曰牛馬牝牡相誘曰風亡大旆之左

旃大旆旗名繫旐曰旆通帛曰旃【附註】朱曰亡失也左旃盖大旆有左右旃也
祁瞞奸命【註】掌此二事而不脩為奸軍令朱曰祁瞞掌牛馬旗旆者而【附】
皆失之是奸犯軍命也【音訓】瞞莫干反司馬殺之以徇于諸
侯使茅筏代之【音訓】音吠筏師還壬午濟河舟
之僑先歸士會攝右權代舟之僑也士會隨武子士蔿之孫
○秋七月丙申振旅愷以入于晉愷樂也獻
俘授馘飲至大賞授數也獻楚俘於廟【音訓】馘古獲反徵會
討貳徵名諸侯將冬會于溫曰討貳討諸侯之有二心者【附註】林殺舟
之僑以徇于國【附註】林曰以秦軍先歸之罪討而殺之民於
是大服君子謂文公其能刑矣三罪而民

左傳七　十七

服三罪顛頡祁瞞舟之僑詩云惠此中國以綏四方
不失賞刑之謂也詩大雅言賞刑不失則中國受惠四方安靖
○冬會于溫討不服也討許衛衛侯與元咺
訟爭殺叔武事甯武子為輔【附註】林曰輔相也鍼莊子
為坐士榮為大士大士治獄官也周禮命夫命婦不躬坐獄訟元
咺又不宜與其君對坐故使鍼莊子為主又使衛之忠臣及其獄官質正元咺傳曰
王叔之宰與伯輿之大夫坐獄於王庭各不身親盖今長吏有罪先驗吏卒之義
衛侯不勝三子辭屈殺士榮刖鍼莊子謂甯俞
忠而免之執衛侯歸之于京師寘諸深室
深室別為囚室甯子職納槖饘焉甯俞以君在幽隘故親以衣食

為己職槖衣之橐饘糜也言其忠至所應者深【音訓】槖音託饘音旃元咺歸
于衛立公子瑕瑕衛公子適也○是會也晉侯召
王以諸侯見且使王狩晉侯大合諸侯而欲尊事天子以為
名義自嫌強大不敢朝周諭王出狩因得盡群臣之禮皆譎而不正之事【音訓】見賢
徧反仲尼曰以臣召君不可以訓故書曰天
王狩于河陽言非其地也使若天子自狩以失地故書河
陽實以屬晉非王狩也且明德也隱其召君之闕欲以明晉之功德河
陽之狩趙盾之弒泄冶之罪皆違凡變例以起大義危疑之理故特稱仲尼以明之
壬申公朝于王所執衛侯經在朝王下傳在上者告執晚丁
丑諸侯圍許十月十五日有日無月晉侯有疾曹伯

左傳七　十八

之豎侯獳貨筮史【附註】豎掌通內外者史晉史朱曰豎小臣也侯
獳其姓名也貨筮史謂納賂於晉掌卜筮之官也使曰以曹為解
以滅曹為解故齊桓公為會而封異姓封邢衛今君
為會而滅同姓曹叔振鐸文之昭也叔振鐸曹
始封君文王之子先君唐叔武之穆也且合諸侯
而滅兄弟非禮也與衛偕命私許復曹衛而不
與偕復非信也同罪異罰非刑也衛已復故禮
以行義信以守禮刑以正邪舍此三者君
將若之何公說復曹伯遂會諸侯于許【音訓】
說音悅○晉侯作三行以禦狄荀林父將中

行屠擊將右行先蔑將左行晉置上中下三軍今復增置三行以辟天子六軍之名三行無佐疑大夫帥 音訓 行戶郎反擊古狄反一音計

經 二十有九年 庚寅 春介葛盧來介東夷國也在城陽黔陬縣葛盧介君名也不稱朝不見公且不能行朝禮雖不見公國賓禮之故書 音訓 註 陬子侯反又側留反 ○公至自圍許無傳 ○夏六月會王人晉人宋人齊人陳人蔡人秦人盟于翟泉翟泉今洛陽城內大倉西南池水也魯侯諱盟天子大夫諸侯大夫又違禮盟公侯王子虎違禮下盟故不言公會又皆稱人 音訓 註 大倉音泰 ○秋大雨雹 音訓 雨于付反雹蒲學反 ○冬介葛盧來

傳 二十九年春介葛盧來朝舍于昌衍之上魯縣東南有昌平城 公在會饋之芻米禮也嫌公行不當致饋故日禮也 附註 林日芻牲拴之屬 ○夏公會王子虎晉狐偃宋公孫固齊國歸父陳轅濤塗秦小子憖盟于翟泉尋踐土之盟且謀伐鄭也經書蔡人而傳無名氏即微者秦小子憖在蔡下者若宋向戌之後會 音訓 註 向式亮反 卿不書罪之也晉侯始霸翼戴天子諸侯輯睦王室無虞而王子虎下盟列國以瀆大典諸侯大夫上敵公侯虧禮傷教故貶諸大夫諱公與盟 音訓 註 上時掌反又如字與音預 在禮卿不會公侯會伯子男可也大國之卿當小國之君故可以會伯子男諸卿之見貶亦無有此闕故傳重發之 音訓 註 重直用反 ○秋大雨雹為灾也 附註 林日

周之秋今之五六七月也故為灾 ○冬介葛盧來以未見公故復來朝禮之加燕好燕燕禮也好好貨也一歲再來故加之 音訓 復扶又反好呼報反 介葛盧聞牛鳴曰是生三犧皆用之矣其音云 附註 林日其聲如此 問之而信傳言人或通鳥獸之情

經 三十年 辛卯 春王正月 ○夏狄侵齊 ○秋衛殺其大夫元咺及公子瑕咺見殺稱名者訟君求直又先歸立公子瑕非國人所與罪之也瑕立經年未會諸侯故不稱君 ○衛侯鄭歸于衛魯為之請故從諸侯納之例在成十八年 音訓 註 為于偽反 ○晉人秦人圍鄭晉軍函陵秦軍氾南各使微者圍鄭故稱人 音訓 註 氾音凡 ○介人侵蕭無傳 ○冬天王使宰周公來聘周公天子三公兼冢宰也 音訓 註 兼如字又經念反 ○公子遂如京師遂如晉如京師報宰周公

傳 三十年春晉人侵鄭以觀其可攻與否狄間晉之有鄭虞也夏狄侵齊齊晉與國 音訓 間去聲 ○晉侯使醫衍酖衛侯衍醫名晉侯實怨衛侯欲殺而罪不及死故使醫因治疾而加酖毒 甯俞貨醫使薄其酖不死甯俞視衛侯食故得知之 公為之請納玉於王與晉侯皆十瑴王許之雙玉曰瑴公本與衛同好故為之請 音訓 為于偽反瑴音角 秋乃釋衛侯 ○衛侯使賂周歂

治厘曰苟能納我吾使爾為卿恐元咺距已故賂周
治【音訓】厘蚳讀勤三音周治殺元咺及子適子儀子儀
瑕毋弟不書殺賤也【附註】林曰子適即公子瑕公入祀先君周冶
既服將命服卿服將入廟受命周歂先入及門遇疾
而死治厘辭卿見周歂死而懼○九月甲午晉侯
秦伯圍鄭以其無禮於晉文公亡過鄭鄭不禮之【音訓】【註】
過古未反且貳於楚也晉軍函陵秦軍氾南此東
氾也在滎陽中牟縣南佚之狐言於鄭伯曰國危矣
若使燭之武見秦君師必退佚之狐燭之武皆鄭大夫
公從之辭曰臣之壯也猶不如人今老矣

左傳七　二十一

無能為也已公曰吾不能早用子今急而
求子是寡人之過也然鄭亡子亦有不利
焉【附註】林曰子之宗族家室亦有所不免於害許之夜縋而出
縋縣城而下【音訓】縋音墜【註】縣音玄見秦伯曰秦晉圍鄭鄭
既知亡矣若亡鄭而有益於君敢以煩執
事執事亦謂秦越國以鄙遠君知其難也設得鄭以
為秦邊邑則越晉而難保【附註】林曰鄭在東秦在西晉居其間鄙邊也焉用
亡鄭以陪鄰陪益也【附註】林曰鄰謂晉也【音訓】焉於虔反下焉取同陪
蒲回反鄰之厚君之薄也【附註】林曰鄰國土地廣大富厚則秦
國土地自見狹小薄惡若舍鄭以為東道主行李之

往來共其乏困行李使人【附註】林曰乏闕也困憊也言供其舍館資
糧之闕乏【音訓】共音恭本亦作供【註】使所吏反君亦無所害且君
嘗為晉君賜矣許君焦瑕朝濟而夕設版
焉君之所知也晉君謂惠公也焦瑕晉河外五城之二邑朝濟河而
夕設版築以距秦言背秦之速【附註】林曰言向年嘗納晉惠公有賜於晉矣朱曰言
前此晉惠君曾許賂秦穆公求納矣夫晉何厭之有【音訓】厭於鹽反
既東封鄭又欲肆其西封封疆也肆申也【附註】林曰既滅
鄭以其土地為東方封疆之界又欲申廣其西方之封土若不闕秦將
焉取之【附註】林曰闕猶削小也闕秦以利晉唯君圖
之秦伯說【音訓】說音悅與鄭人盟使杞子逢孫

左傳七　二十二

楊孫戍之乃還三子秦大夫反為鄭守【音訓】【註】為于偽反子犯
請擊之公曰不可微夫人之力不及此請擊
秦也夫人謂秦穆公【音訓】夫音扶因人之力而敝之不仁
【附註】林曰本因秦力以得晉國今反害秦仁者不為也失其所與不
知【附註】林曰秦不同心而與之共事是失也【音訓】知音智以亂易整
不武秦晉和整而還相攻更為亂也吾其還也亦去之○
初鄭公子蘭出奔晉蘭鄭穆公從於晉侯伐鄭
請無與圍鄭【音訓】與音預許之使待命于東晉東
界鄭石甲父侯宣多逆以為大子以求成
于晉晉人許之二子鄭大夫言穆公所以立○冬王使

周公閱來聘饗有昌歜白黑形鹽昌歜昌蒲葅白熬稻黑熬黍形鹽鹽形象虎[音訓]歜在感反 熬五刀反辭曰國君文足昭也武可畏也[附註]林曰文德足以昭明於人武德可以畏服於人則有備物之享以象其德薦五味羞嘉穀鹽虎形嘉穀熬稻黍也以象其文也鹽虎形以象武也[附註]林曰羞進也以獻其功[附註]林曰以獻其文武之功吾何以堪之

○東門襄仲將聘于周遂初聘于晉公既命襄仲聘周未行故曰將又命自周聘晉故曰遂自入春秋魯始聘晉故曰初[附註]林曰東門襄仲即公子遂

[經]三十有一年[壬辰]春取濟西田晉分曹田以賜魯故不繫曹不用師徒故曰取○公子遂如晉○夏四月四卜郊不從乃免牲龜曰卜不從不吉也卜郊不吉故免牲免猶縱也猶三望三望分野之星國中山川皆因郊祀望而祭之魯廢郊天而修其小祀故曰猶猶者可止之辭[音訓]分扶問反○秋七月○冬杞伯姬來求婦無傳自為其子成昏[音訓]為于偽反○狄圍衛十有二月衛遷于帝丘辟狄難也帝丘今東郡濮陽縣故帝顓頊之虚故曰帝丘

[傳]三十一年春取濟西田分曹地也二十八年晉文討曹分其地竟界未定至是乃以賜諸侯[音訓]竟音境使臧文仲往宿於重館高平方與縣西北有重鄉城[音訓]重直龍反重館人告曰晉新得諸侯必親其共[音訓]林曰必親暱其恭順有禮之人[音訓]共音恭不速行將無及也[附註]林曰先至者受地已盡後至者將無及於事從之分曹地自洮以南東傳于濟盡曹地也文仲不書請田而已非聘享會同也濟水自滎陽東過魯之西至樂安入海[音訓]傳音附襄仲如晉拜曹田也○夏四月四卜郊不從乃免牲非禮也諸侯不得郊天魯以周公故得用天子禮樂故郊為魯常祀猶三望亦非禮也禮不卜常祀必其時而卜其牲日卜牲與日知吉凶牛卜日曰牲既得吉日則牛改名曰牲牲成而卜郊[附註]林曰蓋卜牛在卜日之前今經書免牲則是既得吉日改牛名牲矣方復卜郊之可否上怠慢也怠於古典慢瀆龜策望郊之細也不郊亦無望可也○秋晉蒐于清原作五軍以禦狄二十八年晉作三行今罷之更為上下新軍河東聞喜縣北有清原趙衰為卿二十七年命趙衰為卿讓於欒枝今始從原大夫為新軍帥○冬狄圍衛衛遷于帝丘卜曰三百年[附註]林曰言都帝丘有三百年之安衛成公夢康叔曰相奪予享相夏后啓之孫居帝丘享祭也[音訓]相式亮反公命祀相甯武子不可曰鬼神非其族類不歆其祀歆猶饗也[附註]朱曰言衛非夏之後則夏之先王必不歆享其祭杞鄫何事言杞鄫夏後自當祀相相之不享於此久矣非衛之罪也言帝丘久不祀相非衛所絕不可以間成王周

公之命祀 諸侯受命各有常祀 音訓 間去聲 請改祀命 改祀
相之命 ○鄭洩駕惡公子瑕鄭伯亦惡之故
公子瑕出奔楚 瑕文公子傳為納瑕張本 洩駕亦鄭大夫隱五年洩
駕距此九十年疑非一人 音訓 惡烏路反

經 三十有二年 癸巳 春王正月○夏四月己
丑鄭伯捷卒 無傳文公也三同盟 ○衛人侵狄 報前年狄圍衛
○秋衛人及狄盟 不地者就狄廬帳盟 ○冬十有二月
己卯晉侯重耳卒 同盟踐土狄泉 附註 林曰晉襄公繼伯

傳 三十二年春楚鬬章請平于晉晉陽處
父報之晉楚始通 陽處父晉大夫晉楚自春秋以來始交使命為
和同 音訓 註 使所吏反 ○夏狄有亂衛人侵狄狄請
平焉○秋衛人及狄盟○冬晉文公卒庚
辰將殯于曲沃 殯窆棺也曲沃有舊宮焉 音訓 註 窆彼驗反 出
絳柩有聲如牛 附註 林曰絳晉都柩方出晉都 如牛呴聲 附註 林曰
禮云在牀曰尸在棺曰柩 音訓 註 呴呼二反 卜偃使大夫拜曰
君命大事將有西師過軼我擊之必大捷
焉 聲自柩出故曰君命大事戎事也卜偃聞秦密謀故因柩聲以正衆心 附註 朱
曰西謂秦也過軼我謂越晉而伐鄭也 音訓 過古禾反又古臥反 杞子自
鄭使告于秦 三十年秦使大夫杞子伐鄭 曰鄭人使我
掌其北門之管 管籥也 若潛師以來國可得



也穆公訪諸蹇叔蹇叔曰勞師以襲遠非
所聞也 蹇叔秦大夫 師勞力竭遠主備之無乃
不可乎 附註 林曰遠方之主必知而為之備言不可以得鄭也 師知
所為鄭必知之 附註 林曰秦師既知其所欲為之事鄭國必得而知
之 勤而無所必有悖心 將害良善 附註 林曰秦兵勤勞而無
所得必生悖戾之心害及良善 且行千里其誰不知公辭
焉 辭不受其言 召孟明西乞白乙使出師於東
門之外 孟明百里孟明視西乞西乞術白乙白乙丙 蹇叔哭之
曰孟子吾見師之出而不見其入也 附註 林曰
呼孟明而告之言我但見子之出兵而不見子之衰旅而入也 公使謂之
附註 林曰穆公怒其哭師乃使人責之 曰爾何知中壽爾墓
之木拱矣 合手曰拱言其過老悖不可用 附註 林曰人生上壽百二十年
中壽百年下壽八十年致之以為汝但中壽汝墓之木已拱死將至矣 蹇叔
之子與師 音訓 與音預 哭而送之曰晉人禦師
必於殽 殽在弘農澠池縣西 附註 林曰殽即今之函谷關 殽有二
陵焉 大阜曰陵 其南陵夏后皋之墓也 皋夏桀之祖父
其北陵文王之所辟風雨也 此道在二殽之間南谷中
谷深委曲兩山相嶔故可以辟風雨古道由此魏武帝西討巴漢惡其險而更開北
山高道 音訓 辟音避 註 嶔許金反惡烏路反 必死是間 以其深險故
余收爾骨焉秦師遂東 為明年晉敗秦于殽傳

經 三十有三年 甲午 春王二月秦人入滑滅而
書入不能有其地 ○齊侯使國歸父來聘○夏四月
辛巳晉人及姜戎敗秦師于殽晉侯諱背喪用兵故通以
賤者告姜戎姜姓之戎居晉南鄙戎子駒支之先也晉人角之諸戎掎之不同陳故言及
附註 林曰晉秦七十二年之爭始於殽而終於十三國之伐 音訓 背音佩掎居綺反陳
直覲反 ○癸巳葬晉文公○狄侵齊○公伐邾
取訾婁 音訓 訾子斯反 ○秋公子遂帥師伐邾○晉
人敗狄于箕大原陽邑縣南有箕城郤缺稱人者未為卿 ○冬十
月公如齊○十有二月公至自齊○乙巳公
薨于小寢小寢內寢也乙巳十一月十二日經書十二月誤 ○隕霜



不殺草李梅實無傳書時失也周十一月今九月霜當微而重重而不能
殺所以為災 ○晉人陳人鄭人伐許
傳 三十三年春秦師過周北門左右免胄
而下王城之北門胄兜鍪兵車非大將御者在中故左右下御不下 超乘
者三百乘 附註 林曰超乘謂超上車而乘之蓋左右免胄而下超乘而上
欲其速也 音訓 乘繩證反下並同 王孫滿尚幼 附註 林曰周之王孫
名滿 觀之言於王曰秦師輕而無禮必敗謂過
天子門不卷甲束兵超乘示勇 音訓 輕遣政反下同 輕則寡謀無禮
則脫脫易也 音訓 易以豉反 入險而脫又不能謀能
無敗乎及滑 附註 朱曰滑鄭邑名 鄭商人弦高將市

於周遇之以乘韋先牛十二犒師商行賈也乘四
韋先韋乃入牛古者將獻遺於人必有以先之 附註 林曰弦姓高名將市易於周宋
曰韋熟韋也四馬曰乘因以乘為四數也遺人之物以輕先重故弦高犒師先以四
韋而致十二牛也 音訓 先悉薦反酛先之間遺惟季反 曰寡君聞吾
子將步師出於敝邑敢犒從者 附註 林曰步猶行也
音訓 從才用反 不腆敝邑為從者之淹居則具一
日之積腆厚也淹久也積芻米菜薪 音訓 腆他典反為于偽反下為吾子同
積子賜反 行則備一夕之衛 附註 朱曰衛謂以兵送之 且使
遽告于鄭遽傳車 音訓 傳張戀反 鄭穆公使視客館
視秦三大夫之舍 則束載厲兵秣馬矣嚴兵待秦師 附註 林



曰束矢載弓磨厲兵器秣穀其馬 使皇武子辭焉曰吾子
淹久於敝邑 附註 林曰言杞子等淹留入戍於我鄭國 唯是脯
資餼牽竭矣資糧也生曰餼牽謂牛羊豕 為吾子之將
行也示知其情 鄭之有原圃猶秦之有具囿也
原圃具囿皆囿名 吾子取其麋鹿以閒敝邑若何
使秦戍自取麋鹿以為行資令敝邑得閒暇若何猶如何滎陽中牟縣西有圃田澤
音訓 閒音閑 杞子奔齊逢孫楊孫奔宋 附註 朱曰蓋三
子以事不濟皆不敢歸秦也 孟明曰鄭有備矣 附註 朱曰孟明
至滑見鄭人來犒師故知其有備也 不可冀也 附註 林曰不可冀望其國
攻之不克圍之不繼吾其還也滅滑而還

【附註】林曰此蹇叔所謂勤而無所必有悖心者也○齊國莊子來聘自郊勞至于贈賄禮成而加之以敏迎來曰郊勞送去曰贈賄禮成謂無失禮也敏審當於事【音訓】勞力報反【附註】朱當丁浪反又如字臧文仲言於公曰國子為政齊猶有禮君其朝焉臣聞之服於有禮社稷之衛也為公如齊傳○晉原軫曰秦違蹇叔而以貪勤民天奉我也奉與也奉不可失敵不可縱縱敵患生違天不祥必伐秦師欒枝曰未報秦施而伐其師其為死君乎言以君死故忘秦施【音訓】施始豉反下同先軫曰秦不哀吾喪而伐吾

左傳七　二十九

同姓秦則無禮何施之為言秦以無禮加己施不足顧吾聞之一日縱敵數世之患也謀及子孫可謂死君乎言不可謂背君遂發命遽興姜戎【附註】林曰遽傳車以傳車起姜戎之兵欲速也子墨衰絰晉文公未葬故襄公稱子以凶服從戎故墨之【附註】林曰墨染其衰而加經梁弘御戎萊駒為右○夏四月辛巳敗秦師于殽獲百里孟明視西乞術白乙丙以歸遂墨以葬文公晉於是始墨後遂常以為俗記禮所由變文嬴請三帥文嬴晉文公始適秦秦穆公所妻夫人襄公嫡母三帥孟明等【附註】林曰請免三帥【音訓】妻七計反曰彼實構吾二君【附註】林曰言彼

三師實交構我秦晉二君致有今日之敗寡君若得而食之不厭【附註】朱曰言我秦君恨此三人者雖食其肉猶不以為厭足也【音訓】厭於豔反又於鹽反君何辱討焉使歸就戮于秦以逞寡君之志若何公許之先軫朝問秦囚公曰夫人請之吾舍之矣先軫怒曰武夫力而拘諸原婦人暫而免諸國暫猶卒也【附註】林曰言武夫盡力爭戰而執之原野之間婦人卒暫一言而縱之國家之內【音訓】卒寸忽反墮軍實而長寇讎亡無日矣墮毀也【音訓】墮音隳長丁丈反不顧而唾【附註】林曰不顧襄公在前而咳唾於地無禮之甚也【音訓】唾他臥反公使陽處父追之及諸河則在舟中矣

左傳七　三十

釋左驂以公命贈孟明欲使還拜謝因而執之孟明稽首【附註】林曰孟明知其詐乃遁於舟中稽首拜命曰君之惠不以纍臣釁鼓纍囚繫也殺人以血塗鼓謂之釁鼓【音訓】纍律追反使歸就戮于秦寡君之以為戮死且不朽【附註】林曰此身雖死此心感恩終不朽腐若從君惠而免之三年將拜君賜意欲報伐晉秦伯素服郊次待之於郊鄉師而哭【音訓】林曰嚮秦師而哭引咎自責【音訓】鄉許亮反曰孤違蹇叔以辱二三子孤之罪也【附註】朱曰稱孤以自貶損也不替孟明孤之過也【附註】林曰不廢孟明而用之以取敗此又我之過失也大夫何罪且吾不以一眚掩大

德眚過也【附註】林曰不以一敗之小過而掩其終身之大德○狄侵齊因晉喪也【附註】林曰齊晉之與國○公伐邾取訾婁以報升陘之役在二十二年邾人不設備【附註】林曰魯師退而邾人復不設戰守之備秋襄仲復伐邾魯亦因晉喪以陵小國○狄伐晉及箕八月戊子晉侯敗狄于箕郤缺獲白狄子白狄狄別種也故西河郡有白部胡【附註】林曰白狄之君子爵也先軫曰匹夫逞志於君謂不顧而唾而無討敢不自討乎免冑入狄師死焉狄人歸其元元首面如生言其有異於人初臼季使過冀見冀缺耨其妻饁之臼季胥臣也冀晉邑耨鋤也野饋曰饁【附註】林曰冀缺即郤缺【音訓】使所吏反過古禾反又古臥反耨乃豆反饁于輒反敬相待如賓與之歸言諸文公曰敬德之聚也能敬必有德德以治民君請用之臣聞之出門如賓如見大賓承事如祭常謹敬也仁之則也【附註】朱曰主敬如此則心存而不失是為仁之準則也公曰其父有罪可乎缺父冀芮欲殺文公在二十四年對曰舜之罪也殛鯀其舉也興禹禹鯀子管敬仲桓之賊也【附註】林曰管仲射齊桓公中帶鉤故曰賊實相以濟【附註】林曰實相桓公以濟伯業【音訓】相式亮反康誥曰父不慈子不祗兄不友弟不共不相及也康誥周書祗敬也【音訓】共

音恭詩曰采葑采菲無以下體君取節焉可也詩國風也葑菲之菜上善下惡食之者不以其惡而棄其善言可取其善節【音訓】菲芳匪反文公以為下軍大夫反自箕襄公以三命命先且居將中軍且居先軫之子其父死敵故進之【附註】林曰周禮三命受位【音訓】且子餘反以再命命先茅之縣賞胥臣曰舉郤缺子之功也先茅絕後故取其縣以賞胥臣【附註】林曰先茅晉大夫周禮再命受服以一命命郤缺為卿【附註】朱曰以郤缺有獲白狄子之功故命為卿周禮一命受職復與之冀還其父故邑【音訓】復扶又反重也又音服還也亦未有軍行雖登卿何未有軍列【音訓】行戶剛反○冬公如齊朝且弔有狄師也反薨于小寢即安也小寢夫人寢也譏公就所安不終于路寢○晉陳鄭伐許討其貳於楚也○楚令尹子上侵陳蔡陳蔡成遂伐鄭將納公子瑕三十一年瑕奔楚門于桔柣之門瑕覆于周氏之汪車傾覆池水中【音訓】覆芳服反外僕髡屯禽之以獻殺瑕以獻鄭伯【附註】林曰鄭之外僕髡髮而名屯者【音訓】髡苦門反文夫人斂而葬之鄶城之下鄭文公夫人也鄶城故鄶國在滎陽密縣東北傳言穆公所以遂有國【音訓】鄶音檜○晉陽處父侵蔡【附註】林曰蔡即楚故楚子上救之與晉師夾泜而軍泜水出魯陽縣東經襄城定陵入汝【音訓】泜音雉又古里反王又徒死反陽

子患之【附註】林曰陽處父患楚相持不決使謂子上曰吾聞之文不犯順【附註】林曰有文德者不肯犯順意謂相約涉水而伐其師是犯順也武不違敵【附註】林曰有武德者不肯棄敵意謂相約退舍而自棄去是違敵也子若欲戰則吾退舍子濟而陳欲辟楚使渡成陳而後戰【音訓】陳直覲反遲速唯命不然紓我紓緩也【附註】林曰若子不肯渡水則當退舍緩我使我得濟而陳老師費財亦無益也師久爲老乃駕以待子上欲涉大孫伯曰不可【附註】朱曰孫伯即子玉之子成大心也晉人無信半涉而薄我悔敗何及【附註】林曰待我軍半涉而迫我於險則必爲晉人所敗雖悔之亦何所及不如紓之乃退舍楚退欲使晉渡陽子宣言曰楚師遁矣遂歸楚師亦歸大子商臣譖子上曰受晉賂而辟之楚之恥也罪莫大焉王殺子上商臣怨子上止王立己故譖之【音訓】辟音避○葬僖公緩文公元年經書四月葬僖公僖公實以今年十一月薨并閏七月乃葬故傳云緩自此以下遂因說作主祭祀之事文相次也皆當次在經葬僖公下今在此簡編倒錯作主非禮也文二年乃作主遂因葬文通譏之【附註】林曰二事皆非禮也凡君薨卒哭而祔祔而作主特祀於主既葬反虞則免喪故曰卒哭哭止也以新死者之神祔之於祖尸柩已遠孝子思慕故造木主立几筵焉特用喪禮祭祀於寢不同之於宗廟言凡君者謂諸侯以上不通於卿大夫烝嘗禘於廟冬祭曰烝秋祭曰嘗新主既特祀於寢則宗廟四時常祀自如舊也三年禮畢又大禘乃皆同於吉

春秋經傳集解卷第七

# 春秋經傳集解卷第八

杜氏 盡十年

諸家註音訓附

## 魯文公上

公名興僖公子母聲姜諡法慈惠愛民曰文忠信接禮曰文

【周】襄王二十六年魯文公八年襄王崩子頃王立文十四年頃王崩子匡王立

【鄭】穆公二年

【齊】昭公七年魯文公十四年昭公卒子舍立九月舍弑懿公商人立文十八年懿公弑惠公元立

【宋】成公十一年魯文公七年成公卒昭公杵臼立文十六年昭公弑弟文公鮑立

【晉】襄公繼霸二年魯文公六年襄公卒子靈公夷臯立是年趙盾為政

左傳八　一

【衛】成公九年

【蔡】莊公卅九年魯文公十五年莊公卒子文侯申立

【曹】共公二十七年魯文公九年共公卒子文公壽立

【滕】詳見隱公元年魯文公十二年滕昭公來朝

【陳】共公六年魯文公十三年共公卒子靈公平國立

【杞】詳見僖公元年

【薛】詳見隱公元年及僖公元年

【莒】魯文公十八年莒大子僕弑莒公庶其子季佗立

【邾】文公四十一年魯文公十三年邾文公卒子定公貜且立

【許】僖公二十九年魯文公五年僖公卒昭公錫我立

【小邾】詳見僖公元年

【楚】成王四十七年魯文公元年冬遇弑子穆王商臣立文十年次于厥貉文十三年穆王卒子莊王立○楚莊王爭霸

【秦】穆公三十四年○秦用孟明以為政魯文公二年秦伯伐晉濟河焚舟遂霸西戎史記穆公三十七年益國十二開地千里天子使召公過賀穆公以金鼓文六年穆公卒子康公罃立文十八年康公卒子共公稻立

【吳】詳見隱公元年

【越】詳見隱公元年

【經】元年【乙未】春王正月公即位 無傳先君未葬而公即位不可曠年無君 ○二月癸亥日有食之 無傳癸亥月一日不書朔

左傳八　二

官失之 ○天王使叔服來會葬 叔氏服字諸侯喪天子使大夫會葬禮也 ○夏四月丁巳葬我君僖公 七月而葬緩 ○天王使毛伯來錫公命 毛國伯爵諸侯為王卿士者諸侯即位天子賜以命圭合瑞為信僖十一年王賜晉侯命亦其比也【附註】林曰自隱至文六君惟桓文書即位而後書錫命以其自即位也 ○晉侯伐衛 晉襄公先告諸侯而伐衛雖大夫親伐而稱晉侯從告辭也 ○叔孫得臣如京師 得臣叔牙之孫 ○衛人伐晉 衛孔達為政不共盟主興兵鄰國受討喪邑故貶稱人【音訓】【註】喪息浪反 ○秋公孫敖會晉侯于戚 戚衛邑在頓丘衛縣西禮卿不會公侯而春秋魯大夫皆不貶者體例已舉故據用魯史成文而已內稱公卒稱薨皆用魯史 ○冬十月丁未楚世子商臣弑其

君顈年商臣穆王也弑君例在宣四年【音訓】顈憂倫反又丘倫反○公孫敖如齊傳例曰始聘焉禮也

【傳】元年春王使內史叔服來會葬公孫敖聞其能相人也公孫敖魯大夫慶父之子【附註】朱曰相人謂觀其形色而知吉凶也【音訓】相息亮反見其二子焉見賢遍反下註見孤見同叔服曰穀也食子難也收子穀文伯難惠叔食子奉祭祀共養者也收子葬子身也食音嗣難乃旦反又如字【註】共俱用反【音訓】穀也豐下必有後於魯國豐下蓋面方為八年豐公孫敖奔莒傳○於是閏三月非禮也於歷法閏當在僖公末年誤於今年三月置閏蓋時達歷者所譏【附註】朱曰按漢律歷志謂閏當在此年十一月後則以



閏三月為太近前也杜註又謂閏當在僖公之末年則以閏三月為太近後也二說不同未知孰是先王之正時也履端於始舉正於中歸餘於終步歷之始以為術之端首朞之日三百六十有六日日月之行又有遲速而必分為十二月舉中氣以正月有餘日則歸之於終積而為閏故言歸餘於終【附註】朱曰曆法以十一月甲子朔夜半冬至為一元其時月日五星皆起於牽牛初度更無餘分以此為步占之端故云履端於始也每歲有二十四氣立春驚蟄清明立夏芒種小暑立秋白露寒露立冬大雪小寒謂之節氣雨水春分穀雨小滿夏至大暑處暑秋分霜降小雪冬至大寒謂之中氣每月皆有中氣惟閏月獨無中氣也閏前之月則中氣在晦日閏後之月則中氣在朔日舉中氣而正月則置閏不差矣故云舉正於中也置閏之法以氣盈朔虛而歸日月之餘分也周天三

百六十五度四分度之一日一行也日一度自今年冬至至明年冬至日之方一周天實計三百六十五日零三個時辰也而一歲十二個月止有三百六十日更有五日零三個時辰無所歸著是為日行之餘分每歲只均分在二十四氣上所謂氣盈者也月之行也日十三度十九分度之七常以二十九日半強而與日合於朔是每日又有半日弱無所歸著為月行之餘分故月不滿三十日而有大小盡焉所謂朔虛者也積日月之餘分每歲常餘十一日弱故十九年而置七箇閏月是為一章之數故云歸餘於終也然唐孔氏又云所有餘日歸之於終積成一月則置之為閏此蓋不然大凡閏月前半月是前月之中氣後半月是後月之節氣則是餘分積至半月便當置閏矣若俟積成一月方置之為閏則閏月安得無中氣耶履端於始序則不愆四時無愆過舉正於中民則不惑



斗建不失其次寒暑不失其常故無疑惑歸餘於終事則不悖四時得所則事無悖亂○夏四月丁巳葬僖公傳皆不虛載經文而此經孤見知僖公末年傳宜在此下○王使毛伯衛來錫公命衛毛伯字叔孫得臣如周拜謝賜命○晉文公之季年諸侯朝晉衛成公不朝使孔達侵鄭伐緜訾及匡孔達衛大夫匡在潁川新汲縣東北晉襄公既祥諸侯諒闇亦因祥祭為位而哭使告于諸侯而伐衛及南陽今河內地先且居曰效尤禍也尤衛不朝故伐今不朝王是效衛致禍時王在溫故勸之請君朝王臣從師晉侯朝王于溫先且居胥臣伐衛五

月辛酉朔晉師圍戚六月戊戌取之獲孫昭子 昭子衛大夫食戚邑 衛人使告于陳陳共公曰更伐之我辭之 見伐求和不競大甚故使報伐示己力足以距晉 【附註】林曰我為衛以辭謝晉求和【音訓】更古孟反又音庚註大音泰又如字 衛孔達帥師伐晉君子以為古古者越國而謀 合古之道而失今事霸主之禮故國失其邑身見執辱 ○秋晉侯疆戚田故公孫敖會之 晉取衛田正其疆界 ○初楚子將以商臣為大子訪諸令尹子上子上曰君之齒未也 齒年也言尚少 而又多愛黜乃亂也 【附註】林曰又多寵愛之子若已立為大子而又黜之乃取亂之道也 楚國之

左傳八　五

舉恒在少者 舉立也 且是人也蠭目而豺聲忍人也 能忍行不義 不可立也弗聽既又欲立王子職而黜大子商臣 職商臣庶弟 商臣聞之而未察 【附註】林曰微聞其事而未辨其信否 告其師潘崇曰若之何而察之潘崇曰享江芊而勿敬也 江芊成王妹嫁於江【音訓】芊音米 從之江芊怒曰呼役夫 呼發聲也役夫賤者稱【音訓】呼好賀反註稱尺證反 宜君王之欲殺女而立職也 【音訓】女音汝 告潘崇曰信矣潘崇曰能事諸乎 問能事職不 曰不能能行乎 【附註】朱曰又問能出奔乎 曰不能能行大事乎曰能 大事謂弑君

冬十月以宮甲圍成王 大子宮甲僖二十八年王以東宮卒從子玉蓋取此宮甲【音訓】從如字又才用反 王請食熊蹯而死 熊掌難熟冀久將有外救【音訓】蹯音煩 弗聽丁未王縊謚之曰靈不瞑曰成乃瞑 言其忍甚未斂而加惡謚【音訓】瞑亡丁反又亡千反 穆王立以其為大子之室與潘崇 【附註】林曰賞其功 使為大師且掌環列之尹 環列之尹宮衛之官列兵而環王宮【音訓】註環如字又音患 ○穆伯如齊始聘焉禮也 穆伯公孫敖 凡君即位卿出並聘 【附註】朱曰使卿出外而並行聘禮於鄰國 踐脩舊好要結外援 踐猶履行也【音訓】要於遙反 好事隣國以衛社稷忠信卑讓

左傳八　六

之道也忠德之正也信德之固也卑讓德之基也 傳因此發凡以明諸侯諒闇則國事皆用吉禮 【附註】朱曰中心為忠故為德之正也確實為信故為德之固也卑讓則自下而人高之故為德之基也 ○殽之役 在僖三十三年 晉人既歸秦帥秦大夫及左右皆言於秦伯曰是敗也孟明之罪也必殺之秦伯曰是孤之罪也周芮良夫之詩曰大風有隧貪人敗類 詩大雅隧蹊徑也周大夫芮伯刺厲王言貪人之敗善類若大風之行毀壞衆物所在成蹊徑 聽言則對誦言如醉 言昏亂之君不好典誦之言聞之若醉得道聽塗說之言則喜而答對 匪用其良覆俾我悖 覆反也俾使也不用良臣

之言反使我為悖亂是貪故也孤之謂矣孤實貪以
禍夫子【附註】朱曰夫子指孟明也夫子何罪復使為政
為明年秦晉戰彭衙傳【音訓】復扶又反
【經】二年【丙申】春王二月甲子晉侯及秦師戰
于彭衙秦師敗績孟明名氏不見非命卿也大崩曰敗績馮翊郃陽縣
西北有彭衙城【附註】林曰彭衙秦地【音訓】【圖】見賢遍反郃戶納反○丁丑作
僖公主主者殷人以柏周人以栗三年喪終則遷入於廟○三月乙
巳及晉處父盟處父為晉正卿不能匡君以禮而親與公盟故貶其族族
去則非卿故以微人常稱為耦以直厭不直不地者盟晉都【附註】林曰朝而遂盟之於是
始【音訓】【圖】稱尺證反厭於涉反○夏六月公孫敖會宋公陳



侯鄭伯晉士縠盟于垂隴垂隴鄭地滎陽縣東有隴城士縠出
盟訟侯受成於衛故貴而書名氏【附註】林曰晉遂以大夫盟諸侯也大夫而與諸侯敵於
是始是故書士縠而後凡役書大夫【音訓】縠戶木反本又作縠同○自十有
二月不雨至于秋七月無傳周七月今五月也不雨足為災不書
旱五穀猶有收【音訓】【圖】收如字又手又反○八月丁卯大事于大
廟躋僖公大事禘也躋升也僖公閔公庶兄繼閔而立廟坐宜次閔下今升在
閔上故書而譏之時未應吉禘而於大廟行之其譏已明徒以逆祀故特大其事異其文
○冬晉人宋人陳人鄭人伐秦四人皆卿秦穆悔過終用
孟明故貶四國大夫以尊秦○公子遂如齊納幣傳曰禮也僖公
喪終此年十一月見納幣在十二月也士昏六禮其一納采納徵始有玄纁束帛諸侯則

謂之納幣其禮與士禮不同蓋公為大子時已行昏禮【音訓】【圖】纁許云反
【傳】二年春秦孟明視帥師伐晉以報殽之
役二月晉侯禦之先且居將中軍趙衰佐
之代郤溱王官無地御戎代梁弘狐鞫居為右
鞫居續簡伯【音訓】鞫九六反甲子及秦師戰于彭衙秦
師敗績晉人謂秦拜賜之師以孟明言三年將拜君賜
故嗤之戰于殽也晉梁弘御戎萊駒為右戰
之明日晉襄公縛秦囚【附註】朱曰秦囚蓋晉人所生獲秦兵
也使萊駒以戈斬之囚呼【附註】朱曰秦囚懼而叫呼【音訓】
呼火故反萊駒失戈狼瞫取戈以斬囚【附註】朱曰狼瞫



亦晉人取戈斬囚示其勇也【音訓】瞫音審禽之以從公乘【附註】朱曰
狼瞫執所斬之囚以為傳轍而從公車也【音訓】乘繩證反遂以為右【附註】
林曰禽獲也因上文萊駒失戈故言禽之生死皆曰禽朱曰襄公嘉其有勇使代萊
駒為右箕之役箕役在僖三十三年先軫黜之而立續
簡伯狼瞫怒其友曰盍死之瞫曰吾未獲
死所未得可死處其友曰吾與女為難欲共殺先軫【音】
【訓】女音汝難乃旦反瞫曰周志有之勇則害上不登
于明堂周志周書也明堂祖廟也所以策功序德故不義之士不得升死
而不義非勇也共用之謂勇共用死國用【音訓】共音恭
吾以勇求右無勇而黜亦其所也言今死而不義

更成無勇宜見退謂上不我知黜而宜乃知我矣言今見黜而合宜則吾不得復言上不我知[音訓]復扶又反子姑待之

及彭衙既陳以其屬馳秦師死焉屬己兵[音訓]陳直覲反晉師從之大敗秦師君子謂狼瞫於是乎君子詩曰君子如怒亂庶遄沮詩小雅言君子之怒必以止亂遄疾也沮止也[音訓]遄市專反沮在呂反又曰王赫斯怒爰整其旅詩大雅言文王赫然奮怒則整師旅以討亂怒不作亂而以從師可謂君子矣○秦伯猶用孟明孟明增脩國政重施於民[音訓]施式豉反趙成子言於諸大夫曰成子趙衰秦師又至將

左傳八　九

必辟之[音訓]辟音避懼而增德不可當也詩曰毋念爾祖聿脩厥德詩大雅言念其祖考則宜述脩其德以顯之毋念念也孟明念之矣念德不怠其可敵乎為明年秦人伐晉傳○丁丑作僖公主書不時也過葬十月故曰不時例在僖三十三年○晉人以公不朝來討公如晉夏四月己巳晉人使陽處父盟公以恥之使大夫盟公欲以恥辱魯也經書三月乙巳經傳必有誤書曰及晉處父盟以厭之也厭猶損也晉以非禮盟公故文厭之以示譏[音訓]厭於涉反適晉不書諱之也不書公如晉○公未至[附註]林曰公朝晉未歸至國六月穆伯會諸侯

及晉司空士縠盟于垂隴晉討衛故也討元年衛人伐晉士縠士蔿子書士縠堪其事也晉司空非卿也以士縠能堪卿事故書陳侯為衛請成于晉執孔達以說陳始與衛謀謂可以強得免今晉不聽故更執孔達以苟免也[音訓]為于偽反○秋八月丁卯大事于大廟躋僖公逆祀也僖是閔兄不得為父子嘗為臣位應在下令居閔上故曰逆祀[音訓]躋令力呈反於是夏父弗忌為宗伯宗伯掌宗廟昭穆之禮尊僖公且明見曰吾見新鬼大故鬼小新鬼僖公既為兄死時年又長故鬼閔公死時年少弗忌明言其所見[音訓]長丁丈反先大後小順也躋聖賢明也又以僖公為聖賢明順

左傳八　十

禮也君子以為失禮禮無不順祀國之大事也而逆之可謂禮乎子雖齊聖不先父食久矣齊肅也臣繼君猶子繼父[音訓]先悉薦反下不先皆同[音]故禹不先鯀湯不先契鯀禹父契湯十三世祖文武不先不窋不窋后稷子[音訓]窋知律反[音]宋祖帝乙鄭祖厲王猶上祖也帝乙微子父厲王鄭桓公父二國不以帝乙厲王不肖而猶尊尚之是以魯頌曰春秋匪解享祀不忒皇皇后帝皇祖后稷忒差也皇皇美也后帝天帝也詩頌僖公郊祭上天配以后稷君子曰禮謂其后稷親而先帝也先稱帝也詩曰問我諸姑遂及伯姊詩邶風也衛女思歸而不

得故願致問於姑姊君子曰禮謂其姊親而先姑也僖親文公父夏父弗忌欲阿時君先其所親故傳以此二詩深責其意仲尼曰臧文仲其不仁者三不知者三【音訓】知音智下同下展禽展禽柳下惠也文仲知柳下惠之賢而使在下位己欲立而立人【附註】林曰非己欲立而立人之道廢六關塞關陽關之屬凡六關所以禁絕來遊而廢之【訓詁】塞悉洒反【音】妾織蒲三不仁也家人販席言其與民爭利【訓詁】販甫萬反【音】作虛器謂居蔡山節藻梲也有其器而無其位故曰虛【訓詁】梲章悅反【音】縱逆祀聽夏父躋僖公祀爰居三不知也海鳥曰爰居止於魯東門外文仲以為神命國人祀之○冬晉先且居宋公子成陳轅選鄭公子歸



生伐秦取汪及彭衙而還以報彭衙之役卿不書為穆公故尊秦也謂之崇德【附註】林曰為穆公之賢人諸大夫以尊秦也【音訓】為于偽反○襄仲如齊納幣禮也凡君即位好舅甥脩昏姻娶元妃以奉粢盛孝也謂諒闇既終嘉好之事通于外内外内之禮始備此除凶之即位也於是遣卿申好舅甥之國脩禮以昏姻也元妃嫡夫人奉粢盛共祭祀【音訓】共音恭【詁】孝禮之始也

【經】三年【丁酉】春王正月叔孫得臣會晉人宋人陳人衛人鄭人伐沈沈潰傳例曰民逃其上曰潰沈國名也汝南平輿縣北有沈亭【音】【訓】沈音審【詁】與音餘一音預○夏五月王子虎卒不書爵者天王赴也翟泉之盟雖輒假王命周王因以同盟之例為赴【附註】林曰王卿不卒惟王子虎劉卷書【音訓詁】為于偽反又如字○秦人伐晉晉人恥不出以微者告【附註】林曰秦於是始霸西戎○秋楚人圍江○雨螽于宋自上而隨有似於雨宋人以其死為得天祐喜而來告故書【音訓】雨于付反【詁】隨徒火反○冬公如晉○十有二月乙巳公及晉侯盟○晉陽處父帥師伐楚以救江【附註】林曰晉大夫書帥師於是始自士縠專盟書大夫處父專將書大夫於是常書大夫貶而後人之

【傳】三年春莊叔會諸侯之師伐沈【附註】林曰莊叔即得臣以其服於楚也沈潰凡民逃其上曰



潰在上曰逃潰衆散流移若積水之潰自壞之象也國君輕走羣臣不知其謀與匹夫逃竄無異是以在衆曰潰在上曰逃各以類言之【音訓】輕如字又遣政反○衛侯如陳拜晉成也二年陳侯為衛請成于晉○夏四月乙亥王叔文公卒來赴弔如同盟禮也王子虎與僖公同盟於翟泉文公是同盟之子故赴以名傳因王子虎異於諸侯王叔又未與文公盟故於此顯示體例也經書五月又不書日從赴也○秦伯伐晉濟河焚舟示必死也取王官及郊王官郊晉地晉人不出【附註】朱曰去年趙衰言秦師又至將以避之故不出也遂自茅津濟封殽尸而還茅津在河東大陽縣西封埋藏之【音】【訓詁】大音泰遂霸西戎用孟明也君子

是以知秦穆之為君也舉人之周也周備也不
偏以一惡棄其善與人之壹也壹無二心孟明之臣也
其不解也【附註】林曰不以敗軍而生懈怠之心能懼思也【圖】【註】
林曰能知懼而思敗其所行為子桑之忠也其知人也能
舉善也子桑公孫枝舉孟明者詩曰于以采蘩于沼
于沚于以用之公侯之事秦穆有焉詩國風言
沼沚之蘩至薄猶采以共公侯以喻秦穆不遺小善【音訓】【註】共音恭
解以事一人孟明有焉詩大雅美仲山甫也一人天子也
詒厥孫謀以燕翼子子桑有焉詒遺也燕安也翼成
也詩大雅美武王能遺其子孫善謀以安成子孫言子桑有舉善之謀【音訓】【註】遺唯

左傳八　十三

季反○秋雨螽于宋隊而死也螽飛至宋隊地而死若雨
【音訓】隊直類反○楚師圍江晉先僕伐楚以救江
晉救江在雨螽下故使圍江之經隨在雨螽下【附註】林曰先僕晉大夫○冬
晉以江故告于周欲假天子之威以伐楚王叔桓公
晉陽處父伐楚以救江桓公周卿士王叔文公之子桓公不
書示威名不親伐門于方城【附註】林曰攻楚方城之門遇息公
子朱而還子朱楚大夫伐江之帥也聞晉師起而江兵解故晉亦還○
晉人懼其無禮於公也請改盟改二年處父之盟
公如晉及晉侯盟晉侯饗公賦菁菁者莪
菁菁者莪詩小雅取其既見君子樂且有儀莊叔以公降拜謝其

以公比君子也曰小國受命於大國敢不慎儀君
貺之以大禮何樂如之抑小國之樂大國
之惠也晉侯降辭降階辭讓公登成拜俱還上成拜禮
【音訓】【註】上時掌反又如字公賦嘉樂嘉樂詩大雅取其顯顯令德宜民宜
人受祿于天【音訓】嘉戶嫁反
【經】四年【戊戌】春公至自晉無傳夏逆婦姜于齊
稱婦有姑之辭○狄侵齊無傳○秋楚人滅江滅例在十五年
○晉侯伐秦○衛侯使甯俞來聘○冬十有
一月壬寅夫人風氏薨僖公母風姓也赴同祔姑故稱夫人
【傳】四年春晉人歸孔達于衛以為衛之良

左傳八　十四

也故免之二年衛執孔達以說晉○夏衛侯如晉拜
謝歸孔達○曹伯如晉會正會受貢賦之政也傳言襄公能繼文
之業而諸侯服從○逆婦姜于齊卿不行非禮也
禮諸侯有故則使卿逆君子是以知出姜之不允於
魯也允信也始來不見尊貴故終不為國人所敬信也文公薨而見出故曰出
姜曰貴聘而賤逆之公子遂納幣是貴聘也【附註】林曰逆婦卿
不行是使賤者逆君而卑之立而廢之君小君也不以夫人
禮逆是卑廢之棄信而壞其主在國必亂在家必
亡主內主也【附註】林曰棄納幣之信而壞其內主朱曰在魯言之謂之國在宮中
言之謂之家【音訓】壞音怪不允宜哉【附註】林曰為十八年姜氏歸齊張本

詩曰畏天之威于時保之敬主之謂也詩頌言畏天威於是保福祿[附註]朱曰名分不可犯處即天威也今魯不畏內主即是犯分○秋晉侯伐秦圍邧新城以報王官之役邧新城秦邑也王官役在前年[音訓]邧願晚反一音元○楚人滅江秦伯為之降服出次不舉過數降服素服也出次辟正寢不舉去盛饌鄰國之禮有數今秦伯過之[音訓]為于僞反下文[註]為賦為歌皆同大夫諫公曰同盟滅雖不能救敢不矜乎吾自懼也秦江同盟不告故不書君子曰詩云惟彼二國其政不獲惟此四國爰究爰度其秦穆之謂矣詩大雅言夏商之君政不得人心故四方諸侯皆懼

左傳八　十五

而謀度其政事也言秦穆亦能感江之滅懼而思政爰於也究度皆謀也[音訓]度待洛反○衛甯武子來聘公與之宴為賦湛露及彤弓非禮之常公特命樂人以示意故言為賦湛露彤弓詩小雅不辭又不答賦使行人私焉私問之對曰臣以為肄業及之也肄習也魯人失所賦甯武子佯不知此其愚不可及[附註]林曰臣以為樂工肄習樂歌自及此詩非為宴臣而設也昔諸侯朝正於王朝而受政教也王宴樂之於是乎賦湛露則天子當陽諸侯用命也湛露曰湛湛露斯匪陽不晞晞乾也言露見日而乾猶諸侯稟天子命而行諸侯敵王所愾而獻其功敵猶當也愾恨怒也[音訓][註]愾苦愛反王於是乎賜

之彤弓一彤矢百玈弓矢千以覺報宴覺明也謂諸侯有四夷之功王賜之弓矢又為歌彤弓以明報功宴樂今陪臣來繼舊好方論天子之樂故自稱陪臣君辱貺之其敢干大禮以自取戾貺賜也干犯也戾罪也○冬成風薨為明年王使來含賵傳

[經]五年[己亥]春王正月王使榮叔歸含且賵珠玉曰含含口實車馬曰賵[音訓]含户暗反○三月辛亥葬我小君成風無傳反哭成喪故曰葬我小君王使召伯來會葬召伯天子卿也名采地伯爵也來不及葬不譏者不失五月之內[附註]林曰王不稱天於追錫桓公見之至是再見貶也且文武之教著於南雅莫急於君夫人也桓以少篡長成風以

左傳八　十六

庶亂嫡王道熄矣而莊襄不能正又從而褒賞之是以天命施之天討也是故皆不稱天○夏公孫敖如晉無傳○秦人入鄀入例在十五年[音訓]鄀音若○秋楚人滅六六國今盧江六縣○冬十月甲申許男業卒無傳與僖公六同盟

[傳]五年春王使榮叔來含且賵召昭公來會葬禮也成風莊公之妾天子以夫人禮賵之明母以子貴故曰禮○初鄀叛楚即秦又貳於楚[附註]林曰既即秦又有二心而從楚夏秦人入鄀○六人叛楚即東夷秋楚成大心仲歸帥師滅六仲歸子家[附註]林曰成大心子玉子○冬楚公子燮滅蓼蓼國今安豐蓼縣[音訓]蓼音了字或作鄝

音同臧文仲聞六與蓼滅曰皐陶庭堅不祀
忽諸德之不建民之無援哀哉蓼與六皆皐陶後也
傳二國之君不能建德結怨大國忽然而忘【附註】林曰庭堅皐陶字○晉陽
處父聘于衛【附註】林曰四年衛朝于晉故聘以報之反過甯
甯嬴從之甯晉邑汲郡脩武縣也嬴逆旅大夫【附註】林曰喜處父之為人
而從之及溫而還其妻問之嬴曰以剛【附註】林曰
言處父為人純乎任剛商書曰沈漸剛克高明柔克
沈漸猶滯溺也高明猶亢爽也言各當以剛柔勝己本性乃能成全也此在洪範今
謂之周書沈漸尚書作沈潛【附註】林曰夫子壹之其不沒乎
陽子性純剛【附註】朱曰壹之者謂其一於用剛而遂沈潛之意思也必不得其死也

左傳八　十七

天為剛德猶不干時寒暑相順【附註】林曰猶不干犯四時之序
況在人乎且華而不實怨之所聚也言過其行
【音訓】【註】行下孟反犯而聚怨不可以定身剛則犯人余
懼不獲其利而離其難是以去之為六年晉殺處
父傳也【附註】林曰離罹【音訓】難乃旦反晉趙成子欒貞子霍
伯臼季皆卒成子趙衰新上軍帥中軍佐也貞子欒枝下軍帥也霍伯
先且居中軍帥也臼季胥臣下軍佐也為六年蒐於夷傳
**經**六年**庚子**春葬許僖公無傳○夏季孫行父
如陳行父季友孫○秋季孫行父如晉○八月乙
亥晉侯驩卒再同盟○冬十月公子遂如晉葬

晉襄公卿共葬事文襄之制也三月而葬速【音訓】【註】共音恭○晉殺其
大夫陽處父處父侵官宜為國討故不言賈季殺晉狐射姑出
奔狄射姑狐偃子賈季也奔例在宣十年【音訓】射音亦又音夜○閏月不
告月猶朝于廟諸侯每月必告朔聽政因朝宗廟文公以閏非常月故闕
不告朔怠慢政事雖朝于廟則如勿朝故曰猶猶者可止之辭
**傳**六年春晉蒐于夷舍二軍僖三十一年晉蒐清原作
三軍今舍二軍復三軍之制夷晉地前年四卿卒故蒐以謀軍帥使狐射
姑將中軍代先且居趙盾佐之代趙衰也盾趙衰子陽處
父至自溫往年聘衛過溫今始至【音訓】【註】過古禾反改蒐于董
易中軍易以趙盾為帥射姑佐之河東汾陰縣有董亭陽子成季

左傳八　十八

之屬也處父嘗為趙衰屬大夫【附註】林曰成季即趙衰故黨於趙
氏且謂趙盾能曰使能國之利也是以上
之【附註】朱曰所以自中軍之佐升之而為帥也宣子於是乎始
為國政宣趙盾謚制事典典常也正法罪輕重當【音訓】【註】
當丁浪反辟獄刑辟猶理也【音訓】辟婢亦反董逋逃董督也由
質要由用也質要券契也治舊洿治理洿穢【音訓】洿音烏本又作汙同
本秩禮貴賤不失其本續常職脩廢官出滯淹拔賢能也
既成以授大傅陽子與大師賈佗使行諸
晉國以為常法賈佗公族以從文公而不在五人之數【音訓】大音太
【註】從才用反○臧文仲以陳衛之睦也欲求好

於陳夏季文子聘于陳且娶焉臣非君命不越竟故因聘而自為娶【音】【訓】【諺】為于僞反○秦伯任好卒任好秦穆公名【音】【訓】任音壬以子車氏之三子奄息仲行鍼虎為殉子車秦大夫氏也以人從葬為殉【音】【訓】車音居行戶郎反皆秦之良也國人哀之無之賦黃鳥黃鳥詩秦風義取黃鳥止于棘桑往來得其所傷三良不然【音】【訓】為于僞反下【諺】為立為作同君子曰秦穆之不為盟主也宜哉死而棄民先王違世猶詒之法而況奪之善人乎詩曰人之云亡邦國殄瘁詩大雅言善人亡則國瘁病無善人之謂若之何奪之古之王者知命之不長



是以並建聖哲建立聖知以司牧民【音】【訓】王如字一音于況反【諺】知音智樹之風聲因土地風俗為立聲教之法分之采物旌旗衣服各有分制【諺】分扶問反【音】著之話言話善也為作善言遺戒【音】【訓】【諺】話戶快反為之律度鍾律度量所以治曆明時【音】【訓】【諺】量音亮陳之藝極藝準也極中也貢獻多少之法傳曰貢之無藝又曰貢獻無極引之表儀引道也表儀猶威儀【音】【訓】【諺】道音導下同予之法制【附】【註】林曰與天下以吉凶軍賓嘉曰法制【音】【訓】予音與告之訓典訓典先王之書教之防利防惡興利委之常秩委任也常秩官司之常職道之以禮則使毋失其土宜【附】【註】朱曰周禮以土宜教民稼穡蓋使因地之利以遂其性也眾隸賴之而後即命即就



也【附】【註】林曰眾隸眾民之隸于官于士于農工賈者皆依賴其法而後就用上命聖王同之今縱無法以遺後嗣而又收其良以死難以在上矣【附】【註】朱曰令秦穆公縱然不能立法以遺子孫而又收其善人使之殉葬以死如且則邦國殄瘁難以居人上矣【音】【訓】遺唯季反君子是以知秦之不復東征也不能復征討東方諸侯為霸主【音】【訓】復扶又反○秋季文子將聘於晉使求遭喪之禮以行季文子季孫行父也聞晉侯疾故其人曰將焉用之其人從者【音】【訓】焉於虔反【諺】從才用反文子曰備豫不虞古之善教也求而無之實難難卒得【附】【註】林曰求用而無其禮實難卒得過求何害所謂文子三思

○八月乙亥晉襄公卒靈公少晉人以難故欲立長君立少君恐有難【音】【訓】難乃旦反下皆同趙孟曰立公子雍趙孟趙盾也公子雍文公子襄公庶弟杜祁之子好善而長先君愛之且近於秦【附】【註】林曰時子雍仕於晉且晉去秦為近秦舊好也【附】【註】林曰秦與晉有甥舅之舊好置善則固事長則順立愛則孝結舊則安為難故故欲立長君【音】【訓】為于僞反有此四德者難必抒矣抒除也【音】【訓】抒直呂反又時呂反賈季曰不如立公子樂樂文公子【音】【訓】樂音岳又音洛辰嬴嬖於二君辰嬴懷嬴也二君懷公文公也立其子民必安之趙孟曰辰嬴賤

班在九人（班位也【附註】朱曰自夫人以下其位列在第九）其子何震之有（震威也）且為二嬖溪也（【附註】林曰為二君所嬖寵是淫邪也）為先君子不能求大而出在小國辟也（【附註】林曰為文公之子不能求仕於大國而仕於陳之小國是僻陋也【音訓】辟又作僻下同）母溪子辟無威陳小而遠無援將何安焉杜祁以君故讓偪姞而上之（杜祁杜伯之後祁姓也偪姞姞姓之女生襄公為世子故杜祁讓使在己上）以狄故讓季隗而已次之故班在四（以季隗是文公託狄時妻）先君是以故復讓之然則杜祁本班在二（【音訓】[illegible]復扶又反下將復怨同）愛其子而仕諸秦為亞卿焉（亞次也言其賢故位尊）



秦大而近足以為援母義子愛足以威民立之不亦可乎（【附註】朱曰遜偪姞事季隗故曰母義先君愛其子故曰子愛）使先蔑士會如秦逆公子雍（先蔑士伯也士會隨季也）賈季亦使召公子樂于陳趙孟使殺諸郫（郫晉地【音訓】郫婢支反）○賈季怨陽子之易其班也（本中軍帥易以為佐）而知其無援於晉也（少族多怨【附註】朱曰處父黨於趙氏而賈季知其無援者想宣子得政之後外示大公不以處父為私恩也）九月賈季使續鞫居殺陽處父（鞫居狐氏之族）書曰晉殺其大夫侵官也（君已命帥處父易之故曰侵官）○冬十月襄仲如晉葬襄公○十一月丙寅晉殺續簡伯（簡伯續鞫居十一月無丙寅丙寅十二月八日也日月必有誤也【附註】林曰討其殺處父也）賈季奔狄宣子使臾駢送其帑（帑妻子也宣子以賈季中軍之佐同官故【音訓】臾羊朱反駢蒲賢反又蒲丁反帑音奴）夷之蒐賈季戮臾駢（【附註】朱曰戮辱也時賈季將中軍臾駢犯其令故執而戮之）臾駢之人欲盡殺賈氏以報焉臾駢曰不可吾聞前志有之曰敵惠敵怨不在後嗣忠之道也（敵猶對也若及子孫則為非對非對則為遷怒）夫子禮於賈季（【附註】林曰趙盾盡禮於賈季而送其妻子）我以其寵報私怨無乃不可乎（言己蒙宣子寵位【附註】林曰宣子使我送帑是寵任我也）介人之寵



非勇也（介因也）損怨益仇非知也（殺季家欲以除怨宣子將復怨己是益仇【音訓】知音智）以私害公非忠也釋此三者何以事夫子盡具其帑與其器用財賄親帥扞之送致諸竟（扞衛也）○閏月不告朔非禮也（經稱告月傳稱告朔明告月必以朔）閏以正時（四時漸差則致閏以正之）時以作事（順時命事）事以厚生（事不失時則年豐）生民之道於是乎在矣不告閏朔棄時政也（【附註】林曰是棄民之時與國之政也）何以為民（【音訓】為如字治也）

【經】七年【辛丑】春公伐邾○三月甲戌取須句

須句魯之封內屬國也僖公反其君之後邾復滅之書取易也例在襄十三年【音訓】復扶又反易以豉反遂城郚無傳因伐邾師以城郚郚魯邑卞縣南有郚城備邾難【音訓】難乃旦反郚音吾○夏四月宋公王臣卒無傳二年與魯大夫盟於垂隴書○宋人殺其大夫宋人攻昭公并殺二大夫故以非罪書○戊子晉人及秦人戰于令狐趙盾廢嫡而外求君故貶稱人晉諱背先蔑而夜薄秦師以戰告【附註】林曰令狐秦地【音訓】令力呈反○晉先蔑奔秦不言出在外奔○狄侵我西鄙○秋八月公會諸侯晉大夫盟于扈扈鄭地滎陽卷縣西北有扈亭不分別書會人揔言諸侯晉大夫盟者公後會而及其盟【附註】林曰不序諸侯散辭也晉於是始失霸也○冬徐伐莒不書將帥徐夷告辭略○公孫敖



如莒涖盟

【傳】七年春公伐邾間晉難也公因霸國有難而侵小【音訓】間去聲或如字難乃旦反下同○三月甲戌取須句寘文公子焉非禮也邾文公子叛在魯故公使為守須句大夫也絕大皡之祀以與鄰國叛臣故曰非禮○夏四月宋成公卒於是公子成為右師莊公子公孫友為左師目夷子樂豫為司馬戴公玄孫鱗矔為司徒桓公孫【音訓】矔音貫公子蕩為司城桓公子也以武公名廢司空為司城華御事為司寇華元父也傳言六卿皆公族昭公不親信之所以致亂昭公將去羣公子【附註】林曰昭公畏羣公子之偪故欲去之樂豫

曰不可公族公室之枝葉也若去之則本根無所庇廕矣【音訓】庇必利反又悲位反廕本又作蔭於鴆反葛藟猶能庇其本根葛之能藟蔓繁滋者以本枝廕庥之多【音訓】藟音累庥許求反故君子以為比謂詩人取以譬九族兄弟況國君乎此諺所謂庇焉而縱尋斧焉者也縱放也【附註】林曰八尺曰尋所以量木者也引俗諺所謂藉木之庇而縱放尋以量之斧以伐之者也必不可君其圖之親之以德皆股肱也誰為攜貳若之何去之不聽穆襄之族率國人以攻公穆公襄公之子孫昭公所欲去者殺公孫固公孫鄭于公宮二子在公宮故為亂兵所殺六



卿和公室【附註】林曰右師等六卿使穆襄之族與昭公為和樂豫舍司馬以讓公子卬卬昭公弟【附註】林曰樂豫以己之官遜之此以為和之道【音訓】舍音捨下同卬音昂昭公即位而葬書曰宋人殺其大夫不稱名眾也且言非其罪也不稱殺者及死者名殺者眾故名不可知死者無罪則例不稱名○秦康公送公子雍于晉曰文公之入也無衛故有呂郤之難僖二十四年文公入乃多與之徒衛穆嬴日抱大子以啼于朝曰先君何罪其嗣亦何罪舍適嗣不立而外求君將焉寘此穆嬴襄公夫人靈公母也【音訓】焉於虔反下焉用同出朝則抱以

適趙氏【附註】朱曰夫人既啼于朝而出又抱大子以往宣子之家頓首於宣子曰先君奉此子也而屬諸子【音訓】屬音燭曰此子也才吾受子之賜不才吾唯子之怨欲使宣子教訓之今君雖終言猶在耳在宣子之耳而棄之若何宣子與諸大夫皆患穆嬴且畏偪畏國人以大義來偪己乃背先蔑而立靈公以禦秦師【附註】林曰初使先蔑逆子雍故言背先蔑而立靈公即大子夷皐也時秦以兵送子雍故言禦秦師箕鄭居守趙盾將中軍先克佐之克先且居子代孤射姑荀林父佐上軍箕鄭將上軍居守故佐獨行先蔑將下軍先都佐之步招



御戎戎津為右及堇陰先蔑士會逆公子雍前還晉人始以逆雍出軍卒然變計立靈公故車右戎御猶在職堇陰晉地【音訓】招上遥反堇音謹一音斬宣子曰我若受秦秦則賓也不受寇也既不受矣而復緩師秦將生心【附註】朱曰秦必生計謀為己害也【音訓】復扶又反先人有奪人之心奪敵之戰心也【音訓】先悉薦反軍之善謀也逐寇如追逃軍之善政也訓卒利兵秣馬蓐食潛師夜起蓐食早食於寢蓐也【音訓】蓐音辱戊子敗秦師于令狐至于刳首己丑先蔑奔秦士會從之從刳首去也令狐在河東當與刳首相接【音訓】刳音枯先蔑之使也【音訓】使所吏反荀

林父止之曰夫人大子猶在而外求君此必不行子以疾辭若何不然將及禍將及己攝卿以往可也【附註】林曰使大夫攝卿以往逆子雍何必子同官為寮吾嘗同寮敢不盡心乎弗聽為賦板之三章板詩大雅其三章義取匊蕘之言猶不可忽況同寮乎僖二十八年林父將中行先蔑將左行【音訓】為賦于偽反下為同寮同又弗聽及亡荀伯盡送其帑及其器用財賄於秦曰為同寮故也荀伯林父士會在秦三年不見士伯士伯先蔑其人曰能亡人於國言能與人俱亡於晉國不能見於此焉用之何用如此士季曰【附註】林曰即士



會吾與之同罪俱有迎公子雍之罪非義之也將何見焉言己非慕先蔑之義而從之及歸遂不見責先蔑為正卿而不匡諫且俱出奔惡有黨也士會歸在十三年【音訓】惡烏路反○狄侵我西鄙公使告于晉趙宣子使因賈季問酆舒且讓之酆舒狄相讓其伐魯【附註】林曰時賈季奔在狄【音訓】酆音豐相息亮反酆舒問於賈季曰趙衰趙盾孰賢對曰趙衰冬日之日也趙盾夏日之日也冬日可愛夏日可畏○秋八月齊侯宋公衛侯陳侯鄭伯許男曹伯會晉趙盾盟于扈晉侯立故也公後至故不書所會凡會諸侯不書

所會後也不書所會謂不具列公侯及卿大夫後至不書其
國辟不敏也此傳還自釋凡例之意【附註】林曰後至則不書其國之主名避不敏於會事也【音訓】辟音避○穆伯娶于莒曰戴己
生文伯其娣聲己生惠叔穆伯公孫敖也文伯穀也惠叔難也【附註】林曰己莒氏也【音訓】己音紀一音杞戴己卒又聘于莒
莒人以聲己辭則為襄仲聘焉襄仲公孫敖從父昆弟【音訓】為于僞反下且為自為同○冬徐伐莒莒人來請
盟見伐故欲結援穆伯如莒涖盟且為仲逆【附註】林曰因臨盟為襄仲逆女及鄢陵登城見之美鄢陵莒邑自為
娶之仲請攻之公將許之叔仲惠伯諫惠伯叔牙孫



曰臣聞之兵作於內為亂於外為寇
寇猶及人亂自及也今臣作亂而君不禁
以啓寇讎【附註】林曰魯國有亂則將開寇讎之心若之何公
止之惠伯成之平二子使仲舍之舍不娶【音訓】舍音捨
公孫敖反之還莒女復為兄弟如初從之為明年公孫敖奔莒傳【音訓】復音服又扶又反○晉郤缺言於趙宣
子曰日衛不睦故取其地日往日取衛地在元年今
已睦矣可以歸之叛而不討何以示威服
而不柔何以示懷柔安也非威非懷何以示
德無德何以主盟子為正卿以主諸侯而

不務德將若之何夏書曰逸書戒之用休有休則戒之以勿休董之用威董督也有罪則督之以威刑勸之以
九歌勿使壞九功之德皆可歌也謂之九
歌六府三事謂之九功水火金木土穀謂
之六府正德利用厚生謂之三事義而行
之謂之德禮德正德也禮以制財用之節又以厚民生之命無禮
不樂所由叛也【附註】林曰若無禮以制財用厚生民則民不樂此民所由以不服也【音訓】樂音洛若吾子之德莫可歌也其
誰來之來猶歸也盍使睦者歌吾子乎【附註】林曰何不歸衛侵田使諸侯之睦於晉者歌詠吾子之德乎宣子說之為明年晉



歸鄭衛田張本【音訓】說音悅
【經】八年【壬寅】春王正月○夏四月○秋八月
戊申天王崩○冬十月壬午公子遂會晉趙
盾盟于衡雍壬午月五日乙酉公子遂會雒戎盟
于暴乙酉月八日也暴鄭地公子遂不受命而盟宜去族善其解國患故稱公子以貴之○公孫敖如京師不至而復丙戌奔莒不言出受命而出自外行○螽無傳為災故書○宋人殺其大夫司
馬宋司城來奔司馬死不舍節司城奉身而退故皆書官而不名貴之
【傳】八年春晉侯使解揚歸匡戚之田于衛
匡本衛邑中屬鄭孔達伐不能克今晉令鄭還衛及取戚田皆見元年【附註】林曰解

揚晉大夫【音訓】【註】中丁仲反令力呈反見賢遍反且復致公壻池
之封自申至于虎牢之竟公壻池晉君女壻又取衛地以
封之令并還衛也申鄭地傳言趙盾所以餘相幼主而盟諸侯【附註】林曰申虎牢皆
鄭邑蓋此地皆公壻池之封也【音訓】復扶又反壻音細俗作婿【註】相息亮反○
夏秦人伐晉取武城以報令狐之役令狐役在
七年○秋襄王崩為公孫敖如周弔傳○晉人以扈之
盟來討前年盟扈公後至○冬襄仲會晉趙孟盟
于衡雍報扈之盟也【附註】林曰以扈盟後至故盟衡雍以報之
遂會伊雒之戎伊雒之戎將伐魯公子遂不及復君故專命與之盟
書曰公子遂珍之也珍貴也大夫出竟有可以安社稷利國家



者專之可○穆伯如周弔喪不至以幣奔莒從
已氏焉已氏莒女○宋襄夫人襄王之姊也昭
公不禮焉昭公嫡祖母夫人因戴氏之族華樂皇皆
戴族以殺襄公之孫孔叔公孫鍾離及大司
馬公子卬皆昭公之黨也司馬握節以死
故書以官節國之符信也握之以死示不廢命司城蕩意諸
來奔效節於府人而出效猶致也意諸公子蕩之孫公
以其官逆之皆復之亦書以官皆貴之也
卿違從大夫公賢其效節故以本官逆之請宋而復之司城官屬悉來奔故言皆復
○夷之蒐晉侯將登箕鄭父先都登之於上軍也

夷蒐在六年而使士穀梁益耳將中軍士穀本司空【附
【註】林曰使二子為中軍將佐先克曰狐趙之勳不可廢
也從之狐偃趙衰有從亡之勳【附註】林曰六年以狐射姑趙盾為中軍將佐
【音訓】【註】從才用反先克奪蒯得田于堇陰七年晉禦秦師
於堇陰以軍事奪其田也先克中軍佐故箕鄭父先都士穀
梁益耳蒯得作亂為明年殺先克張本
【經】九年【癸卯】春毛伯來求金求金以共葬事雖踰年而未葬
故不稱王使【附註】林曰來求止此自是魯雖不僭貢周無求矣【音訓】【註】共音恭本亦作供
下同○夫人姜氏如齊無傳歸寧○二月叔孫得臣
如京師辛丑葬襄王卿共葬事禮也○晉人殺其大



夫先都下軍佐也以作亂討故書名○三月夫人姜氏至
自齊無傳告于廟○晉人殺其大夫士穀及箕鄭
父與先都同罪也○楚人伐鄭楚子師於狼淵不覲伐公子遂
會晉人宋人衛人許人救鄭○夏狄侵齊無傳
○秋八月曹伯襄卒無傳七年同盟于扈○九月癸酉
地震無傳地道安靜以動為異故書○冬楚子使椒來聘稱君
以使大夫其禮辭與中國同椒不書氏史略文【附註】林曰楚君臣始並見於經○秦
人來歸僖公成風之禭衣服曰禭秦辟陋故不稱使不稱夫人從
來者辭【音訓】禭音遂○葬曹共公無傳
【傳】九年春王正月己酉使賊殺先克箕鄭等所

使也亂殺先克不赴故不書乙丑晉人殺先都梁益耳
乙丑正月二十九日經書二月從告【附註】林曰作亂故也○毛伯衛來
求金非禮也天子不私求財故曰非禮不書王命未葬
也○二月莊叔如周葬襄王○三月甲戌
晉人殺箕鄭父士縠蒯得梁益耳蒯得不書皆非卿○
范山言於楚子曰晉君少不在諸侯北方
可圖也范山楚大夫【附註】林曰時晉靈公幼少志不在於諸侯楚居南方故
言北方諸侯可圖也楚子師于狼淵以伐鄭陳師狼淵為伐
鄭援也潁川潁陰縣西有狼陂囚公子堅公子尨及樂耳
三子鄭大夫【附註】林曰生獲曰囚【音訓】尨莫江反鄭及楚平○公

左傳八　三十一

子遂會晉趙盾宋華耦衛孔達許大夫救
鄭不及楚師卿不書緩也以懲不恪華耦華父
督曾孫公子遂獨不在貶者諸魯事自非皆為其國褒貶則皆從國史不同之於他
國此春秋大意他皆放此【附註】林曰以懲諸大夫奉命出會而不共恪者【音訓】【註】為
于偽反○夏楚侵陳克壺丘以其服於壺丘陳邑
晉也○秋楚公子朱自東夷伐陳子朱息公也
陳人敗之獲公子茷【音訓】茷音吠陳懼乃及楚
平以小勝大故懼而請平也傳言晉君少楚陵中國明年所以有厥貉之會【音訓】
【註】貉武白反○冬楚子越椒來聘執幣傲子越椒令
尹子文從子傲不敬【音訓】【註】從才用反叔仲惠伯曰是必滅

若敖氏之宗傲其先君神弗福也十二年傳曰先
君之敝器使下臣致諸執事明奉使皆告廟故言傲其先君也為宣四年楚滅若敖
氏張本【附註】林曰奉使必告廟而來言辭稱先君以相接故以其傲為傲其先君【音】
【訓】【註】使所吏反○秦人來歸僖公成風之襚禮也
秦慕諸夏欲通敬於魯因有翟泉之盟故追贈僖公并及成風本非魯方嶽同盟無
相赴弔之制故不譏其緩而以接好為禮諸侯相弔賀也雖不
當事苟有禮焉書也以無忘舊好送死不及尸故
曰不當事書者書於典策垂示子孫使無忘過厚之好

【經】十年【甲辰】春王三月辛卯臧孫辰卒無傳公與
小斂故書日○夏秦伐晉不稱將帥告辭略【附註】林曰狄秦也楚之霸秦

左傳八　三十二

之力也於是狄秦夏之變於夷秦為之也又三十年而狄鄭又五十年而狄晉狄鄭猶可
也狄晉甚矣○楚殺其大夫宜申宜申子西也謀弒君故書名
○自正月不雨至于秋七月無傳義與二年同○及
蘇子盟于女栗女栗地名闕蘇子周卿士頃王新立故與魯盟親諸侯也
【音訓】女音汝一音如字○冬狄侵宋無傳○楚子蔡侯次
于厥貉厥貉地名闕將伐宋而未行故書次【附註】林曰書次以見楚之圖霸而未
集也是故書次于郎以見齊霸之難書次厥貉以見楚霸之難

【傳】十年春晉人伐秦取少梁少梁馮翊夏陽縣○
夏秦伯伐晉取北徵報少梁【音訓】徵如字一音張里反○
初楚范巫矞似矞似范邑之巫【音訓】矞尹必反謂成王與

子玉子西曰三君皆將強死【附註】林曰言三君皆將不得以壽終【音訓】強其丈反城濮之役王思之【附註】林曰成王思范巫強死之言故使止子玉曰毋死不及【附註】林曰子玉已死【音訓】毋音無止子西子西縊而縣絕在僖二十八年王使適至遂止之使為商公商楚邑今上雒商縣【附註】林曰楚僭王其縣尹皆稱公使子西為商公【音訓】王使所吏反沿漢泝江將入郢沿順流泝逆流王在渚宮小洲曰渚下見之【附註】林曰成王下而見子西懼而辭【附註】林曰子西倉卒見王而懼以辭謝王曰臣免於死又有讒言謂臣將逃臣歸死於司敗也陳楚名司寇為司敗子西畏讒言不敢之商縣王使為



工尹掌百工之官又與子家謀弒穆王穆王聞之五月殺鬬宜申及仲歸仲歸子家不書非卿【附註】林曰宜申即子西○秋七月及蘇子盟于女栗頃王立故也僖十年狄滅溫蘇子奔衛今復見蓋王復之【音訓】復扶又反見賢遍反○陳侯鄭伯會楚子于息【附註】朱曰息楚邑冬遂及蔡侯次于厥貉陳鄭及宋麇子不書者宋鄭執卑者免不為楚僕任受役於司馬麇子恥之逃而歸三君失位降爵故不列於諸侯宋鄭猶然則陳侯必同也【音訓】麇九倫反將以伐宋宋華御事曰楚欲弱我也先為之弱乎何必使誘我我實不能民何罪乃逆楚子勞且聽命時楚欲誘呼宋共戎御事華元父【音訓】勞力報反遂道以田孟諸孟諸宋大藪也在梁國睢陽縣東北【音訓】道音導宋公為右盂鄭伯為左盂盂田獵陳名【音訓】陳直覲反期思公復遂為右司馬復遂楚期思邑公今弋陽期思縣子朱及文之無畏為左司馬將獵張兩甄故置二左司馬然則右司馬一人當中央【附註】林曰子朱無畏皆楚大夫【音訓】甄吉然反命夙駕載燧燧取火者【音訓】燧本又作燧音遂宋公違命不夙駕載燧無畏抶其僕以徇【附註】林曰抶撻也僕御也無畏為司馬撻宋昭公之御者以徇于諸侯正違命之罰【音訓】抶音扶或謂子舟曰國君不可戮也子舟曰當官而行何彊之有子舟無畏字【附註】林曰言當官而行



刑罰不當以宋君為彊而避之也詩曰剛亦不吐柔亦不茹詩大雅美仲山甫不辟彊毋從詭隨以謹罔極詩大雅詭人隨人無正心者謹猶慎也罔無也極中也【音訓】毋音無是亦非辟彊也【音訓】辟音避敢愛死以亂官乎為宣十四年宋人殺子舟張本○厥貉之會麇子逃歸為明年楚子伐麇傳

春秋經傳集解卷第八

# 春秋經傳集解卷第九

杜氏 盡十八年 【諸家註音訓附】

## 文公下

【經】十有一年【乙巳】春楚子伐麇 討前年逃厥貉會【附註】林曰楚書君將於是始自是楚師必圍滅而后貶人之 ○夏叔仲彭生會晉郤缺于承匡 承匡宋地在陳留襄邑縣西彭生叔仲惠伯郤缺冀缺 ○秋曹伯來朝○公子遂如宋○狄侵齊○冬十月甲午叔孫得臣敗狄于鹹 鹹魯地

【傳】十一年春楚子伐麇成大心敗麇師于防渚 成大心子玉之子大孫伯也防渚麇地 潘崇復伐麇【附註】林曰潘崇楚大師【音訓】復扶又反 至于錫穴 錫穴麇地【附註】林曰麇未服故【音訓】錫音羊或作錫星歷反 ○夏叔仲惠伯會晉郤缺于承匡謀諸侯之從于楚者 九年陳鄭及楚平十年宋聽楚命 ○秋曹文公來朝即位而來見也【音訓】見賢遍反 ○襄仲聘于宋且言司城蕩意諸而復之 八年意諸來奔歸不書史失之 因賀楚師之不害也 十年楚次厥貉將以伐宋 ○鄋瞞侵齊 鄋瞞狄國名防風之後漆姓【附註】林曰在夏為防風氏商為汪芒氏【音訓】鄋音搜又音騷瞞莫干反 遂伐我公卜使叔孫得臣追之吉侯叔夏御莊叔 莊叔得臣 緜房甥為右富父終甥駟乘 駟乘四人共車【音訓】乘繩證反 冬十月甲午敗狄于鹹獲長狄僑如 僑如鄋瞞國之君蓋長三丈獲僑如不書賤夷狄也【音訓】長如字又直亮反 富父終甥椿其喉以戈殺之 椿猶衝也【附註】林曰以戈衝僑如之咽喉【音訓】椿舒容反 埋其首於子駒之門 子駒魯郭門骨節非常恐後世怪之故詳其處 以命宣伯 得臣待事而名其三子因名宣伯曰僑如以旌其功【音訓】名如字或亡政反 初宋武公之世鄋瞞伐宋 在春秋前 司徒皇父帥師禦之耏班御皇父充石 皇父戴公子充石皇父名【音訓】耏音而 公子穀甥為右司寇牛父駟乘以敗狄于長丘 長丘宋地 獲長狄緣斯 緣斯僑如之先 皇父之二子死焉 皇父與穀生及牛父皆死故耏班獨受賞 宋公於是以門賞耏班使食其征 門關門征稅也 謂之耏門【附註】林曰以門賞耏班故以班之姓名其門 晉之滅潞也 在宣十五年【音訓】潞音路 獲僑如之弟焚如齊襄公之二年 魯桓之十六年 鄋瞞伐齊齊王子成父獲其弟榮如 榮如焚如之弟焚如後死而先說者欲其兄弟伯季相次榮如以魯桓十六年死至宣十五年二百三歲其兄猶在傳言既長且壽有異於人王子成父齊大夫 埋其首於周首之北門 周首齊邑濟北穀城縣東北有周首亭 衛人獲其季弟簡如 伐齊退走至衛見獲 鄋瞞由是遂亡 長狄之種絕 ○郕大子朱儒自安於夫鍾 安處也夫

鍾郲邑國人弗徇徇順也為明年郲伯來奔傳

〔經〕十有二年〔丙午〕春王正月郲伯來奔稱爵見公以諸侯禮迎之〔附註〕林曰此郲大子朱儒也其曰郲伯見魯以諸侯之禮逆之也是故郲大子朱儒魯謂之郲伯晉大子州蒲魯謂之晉侯從而志之徒見其悖禮焉尒〔音訓〕見賢遍反○杞伯來朝復稱伯舍夷禮〔音訓〕〔註〕復扶又反一音服○二月庚子子叔姬卒既嫁成人雖見出棄猶以恩錄其卒○夏楚人圍巢巢吳楚間小國廬江六縣東有居巢城○秋滕子來朝○秦伯使術來聘術不稱氏史略文〔附註〕林曰秦君臣始並見○冬十有二月戊午晉人秦人戰于河曲不書敗績交綏而退不大崩也稱人秦晉無功以微者告也皆陳曰戰例在莊十一年河曲在河東蒲坂



縣南○季孫行父帥師城諸及鄆鄆莒魯所爭者城陽姑幕縣南有負亭負即鄆也以其遠偪外國故帥師城之〔音訓〕鄆音運〔註〕負音云一音運本又音鄖音同

〔傳〕十二年春郲伯卒〔附註〕林曰朱儒之父卒郲人立君大子自安於外邑故大子以夫鍾與郲邽來奔郲邽亦邑〔音訓〕邽音圭公以諸侯逆之非禮也非公寵叛人故書曰郲伯來奔不書地尊諸侯也既尊以為諸侯故不復見其竊邑之罪〔音訓〕〔註〕復扶又反見賢遍反○杞桓公來朝始朝公也公即位始來朝且請絕叔姬而無絕昏公許之不絕昏立其娣以為夫人不書大歸未歸而卒二月叔姬卒不言杞絕也既許其絕故不書杞書叔姬言非女也女未笄而卒不書○楚令尹大孫伯卒成嘉為令尹若敖曾孫子孔羣舒叛楚羣舒偃姓舒庸舒鳩之屬今廬江南有舒城舒城西南有龍舒○夏子孔執舒子平及宗子遂圍巢平舒君名宗巢二國羣舒之屬○秋滕昭公來朝亦始朝公也○秦伯使西乞術來聘且言將伐晉襄仲辭玉曰君不忘先君之好照臨魯國鎮撫其社稷重之以大器寡君敢辭玉大器圭璋也不欲與秦為好故辭玉〔附註〕朱曰重申也聘義曰已聘而還圭璋今云辭玉則是先聘而辭之也〔音訓〕重直用反對曰不腆敝



器不足辭也腆厚也〔音訓〕腆他典反主人三辭賓荅曰寡君願徼福于周公魯公以事君徼要也魯公伯禽也言願事君以并蒙先君之福〔音訓〕徼古堯反〔註〕要於堯反下同不腆先君之敝器使下臣致諸執事以為瑞節節信也出聘必告廟故稱先君之器要結好命所以藉寡君之命結二國之好藉薦也〔音訓〕藉在夜反是以敢致之襄仲曰不有君子其能國乎〔附註〕朱曰襄仲聞使臣之辭命和遜故知秦有君子也國無陋矣〔附註〕朱曰言以此見天下無傴陋無文之國矣厚賄之賄贈送也○秦為令狐之役故冬秦伯伐晉取羈馬令狐役在七年羈馬晉邑〔音訓〕為于

僞反晋人禦之趙盾將中軍荀林父佐之林父代先克郤缺將上軍代箕鄭臾駢佐之代林父欒盾將下軍欒枝子代先蔑胥甲佐之胥臣子代先都范無恤御戎代步招以從秦師于河曲臾駢曰秦不能久請深壘固軍以待之從之【附註】朱曰深壘即高壘蓋溝深則壘高也固軍謂軍所舍處欲其固也待之謂不與戰而待其自弊也秦人欲戰秦伯謂士會曰若何而戰晋士會七年奔秦對曰趙氏新出其屬曰臾駢必實爲此謀將以老我師也臾駢趙盾屬大夫新出佐上軍趙有側室曰穿晋君之壻也側室支子穿趙夙庶孫有寵而弱不在軍事弱年少也又未嘗涉知軍事好勇而狂且惡臾駢之佐上軍也若使輕者肆焉其可肆暫往而退也【附註】林曰言若使輕兵暫往攻之而速退則激怒趙穿可得一戰【音訓】惡烏路反輕遣政反勝秦伯以璧祈戰于河禱求十二月戊午秦軍掩晋上軍趙穿追之不及上軍不動趙穿獨追之反怒曰裹糧坐甲固敵是求【附註】林曰坐甲戰士被甲不得復卧坐而待敵也敵至不擊將何俟焉軍吏曰將有待也待可擊穿曰我不知謀將獨出乃以其屬出宣子曰秦獲穿也獲一卿矣僖三十三年晋侯以一命命郤缺爲卿不在軍帥之數然則晋自有散仕從卿者秦以勝歸我何以報乃皆出戰交綏司馬法曰逐奔不遠從綏不及逐奔不遠則難誘從綏不及則難陷然則古名退軍爲綏秦晋志未能堅戰短兵未致争而兩退故曰交綏秦行人夜戒晋師【附註】林曰兵交使在其間故秦使行人夜戒晋師與約戰期曰兩軍之士皆未憖也明日請相見也憖缺也【音訓】憖魚覲反臾駢曰使者目動而言肆懼我也目動心不安言肆聲放失常節【音訓】使所吏反將遁矣薄諸河必敗之薄迫也胥甲趙穿當軍門呼曰死傷未收而棄之不惠也不待期而薄人於險無勇也乃止晋師止爲宣元年放胥甲傳秦師夜遁復侵晋入瑕【音訓】復扶又反○城諸及鄆書時也

【經】十有三年【丁未】春王正月○夏五月壬午陳侯朔卒無傳再同盟○邾子蘧蒢卒未同盟而赴以名○自正月不雨至于秋七月無傳義與二年同○大室屋壞大廟之室【音訓】大音泰○冬公如晋衛侯會公于沓沓地闕○狄侵衛無傳○十有二月己丑公及晋侯盟十二月無己丑己丑十一月十一日公還自晋鄭伯會公于棐棐鄭地【音訓】棐方尾反又非尾反

【傳】十三年春晋侯使詹嘉處瑕以守桃林

之塞詹嘉晉大夫賜其瑕邑令帥衆守桃林以備秦桃林在弘農華陰縣東潼關【附註】林曰塞關也【音訓】塞悉代反【註】令力呈反○晉人患秦之用士會也【附註】朱曰恐其輔秦強盛為晉國之害也夏六卿相見於諸浮諸浮晉地趙宣子曰隨會在秦賈季在狄難日至矣若之何【註】六年賈季奔狄【附註】林曰隨會即士會賈季即狐射姑【音訓】難乃旦反中行桓子曰請復賈季中行桓子荀林父也僖二十八年始將中行故以為氏【附註】林曰言請名賈季而復其任能外事【附註】林曰言賈季能任在外之事且由舊勳有狐偃之舊勳郤成子曰賈季亂且罪大殺陽處父故【附註】朱曰成子郤缺也不如隨會能賤而有恥【附註】林曰能處卑賤



而有廉恥之心柔而不犯不可犯以不義其知足使也且無罪【音訓】知音智乃使魏壽餘偽以魏叛者以誘士會執其帑於晉使夜逸魏壽餘畢萬之後帑壽餘執壽餘之妻子於晉國使壽餘夜走請自歸于秦【附註】朱曰請以魏邑子【附註】林曰壽如守魏偽以其私邑叛晉即秦賓欲以計誘士會使來取魏而復之私獻於秦秦伯許之許受其邑履士會之足於朝躡士會足欲使行秦伯師于河西將取魏魏人在東今河北縣於秦為在河之東壽餘曰請東人之能與夫二三有司言者吾與之先欲與晉人在秦者共先告喻魏有司使士會【附註】朱曰康公以士會為晉人且有才能故使之往士會辭

曰晉人虎狼也若背其言臣死妻子為戮無益於君不可悔也【註】辭行示已無去心【附註】林曰言晉人虎狼之性暴不可測若反背其言不以魏降秦臣往魏必為晉人所殺妻子留秦必被誅戮秦伯曰若背其言所不歸爾帑者有如河言必歸其妻子明白如河【附註】朱曰蓋士會妻子皆在秦恐背約歸晉而秦必殺其妻子故偽辭不肯行以探秦伯之心而秦人朴直以為誠然故陰其計也乃行繞朝贈之以策策馬撾臨別授之馬撾並示已所策以長情繞朝秦大夫【音訓】繞如字又張遙反【註】撾張瓜反曰子無謂秦無人吾謀適不用也示已覺其情既濟魏人譟而還喜得士會【附註】林曰歡譟而歸秦人歸其帑其處者為劉



氏士會堯後劉累之胤別族復累之姓○邾文公卜遷于繹繹邾邑魯國鄒縣北有繹山史曰利於民而不利於君邾子曰苟利於民孤之利也天生民而樹之君以利之也民既利矣孤必與焉【音訓】與音預左右曰命可長也君何不為【附註】林曰言不遷都則君之壽命可以求長也君何不為長壽之計邾子曰命在養民死之短長時也民苟利矣遷也吉莫如之左右以一人之命為言文公以百姓之命為主一人之命各有短長不可如何百姓之命乃傳世無窮故徙之遂遷于繹五月邾文公卒君子曰知命【附註】林曰知天命之在民不以死生易其心所謂知命也○

秋七月大室之屋壞書不共也簡慢宗廟使至傾頹故書以見臣子不共【音訓】見賢遍反○冬公如晉朝且尋盟【附註】林曰尋八年衡雍之盟衛侯會公于沓請平于晉公還鄭伯會公于棐亦請平于晉公皆成之鄭衛貳于楚畏晉故因公請平鄭伯與公宴于棐子家賦鴻鴈子家鄭大夫公子歸生也鴻鴈詩小雅義取侯伯哀恤鰥寡有征行之勞言鄭國寡弱欲使魯侯還晉恤之季文子曰寡君未免於此言亦同有微弱之憂文子賦四月四月詩小雅義取行役踰時思歸祭祀不欲為還晉【音訓】【註】為于偽反下皆同子家賦載馳之四章載馳詩鄘風四章以下義取小國有急欲引大國以救助文子



賦采薇之四章采薇詩小雅取其豈敢定居一月三捷許為鄭還不敢安居鄭伯拜謝公為行公答拜

【經】十有四年【戊申】【附註】林曰是年周頃王崩匡王立春秋皆不書崩葬春王正月公至自晉無傳告於廟○邾人伐我南鄙叔彭生帥師伐邾○夏五月乙亥齊侯潘卒七年盟于扈乙亥四月二十九日書五月從赴○六月公會宋公陳侯衛侯鄭伯許男曹伯晉趙盾癸酉同盟于新城新城宋地在梁國穀熟縣西○秋七月有星孛入于北斗孛彗也既見而移入北斗非常所有故書之【音訓】【註】彗似歲反見賢遍反○公至自會無傳○晉人納捷菑于邾弗克納邾有成君晉趙盾不度於義而大興諸侯之師涉邾之竟見辭而退雖有服義之善所興者廣所害者衆故貶稱人【音訓】菑側其反【註】度待洛反○九月甲申公孫敖卒于齊既許復之故從大夫例書卒○齊公子商人弒其君舍舍未踰年而稱君者先君既葬舍已即位弒君例在宣四年○宋子哀來奔大夫奔例書名氏貴之故書字○冬單伯如齊單伯周卿士為魯如齊故書【音訓】【註】為于偽反齊人執單伯諸侯無執王使之義故不依行人例【音訓】【註】使所吏反○齊人執子叔姬叔姬魯女齊侯舍之母不稱夫人自魯錄之文母辭

【傳】十四年春頃王崩周公閱與王孫蘇爭政故不赴凡崩薨不赴則不書禍福不告



亦不書奔亡禍也歸復福也懲不敬也欲使怠慢者自戒○邾文公之卒也在前年公使弔焉不敬【附註】林曰魯使者不恭敬邾人來討伐我南鄙故惠伯伐邾○子叔姬妃齊昭公生舍【音訓】妃音配本亦作配叔姬無寵舍無威公子商人驟施於國驟數也商人桓公子【音訓】施式致反【註】數音朔而多聚士盡其家貸於公有司以繼之家財盡從公及國之有司富者貸【音訓】貸音特又音忒夏五月昭公卒舍即位○邾文公元妃齊姜生定公二妃晉姬生捷菑文公卒邾人立定公捷菑奔晉○六月同盟于新城

從於楚者服從楚者陳鄭宋且謀郲也謀納捷菑○秋
七月乙卯夜齊商人弒舍而讓元元商人兄齊惠
公也書九月從告七月無乙卯日誤元曰爾求之久矣我能
事爾爾不可使多蓄憾不為君則恨多將免我乎
爾為之言將復殺我【音訓】復扶又反○有星孛入于北
斗周內史叔服曰不出七年宋齊晉之君
皆將死亂後三年宋弒昭公五年齊弒懿公七年晉弒靈公史服但言事
徵而不論其占固非末學所得詳言○晉趙盾以諸侯之師
八百乘納捷菑于郲八百乘六萬人言力有餘郲人辭
曰齊出貜且長貜且定公【音訓】貜俱縛反又居碧反且子餘反長丁



丈反宣子曰辭順而弗從不祥乃還立適以長故曰
辭順○周公將與王孫蘇訟于晉王叛王孫
蘇王匡王叛不與而使尹氏與聃啓訟周公于晉
訟理之尹氏周卿士聃啓周大夫趙宣子平王室而復之
復使和親○楚莊王立穆王子也子孔潘崇將襲羣
舒使公子爕與子儀守而伐舒蓼即羣舒二
子作亂城郢【附註】林曰先築楚所都之郢城而使賊殺子
孔不克而還八月二子以楚子出將如商
密國語曰楚莊王幼弱子儀為師王子爕為傳【附註】林曰將往楚商密之邑廬
戢黎及叔麇誘之遂殺鬬克及公子爕廬令

襄陽中廬縣戢黎廬大夫叔麇其佐鬬克子儀也初鬬克囚于秦
在僖二十五年秦有殽之敗在僖三十三年而使歸求成
【附註】林曰秦為晉所敗故使鬬克歸楚求與楚平成而不得志無賞
報也公子爕求令尹而不得故二子作亂傳言
楚莊幼弱國內所以不能與晉競○穆伯之從己氏也在八
年魯人立文伯穆伯之子穀也穆伯生二子於莒
而求復文伯以為請【音訓】為如字一音于偽反下以為請同
五年亦故此襄仲使無朝聽命復而不出不得使與
聽政事終寢於家故出入不書【附註】林曰穆伯急於復國故聽襄仲無朝之命既復
國而不出入終寢於家【音訓】與音預三年而盡室以復適莒



【音訓】復扶又反文伯疾而請曰穀之子弱子孟獻子年尚
少請立難也難穀弟許之【附註】林曰魯公許之文伯卒
立惠叔【附註】林曰立難為後穆伯請重賂以求復【附註】
林曰穆伯請納重賂于魯以求復國惠叔以為請許之將来
九月卒于齊告喪請葬弗許請以卿禮葬○宋
高哀為蕭封人以為卿蕭宋附庸仕附庸還升為卿不
義宋公而出遂来奔出而待放從放所来故曰遂書曰
宋子哀来奔貴之也貴其不食汙君之祿辟禍速也○齊
人定懿公使来告難故書以九月齊人不服故三
月而後定書以九月明經日月皆從赴【音訓】難乃旦反齊公子元不

順懿公之為政也終不曰公曰夫巳氏猶言某甲[音訓]夫音扶巳音紀○襄仲使告于王請以王寵求昭姬于齊昭姬子叔姬[附註]林曰請借周之恩寵以請齊曰殺其子焉用其母請受而罪之[音訓]焉於虔反冬單伯如齊[附註]林曰周從魯之請使大夫如齊請子叔姬齊人執之恨魯恃王勢以求女故又執子叔姬欲以恥辱魯

[經]十有五年[己酉]春季孫行父如晉○三月宋司馬華孫來盟華孫奉使鄰國能臨事制宜至魯而後定盟故不稱使其官皆從故書司馬[音訓]圖奉使所吏反從才用反○夏曹伯来朝○齊人歸公孫敖之喪大夫喪還不書善魯感子以赦父敎公族之恩崇仁孝之敎故特錄敎喪歸以示義○六月辛丑朔日有食之皷用牲于社傳例曰非禮也○單伯至自齊○晉郤缺帥師伐蔡戊申入蔡傳例曰獲大城曰入[附註]林曰入國書大夫於是始是故自伐書陽處父八書郤缺侵書趙穿由是凡役書大夫○秋齊人侵我西鄙○季孫行父如晉○冬十有一月諸侯盟于扈將伐齊晉侯受賂而止故揔曰諸侯言不足序列○十有二月齊人来歸子叔姬齊人以王故来送子叔姬故與直出者異文○齊侯侵我西鄙遂伐曹入其郛郛郭也[附註]林曰兵事言遂必天下之大故也此言遂伐曹以齊始敗夏盟晉遂不競也

[傳]十五年春季文子如晉為單伯與子叔



姬故也因晉請齊[音訓]為于僞反下為孟氏下圖為惠叔同○三月宋華耦来盟其官皆從之書曰宋司馬華孫貴之也古之盟會必備威儀崇贄幣賓主以成禮為敬故傳曰卿行旅從春秋時率多不能備儀華孫能率其屬以從古典所以敬事而自重使重而事敬則魯尊而禮篤故貴而不名[音訓]從才用反圖旅從同反音如字圖率多所類反又音律使所吏反公與之宴辭曰君之先臣督得罪於宋殤公名在諸侯之策臣承其祀其敢辱君耦華督曾孫也督弒殤公在桓二年耦自以罪人子孫故不敢屈辱魯君請承命於亞旅對共宴會亞旅上大夫也魯人以為敏無故揚其先祖之罪是不敏魯人以為敏明君子所不與也○夏曹伯来朝禮也諸侯五年再相朝以脩王命古之制也十一年曹伯来朝雖至此乃来亦五年傳為冬齊侯伐曹張本○齊人或為孟氏謀孟氏公孫敖家慶父為長庶故或稱孟氏[音訓]圖長丁丈反曰魯爾親也飾棺寘諸堂阜堂阜齊魯竟上地飾棺不殯示無所歸魯必取之從之卞人以告卞人魯卞邑大夫惠叔猶毀以為請敖卒則惠叔請之至今期年而猶未已毀過喪禮立於朝以待命許之取而殯之殯於孟氏之寢終叔服之言齊人送之書曰齊人歸公孫敖之喪為孟氏且國故也為惠叔毀請且國之公族故聽其歸殯而書之葬視共仲制如慶父皆以罪降聲已不

視帷堂而哭（聲己惠叔毋怨敖從莒女故帷堂〔音訓〕己音紀）襄仲欲勿哭（怨敖取其妻）惠伯曰喪親之終也（惠伯叔彭生〔附註〕林曰此親戚終天之別也）雖不能始善終可也史佚有言（〔附註〕林曰武王時史官名佚）曰兄弟致美（各盡其美義乃終）救乏賀善弔災祭敬喪哀情雖不同毋絕其愛親之道也（〔附註〕林曰毋絕其兄弟天性之至愛親親之道也）子無失道何怨於人襄仲說帥兄弟以哭之（〔音訓〕說音悅）他年其二子來（敖在莒所生）孟獻子愛之聞於國（獻子穀之子仲孫蔑〔音〕〔訓〕聞音問或如字下同）或譖之曰將殺子獻子以告季文子二子曰夫子以愛我聞我以將殺子聞不亦遠於禮乎（〔音訓〕遠于萬反下同）遠禮不如死一人門于句鼆一人門于戾丘皆死（句鼆戾丘魯邑有寇攻門二子禦之而死〔音訓〕句音句鼆母耿反）○六月辛丑朔日有食之鼓用牲于社非禮也（得常鼓之月而於社用牲為非禮）日有食之天子不舉（去盛饌）伐鼓于社（責羣陰伐猶擊也）諸侯用幣于社（社尊於諸侯故請救而不敢責之）伐鼓于朝（退自責）以昭事神訓民事君（天子不舉諸侯用幣所以事神尊卑異制所以訓民）示有等威古之道也（等威威儀之等差）○齊人許單伯請而赦之使來致





命（以單伯執節不移且畏晉故許之〔附註〕林曰使單伯來魯致歸子叔姬之命）書曰單伯至自齊貴之也（單伯為魯拘執既免而不廢禮終來致命故貴而告廟〔音〕〔訓〕〔註〕為于偽反下似為同）○新城之盟（在前年）蔡人不與（不會盟〔音訓〕與音預下同）晉郤缺以上軍下軍伐蔡（兼帥二軍）曰君弱不可以怠（怠懈也）戊申入蔡以城下之盟而還（〔附註〕林曰城下之盟諸侯所深恥）凡勝國曰滅之（勝國絕其社稷有其土地）獲大城焉曰入之（得大都而不有）○秋齊人侵我西鄙故季文子告于晉○冬十一月晉侯宋公衛侯蔡侯陳侯鄭伯許男曹伯盟于扈尋新城之盟且謀伐齊也（齊執王使且數伐魯〔音〕〔訓〕〔註〕使所吏反數音朔）齊人賂晉侯故不克而還於是有齊難是以公不會（明今不序諸侯不以公不會故〔音訓〕難乃旦反下註同）書曰諸侯盟于扈無能為故也（惡其受賂不能討齊〔音訓〕〔註〕惡烏路反）凡諸侯會公不與不書諱君惡也（謂國無難不會義事故為惡不書謂不國別序諸侯）與而不書後也（謂後期也今照諸侯似為公諱故傳發例以明之）○齊人來歸子叔姬王故也（單伯雖見執能守節不移終達王命使叔姬得歸）○齊侯侵我西鄙謂諸侯不能也（不能討己）遂伐曹入其郛討其來朝也（此年夏朝〔附註〕林曰討曹人夏朝于）

魯季文子曰齊侯其不免乎已則無禮（執王使而伐無罪）而討於有禮者曰女何故行禮（附註朱曰謂責曹朝魯也 音訓女音汝）禮以順天天之道也已則反天而又以討人難以免矣詩曰胡不相畏不畏于天（詩小雅 音訓相息亮反又如字）君子之不虐幼賤畏于天也在周頌曰畏天之威于時保之（詩周頌言畏天威于時保福祿）不畏于天將何能保以亂取國奉禮以守猶懼不終多行無禮弗能在矣（爲十八年齊弑商人傳）

經 十有六年 庚戌 春季孫行父會齊侯于陽穀齊侯弗及盟（及與也）○夏五月公四不視朔（諸侯每月必告朔聽政因朝於廟今公以疾闕不得視二月三月四月五月朔也春秋十二公以疾不視朔非一也義無所取故特舉此以表行事因明公之實有疾非詐齊）○六月戊辰公子遂及齊侯盟于郪丘（信公疾且以賂故郪丘齊地 音訓郪音西又七西反）○秋八月辛未夫人姜氏薨（僖公夫人文公母也）○毀泉臺（泉臺臺名毀壞之也）○楚人秦人巴人滅庸○冬十有一月宋人弑其君杵臼（稱君君無道也例在宣四年）

傳 十六年春王正月及齊平（齊前年再伐魯魯爲受弱故平 音訓爲于僞反）公有疾使季文子會齊侯于

左傳九　十七

陽穀請盟齊侯不肯曰請俟君間（間疾瘳 音訓間如字）○夏五月公四不視朔疾也公使襄仲納賂于齊侯故盟于郪丘○有蛇自泉宮出入于國如先君之數（伯禽至僖公十七君 附註林曰泉宮即泉臺）秋八月辛未聲姜薨毀泉臺（魯人以爲蛇妖所出而聲姜薨故壞之）○楚大饑戎伐其西南至于阜山師于大林又伐其東南至于陽丘以侵訾枝（戎山夷也大林陽丘訾枝皆楚邑 音訓訾子斯反）庸人帥羣蠻以叛楚（庸今上庸縣屬楚之小國）麇人率百濮聚於選將伐楚（選楚地百濮夷也）於是申息之北門不啓（備中國）楚人謀徙於阪高（楚險地）蔿賈曰不可我能往寇亦能往不如伐庸夫麇與百濮謂我饑不能師故伐我也若我出師必懼而歸百濮離居將各走其邑（附註林曰百濮無屯聚皆離散而居將各走保其邑）誰暇謀人（附註林曰誰暇謀伐人國）乃出師旬有五日百濮乃罷（濮夷無屯聚見難則散歸 音訓難乃旦反一音如字）自廬以往振廩同食（往往伐庸也振發也廩倉也同食上下無異饌也 附註林曰自楚之廬邑以往伐庸 音訓廬力於反又音盧）次于句澨（楚西界也 音訓句音勾澨音筮）使廬戢棃侵庸（戢棃廬大夫）及庸方城（方城庸地上庸縣東有方城亭）

左傳九　十八

庸人逐之囚子揚窗窗戢黎官屬三宿而逸【附註】林曰彼囚三宿而走歸曰庸師衆羣蠻聚焉不如復大師還復句澁師且起王卒合而後進師叔曰不可師叔楚大夫潘尪也姑又與之遇以驕之【附註】林曰且又與庸兵遇以驕其心彼驕我怒而後可克先君蚡冒所以服陘隰也蚡冒楚武王父陘隰地名【附註】林曰蚡冒楚武王諸父也朱曰蚡冒史記以爲武王兄也【音訓】蚡音扮冒莫報反又與之遇七遇皆北軍走曰北【音訓】北如字一音佩唯裨鯈魚人實逐之裨鯈魚庸三邑魚魚復縣今巴東永安縣輊楚故但使三邑人逐之【音訓】裨音皮鯈音紬庸人曰楚不足與戰矣遂不設

左傳九　十九

備楚子乘馹會師于臨品馹傳車也臨品地名【音訓】馹音日【圖】傳丁戀反分爲二隊隊部也兩道攻之【音訓】隊徒對反子越自石溪子貝自仞以伐庸子越鬬椒也石溪仞入庸道秦人巴人從楚師【附註】林曰二國從楚師伐庸羣蠻從楚子盟蠻見楚強故遂滅庸傳言楚有謀臣所以興○宋公子鮑禮於國人鮑昭公庶弟文公也【附註】朱曰欲結人心而爲篡弑之計宋饑竭其粟而貸之【附註】林曰公子鮑自竭其私家之粟以借貸飢民言鮑之恤民也年自七十以上無不饋詒也【附註】林曰無不饋遺以飲食詒遺也【音訓】【圖】詒以支以志二反時加羞珍異羞進也【附註】林曰言鮑之養老無日不數於六卿

之門數不疏【附註】林曰無一日不造請頻數於宋六卿之門【音訓】數音朔國之材人無不事也有賢材者【附註】林曰言鮑之尊賢親自桓以下無不恤也桓鮑之曾祖【附註】林曰言鮑之親親公子鮑美而豔襄夫人欲通之鮑適祖母而不可以禮自防閑【附註】林曰鮑能以禮自防閑乃助之施【附註】林曰乃助以施於國【音訓】施式豉反昭公無道國人奉公子鮑以因夫人於是華元爲右師元華督曾孫代公子成公孫友爲左師【附註】林曰友目夷子華耦爲司馬代公子卬鱗矔爲司徒【附註】林曰矔桓公孫【音訓】矔音貫蕩意諸爲司城公子朝爲司寇代華御事初司城蕩卒公孫

左傳九　二十

壽辭司城壽蕩之子請使意諸爲之意諸壽之子既而告人曰君無道吾官近懼及焉禍及己【附註】林曰吾司城之官爲近君懼禍及己棄官則族無所庇【附註】林曰若棄司城之官則無以庇覆其宗族子身之貳也【附註】林曰我之有子此身之副貳也姑紓死焉姑且也紓緩也雖亡子猶不亡族已在故也既夫人將使公田孟諸而殺之【附註】林曰既卒事也襄夫人將使昭公田獵于宋孟諸之大藪而殺之公知之盡以寶行蕩意諸曰盍適諸侯公曰不能其大夫至于君祖母以及國人君祖母諸侯祖母之稱謂襄夫人【附註】林曰大夫謂公子鮑等【音訓】【圖】稱尺證反諸侯誰納

我且既為人君而又為人臣不如死盡以
其實賜左右而使行行去也【附註】林曰使去以避難夫人
使謂司城去公【附註】林曰使人告蕩意諸使去昭公對曰臣
之而逃其難若後君何言無以事後君【音訓】難乃旦反冬
十一月甲寅宋昭公將田孟諸未至夫人
王姬使帥甸攻而殺之襄夫人周襄王姊故稱王姬帥甸郊
甸之師【附註】林曰使人帥郊甸之師攻昭公而殺之蕩意諸死之不書
不告書曰宋人弒其君杵臼君無道也始例發於
臣之罪今稱國人故重明君罪【音訓】【註】重直用反文公即位使母
弟須為司城代意諸華耦卒而使蕩虺為司

左傳九　二十一

馬虺意諸之弟【音訓】虺況鬼反
【經】十有七年【辛亥】春晉人衛人陳人鄭人伐
宋自閔僖已下終於春秋陳侯常在衛侯上今大夫會在衛下傳不言陳公孫寧後至則寧位非
上卿故也○夏四月癸亥葬我小君聲姜○
齊侯伐我西鄙西當為北蓋經誤○六月癸未公及
齊侯盟于穀○諸侯會于扈昭公雖以無道見弒而文公猶
宣以弒君受討故林父伐宋以失所稱人晉侯平宋以無功不序明君雖不君臣不可不
臣所以督大教○秋公至自穀無傳○冬公子遂如齊
【傳】十七年春晉荀林父衛孔達陳公孫寧
鄭石楚伐宋討曰何故弒君猶立文公而

還卿不書失其所也卿不書謂稱人【附註】林曰失其所討之罪
○夏四月癸亥葬聲姜有齊難是以緩過五
月之例【音訓】難乃旦反下及【註】皆同○齊侯伐我北鄙襄仲
請盟六月盟于穀晉不能救魯故請服○晉侯蒐于
黃父一名黑壤晉地遂復合諸侯于扈平宋也傳不
列諸國而言復合則如上十五年會扈之諸侯可知也【音訓】復扶又反註同公
不與會齊難故也【音訓】與音預書曰諸侯無功
也刺欲平宋而復不能於是晉侯不見鄭伯以為貳
於楚也鄭子家使執訊而與之書以告趙
宣子執訊通訊問之官為書與宣子曰寡君即位三年魯文

左傳九　二十二

二年召蔡侯而與之事君【附註】林曰時蔡未服晉故鄭召蔡與
之事晉九月蔡侯入于敝邑以行行朝晉也敝邑
以侯宣多之難寡君是以不得與蔡侯偕
宣多既立穆公恃寵專權十一月克減侯宣多而隨蔡
侯以朝于執事減損也難未盡而行言汲汲于朝晉【附註】朱曰以上
言蔡之事晉皆鄭之功十二年六月歸生佐寡君之
嫡夷歸生子家名夷大子名以請陳侯于楚而朝諸
君請陳于楚與俱朝晉【附註】林曰陳欲朝晉畏楚不敢故請于楚十四年
七月寡君又朝以蕆陳事蕆勑也勑成前好【音訓】蕆勑展
反十五年五月陳侯自敝邑往朝于君【附註】

林曰陳靈公初即位自鄭往朝于晉往年正月燭之武往朝夷也將夷往朝晉八月寡君又往朝【附註】朱曰以上言陳之事晉皆鄭之功以陳蔡之密邇於楚而不敢貳焉則敝邑之故也密邇比近也雖敝邑之事君何以不免免免罪也在位之中一朝于襄襄公而再見于君君靈公也【音訓】見賢遍反夷與孤之二三臣相及於絳孤之二三臣謂燭之武歸生自謂也絳晉國都【附註】林曰相繼朝聘于晉雖我小國則蔑以過之矣【附註】朱曰以上言鄭國事晉之勤今大國曰爾未逞吾志【附註】林曰爾之事我未足以快吾之志願敝邑有亡無以加焉古人有言



曰畏首畏尾身其餘幾言首尾有畏則身中不畏者少【附註】林曰鄭雖小國北畏晉南畏楚則中間之不畏者小矣【音訓】幾居豈反又曰鹿死不擇音音所茠蔭之處古字聲同皆相假借【附註】林曰言鹿死不擇庇蔭之所喻鄭既滅亡當不擇所從之國也【音訓】註茠虛求反小國之事大國也德則其人也以德加己則以人道相事不德則其鹿也鋌而走險急何能擇鋌疾走貌言急則欲蔭茠於楚如鹿赴險【音訓】鋌音挺命之罔極亦知亡矣言晉命無極【附註】朱曰言晉之命令過苛無有窮極鄭亦知不免於滅亡矣將悉敝賦以待於儵唯執事命之儵晉鄭之竟言欲以兵距晉【附註】林曰賦兵也古者以田賦兵故兵謂之賦文公二年六月

壬申朝于齊鄭文二年六月壬申魯莊二十三年六月二十日四年二月壬戌為齊侵蔡魯莊二十五年二月無壬戌壬戌三月二十日【音訓】為于偽反亦獲成於楚鄭與楚成居大國之間而從於強令豈其罪也令彊令也【附註】林曰此言鄭文公背齊從楚亦非其罪蓋遠引前事之驗以為近世之證大國若弗圖無所逃命【附註】林曰言晉國若不圖恤鄭國之社稷無所逃於見討之罪言將叛晉也晉鞏朔行成於鄭【附註】林曰晉服其言故使大夫鞏朔行成於鄭趙穿公壻池為質焉趙穿卿也公壻池晉侯女壻【音訓】質音致下同○秋周甘歜敗戎于邥垂乘其飲酒也歜周大夫邥垂周地河南新城縣北有垂亭為成元年晉侯平戎于王張本【音訓】歜音觸邥音審○冬十月鄭大子夷石楚為質于晉夷靈公也石楚鄭大夫【附註】林曰報趙穿公壻池之質○



襄仲如齊拜穀之盟復曰臣聞齊人將食魯之麥【附註】林曰言齊人將伐魯而食魯國之麥以臣觀之將不能齊君之語偷臧文仲有言曰民主偷必死偷猶苟且

【經】十有八年【壬子】春王二月丁丑公薨于臺下○秦伯罃卒無傳未同盟而赴以名○夏五月戊戌齊人弑其君商人不稱盜罪商人○六月癸酉葬我君文公○秋公子遂叔孫得臣如齊書二卿以兩事

行非相為介○冬十月子卒先君既葬不稱君者魯人諱弒以未成君
書之子在喪之稱【音訓】【諺】之稱尺證反○夫人姜氏歸于齊○
季孫行父如齊無傳○莒弒其君庶其稱君君無道也
【傳】十八年春齊侯戒師期將以伐魯而有疾醫
曰不及秋將死公聞之卜曰尚無及期尚庶
樂也欲令先師期死【音訓】令力呈反先悉薦反下同【諺】惠伯令龜以卜
事告龜卜楚丘占之【附註】林曰魯大卜楚丘視龜兆占之曰齊
侯不及期非疾也君亦不聞言君先齊侯終令龜
有咎言令龜者亦有凶咎見於卜兆為惠伯死張本【音訓】【諺】見賢遍反二
月丁丑公薨○齊懿公之為公子也與邴

左傳九　二十五

歜之父爭田弗勝及即位乃掘而刖之斷其
尸足而使歜僕僕御也納閻職之妻而使職驂
乘驂乘陪乘【音訓】驂七南反乘繩證反夏五月公游于申池
齊南城西門名申門齊城無池唯此門左右有池疑此則是二人浴于
池歜以扑抶職扑箠也抶擊也欲以相感激【音訓】扑普卜反【諺】箠市
蘂反又之蘂反職怒歜曰人奪女妻而不怒【音訓】女音
汝下同一抶女庸何傷職曰與刖其父而不
能病者何如言不以父刖為病恨乃謀弒懿公納諸
竹中【附註】林曰納懿公於申池之竹中歸舍爵而行飲酒訖乃
去言齊人惡懿公二人無所畏【音訓】舍音捨惡烏路反齊人立公子

元桓公子惠公○六月葬文公○秋襄仲莊叔
如齊惠公立故且拜葬也襄仲賀惠公立莊叔謝齊來會
葬○文公二妃敬嬴生宣公敬嬴嬖而私
事襄仲宣公長而屬諸襄仲【音訓】長丁丈反屬音燭
襄仲欲立之叔仲不可叔仲惠伯仲見于齊侯
而請之【附註】林曰襄仲既如齊遂請于齊侯欲立宣公【音訓】見賢遍反齊
侯新立而欲親魯許之○冬十月仲殺惡
及視而立宣公惡大子視其母弟殺視不書賤之書曰子
卒諱之也仲以君命召惠伯詐以子惡命其宰
公冉務人止之曰入必死叔仲曰死君命

左傳九　二十六

可也公冉務人曰若君命可死非君命何
聽弗聽乃入殺而埋之馬矢之中惠伯死不書者
史畏襄仲不書殺惠伯【附註】林曰襄仲殺惠伯而埋馬廐矢糞之中公冉
務人奉其帑以奔蔡【附註】林曰奉惠伯之妻子以出奔蔡既
而復叔仲氏不絕其後○夫人姜氏歸于齊大
歸也惡視之母出姜也嫌與有罪出者異故復發傳【附註】林曰大歸而不返也
【音訓】【諺】復扶又反將行哭而過市曰天乎仲為不
道殺適立庶【音訓】過古禾反又古臥反市人皆哭魯人
謂之哀姜所謂出姜不允於魯○莒紀公生大子僕
又生季佗愛季佗而黜僕且多行無禮於

國（紀號也莒夷無謚故有別號）僕因國人以弒紀公以其寶玉來奔納諸宣公公命與之邑曰今日必授季文子使司寇出諸竟曰今日必達（【註】未見公而文子出之故來不書【附註】林曰言今日必達莒僕於境外）公問其故季文子使大史克對曰先大夫臧文仲教行父事君之禮行父奉以周旋弗敢失隊（【音訓】隊直類反）曰見有禮於其君者事之如孝子之養父母也見無禮於其君者誅之如鷹鸇之逐鳥雀也先君周公制周禮曰則以觀德（則法也合法則為吉德【附註】林曰則者君臣父子兄弟夫婦朋友之法則也合此法則為吉德違此法則為凶德故以觀德）德以處事（處猶制也）事以度功（度量也【附註】林曰事之是非所以量度功之成否【音訓】度待洛反下同）功以食民（食養也【音訓】食音嗣）作誓命曰毀則為賊（誓要信也毀則壞法也）掩賊為藏（掩匿也）竊賄為盜（賄財也）盜器為姦（器國用也）主藏之名（以掩賊為名）賴姦之用（用姦器也）為大凶德有常無赦（刑有常）在九刑不忘（誓命以下皆九刑之書九刑之書今亡）行父還觀莒僕莫可則也（還猶周旋【附註】林曰無一事可則法【音訓】還音旋）孝敬忠信為吉德盜賊藏姦為凶德夫莒僕則其孝敬則弒君父矣則其忠



信則竊寶玉矣其人則盜賊也其器則姦兆也（兆域也）保而利之則主藏也（【附註】林曰若保其人而利其物則是我有主藏之名）以訓則昏民無則焉（【附註】林曰若以教訓則為昏亂無一事可為民人之法則）不度於善（度居也）而皆在於凶德是以去之昔高陽氏有才子八人（高陽帝顓頊之號八人其苗裔【音訓】【註】頊許玉反）蒼舒隤敳檮戭大臨尨降庭堅仲容叔達（此即垂益禹皋陶之倫庭堅即皋陶字【音訓】隤音頹敳五才反一音五回反檮音桃戭音衍尨莫江反降户江反）齊聖廣淵明允篤誠天下之民謂之八愷（齊中也淵深也允信也篤厚也愷和也）高辛氏有才子八人（高辛帝嚳之號八人亦其苗裔【音訓】【註】嚳苦毒反）伯奮仲堪叔獻季仲伯虎仲熊叔豹季貍（此即稷契朱虎熊羆之倫【音訓】貍音釐）忠肅共懿宣慈惠和天下之民謂之八元（肅敬也懿美也宣徧也元善也【音訓】共平聲下同）此十六族也世濟其美不隕其名（濟成也隕隊也【音訓】【註】隊直類反）以至于堯堯不能舉舜臣堯舉八愷使主后土（后土地官禹作司空平水土即主地之官）以揆百事莫不時序地平天成（揆度也成亦平也）舉八元使布五教于四方（契作司徒五教在寬故知契在八元之中）父義母慈兄友弟共子孝內平外成（內諸夏外夷狄）昔

帝鴻氏有不才子(帝鴻黃帝)掩義隱賊好行凶德醜類惡物頑嚚不友是與比周(醜亦惡也比近也周密也)【附註】林曰凡惡人之不可親友者則是與之比近而周密天下之民謂之渾敦【音訓】謂驩兜渾敦不開通之貌渾户本反敦徒本反少皞氏有不才子(少皞金天氏之號次黃帝)毀信廢忠崇飾惡言靖譖庸回服讒蒐慝以誣盛德(崇聚也靖安也庸用也回邪也服行也蒐隱也慝惡也盛德賢人也)【附註】林曰靖譖安於讒譖庸回用其回邪天下之民謂之窮奇(謂共工其行窮其好奇)【音訓】行下孟反【註】顓頊氏有不才子不可教訓不知話言(話善也)告之則頑(德義不入心)舍之則嚚(不道忠信)傲很明德以亂天常天下之民謂之檮杌(謂鯀檮杌頑凶無疇匹之貌)【音訓】杌音兀此三族也世濟其凶增其惡名以至于堯堯不能去(方以宣公比堯行父比舜故言堯亦不能去須賢臣南除之)縉雲氏有不才子(縉雲黃帝時官名)【音訓】縉音晉貪于飲食冒于貨賄侵欲崇侈不可盈厭聚斂積實不知紀極不分孤寡不恤窮匱(冒亦貪也盈滿也實財也)【附註】林曰貪食甚則侵欲於人貪財甚則崇侈於己其心侈大不可盈滿厭足聚集收斂充積富實其家富厚不知紀極不分恵孤獨鰥寡之人不賑恤窮困匱乏之人【音訓】厭於豔反天下之民以比三凶(非帝子孫故別以比三凶)謂之饕



餮(貪財為饕貪食為餮)【音訓】饕音叨餮他結反舜臣堯(為堯臣)賓于四門(闢四門達四聰以賓禮衆賢)流四凶族(案四凶罪狀而流放之)渾敦窮奇檮杌饕餮投諸四裔以禦螭魅(投棄也裔遠也放之四遠使當螭魅之災螭魅山林異氣所生為人害者)【音訓】螭音摛魅音媚是以堯崩而天下如一同心戴舜以為天子以其舉十六相去四凶也【音訓】相息亮反故虞書數舜之功曰慎徽五典五典克從無違教也(徽美也典常也此八元之功)曰納于百揆百揆時序無廢事也(此八愷之功)曰賓于四門四門穆穆無凶人也(流四凶)舜有大功二十而為天子(舉十六相去四凶也)今行父雖未獲一吉人去一凶矣於舜之功二十之一也庶幾免於戾乎(史克激稱以辨宣公之惑釋行父之志故其言美惡有過辭盖事宜也)○宋武氏之族(武公之子孫)【附註】林曰宋道昭公子將奉司城須以作亂(文公弒昭公故武族欲因其子以作亂司城須文公弟)【音訓】道音導十二月宋公殺母弟須及昭公子使戴莊桓之族攻武氏於司馬子伯之館(戴族華樂也莊族公孫師也桓族向魚鱗蕩也司馬子伯華耦也)【附註】林曰時武氏在華耦之館舍故就攻之遂出武穆之族(穆族黨於武氏故)使公孫師為司城(公孫師莊公之孫)公子

朝宰使樂呂為司寇以靖國人樂呂戴公之曾孫為宣三年宋師圍曹傳



春秋經傳集解卷第九

# 春秋經傳集解卷第十

杜氏盡十一年

諸家註音訓附

## 魯宣公上

公名倭一名接又作委文公子母敬嬴諡法善問周達曰宣

**周** 匡王五年魯宣公二年匡王崩弟定王立

**鄭** 穆公二十年魯宣公三年穆公卒靈公夷立宣四年靈公弒弟襄公堅立

**齊** 惠公元年魯宣公十年惠公卒子頃公無野立

**宋** 文公三年

**晉** 靈公繼霸十三年趙盾為政魯宣公二年靈公弒成公黑臀立宣八年郤缺為政宣九年成公卒子景公獳立宣十二年荀林文為政宣十六年士會為政宣十七年郤克為政



**衛** 成公二十七年魯宣公九年成公卒子穆公遬立

**蔡** 文侯四年魯宣公十七年文侯卒子景侯固立

**曹** 文公十年魯宣公十四年文公卒子宣公廬立

**陳** 靈公六年魯宣公十年靈公弒子成公午立

**杞** 桓公二十九年

**薛** 詳見僖公元年

**莒** 季佗元年

**邾** 定公六年

**許** 昭公十四年魯宣公十七年昭公卒靈公立

【小邾】詳見僖公元年

【楚】莊王六年魯宣公十一年盟辰陵討陳春秋始予楚莊王以霸宣十一年楚孫叔敖為令尹宣十二年敗晉于邲宣十八年莊王卒共王立

【秦】共公元年魯宣公四年共公卒桓公立

【吳】詳見隱公元年及成公元年

【越】詳見隱公元年

【經】元年【癸丑】春王正月公即位無傳○公子遂如齊逆女不譏喪娶者不待貶責而自明也卿為君逆例在文四年【音訓】【□】為于偽反三月遂以夫人婦姜至自齊稱婦有姑之辭不書氏史闕文○夏季孫行父如齊○晉放其大夫胥甲父于衛放者受罪黜免宥之以遠○公會齊侯于平州平州齊地在泰山牟縣西○公子遂如齊○六月齊人取濟西田魯以賂齊齊人不用師徒故曰取○秋邾子來朝無傳○楚子鄭人侵陳遂侵宋【附註】林曰侵蔡遂伐楚以見齊霸侵陳遂侵宋以見楚霸晉趙盾帥師救陳傳言救陳宋經無宋字蓋闕○宋公陳侯衛侯曹伯會晉師于棐林伐鄭晉師救陳宋四國君往會之共伐鄭也不言會趙盾取於兵會非好會也棐林鄭地滎陽宛陵縣東南有林鄉【附註】林曰此趙盾也大夫而用諸侯之師於是始其曰會晉師則不與大夫用諸侯之辭也○冬晉趙穿帥師侵崇【附註】林曰自伐書陽處父入書郤缺侵書趙穿而後凡役書大夫○晉人宋人伐鄭

左傳十八　三

【傳】元年春王正月公子遂如齊逆女尊君命也諸侯之卿出入稱名氏所以尊君命也傳於此發者與還文不同故釋之三月遂以夫人婦姜至自齊尊夫人也不遂言公子替其尊稱所以成小君之尊也公子當時之寵歸非族也故傳不言舍族釋例論之備矣【音訓】【□】稱尺證反○夏季文子如齊納賂以請會宣公篡立未列於會故以賂請之○晉人討不用命者放胥甲父于衛胥甲下軍佐文十二年戰河曲不肯薄秦於險而立胥克克甲之子先辛奔齊辛甲之屬大夫○會于平州以定公位篡立者諸侯既與之會則不得復討臣子殺之與弑君同故公與齊會而位定【音訓】【□】復扶又反○東門襄仲如齊拜成謝得會也○六月齊人取濟西之田為立公故以賂齊也濟西故曹地僖三十一年晉文以分魯【音訓】為于偽反下同○宋人之弑昭公也在文十六年晉荀林父以諸侯之師伐宋宋及晉平宋文公受盟于晉又會諸侯于扈將為魯討齊皆取賂而還文十五年十七年二扈之盟皆受賂【附註】朱曰時齊懿公侵暴魯國鄭穆公曰晉不足與也遂受盟于楚陳共公之卒楚人不禮焉卒在文十一年陳靈公受盟于晉【附註】林曰十四年盟新城十五十七年兩盟扈秋楚子侵陳遂侵宋晉趙盾帥師救陳宋會于棐林以

左傳十八　三

伐鄭也楚蔿賈救鄭遇于北林與晉師相遇熒陽中牟縣西南有林亭在鄭北囚晉解揚晉人乃還解揚晉大夫
○晉欲求成於秦趙穿曰我侵崇秦急崇必救之崇秦之與國【附註】林曰秦以崇為急吾以求成焉冬趙穿侵崇秦弗與成○晉人伐鄭以報北林之役報囚解揚於是晉侯侈【附註】林曰靈公奢侈趙宣子為政【附註】林曰即趙盾掌中軍驟諫而不入故不競於楚競強也為明年鄭伐宋張本



【經】二年【甲寅】春王二月壬子宋華元帥師及鄭公子歸生帥師戰于大棘宋師敗績獲宋華元得大夫生死皆曰獲例在昭二十三年大棘在陳留襄邑縣南【附註】林曰大夫書戰於是始於是凡戰書大夫○秦師伐晉○夏晉人宋人衛人陳人侵鄭鄭為楚伐宋獲其大夫晉趙盾與諸侯之師將為宋報恥畏楚而還失霸者之義故貶稱人【音訓】【註】為于偽反○秋九月乙丑晉趙盾弑其君夷皋靈公不君而稱臣以弑者以示良史之法深責執政之臣例在四年○冬十月乙亥天王崩無傳

【傳】二年春鄭公子歸生受命于楚伐宋受楚命也宋華元樂呂御之二月壬子戰于大棘宋師敗績囚華元獲樂呂樂呂司空不獲書非元帥也獲生死通名經言獲華元故傳特獲之曰囚以明其生獲故得見贖而還及甲車四百六十乘俘二百五十人馘百人狂狡輅鄭人鄭人入于井狂狡宋大夫輅迎也【附註】林曰甲車每兵車一乘甲士三人步卒七十二人俘獲也輅迎也迎而伐之鄭人入于井以避之【音訓】輅音迓倒戟而出之獲狂狡【附註】林曰狂狡自倒其戟以聽鄭人之出反為鄭人所獲君子曰失禮違命宜其為禽也【附註】林曰失禮違殺敵之命宜其反為人禽獲也戎昭果毅以聽之之謂禮聽謂常存於耳著於心想聞其政令【附註】林曰戎軍制也昭明也軍制昭明於上果敢也毅必行也【音訓】【註】著直略反殺敵為果致果為毅易之戮也易易反將戰華元殺羊食士其御羊斟不與【附註】林曰弗與弗與於享也【音



訓】食音嗣與音預及戰曰疇昔之羊子為政疇昔猶前日也今日之事我為政與入鄭師故敗【附註】林曰與華元入於鄭師君子謂羊斟非人也以其私憾敗國殄民憾恨也殄盡也於是刑孰大焉詩所謂人之無良者詩小雅義取不良之人相怨以亡其羊斟之謂乎殘民以逞○宋人以兵車百乘文馬百駟畫馬為文四百匹以贖華元于鄭半入【附註】林曰兵車文馬之賂半入鄭國華元逃歸立于門外告而入告宋城門而後入言不苟見叔牂曰子之馬然也叔牂羊斟也畀賤得先歸華元見而慰之【附註】林曰慰撫之曰子之馬驅入鄭師以至於敗

對曰非馬也其人也（叔牂知前言以顯故不敢讓罪）既合而來奔（叔牂言畢遂奔魯合猶答也）宋城華元為植巡功（植將主也【附註】林曰宋國有城築之事華元為築城之將主巡行察視功役之事【音訓】植直吏反【註】將子匠反）城者謳曰睅其目皤其腹棄甲而復（睅出目皤大腹棄甲謂亡師【音訓】睅戶板反皤音婆）于思于思棄甲復來（于思多鬚之貌【音訓】思如字又音腮復扶又反來力知反又如字以叶上韻）使其驂乘謂之曰牛則有皮犀兕尚多棄甲則那（那猶何也【附註】朱曰言牛與犀兕之皮皆可為甲雖棄之何害也【音訓】皮音婆兕徐履反那乃多反）役人曰從其有皮丹漆若何（【附註】林曰縱使有皮可以為甲何如丹而漆之使益堅固勿棄之若何）華元曰去之夫其口衆我寡（傳言華元不吝其咎寬而容衆【附註】朱曰令驂乘者勿復答而去之言我一人之口不足以勝役夫之衆口也）○秦師伐晉以報崇也（伐崇在元年）遂圍焦（焦晉河外邑）夏晉趙盾救焦遂自陰地及諸侯之師侵鄭（陰地晉河南山北自上洛以東至陸渾）以報大棘之役楚鬪椒救鄭曰能欲諸侯而惡其難乎（【附註】林曰言能欲諸侯從楚而惡救鄭禦晉之難【音訓】惡烏路反難乃旦反）遂次于鄭以待晉師趙盾曰彼宗競于楚殆將斃矣（競強也鬪椒若敖之族自子文以來世為令尹）姑益其疾乃去之（欲示弱以驕之傳言趙盾所以稱人且為四年楚滅若敖氏張本【附註】林曰蓋以競強為鬪椒之疾病故欲且示弱增益其疾病以速其斃）○晉靈公不君（失君道也以明於例應稱國以弒）厚斂以彫牆（彫畫也）從臺上彈人而觀其辟丸也（【附註】林曰從於臺上伺過其下者以彈弓彈之丸彈子也觀人之辟避彈丸與否以資笑噱）宰夫胹熊蹯不熟殺之（【附註】林曰胹煑也熊蹯即熊掌最難熟故宰夫責之不熟【音訓】胹音而蹯音煩）寘諸畚使婦人載以過朝（畚以草索為之莒屬【附註】林曰不欲令人知之故使婦人載以過晉朝【音訓】畚音本【註】索素各反）趙盾士季見其手問其故而患之（【附註】林曰二臣見宰夫之手露於畚外問婦人以宰夫被殺之故而患靈公之無道）將諫士季曰諫而不入則莫之繼也會請先不入則子繼之三進及溜而後視之（士季隨會也三進三伏公不省而又前也公知欲諫故佯不視【附註】林曰溜屋霤即中堂也【音訓】溜力救反）曰吾知所過矣將改之稽首而對曰人誰無過過而能改善莫大焉詩曰靡不有初鮮克有終（詩大雅）夫如是則能補過者鮮矣君能有終則社稷之固也豈唯羣臣賴之（【附註】林曰豈唯晉之羣臣之所依賴言天下之所望也）又曰衮職有闕惟仲山甫補之能補過也（詩大雅也衮君之上服闕過也言服衮者有過則仲山甫能補之）君能補過衮不廢矣（常服衮也）猶不改宣子

驟諫【附註】林曰趙宣子驟數繼士會而諫公患之使鉏麑賊
之鉏麑晉力士【音訓】麑音迷又五兮反晨往寢門闢矣【附註】林曰
宣子正寢大門己開盛服將朝尚早坐而假寐不解衣冠
而睡【音訓】盛音成本或作成麑退歎而言曰不忘恭敬
民之主也賊民之主不忠棄君之命不信
有一於此不如死也觸槐而死槐趙盾庭樹○
秋九月晉侯飲趙盾酒伏甲將攻之【音訓】飲於
鴆反其右提彌明知之右車右趨登【附註】林曰趨而登堂
曰臣侍君宴過三爵非禮也遂扶以下公
嗾夫獒焉明搏而殺之獒猛犬也【附註】林曰明即提彌明搏



獒而殺之朱曰嗾使犬也【音訓】嗾音叟獒音翺盾曰棄人用犬雖
猛何為責公不養士而更以犬為己用鬬且出【附註】林曰因與公之
甲士且鬬且出提彌明死之初宣子田於首山舍
于翳桑田獵也翳桑桑之多蔭翳者首山在河東蒲坂縣東南見靈
輒餓問其病靈輒晉人曰不食三日矣食之舍
其半【附註】林曰宣子食之以食靈輒既食其半乃留其半【音訓】食之食音似下同
舍音捨問之曰宦三年矣宦學也未知母之存
否今近焉去家近請以遺之【音訓】遺唯季反下註同使
盡之而為之簞食與肉簞笥也置諸橐以與
之既而與為公介靈輒為公甲士【音訓】橐音託與音預倒戟

以禦公徒而免之問何故對曰翳桑之餓
人也問其名居問所居不告而退不望報也遂自
亡也輒亦去乙丑趙穿攻靈公於桃園穿趙盾之
從父昆弟子乙丑九月二十七日【音訓】攻如字本或作弒宣子未出山
而復晉竟之山也盾出奔聞公弒而還大史書曰趙盾弒
其君以示於朝宣子曰不然對曰子為正
卿亡不越竟反不討賊非子而誰宣子曰
嗚呼我之懷矣自詒伊慼其我之謂矣逸詩
也言人多所懷戀則自遺憂孔子曰董狐古之良史也
書法不隱不隱盾之罪趙宣子古之良大夫也



為法受惡善其為法受屈【音訓】為于偽反惜也越竟乃免
越竟則君臣之義絕可以不討賊【附註】林曰可惜其所見之不審也杜氏以為越竟
則君臣之義絕可以不討賊遂致議論紛紛或疑以為非孔子之言愚按此越竟乃
免當為遂奔他國則弒在出奔之後可免弒君之名非謂越竟而反可不討賊得免
弒君之名也上文亡不越竟反不討賊亦是兩事不可與此相牽朱曰愚按孔子於
春秋書趙盾弒其君夷皋不應有此議論本朝歐陽公疑之是也然謂盾盾實弒之
亦非也意者盾之出奔也趙穿承其風旨而弒之是靈公之死為盾而不為穿也所
以董狐裁其惡而書之若夫為法受惡以下殊無義理恐非聖人之言也宣子
使趙穿逆公子黑臀于周而立之黑臀晉文公子
壬申朝于武宮壬申十月五日既有日而無月冬又在壬申下明傳

文无較例【音】【訓】【註】較音角○初驪姬之亂詛無畜羣公
子詛盟誓【附註】林日在僖四年自是晉無公族無公子故廢公
族之官及成公即位乃宦卿之適子而為之
田以為公族宦仕也為置田邑以為公族大夫【音訓】【註】為置于偽反
又宦其餘子亦為餘子餘子適子之母弟也亦治餘子之政
其庶子為公行庶子妾子也掌率公戎行【音訓】行戶郎反註同晉
於是有公族餘子公行皆官名趙盾請以括
為公族括趙盾異母弟趙姬之中子屏季也【音訓】【註】中如字又丁仲反屏步
丁反曰君姬氏之愛子也趙姬文公女成公姊也微君
姬氏則臣狄人也公許之盾狄外孫也姬氏遜之以為適



事見僖二十四年冬趙盾為旄車之族旄車公行之官盾本
卿適其子當為公族辟屏季故更掌旄車使屏季以其故族為
公族大夫盾以其故官屬與屏季使為衰之適
【經】三年【乙卯】春王正月郊牛之口傷改卜牛
牛死乃不郊牛不稱牲未卜日猶三望○葬匡王無傳
四月而葬速○楚子伐陸渾之戎○夏楚人侵鄭
○秋赤狄侵齊無傳【附註】林曰赤狄始見經先儒謂唐叔子孫別在狄者
○宋師圍曹○冬十月丙戌鄭伯蘭卒再與文同
盟○葬鄭穆公無傳
【傳】三年春不郊而望皆非禮也言牛雖傷死當更改

卜取其吉者郊不可廢也前年冬天王崩未葬而郊者不以王事廢天事禮記曾子
問天子崩未殯五祀不行既殯而祭自啓至于反哭五祀之祭不行已葬而祭望
郊之屬也不郊亦無望可也已有例在僖三十一年傳
裝傳者嫌牛死與卜不從異【音訓】【註】復扶又反○晉侯伐鄭及郔
鄭及晉平士會入盟郔鄭地為夏楚侵鄭傳【音訓】郔音延○
楚子伐陸渾之戎遂至於雒觀兵于周疆
雒水出上洛冢領山至河南鞏縣入河定王使王孫滿勞楚
子王孫滿周大夫【音訓】勞力報反楚子問鼎之大小輕重
焉示欲偪周取天下對曰在德不在鼎昔夏之方
有德也禹之世遠方圖物圖畫山川奇異之物而獻之貢



金九牧使九州之牧貢金鑄鼎象物象所圖物著之於鼎【音訓】
【註】著張慮反舊直略反百物而為之備使民知神姦
圖鬼神百物之形使民逆備之【附註】林曰使民盡知鬼神奸邪之情狀故民
入川澤山林不逢不若若順也魑魅魍魎魑山
神獸形魅怪物魍魎水神莫能逢之逢遇也【附註】林曰民皆知其情狀而
善避之故怪莫餘遇用能協于上下以承天休民無災害
則上下和而受天祐桀有昏德鼎遷于商載祀六百
載祀皆年【附註】林曰爾雅云商曰祀唐虞曰載周曰年夏曰歲商紂暴虐
鼎遷于周德之休明雖小重也不可遷其姦
回昏亂雖大輕也言可移天祚明德有所底

止【訓】底致也【音】底音旨成王定鼎于郟鄏郟鄏今河南也武王遷之成王定之卜世三十卜年七百天所命也周德雖衰天命未改鼎之輕重未可問也【附註】朱曰按漢律曆志云周三十六王八百六十七年過卜數也○夏楚人侵鄭鄭即晉故也○宋文公即位三年殺母弟須及昭公子武氏之謀也武氏謀奉母弟須及昭公子以作亂事在文十八年使戴桓之族攻武氏於司馬子伯之館盡逐武穆之族以曹師伐宋秋宋師圍曹報武氏之亂也○冬鄭穆公卒初鄭文公有賤妾曰燕姞姞南燕姓



夢天使與己蘭蘭香草曰余為伯儵余而祖也【註】伯儵南燕祖【附註】朱曰而汝也以是為而子以蘭為女子名【音】【訓】女音汝【註】以蘭有國香人服媚之如是媚愛也欲令人愛之如蘭【附註】朱曰國香言其香之可貴不與常品同也服佩也古人以香草為佩【音】【訓】令力呈反【註】既而文公見之與之蘭而御之辭曰妾不才幸而有子將不信敢徵蘭乎懼將不見信故欲計所賜蘭為懷子月數公曰諾生穆公名之曰蘭文公報鄭子之妃曰陳嬀鄭子文公叔父子儀也漢律淫季父之妻曰報生子華子臧子臧得罪而出出奔宋誘子華而殺之南里在僖十六年南里鄭地

使盜殺子臧於陳宋之間在僖二十四年又娶于江生公子士朝于楚【附註】林曰從鄭伯朝于楚楚人酖之及葉而死葉楚地今南陽葉縣又娶于蘇生子瑕子俞彌俞彌早卒泄駕惡瑕文公亦惡之故不立也【訓】泄駕鄭大夫【音】惡烏路反公逐群公子公子蘭奔晉從晉文公伐鄭【訓】在僖三十年【音】從如字又才用反石癸【附註】林曰鄭大夫曰吾聞姬姞耦其子孫必蕃姞姓宜為姬配耦姞吉人也后稷之元妃也姞姓之女為后稷妃周是以興故曰吉人今公子蘭姞甥也天或啓之必將為君其後必蕃先納之可以



亢寵亢極也【附註】林曰可以極得其寵愛與孔將鉏侯宣多納之盟于大宮而立之大宮鄭祖廟以與晉平【附註】林曰此以上並僖三十年事穆公有疾曰蘭死吾其死乎吾所以生也刈蘭而卒傳言穆氏所以大興於鄭天所啓也【附註】林曰及穆公今年有疾病乃自言曰昔鄭文公所賜燕姞之蘭若死吾則與之俱死乎我所以生由此夢蘭之祥乃自刈其蘭而死

【經】四年【丙辰】春王正月公及秦侯平莒及郯莒人不肯公伐莒取向莒鄭二國相怨故公與齊侯共平之向莒邑東海承縣東南有向城遠疑也【音】【訓】郯音談○秦伯稻卒無傳未同盟○夏六月乙酉鄭公子歸生弒其君夷傳例曰稱

臣臣之罪也子公實弒而書子家罪其權不足也○赤狄侵齊 無傳 ○
秋公如齊 無傳 ○公至自齊 無傳告于廟例在桓二年 ○冬
楚子伐鄭
傳 四年春公及齊侯平莒及郯莒人不肯
公伐莒取向非禮也平國以禮不以亂伐
而不治亂也 責公不先以禮治之而用伐 音訓 治直吏反 以亂
平亂何治之有無治何以行禮○楚人獻
黿於鄭靈公 穆公太子夷也 音訓 附註 林曰黿似鼈而大 黿音元 公
子宋與子家將見 宋子公也子家歸生 音訓 見賢遍反 子公
之食指動 第二指也 以示子家曰他日我如此
必嘗異味及入宰夫將解黿相視而笑公
問之 問所笑 子家以告及食大夫黿召子公
而弗與也 欲使指動無效 音訓 食音嗣 子公怒染指於
鼎嘗之而出公怒欲殺子公子公與子家
謀先 先公為難 音訓 惡蔫反難乃旦反 註 先 子家曰畜老猶
憚殺之 六畜 音訓 又許六二反 畜許 而況君乎反譖子
家子家懼而從之 譖子家於公 夏弒靈公書曰
鄭公子歸生弒其君夷權不足也 子家權不足以
禦亂懼譖而從弒君故書以首惡 君子曰仁而不武無能
達也 初稱畜老仁也不討子公是不武也故不能自遂於仁道而陷弒君之罪

左傳廿　十四

凡弒君稱君君無道也稱臣臣之罪也 稱君
謂唯書君名而稱國以弒言衆所共絕也稱臣者謂書弒者之名以示來世終為不
義改殺稱弒辟其惡名取有漸也書弒之義釋例論之備矣 鄭人立子
良 穆公庶子 辭曰以賢則去疾不足 去疾子良名 以
順則公子堅長乃立襄公 襄公堅也 音訓 長丁丈反 襄
公將去穆氏 逐群兄弟 而舍子良 以其讓己 音訓 舍音赦下
同 子良不可曰穆氏宜存則固願也若將
亡之則亦皆亡去疾何為 何為獨留 附註 乃舍之
朱曰遂不逐諸穆氏也 皆為大夫○初楚司馬子良
生子越椒子文曰必殺之 子文子良之兄 是子也

左傳廿　十五

熊虎之狀而豺狼之聲弗殺必滅若敖氏
矣諺曰狼子野心 附註 林曰言豺狼之子心在山野不可馴服
是乃狼也其可畜乎子良不可子文以為
大慼 附註 林曰以不殺椒為大憂慼 及將死聚其族曰椒
也知政乃速行矣無及於難 音訓 難乃旦反 且泣
曰鬼猶求食若敖氏之鬼不其餒而 而語助言
必餒 及令尹子文卒鬭般為令尹 般子文之子子揚
子越為司馬蔿賈為工正譖子揚而殺之
子越為令尹已為司馬 賈為椒譖子揚而已得椒處 附註 林
曰子越即子越椒工正掌百工之長 音訓 註 為于偽反 子越又惡之

惡賈惡烏路反【音訓】乃以若敖氏之族圄伯嬴於轑陽而殺之圄囚也伯嬴蔿賈也轑陽楚邑【音訓】圄魚呂反轑音遼遂處烝野將攻王王以三王之子為質焉弗受烝野楚邑三王文成穆【附註】林曰為質於越椒以為和師于漳澨漳澨漳水邊【音訓】漳音章澨音筮秋七月戊戌楚子與若敖氏戰于皐滸皐滸楚地【音訓】滸音虎伯棼射王汰輈及鼓跗著於丁寧伯棼越椒也輈車轅汰過也箭過車轅上丁寧鉦也【附註】林曰跗所以架鼓【音訓】棼音焚射食亦反下同汰他末反輈陟留反跗音膚著直略反【註】鉦音征又射汰輈以貫笠轂兵車無蓋尊者則邊人執笠依轂而立以禦寒暑名曰笠轂此言箭過車轅及王之蓋師懼退王使巡師曰吾先君文王克息獲三矢焉伯棼竊其二盡於是矣【附註】林曰所以釋楚師之懼心鼓而進之遂滅若敖氏初若敖娶於䢵䢵國名【音訓】䢵又作鄖音云生鬬伯比若敖卒從其母畜於䢵畜養也淫於䢵子之女生子文焉䢵夫人使棄諸夢中夢澤名江夏安陸縣城東南有雲夢城【音訓】夢音蒙又如字虎乳之䢵子田見之懼而歸【附註】朱曰見其事怪恐懼而歸夫人以告告女私通所生遂使收之楚人謂乳穀謂虎於菟故命之曰鬬穀於菟以其女妻伯比伯比所淫者實為令尹子文鬬氏



始自子文為令尹其孫箴尹克黃箴尹官名克黃子揚之子【音訓】箴之金反使於齊還及宋聞亂【音訓】使所吏反其人曰不可以入矣【附註】林曰其人克黃之從者箴尹曰棄君之命獨誰受之【附註】林曰言君命使齊不歸復命是棄君命也雖他國獨誰受此棄命之人君天也天可逃乎遂歸復命而自拘於司敗【附註】林曰司敗即司寇王思子文之治楚國也曰子文無後何以勸善使復其所改命曰生易其名也【附註】林曰改命克黃之名曰生言其更生○冬楚子伐鄭鄭未服也前年楚侵鄭不獲成故曰未服

【經】五年【丁巳】春公如齊○夏公至自齊○秋九月齊高固來逆叔姬高固齊大夫不書女歸降於諸侯○叔孫得臣卒無傳不書日公不與小斂○冬齊高固及子叔姬來叔姬寧固反馬○楚人伐鄭

【傳】五年春公如齊高固使齊侯止公請叔姬焉留公強成昏【音訓】強其丈反○夏公至自齊書過也公既見止連昏於鄰國之臣厭尊毀列累其先君而於廟行飲至之禮故書以示過【音訓】厭於涉反【註】○秋九月齊高固來逆女自為也【音訓】為于偽反故書曰逆叔姬卿自逆也適諸侯稱女適大夫稱字所以別尊卑也此春秋新例故稱書曰而不言凡也不於莊二十七年發例者嫌見迫而成昏因明之○冬來反馬也禮送女留

其送馬謗不敢自安三月廟見遣使反馬高固遂與叔姬俱寧故經傳具見以示譏【音訓】【註】見賢遍反使所吏反○楚子伐鄭陳及楚平晉荀林父救鄭伐陳為明年晉衛侵陳傳

【經】六年戊午春晉趙盾衛孫免侵陳○夏四月○秋八月螽無傳○冬十月

【傳】六年春晉衛侵陳陳即楚故也○夏定王使子服求后于齊子服周大夫○秋赤狄伐晉圍懷及邢丘邢丘今河內平皐縣晉侯欲伐之中行桓子曰使疾其民驟則數戰為民所疾【音訓】【註】數所角反以盈其貫將可殪也殪盡也貫猶習也周書曰殪



戎殷周書康誥也義取周武王以兵伐殷盡滅之此類之謂也為十五年晉滅狄傳○冬召桓公逆王后于齊名桓公王卿士事不關魯故不書為成二年王甥舅張本○楚人伐鄭取成而還九年十一年傳所稱厲之役蓋在此○鄭公子曼滿與王子伯廖語欲為卿二子鄭大夫【附註】林曰語相語也【音訓】廖力彫反伯廖告人曰無德而貪【附註】林曰言曼滿身無德行而厚貪爵祿其在周易豐䷶離下震上豐之離䷝豐上六變而為純離也周易論變故雖不筮必以變言其義豐上六曰豐其屋蔀其家闚其戶闃其無人三歲不覿凶義取無德而大其屋不過三歲必滅亡【音訓】【註】蔀步口反又普口反闃苦鶪反弗過之矣不過三年間一歲

鄭人殺之【音訓】去聲間

【經】七年己未春衛侯使孫良夫來盟○夏公會齊侯伐萊傳例曰不與謀也萊國今東萊黃縣○秋公至自伐萊無傳○大旱無傳書旱而不書雩雩無功或不雩○冬公會晉侯宋公衛侯鄭伯曹伯于黑壤

【傳】七年春衛孫桓子來盟始通且謀會晉也公即位衛始脩好○夏公會齊侯伐萊不與謀也凡師出與謀曰及不與謀曰會與謀者謂同志之國相與講議利害計成而行之故以相連及為文若不獲已應命而出則以外合為文皆據魯而言師者國之大事存亡之所由故詳其舉動以例別之【音訓】與音預



年末不與故此○赤狄侵晉取向陰之禾此無秋字蓋闕文晉用桓子謀故縱狄【附註】林曰此時禾當未熟蓋狄以師蹂踐取之○鄭及晉平公子宋之謀也故相鄭伯以會【附註】林曰宋子公也弒靈公故謀從晉以求媚【音訓】相息亮反冬盟于黑壤王叔桓公臨之以謀不睦王叔桓公周卿士銜天子之命以監臨諸侯不同歃者尊卑之別也【附註】林曰以謀諸侯之不親睦於晉霸者○晉侯之立也在二年公不朝焉又不使大夫聘晉人止公于會盟于黃父公不與盟以賂免黃父即黑壤故黑壤之盟不書諱之也慢盟主以取執止之辱故諱之

經八年庚申春公至自會（無傳義與五年書過同）○夏六月公子遂如齊至黃乃復（無傳蓋有疾而還大夫受命而出雖死以尸將事遂以疾還非禮也）辛巳有事于大廟仲遂卒于垂（有事祭也仲遂卒與祭同日略書有事為繹張本不言公子因上行還間無異事省文從可知也稱字時君所嘉無義例也垂齊地非魯竟故書地）壬午猶繹萬入去籥（繹又祭陳昨日之禮所以賓尸萬舞名籥管也猶者可止之辭魯人知卿佐之喪不宜作樂而不知廢繹故內舞去籥惡其聲聞 音訓 惡 聞音問又如字）○戊子夫人嬴氏薨（無傳宣公母也）○晉師白狄伐秦（附註 林曰白狄始見經）○楚人滅舒蓼○秋七月甲子日有食之既（無傳月三十日食）○冬十月己丑葬我小君敬嬴（敬諡嬴姓也反哭成喪故稱葬小君）雨不克葬庚寅日中而克葬（克成也）○城平陽（今泰山有平陽縣）○楚師伐陳

傳八年春白狄及晉平夏會晉伐秦（經在仲遂卒下從赴）晉人獲秦諜殺諸絳市六日而蘇（蓋記異也 附註 林曰諜往來間探者絳市晉所都之市也）○有事于大廟襄仲卒而繹非禮也○楚為衆舒叛故伐舒蓼滅之（舒蓼二國名 音訓 為于偽反）楚子疆之（正其界也）及滑汭（滑水名 附註 林曰水之隈曲曰汭蓋楚拓疆至滑汭之界）盟吳越而還（吳國今吳郡越國今會稽山陰縣也傳言楚疆吳越服從）○晉胥克有蠱疾（惑以喪志 附註 林曰胥克晉下軍佐也 音訓 喪息浪反）郤缺為政（代趙盾）秋廢胥克使趙朔佐下軍（朔盾之子代胥克為成十七年胥童怨郤氏張本）○冬葬敬嬴旱無麻始用葛茀（記禮變之所由茀所以引柩殯則有之以備火葬則以下柩 音訓 茀方物反）雨不克葬禮也禮卜葬先遠日辟不懷也（懷思也 音訓 辟音避）○城平陽書時也○陳及晉平楚師伐陳取成而還（言晉楚爭強）

經九年辛酉春王正月公如齊（無傳）公至自齊（無傳）○夏仲孫蔑如京師○齊侯伐萊（無傳）○秋取根牟（根牟東夷國也今琅琊陽都縣東有牟鄉 附註 林曰取言公不言公非公命也自宣而下征伐在大夫矣）○八月滕子卒（未同盟）○九月晉侯宋公衛侯鄭伯曹伯會于扈（扈鄭地 附註 林曰）○晉荀林父帥師伐陳○辛酉晉侯黑臀卒于扈（卒於竟外故書地四與文同盟九月無辛酉日誤）○冬十月癸酉衛侯鄭卒（無傳三與文同盟）○宋人圍滕○楚子伐鄭晉郤缺帥師救鄭○陳殺其大夫洩冶（洩冶直諫於淫亂之朝以取死故不為春秋所貴而書名）

傳九年春王使來徵聘（徵召也言周徵也徵聘不書微加諷諭指不斥）夏孟獻子聘於周王以為有禮厚賄之○秋取根牟言易也○滕昭公卒（為宋圍滕）

傳○會于亳討不睦也（謀齊陳）陳侯不會（前年與楚成故）晉荀林父以諸侯之師伐陳（不書諸侯師林父帥之將帥無卿）晉侯卒于扈乃還○冬宋人圍滕因其喪也【附註】林曰滕恃晉而宋圍之以見晉霸之衰也○陳靈公與孔寧儀行父通於夏姬皆衷其衵服（二子陳卿夏姬鄭穆公女陳大夫御叔妻衷懷也衵服近身衣）以戲于朝【附註】林曰君臣皆懷夏姬近身之內衣【音訓】衷音忠又丁仲反衵音暱又仁一反洩冶諫曰公卿宣淫民無效焉（宣示也）且聞不令之事【附註】林曰且所聞非令美之事【音訓】聞如字一音問君其納之（納藏衵服）公曰吾能改矣公告二子二子請殺之公弗禁遂殺洩冶【附註】禁居鴆反又音金孔子曰詩云民之多辟無自立辟其洩冶之謂乎（辟邪也辟法也詩大雅言邪辟之世不可立法國無道危行言孫）【音訓】多辟本又作辟匹亦反立辟婢亦反○楚子為厲之役故伐鄭（六年楚伐鄭取成於厲既成鄭伯逃歸事見十一年）【音訓】為于僞反○晉郤缺救鄭鄭伯敗楚師于柳棼（柳棼鄭地）國人皆喜唯子良憂曰是國之災也吾死無日矣（自是晉楚交兵伐鄭十二年卒有楚子入鄭之禍）

【經】十年【壬戌】春公如齊○公至自齊（無傳）○齊人歸我濟西田（元年以賂齊也不言來公如齊因受之）○夏四月丙辰日有食之（無傳不書朔官失之）○己巳齊侯元卒（未同盟而赴以名）○齊崔氏出奔衛（齊略見舉族出因其告辭以見無罪）【音訓】【註】見賢遍反○公如齊【附註】林曰朝于齊止此○五月公至自齊（無傳）○癸巳陳夏徵舒弒其君平國（徵舒陳大夫也靈公惡不加民故稱臣以弒）○六月宋師伐滕○公孫歸父如齊葬齊惠公（無傳襄仲之子歸父）○晉人宋人衛人曹人伐鄭（鄭及楚平故）○秋天王使王季子來聘（王季子者公羊以為天王之母弟然則字季子天子大夫稱字）【附註】林曰周聘止此○公孫歸父帥師伐邾取繹（繹邾邑魯國鄒縣北有繹山）○大水（無傳）○季孫行父如齊○冬公孫歸父如齊【附註】林曰宣公聘齊止此○齊侯使國佐來聘（既葬成君故稱君命使也）【附註】林曰齊魯之交自是踈矣○饑（無傳有水災嘉穀不成）○楚子伐鄭

【傳】十年春公如齊齊侯以我服故歸濟西之田（公比年朝齊故）○夏齊惠公卒崔杼有寵於惠公高國畏其偪也（高國二家齊正卿）公卒而逐之奔衛書曰崔氏非其罪也且告以族不以名（典策之法告者皆當書以名今齊特以族告夫子因而存之以示無罪又言且告以族不以名者明春秋有因而用之不皆改舊史）凡諸侯之大夫違（違奔放也）告於諸侯曰某氏之守臣某（上某

氏者姓下某名失守宗廟敢告【附註】林曰敢告於執事所有
玉帛之使者則告玉帛之使謂聘【附註】林曰言有聘問来往則告
【音訓】【註】使所吏反不然則否息好不接故亦不告○公如齊
奔喪公親奔喪非禮也公出朝會奔喪會葬皆書如不言其事史之常也○
陳靈公與孔寧儀行父飲酒於夏氏公謂
行父曰徵舒似女對曰亦似君徵舒病之
靈公即位於今十五年徵舒已為卿年大無嫌是公子蓋以夏姬淫放故謂其子多
似以為戲【音訓】女音汝公出自其廄射而殺之二子
奔楚【音訓】射食亦反○滕人恃晉而不事宋六月
宋師伐滕○鄭及楚平前年敗楚師恐楚深怨故與之平



諸侯之師伐鄭取成而還○秋劉康公来
報聘報孟獻子之聘即王季子也其後食采於劉○師伐邾取
繹為子家如齊傳○季文子初聘于齊齊侯初即位○
冬子家如齊伐邾故也魯侵小恐為齊所討故往謝【附註】林
曰子家即公孫歸父國武子来報聘報文子也○楚子伐
鄭晉士會救鄭逐楚師于潁北潁水出河南陽城至
于蔡入淮諸侯之師戍鄭鄭子家卒鄭人討幽
公之亂斲子家之棺而逐其族以四年弒君故也斲
薄其棺不使從卿禮改葬幽公謚之曰靈【附註】林曰葬不如禮
故改葬

【經】十有一年【癸亥】春王正月○夏楚子陳侯
鄭伯盟于辰陵楚復伐鄭故受盟也辰陵陳地潁川長平縣東南有辰亭
【附註】林曰序楚子於陳侯鄭伯之上初予楚莊以霸也【音訓】【註】復扶又反下復封陳同
○公孫歸父會齊人伐莒無傳○秋晉侯會狄
于欑函晉侯往會之故以狄為會主欑函狄地【附註】林曰楚方倡義於天下而晉
孜孜於羣狄至往會焉晉卑甚矣【音訓】欑才端反○冬十月楚人殺
陳夏徵舒不言楚子而稱人討賊辭也○丁亥楚子入陳
楚子先殺徵舒而欲縣陳後得申叔時諫乃復封陳不有其地故書入在殺徵舒之後
納公孫寧儀行父于陳二子淫昏亂人也君弒之後能外託楚以
求報君之讎內結強援於國故楚莊得平步而討陳除弒君之賊於時陳成公播蕩於晉



定亡君之嗣靈公成喪賊討國復功足以補過故君子善楚復之
【傳】十一年春楚子伐鄭及櫟子良曰晉楚
不務德而兵爭與其来者可也【附註】林曰因其来伐
而與之和其亦可也晉楚無信我焉得有信乃從楚
【音訓】焉於虔反夏楚盟于辰陵陳鄭服也傳言楚與晉狎
主盟○楚左尹子重侵宋子重公子嬰齊莊王弟王待
諸迊迊楚地【音訓】迊音延○令尹蔿艾獵城沂艾獵孫叔
敖也沂楚邑使封人慮事封人其時主築城者慮事無慮計功【附註】
林曰慮事謀慮計功【音訓】【註】慮如字一音力於反無慮都凡也以授司徒
司徒掌役量功命日命作日數分財用財用築作具【附註】林曰分

之使均平板榦榦楨也【附註】林曰立榦而後施板以築之平之使治稱畚築量輕重畚盛土器【音訓】畚音本【註】盛音成程土物為作程限【音訓】【註】為于偽反又如字議遠邇均勞逸略基趾趾城足略行也【音訓】【註】行下孟反具餱糧餱乾食也【音訓】食如字一音飼【註】度有司謀監主【音訓】度待洛反事三旬而成十日為旬不愆于素不過素所慮之期也傳言叔敖之能使民○晉郤成子求成于衆狄衆狄疾赤狄之役遂服于晉赤狄潞氏最強故服役衆狄秋會于欑函衆狄服也是行也諸大夫欲召狄郤成子曰吾聞之非德莫如勤【附註】林曰言非德足以服人則莫如勤以求之非勤何以求人



能勤有繼其從之也勤則功繼之【附註】朱曰言不若往從衆狄毋召之也詩曰文王既勤止詩頌文王勤以創業文王猶勤況寡德乎○冬楚子為陳夏氏亂故伐陳十年夏徵舒弒君【音訓】為于偽反謂陳人無動將討於少西氏少西徵舒之祖子夏之名遂入陳殺夏徵舒轘諸栗門轘車裂也栗門陳城門【音訓】轘音患因縣陳滅陳以為楚縣陳侯在晉靈公子成公午申叔時使於齊反復命而退【附註】林曰申叔時楚大夫【音訓】使所吏反王使讓之曰夏徵舒為不道弒其君寡人以諸侯討而戮之諸侯縣公皆慶寡人楚縣大夫皆僭稱公女獨不

慶寡人何故【音訓】女音汝對曰猶可辭乎王曰可哉曰夏徵舒弒其君其罪大矣討而戮之君之義也抑人亦有言曰牽牛以蹊人之田抑辭也蹊徑也【音訓】蹊音兮而奪之牛牽牛以蹊者信有罪矣而奪之牛罰已重矣諸侯之從也曰討有罪也今縣陳貪其富也以討召諸侯而以貪歸之無乃不可乎王曰善哉吾未之聞也反之可乎對曰可哉吾儕小人所謂取諸其懷而與之也叔時謙言小人意淺謂譬如取人物於其懷而還之為愈於不還乃復封陳鄉取一



人焉以歸謂之夏州州鄉屬示討夏氏所獲也故書曰楚子入陳納公孫寧儀行父于陳書有禮也沒其縣陳本意全以討亂存國為文善其得禮○厲之役鄭伯逃歸蓋在六年自是楚未得志焉鄭既受盟于辰陵又徵事于晉為明年楚圍鄭傳十年鄭及楚平既無其事辰陵盟後鄭徵事晉又無端跡傳皆特發以明經也自厲之役鄭南北兩屬故未得志九年楚子伐鄭不以黑壤與伐遠稱厲之役者志恨在厲役此皆傳上下相包通之義也【音訓】徵古堯反

春秋經傳集解卷第十

# 春秋經傳集解卷第十一

杜氏（盡十八年）　諸家註音訓附

魯宣公下

【經】十有二年【甲子】春葬陳靈公（無傳賊討國復二十一月然後得葬）○楚子圍鄭（前年盟辰陵而又徼事晉故）○夏六月乙卯晉荀林父帥師及楚子戰于邲晉師敗績（晉上軍成陳故書戰邲鄭地【音訓】邲扶必反一音弼【註】陳直覲反）○秋七月○冬十有二月戊寅楚子滅蕭（蕭宋附庸國十二月無戊寅戊寅十一月九日）○晉人宋人衛人曹人同盟于清丘（晉衛背盟故大夫稱人宋華椒承羣偽之言以誤其國宋雖有守信之善而椒猶不免譏清丘衛地在今濮陽縣東南）○宋師伐陳衛人救陳（背清丘之盟）

【傳】十二年春楚子圍鄭旬有七日鄭人卜行成不吉卜臨于大宮（臨哭也大宮鄭祖廟【音訓】臨力鴆反下同）且巷出車吉（出車於巷示將見還不得安居）國人大臨守陴者皆哭（陴城上僻倪皆哭所以告楚窮也【音訓】陴音脾【註】僻倪五計反）楚子退師鄭人修城進復圍之三月克之（哀其窮哭故為退師而猶不服故復圍之九十日【音訓】【註】為于偽反復扶又反）入自皇門至于逵路（塗方九軌曰逵）鄭伯肉袒牽羊以逆（肉袒牽羊示服為臣僕）曰孤不天（不為天所祐）不



能事君使君懷怒以及敝邑孤之罪也敢不唯命是聽其俘諸江南以實海濱亦唯命【附註】朱曰諺若俘虜鄭民使之徙居大江之南以充實海濱無人之地此亦唯命是聽其翦以賜諸侯使臣妾之亦唯命（翦削也【附註】林曰其翦削鄭以賜從楚之諸侯使鄭國之人男為臣女為妾亦唯楚君之命）若惠顧前好（楚鄭世有盟誓之好）徼福於厲宣桓武不泯其社稷（周厲王宣王鄭之所自出也鄭桓公武公始封之賢君也願楚要福于此四君使社稷不滅泯猶滅也【音訓】【註】要於遥反）使改事君夷於九縣（楚滅九國以為縣願得比之）君之惠也孤之願也非所敢望也敢布腹心君實圖之左右曰不可許也得國無赦王曰其君能下人（【音訓】下遐嫁反）必能信用其民矣庸可幾乎【附註】朱曰幾與冀同謂豈可冀幸而取其國乎退三十里而許之平（退一舍以禮鄭）潘尫入盟子良出質（潘尫楚大夫子良鄭伯弟）○夏六月晉師救鄭荀林父將中軍（代郤缺）先縠佐之（彘季代林父）士會將上軍（河曲之役郤缺將上軍宣八年代趙盾為政將中軍士會代將上軍）郤克佐之（郤缺之子代臾騈）趙朔將下軍（代欒盾）欒書佐之（欒盾之子代趙朔）趙括趙嬰齊為中軍大夫（括嬰齊皆趙盾異母弟）鞏朔韓穿為上軍大夫荀首趙同為下軍

大夫荀首林父弟趙同趙嬰兒韓厥為司馬韓萬玄孫及河聞鄭既及楚平桓子欲還曰無及於鄭而勦民焉用之桓子林父勦勞也【音訓】勦初交反又子小反馬於虔反楚歸而動不後動兵伐鄭【附註】朱曰不後猶未晚也隨武子曰善武子士會會聞用師觀釁而動釁罪也德刑政事典禮不易不可敵也不為是征言征伐為有罪不為有禮【音訓】為于偽反楚軍討鄭怒其貳而哀其卑叛而伐之服而舍之德刑成矣伐叛刑也柔服德也二者立矣昔歲入陳討徵舒今茲入鄭民不罷勞君無怨讟讟謗也【音訓】罷音皮讟音



讀政有經矣經常也荊尸而舉荊楚也尸陳也楚武王始更為此陳法遂以為名【附註】朱曰尸楚陳名也【音訓】【註】此陳直覲反下同商農工賈不敗其業而卒乘輯睦步曰卒車曰乘【音訓】賈音古事不奸矣奸犯也蔿敖為宰擇楚國之令典宰令尹蔿敖孫叔敖軍行右轅左追蓐在車之右者挾轅為戰備在左者追求草蓐為宿備傳曰令尹南轅又曰改乘轅楚陳以轅為主【音訓】蓐音辱前茅慮無慮無如今軍行前有斥候蹹伏皆持以絳及白為幡見騎賊舉絳幡見步賊舉白幡備慮有無也茅明也或曰時楚以茅為旌識【音訓】【註】蹹徒臘反騎其寄反識中志反又音志中權後勁中軍制謀後以精兵為殿百官象物而動軍政不戒而備物猶類也戒勅令【附

【註】朱曰物旌旗也言百官各象其所建之旗物而行動能用典矣其君之舉也內姓選於親外姓選於舊言親踈並用舉不失德賞不失勞老有加惠賜老則不計勞旅有施舍旅客來者施之以惠舍不勞役君子小人物有服章尊卑別也貴有常尊賤有等威威儀有等差禮不逆矣德立刑行政成事時典從禮順若之何敵之見可而進知難而退軍之善政也兼弱攻昧武之善經也昧昏亂經法也子姑整軍而經武乎姑且也【附註】林曰言經略武備猶有弱而昧者何必楚仲虺有言曰取亂侮亡兼弱也



仲虺湯左相薛之祖奚仲之後汋曰於鑠王師遵養時晦汋詩頌篇名鑠美也言美武王能遵天之道須暗昧者惡積而後取之【音訓】汋音酌於音烏鑠舒若反耆昧也耆致也致討於昧【音訓】耆音旨又如字武曰無競惟烈武詩頌篇名烈業也言武王兼弱取昧故成無疆之業撫弱耆昧以務烈所可也言當務從武王之功業撫而取之【音訓】烈所絕句彘子曰不可彘子先穀晉所以霸師武臣力也【附註】林曰夫晉之所以為霸於諸侯以兵師之武勇與羣臣之勤力也今失諸侯不可謂力有敵而不從不可謂武由我失霸不如死且成師以出聞敵彊而退非夫也非丈夫命為軍帥而卒以

非夫唯羣子能我弗為也【附註】林曰唯羣子能受此辱我不能為此事以中軍佐濟佐彘子所帥也濟渡河知莊子曰此師殆哉【音訓】莊子荀首知音智周易有之在師䷆坎下坤上師之臨䷒兊下坤上臨師初六變而之臨曰師出以律否臧凶此師卦初六爻辭律法否不也執事順成為臧逆為否令彘子逆命不順成故應不臧之凶衆散為弱坎為衆今變為兊兊柔弱川壅為澤坎為川今變為兊兊為澤是川見壅有律以如己也如從也法行則人從法法敗則法從人坎為法象今為衆則散為川則壅是失法之用從人之象【音訓】已音紀故曰律否臧【附註】林曰故曰法律不以法律則非臧善且律竭也竭敗也坎變為



兊是法敗盈而以竭夭且不整所以凶也水遇夭塞不得整流則竭涸也【音訓】夭於表反不行之謂臨水變為澤乃成臨卦澤不行之物有帥而不從臨孰甚焉此之謂矣譬彘子之違命亦不可行果遇必敗遇敵彘子尸之主此禍雖免而歸必有大咎為明年晉人殺先穀傳韓獻子謂桓子獻子韓厥曰彘子以偏師陷子罪大矣【附註】朱曰言先穀以中軍之佐自陷於敗則林父當得大罪也子為元帥師不用命誰之罪也失屬亡師為罪已重不如進也令鄭屬楚故曰失屬彘子以偏師陷故曰亡師事之不捷惡有所分捷成也與其專罪六人同之不

猶愈乎三軍皆敗則六卿同罪不得獨責元帥師遂濟楚子北師次於郔郔鄭北地沈尹將中軍沈或作寢寢縣也今汝陰固始縣子重將左子反將右將飲馬於河而歸子反公子側【附註】林曰楚將飲馬於河而歸以示強盛【音訓】飲於鴆反聞晉師既濟王欲還嬖人伍參欲戰參伍奢之祖父【音訓】參七南反令尹孫叔敖弗欲曰昔歲入陳今茲入鄭不無事矣戰而不捷參之肉其足食乎參曰若事之捷孫叔為無謀矣不捷參之肉將在晉軍可得食乎令尹南轅反旆廻車南鄉旆軍前大旗【附註】林曰孫叔敖不欲戰乃回車南向反軍前大



旆之旆【音訓】鄉本又作嚮【諡】伍參言於王曰晉之從政者新未能行令【附註】林曰言晉之林父新將中軍執晉政未能專行其踊令其佐先穀剛愎不仁未肯用命愎狠也其三帥者專行不獲欲專其所行而不得聽而無上聽彘子趙同趙括則為軍無上令衆不知所從衆誰適從此行也晉師必敗且君而逃臣若社稷何【附註】林曰且楚王以君而逃晉之諸臣若楚國之社稷何王病之告令尹改乘轅而北之【音訓】乘繩證反次于管以待之晉師在敖鄗之間滎陽京縣東北有管城敖鄗二山在滎陽縣西北【音訓】敖五刀反鄗音敲鄭皇戌使如晉師【音訓】戌音恤使所吏反曰鄭

之從楚社稷之故也未有貳心楚師驟勝而驕其師老矣而不設備子擊之鄭師為承承繼也楚師必敗彘子曰敗楚服鄭於此在矣必許之欒武子曰武子欒書楚自克庸以來在文十六年其君無日不討國人而訓之討治也【附註】朱曰楚君無一日不治國人而教訓之于民生之不易禍至之無日戒懼之不可以怠于曰也【附註】朱曰于與吁同嗟嘆而言也此下皆楚君訓民之言不易謂斯民生理之難無日不虞禍患之至常驚戒畏懼而不可以怠情【音訓】易以豉反在軍無日不討軍實而申儆之軍實軍器于勝之不可保【附註】朱曰此下

左傳十一　七

皆楚君訓兵之言謂楚雖克庸不可保其常勝紂之百克而卒無後【附註】林曰昔商紂恃其百戰百克之威其後武王滅之卒殄其祀訓之以若敖蚡冒篳路藍縷以啓山林若敖蚡冒皆楚之先君篳路柴車藍縷敝衣言此二君勤儉以啓土【音訓】篳音必箴之曰民生在勤勤則不匱不可謂驕箴誡先大夫子犯有言曰師直為壯曲為老我則不德而徼怨于楚我曲楚直不可謂老不德謂以力爭諸侯徼要也其君之戎分為二廣楚之親兵廣有一卒卒偏之兩十五乘為一廣司馬法百人為卒二十五人為兩車十五乘為大偏今廣十五乘亦用舊偏法復以二十五人為承副【附註】朱曰以今廣法論

之每車一乘有一百人周制車十五乘為大偏二十五人為兩楚以五十人為兩以舊偏法論之一卒百人之外又有此五十人之兩也蓋楚一車兼周兩車人數周一車有七十五人楚一車有一百五十人此說見唐太宗李靖問對注疏說誤右廣初駕數及日中【附註】朱曰每日右廣雞鳴而駕馬數其時刻至於日中而止左則受之以至于昏【附註】朱曰左廣代右廣而駕馬至於日入而止內官序當其夜內官近官序次也【附註】朱曰其內官近君者為次序以當其夜若今宿直遞持更也以待不虞不可謂無備子良鄭之良也師叔楚之崇也師叔潘尫為楚人所崇貴師叔入盟子良在楚楚鄭親矣來勸我戰我克則來不克遂往【附註】朱曰今鄭使皇

左傳十一　八

戌來勸我與楚戰我勝楚則鄭來歸我我不勝則鄭遂往從楚以我卜也鄭不可從【附註】朱曰蓋以我之勝負而卜其去就也皇戌之請不可從也趙括趙同曰率師以來唯敵是求克敵得屬又何俟必從彘子得屬服鄭知季曰原屏咎之徒也知季莊子也原趙同屏趙括徒黨也【附註】林曰咎指彘子趙莊子曰欒伯善哉莊子趙朔欒伯武子實其言必長晉國實猶充也言欒書之身行能充此言則當執晉國之政也【音訓】長丁丈反○行下孟反楚少宰如晉師少宰官名曰寡君少遭閔凶不能文閔憂也【附註】朱曰言我楚君小時遭國家之憂難謂穆王之喪也以此不學而言不成文聞二先君之出入此行也二先

君楚成王穆王【附註】林曰聞二先君之出入往來於伐鄭之行也將鄭是訓定豈敢求罪于晉【附註】林曰將取鄭人而教訓安定之豈敢與晉爭戰而求得罪于晉二三子無淹久淹留也隨季對曰昔平王命我先君文侯曰與鄭夾輔周室毋廢王命今鄭不率率遵也寡君使羣臣問諸鄭豈敢辱候人候人謂伺候望敵者敢拜君命之辱彘子以為諂使趙括從而更之曰行人失辭言誤對【音】【訓】更平聲寡君使羣臣遷大國之迹於鄭還從也【附註】朱曰言楚以大國之君親至鄭國是有迹於鄭也今晉君使羣臣遷其迹而去之曰無辟敵羣臣無所逃命【音訓】



辟音避楚子又使求成于晉晉人許之盟有日矣有期日楚許伯御樂伯攝叔為右以致晉師單車挑戰又示不欲崇和以疑晉之羣帥【音訓】【註】挑徒了反許伯曰吾聞致師者御靡旌摩壘而還靡旌驅疾也摩近也【附註】林曰摩壘摩近敵人之軍壘樂伯曰吾聞致師者左射以菆左軍左也菆矢之善者【音】【訓】射食亦反下同菆音鄒代御執轡御下兩馬掉鞅而還兩飾也掉正也示閒暇【附註】林曰乃自代其御以執轡使御下車飾馬正鞅以示閒暇而還【音訓】兩如字一音亮掉徒弔反鞅於丈反【註】閒音閑攝叔曰吾聞致師者左入壘折馘折馘斷耳執俘而還皆行其所聞而復

晉人逐之左右角之張兩角從旁夾攻之樂伯左射馬而右射人角不能進【附註】林曰樂伯左射晉馬右射晉人晉之左右角不能進矢一而已麋興於前射麋麗龜麗著也龜背之隆高當心者【附註】林曰樂伯矢盡僅存其一適見有麋興於其前射麋而著其心晉鮑癸當其後使攝叔奉麋獻焉曰以歲之非時獻禽之未至敢膳諸從者【附註】林曰晉鮑癸當樂伯之後追樂伯既射得麋乃使攝叔奉麋獻諸鮑癸言以歲之不時獻禽之人或者未至敢以此供從者之膳此蓋射麋以恐晉師而以善辭求免【音訓】從才用反鮑癸止之曰其左善射其右有辭君子也既免止不復逐晉魏錡求公族未得



錡魏犨子欲為公族大夫【音訓】錡魚綺反而怒欲敗晉師請致師弗許請使許之【附註】林曰請使請報楚人求成之使【音訓】使所吏反遂往請戰而還楚潘黨逐之及熒澤見六麋射一麋以顧獻曰子有軍事獸人無乃不給於鮮敢獻於從者熒澤在熒陽縣東新殺為鮮見六得一言其不如楚【音訓】鮮音仙叔黨命去之叔黨潘黨潘尫之子【附註】林曰命去魏錡勿復逐趙旃求卿未得旃趙穿子且怒於失楚之致師者請挑戰弗許請召盟許之與魏錡皆命而往【附註】林曰趙旃魏錡皆受命而往楚郤獻子曰二憾往矣獻子郤克【附註】朱曰言二子皆有恨於晉者今

使之往必怒楚師也弗備必敗彘子曰鄭人勸戰弗敢從也楚人求成弗能好也師無成命多備何為士季曰備之善若二子怒楚楚人乘我喪師無日矣[訓]乘猶登也[音]喪息浪反不如備之楚之無惡除備而盟何損於好[附註]林曰若楚人無有惡意則除去兵備而相從為盟何損於二國之好若以惡來有備不敗且雖諸侯相見軍衛不徹警也徹去也[附註]林曰且雖諸侯以和好之禮相見君行師從故軍衛不徹去警戒之至也彘子不可不肯設備士季使鞏朔韓穿帥七覆于敖前帥將也覆為伏兵七處[附註]林曰士為將上軍獨使鞏朔韓穿將兵設伏兵七處於敖山之前[音訓]覆扶又反[訓]將如字又子匠反故上軍不敗趙嬰齊使其徒先具舟于河故敗而先濟潘黨既逐魏錡言魏錡見逐而退趙旃夜至于楚軍二人雖俱受命而行不相隨趙旃在後至席於軍門之外使其徒入之布席坐示無所畏也[附註]林曰使其徒黨入楚軍門楚子為乘廣三十乘分為左右[附註]林曰乘廣兵車名[音訓]乘繩證反右廣雞鳴而駕日中而說[訓]說舍也[音]說音稅下同左則受之日入而說許偃御右廣養由基為右彭名御左廣屈蕩為右楚王更迭載之故各有御右乙卯王乘左廣以逐趙旃趙旃棄車



而走林[附註]林曰走入于林中屈蕩搏之得其甲裳下曰裳晉人懼二子之怒楚師也使軘車逆之[訓]軘車兵車名[音]軘徒溫反潘黨望其塵使騁而告曰晉師至矣楚人亦懼王之入晉軍也遂出陳[音訓]陳直覲反下注皆同孫叔曰進之寧我薄人無人薄我[附註]林曰寧使我師先進迫人無使他人進來迫我詩云元戎十乘以先啓行先人也元戎戎車在前也詩小雅言王者軍行必有戎車十乘在前開道先人為備[音訓]先人悉薦反[註]及下同軍志曰先人有奪人之心薄之也奪敵戰心遂疾進師車馳卒奔乘晉軍桓子不知所為鼓於軍中曰先濟者有賞中軍下軍爭舟舟中之指可掬也[訓]兩手曰掬[音]掬九六反晉師右移上軍未動言餘軍皆移去唯上軍在經所以書戰言猶有陳[附註]林曰晉中軍下軍皆右移濟河唯上軍有備故不敗走工尹齊將右拒卒以逐下軍工尹齊楚大夫右拒陳名楚子使唐狡與蔡鳩居告唐惠侯二子楚大夫唐屬楚之小國義陽安昌縣東南有上黨鄉曰不穀不德而貪以遇大敵不穀之罪也然楚不克君之羞也敢藉君靈以濟楚師藉猶假借也使潘黨率游闕四十乘游車補闕者[音訓]乘繩證反下從之乘并注易乘同從唐侯以為左拒以從上

軍駒伯曰待諸乎 駒伯郤克上軍佐也 隨季曰楚師方壯若萃於我吾師必盡 萃集也 不如收而去之分謗生民不亦可乎 同奔為分謗不戰為生民 殿其卒而退不敗 以其所將卒為軍後殿 王見右廣將從之乘屈蕩尸之曰君以此始亦必以終 尸止也中易乘則恐軍人惑【附註】林曰言莊王以左廣始出亦必以左廣終歸 自是楚之乘廣先左 以乘左得勝故 晉人或以廣隊不能進 廣兵車【附註】林曰晉人或以廣車為隊車重故不能進【音訓】隊直類反 楚人惎之脫扃 惎教也扃車上兵闌【音訓】惎其器反 少進馬還又惎之拔旆投衡乃出 還便旋不進旆大旗也拔旆投衡上使不帆風差輕【音訓】帆凡劍反差初賣反 顧曰吾不如大國之數奔也 【附註】林曰晉師既出險乃北獲楚人曰我師不熟奔北 不如楚為大國數奔之習熟也蓋慢辭【音訓】數所角反 趙旃以其良馬二濟其兄與叔父以他馬反 【附註】林曰自以他馬駕車而歸 遇敵不能去棄車而走林逢大夫與其二子乘 逢氏晉人【附註】林曰逢大夫【音訓】乘繩證反 謂其二子無顧 不欲見趙旃 顧曰趙傁在後 傁老稱也【音訓】傁素口反稱尺證反 怒之使下指木曰尸女於是 林曰言止汝尸於此木【音訓】女音汝 授趙旃綏以免 【附註】林曰綏轡也 明日以表尸之 表所指木取其尸 皆重獲在木



下 兄弟纍尸而死【附註】林曰兄弟纍尸而死故重獲於木下【音訓】重直龍反 楚熊負羈囚知罃知莊子以其族反之 負羈楚大夫知罃知莊子之子族家兵反還戰【附註】林曰囚生獲之也 廚武子御 武子魏錡 下軍之士多從之 知莊子下軍大夫故 每射抽矢菆納諸廚子之房 抽擢也菆好箭房箭舍【附註】林曰蓋知莊子擇好箭而納諸廚子之箭舍 廚子怒曰非子之求而蒲之愛 蒲楊柳可以為箭求子而來反愛楊柳之箭何也【附註】林曰本為 董澤之蒲可勝既乎 董澤澤名河東聞喜縣東北有董池陂既盡也 知季曰不以人子吾子其可得乎 【附註】林曰言不得他人之子其可得乎言必取他人子以博易之也 吾不可以苟射故也 【附註】林曰言我必擇其人而以好箭射之不可苟然而射故也 射連尹襄老獲之遂載其尸射公子穀臣囚之以二者還 穀臣楚王子 及昏楚師軍於邲晉之餘師不能軍 不能成營屯 宵濟亦終夜有聲 言其兵衆將不能用【音訓】將子匠反 丙辰楚重至於邲 重輜重也 遂次于衡雍 【音訓】雍於用反 潘黨曰君盍築武軍 築軍營以章武功 而收晉尸以為京觀 積尸封土其上謂之京觀【音訓】觀去聲 臣聞克敵必示子孫以無忘武功楚子曰非爾所知也夫文止戈為武 文字【附註】朱曰合止戈二字以成武字蓋取息兵之義也 武王克商作頌

曰載戢干戈載櫜弓矢戢藏也櫜韜也詩美武王能誅滅暴
亂而息兵【音訓】櫜古刀反韜他刀反我求懿德肆于時夏
允王保之肆遂也夏大也言武王既息兵又能求美德故遂大而信王保
天下又作武其卒章曰耆定爾功武頌篇名耆致也言
武王誅紂致定其功其三曰鋪時繹思我徂惟求定
其三三篇鋪布也繹陳也時是也思辭也頌美武王能布政陳教使天下歸往求安
定【音訓】鋪普吾反徐音敷其六曰綏萬邦屢豐年其六篇
綏安也屢數也言武王既安天下數致豐年此三六之數與今詩頌篇次不同蓋楚
樂歌之第【音訓】屢數所角反夫武禁暴戢兵保大定功
安民和衆豐財者也此武七德故使子孫無忘

左傳十一　十五

其章著之篇章使子孫不忘今我使二國暴骨暴矣
【音訓】暴骨蒲卜反餘並如字觀兵以威諸侯兵不戢矣
暴而不戢安能保大猶有晉在焉得定功
【音訓】焉於虔反所違民欲猶多民何安焉【附註】朱曰用兵
而民失業則違其欲者多矣無德而強爭諸侯何以和
衆【音訓】強其丈反利人之幾幾危也而安人之亂以
為己榮何以豐財兵動則年荒武有七德我無
一焉何以示子孫其為先君宮告成事而
已祀先君告戰勝【附註】林曰其禁楚先君之宮於郊告服鄭勝晉之成事於先君
而已蓋古者出軍必載遷廟之主以行令作先君宮告成事謂祭告所載主於宮中

而已武非吾功也古者明王伐不敬取其鯨
鯢而封之以為大戮於是乎有京觀以懲
淫慝鯨鯢大魚名以喻不義之人吞食小國【音訓】鯨其京反鯢五兮反今
罪無所晉罪無所犯也而民皆盡忠以死君命又
可以為京觀乎祀于河作先君宮告成事而
還傳言楚莊有禮所以遂興是役也鄭石制實入楚師
將以分鄭而立公子魚臣【附註】林曰石制鄭大夫辛
未鄭殺僕叔及子服僕叔魚臣也子服石制也君子曰
史佚所謂毋怙亂者謂是類也言恃人之亂以要利
【音訓】要一遙反詩曰亂離瘼矣爰其適歸詩小雅離

左傳十一　十六

憂也瘼病也爰於也言禍亂憂病於何所歸乎歎之歸於怙亂者也
夫恃亂則禍歸之○鄭伯許男如楚為十四年晉伐鄭傳○
秋晉師歸桓子請死晉侯欲許之士貞子
諫曰不可貞子士渥濁城濮之役晉師三日穀
在僖二十八年【附註】朱曰晉兵三日食楚人之穀文公猶有憂色
左右曰有喜而憂如有憂而喜乎言憂喜失時
公曰得臣猶在憂未歇也歇盡也困獸猶鬪
況國相乎【音訓】相息亮反下熊相同及楚殺子玉子玉得臣
公喜而後可知也喜見於顏色曰莫余毒也已
是晉再克而楚再敗也【附註】朱曰言城濮之戰晉已勝楚而

子玉之死是晉又勝楚也 楚是以再世不競 成王至穆王 今天或者大警晉也 警戒也 而又殺林父以重楚勝其無乃久不競乎 音訓 重直用反 林父之事君也進思盡忠退思補過社稷之衛也若之何殺之夫其敗也如日月之食焉何損於明晉侯使復其位 言晉景所以不失霸 ○冬楚子伐蕭宋華椒以蔡人救蕭蕭人囚熊相宜僚及公子丙王曰勿殺吾退蕭人殺之王怒遂圍蕭蕭潰申公巫臣曰師人多寒王巡三軍拊而勉之 拊撫慰勉之 音訓 拊音撫 三軍之士

左傳十一　十七

皆如挾纊 纊綿也言說以忘寒 音訓 說音悅 遂傳於蕭還無社與司馬卯言號申叔展 還無社蕭大夫司馬卯申叔展皆楚大夫也無社素識叔展故因卯呼之 音訓 還音旋號戶到反一音戶刀反 叔展曰有麥麴乎曰無有山鞠窮乎曰無 麥麴鞠窮所以禦濕欲使無社逃泥水中無社不解故曰無軍中不敢正言故謬語 音訓 鞠音芎 河魚腹疾奈何 叔展言無禦濕藥將病 曰目於眢井而拯之 無社意解欲入井故使叔展視虛廢井而求拯己出溺為拯 音訓 眢烏丸反 若為茅絰哭井則已 叔展又教結茅以表井須哭乃應以為信 音訓 已音紀舊音以 明日蕭潰申叔視其井則茅絰存焉號而出之 號哭也傳言蕭人無守心

音訓 號戶刀反 ○晉原穀宋華椒衛孔達曹人同盟于清丘 原穀先穀 曰恤病討貳於是卿不書不實其言也 宋伐陳衛救之不討貳也楚伐宋晉不救不恤病也 宋為盟故伐陳 陳貳於楚故 音訓 為于僞反 衛人救之孔達曰先君有約言焉若大國討我則死之 衛成公與陳共公有舊好故孔達欲背盟救陳而以死謝晉為十四年衛殺孔達傳 音訓 約於妙反又如字

經 十有三年 乙丑 春齊師伐莒○夏楚子伐宋○秋螽 無傳為災故書 ○冬晉殺其大夫先穀 書名以罪討

左傳十一　十八

傳 十三年春齊師伐莒莒恃晉而不事齊故也○夏楚子伐宋以其救蕭也 救蕭在前年 君子曰清丘之盟唯宋可以免焉 宋討陳之貳令宋見伐晉衛不顧盟以恤宋而經同貶宋大夫傳嫌華椒之罪累及其國故曰唯宋可以免 ○秋赤狄伐晉及清先穀召之也 邲戰不得志故召狄欲為變清一名清原 ○冬晉人討邲之敗與清之師歸罪於先穀而殺之盡滅其族君子曰惡之來也己則取之其先穀之謂乎 盡滅其族為誅已甚故曰惡之來也 ○清丘之盟晉以衛之救陳也討焉 尋清丘之盟以責衛 使人弗去曰罪無

所歸將加而師【附註】朱曰而汝也言將以兵加汝也【音訓】使所吏反
孔達曰苟利社稷請以我說【音訓】欲自殺以說晋【音訓】說如
字又音悅罪我之由我則為政而亢大國之討
將以誰任亢禦也謂禦宋討陳也【附註】朱曰今晋討衛罪而我不引罪自
殺是亢晋也我為執政而不任其罪將歸罪於誰乎【音訓】任音壬我則死
之為明年殺孔達傳
【經】十有四年【丙寅】春衛殺其大夫孔達書名背盟
于大國罪之○夏五月壬申曹伯壽卒無傳文十四年盟新
城○晋侯伐鄭○秋九月楚子圍宋○葬曹
文公無傳○冬公孫歸父會齊侯于穀

左傳十一　廿九

【傳】十四年春孔達縊而死衛人以說于晋
而免【訓】以殺告故免于伐【音】說如字又音悅遂告于諸侯曰
寡君有不令之臣達構我敝邑于大國既
伏其罪矣敢告諸殺大夫亦皆告衛人以為成勞
復室其子以有平國之功故以女妻之【音訓】復扶又反使復其
位【訓】襲父祿位【音】復如字○夏晋侯伐鄭為郔故也
晋敗於郔鄭遂屬楚【音訓】為于偽反告于諸侯蒐焉而還蒐簡
閱車馬中行桓子之謀也曰示之以整使謀
而來【附註】林曰荀林父之謀也且言治兵示鄭人以整使鄭自謀而來服晋
鄭人懼使子張代子良于楚十二年子良質於楚子張

穆公孫鄭伯如楚謀晋故也鄭以子良為有
禮故召之有讓國之禮○楚子使申舟聘于齊
曰無假道于宋申舟無畏亦使公子馮聘于晋
不假道于鄭申舟以孟諸之役惡宋文十年楚
子田孟諸無畏抶宋公僕【音訓】惡烏路反又烏洛反曰鄭昭宋聾昭明
也聾闇也晋使不害我則必死【附註】林曰晋使不借道於鄭不
害於事我使齊不借道於宋必為所殺【音訓】使所吏反下其使同王曰殺
女我伐之【音訓】女音汝見犀而行犀申舟子以子託王示必
死【音訓】見賢遍反及宋宋人止之華元曰過我而
不假道鄙我也鄙我亡也以我比其邊鄙是與亡國同

左傳十一　二十

殺其使者必伐我伐我亦亡也亡一也乃
殺之楚子聞之投袂而起投振也袂袖也屨及於
窒皇窒皇寢門闕劍及於寢門之外車及於蒲
胥之市【附註】林曰蒲胥楚市名屨及窒皇劍及寢門外車及楚市皆言其速
也○秋九月楚子圍宋○冬公孫歸父會
齊侯于穀見晏桓子與之言魯樂桓子告
高宣子桓子晏嬰父宣子高固【附註】林曰歸父與桓子言魯國可樂【音訓】樂
音洛曰子家其亡乎懷於魯矣子家歸父字懷思也懷
必貪貪必謀人【附註】朱曰既有所貪必謀取他人之利謀人
人亦謀己一國謀之何以不亡為十八年歸父奔齊

傳

○孟獻子言於公曰臣聞小國之免於大國也聘而獻物（物玉帛皮幣也）於是有庭實旅百（主人亦設籩豆百品實於庭以荅賓【附註】朱曰陳所獻之物於庭其品有百）朝而獻功（獻其治國若征伐之功於牧伯）於是有容貌采章嘉淑而有加貨（容貌威儀容顏也采章車服文章也嘉淑令辭稱讚也加貨命宥幣帛也言往共則來報亦備【附註】朱曰有玄纁璣組羽毛齒革之類以為容貌之物采文章嘉善也淑好也若大國有嘉慶之事則又加貨物以聘之）謀其不免也誅而薦賄則無及也（薦進也見責而往則不足解罪）今楚在宋君其圖之公說（為明年歸父會楚子傳【音訓】說音悅）



【經】十有五年【丁卯】春公孫歸父會楚子于宋

○夏五月宋人及楚人平（平者摠言二國和故不書其人【附註】林曰凡平不書必關天下之故也而後書文九年陳平不書宣十年鄭平不書昭二十四年宋嘗及楚平矣不書必莊王得宋天下將有南北之勢始書之）○六月癸卯晉師滅赤狄潞氏以潞子嬰兒歸（潞赤狄之別種潞氏國故稱氏子爵也林父稱師從告【附註】林曰林父稱師滅國之大夫猶賤也是故首林父滅潞氏不書隨會滅甲氏不書）○秦人伐晉（無傳）○王札子殺召伯毛伯（稱殺者名兩下相殺之辭兩下相殺則殺者有罪王札子王子札也蓋經文倒札字）○秋螽（無傳）○仲孫蔑會齊高固于無婁（無傳無婁杞邑）○初稅畝（公田之法十取其一今又履其餘畝復十一收其一故哀公曰二吾猶不足遂以為常故曰初【音訓】【註】復扶又反）○冬蝝生（螽子以冬生遇寒而死故不成螽【音訓】蝝悅全反字林尹絹反）○饑（風雨不和五稼不豐）

【傳】十五年春公孫歸父會楚子于宋（終前年傳）

○宋人使樂嬰齊告急于晉（【附註】林曰楚自前年秋圍宋至今不解故使人告急于晉）晉侯欲救之伯宗曰不可（伯宗晉大夫）古人有言曰雖鞭之長不及馬腹（言非所擊）天方授楚未可與爭雖晉之彊能違天乎諺曰高下在心（度時制宜【音訓】【註】度待洛反）川澤納汙（受汙濁）山藪藏疾（山之有林藪毒害者居之）瑾瑜匿



瑕（匿亦藏也雖美玉之質亦或居藏瑕穢【音訓】瑾其靳反瑜羊朱反）國君含垢（忍垢恥）天之道也（晉侯恥不救宋故伯宗為說小惡不損大德之脊【音訓】【註】為于僞反）君其待之（待衰）乃止使解揚如宋使無降楚曰晉師悉起將至矣（【音訓】降戶江反）鄭人囚而獻諸楚楚子厚賂之使反其言（反言晉不救）不許三而許之登諸樓車使呼宋人而告之（樓車車上望櫓）遂致其君命楚子將殺之使與之言曰爾既許不穀而反之何故非我無信女則棄之速即爾刑（【音訓】女音汝）對曰臣聞之君能制命為義臣能承命為

信信載義而行之為利謀不失利以衛社稷民之主也【附註】林曰人臣謀國而不失以信載義之利以扞衛其社稷則可為萬民之主義無二信欲為義者不行兩信信無二命欲行信者不受二命君之賂臣不知命也受命以出有死無霣霣廢隊也【音訓】霣音隕圖隊直類反又可賂乎臣之許君以成命也成其君命死而成命臣之祿也【附註】林曰為臣而不辱君命以死是能享其天祿也寡君有信臣已不廢命下臣獲考考成也【附註】林曰下臣獲成其君命死又何求楚子舍之以歸○夏五月楚師將去宋在宋積九月不能服宋故申犀稽首於王之馬前曰無



畏知死而不敢廢王命【附註】林曰無畏申舟名也君前臣名故名其父曰無畏知必死而不敢廢假道於宋之命王棄言焉王不能答未服宋而去故曰棄言申叔時僕僕御也曰築室反耕者宋必聽命從之築室於宋分兵歸田示無去志王從其言宋人懼使華元夜入楚師登子反之牀起之【附註】朱曰子反方卧華元起之曰寡君使元以病告兵法因其鄉人而用之必先知其守將左右謁者門者舍人之姓名因而利道之華元蓋用此術得以自通【音訓】圖將子匠反道音導曰敝邑易子而食析骸以爨爨炊也【音訓】析音昔爨音竄雖然城下之盟有以國斃不能從也寧以國斃不從城下盟【附註】朱曰城下盟諸侯之所深恥去我三十里唯命是聽子反懼與之盟而告王退三十里【附註】朱曰子反夜為華元所劫懼其殺己私與華元盟而以其言告於莊王楚為退兵一舍宋及楚平華元為質盟曰我無爾詐爾無我虞楚不詐宋宋不備楚盟不書不告【音訓】質音致○潞子嬰兒之夫人晉景公之姊也酆舒為政而殺之又傷潞子之目酆舒潞相【音訓】圖相式亮反晉侯將伐之諸大夫皆曰不可酆舒有三儁才儁絕異也言有才藝勝人者三不如待後之人【附註】林曰不如待後人無才而伐之伯宗曰必伐之狄有五罪儁才雖多何補焉不



祀一也耆酒二也【音訓】耆音嗜棄仲章而奪黎氏地三也仲章潞賢人也黎氏黎侯國上黨壺關縣有黎亭虐我伯姬四也傷其君目五也怙其儁才而不以茂德茲益罪也後之人或者將敬奉德義以事神人而申固其命審其政令若之何待之不討有罪曰將待後後有辭而討焉【附註】林曰後之人有辭于罰而反討之毋乃不可乎夫恃才與衆亡之道也商紂由之故滅由用也天反時為災寒暑易節地反物為妖羣物失性民反德為亂亂則妖災生故文反正為乏【附註】林曰文字反其正則

爲乏字盡在狄矣【附註】朱曰言恃才與衆以下狄皆無而有之晉侯從之六月癸卯晉荀林父敗赤狄于曲梁辛亥滅潞曲梁今廣平曲梁縣也書癸卯從赴酆舒奔衛衛人歸諸晉晉人殺之○王孫蘇與召氏毛氏爭政三人皆王卿士使王子捷殺召戴公及毛伯衛王子捷即王札子卒立召襄襄召戴公之子○秋七月秦桓公伐晉次于輔氏晉地壬午晉侯治兵于稷以略狄土略取也稷晉地河東聞喜縣西有稷山壬午七月二十九日晉時新破狄土地未安權秦師之弱故別遣魏顆距晉而東行定狄地【音訓】【註】顆苦果反立黎侯而還狄奪其地故晉復立之【音訓】【註】復扶又反及雒魏顆敗秦師于輔氏晉侯還及雒也雒晉地獲杜回秦之力人也初魏武子有嬖妾無子武子疾命顆曰必嫁是武子魏顆之父嬖疾病則曰必以為殉及卒顆嫁之曰疾病則亂吾從其治也【附註】朱曰言人病重則昏亂我所以嫁此妾者不從吾父昏亂之言而從其治命也【音訓】治直吏反下同及輔氏之役顆見老人結草以亢杜回亢禦也杜回躓而顛故獲之夜夢之曰余而所嫁婦人之父也而汝也爾用先人之治命余是以報傳舉此以示報○晉侯賞桓子狄臣千室千家亦賞士伯以瓜衍



之縣士伯士貞子曰吾獲狄土子之功也微子吾喪伯氏矣伯桓子字郄之敗晉侯將殺林父士伯諫而止【音訓】喪息浪反羊舌職說是賞也職叔向父【訓】說音悅【音】曰周書所謂庸庸祗祗者謂此物也夫周書康誥庸用也祗敬也物事也言文王能用可用敬可敬士伯庸中行伯言中行伯可用君信之亦庸士伯此之謂明德矣文王所以造周不是過也故詩曰陳錫載周能施也錫賜也詩大雅言文王布陳大利以賜天下故能載行周道福流子孫【音】【訓】施式豉反率是道也其何不濟○晉侯使趙同獻狄俘于周不敬劉康公曰不及十年



原叔必有大咎劉康公王季子也原叔趙同也天奪之魄矣心之精爽是謂魂魄為成八年晉殺趙同傳○初稅畝非禮也穀出不過藉周法民耕百畝公田十畝借民力而治之稅不過此以豐財也【附註】林曰百姓足君孰與不足此豐財之道也○冬蝝生饑幸之也蝝未為災而書之者言其冬生不為物害時歲雖饑猶喜而書之

【經】十有六年【戊辰】春王正月晉人滅赤狄甲氏及留吁甲氏留吁赤狄別種晉既滅潞氏今又并盡其餘黨士會稱人從告【音訓】【註】并必政反一音如字○夏成周宣榭火傳例曰人火之也成周洛陽宣榭講武屋別在洛陽者爾雅曰無室曰榭謂屋歇前○秋郯伯姬

来歸○冬大有年（無傳）

【傳】十六年春晉士會帥師滅赤狄甲氏及留吁鐸辰（鐸辰不書留吁之屬）三月獻狄俘（獻于王也）晉侯請于王（【附註】朱曰請以士會為命卿）戊申以黻冕命士會將中軍且為大傳（代林父將中軍且加以大傳之官黻冕命卿之服大傳孤卿）於是晉國之盜逃奔于秦羊舌職曰吾聞之禹稱善人（稱舉也）不善人遠此之謂也夫詩曰戰戰兢兢如臨深淵如履薄冰善人在上也（言善人居位則無不戒懼）善人在上則國無幸民（【附註】林曰善人而居上位則國無僥倖之民賞不僭刑不濫也）諺曰民之多幸國之不幸也是無善人之謂也○夏成周宣榭火人火之也凡火人火曰火天火曰災○秋郯伯姬来歸出也（【附註】林曰伯姬魯女嫁郯者）○為毛召之難故王室復亂（毛召難在前年【音訓】為于僞反難乃旦反復扶又反）王孫蘇奔晉晉人復之（毛召之黨欲討蘇氏故出奔）○冬晉侯使士會平王室定王享之原襄公相禮（原襄公周大夫相佐也【音訓】相息亮反）殽烝（烝升也升殽於俎）武子私問其故（享當體薦而殽烝故怪問之武士會謚季其字）王聞之召武子曰季氏而不聞乎（【附註】林曰季士會字故曰季氏而汝也）王享有體薦（享則半解其體而薦之所以示共儉）宴有折俎（體解節折升之於俎物皆可食所以示慈惠也）公當享卿當宴王室之禮也（公謂諸侯【附註】林曰公當用享禮體薦卿當用燕禮折俎）武子歸而講求典禮以脩晉國之法（傳言典禮之廢久）

【經】十有七年【己巳】春王正月庚子許男錫我卒（無傳再與文同盟）○丁未蔡侯申卒（無傳未同盟而赴以名丁未二月四日）○夏葬許昭公（無傳）○葬蔡文公（無傳）○六月癸卯日有食之（無傳不書朔官失之）○己未公會晉侯衛侯曹伯邾子同盟于斷道（斷道晉地）○秋公至自會（無傳）○冬十有一月壬午公弟叔肹卒（傳例曰公母弟【音訓】肹許乙反）

【傳】十七年春晉侯使郤克徵會于齊（徵名也欲為斷道會）齊頃公帷婦人使觀之（【附註】林曰帷幕帷也穀梁謂婦人乃蕭同叔子頃公之母【音訓】頃音傾）郤子登婦人笑於房（跛而登階故笑之【附註】朱曰穀梁傳謂郤克跛齊侯使跛者迓之【音訓】跛波可反）獻子怒（【附註】林曰獻子即郤克）出而誓曰所不此報無能涉河（不復渡河而東【音訓】復扶又反）【音】獻子先歸使欒京廬待命于齊曰不得齊事無復命矣（欒京廬郤克之介使得齊之罪乃復命【附註】林曰不得齊事不得齊人笑辱之

罪郤子至請伐齊晉侯弗許請以其私屬又弗許私屬家衆也為成二年戰于鞌傳【音訓】鞌音安齊侯使高固晏弱蔡朝南郭偃會晏弱桓子及斂盂高固逃歸聞郤克怒故【音訓】斂音廉一音力漸反夏會于斷道討貳也盟于卷楚卷楚即斷道【音訓】卷音權一音居免反辭齊人【附註】林曰辭齊人使勿與盟晉人執晏弱于野王執蔡朝于原執南郭偃于溫執三子不書非卿野王縣今屬河內苗賁皇使見晏桓子賁皇楚鬭椒之子楚滅鬭氏而奔晉食邑于苗地晏弱時在野王故因使而見之【音訓】賁扶云反使所吏反歸言於晉侯曰夫晏子何罪昔者諸侯事吾先君皆如不逮言汲汲也舉言羣臣不信諸侯皆有貳心舉亦皆也【附註】林曰今則皆言晉之羣臣待人不信四方諸侯皆有攜貳之志齊君恐不得禮不見禮待故不出而使四子來左右或沮之沮止也曰君不出必執吾使【音訓】使所吏反故高子及斂盂而逃夫三子者曰若絕君好寧歸死焉【附註】林曰若逃歸以絕晉君之好寧來會而歸死於晉為是犯難而來【音訓】為于僞反難乃旦反吾若善逆彼彼齊三人【附註】林曰我若以好迎彼三子以懷來者吾又執之以信齊沮【附註】林曰以信齊人沮止三子之言吾不既過矣乎過而不改而又久之【附註】林曰又久執三子以成其悔何利之有焉使反者得辭反者高固謂得不當來之辭而害來者以懼諸侯將焉用之【音訓】焉於虔反晉人緩之逸緩不拘執使得逃去也傳言晉不能脩禮諸侯所以貳○秋八月晉師還【附註】林曰君行師從故斷道盟歸稱晉師還○范武子將老老致仕初受隨故曰隨武子後更受范復為范武子【音訓】復扶又反召文子曰燮乎吾聞之喜怒以類者鮮文子士會之子燮其名【附註】朱曰言人之喜怒但主一事者此最少也易者實多易遷怒也詩曰君子如怒亂庶遄沮君子如祉亂庶遄已詩小雅也遄速也沮止也祉福也【附註】林曰如而也言君子而有所怒禍亂庶其速可沮止也君子而受福祉禍亂庶其速已止也【音訓】祉音恥君子之喜怒以已亂也【附註】朱曰君子喜怒皆得其正故皆可以止禍亂也弗已者必益之【附註】朱曰若非君子則喜怒不得其正不能止亂而反增益之也郤子其或者欲已亂於齊乎不然余懼其益之也【附註】朱曰若不使逞其報齊之志我恐其還怒以害於晉而增益其亂也余將老使郤子逞其志庶有豸乎豸解也欲使郤子從政快志以止亂【附註】豸丈介反爾從二三子唯敬二三子晉諸大夫乃請老郤獻子為政○冬公弟叔肸卒公母弟也凡大子之母弟公在曰公子不在曰弟以兄為尊凡稱弟皆母弟也此策

書之通例也庶弟不得稱公弟而毋弟或稱公子若嘉好之事則仍舊史之文唯相殺害然後據例以示義所以篤親親之恩崇友于之好釋例論之備矣

【經】十有八年【庚午】春晉侯衛世子臧伐齊○公伐杞無傳【附註】林曰自是內不書君將征伐在大夫也○宣公而下征伐在大夫是故自伐邾取繹凡取皆不書其人自伐杞凡伐皆不書公○夏四月○秋七月邾人戕鄫子于鄫傳例曰自外曰戕邾大夫就鄫殺鄫子○甲戌楚子旅卒未同盟而赴以名吳楚之葬僭而不典故絕而不書同之夷蠻以懲求名之偽○公孫歸父如晉○冬十月壬戌公薨于路寢○歸父還自晉至笙遂奔齊大夫還不書春秋之常也今書歸父還奔善其能以禮退不書族者非常所及今特

左傳十八　三十一

魯略之笙魯境也故不言出

【傳】十八年春晉侯衛大子臧伐齊至于陽穀齊侯會晉侯盟于繒【附註】林曰齊服晉故會晉侯盟于繒以公子彊為質于晉晉師還蔡朝南郭偃逃歸晉既與齊盟守者解緩故得逃○夏公使如楚乞師欲以伐齊公不事齊齊與晉盟故懼而乞師于楚不書微者行○秋邾人戕鄫子于鄫凡自虐其君曰弒自外曰戕弒戕皆殺也所以別內外之名弒者積微而起所以相測量非一朝一夕之漸戕者卒暴之名○楚莊王卒楚師不出既而用晉師成二年戰于鞌是楚於是乎有蜀之役在成二年

冬蜀魯地泰山博縣西北有蜀亭○公孫歸父以襄仲之立公也有寵歸父襄仲子欲去三桓以張公室時三桓強公室弱故欲去之以張大公室【音訓】張如字又去聲與公謀而聘于晉欲以晉人去之○冬公薨季文子言於朝曰使我殺適立庶以失大援者仲也夫適謂子惡齊外甥襄仲殺之而立宣公南通於楚既不固又不能堅事齊晉故云失大援也【附註】林曰季文子怨歸父欲去三桓故借此以為之罪【音訓】援于眷反臧宣叔怒曰當其時不能治也後之人何罪子欲去之許請去之宣叔文仲子武仲父許其名也時為司寇主行刑言子自以歸父害己欲去者許請為子去之【音訓】【註】請為于偽反

左傳十八　三十二

遂逐東門氏襄仲居東門故曰東門氏子家還及笙子家歸父壇帷復命於介除地為壇而張帷介副也將去使介反命於君既復命【附註】林曰既致使命於其副介袒括髮以麻約髮即位哭三踊而出依在國喪禮設哭位公薨故遂奔齊書曰歸父還自晉善之也

春秋經傳集解卷第十一

# 春秋經傳集解卷第十二

## 魯成公上　杜氏盡十年　【諸家註音訓附】

公名黑肱宣公子謚法安民立政曰成

【周】定王十七年魯成公五年定王崩子簡王立

【鄭】襄公十五年魯成公四年襄公卒悼公費立成六年悼公卒弟武公睔立

【齊】頃公九年魯成公九年頃公卒子靈公環立

【宋】文公二十一年魯成公二年文公卒子共公固立成十五年共公卒子平公成立

【晉】景公繼霸十年時郤克為政魯成公四年欒書為政成十年景公有疾晉人立大子州蒲以為君伐鄭是為厲公是年景公卒成十八年厲公弒悼公周立是年韓厥為政



【衛】穆公十年魯成公二年穆公卒子定公臧立成十四年定公卒子獻公衎立

【蔡】景公二年

【曹】宣公五年魯成公十五年宣公卒弟成公負芻立

【滕】文公十年魯成公十六年文公卒成公原立

【陳】成公九年

【杞】桓公四十七年

【薛】詳見僖公九年

【莒】魯成公十四年見莒子朱卒一名渠丘公黎比公密州立又名買朱鉏

【邾】定公二十四年魯成公十七年定公卒宣公貜立

【許】靈公二年魯成公十五年許遷于葉

【小邾】詳見僖公元年

【楚】共王元年魯成公二年載令尹子重救齊成十六年司馬子反將中軍子重將左戰于鄢陵敗績晉射共王中目楚殺子反

【秦】桓公十五年魯成公十四年桓公卒子景公立

【吳】魯成公七年吳伐郯始見經即吳子壽夢也壽夢一名乘

【越】詳見隱公元年

【經】元年【辛未】春王正月公即位無傳○二月辛酉葬我君宣公無傳○無冰無傳周二月今之十二月而無冰書冬溫○三月作丘甲周禮九夫為井四井為邑四邑為丘丘十六井出戎



馬一匹牛三頭四丘為甸甸六十四井出長轂一乘戎馬四匹牛十二頭甲士三人步卒七十二人此甸所賦今魯使丘出之譏重斂故書【音訓】【註】甸徒練反乘繩證反○夏臧孫許及晉侯盟于赤棘晉地○秋王師敗績于茅戎茅戎戎別也不言戰王者至尊天下莫之得校故以自敗為文不書敗地而書茅戎明為茅戎所敗書秋從告○冬十月

【傳】元年春晉侯使瑕嘉平戎于王平文十七年郕垂之役詹嘉處瑕故謂之瑕嘉【附註】朱曰瑕嘉晉大夫詹嘉也處瑕地【音訓】【註】郕音審單襄公如晉拜成單襄公王卿士謝晉為平戎【音訓】【註】為于偽反下文同劉康公徼戎將遂伐之康公王季子也戎平還欲要其無備【音訓】徼古堯反【註】要一遙反叔服曰背盟而欺

大國此必敗（叔服周內史【附註】林曰新與戎盟而伐之是背盟晉為平戎而背之是欺大國）背盟不祥欺大國不義神人弗助將何以勝不聽遂伐茅戎三月癸未敗績于徐吾氏（徐吾氏茅戎之別也）○為齊難故作丘甲（前年魯乞師於楚欲以伐齊楚師不出故懼而作丘甲【音訓】難乃旦反下同）○聞齊將出楚師（【附註】林曰魯聞齊將出楚師以伐魯）夏盟于赤棘（與晉盟懼齊楚）○秋王人来告敗（解經所以秋乃書）○冬臧宣叔令脩賦繕完（治完城郭【附註】林曰宣叔臧武仲父也令魯國之人脩賦車馬治完城郭）具守備曰齊楚結好我新與晉盟晉楚爭盟（【附註】林曰晉楚二國爭為盟主）

左傳十二　三

齊師必至雖晉人伐齊楚必救之是齊楚同我也（同共也【附註】林曰是齊楚共伐我也）知難而有備（【附註】林曰知患難之来而先有其備）乃可以逞（逞解也為二年齊侯伐我傳）

【經】二年【壬申】春齊侯伐我北鄙○夏四月丙戌衛孫良夫帥師及齊師戰于新築衛師敗績（新築衛地皆陳曰戰大崩曰敗績四月無丙戌丙戌五月一日【附註】林曰衛書大夫帥師於是始）○六月癸酉季孫行父臧孫許叔孫僑如公孫嬰齊帥師會晉郤克衛孫良夫曹公子首及齊侯戰于鞌齊師敗績（魯乞師於晉而不以與謀之例者從盟主之令上行於下非匹敵和成之類例在宣十年曹大夫常不書而書公子首者首命於國備於禮成為卿故也鞌齊地【附註】林曰書魯四卿是各自為帥也自文之季年而無使介至是而無將佐魯三家之勢成矣【音訓】【註】與音預）○秋七月齊侯使國佐如師己酉及國佐盟于袁婁（穀梁曰鞌去齊五百里袁婁去齊五十里【附註】林曰楚屈完來盟于師齊桓公退師而後盟于召陵修禮於楚也齊使國佐使如師晉郤克進師而後盟于袁婁不禮於齊也夫以齊桓公之所不敢而四國之大夫敢為之甚矣鞌戰之忿也）○八月壬午宋公鮑卒（未同盟而赴以名）○庚寅衛侯速卒（宣十七年盟于斷道據傳庚寅九月七日）○取汶陽田（晉使齊還魯故書取不以好得）○冬楚師鄭師侵衛（子重不書不親伐）○十有一月公會楚公子嬰齊于蜀（公與大夫會不貶嬰齊者時有許蔡之君故【音訓】林曰自屈完以來楚大夫皆無氏族而書公子自嬰齊始）○丙申公及楚人秦人宋人陳人衛人鄭人齊人曹人邾人薛人鄫人盟于蜀（齊在鄭下非卿傳曰卿不書匱盟也然則楚卿於是始與中國準自此以下楚卿不書皆貶惡也）

左傳十二　四

【傳】二年春齊侯伐我北鄙圍龍（龍魯邑在泰山博縣）頃公之嬖人盧蒲就魁門焉（攻龍門也）龍人囚之齊侯曰勿殺吾與而盟無入而封（封竟【附註】林曰而汝也）不聽殺而膊諸城上（膊磔也【音訓】膊普各反【註】磔陟百反）齊侯親鼓士（【附註】林曰齊頃公怒故親鼓以激勵戰士）陵城三日（【附註】林曰陵龍邑之城凡三日）取龍遂南侵及

巢丘(取龍侵巢丘不書其義未聞)○衛侯使孫良夫石稷寧相向禽將侵齊與齊師遇(齊伐魯還相遇於衛地良夫孫林父之父石稷石碏四世孫寧相寧俞子【音訓】相式亮反向舒亮反)石子欲還孫子曰不可以師伐人遇其師而還將謂君何(言無以答君)若知不能則如無出今既遇矣不如戰也夏有(闕文失新築戰事)石成子曰師敗矣子不少須衆懼盡(成子石稷也衛師已敗而孫良夫復欲戰故成子欲使須救【附註】朱曰言孫子不少待之尚欲與再戰恐殺盡衛兵也【音訓】復扶又反)子喪師徒何以復命皆不對(【音訓】喪息浪反)又曰子國卿也隕子辱矣(隕見禽獲)



(【附註】林曰言良夫見獲則為衛國之辱)子以衆退我此乃止(我於此止禦齊師中)且告車來甚衆(新築人救孫桓子故並告令軍)齊師乃止次于鞫居(鞫居衛地【音訓】鞫居六反)新築人仲叔于奚救孫桓子桓子是以免(于奚守新築大夫)既(【附註】林曰既卒事也)衛人賞之以邑(賞于奚)辭(【附註】林曰于奚辭邑)請曲縣(軒縣也周禮天子樂宮縣四面諸侯軒縣闕南方【音訓】縣音玄)繁纓以朝許之(繁纓馬飾皆諸侯之服【音訓】繁步干反)仲尼聞之曰惜也(【附註】林曰言其禮可惜)不如多與之邑唯器與名不可以假人(器車服名爵號)君之所司也名以出信(名位不愆為民所信)信以守器(動不失信則車服可保)器以藏禮(車服所以表尊卑)禮以行義(尊卑有禮各得其宜)義以生利(得其宜則利生)利以平民(【附註】林曰何以聚人曰財故利所以平民朱曰利澤之行所以成就下民)政之大節也若以假人與人政也政亡則國家從之弗可止也已(【附註】林曰弗可救止也已)○孫桓子還於新築不入(不入國)遂如晉乞師臧宣叔亦如晉乞師皆主郤獻子(宣十七年郤克至齊為婦人所笑遂怒故魯衛因之孫桓子臧宣叔皆不以國命各自詣郤克故不書)晉侯許之七百乘(五萬二千五百人)郤子曰此城濮之賦也(城濮在僖二十八年【附註】林曰賦兵也城濮之戰晉車七百乘)有先



君之明與先大夫之肅故捷(【附註】朱曰先君謂晉文公先大夫謂先軫也肅整也)克於先大夫無能為役(無能為之役使【附註】朱曰郤克自稱我於先大夫尚不足為之役使)請八百乘許之(六萬人)郤克將中軍士燮佐上軍(范文子代荀庚)欒書將下軍(代趙朔)韓厥為司馬以救魯衛臧宣叔逆晉師且道之(【附註】林曰臧宣叔乞師先歸故往迎晉師且為晉師向道【音訓】道音導)季文子帥師會之及衛地韓獻子將斬人郤獻子馳將救之至則既斬之矣郤子使速以徇告其僕曰吾以分謗也(不欲使韓氏獨受謗)師從齊師于莘(莘齊地)六

夕月壬申師至于靡笄之下靡笄山名【音訓】靡如字又音磨笄音雞齊侯使請戰曰子以君師辱於敝邑不腆敝賦詰朝請見詰朝平旦【音訓】見賢遍反對曰晉與魯衛兄弟也来告曰大國朝夕釋憾於敝邑之地大國謂齊敝邑魯衛自稱寡君不忍使羣臣請於大國無令輿師淹於君地輿衆也淹久也【附註】朱曰我晉君不忍魯衛之見伐故使我羣臣請命於齊國無使衆兵久留於齊地能進不能退【附註】林曰言晉師能進攻不能退保君無所辱命言自欲戰不復須君命【音訓】【圖】復扶又反齊侯曰大夫之許寡人之願也若其不許亦將見也齊高固



入晉師桀石以投人桀擔也【附註】林曰擔石以投晉人【音訓】【圖】擔丁甘反禽之而乘其車既獲其人因釋己車而載所獲者車繫桑木焉以徇齊壘將至齊壘以桑樹繫車而走欲自異曰欲勇者賈余餘勇賈賣也言己勇有餘欲賣之【音訓】賈音古癸酉師陳于鞌【音訓】陳直覲反邴夏御齊侯逄丑父為右晉解張御郤克鄭丘緩為右齊侯曰余姑翦滅此而後朝食姑且也翦盡也不介馬而馳之介甲也郤克傷於矢流血及屨未絕鼓音中軍將自執旗鼓故雖傷而擊鼓不息曰余病矣【附註】林曰郤克言我病甚矣欲退師張侯曰自始合而矢貫余手及肘余

折以御左輪朱殷豈敢言病吾子忍之張侯解張也朱血色血色久則殷殷音近煙今人謂赤黑為殷色言血多污車輪御猶不敢息【附註】林曰我折其矢以御兵車豈敢言病御車不敢息也【音訓】肘竹九反殷於閑於辰二反【註】污一故反緩曰自始合苟有險余必下推車子豈識之然子病矣以其不識己推車【音訓】推昌誰反又他回反張侯曰師之耳目在吾旗鼓進退從之此車一人殿之可以集事殿鎮也集成也【附註】朱曰言此中軍戎車苟以一人鎮之可以成勝齊之事若之何其以病敗君之大事也擐甲執兵固即死也擐貫也即就也【附註】朱曰固將決戰而就死地也病未及死吾子勉



之左并轡右援枹而鼓【附註】林曰郤克聞張侯之言乃左手并執馬轡右手援鼓搥而擊鼓【音訓】并音併援音爰枹音桴本亦作桴馬逸不能止師從之晉師從郤克車齊師敗績逐之三周華不注華不注山名【音訓】華如字又户化反韓厥夢子輿謂己曰且辟左右子輿韓厥父【附註】林曰言且避車左右兩偏【音訓】辟音避故中御而從齊侯居中代御者自非元帥御者皆在中將在左邴夏曰射其御者君子也【音訓】射食亦反下同公曰謂之君子而射之非禮也齊侯不知戎禮射其左越于車下越隊也【音訓】隊直類反射其右斃于車中綦毋張喪車從韓厥曰請寓乘綦毋張晉

大夫寓寄也【音訓】綦音其毋音無喪息浪反乘繩證反從左右皆肘之使立於後以左右皆死不欲使立其處【附註】林曰綦毋張欲從左右而載以左右皆死不欲使立其處故肘之韓厥俛定其右俛俯也右被射仆車中故俯安隱之【音訓】俛音勉【註】仆音赴又蒲北反逢丑父與公易位居公處【附註】林曰逢丑父為車右見事急故易位居公之處將及華泉驂絓於木而止驂馬絓也【音訓】華户化反絓音卦丑父寢於轏中轏士車【附註】林曰轏卧車也【音訓】轏音棧蛇出于其下以肱擊之傷而匿之故不能推車而及為韓厥所及丑父欲為右故匿其傷【附註】林曰為蛇傷其肱而藏匿之肱傷故不能推車而為晉所及韓厥執縶馬前縶馬絆也執之示修臣僕



之職【音訓】【註】絆音半再拜稽首奉觴加璧以進進觴璧亦以示敬曰寡君使羣臣為魯衛請曰無令與師陷入君地本但為二國救請不欲乃過入君地謙辭【音訓】為于偽反令力呈反下臣不幸屬當戎行無所逃隱屬適也【音訓】屬音燭行下郎反且懼奔辟而忝兩君臣辱戎士若奔辟則為辱晉君并為齊侯羞故言二君若此蓋韓厥自處臣僕謙敬之飾言【附註】林曰臣辱戎士臣辱為從戎之士【音訓】辟音避敢告不敏攝官承乏言欲以己不敏攝承空乏從君俱還【附註】林曰言欲攝齊之官承其空乏與齊君俱還【音訓】【註】從才用反又如字丑父使公下如華泉取飲故使齊侯下車往華泉取水因而走逸【附註】朱曰時丑父詐為諸侯代居君位

也鄭周父御佐車宛茷為右載齊侯以免佐車副車【附註】朱曰齊侯既如華泉齊之二臣以副車載齊侯而逃【音訓】宛平聲茷扶廢反韓厥獻丑父郤獻子將戮之呼曰自今無有代其君任患者有一於此將為戮乎【附註】林曰丑父叫呼而自言自今之世未有人臣代其君當任患難者僅有我一人代君任患乃以為罪而戮之乎【音訓】呼火故反任音壬郤子曰人不難以死免其君【音訓】難乃旦反我戮之不祥赦之以勸事君者乃免之齊侯免【附註】林曰齊侯既載副車以免求丑父三入三出重其代己故三入晉軍求之每出齊師以帥退入于狄卒齊師大敗皆有退心故齊侯輕



出其衆以帥厲退者遂迸入狄卒狄卒者狄人從晉討齊者【音訓】【註】輕遣政反迸補諍反狄卒皆抽戈楯冒之以入于衛師衛師免之狄衛畏齊之彊故不敢害齊侯皆共免護之【附註】林曰皆抽戈楯以覆冒齊侯入于衛師【音訓】楯食準反又音允遂自徐關入齊侯見保者曰勉之齊師敗矣所過城邑皆勉勵其守者辟女子使辟君也齊侯單還故婦人不辟之【音訓】辟音避一音扶赤反女子曰君免乎曰免矣曰銳司徒免乎曰免矣銳司徒主銳兵者曰苟君與吾父免矣可若何言餘人不可復如何乃奔走辟君齊侯以為有禮先問君後問父故也既而問之辟司徒之妻也辟司徒主壘壁者【音訓】辟音壁

予之石窌（石窌邑名濟北盧縣東有地名石窌【音訓】予音與窌音溜又力到反）晉師從齊師入自丘輿擊馬陘（丘輿馬陘皆齊邑）齊侯使賓媚人賂以紀甗玉磬與地（媚人國佐也甗玉甗皆滅紀所得【附註】林曰賂晉師以紀甗玉磬與魯衛之侵地朱曰賓姓媚人是族【音訓】甗魚彥言三音【諡】甗子孕反又慇陵反）不可則聽客之所為（【附註】林曰若晉師不許和則聽從晉人之所欲為）賓媚人致賂晉人不可曰必以蕭同叔子為質（同叔蕭君之字齊侯外祖父子女也難斥言其母故遠言之【音訓】質音致下同【諡】難乃旦反）而使齊之封內盡東其畝（使壟畝東西行【音訓】行戶郎反又如字）對曰蕭同叔子非他寡君之母也



若以匹敵則亦晉君之母也（【附註】林曰若以齊晉匹敵）吾子布大命於諸侯而曰必質其母以為信（言之則齊君之母亦晉君之母其為君之母一也）其若王命何（言違王命【附註】林曰先王以孝治天下令質其母是違王命）且是以不孝令也詩曰孝子不匱永錫爾類（詩大雅言孝心不乏者又能以孝道長賜其志類【附註】林曰長以己之孝識錫其疇類皆為孝也）若以不孝令於諸侯其無乃非德類也乎（不以孝德賜同類）先王疆理天下物土之宜而布其利（疆界也理正也物土之宜播殖之物各從土宜）故詩曰我疆我理南東其畝（詩小雅或南或東從其土宜）今吾子疆理

諸侯而曰盡東其畝而已唯吾子戎車是利（晉之伐齊循壟東行易【音訓】【諡】易以豉反）無顧土宜其無乃非先王之命也乎反先王則不義何以為盟主其晉實有闕（闕失）四王之王也（禹湯文武【音訓】之王于況反）樹德而濟同欲焉（樹立也濟成也【附註】林曰自立明德而成諸侯之所同欲）五伯之霸也（夏伯昆吾商伯大彭豕韋周伯齊桓晉文）勤而撫之以役王命（役事也【附註】林曰雖不能立德以成同欲然皆勤力以撫綏諸侯以奔走服役於王命不敢改先王之制度）今吾子求合諸侯以逞無疆之欲（疆竟也【音訓】【諡】竟如字又音境）詩曰布政優優百祿是遒（詩頌殷湯布政優和



故百祿來遒聚也）子實不優而棄百祿諸侯何害焉（言不能為諸侯害）不然（不見許）寡君之命使臣則有辭矣（【附註】朱曰齊君之命我使臣別有辭說如下文所云【音訓】使所吏反）曰子以君師辱於敝邑不腆敝賦以犒從者（戰而曰犒為孫辭【音訓】從才用反）畏君之震師徒撓敗（震動撓曲也【附註】林曰畏晉君震動之威齊之師從撓曲敗喪【音訓】撓乃教反）吾子惠徼齊國之福不泯其社稷使繼舊好唯是先君之敝器土地不敢愛子又不許請收合餘燼（燼火餘木）背城借一（欲於城下復借一戰）敝邑之幸亦云從也況其不幸敢不唯命是

聽（言完全之時尚不敢違晉令若不幸則從命【附注】朱曰齊國幸而得勝尚當唯晉命之是從何況不幸而又戰敗豈敢惟晉命之是聽乎）魯衛諫曰齊疾我矣（諫郤克也）其死亡者皆親暱也（【附注】林曰其戰敗而死亡者皆齊君親戚暱愛之人）子若不許讎我必甚唯子則又何求子得其國寶（謂甗磬）我亦得地（齊歸所侵）而紓於難（齊服則難緩【音訓】紓音舒一音直呂反難乃旦反）其榮多矣齊晉亦唯天所授豈必晉（【附注】林曰齊晉戰勝亦唯天意之所授則豈必晉國可以勝齊）晉人許之對曰（【附注】林曰對齊使）羣臣帥賦輿（賦與猶兵車）以為魯衛請（【音訓】為于偽反）若茍有以藉口而復於寡君（藉薦復白也【附注】林曰茍有所得藉薦於口而歸復命於晉君【音訓】藉在夜反）君之惠也敢不唯命是聽禽鄭自師逆公（禽鄭魯大夫歸逆公會晉師）秋七月晉師及齊國佐盟于爰婁使齊人歸我汶陽之田公會晉師于上鄍（上鄍地闕公會晉師不書史闕【音訓】鄍音冥）賜三帥先輅三命之服（三帥郤克士燮欒書已嘗受王先輅之賜今改而易新并此車所建所服之物）司馬司空輿帥候正亞旅皆受一命之服（晉司馬司空皆大夫輿帥主兵車候正主斥候亞旅亦大夫也皆魯侯賜）○八月宋文公卒始厚葬用蜃炭益車馬始用殉（燒蛤為炭以瘞壙多埋車馬用人從葬【音訓】蜃市忍反殉音徇）重



器備（重猶多也【音訓】重直恭反）椁有四阿棺有翰檜（四阿四注椁也翰旁飾檜上飾皆王禮【音訓】翰如字又音韓檜古外反又音會）君子謂華元樂舉於是乎不臣（【附注】林曰華元樂舉皆宋卿君子謂二人不能盡為臣之道）臣治煩去惑者也（【附注】林曰凡為人臣治君之煩去君之惑者也）是以伏死而爭今二子者君生則縱其惑（謂文十八年殺母弟須）死又益其侈是棄君於惡也何臣之為（若言何用為臣）○九月衛穆公卒晉三子自役弔焉哭於大門之外（師還過衛故因弔之未復命故不敢成禮【附注】林曰晉郤克士燮欒書自寗之役歸過衛因往弔焉）衛人逆之（逆於門外設喪位）婦人哭於門內（喪位婦人哭於堂賓在門外故移在門內）送亦如之遂常以葬（至葬行此禮）○楚之討陳夏氏也（在宣十一年）莊王欲納夏姬申公巫臣曰不可君召諸侯以討罪也今納夏姬貪其色也貪色為淫淫為大罰周書曰明德慎罰（周書康誥）文王所以造周也明德務崇之之謂也慎罰務去之之謂也若興諸侯以取大罰非慎之也君其圖之王乃止子反欲取之巫臣曰是不祥人也是夭子蠻（子蠻鄭靈公夏姬之兄殺死無後【音訓】殺申志反）殺御叔（御叔夏姬之夫亦早死）弒靈侯（陳靈公也）

戮夏南夏姬子徵舒出孔儀孔寧儀行父喪陳國楚滅陳【音訓】喪息浪反下【註】而喪同何不祥如是人生實難【附註】林曰人之有生實為難保其有不獲死乎言死易得無為取夏姬以速之【音訓】易以豉反【註】天下多美婦人何必是子反乃止王以予連尹襄老【音訓】予音與襄老死於邲不獲其尸邲戰在宣十二年其子黑要烝焉黑要襄老子【音訓】要一遙反巫臣使道焉曰歸吾聘女道夏姬使歸鄭【附註】林曰巫臣乃使人道意於夏姬使夏姬歸鄭言吾將就鄭聘汝【音訓】道音導女音汝又使自鄭召之【附註】林曰巫臣又使人詐自鄭來召夏姬曰尸可得也襄老尸必來逆之姬以告王



王問諸屈巫屈巫巫臣對曰其信【附註】林曰其事信然知罃之父成公之嬖也而中行伯之季弟也知罃父荀首也中行伯荀林父也邲之戰楚人囚知罃新佐中軍而善鄭皇戌甚愛此子愛知罃也其必因鄭而歸王子與襄老之尸以求之王子楚公子穀臣也邲之戰荀首囚之【附註】林曰以穀臣與襄老之尸求易知罃于楚鄭人懼於邲之役而欲求媚於晉其必許之王遣夏姬歸將行謂送者曰不得尸吾不反矣巫臣聘諸鄭鄭伯許之聘夏姬及共王即位將為陽橋之役楚伐魯至陽橋在此年冬使屈巫聘于齊且

告師期巫臣盡室以行室家盡去申叔跪從其父將適郢遇之叔跪申叔時之子【音訓】從才用反曰異哉夫子有三軍之懼而又有桑中之喜宜將竊妻以逃者也桑中衛風淫奔之詩【附註】林曰言巫臣往告師期是有三軍之懼將淫夏姬是有桑中之喜宜將竊夏姬以逃奔他國者也朱曰言巫臣出奔他國楚君必用兵討之是有三軍之可懼也將私取夏姬則是衛詩所謂期我乎桑中者又有此喜也一則以懼一則以喜宜其盡室以逃奔也及鄭使介反幣而以夏姬行介副也幣聘物【附註】林曰使副介反聘齊之幣帛遂取夏姬以行將奔齊齊師新敗【附註】林曰新敗于鞌曰吾不處不勝之國遂奔晉而因郤至至郤



克族子以臣於晉晉人使為邢大夫邢晉邑子反請以重幣錮之【國註】禁錮勿令仕【音訓】令力呈反王曰止其自為謀也則過矣【附註】朱曰言巫臣私取夏姬而奔其自為一身之謀則過誤矣【音訓】為于僞反又如字其為吾先君謀也【國註】則忠是忠於先君也【附註】朱曰其諫莊王勿納夏姬【音訓】為于僞反社稷之固也所蓋多矣蓋覆也【附註】林曰言巫臣諫君之忠足以蓋覆其淫奔之罪且彼若能利國家雖重幣晉將可乎言不許若無益于晉晉將棄之何勞錮焉為七年楚滅巫臣族晉南通吳張本○晉師歸【附註】林曰勝齊而歸范文子後入武子曰無為吾望爾也乎武子

（士會文子之父【附註】林曰言文子後入獨不為我望汝之功乎【音訓】為于偽反）對
曰師有功國人喜以逆之先入必屬耳目
焉（【附註】林曰若先入國人必屬耳目於我以為皆我之功【音訓】屬音燭）是代
帥受名也故不敢武子曰吾知免矣（知其不益
己禍）郤伯見公公曰子之力也夫對曰君之訓
也二三子之力也臣何力之有焉（郤伯郤克【音訓】
見賢遍反下同）范叔見勞之如郤伯（【音訓】勞力報反）對曰
庚所命也克之制也燮何力之有焉（荀庚將上
軍時不出范文子上軍佐代行故稱帥以讓）欒伯見公亦如之
對曰燮之詔也士用命也書何力之有焉

左傳廿七　十七

（詔告也欒書下軍帥故推功上軍傳言晉將帥克讓所以能勝齊）○宣公
使求好于楚莊王卒宣公薨不克作好（在宣
十八年）公即位受盟于晉（元年盟赤棘）會晉伐齊
衛人不行使于楚（不聘楚使所吏反【音訓】）而亦受盟
于晉從於伐齊故楚令尹子重為陽橋之
役以救齊將起師子重曰君弱（傳曰寡人生十年而
喪先君共王即位至是三年蓋年十二三矣）羣臣不如先大夫
（【附註】林曰言楚之諸臣不如先大夫孫叔敖等）師衆而後可詩曰
濟濟多士文王以寧（詩大雅言文王以衆士安）夫文王
猶用衆況吾儕乎（儕等）且先君莊王屬之（【音訓】

屬音燭）曰無德以及遠方莫如惠恤其民而
善用之乃大戶（閱民戶口）已責（棄逋責）逮鰥（施及老鰥）
（【音訓】施始豉反）救乏赦罪悉師（【附註】林曰盡起楚師）王卒
盡行彭名御戎蔡景公為左許靈公為右
（王卒盡行故王戎車亦行雖無楚王令二君當左右之位【音訓】令力呈反）二
君弱皆強冠之（【附註】林曰強冠之使若成人【音訓】強其丈反冠古亂
反）冬楚師侵衛遂侵我師于蜀（公賂之而退故不書）
（侵【附註】林曰楚師軍于蜀）使臧孫往（臧孫宣叔也）辭曰楚遠
而久固將退矣（【附註】林曰言楚道遠而又久出固將自退師）無
功而受名臣不敢（不敢虛受退楚名【附註】林曰蓋臧宣叔不欲使

左傳廿七　十八

楚而孫以求免）楚侵及陽橋（陽橋魯地）孟孫請往賂
之以（楚侵遂深故孟孫請以賂往孟孫獻子也）執斲執鍼織紝
（執斲匠人執鍼女工織紝織繒布者【音訓】鍼之林反紝女金而鴆二反）皆百
人公衡為質（公衡成公子）以請盟楚人許平十
一月公及楚公子嬰齊蔡侯許男秦右大
夫說宋華元陳公孫寧衛孫良夫鄭公子
去疾及齊國之大夫盟于蜀（齊大夫不書其名非卿也）
（【音訓】說音悅）卿不書匱盟也於是乎畏晉而竊
與楚盟故曰匱盟（匱乏也【附註】林曰言匱乏之而盟）蔡侯許
男不書乘楚車也謂之失位（乘楚王車為左右則失位）

也卿不書則稱人諸侯不書皆不見經君臣之别【音訓】□見賢遍反君子曰位其不可不慎也乎蔡許之君一失其位不得列於諸侯況其下乎詩曰不解于位民之攸塈詩大雅言在上者勤正其位則國安而民息也攸所也塈息也其是之謂矣○楚師及宋【附註】林曰楚師自盟蜀而歸至宋也公衡逃歸臧宣叔曰衡父不忍數年之不宴宴樂也【附註】林曰衡父即公衡以棄魯國【附註】朱曰言逃歸則失信於楚以生禍患是棄魯國也國將若之何【附註】林曰將如國家之事何誰居後之人必有任是夫國棄矣居辭也言後人必有當此患【附註】朱曰居助語也後人必有當此患者不知誰歟魯國為



公衡所棄矣【音訓】居音基任音壬是行也晉辟楚畏其衆也【音訓】辟音避君子曰衆之不可以已也【附註】林曰言衆之不可以止而不用大夫為政猶以衆克況明君而善用其衆乎大誓所謂商兆民離周十人同者衆也大誓周書萬億曰兆民離則弱合則成衆言殷以散亡周以衆興○晉侯使鞏朔獻齊捷于周王不見使單襄公辭焉曰蠻夷戎狄不式王命式用也淫湎毀常王命伐之則有獻捷王親受而勞之【音訓】勞力報反所以懲不敬勸有功也【附註】朱曰言必獻捷者一則以懲戒四夷之不敬一則以勸勉方伯之有功也兄弟

甥舅侵敗王略兄弟同姓國甥舅異姓國略經略法度王命伐之告事而已不獻其功所以敬親暱告伐事而不獻囚俘禁淫慝也淫慝為虣掠百姓取囚俘、也【音訓】□虣薄報反今叔父克遂有功于齊克能也而不使命卿鎮撫王室所使来撫余一人而鞏伯實来未有職司於王室鞏朔上軍大夫非命卿名位不達於王室【附註】朱曰今晉所使来撫綏乎天子者是乃上軍之大夫鞏朔實、来又奸先王之禮謂獻齊捷余雖欲於鞏伯欲受其獻其敢廢舊典以忝叔父夫齊甥舅之國也而大師之後也齊世與周昏故曰甥舅【附註】林曰太公為周大師封於齊故曰大師之後



寧不亦淫從其欲以怒叔父【附註】林曰言齊豈不亦以淫亂從肆其嗜欲以取怨於晉國【音訓】從音縱抑豈不可諫誨【附註】林曰抑豈不可諫止而教誨之乃至戰伐兵争之慘士莊伯不能對莊伯鞏朔王使委於三吏委屬也三吏三公也禮之如侯伯克敵使大夫告慶之禮降於卿禮一等王以鞏伯宴而私賄之使相告之曰非禮也勿籍相相禮者籍書也王畏晉故私宴賄以慰鞏朔【附註】林曰言此宴賄皆非禮之正也勿書此以為禮典【音訓】相式亮反

【經】三年【癸酉】春王正月公會晉侯宋公衛侯曹伯伐鄭宋衛未葬而稱爵以接鄰國非禮也○辛亥葬衛穆

公（無傳）○二月公至自伐鄭（無傳）○甲子新宮災三日哭（無傳。三年喪畢，宣公神主新入廟，故謂之新宮。書三日哭，善得禮。宗廟親之神靈所馮居，而遇災，故哀而哭之。【音訓】馮皮冰反）○乙亥葬宋文公（無傳。七月而葬，緩）○夏公如晉○鄭公子去疾帥師伐許（【附註】林曰：鄭始書大夫將）○公至自晉（無傳）○秋叔孫僑如帥師圍棘（棘，汶陽田之邑，在濟北蛇丘縣。【音訓】蛇以支反，一音如字）○大雩（無傳。以過時書）○晉郤克衛孫良夫伐廧咎如（赤狄別種。【音訓】廧音牆，咎音臯）○冬十有一月晉侯使荀庚來聘○衛侯使孫良夫來聘○丙午及荀庚盟（【附註】林曰：聘而遂盟之，於是始）○丁未及孫良夫



盟（先晉後衛，尊霸主）○鄭伐許（無傳。不書將帥，告辭略。【附註】林曰：狄鄭也。楚之伯，鄭為之也。由齊桓以來，爭鄭於楚。桓公卒，鄭始朝楚，諸夏之變於夷，鄭為亂階也。至辰陵，鄭帥諸夏而事楚矣。敗晉于邲，盟十四國之君大夫于蜀，皆鄭為之。是故狄秦而後狄鄭，徼秦鄭，中國無左袵矣）

【傳】三年春，諸侯伐鄭，次于伯牛，討邲之役也（伯牛，鄭地。邲役在宣十二年）。遂東侵鄭（晉潛軍深入）。鄭公子偃帥師禦之（偃，穆公子），使東鄙覆諸鄤（覆，伏兵。【音訓】覆扶又反，鄤音瞞，又音萬），敗諸丘輿（鄤、丘輿，皆鄭地。晉偏軍為鄭所敗，故不書）。皇戌如楚獻捷○夏公如晉，拜汶陽之田（前年晉使齊歸魯汶陽田故）○許恃楚而不事鄭，

鄭子良伐許（【附註】林曰：子良即公子去疾）○晉人歸楚公子穀臣與連尹襄老之尸于楚，以求知罃（邲之戰，楚獲知罃）。于是荀首佐中軍矣（荀首，知罃父），故楚人許之。王送知罃，曰：「子其怨我乎？」對曰：「二國治戎，臣不才，不勝其任，以為俘馘。執事不以釁鼓（以血塗鼓為釁鼓），使歸即戮，君之惠也（【附註】林曰：使歸就戮于晉）。臣實不才，又誰敢怨？」王曰：「然則德我乎？」對曰：「二國圖其社稷，而求紓其民（紓，緩也），各懲其忿以相宥也（宥，赦也），兩釋纍囚以成其好（纍，繫也。【音訓】纍力追反）。二國有好，



臣不與及，其誰敢德？」（言二國本不為己。【音訓】與音預。【註】為于偽反）王曰：「子歸，何以報我？」對曰：「臣不任受怨，君亦不任受德（【附註】林曰：任，當也。言臣不當受怨楚之名，楚君亦不當受德臣之名。【音訓】任音壬），無怨無德，不知所報。」王曰：「雖然，必告不穀。」對曰：「以君之靈，纍臣得歸骨於晉，寡君之以為戮，死且不朽（戮其不勝任）。若從君之惠而免之，以賜君之外臣首（稱於異國君曰外臣。【附註】林曰：首，荀首），首其請於寡君，而以戮於宗，亦死且不朽。若不獲命（君不許戮），而使嗣宗職（嗣其祖宗之位職），次及於事（【附註】林曰：以次第而及於晉國），

之政事而帥偏師【附註】林曰卿當帥師曰偏師者不敢言全軍以脩封疆雖遇執事遇楚將帥其弗敢違違辟也其竭力致死無有二心以盡臣禮所以報也王曰晉未可與爭重為之禮而歸之○秋叔孫僑如圍棘取汶陽之田棘不服故圍之僑如叔孫得臣子○晉郤克衛孫良夫伐廧咎如討赤狄之餘焉宣十五年晉滅赤狄潞氏其餘民散八廧咎如故討之廧咎如潰上失民也此傳釋經之文而經無廧咎如潰蓋經闕此四字○冬十一月晉侯使荀庚来聘且尋盟尋元年赤棘盟荀庚林父之子衛侯使孫良夫来



聘且尋盟尋宣七年盟公問諸臧宣叔曰中行伯之於晉也其位在三下卿孫子之於衛也位為上卿將誰先對曰次國之上卿當大國之中中當其下下當其上大夫降一等小國之上卿當大國之下卿中當其上大夫下當其下大夫降大國二等上下如是古之制也古制公為大國侯伯為次國子男為小國衛在晉不得為次國春秋時以強弱為大小故衛雖侯爵猶為小國晉為盟主其將先之計等則二人位敵以盟主故先晉丙午盟晉丁未盟衛禮也○十二月甲戌晉作六軍為六軍僭王也

萬二千五百人為軍韓厥趙括鞏朔韓穿荀騅趙旃皆為卿賞鞌之功也韓厥為新中軍趙括佐之鞏朔為新上軍韓穿佐之荀騅為新下軍趙旃佐之晉舊自有三軍今增此故為六軍【音訓】騅音佳○齊侯朝于晉將授玉行朝禮郤克趨進曰此行也君為婦人之笑辱也寡君未之敢任言齊侯之来以謝婦人之笑非為脩好故云晉君不任當此惠【音訓】為于偽反下同晉侯享齊侯齊侯視韓厥韓厥曰君知厥也乎齊侯曰服改矣戎朝異服也言服改明識其人韓厥登舉爵曰臣之不敢愛死為兩君之在此堂也【附註】林曰言臣之致死力於行陳之間為欲齊晉和好兩君之會聚



於此堂也○荀罃之在楚也鄭賈人有將寘諸褚中以出【附註】林曰褚絮也鄭之賈人貿易于楚有將藏荀罃於褚絮之中以出歸晉既謀之未行而楚人歸之賈人如晉荀罃善視之如實出己賈人曰吾無其功敢有其實乎吾小人不可以厚誣君子【附註】林曰不可以一時虛謀重誣君子受其實惠遂適齊傳言知罃之賢

【經】四年【甲戌】春宋公使華元来聘○三月壬申鄭伯堅卒無傳二年大夫盟于蜀壬申二月二十八日○杞伯来朝○夏四月甲寅臧孫許卒無傳○公如晉○葬鄭襄公無傳○秋公至自晉○冬城鄆無傳

公欲叛晉故城而為備○鄭伯伐許

【傳】四年春宋華元來聘通嗣君也宋共公即位○杞伯來朝歸叔姬故也將出叔姬先脩禮朝魯言其故○夏公如晉晉侯見公不敬季文子曰晉侯必不免言將不能壽終也後十年晉厠而死詩曰敬之敬之天惟顯思命不易哉詩頌言天道顯明受其命甚難不可不敬以奉之夫晉侯之命在諸侯矣可不敬乎敬諸侯則得天命【附註】朱曰言晉侯為諸侯盟主諸侯之從違天命之去留係焉不敬諸侯是所以自絕于天也○秋公至自晉欲求成于楚而叛晉【附註】朱曰公怒晉侯不敬己故欲與楚結好而叛晉季文



子曰不可晉雖無道未可叛也國大臣睦而邇於我邇近也諸侯聽焉未可以貳聽服也史佚之志有之周文王大史曰非我族類其心必異楚雖大非吾族也與魯異姓其肯字我乎字愛也公乃止○冬十一月鄭公孫申帥師疆許田前年鄭伐許侵其田令正其界許人敗諸展陂鄭伯伐許取鉏任泠敦之田展陂亦許地【音】任音壬泠音零○晉欒書將中軍代郤克荀首佐之士燮佐上軍以救許伐鄭取氾祭氾祭鄭地成皋縣東有氾水【音】氾音凡或音祀祭側界反楚子反救鄭鄭伯與許男訟焉於子反前爭曲直皇戌攝鄭伯之辭代之對子反不能決也曰君若辱在寡君【附註】林曰子反告鄭許二君曰君若屈辱自至楚國寡君與其二三臣共聽兩君之所欲成其可知也欲使自屈在楚子前決之【附註】林曰成平也二國之平其可知也不然側不足以知二國之成側子反名為明年許愬鄭於楚張本○晉趙嬰通于趙莊姬趙嬰趙盾弟莊姬趙朔妻朔盾之子【附註】朱曰莊姬晉成公之女

【經】五年【乙亥】春王正月杞叔姬來歸出也傳在前年○仲孫蔑如宋○夏叔孫僑如會晉荀首于穀穀齊地○梁山崩記異也梁山在馮翊夏陽縣北○秋大水



無傳○冬十有一月己酉天王崩○十有二月己丑公會晉侯齊侯宋公衛侯鄭伯曹伯邾子杞伯同盟于蟲牢蟲牢鄭地陳留封丘縣北有桐牢

【傳】五年春原屏放諸齊放趙嬰也原同屏季嬰之兄【附註】林曰放者宥之以遠也【音】屏平聲嬰曰我在故欒氏不作【附註】林曰言我在晉國故欒氏不敢作亂以害趙氏我亡吾二昆其憂哉【附註】林曰我若出亡我二兄原屏其有憂患哉言必為欒氏所害且人各有能有不能言己雖淫而能令莊姬護趙氏舍我何害【音】舍音捨弗聽嬰夢天使謂己祭余余福女【音】女音汝使問諸士貞伯貞伯曰不識也

既而告其人【訓】自告貞伯從人【音訓】從才用反【音】曰神福仁
而禍淫淫而無罰福也祭其得亡乎以得故遣
為福祭之之明日而亡為八年晉殺趙同趙括傳○孟獻
子如宋報華元也前年宋華元來聘○夏晉荀首
如齊逆女故宣伯餫諸穀野饋日餫運糧饋之穀大國也
【音訓】餫音鄆○梁山崩晉侯以傳召伯宗傳驛【音訓】
傳中戀反下同伯宗辟重曰辟傳重載之車朱日辟開也伯【附註】
宗既行適有重載之車在道故伯宗辟之使遲也【音訓】上辟匹亦反本又作避下辟
音避重人曰待我不如捷之速也【註】捷邪出【附註】朱曰若
使我退而避汝不若取捷徑之為速也問其所曰絳人也問
絳事焉曰梁山崩將召伯宗謀之問將若
之何曰山有朽壤而崩可若何國主山川
主謂所主祭故山崩川竭君為之不舉去盛饌【音訓】為
于偽反降服損盛服乘縵車無文【音訓】乘平聲縵音謾徹樂
息八音出次舍於郊祝幣陳王帛史辭自罪責以禮
焉禮山川其如此而已雖伯宗若之何【附註】朱曰
晉君雖召伯宗謀之將如之何哉重人不識其為伯宗故答言如此伯宗請
見之見之於晉君【音訓】見賢遍反不可不肯見遂以告而
從之從重人言【音訓】林曰伯宗遂以重人所言告於景公從而行之○許
靈公愬鄭伯于楚前比年鄭伐許故六月鄭悼公

左傳十二　二十七

如楚訟不勝楚人執皇戌及子國以鄭伯不直故
也子國鄭穆公子故鄭伯歸使公子偃請成于晉
秋八月鄭伯及晉趙同盟于垂棘垂棘晉地○
宋公子圍龜為質于楚而歸圍龜文公子華元
享之請鼓譟以出鼓譟以復入出入輒擊鼓【音訓】復
扶又反曰習攻華氏宋公殺之蓋宣十五年宋楚平後華
元使圍龜代己為質故怨而欲攻華氏【附註】林曰宋公惡其欲為亂故殺圍龜○
冬同盟于蟲牢鄭服也諸侯謀復會宋公
使向為人辭以子靈之難子靈圍龜也宋公不欲會以新
誅子靈為辭為明年侵宋傳【音訓】難乃旦反○十一月己酉定

左傳十二　二十八

王崩經在蟲牢盟上傳在下月倒錯衆家傳悉無此八字或衍文
【經】六年【丙子】春王正月公至自會無傳○二月
辛巳立武宮魯人自鞌之功至今無患故築武軍又作先君武公宮以告事
欲以示後世○取鄟附庸國也【音訓】鄟音專又市兗反○衛孫良
夫帥師侵宋○夏六月邾子來朝無傳○公孫
嬰齊如晉嬰齊叔肸子○壬申鄭伯費卒前年同盟蟲牢
○秋仲孫蔑叔孫僑如帥師侵宋○楚公子
嬰齊帥師伐鄭○冬季孫行父如晉○晉欒
書帥師救鄭
【傳】六年春鄭伯如晉拜成謝前年再盟子游相

子游公子偃【訓】相式亮反【音】授玉于東楹之東禮授玉兩楹之間鄭伯行疾故東過士貞伯曰鄭伯其死乎自棄也已【附註】林曰自棄於禮也已視流而行速不安其位宜不能久視流不端諦【附註】林曰兩楹之間諸侯授王之位也今東過故言不安其位【訓】諦音帝【音訓】○二月季文子以牽之功立武宮非禮也宣十二年潘黨勸楚子立武軍楚子荅以武有七德非已所堪其爲先君宮告成事而已今魯倚晉之功又非霸主而立武宮故譏之聽於人以救其難不可以立武立武由已非由人也言請人救難勝非已功【音訓】難乃旦反○取鄟言易也【附註】林曰不用師徒言易取也○三月晉伯宗夏陽說

左傳卄二　二十九

衛孫良夫甯相鄭人伊雒之戎陸渾蠻氏侵宋夏陽說晉大夫蠻氏戎別種也河南新城縣東南有蠻城經唯書孫良夫獨衛告也【音訓】說音悅相式亮反雒音洛渾音魂以其辭會也辭會在前年師于鍼【附註】林曰晉師軍于鍼地【音訓】鍼音鈐又音針衛人不保不守備說欲襲衛曰雖不可入多俘而歸【附註】林曰晉夏陽說欲掩襲衛人之不備言雖不可入衛之國多執俘獲而歸有罪不及死【附註】林曰縱使有罪不至當死伯宗曰不可衛唯信晉故師在其郊而不設備若襲之是棄信也雖多衛俘而晉無信何以求諸侯乃止師還衛人登陴聞說謀故【附註】林曰城之有陴所以

禦戰鬭也【訓】陴音脾【音】○晉人謀去故絳晉復命新田爲絳故謂此故絳諸大夫皆曰必居郇瑕氏之地郇瑕古國名河東解縣西北有郇城【音訓】郇音荀沃饒而近盬盬鹽也猗氏縣盬池是【訓】盬音古國利君樂不可失也【附註】林曰民富則國享其利國利則君享其樂不可失此地利【音訓】樂音洛韓獻子將新中軍且爲僕大夫兼大僕【音訓】將子匠反下註軍將同公揖而入【附註】朱曰景公揖獻子而入之獻子從公立於寢庭路寢之庭謂獻子曰何如問諸大夫言是非對曰不可郇瑕氏土薄水淺土薄地下其惡易覯惡疾疢覯成也【音】易以豉反【訓】疢勑覲反易覯則民愁民愁則墊隘

左傳卄十　三十

墊隘羸困也【音訓】墊音玷於是乎有沈溺重膇之疾沈溺溼疾重膇足腫【音訓】溺乃歷反膇直僞直媿二反不如新田今平陽絳邑縣是土厚水深居之不疢高深故有汾澮以流其惡汾水出大原經絳北西南入河澮水出平陽絳縣南西入汾惡垢穢且民從教無災患【附註】林曰其民醇厚從上之教令十世之利也【附註】林曰國君即位爲一世此言十世之利取其數之小成也夫山澤林盬國之寶也國饒則民驕佚財易致則民驕侈近寶公室乃貧不可謂樂近寶則民不務本公說從之【音訓】說音悅夏四月丁丑晉遷于新田爲季孫如晉傳○六月鄭悼公卒終士貞伯之言○子叔聲

伯如晉命伐宋（晉人命聲伯【附註】林曰聲伯即嬰齊）秋孟獻子叔孫宣伯侵宋晉命也○楚子重伐鄭（【附註】林曰子重即公子嬰齊）鄭從晉故也（前年從晉盟）○冬季文子如晉賀遷也○晉欒書救鄭與楚師遇於繞角（繞角鄭地）楚師還晉師遂侵蔡楚公子申公子成以申息之師救蔡（申息楚二縣）禦諸桑隧（汝南朗陵縣東有桑里在上蔡西南）趙同趙括欲戰請於武子武子將許之（武子欒書）知莊子（荀首中軍佐）范文子（士燮上軍佐）韓獻子（韓厥新中軍將）諫曰不可吾來救鄭楚師去我（【附註】林曰楚子重還師不與我校）吾遂至於此（此蔡地）是遷戮也（【附註】林曰是因救鄭而還怒以戮蔡）戮而不已又怒楚師戰必不克（還戮不義怒敵難當故不克）雖克不令（【附註】朱曰幸而勝楚亦負不善之名）成師以出而敗楚之二縣何榮之有焉（六軍悉出故曰成師以大勝小不足為榮）若不能敗為辱已甚不如還也乃遂還於是軍帥之欲戰者衆或謂欒武子曰聖人與衆同欲是以濟事子盍從衆（盍何不也）子為大政（中軍元帥）將酌於民者也（酌取民心以為政）子之佐十一人（六軍之卿佐）其不欲戰者三人而已（知范韓也）欲戰者可謂衆矣

商書曰三人占從二人衆故也（商書洪範）武子曰善鈞從衆（鈞等也）夫善衆之主也（【附註】林曰人心所同然者善故曰衆之主也）三卿為主可謂衆矣（三卿皆晉之賢人）從之不亦可乎（傳善欒書得從衆之義且為八年晉侵蔡傳）

【經】七年【丁丑】春王正月鼷鼠食郊牛角改卜牛鼷鼠又食其角乃免牛（無傳稱牛未卜日免放也免牛可也不郊非禮也【音訓】鼷音兮）○吳伐郯（【附註】林曰吳始見經吳始入伐中國【音訓】郯音談）○夏五月曹伯來朝○不郊猶三望（無傳書不郊間有事三望非禮）○秋楚公子嬰齊帥師伐鄭○公會晉侯齊侯宋公衛侯曹伯莒子邾子杞伯救鄭○八月戊辰同盟于馬陵（馬陵衛地陽平元城縣東南有地名馬陵）○公至自會（無傳）○吳入州來（州來楚邑淮南下蔡縣是也）○冬大雩（無傳書過）○衛孫林父出奔晉

【傳】七年春吳伐郯郯成（【附註】林曰郯及吳平）季文子曰中國不振旅蠻夷入伐而莫之或恤（振整也旅衆也【附註】林曰傳例出曰治兵入曰振旅此言中國不振旅者蓋以晉景自邲之敗中國不能振整師旅而歸）無弔者也夫（言中國不能相愍恤故夷狄內侵）詩曰不弔昊天亂靡有定其此之謂

乎詩小雅刺在上者不能弔愍下民故蹶天告亂【音訓】【註】蹶户刀反有上不弔其誰不受亂上謂霸主吾亡無日矣君子曰知懼如是斯不亡矣○鄭子良相成公以如晉【附註】林曰鄭成公新立故子良相之以朝于晉【音訓】相式亮反見且拜師謝前年晉救鄭之師為楚伐鄭張本【音訓】見賢遍反○夏曹宣公來朝○秋楚子重伐鄭師于汜汜鄭地在襄城縣南諸侯救鄭鄭共仲侯羽軍楚師二子鄭大夫【附註】林曰軍楚師攻楚師也【音訓】共音恭囚鄖公鍾儀獻諸晉【附註】林曰鍾儀楚鄖縣大夫鄭人囚之【音訓】鄖音云八月同盟于馬陵尋蟲牢之盟且莒服故也蟲牢盟在五年莒本屬齊齊服故莒從之○晉人以鍾儀歸囚諸軍府軍藏府也為九年晉侯見鍾儀張本【音訓】【註】藏才浪反○楚圍宋之役在宣十四年師還子重請取於申呂以為賞田王許之分申呂之田以自賞【註】林曰申呂楚二邑【附】申公巫臣曰不可此申呂所以邑也是以為賦以御北方若取之是無申呂也言申呂賴此田成邑耳不得此田則無以出兵賦而二邑壞也【音訓】御音禦晉鄭必至于漢王乃止子重是以怨巫臣子反欲取夏姬巫臣止之遂取以行子反亦怨之及共王即位楚共王以魯成公元年即位子重子反殺巫臣之族

子閻子蕩及清尹弗忌【音訓】皆巫臣之族閻音鹽及襄老之子黑要以夏姬故并怨黑要而分其室子重取子閻之室使沈尹與王子罷分子蕩之室【音訓】罷音皮下同子反取黑要與清尹之室巫臣自晉遺二子書子重子反【音訓】遺唯季反曰爾以讒慝貪惏事君【附註】朱曰讒慝謂二子譖於君以滅其族貪惏謂二子利其財以分其室【音訓】惏力含反而多殺不辜余必使爾罷於奔命以死【附註】朱曰困於奔命而死奔命謂奔走君命以救邊境之急巫臣請使於吳【音訓】使所吏反晉侯許之吳子壽夢說之乃通吳于晉壽夢季札父【附註】林曰喜悅巫臣之為人【音訓】說音悅夢莫公反以兩之一卒適吳舍偏兩之一焉司馬法百人為卒二十五人為兩車九乘為小偏十五乘為大偏蓋留九乘車及一兩二十五人令吳習之與其射御【附註】林曰先是吳未嘗射御故巫臣與其射御教吳乘車教之戰陳【音訓】陳直覲反教之叛楚前是吳常屬楚寘其子狐庸焉【附註】林曰巫臣又留其子狐庸於吳使為行人於吳吳始伐楚伐巢伐徐巢徐楚屬國子重奔命救徐巢馬陵之會吳入州來子重自鄭奔命因伐鄭而行子重子反於是乎一歲七奔命蠻夷屬於楚者吳盡取之是以始大通吳於上國上國諸夏○衛定公

惡孫林父冬孫林父出奔晉林文孫良夫之子音訓惡
烏路反衛侯如晉晉反戚焉戚林父邑林父出奔戚隨屬晉

經八年戊寅春晉侯使韓穿來言汶陽之田
歸之于齊齊服事晉故晉來語魯使還二年所取田○晉欒書帥
師侵蔡○公孫嬰齊如莒○宋公使華元來
聘○夏宋公使公孫壽來納幣昏聘不使卿今華元將命
故特書之宋公無主昏者自命之故稱使也公孫壽蕩意諸之父○晉殺其
大夫趙同趙括傳曰原屏咎之徒也明本不以德義自居宜其見討故從
告辭而稱名○秋七月天子使召伯來賜公命諸侯
即位天子賜以命圭與之合瑞八年乃來緩也天子天王王者之通稱○冬十



月癸卯杞叔姬卒前五年來歸者女既適人雖見出棄猶以成人禮書
之終為杞伯所葬故稱杞叔姬○晉侯使士燮來聘○叔孫
僑如會晉士燮齊人邾人伐郯先謀而稱會盟主之命不
同之於列國○衛人來媵古者諸侯取適夫人及左右媵各有姪娣皆同
姓之國國三人凡九女所以廣繼嗣也魯將嫁伯姬於宋故衛來媵之

傳八年春晉侯使韓穿來言汶陽之田歸
之于齊季文子餞之餞送行飲酒私焉私與之言曰
大國制義以為盟主是以諸侯懷德畏討
無有貳心謂汶陽之田敝邑之舊也而用
師於齊使歸諸敝邑用師鞌之戰今有二命曰



歸諸齊信以行義義以成命小國所望而
懷也信不可知義無所立附註林曰或與或奪而信不可
知奪魯與齊而義無所立四方諸侯其誰不解體言不復肅
敬於晉詩曰女也不爽士貳其行士也罔極
二三其德爽差也極中也詩衛風婦人怨丈夫不一其行喻魯事晉猶女
之不敢過差而晉有罔極之心反二三其德音訓差初賣反又初佳反○七年
之中一與一奪二三孰甚焉士之二三猶
喪妃耦而況霸主音訓喪息浪反妃音配霸主將德
是以以用也而二三之其何以長有諸侯乎
音訓長如字一音丁丈反詩曰猶之未遠是用大簡猶圖



也簡諫也詩大雅言王者圖事不遠故用大道諫之行父懼晉之不
遠猶而失諸侯也是以敢私言之○晉欒
書侵蔡六年未得志故遂侵楚獲申驪申驪楚大夫楚
師之還也謂六年遇於繞角晉侵沈獲沈子揖初
從知范韓也繞角之役欒書從知莊子范文子韓獻子之言不與楚戰
自是常從其謀師出有功故傳善之沈國今汝南平輿縣附註林曰沈屬楚小國
子名揖音訓揖音集又於立反圖平與音餘一音預君子曰從善如
流宜哉宜有功也如流喻速詩曰愷悌君子遐不作
人遐遠也作用也詩大雅言文王能遠用善人不語助求善也附註林曰
求善人而用之也夫作人斯有功績矣是行也鄭

伯將會晉師會伐蔡之師門于許東門大獲焉過許見其無備因攻之【音訓】註過古禾反○聲伯如莒逆也自為逆婦而書者因聘而逆【音訓】註為于偽反下為趙嬰同○宋華元來聘聘共姬也穆姜之女成公姊妹為宋共公夫人聘不應使卿故傳發其事而已○夏宋公使公孫壽來納幣禮也納幣應使卿○晉趙莊姬為趙嬰之亡故譖之于晉侯趙嬰亡在五年曰原屏將為亂欒郤為徵欒氏郤氏亦徵其為亂六月晉討趙同趙括【附註】林曰即原同屏括武從姬氏畜于公宮趙武莊姬之子莊姬晉成公女畜養也以其田與祁奚【附註】林曰以趙氏之曰邑與晉大夫祁奚韓



厥言於晉侯曰成季之勳宣孟之忠成季趙衰宣孟趙盾【附註】林曰趙衰有從晉文公出亡之勳趙盾有相晉擁立靈成之忠而無後為善者其懼矣三代之令王皆數百年保天之祿夫豈無辟王賴前哲以免也言三代亦有邪辟之君但賴其先人以免禍耳【音訓】辟音僻下同周書曰不敢侮鰥寡所以明德也周書康誥言文王不侮鰥寡而德益明欲晉侯之法文王乃立武而反其田焉○秋召桓公來賜公命召桓公周卿士○晉侯使申公巫臣如吳假道于莒與渠丘公立於池上渠丘公莒子朱也池城池也渠丘邑名莒縣有蘧里曰城已惡【附註】林曰言莒之城壁已壞已猶太也惡如字【音訓】莒子曰辟陋在夷其孰以我為虞虞度也【附註】林曰其孰虞度思弁我國對曰夫狡焉狡猾之人思啓封疆以利社稷者何國蔑有唯然故多大國矣【附註】朱曰唯其如此所以互相吞併而大國日多也唯或思或縱也世有思開封疆者有縱其暴掠者莒人當唯此為命勇夫重閉況國乎為明年莒潰傳【附註】朱曰假使匹夫之勇猶且重閉門關以自固況有國家者而恃陋而不備乎【音訓】重直龍反又直勇反○冬杞叔姬卒來歸自杞故書愍其見出來歸故書卒也若更適大夫則不復書卒○晉士燮來聘言伐郯也【附註】林曰召魯會師伐郯以其事吳故七年郯與吳成公賂之



請緩師【附註】林曰請緩伐郯之師期文子不可文子士燮曰君命無貳【附註】朱曰言奉君命者不受他人之命失信不立【附註】林曰失信於君則無以自立禮無加貨【附註】林曰朝聘有贈賄之禮無有加貨況受賂乎事無二成公私不兩成君後諸侯【附註】林曰魯君若後諸侯之期是寡君不得事君也欲與魯絕燮將復之【附註】林曰將以魯請緩師復命於晉君季孫懼使宣伯帥師會伐郯○衛人來媵共姬禮也凡諸侯嫁女同姓媵之異姓則否必以同姓者參骨肉至親所以息陰訟

【經】九年【己卯】春王正月杞伯來逆叔姬之喪

以歸○公會晉侯齊侯宋公衛侯鄭伯曹伯莒子杞伯同盟于蒲蒲衛地在長垣縣西南○公至自會無傳○二月伯姬歸于宋宋不使卿逆非禮○夏季孫行父如宋致女女嫁三月又使大夫隨加聘問謂之致女所以致成婦禮篤昏姻之好○晉人來媵媵伯姬也○秋七月丙子齊侯無野卒無傳五同盟丙子六月一日書七月從赴○晉人執鄭伯鄭伯既受盟于蒲又受楚賂會于鄧故晉執之稱人者晉以無道於民告諸侯例在十五年○晉欒書帥師伐鄭○冬十有一月葬齊頃公無傳○楚公子嬰齊帥師伐莒庚申莒潰民逃其上曰潰○楚人入鄆鄆莒別邑也楚偏師入鄆故稱人○秦人白狄伐晉○鄭人圍許○城中城魯邑也在東海廩丘縣西南北閏月城在十一月之後十二月之前故傳曰書時【附註】林曰在東海廩丘縣西南

左傳十二　三十九

【傳】九年春杞桓公來逆叔姬之喪請之也叔姬已絕於杞魯復歸請杞使還取葬杞叔姬卒為杞故也還為杞婦故卒稱杞【音訓】為于僞反下並同逆叔姬為我也既棄而復逆其喪明為魯故○為歸汶陽之田故諸侯貳於晉歸田在前年晉人懼會於蒲以尋馬陵之盟馬陵盟在七年季文子謂范文子曰德則不競尋盟何為競強也范文子曰勤以撫之寬以

待之堅彊以御之【附註】林曰堅忍強毅以駕御諸侯明神以要之【附註】朱曰質諸明神以要結諸侯【音訓】要一遙反柔服而伐貳【附註】林曰懷柔諸侯之服從者討伐諸侯之攜貳者德之次也是行也將始會吳吳人不至為十五年會鍾離傳○二月伯姬歸于宋為致女復命起○楚人以重賂求鄭鄭伯會楚公子成于鄧為晉人執鄭伯傳○夏季文子如宋致女復命公享之賦韓奕之五章韓奕詩大雅篇名其五章言蹶父嫁女於韓侯為女相所居莫如韓樂文子喻魯侯有蹶父之德宋公如韓侯宋土如韓樂【音訓】為于僞反相式亮反穆姜出于房再拜曰大夫勤辱不忘先君

左傳十二　四十

以及嗣君施及未亡人穆姜伯姬母聞文子言宋樂喜而出謝其行勞婦人夫死自稱未亡人【附註】林曰伯姬宣公之女故言不忘先君成公之妹故曰以及嗣君【音訓】施以豉反先君猶有望也言先君亦望文子之若此敢拜大夫之重勤【附註】林曰敢拜謝大夫之重有勤勞【音訓】重直勇反又直用反又賦綠衣之卒章而入綠衣詩邶風也取其我思古人實獲我心喻文子言得己意○晉人來媵禮也同姓故○秋鄭伯如晉晉人討其貳於楚也執諸銅鞮銅鞮晉別縣在上黨【音訓】鞮音提欒書伐鄭鄭人使伯蠲行成晉人殺之非禮也兵交使在其間可也明殺行人例【音訓】使所吏反楚子重侵

陳以救鄭陳與晉故○晉侯觀于軍府見鍾儀問之曰南冠而縶者誰也南冠楚冠縶拘執有司對曰鄭人所獻楚囚也使稅之鄭獻鍾儀在七年稅解也〔音訓〕稅音脫又如字召而弔之〔附註〕林曰召鍾儀而弔其被囚再拜稽首問其族對曰泠人也〔訓〕泠人樂官〔音〕泠音伶當作伶公曰能樂乎對曰先父之職官也敢有二事言不敢學他事使與之琴操南音南音楚聲〔音訓〕操平聲公曰君王何如〔附註〕林曰景公因問楚之君王何如人也對曰非小人之所得知也固問之對曰其為大子也師保奉之以朝于嬰齊而夕于側



也嬰齊令尹子重側司馬子反言其尊卿敬老〔音訓〕朝如字不知其他公語范文子〔音訓〕語去聲文子曰楚囚君子也言稱先職不背本也樂操土風不忘舊也稱大子抑無私也舍其近事而遠稱少小以示性所自然明至誠名其二卿尊君也尊晉君也不背本仁也不忘舊信也無私忠也尊君敏也敏達也仁以接事信以守之忠以成之敏以行之事雖大必濟言有此四德必能成大事君盍歸之使合晉楚之成公從之重為之禮使歸求成為下十二月晉楚結成張本○冬十一月楚子重自陳伐莒圍渠丘渠丘城惡衆潰奔莒戊申楚入渠丘月六日莒人囚楚公子平楚人曰勿殺吾歸而俘〔附註〕林曰而汝也莒人殺之楚師圍莒莒城亦惡庚申莒潰月十八日楚遂入鄆〔附註〕林曰鄆亦莒邑莒無備故也終巫臣之言君子曰恃陋而不備罪之大者也備豫不虞善之大者也莒恃其陋而不脩城郭浹辰之間而楚克其三都無備也夫浹辰十二日也〔附註〕林曰浹周匝也辰日辰也浹辰蓋謂自子周至亥周匝十二日也〔音訓〕浹子協子答二反詩曰雖有絲麻〔附註〕朱曰絲可為帛麻可為布皆精細之物無棄菅蒯〔附註〕林曰菅蒯皆草



之可為粗用者雖粗物亦不可棄〔音訓〕菅音奸蒯古怪反雖有姬姜無棄蕉萃凡百君子莫不代匱言備之不可以已也逸詩也姬姜大國之女蕉萃陋賤之人〔附註〕林曰代匱言有匱乏之時須得人承代〔音訓〕蕉在遙反○秦人白狄伐晉諸侯貳故也○鄭人圍許示晉不急君也此秋晉執鄭伯是則公孫申謀之曰我出師以圍許示不畏晉為將改立君者而紓晉使紓緩也勿亟遣使請晉示欲更立君〔音訓〕為將並如字使所吏反下同晉必歸君為明年晉侯歸鄭伯張本○城中城書時也○十二月楚子使公子辰如晉報鍾儀之使請脩好結成鍾儀奉晉

命歸故楚報之
【經】十年【庚辰】春衛侯之弟黑背帥師侵鄭○
夏四月五卜郊不從乃不郊無傳卜常祀不郊皆非禮故書
○五月公會晉侯齊侯宋公衛侯曹伯伐鄭
晉侯大子州蒲也稱爵見其生代父居位失人子之禮○齊人来媵無傳
媵伯姬也異姓来媵非禮也○丙午晉侯獳卒六同盟據傳丙午六
月七日有日無月【音訓】獳乃侯反○秋七月公如晉○冬十
月
【傳】十年春晉侯使糴茷如楚糴茷晉大夫【音訓】糴徒弔
反茷音吠報大宰子商之使也子商楚公子辰使在前年○



衛子叔黑背侵鄭晉命也晉命衛使侵鄭○鄭公
子班聞叔申之謀改立君之謀【附註】林曰叔申即公孫申也三
月子如立公子繻子如公子班夏四月鄭人殺
繻立髡頑子如奔許髡頑鄭成公大子欒武子曰
鄭人立君我執一人焉何益【附註】林曰我執成公只是
一人不如伐鄭而歸其君以求成焉晉侯有
疾五月晉立大子州蒲以為君而會諸侯
伐鄭生立子為君此父不父子不子經因書晉侯其惡明鄭子罕賂
以襄鐘子罕穆公子襄鐘鄭襄公之廟鐘子然盟于脩澤
子駟為質子然子駟皆穆公子熒陽卷縣東有脩武亭【音訓】圈卷音權

辛巳鄭伯歸鄭伯歸不書鄭不告入○晉侯夢大厲
被髮及地搏膺而踊曰殺余孫不義厲鬼也趙
氏之先祖也八年晉侯殺趙同趙括故怒【附註】林曰膺胷也以手搏胷而踊躍【音訓】
搏傳音余得請於帝矣【附註】朱曰言我許其寃於上帝既得請矣
壞大門及寢門而入【音訓】壞音恠公懼入于室
又壞戶公覺【音訓】覺音教召桑田巫桑田晉邑巫言
如夢巫云鬼怒如公所夢公曰何如【附註】朱曰問其吉凶曰不
食新矣言公不得及食新麥公疾病求醫于秦秦伯
使醫緩為之緩醫名為猶治也未至公夢疾為二
豎子【附註】林曰景公夢疾病化為二豎子曰彼良醫也懼傷



我焉逃之【音訓】焉於虔反其一曰居肓之上膏之
下若我何肓鬲也心下為膏【音訓】肓音荒醫至曰疾不可
為也在肓之上膏之下攻之不可【附註】林曰攻灸
灸也言不可以火攻達之不及藥不至焉不可為也
達針【附註】林曰言不可以針達公曰良醫也厚為之禮而
歸之六月丙午晉侯欲麥周六月今四月麥始熟【附註】林
曰欲食新麥使甸人獻麥甸人主為公田者饋人為之
【附註】朱曰饋人主治飲食者使之供具【音訓】為如字召桑田巫示而
殺之將食張如廁陷而卒張腹滿也【附註】林曰陷於廁中
而死竟不及食新麥【音訓】張中亮反小臣有晨夢負公以登

天及日中負晉侯出諸厠遂以為殉（傳言巫以明術見殺小臣以言夢自禍）○鄭伯討立君者戊申殺叔申叔禽（叔禽叔申弟）君子曰忠為令德非其人猶不可況不令乎（言叔申為忠不得其人還害身）○秋公如晉（親弔非禮）晉人止公使送葬於是糴茷未反（是春晉使糴茷至楚結成晉謂魯貳於楚故留公須糴茷還驗其虛實）冬葬晉景公公送葬諸侯莫在魯人辱之故不書諱之也（諱不書罰葬也）

春秋經傳集解卷第十二





春秋經傳集解卷第十三

杜氏（盡十八年）

諸家註音訓附

成公下

【經】十有一年（辛巳）春王三月公至自晉（正月公在晉不書諱見止）○晉侯使郤犨來聘己丑及郤犨盟（郤犨郤克從父兄弟【音訓】犨尺由反）○夏季孫行父如晉○秋叔孫僑如如齊○冬十月

【傳】十一年春王三月公至自晉晉人以公為貳於楚故止公公請受盟而後使歸（前年七月公如晉弔至是乃得歸）○郤犨來聘且涖盟（公請受盟故使大夫來臨之）○聲伯之母不聘（聲伯之母叔肸之妻不聘無媒禮）穆姜曰吾不以妾為姒（昆弟之妻相謂為姒穆姜宣公夫人宣公叔肸同母昆弟【音訓】姒音似）生聲伯而出之嫁於齊管于奚（【附註】林曰管氏名于奚）生二子而寡以歸聲伯（【附註】林曰以其所生之子一男一女歸於聲伯）聲伯以其外弟為大夫（外弟管于奚之子為魯大夫）而嫁其外妹於施孝叔（孝叔魯惠公五世孫）郤犨來聘求婦於聲伯聲伯奪施氏婦以與之婦人曰鳥獸猶不失儷（儷耦也【音訓】儷力許反）子將若何曰吾不能死亡（言不與郤犨婦懼能忿致禍）婦人遂行生二子於

郤氏郤氏亡晉人歸之施氏施氏逆諸河沈其二子沈之於河[音訓]沈去聲又如字婦人怒曰已不能庇其伉儷而亡之伉敵也[附註]朱曰言孝叔既不能庇其匹偶而為郤氏所奪[音訓]已音以又音紀伉音亢又不能字人之孤而殺之字愛也將何以終[附註]林曰將何以得善終遂誓施氏約誓不復為之婦也傳言郤犨淫縱所以亡也○夏季文子如晉報聘且涖盟也郤犨文子交盟魯晉之君其意一也故但書來盟舉重略輕○周公楚惡惠襄之偪也惠王襄王之族[音訓]惡烏路反且與伯與爭政伯與周卿士[音訓]與音餘本亦作與不勝[附註]林曰周公不勝怒而出及陽樊陽樊晉地王



使劉子復之盟于鄄而入三日復出奔晉王既復之而復出所以自絶於周為明年周公出奔傳鄄周邑[音訓]鄄音絹○秋宣伯聘于齊以脩前好幸以前之好[附註]林曰宣伯即叔孫僑如○晉郤至與周爭鄇田鄇溫別邑今河內懷縣西南有鄇人亭[音訓]鄇音侯王命劉康公單襄公訟諸晉郤至曰溫吾故也故不敢失言溫郤氏舊邑劉子單子曰昔周克商使諸侯撫封各撫有其封內之地蘇忿生以溫為司寇與檀伯達封于河蘇忿生周武王司寇蘇公也與檀伯達俱封於河內蘇氏即狄又不能於狄而奔衛事在僖十年襄王勞文公而賜之

溫在僖二十五年[音訓]勞力報反狐氏陽氏先處之狐溱陽處父先食溫地而後及子若治其故則王官之邑也[附註]林曰若欲治其故舊所有則溫舊為王官之邑子安得之晉侯使郤至勿敢爭傳言郤至貪所以亡○宋華元善於令尹子重又善於欒武子聞楚人既許晉糴茷成而使歸復命矣在往年[附註]林曰晉糴茷前年如楚楚既許成冬華元如楚遂如晉合晉楚之成為明年盟宋西門外張本○秦晉為成[附註]林曰秦晉交兵不和至是為平將會于令狐[音訓]令力丁反晉侯先至焉秦伯不肯涉河[附註]林曰秦桓公見晉侯先至遂懷疑不肯涉河次于



王城使史顆盟晉侯于河東史顆秦大夫晉郤犨盟秦伯于河西就盟王城范文子曰是盟也何益齊盟所以質信也齊一心質成也[音訓]質如字下同會所信之始也[附註]林曰所地也言約會之所乃二國質信之始始之不從其可質乎秦伯歸而背晉成為十三年伐秦傳[音訓]背音佩

[經]十有二年[壬午]春周公出奔晉○夏公會晉侯衛侯于瑣澤瑣澤地闕[附註]林曰此晉楚為成也於是晉士燮會楚公子罷許偃盟于宋西門之外不書存中國也○秋晉人敗狄于交剛交剛地闕○冬十月

【傳】十二年春王使以周公之難來告（周公奔在前年【音訓】難乃旦反）書曰周公出奔晉凡自周無出周公自出故也（天子無外故奔者不言出周公為王所復而自絕於周故書出以非之）○宋華元克合晉楚之成（終前年事【附註】林曰克能也）夏五月晉士燮會楚公子罷許偃（二子楚大夫【音訓】罷音皮）癸亥盟于宋西門之外曰凡晉楚無相加戎好惡同之同恤菑危【音訓】（菑音災）備救凶患若有害楚則晉伐之在晉楚亦如之交贄往來道路無壅（贄幣也【音訓】壅於勇反）謀其不協（【附註】林曰圖謀諸侯之不和協者）而討不庭



（討背叛不來在王庭者）有渝此盟明神殛之（殛誅也）俾隊其師無克胙國（俾使也隊失也【附註】朱曰無有能福其國者【音訓】隊直類反胙音祚）鄭伯如晉聽成（聽猶受也晉楚既成鄭往受命）會于瑣澤成故也（晉既與楚成合諸侯以申成好）○狄人間宋之盟以侵晉而不設備（【音訓】間去聲）秋晉人敗狄于交剛○晉郤至如楚聘且涖盟楚子享之子反相為地室而縣焉（縣鐘鼓也【附註】林曰為樂室於地之下而縣鐘鼓【音訓】縣音玄）郤至將登（登堂）金奏作於下（擊鐘而奏樂）驚而走出子反曰日云莫矣（【音訓】莫音暮）寡君須矣吾子其入也賓曰君

不忘先君之好施及下臣（【音訓】施以豉反）貺之以大禮重之以備樂（貺賜也【音訓】重直勇反）如天之福兩君相見何以代此下臣不敢（言此兩君相見之禮）子反曰如天之福兩君相見無亦唯是一矢以相加遺焉用樂（言兩君戰乃相見無用此樂【音訓】遺唯季反為於虔反）寡君須矣吾子其入也賓曰（傳諸交讓得賓主辭者多曰賓主以明之）若讓之以一矢禍之大者其何福之為世之治也（【音訓】治直吏反下【註】治世同）諸侯間於天子之事則相朝也（王事間缺則脩私好【音訓】間音閑）於是乎有享宴之禮享以訓共儉（享有



體薦設几而不倚爵盈而不飲肴乾而不食所以訓共儉【音訓】共音恭）宴以示慈惠（宴則折俎相與共食）共儉以行禮而慈惠以布政（【附註】林曰禮以恭儉為主故恭儉所以行禮政以慈惠為先故慈惠所以布政）政以禮成民是以息百官承事朝而不夕（不夕言無事【附註】林曰國家安靜無事故朝治其事而不夕見）此公侯之所以扞城其民也（扞蔽也言享宴結好鄰國所以蔽扞其民）故詩曰赳赳武夫公侯干城（詩周南之風赳赳武貌干扞也言公侯之與武夫止于扞難而已【音訓】【註】難乃旦反）及其亂也諸侯貪冒侵欲不忌（【附註】林曰好財曰貪盡利曰冒侵奪嗜欲無所顧忌【音訓】冒音帽又音墨）爭尋常以盡其民（八尺曰尋倍尋曰常）

言爭尺丈之地以相攻伐【註】林曰盡其民力以相侵伐【附】略其武夫以為己腹心股肱爪牙略取也言世亂則公侯制禦武夫以從己志使侵害鄰國為搏噬之用無已故詩曰赳赳武夫公侯腹心舉詩之正以駁亂義詩言治世則武夫能合德公侯外為扞城內制其腹心天下有道則公侯能為民干城而制其腹心【音訓】為于偽反又如字亂則反之略其武夫以為己腹心爪牙今吾子之言亂之道也不可以為法然吾子主也至敢不從遂入卒事歸以語范文子文子曰無禮必食言吾死無日矣夫言晉楚不能久和必復相伐為十六年鄢陵戰張本冬楚公子罷如



晉聘且涖盟報郤至十二月晉侯及楚公子罷盟于赤棘晉地

【經】十有三年【癸未】春晉侯使郤錡來乞師將伐秦也侯伯當名兵而乞師謙辭○三月公如京師伐秦道過京師因朝王○夏五月公自京師遂會晉侯齊侯宋公衛侯鄭伯曹伯邾人滕人伐秦○曹伯盧卒于師五同盟【音訓】盧力吳反本亦作廬○秋七月公至自伐秦無傳○冬葬曹宣公

【傳】十三年春晉侯使郤錡來乞師【音訓】錡魚綺反將事不敬將事致君命孟獻子曰郤氏其亡乎禮身之幹也敬身之基也郤子無基且先君之嗣卿也受命以求師將社稷是衛而惰棄君命也不亡何為郤錡郤克子故曰嗣卿為十七年晉殺郤錡傳【附註】朱曰郤克為晉景公正卿錡實嗣之○三月公如京師宣伯欲賜欲王賜己請先使【附註】林曰宣伯請奉命先使于王【音訓】使所吏反王以行人之禮禮焉不加厚孟獻子從【音訓】從才用反王以為介而重賄之介輔相威儀者獻子相公以禮故王重賜之公及諸侯朝王遂從劉康公成肅公會晉侯伐秦劉康公王季子劉成二公不書兵不加秦成子受脤于社不敬脤宜社之肉也盛以脤器故曰脤宜



出兵祭社之名【音訓】脤市軫反劉子曰吾聞之民受天地之中以生所謂命也【附註】中者此心不偏不倚之理民稟受於天地以有生者也是以有動作禮義威儀之則【附註】朱曰聖人因天地自然之理而為之節文以為動作禮義威儀之法則以定命也【附註】林曰所以安定上天所賦之命而使之勿失能者養之以福養威儀以致福不能者敗以取禍是故君子勤禮小人盡力勤禮莫如致敬盡力莫如敦篤敬在養神【附註】朱曰君子無不致敬而莫先於奉事神明篤在守業國之大事在祀與戎祀有執膰膰祭肉戎有受脤神之大節也交神之大節今成子

情棄其命矣情則失中和之氣其不反乎為成肅公卒于瑕
張本○夏四月戊午晋侯使呂相絕秦呂相
魏錡子蓋口宣己命【音訓】相息亮反曰昔逮我獻公及穆公
晋獻公秦穆公相好戮力同心申之以盟誓重之
以昏姻穆公夫人獻公之女天禍晋國文公如齊惠
公如秦辟驪姬也不言狄梁舉所恃大國【音訓】辟音避無禄獻
公即世【附註】林曰晋無福禄即世卒也穆公不忘舊德俾
我惠公用能奉祀于晋僖十年秦納惠公又不能
成大勲而為韓之師僖十五年秦伐晋獲惠公【附註】林曰又不
能終始成就其立惠之大功亦悔于厥心用集我文公



集成也【附註】林曰秦穆公亦悔艾于厥心用能成我文公而納之于晋是穆
之成也成功於晋文公躬擐甲冑【附註】林曰擐貫也【音訓】擐
音患跋履山川草行為跋踰越險阻征東之諸侯
【附註】林曰征伐東方之諸侯秦居西方故以諸侯為東虞夏商周之
胤而朝諸秦【附註】林曰東方諸侯皆四代之嗣諸侯朝秦事無所攷想
當是時必有往朝于秦者因文致之耳則亦既報舊德矣鄭
人怒君之疆場【音訓】場音亦我文公帥諸侯及
秦圍鄭晋自以鄭貳於楚故圍之鄭非侵秦也晋以此誣秦事在僖三十年
秦大夫不詢于我寡君擅及鄭盟詢謀也盟者秦
伯諱言大夫諸侯疾之將致命于秦致死命而討秦時無

諸侯蓋諸侯遙致此意文公恐懼綏靜諸侯秦師克
還無害則是我有大造于西也造成也言晋有成功
於秦無禄文公即世穆為不弔不見弔傷蔑死我
君寡我襄公寡弱也【附註】朱曰以文公死為無知而輕蔑之以襄公為
寡弱而陵忽之迭我殽地奸絕我好【附註】林曰侵迭我晋國之
殽地奸犯斷絕我晋國舊日之和好伐我保城殄滅我費滑
伐保城誣之費滑滑國都於費今緱氏縣散離我兄弟撓亂我
同盟滑晋同姓【附註】林曰滑鄭皆從晋國故云撓亂我同盟傾覆我
國家【音訓】覆孚服反下同我襄公未忘君之舊勲納文
公之勲而懼社稷之隕【附註】朱曰又恐晋為秦所隕滅是以



有殽之師在僖三十三年猶願赦罪于穆公晋欲求解
於秦穆公不聽而即楚謀我天誘其衷成王
隕命秦使鬬克歸楚求成事見文十四年文元年楚弑成王穆公是
以不克逞志于我逞快也穆襄即世康靈即
位文六年晋襄秦穆皆卒【附註】林曰秦康公文六年立晋靈公文七年立康
公我之自出晋外甥又欲闕翦我公室傾覆
我社稷【附註】林曰謂文七年秦納公子雍事此亦文致之辭闕猶掘也翦截
斷也【音訓】闕音掘帥我蝥賊以來蕩搖我邊疆蝥賊
食禾稼蟲名謂秦納公子雍我是以有令狐之役在文七年
康猶不悛入我河曲悛改也伐我涑川俘我

王官（涑水出河東聞喜縣西南至蒲坂縣入河【附註】朱曰王官地名【音訓】涑息錄反又音東）翦我羇馬（【附註】朱曰羇馬地名其時秦取其地）我是以有河曲之戰（在文十二年）東道之不通則是康公絶我好也（言康公自絶故不復東通晉）及君之嗣也（君秦桓公）我君景公引領西望曰庶撫我乎（望秦撫恤晉）君亦不惠稱盟（不肯稱晉望而共盟【音訓】稱尺證反）利吾有狄難（謂晉滅潞氏時【音訓】難乃旦反）入我河縣焚我箕郜（【附註】林曰箕郜晉二邑焚火攻之也）芟夷我農功（夷傷也）虔劉我邊垂（虔劉皆殺也）我是以有輔氏之聚（聚衆也在宣十五年【附註】林曰晉魏顆敗秦師于輔氏）君亦悔禍

左傳十三　十

之延（延長也）而欲徼福于先君獻穆（晉獻秦穆）使伯車來命我景公（伯車秦桓公子）曰吾與女同好棄惡復脩舊德以追念前勳（【音訓】女音汝下同）言誓未就景公即世（誓之言未成【附註】朱曰當時約誓之言未及成就）我寡君是以有令狐之會（令狐會在十一年申厲公之命宜言寡人稱君誤也）君又不祥（祥善也）背棄盟誓（【附註】林曰十一年盟于河西秦伯歸而背晉成）白狄及君同州（及與也【附註】林曰白狄與秦同居西方雍州）君之仇讎而我之昏姻也（季隗廧咎如赤狄之女也白狄伐而獲之納諸文公【附註】朱曰白狄與晉為昏姻於傳無所考證杜註以文公納季隗之事實之傳季隗乃赤狄之女恐未必然且此章多誣辭蓋欲親狄以曲秦故以狄為昏姻耳不足深辨）君來賜命曰吾與汝伐狄寡君不敢顧昏姻畏君之威而受命于吏君有二心於狄曰晉將伐女狄應且憎是用告我（言狄雖應答秦而心實憎秦無信）楚人惡君之二三其德也亦來告我曰秦背令狐之盟而來求盟于我昭告昊天上帝秦三公楚三王（三公穆康共三王成穆莊【附註】林曰盟必告天地祖宗此下兩句乃秦楚誓辭）曰余雖與晉出入（出入猶往來）余唯利是視（【附註】林曰我唯視其利而從之不以誠心與晉）不穀惡其無成德（【附註】林曰不穀乃楚共告晉自稱）是用宣之以懲不一

左傳十三　十一

（【附註】朱曰因以此言宣示諸侯欲以懲戒用心不一之人）諸侯備聞此言斯是用痛心疾首暱就寡人（疾亦痛也暱親也）寡人帥以聽命唯好是求（【附註】林曰晉師諸侯伐秦以聽和戰之命惟欲與秦求為和好）君若惠顧諸侯矜哀寡人而賜之盟則寡人之願也其承寧諸侯以退（承君之意以寧靜諸侯）豈敢徼亂（徼要也）君若不施大惠寡人不佞其不能以諸侯退矣敢盡布之執事（【附註】朱曰敢以所懷盡布露於秦君之執事者）俾執事實圖利之（俾使也）秦桓公既與晉厲公為令狐之盟而又召狄與楚欲道以伐晉諸侯

是以睦於晉〔晉辭多誣秦故傳據此以正秦罪【附註】朱曰又告白狄而求盟於楚欲引導白狄與楚同伐晉國【音訓】道音導〕晉欒書將中軍荀庚佐之〔庚代荀首〕士燮將上軍〔代荀庚〕郤錡佐之〔代士燮〕韓厥將下軍〔代郤錡〕荀罃佐之〔代趙同〕趙旃將新軍〔代韓厥〕郤至佐之〔代趙括〕郤毅御戎欒鍼為右〔郤毅郤至弟欒鍼欒書子〕孟獻子曰晉帥乘和師必有大功〔帥軍帥乘車士【音訓】帥所類反乘繩證反〕五月丁亥晉師以諸侯之師及秦師戰于麻隧秦師敗績獲秦成差及不更女父〔不更秦爵戰敗績不書以為晉直秦曲則韓役書戰時公在師復不須告克獲有功亦無所諱蓋經文闕漏傳文獨存【附註】林曰戰敗績不書者蓋以晉稟周命而伐秦師直有功且不使秦得與晉及諸侯戰也【音訓】差初佳初宜二反更音庚女音汝〕曹宣公卒于師師遂濟涇及侯麗而還〔涇水出安定東南經扶風京兆高陸縣入渭也【音訓】麗音離〕迓晉侯于新楚〔迓迎也既戰晉侯止新楚故師還過迎之際遂侯麗新楚皆秦地〕成肅公卒于瑕〔終劉子之言瑕晉地〕○六月丁卯夜鄭公子班自訾求入于大宮不能殺子印子羽〔訾鄭地大宮鄭祖廟十年班出奔許今欲還為亂子印子羽皆穆公子【附註】林曰不能得入【音訓】大音泰〕反軍于市〔【附註】林曰公子班自訾歸屯軍于鄭國之市〕己巳子駟帥國人盟于大宮〔子駟穆公子〕遂從而盡焚之〔焚燒之【附註】林曰遂從公子班之師于市而盡焚燒其市〕殺子如子駹孫叔孫知〔子如公子班子駹班弟孫叔子如子孫知子駹子【音訓】駹武邦反〕○曹人使公子負芻守使公子欣時逆曹伯之喪〔二子皆曹宣公庶子〕秋負芻殺其大子而自立也〔宣公大子〕諸侯乃請討之晉人以其役之勞請俟他年冬葬曹宣公既葬子臧將亡〔子臧公子欣時〕國人皆將從之〔不義負芻故〕成公乃懼〔成公負芻〕告罪且請焉〔請留子臧【附註】林曰告罪於子臧〕乃反而致其邑〔還邑於成公為十五年執曹伯傳〕

【經】十有四年甲申春王正月莒子朱卒〔無傳九年盟于蒲〕○夏衛孫林父自晉歸于衛〔晉納之故曰歸〕○秋叔孫僑如如齊逆女〔成公逆夫人最為得禮而經無納幣者文闕絕也〕○鄭公子喜帥師伐許○九月僑如以夫人婦姜氏至自齊○冬十月庚寅衛侯臧卒〔五同盟〕○秦伯卒〔無傳二年大夫盟於蜀而不赴以名例在隱七年〕

【傳】十四年春衛侯如晉晉侯強見孫林父焉〔林父以七年奔晉強見欲歸之【音訓】強其丈反見賢遍反下同〕定公不可〔【附註】林曰衛定公不肯見林父〕夏衛侯既歸晉侯使郤犫送孫林父而見之衛侯欲辭定姜曰不可〔定姜定公夫人〕是先君宗卿之嗣也〔同姓之卿〕大國

又以為請【音訓】為如字或于僞反不許將亡雖惡之
不猶愈於亡乎君其忍之違大國必見伐故亡【音訓】惡烏
路反安民而宥宗卿不亦可乎衛侯見而復
之復林父位衛侯饗苦成叔成叔郤犨甯惠子相相佐
禮惠子甯殖苦成叔傲甯子曰苦成家其亡乎
古之為享食也【音訓】食音嗣以觀威儀省禍福
也故詩曰兕觵其觩旨酒思柔詩小雅言君子好禮
飲酒皆思柔德雖設兕觵觩然不用以兕角為觵所以罰不敬觩陳設之貌【音訓】兕
徐履反觵古横反觩音求彼交匪傲萬福來求彼之交於事而
不惰傲乃萬福之所求今夫子傲取禍之道也為十七年



郤氏亡○秋宣伯如齊逆女稱族尊君命也
○八月鄭子罕伐許敗焉為許所敗戊戌鄭伯
復伐許庚子入其郛郛郭也許人平以叔申
之封四年鄭公孫申疆許田許人敗之不得定其封疆今許以是所封田求和
於鄭○九月僑如以夫人婦姜氏至自齊舍
族尊夫人也舍族謂不稱叔孫故君子曰春秋之
稱【附註】林曰稱權衡也言春秋書法權衡其輕重【音訓】稱尺證反微而顯
辭微而義顯志而晦志記也晦亦微也謂約言以記事事敘而文微婉
而成章婉曲也謂曲屈其辭有所辟諱以示大順而成篇章【音訓】婉怨晚反
盡而不汙謂直言其事盡其事實無所汙曲【音訓】汙憂于反懲惡

而勸善善名必書惡名不滅所以為懲勸非聖人誰能修
之修史策成此五者○衛侯有疾使孔成子甯惠
子立敬姒之子衎以為大子成子孔達之孫敬姒定公
妾衎獻公【音訓】衎苦旦反冬十月衛定公卒夫人姜氏
既哭而息【附註】林曰既哭定公而止息見大子之不哀
也不內酌飲【附註】林曰痛憤不能食故不納酌飲【音訓】內如字又音納
歎曰是夫也【附註】林曰夫賤者之稱將不唯衛國之
敗其必始於未亡人定姜言獻公行無禮必從己始下言暴妾
使余是也嗚呼天禍衛國也夫吾不獲鱄也使
主社稷鱄衎之母弟【音訓】鱄市戀反一音專大夫聞之無不



聳懼孫文子自是不敢舍其重器於衛寶器
【音訓】舍音赦盡寘諸戚寘置也戚孫氏邑而甚善晉大
夫備亂起欲以為援為襄十四年衛侯出奔傳
【經】十有五年【乙酉】春王二月葬衛定公無傳○
三月乙巳仲嬰齊卒無傳襄仲子公孫歸父弟宣十八年逐東門氏
既而又使嬰齊紹其後曰仲氏○癸丑公會晉侯衛侯鄭伯
曹伯宋世子成齊國佐邾人同盟于戚晉侯
執曹伯歸于京師不稱人以執者曹伯罪不及民歸之京師禮也○
公至自會無傳○夏六月宋公固卒四同盟○楚
子伐鄭○秋八月庚辰葬宋共公三月而葬速○

宋華元出奔晉○宋華元自晉歸于宋華元欲挾晉以自重故以外納告○宋殺其大夫山不書氏明背其族○宋魚石出奔楚公子目夷之曾孫○冬十有一月叔孫僑如會晉士燮齊高無咎宋華元衛孫林父鄭公子鰌邾人會吳于鍾離吳夷昧嘗與中國會今始來通晉帥諸侯大夫而會之故殊會明本非同好鍾離楚邑淮南縣○許遷于葉許畏鄭南依楚故以自遷為文葉今南陽葉縣也

傳十五年春會于戚討曹成公也討其殺大子而自立事在十三年執而歸諸京師書曰晉侯執曹伯不及其民也惡不及民凡君不道於其民諸



侯討而執之則曰某人執某侯稱人示眾所欲執不然則否謂身犯不義者諸侯將見子臧於王而立之音訓見賢遍反子臧辭曰前志有之曰聖達節聖人應天命不拘常禮次守節謂賢者下失節愚者妄動為君非吾節也雖不能聖敢失守乎附註林曰敢為愚者失其所守乎遂逃奔宋○夏六月宋共公卒為下宋亂起○楚將北師侵鄭衛子囊曰新與晉盟而背之無乃不可乎子反曰敵利則進何盟之有晉楚盟在十二年子囊莊王子公子貞附註朱曰制敵之道見利則進何必顧盟申叔時老矣在申老歸本邑附註林曰叔時楚大夫聞之曰子反必不免信以守禮禮以庇身信禮之亡欲免得乎言不得也楚子侵鄭及暴隧附註林曰暴隧鄭地遂侵衛及首止附註林曰首止衛地鄭子罕侵楚取新石新石楚邑欒武子欲報楚附註林曰欲報楚侵鄭之師韓獻子曰無庸庸用也使重其罪民將叛之背盟數戰罪也音訓數所角反無民孰戰為明年晉敗楚於鄢陵傳○秋八月葬宋共公於是華元為右師魚石為左師蕩澤為司馬蕩澤公孫壽之孫華喜為司徒華父督之玄孫公孫師為司城莊公孫向為人為大司寇鱗朱為少



司寇鱗朱鱗矔孫音訓矔古亂反向帶為大宰魚府為少宰蕩澤弱公室殺公子肥輕公室以為弱故殺其枝黨肥文公子華元曰我為右師君臣之訓師所司也附註林曰凡宋國教訓君臣上下之道此右師職守之所司主也令公室卑而不能正不能討蕩澤吾罪大矣不能治官敢賴寵乎乃出奔晉二華戴族也華元華喜附註林曰宋戴公之子孫司城莊族也六官者皆桓族也魚石蕩澤向為人鱗朱向帶魚府皆出桓公魚石將止華元魚府曰右師反必討是無桓氏也恐華元還討蕩澤并及六族魚石曰右師苟獲反雖許之討必

不敢言畏桓族強且多大功國人與之不反懼桓氏之無祀於宋也華元大功克合晉楚之成劫子反以免宋圍【附註】林曰若華元不得歸宋恐國人怨桓氏逐華元遂滅其族是不得祭祀於宋國也右師討猶有戌在向戌桓公曾孫言其賢華元必不討【音訓】戌音恤桓氏雖亡必偏偏不盡魚石自止華元于河上請討許之【附註】林曰華元請討蕩澤魚石許其討乃反使華喜公孫師帥國人攻蕩氏殺子山喜師非桓族故使攻之【附註】林曰子山即蕩澤書曰宋殺其大夫山言背其族也蕩氏宋公族還害公室故去族以示其罪魚石向為人鱗朱向帶魚府出舍於睢上睢水名五大夫畏同族罪及將出奔【音訓】睢音雖華元使止之不可【附註】林曰使人諭止五大夫無出奔五大夫不從冬十月華元自止之不可乃反五子不止華元還魚府曰今不從【附註】林曰今不從華元而歸不得入矣不得復入宋右師視速而言疾有異志焉若不我納今將馳矣【附註】林曰若華元不欲納我今則馳驅而去矣登丘而望之則馳【附註】林曰魚府乃登高丘而望華元之歸果馳驅而去騁而從之五子亦馳逐之則決睢澨澨水涯決壞也【音訓】澨市制反閉門登陴矣【附註】林曰閉宋城門登陴守禦矣【音訓】陴婢支反左師二司寇二宰遂出奔楚四大夫不書獨魚石告華元使向戌為



左師老佐為司馬樂裔為司寇以靖國人老佐戴公五世孫○晉三郤害伯宗【附註】林曰三郤郤錡郤至郤犨也疾害伯宗之賢譖而殺之及欒弗忌欒弗忌晉賢大夫伯州犁奔楚伯宗子韓獻子曰郤氏其不免乎善人天地之紀也【附註】林曰夫人之有善德行者天地之綱紀也而驟絕之不亡何待既殺伯宗又及弗忌故曰驟也為十七年晉殺三郤傳初伯宗每朝其妻必戒之曰盜憎主人民惡其上【附註】林曰言主人非得罪於盜賊而盜憎之治民者未必得罪於民而民惡之【音訓】惡烏路反子好直言必及於難傳見雖婦人之言不可廢【音訓】難乃旦反【註】見賢遍反○十一月會吳于鍾離始通吳也始與中國接○許靈公畏偪于鄭請遷于楚辛丑楚公子申遷許于葉

【經】十有六年【丙戌】春王正月雨木冰無傳記寒過節冰封着樹【音訓】雨如字【註】着直略反○夏四月辛未滕子卒不書名未同盟○鄭公子喜帥師侵宋喜穆公子子罕也○六月丙寅朔日有食之無傳○晉侯使欒黶來乞師將伐鄭黶欒書子【音訓】黶音黯甲午晦晉侯及楚子鄭伯戰于鄢陵楚子鄭師敗績楚師未大崩楚子傷目而退故曰楚子敗績鄢陵鄭地今屬潁川郡○楚殺其大夫公子側側子反背

盟無禮卒以敗師故書名○秋公會晉侯齊侯衛侯宋華元郲人于沙隨沙隨宋地梁國寧陵縣北有沙隨亭不見公不及鄢陵戰故不諱者恥輕於執止○公至自會無傳○公會尹子晉侯齊國佐郲人伐鄭尹子王卿士子爵○曹伯歸自京師為晉侯所赦故書歸諸侯歸國或書名或不書名或言歸自某或言自某歸傳無義例從告辭○九月晉人執季孫行父舍之于苕丘苕丘晉地舍之苕丘明不以歸不稱行人非使人【音訓】苕音條【註】使所吏反○冬十月乙亥叔孫僑如出奔齊公未歸命國人逐之○十有二月乙丑季孫行父及晉郤犨盟于扈晉許魯平故盟公至自會無傳伐而以會致史異文○乙酉刺



公子偃魯殺大夫皆言刺義取於周禮三刺之法

【傳】十六年春楚子自武城使公子成以汝陰之田求成于鄭汝水之南近鄭地鄭叛晉子駟從楚子盟于武城為晉伐鄭起○夏四月滕文公卒○鄭子罕伐宋滕宋之與國鄭因滕有喪而伐宋故傳舉滕侯卒侵伐經傳異文經從古傳言實他皆放此宋將鉏樂懼敗諸汋陂敗鄭師也樂懼戴公六世孫將鉏樂氏族退舍於夫渠不儆宋師不儆備鄭人覆之敗諸汋陵獲將鉏樂懼宋恃勝也【註】汋陂夫渠汋陵皆宋地【附注】林曰鄭人乘其不備覆而掩之獲宋二帥【音訓】汋鸛酌杓三音夫音扶覆數目反一音扶又反○衛侯伐鄭至于鳴鴈為晉故也鳴鴈在陳留雍丘縣西北【附注】林曰衛為從晉故伐鄭【音訓】為于偽反○晉侯將伐鄭范文子曰若逞吾願諸侯皆叛晉可以逞逞快也晉厲公無道三郤驕故欲使諸侯叛冀其懼而思德【附注】朱曰厲公將或懼而修德故晉得以快其志若唯鄭叛晉國之憂可立俟也欒武子曰不可以當吾世而失諸侯必伐鄭乃與師欒書將中軍士燮佐之代荀庚郤錡將上軍代士燮荀偃佐之代郤錡偃荀庚子韓厥將下軍郤至佐新軍荀罃居守荀罃下軍佐於是郤犨代趙旃將新軍新上下軍罷矣郤犨如衛遂如齊皆乞



師焉欒黶來乞師孟獻子曰有勝矣卑讓有禮故知其將勝楚戊寅晉師起鄭人聞有晉師使告于楚姚句耳與往句耳鄭大夫與往非使也為先歸張本【音訓】句音鉤與音預【註】使所吏反楚子救鄭司馬將中軍子反令尹將左子重右尹子辛將右公子壬夫過申子反入見申叔時叔時老在申【音訓】過古禾反曰師其何如【附注】朱曰問楚兵勝負何如對曰德刑詳義禮信戰之器也器猶用也【附注】朱曰刑法也詳祥也德以施惠刑以正邪詳以事神【附注】朱曰事神得福而祥降焉義以建利禮以順時信以守物民生厚而德正財足則思無邪

用利而事節動不失利則事得其節時順而物成羣生
得所上下和睦周旋不逆動順理求無不具下應
上各知其極無二心故詩曰立我烝民莫匪
爾極烝衆也極中也詩頌言先王立其衆民無不得中正是以神降
之福時無災害民生敦厖和同以聽敦厚厖大
也【附註】林曰民之生利敦厚厖大和同其心唯君上之爲聽【音訓】厖莫邦反莫
不盡力以從上命致死以補其闕闕戰死者此
戰之所由克也今楚內棄其民不施惠而外
絕其好義不建利瀆齊盟不詳事神而食話言信不守物
奸時以動禮不順時周四月今二月妨農業而疲民以逞



刑不正邪而苟快意民不知信進退罪也【附註】林曰民不知君
上之信或進或退皆陷罪戾不知所從人恤所底其誰致死
底至也【附註】朱曰人人各憂其身不知性命之所至【音訓】底音旨子其勉
之吾不復見子矣言其必敗不反【音訓】復扶又反姚句耳
先歸子駟問焉【附註】林曰鄭子駟問以楚師之強弱對曰其
行速過險而不整速則失志不思慮也不整喪
列【附註】林曰不整則必喪其行列【音訓】喪息浪反志失列喪將何
以戰楚懼不可用也【附註】林曰楚救鄭之師恐不可用也五
月晉師濟河【附註】林曰將伐鄭聞楚師將至范文
子欲反曰我僞逃楚可以紓憂紓緩也【附註】林曰言

我詐爲畏怯逃避楚兵君臣修省可以緩晉國之憂夫合諸侯非吾
所能也以遺能者【音訓】遺唯季反下註問遺同我若羣
臣輯睦以事君多矣武子曰不可六月晉
楚遇於鄢陵范文子不欲戰郤至曰韓之
戰惠公不振旅衆散敗也在僖十五年箕之役先軫
不反命死於狄也在僖三十三年邲之師荀伯不復從
荀林父奔走不復故道在宣十二年皆晉之恥也子亦見先
君之事矣見先君成敗之事今我辟楚又益恥也
【音訓】辟音避文子曰吾先君之亟戰也有故亟數
也【音訓】亟去吏反秦狄齊楚皆彊不盡力子孫將



弱【附註】林曰先君若不盡力與戰則四國競強晉之子孫將徽弱不振今三
彊服矣齊秦狄敵楚而已【附註】林曰與晉爲敵僅有楚耳唯
聖人能外內無患自非聖人外寧必有內
憂驕亢則憂患生也盍釋楚以爲外懼乎【附註】林曰何不
姑釋楚患不治以爲晉君之敵國外患乎甲午晦楚晨壓晉軍
而陳壓笮其未備【音訓】陳直覲反注及下皆同【註】笮側百反軍吏患
之【附註】林曰晉之軍吏以楚先陳爲患范匄趨進匄士燮子【音訓】匄古
害反曰塞井夷竈【附註】林曰軍屯必鑿井結竈以自給今爲楚壓晉軍
戰地迫狹故自塞其井自平其竈以爲戰地陳於軍中【附註】林曰楚壓
晉軍不可出陳故結陳於晉之軍中而疏行首疏行首者當陳前決開營

壘為戰道〔音訓〕行戶郎反一音如字晉楚唯天所授何患焉〔附註〕林曰晉楚二國勢均力敵唯天所授則可決勝何患於楚文子執戈逐之曰國之存亡天也童子何知焉欒書曰楚師輕窕〔附註〕林曰窕亦輕也〔音訓〕窕勑彫反又勑弔反固壘而待之三日必退退而擊之必獲勝焉郤至曰楚有六間不可失也〔附註〕林曰言楚之間隙有六不可失此機會〔音訓〕間去聲其二卿相惡子重子反〔附註〕林曰二卿相惡不和一間也〔音訓〕惡如字又烏路反王卒以舊〔註〕罷老不代〔附註〕林曰楚王之親兵罷老不代二間也鄭陳而不整不整列〔附註〕林曰鄭師從楚雖成陳而不整齊三間也蠻軍而不陳蠻夷從楚者不結陳〔附註〕林曰四間也



陳不違晦晦月終陰之盡故兵家以為忌〔附註〕林曰楚壓晉軍而陳不避晦日五間也在陳而囂囂喧譁也合而加囂合陳宜靜而益有聲各顧其後莫有鬬心人恤其所底〔附註〕林曰各懷其後顧之心莫有戰鬬之心六間也舊不必良以犯天忌我必克之〔附註〕朱曰士卒以舊未必精兵又不違晦以犯天時之忌以此觀之晉必勝楚楚子登巢車以望晉軍巢車車上為櫓子重使大宰伯州犁侍于王後州犁晉伯宗子前年奔楚王曰騁而左右何也騁走也〔附註〕林曰言晉軍有騁走者或左或右何也曰召軍吏也〔附註〕林曰州犁荅皆聚於中軍矣〔附註〕林曰王又問令皆聚會於中軍何也曰合謀也張幕矣

曰虔卜於先君也虔敬也徹幕矣曰將發命也甚囂且塵上矣〔音訓〕上時掌反曰將塞井夷竈而為行也夷平也〔音訓〕行戶郎反下公行同皆乘矣〔音訓〕乘繩證反下同左右執兵而下矣曰聽誓也左將帥右車右戰乎曰未可知也乘而左右皆下矣曰戰禱也禱請於鬼神伯州犁以公卒告王公晉侯〔附註〕林曰伯州犁晉人知晉之情故以晉侯之卒告共王苗賁皇在晉侯之側亦以王卒告賁皇楚鬬椒子宣四年奔晉皆曰國士在且厚不可當也晉侯左右皆以伯州犁在楚知晉之情且謂楚衆多故憚合戰與苗賁皇意異〔附註〕林曰厚衆多也苗賁皇言於



晉侯曰楚之良在其中軍王族而已〔附註〕林曰言楚之精兵皆在其中軍王族之兵最精而已請分良以擊其左右〔附註〕林曰請分晉精兵以擊楚之左右二軍而三軍萃於王卒萃集也必大敗矣公筮之史曰吉其卦遇復䷗震下坤上復無變曰南國蹙射其元王中厥目此卜者辭也復陽長之卦陽氣起子南行推陰故曰南國蹙也南國勢蹙則離受其咎離為諸侯又為目陽氣激南飛矢之象故曰射其元王中厥目〔音訓〕蹙子六反射食亦反下同中丁仲反國蹙王傷不敗何待公從之從其言而戰有淖於前淖泥也〔音訓〕淖乃孝反乃皆左右相違於淖違辟也步毅御晉厲公欒鍼

為右步毅即郤毅彭名御楚共王潘黨為右石首御鄭成公唐苟為右欒范以其族夾公行二族強故在公左右陷於淖欒書將載晉侯鍼曰書退國有大任焉得專之在君前故子名其父大任謂元帥之職【附註】林曰言書既當大任又安得專命復為戎御【音訓】焉於虔反且侵官冒也載公為侵官【音訓】冒音帽又音墨失官慢也去將而御失官也離局姦也遠其部曲為離局【音訓】離力智反【註】遠于萬反有三罪焉不可犯也乃掀公以出於淖掀舉也【音訓】掀許言丘近二反癸巳潘尫之黨與養由基蹲甲而射之徹七札焉黨潘尫之子蹲聚也一發達七札言其能陷堅

左傳十主　二十六

【音訓】尫烏黃反蹲在尊反又在損反札側八反又側乙反以示王曰君有二臣如此何憂於戰二子以射夸王王怒曰大辱國賤其不尚知謀【音訓】【註】知音智詰朝爾射死藝言女以射自多必當以藝死也詰朝猶明朝是戰日【音訓】【註】女音汝呂錡夢射月中之退入於泥呂錡魏錡【音訓】中丁仲反下及註皆同占之曰姬姓日也周世姬姓尊異姓月也異姓卑必楚王也射而中之退入於泥亦必死矣錡自入泥亦死象及戰射共王中目王召養由基與之兩矢使射呂錡中項伏弢弢弓衣【附註】林曰中呂錡之項伏於弓衣而死【音訓】弢音叨以一矢復命言一發而中郤至

三遇楚子之卒見楚子必下免冑而趨風疾如風楚子使工尹襄問之以弓問遺也【附註】林曰工尹楚官名襄曰方事之殷也殷盛也有韎韋之跗注君子也韎赤色跗注戎服若袴而屬於跗與袴連【音訓】韎音賣又音昧跗方于反屬章玉反【註】識見不穀而趨無乃傷乎恐其傷【附註】林曰此皆問勞郤至之辭郤至見客免冑承命曰君之外臣至【附註】林曰郤至對楚使故自稱外臣至從寡君之戎事以君之靈間蒙甲冑間猶近也不敢拜命介者不拜敢告不寧君命之辱以君辱賜命故不敢自安為事之故敢肅使者言君辱命來問以有軍事不得答故肅使

左傳十主　二十七

者肅手至地若今撎【音訓】為于偽反使所吏反下同【註】撎伊志反揖也三肅使者而退晉韓厥從鄭伯從逐也其御杜溷羅【音訓】溷戶昏反又戶本反曰速從之其御屢顧不在馬可及也【附註】林曰心不在御馬韓厥曰不可以再辱國君乃止二年鞌戰韓厥已辱齊侯郤至從鄭伯其右茀翰胡曰諜輅之余從之乘而俘以下欲遣輕兵單進以距鄭伯車前而自後登其車以執之【附註】林曰欲遣諜以輕兵迎輅鄭伯以距其車前我自後登鄭伯之車而俘執鄭伯以下車【音訓】茀音弗翰音韓輅音迓乘繩證反【註】輕遣政反又如字郤至曰傷國君有刑亦止石首曰衛懿公唯不去其旗是以敗

於熒乃內旌於弢中【音訓】熒戰在閔二年內音納唐苟謂石首曰子在君側敗者壹大我不如子子以君免我請止乃死敗者壹大謂軍大崩也言石首亦君之親臣而執御與車右不同故首當御君以退已當死戰楚師薄於險薄迫也叔山冉謂養由基曰雖君有命為國故子必射【訓】王有死藝命為于偽反【音】乃射再發盡殪叔山冉搏人以投中車折軾晉師乃止言二子皆有過人之能【音訓】中丁仲反囚楚公子茷為郤至見譖張本【音訓】茷扶廢反欒鍼見子重之旌請曰【附註】林曰請於晉厲公楚人謂夫旌子重之麾也彼其子重也



【附註】林曰言楚人謂夫所見之旌旗令尹子重之麾節也彼其子重之所在也日臣之使於楚也子重問晉國之勇【音訓】使所吏反臣對曰好以衆整下免使者同【附註】林曰言晉國好以整齊軍旅為勇曰又何如又問其餘臣對曰好以暇暇閒暇【附註】林曰雖急遽之中猶以閒暇為勇今兩國治戎行人不使不可謂整【附註】林曰兵交使在其間令不使行人使于楚【音訓】使所吏反臨事而食言不可謂暇又如字食好整之言請攝飲焉【音訓】攝持也持飲往飲子重【訓】往飲於鴆反公許之使行人執榼承飲造于子重承奉也【附註】林曰榼飲器曰寡君之使使鍼御持矛御侍也【附註】林曰車右主擊刺持矛其職

也是以不得犒從者使某攝飲【音訓】從才用反子重曰夫子嘗與吾言於楚必是故也不亦識乎知其以往言好暇故致飲【附註】林曰不亦識於禮乎受而飲之免使者而復鼓免脫也旦而戰見星未已【附註】林曰至夜星出戰猶未已子反命軍吏察夷傷夷亦傷也補卒乘補死亡繕甲兵繕治也展車馬展陳也雞鳴而食唯命是聽復欲戰晉人患之苗賁皇徇曰蒐乘補卒蒐閱也【附註】林曰蒐閱車乘補益士卒秣馬利兵秣穀馬也脩陳固列固堅也【音訓】陳直覲反又如字蓐食申禱申重也【音訓】重直用反明日復戰乃逸楚囚逸縱也



【附註】朱曰故縱楚兵之俘獲者欲使歸而言之王聞之召子反謀【附註】林曰欲與之謀戰備穀陽豎獻飲於子反子反醉而不能見【音訓】穀陽子反內豎見賢遍反王曰天敗楚也夫余不可以待乃宵遁晉入楚軍三日穀食楚粟三日也范文子立於戎馬之前曰君幼諸臣不佞佞才也何以及此君其戒之戒勿驕周書曰惟命不于常有德之謂周書康誥言勝無常命惟德是與楚師還及瑕瑕楚地王使謂子反曰先大夫之覆師徒者君不在謂子玉敗城濮時王不在軍【音訓】覆芳服反子無以為過不穀之罪也【附註】林曰言令

(共王自在軍中子反無以為己之過)子反再拜稽首曰君賜臣死死且不朽(王引過亦所以責子反)臣之卒實奔臣之罪也子重使謂子反曰初隕師徒者而亦聞之矣盍圖之(聞子王自殺終二卿相惡【附註】林曰而汝也朱曰言往日子王初喪師徒而成王賜之死汝豈不聞其事也)對曰雖微先大夫有之(【附註】林曰言雖無先大夫子王自殺之事)大夫命側側敢不義(言以義命己不敢不受)側亡君師敢忘其死王使止之不及而卒戰之日齊國佐高無咎至于師(無咎高固子【附註】林曰齊二子至于晉師)衛侯出于衛(【附註】林曰衛獻公亦以是日出師於衛)公出于壞隤(壞隤魯邑齊衛皆後非獨魯明晉以讐如故不見公【音訓】壞如字又音懷隤音頹)宣伯通於穆姜(穆姜成公母)欲去季孟而取其室(季文子孟獻子)將行(【附註】林曰將去會晉師)穆姜送公而使逐二子公以晉難告(會晉伐鄭【音訓】難乃旦反)曰請反而聽命姜怒公子偃公子鉏趨過(二子公庶弟)指之曰女不可是皆君也(言欲廢公更立君【附註】林曰言汝不以為可是二子皆可為君【音訓】女音汝)公待於壞隤申宮儆備(申勑宮備)設守而後行是以後(後晉楚之戰期)使孟獻子守于公宮秋會于沙隨謀伐鄭也(鄭猶未服)宣伯使告郤犨曰魯侯待于壞



隤以待勝者(觀晉楚之勝負)郤犨將新軍且為公族大夫以主東諸侯(主齊魯之屬)取貨于宣伯而訴公于晉侯(訴譖也)晉侯不見公○曹人請于晉曰自我先君宣公即世(在十三年)國人曰若之何憂猶未弭(弭息也既葬國人皆將從子臧所謂憂未息)而又討我寡君(前年晉侯執曹伯)以亡曹國社稷之鎮公子(謂子臧逃奔宋)是大泯曹也(泯滅也)先君無乃有罪乎(言令君無罪而見討得無以先君故)若有罪則君列諸會矣(諸侯雖有篡弒之罪侯伯已與之會則不復討前年會于戚曹伯在列盟畢乃執之故曹人以為無罪)君唯不遺德刑以伯諸侯豈獨遺諸敝邑(遺失也【音訓】伯如字又音霸)敢私布之(為曹伯歸不以名告傳)○七月公會尹武公及諸侯伐鄭將行姜又命公如初(復欲使公逐季孟)公又申守而行諸侯之師次于鄭西我師次于督揚不敢過鄭(督揚鄭東地【附註】林曰畏鄭強故不敢過鄭伯)子叔聲伯使叔孫豹請逆于晉師(豹叔孫僑如弟也僑如於是遂作亂豹因奔齊)為食於鄭郊師逆以至(聲伯戒叔孫以必須所逆晉師至乃食)聲伯四日不食以待之食使者(使者豹之介【附註】林曰晉逆既至聲伯又先食豹之介【音訓】食音嗣使所吏反)而後食(言其忠也)○諸侯遷于制

田滎陽宛陵縣東有制澤【附註】林曰諸侯伐鄭之師還屯于此知武子
佐下軍武子荀罃以諸侯之師侵陳至于鳴鹿
陳國武平縣西南有鹿邑遂侵蔡未反侵陳蔡不書公不與【音訓】鬪與
音預諸侯還于潁上戊午鄭子罕宵軍之【附註】
林曰鄭子罕以夜攻諸侯之軍宋齊衛皆失軍將主與軍相失宋衛
不書後也【音訓】鬪將子匠反○曹人復請于晉晉侯謂
子臧反吾歸而君以曹人重子臧故【附註】林曰而汝也子臧
反曹伯歸子臧自宋還子臧盡致其邑與卿而
不出不出仕○宣伯使告郤犫曰魯之有季
孟猶晉之有欒范也政令於是乎成今其



謀曰晉政多門不可從也政不由君寧事齊楚
有亡而已蔑從晉矣蔑無也若欲得志於魯
請止行父而殺之行父季文子也我斃蔑也蔑孟獻子
時留守公宮而事晉蔑有貳矣魯不貳小國必
睦不然歸必叛矣【附註】朱曰魯既一心事晉則其他小國皆和睦
而同事晉九月晉人執季文子于苕丘公還待
于鄆鄆魯西邑東郡廩丘縣東有鄆城【附註】林曰待晉命使子叔聲
伯請季孫于晉郤犫曰苟去仲孫蔑而止
季孫行父吾與子國親於公室親魯甚於晉公室
對曰僑如之情子必聞之矣聞其淫慝情若去

蔑與行父是大棄魯國而罪寡君也若猶
不棄而惠徼周公之福使寡君得事晉君
則夫二人者魯國社稷之臣也若朝亡之
魯必夕亡以魯之密邇仇讎仇讎謂齊楚亡而
為讎治之何及言魯屬齊楚則還為晉讎郤犫曰吾為
子請邑【附註】林曰郤犫喜聲伯之言故欲為聲伯請益祿邑【音訓】為于偽反
對曰嬰齊魯之常隸也隸賤官【附註】林曰嬰齊聲伯名敢
介大國以求厚焉介因也承寡君之命以請
承奉也若得所請吾子之賜多矣又何求范
文子謂欒武子曰季孫於魯相二君矣二君



宣成妾不衣帛馬不食粟可不謂忠乎信讒
慝而棄忠良若諸侯何【附註】朱曰信僑如讒慝之言棄季孫
忠良之輔如此何以服諸侯也【音訓】衣於既反子叔嬰齊奉君命
無私不受郤犫請邑謀國家不貳謂四日不食以堅事晉圖
其身不忘其君辭邑不食皆先君而後身若虛其請是
棄善人也子其圖之乃許魯平赦季孫冬
十月出叔孫僑如而盟之僑如奔齊諸大夫共
盟以僑如為戒【附註】林曰時成公未歸使國人逐出叔孫僑如十二月季
孫及郤犫盟于扈【附註】林曰晉赦季孫行父故受盟以歸歸
刺公子偃偃與鉏俱為姜所指而獨殺偃偃與謀【音訓】鬪與音預召

叔孫豹于齊而立之近此七月聲伯使豹請逆於晉聞魯人將
討僑如豹乃辟其難先奔齊生二子而魯乃名之故襄二年豹始見經傳於此因言
其終○齊聲孟子通僑如聲孟子齊靈公母宋女使立
於高國之間位比二卿僑如曰不可以再罪附註
林曰僑如自以在魯淫于穆姜得罪不可在齊再以淫于聲孟子得罪奔衛
亦間於卿傳亦終言僑如之佞附註林曰亦間廁於衛卿之位○晉
侯使郤至獻楚捷于周附註林曰獻鄢陵勝楚之捷于周
與單襄公語驟稱其伐伐功也單子語諸大
夫曰溫季其亡乎溫季郤至附註林曰食邑於溫季其字位
於七人之下佐新軍位在八而求掩其上稱己之伐掩上

左傳十三　三十四

功怨之所聚亂之本也多怨而階亂何以
在位怨為亂階夏書曰怨豈在明不見是圖逸書
也不見細微也將慎其細也今而明之其可乎言郤
至顯稱己功所以明怨咎

經十有七年丁亥春衛北宮括帥師侵鄭括成
公孫會○夏公會尹子單子晉侯齊侯宋公衛
侯曹伯邾人伐鄭晉未能服鄭故假天子威周使二卿會之晉為兵主
而猶先尹單尊王命也單伯稱子蓋降爵○六月乙酉同盟于柯
陵柯陵鄭西地附註林曰言同盟尹單與盟之辭也○秋公至自會
無傳○齊高無咎出奔莒○九月辛丑用郊無傳

九月郊祭非禮明矣書用郊從史文○晉侯使荀罃來乞師無傳
將伐鄭○冬公會單子晉侯宋公衛侯曹伯齊
人邾人伐鄭鄭猶未服故也○十有一月公至自伐
鄭無傳○壬申公孫嬰齊卒于貍脤十一月無壬申日誤
也貍脤闕音訓貍力之反脤市軫反○十有二月丁巳朔日有
食之無傳○邾子貜且卒無傳五同盟音訓貜音矍又音鵙且音狙
○晉殺其大夫郤錡郤犨郤至○楚人滅舒
庸

傳十七年春王正月鄭子駟侵晉虛滑虛滑
晉二邑滑故滑國為秦所滅時屬晉後屬周衛北宮括救晉侵

左傳十三　三十五

鄭至于高氏不書救以侵告高氏在陽翟縣西南○夏五月
鄭大子髡頑侯獳為質於楚侯獳鄭大夫附註林曰鄭
懼晉故使二子為質於楚音訓獳乃侯反質音致楚公子成公子
寅戍鄭○公會尹武公單襄公及諸侯伐
鄭自戲童至于曲洧新汲縣治曲洧城今臨洧水音訓戲音羲
○晉范文子反自鄢陵前年鄢陵戰還使其祝宗
祈死祝宗主祭祀祈禱者附註林曰祝大祝宗宗人曰君驕侈而
克敵是天益其疾也難將作矣附註林曰是天益晉
侯驕侈之疾也愛我者惟祝我使我速死無及於
難范氏之福也六月戊辰士燮卒傳言厲公無道

故賢臣憂懼因禱自裁士變之卒適與此會耳附註朱曰劉炫曰何休曰未聞死可祈也此說有理○乙酉同盟于柯陵尋戚之盟也戚盟在十五年○楚子重救鄭師于首止諸侯還畏楚逆○齊慶克通于聲孟子與婦人蒙衣乘輦而入于閎慶克慶封父蒙衣亦為婦人服與婦人相冒閎巷門音訓閎音宏鮑牽見之以告國武子鮑牽鮑叔牙曾孫武子召慶克而謂之慶克久不出懟卧於家夫人所以帷之而告夫人曰國子謫我謫讉責也夫人怒國子相靈公以會會伐鄭音訓相息亮反下相施氏同高鮑處守高無咎鮑牽音訓守手又反及還將至閉門而



索客蒐索備奸人音訓索音色孟子訴之曰高鮑將不納君而立公子角國子知之角頃公子秋七月壬寅刖鮑牽而逐高無咎無咎奔莒高弱以盧叛弱無咎子盧高氏邑齊人來召鮑國而立之國牽之弟文子初鮑國去鮑氏而來附註林曰先時鮑國去齊鮑氏而來魯為施孝叔臣施氏卜宰匡句須吉卜立家宰附註林曰匡句須亦施氏家臣音訓句其俱反施氏之宰有百室之邑附註林曰施氏有百室之邑以為其家宰祿邑與匡句須邑使為宰以讓鮑國而致邑焉施孝叔曰子實吉對曰能與忠良吉孰大焉鮑國

相施氏忠故齊人取以為鮑氏後仲尼曰鮑莊子之知不如葵葵猶能衛其足葵傾葉向日以蔽其根言鮑牽居亂不能危行言孫音訓知音智○冬諸侯伐鄭前夏未得志故十月庚午圍鄭楚公子申救鄭師于汝上附註林曰楚屯師于汝水之上十一月諸侯還不書圍畏楚救不成圍而還○初聲伯夢涉洹洹水出汲郡林慮縣東北至魏郡長樂縣入清水音訓洹音桓一音恒或與已瓊瑰食之瓊玉瑰珠也食珠玉含象音訓食音嗣瑰古回反泣而為瓊瑰盈其懷淚下化為珠玉滿其懷從而歌之曰濟洹之水贈我以瓊瑰歸乎歸乎瓊瑰盈吾懷



乎從就也夢中為此歌附註林曰再言歸乎必死之兆懼不敢占也附註林曰聲伯夢覺而恐懼不敢占此夢還自鄭壬申至于貍脤而占之曰余恐死故不敢占也今衆繁而從余三年矣無傷也言之之莫而卒繁猶多也傳戒數占夢附註朱曰今衆人繁多又從我已三年我之凶夢散在衆人不在已故今占之無害也音訓莫音暮○齊侯使崔杼為大夫使慶克佐之帥師圍盧討高弱國佐從諸侯圍鄭以難請而歸請於請侯音訓難乃旦反下及註同遂如盧師殺慶克以穀叛疾克淫亂故殺之齊侯與之盟于徐關而復之附註林曰復其位十二月盧降

【音訓】降下江反使國勝告難于晉待命于清勝國佐子使以高氏難告晉齊欲討國佐故留其子於外清陽平樂縣是爲明年殺國佐傳

○晉厲公侈多外嬖外嬖愛幸大夫反自鄢陵欲盡去羣大夫而立其左右終如士燮言【附註】林曰立其嬖幸左右之人【音訓】去起呂反胥童以胥克之廢也怨郤氏童胥克之子宣八年郤缺廢胥克而嬖於厲公郤錡奪夷陽五田【附註】林曰郤錡以事奪夷陽五之田五亦嬖於厲公郤犨與長魚矯爭田執而梏之梏械也【附註】林曰足械曰梏郤犨執長魚矯而梏其足【音訓】矯居表反梏古毒反與其父母妻子同一轅繫之車轅既矯亦嬖於厲公【附註】林曰既辛事也欒書怨郤至以其不從已而敗楚師也欲廢之鄢陵戰欒書欲固壘郤至言楚有六間以取勝也使楚公子茷告公曰此戰也郤至實召寡君鄢陵戰晉囚公子茷以歸【附註】林曰郤至嘗使楚故言郤至實召楚君以東師之未至也齊魯衛之師與軍帥之不具也曰此必敗荀罃佐下軍居守郤犨將新軍乞師故言不具【附註】林曰郤至且曰此役晉必敗吾因奉孫周以事君孫周晉襄公曾孫悼公君楚王也公告欒書書曰其有焉【附註】林曰其有此事不然豈其死之不恤而受敵使乎謂鄢陵戰時楚子問郤至以弓君盍嘗使諸周而察之嘗試也【附註】林曰時孫周

在周【音訓】使所吏反又如字郤至聘于周欒書使孫周見之公使覘之信覘伺也【附註】林曰果見有郤至孫周交通之跡【音訓】覘音占遂怨郤至厲公田與婦人先殺而飲酒後使大夫殺傳言厲公無道先婦人而後卿佐【附註】林曰田獵之禮尊者先殺郤至奉豕進之於公寺人孟張奪之寺人奄士郤至射而殺之【音訓】射食亦反公曰季子欺余季子郤至公反以爲郤至奪孟張豕厲公將作難【音訓】難乃旦反胥童曰必先三郤【附註】林曰厲公將作禍難去諸大夫族大多怨去大族不偪不偪公室敵多怨有庸討多怨者易有功公曰然郤氏聞之郤錡欲攻公曰雖死君必危【附註】林曰言雖無功而死厲公必亦危亡郤至曰人所以立信知勇也【附註】朱曰言人之所以自立者以有三者之德【音訓】知音智信不叛君知不害民勇不作亂失茲三者其誰與我死而多怨將安用之言俱死無用多其怨咎君實有臣而殺之其謂君何【附註】朱曰其何以責君乎我之有罪吾死後矣【附註】林曰吾之死已晩矣若殺不辜將失其民欲安得乎言不得安君位待命而已受君之祿是以聚黨【附註】朱曰爲人臣者受其君之俸祿故有餘財以養其私黨有黨而爭命爭死命罪孰大焉傳言郤至無叛心壬午胥童夷羊五帥甲

八百將攻郤氏（八百人）長魚矯請無用衆公使清沸魋助之（沸魋亦嬖人【音訓】沸甫味反魋音頹）抽戈結衽（衽裳際）而僞訟者（僞與清沸魋訟【附註】林曰僞若二人將訟曲直於郤氏者）三郤將謀於榭（榭講武堂）矯以戈殺駒伯苦成叔於其位（位所坐處也駒伯郤錡苦成叔郤犨）溫季曰逃威也遂趨（郤至本意欲稟君命而死今矯等不以君命而來故欲逃凶賊爲害故曰威言可畏也或曰威當爲藏）矯及諸其車以戈殺之皆尸諸朝（陳其尸於朝）胥童以甲劫欒書中行偃於朝矯曰不殺二子憂必及君【附註】（林曰言二子必爲公害）公曰一朝而尸三卿余不忍



益也【附註】（林曰我不忍又益以欒范之二卿）對曰人將忍君（人謂書與偃）臣聞亂在外爲姦【附註】（林曰作亂在外其名曰奸）在內爲軌【附註】（林曰作亂在內其名曰軌）御姦以德（德綏遠）御軌以刑（刑治近）不施而殺不可謂德【附註】（林曰不施德於三郤而遽殺之）臣偪而不討不可謂刑德刑不立姦軌並至臣請行遂出奔狄（行去也）公使辭於二子（辭謝書與偃）曰寡人有討於郤氏郤氏既伏其辜矣大夫無辱其復職位（胥童劫而執之故云辱）皆再拜稽首曰君討有罪而免臣於死君之惠也二臣雖死敢忘君德乃

皆歸【附註】（林曰歸其私家）公使胥童爲卿公遊于匠麗氏（匠麗嬖大夫家）欒書中行偃遂執公焉召士匄士匄辭（辭不往）召韓厥韓厥辭曰昔吾畜於趙氏孟姬之讒吾能違兵（畜養也違去也韓厥少爲趙盾所待養及孟姬之亂晉將討趙氏而厥去其兵示不與黨言此者明己無所偏助孟姬亂在八年）古人有言曰殺老牛莫之敢尸（尸主也【音訓】焉於虔反）而況君乎二三子不能事君焉用厥也○舒庸人以楚師之敗也（敗於鄢陵）道吳人圍巢伐駕圍釐虺（舒庸東夷國）（巢駕釐虺楚四邑）遂恃吳而不設備楚公子櫜師襲舒庸



滅之○閏月乙卯晦欒書中行偃殺胥童民不與郤氏胥童道君爲亂故皆（以其劫己故）書曰晉殺其大夫（厲公以私欲殺三郤而三郤死不以無罪書書偃以家怨害胥童而胥童受國討又明郤氏失民胥童道亂宜其爲國戮）

【經】十有八年【戊子】春王正月晉殺其大夫胥童（傳在前年經在今春從告）○庚申晉弑其君州蒲（不稱臣君無道）○齊殺其大夫國佐（國武子）○公如晉○夏楚子鄭伯伐宋○宋魚石復入于彭城（傳例曰以惡入也彭城宋邑今彭城縣）○公至自晉晉侯使士匄來聘○秋杞伯來朝○八月邾子來朝○築鹿

圍築墻為鹿苑○己丑公薨于路寢○冬楚人鄭人侵宋子重先遣輕軍侵宋故稱人而不言伐○晉侯使士魴來乞師【音訓】魴音房○十有二月仲孫蔑會晉侯宋公衛侯邾子齊崔杼同盟于虛朾虛朾地闕【音訓】朾音汀○丁未葬我君成公

【傳】十八年春王正月庚申晉欒書中行偃使程滑弒厲公程滑晉大夫葬之于翼東門之外以車一乘言不以君禮葬諸侯葬車七乘【附註】林曰翼晉故都【音訓】乘繩證反使荀罃士魴逆周子于京師而立之悼公周生十四年矣大夫逆于清原【附註】朱曰清原



晉地名周子曰孤始願不及此雖及此豈非天乎言有命抑人之求君使出命也【附註】林曰抑語辭言人之所以求君將使其君出命令以治國立而不從將安用君二三子用我今日否亦今日共而從君神之所福也傳言其少有才所以能自固【附註】林曰用我之命當自今日始不用我之命亦自今日始【音訓】共音恭對曰羣臣之願也敢不唯命是聽庚午盟而入與諸大夫盟館于伯子同氏晉大夫家館舍也辛巳朝于武宮武公曲沃始命君逐不臣者七人夷羊五之屬周子有兄而無慧不能辨菽麥故不可立菽大豆也豆麥殊形易別

故以為癡者之侯不慧蓋世所謂白癡【音訓】菽音叔○齊為慶氏之難前年國佐殺慶克【音訓】為于僞反故甲申晦齊侯使士華免以戈殺國佐于内宮之朝華免齊大夫內宮夫人宮師逃于夫人之宮伏兵內宮恐不勝書曰齊殺其大夫國佐棄命專殺以穀叛故也國佐本疾淫亂殺慶克齊以是討之嫌其罪不及死故傳明言其三罪【附註】林曰國佐棄會伐鄭之命而先歸使清人殺國勝勝國佐子前年待命于清者國弱來奔弱勝之弟王湫奔萊湫國佐黨【音訓】湫子小反慶封為大夫慶佐為司寇封佐皆慶克子既齊侯反國弱使嗣國氏禮也佐之罪不及不祀○二月乙酉



朔晉悼公即位于朝朝廟五日而即位也厲公殺絶故悼公不以嗣子居喪【音訓】殺音試始命百官始為政施舍已責施恩惠舍勞役止逋責逮鰥寡惠及微振廢滯起舊德匡乏困救災患匡亦救也禁淫慝薄賦斂宥罪戾宥寬也節器用節省也【附註】林曰器具財用皆從省節時用民使民以時欲無犯時不縱私欲使魏相士魴魏頡趙武為卿相魏錡子魴士會子頡魏顆子武趙朔子此四人其父祖皆有勞於晉國荀家荀會欒黶韓無忌為公族大夫使訓卿之子弟共儉孝弟無忌韓厥子【音訓】共音恭共御同使士渥濁為大傅使脩范武子之法渥濁士貞

子武子為景公大傅【附註】材曰范武子即士會作執秩之法右行辛為司空使修士蔿之法辛將右行因以為氏士蔿獻公司空也【附註】林曰士蔿為獻公司空使脩建都邑起宮室經溝洫之法弁糾御戎校正屬焉弁糾欒糾也校正主馬官使訓諸御知義戎士尚節義【附註】林曰御戎為諸御之表故使訓諸御令知義理荀賓為右司士屬焉司士車右之官使訓勇力之士時使勇力皆車右也勇力多不順命故訓之以共時之使卿無共御立軍尉以攝之省卿戎御令軍尉攝御而已【附註】林曰諸卿為軍帥者皆有戎御令無此官祁奚為中軍尉羊舌職佐之魏絳為司馬魏犨子也張老為候奄【附註】林曰候奄中軍主斥候之官

左傳十三 四十四

鐸遏寇為上軍尉籍偃為之司馬偃籍談父為上軍司馬使訓卒乘親以聽命相親以聽上命【附註】林曰上軍為下新軍之長故使訓卒乘相親以聽上命朱日從車者為卒在車者為乘蓋使中軍上軍尉司馬各教其士卒使之相親以聽在上之命【音訓】卒子忽反乘繩證反不及註皆同程鄭為乘馬御六騶屬焉使訓羣騶知禮程鄭荀氏別族乘馬御乘車之僕也六騶六閑之騶周禮諸侯有六閑馬乘車尚禮容故訓羣騶使知禮【音訓】騶音鄒凡六官之長皆民譽也大國三卿晉時置六卿為軍帥故摠舉六官則知羣官無非其人【音訓】長丁丈反舉不失職官不易方官守其業無相踰易爵不踰德量德授爵師不陵正旅不偪師正軍將命卿也師二

千五百人之帥也旅五百人之帥也言上下有禮不相陵偪民無謗言所以復霸也此以上通言悼公所行未必皆在即位之年○公如晉朝嗣君也○夏六月鄭伯侵宋及曹門外曹門宋城門遂會楚子伐宋取朝郟楚子辛鄭皇辰侵城郜取幽丘同伐彭城朝郟城郜幽丘皆宋邑【音訓】郟音夾納宋魚石向為人鱗朱向帶魚府焉五子以十五年出奔楚獨書魚石為帥告以三百乘戍之而還書曰復入惡其依阻大國以兵威還故書復入凡去其國國逆而立之曰入謂本無位紹繼而立【附註】林曰本國逆而立之以繼人後復其位曰復歸亦國逆諸侯納之

左傳十三 四十五

曰歸謂諸侯以言語告請而歸之有位無位皆曰歸以惡曰復入謂身為戎首稱兵入伐害國殄民者也此四條所以明外內之援辨逆順之辭通君臣取國有家之大例宋人患之西鉏吾曰何也西鉏吾宋大夫若楚人與吾同惡以德於我吾固事之也不敢貳矣惡謂魚石【附註】林曰與我同惡魚石等大國無厭鄙我猶憾言己事之則以我為鄙邑猶恨不足此吾患也【音訓】厭於鹽反不然而收吾憎使贊其政謂不同惡魚石而用之使佐政【附註】林曰收我國所憎嫉之人以為己用以間吾釁亦吾患也【音訓】間如字又去聲今將崇諸侯之姦而披其地崇長也謂楚今取彭城以封魚石披猶分也以塞夷庚夷庚吳晉往來

之要道楚封魚石於彭城欲以絕吳晉之道逞姦而攜服毒諸侯而懼吳晉【圖】隔吳晉之道故懼攜離也【附】林日使奸邪者得快其志服從者皆有攜心吾庸多矣非吾憂也【附註】林日吾之有功多矣非宋國之憂且事晉何為晉必恤之言宋常事晉何為顧有此患難○公至自晉晉范宣子來聘且拜朝也拜謝公朝君子謂晉於是乎有禮有卑讓之禮○秋杞桓公來朝勞公且問晉故公以晉君語之【圖】語其德政勞力報反【音】杞伯於是驟朝于晉而請為昏為平公不徵樂張本○七月宋老佐華喜圍彭城老佐卒焉言所以不克彭城○八月邾宣



公來朝即位而來見也【音訓】見賢遍反○築鹿囿書不時也非土功時○己丑公薨于路寢言道也在路寢得君薨之道○冬十一月楚子重救彭城伐宋使偏師與鄭人侵宋子重為後鎮宋華元如晉告急韓獻子為政於是欒書卒韓厥代將中軍曰欲求得人必先勤之勤恤其急成霸安疆自宋始矣【附註】朱曰昔文公之成霸業而致安疆也亦自救宋而始今宋有患不可不救也晉侯師于台谷以救宋台谷地闕遇楚師於靡角之谷楚師還畏晉也靡角宋地○晉士魴來乞師將救宋季文子問師數於臧武仲武仲宣叔之子對曰

伐鄭之役知伯實來下軍之佐也知伯荀罃今彘季亦佐下軍彘季士魴如伐鄭可也伐鄭在十七年從事大國無失班爵而加敬焉禮也從之從武仲言○十二月孟獻子會于虛朾謀救宋也宋人辭諸侯而請師以圍彭城不敢煩諸侯故但請其師為襄元年圍彭城傳孟獻子請于諸侯而先歸會葬丁未葬我君成公書順也薨于路寢五月而葬國家安靜世適承嗣故曰書順也



春秋經傳集解卷第十三

# 春秋經傳集解卷第十四

杜氏　盡九年

諸家註音訓附

## 魯襄公一

公名午成公子母定姒謚法因事有功曰襄辟土有德曰襄

周　簡王十四年魯襄公元年簡王崩子靈王立襄二十八年靈王崩子景王立

鄭　成公十三年魯襄公二年成公卒子僖公髡頑立襄七年僖公卒簡公嘉立

齊　靈公十年魯襄公十九年靈公卒子莊公光立襄二十五年莊公弑弟景公杵臼立

宋　平公四年

晉　悼公復霸元年韓厥為政襄七年知罃為政襄十一年會于蕭魚服鄭襄十三年荀偃為攻襄十五年悼公卒子平公彪立襄十九年士匄為政襄二十五年趙武為政襄二十七年晉楚盟于宋南北分霸始此



衛　獻公五年魯襄公十四年獻公奔齊衛立公孫剽是為殤公襄二十六年殤公弑獻公復歸于衛襄二十九年獻公卒子襄公立

蔡　景公二十年魯襄公三十年景公弑子靈公般立

曹　成公六年魯襄公十八年成公卒子武公滕立

滕　成公三年

陳　成公二十七年魯襄公四年成公卒子哀公弱立

杞　桓公六十五年魯襄公六年桓公卒子孝公匄立襄二十三年孝公卒弟文公益姑立

薛　詳見僖公元年

莒　黎比公五年魯襄公十六年晉執黎比公襄三十二年黎比公弑子展輿立

邾　宣公二年魯襄公十六年晉執宣公襄十七年宣公卒悼公華立襄十九年晉執悼公

許　靈公十八年魯襄公二十六年靈公卒于楚悼公買立

小邾　魯襄公七年小邾穆公來朝

楚　共王十九年子重為令尹魯襄公三年子重伐吳卒子辛為令尹襄五年楚殺子辛子囊為令尹襄十三年共王卒子康王昭立襄十五年子庚為令尹襄二十一年子南為令尹二十二年薳子馮為令尹襄二十五年子木為令尹襄二十八年康王卒郟敖麇立

秦　景公五年



吳　壽夢十四年魯襄公十二年壽夢卒諸樊立一名遏襄二十五年遏門于巢卒餘祭立一名戴襄二十九年餘祭卒夷昧立一名餘昧

越　詳見隱公元年及魯昭公元年

經　元年己丑春王正月公即位無傳於是公年四歲○仲孫蔑會晉欒黶宋華元衛甯殖曹人莒人邾人滕人薛人圍宋彭城魯與謀於虛朾而書會者稟命霸主非匹敵故○夏晉韓厥帥師伐鄭仲孫蔑會齊崔杼曹人邾人杞人次于鄫鄫鄭地在陳留襄邑縣東南書次兵不加鄭次鄫以待晉師【附】【[illegible]】林曰亦以見復霸之難○秋楚公子壬夫帥師侵宋○九月辛酉天王崩無傳辛酉九月十五日

○邾子来朝○冬衛侯使公孫剽来聘剽子叔黒
背子【音訓】剽匹妙反○晉侯使荀罃来聘冬者十月初也王崩赴未
至皆未聞喪故各得行朝聘之禮而傳善之
【傳】元年春己亥圍宋彭城下有二月則此己亥為正月正
月無己亥日誤非宋地追書也成十八年楚取彭城以封魚石故曰
非宋地夫子治春秋追書繫之宋於是為宋討魚石故稱
宋且不登叛人也登成也不與其專邑叛君故使彭城還繫宋【音
訓】為于偽反謂之宋志稱宋亦以成宋志彭城降晉晉
人以宋五大夫在彭城者歸寘諸瓠丘彭城
降不書賤略之瓠丘晉地河東東垣縣東南有壺丘五大夫魚石向為人鱗朱向帶



魚府【音訓】降戶江反瓠侯吴戶故二反齊人不會彭城晉人
以為討二月齊大子光為質於晉光齊靈公大子
【音訓】質音致○夏五月晉韓厥荀偃帥諸侯之
師伐鄭入其郛荀偃不書非元帥敗其徒兵於洧
上徒兵步兵洧水出密縣東南至長平入潁【音訓】洧于軌反於是東諸
侯之師次于鄫以待晉師齊魯曹邾杞晉師自
鄭以鄫之師侵楚焦夷及陳於是孟獻子自鄭先歸不
與侵陳楚故不書【音訓】與音預晉侯衛侯次于戚以為
之援為韓厥援○秋楚子辛救鄭侵宋呂留呂留
二縣今屬彭城郡鄭子然侵宋取犬丘譙國鄼縣東北有犬

丘城迓廻㨾○九月邾子来朝禮也邾宣公○冬
衛子叔晉知武子来聘禮也凡諸侯即位
小國朝之小事大大國聘焉大字小以繼好結
信謀事補闕禮之大者也闕猶過也禮以安國家利民人
為大【音訓】好呼報反
【經】二年【庚寅】春王正月葬簡王無傳五月而葬速○
鄭師伐宋書伐從告○夏五月庚寅夫人姜氏薨
【附註】林曰襄公適母也○六月庚辰鄭伯睔卒未與襄同盟而
赴以名庚辰七月九日書六月經誤【音訓】睔古困反又胡忖反○晉師宋師
衛寗殖侵鄭宋雖非卿師重故叙衛上○秋七月仲孫蔑



會晉荀罃宋華元衛孫林父曹人邾人于戚
○己丑葬我小君齊姜齊諡也三月而葬速【音訓】齊如字諡法執
心克莊曰齊或音側皆反非○叔孫豹如宋豹於此始自齊還為卿
○冬仲孫蔑會晉荀罃齊崔杼宋華元衛孫
林父曹人邾人滕人薛人小邾人于戚○遂
城虎牢以偪鄭【附註】林曰虎牢一名北制在漢謂之滎陽成皐○楚殺
其大夫公子申
【傳】二年春鄭師侵宋楚令也以彭城故○齊侯
伐萊【附註】林曰萊東夷小國萊人使正輿子【附註】林曰正輿
子萊大夫賂夙沙衛以索馬牛皆百匹夙沙衛齊寺人

索簡擇好者【音訓】索音色齊師乃還君子是以知齊靈公之為靈也謚法亂而不損曰靈言謚應其行【音訓】謚行下孟反○夏齊姜薨初穆姜使擇美檟檟梓之屬【音訓】檟古雅反以自為櫬與頌琴櫬棺也頌琴琴名猶言雅琴皆欲以送終【音訓】櫬初覲反季文子取以葬君子曰非禮也禮無所逆婦養姑者也虧姑以成婦逆莫大焉穆姜成公母齊姜成公婦詩曰其惟哲人告之話言順德之行詩大雅哲知也話善也言知者行詩事無不順【音訓】話戶快反季孫於是為不哲矣言逆德且姜氏君之姒也襄公適母故曰君之姒詩曰為酒為醴烝畀祖妣以



洽百禮降福孔偕詩周頌烝進也畀與也偕徧也言敬事祖妣則鬼神降福季孫葬姜氏不以禮是不敬祖妣○齊侯使諸姜宗婦來送葬宗婦同姓大夫之婦婦人越疆送葬非禮召萊子萊子不會【附註】林曰萊姜姓故召之萊子不來會葬故晏弱城東陽以偪之為六年滅萊傳東陽齊竟上邑○鄭成公疾子駟請息肩於晉欲辟楚役以負擔【音訓】擔都暫反公曰楚君以鄭故親集矢於其目謂鄢陵戰晉射楚王目【音訓】射食亦反非異人任寡人也言楚子任己患不為他人蓋在己【音訓】任音壬絕句一讀至人字絕句【音訓】為于僞反若背之是棄力與言其誰暱我言盟誓之言【附註】林曰棄楚救鄭之力與盟誓之言【音訓】背音佩免寡人唯二三子【附註】林曰免寡人棄力背言之過惟爾二三大夫耳○秋七月庚辰鄭伯睔卒於是子罕當國攝君事子駟為政為政卿子國為司馬晉師侵鄭晉伐喪非禮諸大夫欲從晉子駟曰官命未改成公未葬嗣君未免喪故言未改不欲違先君意○會于戚謀鄭故也鄭人叛晉謀討之孟獻子曰請城虎牢以偪鄭虎牢舊鄭邑今屬晉知武子曰善鄫之會吾子聞崔子之言今不來矣元年孟獻子與齊崔杼次于鄫崔杼有不服晉之言獻子以告知武子滕薛小邾之不至皆齊故也三國齊之屬寡君之憂不唯



鄭言復憂齊叛【音訓】復扶又反罃將復於寡君而請於齊以城事白晉君而請齊會之欲以觀齊志得請而告吾子之功也得請謂齊人應命告諸侯會築虎牢若不得請事將在齊將伐齊吾子之請諸侯之福也城虎牢足以服鄭息征伐豈唯寡君賴之傳言荀罃能用善謀○穆叔聘于宋【附註】林曰穆叔即叔孫豹通嗣君也○冬復會于戚【附註】林曰晉荀罃復合諸侯之大夫于戚齊崔武子及滕薛小邾之大夫皆會知武子之言故也武子言事將在齊齊人懼帥小國而會之遂城虎牢鄭人乃成如孟獻子之謀○楚公子申為右司馬多受小國之賂【附註】

林曰多受從楚小國之賄賂以偪子重子辛偪奪其權勢楚
人殺之故書曰楚殺其大夫公子申言所以致
國討之文

【經】三年【辛卯】春楚公子嬰齊帥師伐吳【附註】林曰
楚始伐吳○公如晉○夏四月壬戌公及晉侯盟
于長樗晉侯出其國都與公盟于外林曰長樗晉地【音訓】樗勑居反【附註】○
公至自晉無傳不以長樗至本非會○六月公會單子晉
侯宋公衛侯鄭伯莒子邾子齊世子光己未
同盟于雞澤雞澤在廣平曲梁縣西南周靈王新即位使王官伯出與諸侯
盟以安王室故無譏【附註】林曰雞澤衛地陳侯使袁僑如會陳疾楚政



而來屬晉本非名會而自來故言如會○戊寅叔孫豹及諸侯
之大夫及陳袁僑盟諸侯既盟袁僑乃至故使大夫別與之盟言諸
侯之大夫則在雞澤之諸侯也殊袁僑者明諸侯大夫所以盟盟袁僑也據傳盟在秋長
曆推戊寅七月十三日經誤【附註】林曰諸侯在而大夫自為盟於是始○秋公
至自會無傳○冬晉荀罃帥師伐許

【傳】三年春楚子重伐吳【附註】林曰子重即公子嬰齊為
簡之師簡選練克鳩茲至于衡山鳩茲吳邑在丹陽蕪
湖縣東今皐夷也衡山在吳興烏程縣南使鄧廖帥組甲三百
被練三千組甲被練皆戰備也組甲漆甲成組文被練練袍【音訓】廖力彫
反組音祖以侵吳吳人要而擊之獲鄧廖【音訓】要於
遙反其能免者組甲八十被練三百而已子
重歸既飲至三日吳人伐楚取駕駕良邑
也鄧廖亦楚之良也君子謂子重於是役
也所獲不如所亡當時君子楚人以是咎子重
子重病之遂遇心疾而卒憂恚故成心疾【音訓】【註】恚一瑞
反○公如晉始朝也公即位而朝○夏盟於長
樗孟獻子相公稽首相儀也稽首首至地【音訓】相息亮反知
武子曰天子在而君辱稽首寡君懼矣稽首
事天子之禮孟獻子曰以敝邑介在東表密邇
仇讎仇讎謂齊楚與晉爭寡君將君是望敢不稽首



傳言獻子能固事盟主○晉為鄭服故且欲脩吳好
鄭服在前年【音訓】為于偽反好呼報反將合諸侯使士匄告
于齊曰寡君使匄以歲之不易不虞之不
戒寡君願與一二兄弟相見不易多難也虞度也戒備
也列國之君相謂兄弟【附註】朱曰以歲事之多難又以不可虞度之事無所戒備我
晉君所以願與諸兄弟之國相見【音訓】易以豉反【圖】難乃旦反年內同度待洛反
以謀不協請君臨之使匄乞盟齊侯欲勿
許而難為不協乃盟於耏外與士匄盟耏水名【音訓】耏
音而○祁奚請老老致仕【附註】林曰祁奚為中軍尉晉侯問
嗣焉嗣續其職者稱解狐其讎也將立之而卒

解狐卒【音訓】解音蟹又問焉對曰午也可午，祁奚子。於是羊舌職死矣。晉侯曰：「孰可以代之？」對曰：「赤也可。」赤，職之子伯華。【附註】林曰：羊舌職佐中軍尉。於是使祁午為中軍尉，羊舌赤佐之。各代其父。君子謂祁奚於是能舉善矣。稱其讎，不為諂；立其子，不為比；舉其偏，不為黨。諂，媚也。偏，屬也。【附註】林曰：稱解狐不為諂佞以媚其讎，立祁午不為親比以私其子，稱羊舌赤不為阿黨以與其偏。【音訓】諂，他檢反。比，毗支反。商書曰：「無偏無黨，王道蕩蕩。」商書，洪範也。蕩蕩，平正無私。其祁奚之謂矣。解狐得舉，未得位，故曰得舉。祁午得位，伯華得官，建一官而三物



成，一官，軍尉。物，事也。【附註】林曰：得舉、得位、得官，三事皆成。能舉善也。夫【音訓】夫音扶唯善，故能舉其類。詩云：「惟其有之，是以似之。」祁奚有焉。詩小雅。言唯有德之人能舉似己者。

○六月，公會單頃公及諸侯。己未，同盟于雞澤。單頃公，王卿士。【附註】林曰：晉悼公復霸，假寵于周，故單子會盟雞澤。【音訓】頃音傾晉侯使荀會逆吳子于淮上，吳子不至。道遠多難。

○楚子辛為令尹，侵欲於小國。【附註】林曰：子辛，即公子壬夫，代子重為令尹。陳成公使袁僑如會求成。患楚侵欲。袁僑，濤塗四世孫。晉侯使和組父告于諸侯。告陳服。秋，叔孫豹及諸侯之大夫及陳袁僑盟。陳請服也。其君不來，使大夫盟之，匹敵之宜。

○晉侯之弟揚干亂行於曲梁，行，陳次。【附註】林曰：曲梁，晉地。【音訓】行，户郎反。陳，直覲反。魏絳戮其僕。僕，御也。【附註】朱曰：魏絳為中軍司馬，謂以車亂行，是御者之罪，故戮其僕。晉侯怒，謂羊舌赤曰：「合諸侯以為榮也，揚干為戮，何辱如之？必殺魏絳，無失也。」對曰：「絳無貳志，事君不辟難，有罪不逃刑，其將來辭，何辱命焉？」言終，魏絳至，授僕人書，僕人，晉侯御僕。將伏劍。士魴、張老止之。公讀其書，曰：「日君乏使，使臣斯司馬。斯，此也。臣聞師衆以順為武，順，莫敢違。軍事有



死無犯為敬，守官行法，雖死不敢有違。君合諸侯，臣敢不敬？君師不武，執事不敬，罪莫大焉。【附註】林曰：令君之師衆違命亂行，是不武也；臣治軍事，畏死廢法，是不敬也。臣懼其死以及揚干，無所逃罪。懼自犯不武、不敬之罪。不能致訓，至於用鉞。用鉞斬揚干之僕。臣之罪重，敢有不從以怒君心？言不敢不從戮。請歸死於司寇。」致尸於司寇，使戮之。公跣而出，【音訓】跣，先典反。曰：「寡人之言，親愛也；吾子之討，軍禮也。寡人有弟，弗能教訓，使干大命，寡人之過也。子無重寡人之過，魏絳死為重過。【音訓】重，直用反。敢以為請。」請使無死。晉侯以

魏絳爲能以刑佐民矣【附註】林曰晉悼以魏絳刑當其罪能以刑佐治民之事矣反役與之禮食使佐新軍羣臣旅會今欲顯絳故特爲設禮食【附註】林曰反自雞澤之役【音訓】食音嗣又如字【圖】爲于僞反張老爲中軍司馬代魏絳士富爲候奄代張老士富士會別族○楚司馬公子何忌侵陳陳叛故也○許靈公事楚不會于雞澤冬晉知武子帥師伐許

【經】四年【壬辰】春王三月己酉陳侯午卒前年大夫盟雞澤三月無己酉日誤○夏叔孫豹如晉○秋七月戊子夫人姒氏薨成公妾襄公母姒杞姓○葬陳成公無傳



○八月辛亥葬我小君定姒無傳定謚也赴同祔姑反哭成喪皆以正夫人禮母以子貴踰月而葬速○冬公如晉○陳人圍頓

【傳】四年春楚師爲陳叛故猶在繁陽前年何忌之師侵陳今猶未還繁陽楚地在汝南鮦陽縣南【音訓】爲于僞反【圖】鮦音童韓獻子患之言於朝曰文王帥殷之叛國以事紂唯知時也知時未可爭今我易之難哉晉力未能服楚受陳爲非時【附註】林曰反逆文王之道○三月陳成公卒楚人將伐陳聞喪乃止軍禮不伐喪陳人不聽命不聽楚命臧武仲聞之曰陳不服於楚必亡大國行禮焉而不服在大猶有咎而況小乎夏楚彭名侵陳陳無禮故也爲下陳圍頓傳○穆叔如晉報知武子之聘也武子聘在元年晉侯享之金奏肆夏之三不拜肆夏樂曲名周禮以鐘鼓奏九夏其二曰肆夏一名樊三曰韶夏一名遏四曰納夏一名渠盖擊鐘而奏此三夏曲【音訓】夏戶雅反工歌文王之三又不拜工樂人也文王之三大雅之首文王大明綿歌鹿鳴之三三拜小雅之首鹿鳴四牡皇皇者華韓獻子使行人子員問之行人通使之官【音訓】員音云曰子以君命辱於敝邑先君之禮藉之以樂以辱吾子藉薦也【音訓】藉在夜反吾子舍



其大而重拜其細【音訓】舍音捨重直用反下皆同敢問何禮也對曰三夏天子所以享元侯也使臣弗敢與聞元侯牧伯【音訓】使所吏反下皆同與音預下及與同文王兩君相見之樂也臣不敢及及與也文王之三皆稱文王之德受命作周故諸侯會同以相樂【音訓】【圖】樂音洛鹿鳴君所以嘉寡君也敢不拜嘉晉以叔孫爲嘉賓故歌鹿鳴之詩取其我有嘉賓叔孫奉君命而來嘉叔孫乃所以嘉魯君四牡君所以勞使臣也敢不重拜詩言使臣乘四牡騑騑然行不止勤勞也晉以叔孫來聘故以此勞之【音訓】勞力報反皇皇者華君教使臣曰必諮於周皇皇者華君遣使臣之詩言忠臣奉使能光輝君命如華

之皇皇然又當諮于忠臣以補己不及忠信為周其詩曰周爰諮諏周爰諮謀周爰諮度周爰諮詢言必於忠信之人諮此四事【音訓】諏子須反度待洛反詢音旬臣聞之訪問於善為咨問善道咨親為詢問親戚之義咨禮為度問禮義咨事為諏問政事咨難為謀問患難【音訓】難乃旦反臣獲五善敢不重拜五善為諮諏度詢謀○秋定姒薨不殯于廟無櫬不虞櫬親身棺季孫以定姒本賤既無器備議其喪制欲殯不過廟又不反哭【附註】林曰虞祭也欲喪定姒不用反哭之虞祭【音訓】過古禾反匠慶謂季文子匠慶魯大夫曰子為正卿而小君之喪不成謂如季孫所議則為夫人禮不成不終君也慢其母是不終事君之道君



長誰受其咎言襄公長將責季孫【音訓】長丁丈反初季孫為己樹六檟於蒲圃東門之外蒲圃場圃名季文子樹檟欲自為櫬【音訓】為于偽反下為紀定姒為之言下為執事同己音紀匠慶請木為定姒作櫬季孫曰略不以道取為略匠慶用蒲圃之檟季孫不御御止也傳言遂得成禮故經無異文【音訓】御音禦君子曰志所謂多行無禮必自及也其是之謂乎【附註】林曰此言始則季文子無禮於穆姜取其櫬及頌琴以葬齊姜終則匠慶無禮於季孫取其檟以葬定姒脗合多行無禮必自及也之書語○冬公如晉聽政受貢賦多少之政晉侯享公公請屬鄫鄫小國也欲得使屬魯如須句顓臾之比使助魯出貢賦公時年七歲蓋

相者為之言鄫今瑯琊鄫縣【音訓】句其俱反相息亮反晉侯不許孟獻子曰以寡君之密邇於仇讎而願固事君無失官命晉官徵發之命【附註】林曰密邇於齊楚仇讎之國鄫無賦於司馬晉司馬又掌諸侯之賦為執事朝夕之命敝邑敝邑褊小闕而為罪闕不共也【音訓】共音恭寡君是以願借助焉借鄫以自助【音訓】借子亦反晉侯許之為明年叔孫豹鄫世子巫如晉傳○楚人使頓間陳而侵伐之故陳人圍頓間伺間缺【音訓】間去聲伺音司間音閒又間廁之間又如字○無終子嘉父使孟樂如晉無終山戎國名孟樂其使臣因魏莊子納虎豹之皮以



請和諸戎欲戎與晉和莊子魏絳晉侯曰戎狄無親而貪不如伐之魏絳曰諸侯新服陳新來和將觀於我我德則睦否則攜貳勞師於戎而楚伐陳必弗能救是棄陳也諸華必叛諸華中國戎禽獸也獲戎失華無乃不可乎夏訓有之曰有窮后羿夏訓夏書有窮國名后君也羿有窮君之號【音訓】羿音詣公曰后羿何如怪其言不次故問之對曰昔有夏之方衰也后羿自鉏遷于窮石因夏民以代夏政禹孫大康淫放失國夏人立其弟仲康仲康亦微弱仲康卒子相立羿遂代相號曰有窮鉏羿本國名【音訓】相息亮反下及註同恃

其射也(羿善射)不脩民事而淫于原獸(淫放原野)棄武羅伯因熊髡尨圉(四子皆羿之賢臣【音訓】髡音坤尨莫邦反圉魚呂反)而用寒浞寒浞伯明氏之讒子弟也(寒國北海平壽縣東有寒亭伯明其君名【音訓】浞仕角在角二反)伯明后寒棄之夷羿收之(夷氏【附註】林曰伯明之君惡其好讒寒棄之而不用)信而使之以為己相浞行媚于內(內宮人)而施賂于外愚弄其民(欺罔之)而虞羿于田(樂之以游田【音訓】【註】樂音洛)樹之詐慝以取其國家(樹立也)外內咸服(信浞詐)羿猶不悛(悛改也)將歸自田(羿獵還)家衆殺而亨之以食其子(食羿子【音訓】亨音烹食音嗣)其子不忍食諸死于窮門(殺之於國門)靡奔有鬲氏(靡夏遺臣事羿者有鬲國名今平原鬲縣)浞因羿室(就其妃妾)生澆及豷(【音訓】澆五吊反豷許器反)恃其讒慝詐偽而不德于民使澆用師滅斟灌及斟尋氏(二國夏同姓諸侯仲康之子后相所依樂安壽光縣東南有灌亭北海平壽縣東南有斟亭)處澆于過處豷于戈(過戈皆國名東萊掖縣北有過鄉戈在宋鄭之間【音訓】過古禾反)靡自有鬲氏收二國之燼(燼遺民【音訓】燼才刃反)以滅浞而立少康(少康夏后相之子)少康滅澆于過后杼滅豷于戈(后杼少康子【音訓】杼直呂反)有窮由是遂亡失人故也



(浞因羿室故不改有窮之號)昔周辛甲之為大史也命百官官箴王闕(辛甲周武王大史闕過也使百官各為箴辭戒王過)於虞人之箴(虞人掌田獵)曰芒芒禹迹畫為九州(芒芒遠貌畫分也【音訓】畫乎麥反)經啓九道(啓開九州之道)民有寢廟獸有茂草各有攸處德用不擾(人神各有所歸故德不亂【音訓】擾如小反亂也)在帝夷羿冒于原獸(冒貪也【音訓】冒莫報反又亡北反)忘其國恤而思其麀牡(言但念獵【音訓】麀音憂牡茂后反)武不可重(重猶數也【音訓】重直用反【註】數所角反)用不恢于夏家(羿以好武雖有夏家而不能恢大之)獸臣司原敢告僕夫(獸臣虞人告僕夫不敢斥尊)虞箴如是可不懲乎於是晉侯好田故魏絳及之(及后羿事【音訓】好呼報反)公曰然則莫如和戎乎對曰和戎有五利焉戎狄薦居貴貨易土(薦聚也易猶輕也【音訓】易以豉反)土可賈焉一也(【附註】林曰其土地所產可資商賈【音訓】賈音古)邊鄙不聳民狎其野穡人成功二也(聳懼狎習也【音訓】聳息勇反)戎狄事晉四隣振動諸侯威懷三也以德綏戎師徒不動甲兵不頓四也(頓壞也)鑒于后羿而用德度(以后羿為鑒戒【附註】林曰用明德為諸侯度)遠至邇安五也君其圖之公說(【音訓】說音悅)使魏絳盟諸戎修民事

田以時傳言晉侯能用善謀○冬十月邾人莒人伐
鄫臧紇救鄫侵邾敗於狐駘臧紇武仲也鄫屬魯故救
之狐駘邾地魯國番縣東南有目台亭【音訓】紇恨發反駘音臺國人逆喪
者皆髽魯於是乎始髽髽麻髮合結也遭喪者多故不能備
凶服髽而已【音訓】髽音查國人誦之曰臧之狐裘敗我
於狐駘臧紇時服狐裘我君小子朱儒是使朱儒
朱儒使我敗於邾襄公幼弱故曰小子臧紇短小故曰朱儒敗不
書魯人諱之
【經】五年【癸巳】春公至自晉○夏鄭伯使公子
發來聘發子產父○叔孫豹鄫世子巫如晉比魯大夫

左傳十四　十七

故書巫如晉○仲孫蔑衛孫林父會吳于善道魯衛
俱受命於晉故不言及吳先在善道二大夫往會之故曰會吳善道地闕○秋大
雩○楚殺其大夫公子壬夫書名罪其貪○公會
晉侯宋公陳侯衛侯鄭伯曹伯莒子邾子滕
子薛伯齊世子光吳人鄫人于戚穆叔使鄫人聽命于
會故鄫見經不復殊吳者吳來會于戚【附註】林曰吳初與諸侯盟也不書盟于晉諱也吳
晉之盟春秋終諱之【音訓】【註】見賢遍反復扶又反○公至自會無傳○
冬戍陳諸侯在戚會皆受命戍陳各還國遣戍不復有告命故獨書魯戍○
楚公子貞帥師伐陳○公會晉侯宋公衛侯
鄭伯曹伯齊世子光救陳○十有二月公至

自救陳無傳○辛未季孫行父卒
【傳】五年春公至自晉公在晉既聽屬鄫聞其見伐遂命臧紇出
救故傳稱經公至以明之○王使王叔陳生愬戎于晉
王叔周卿士也戎陵虣周室故告愬盟主【音訓】愬悉路反【註】虣白報反晉人
執之執【附註】林曰晉人王叔陳生士魴如京師言王叔
之貳於戎也王叔反有二心於戎失奉使之義故晉執之○夏
鄭子國來聘通嗣君也【註】鄭僖公初即位【附】【註】林曰子國即公
子發○穆叔覿鄫大子于晉以成屬鄫覿見也前
年請屬鄫故將鄫大子巫如晉以成之【音訓】覿直歷反【註】見賢遍反書曰叔
孫豹鄫大子巫如晉言比諸魯大夫也豹與

左傳十四　十八

巫俱受命於魯故經不書及比之魯大夫○吳子使壽越如晉
壽越吳大夫辭不會于雞澤之故三年會雞澤吳不至今來
謝之且請聽諸侯之好更請會【音訓】好呼報反晉人將
為之合諸侯使魯衛先會吳且告會期以其
道遠故使魯衛先告期【音訓】為于偽反故孟獻子孫文子會
吳于善道二子皆受晉命而行○秋大雩旱也雩夏祭所
以祈甘雨若旱則又修其禮故雖秋雩非書過也然經與過雩同文是以傳每釋之
日旱也雩而獲雨故書雩而不書旱○楚人討陳叛故討治也
曰由令尹子辛實侵欲焉乃殺之書曰楚
殺其大夫公子壬夫貪也君子謂楚共王

於是不刑陳之叛楚罪在子辛共王既不能素明法教陳叛之日又不能嚴斷欲刑以謝小國而擁其罪人與兵致討加禮於陳而陳恨彌篤乃怨而歸罪子辛子辛之貪雖足以取死然共王用刑為失其節故言不刑〔音訓〕共音恭詩曰周道挺挺我心扃扃講事不令集人来定逸詩也挺挺正直也扃扃明察也講謀也言謀事不善當聚致賢人以定之〔音訓〕扃上聲已則無信而殺人以逞不亦難乎共王伐宋封魚石背盟敗于鄢陵殺子反公子申及壬夫八年之中戮殺三卿欲以屬諸侯故君子以為不可夏書曰成允成功亦逸書也允信也言信成然後有成功○九月丙午盟于戚會吳且命戍陳也公及其會而不書盟非公後會盖不以盟告廟穆叔以屬鄫為



不利使鄫大夫聽命于會鄫近魯竟故欲以為屬國既而與莒相怨魯不能救恐致譴責故復乞還之傳言鄫人所以見於戚會〔音訓〕〔諺〕譴棄戰反援扶又反見賢遍反○楚子囊為令尹公子貞范宣子曰我喪陳矣楚人討貳而立子囊必改行改子辛所行〔附註〕林曰楚人討治陳人携貳之故而殺子辛立子囊為令尹〔音訓〕喪息浪反行如字又下孟反而疾討陳疾急也陳近於楚民朝夕急能無往乎有陳非吾事也無之而後可言晉力不能及陳故七年陳侯逃歸○冬諸侯戍陳備楚子囊伐陳十一月甲午會于城棣以救之公及救陳而不及會故不書城棣城棣鄭地陳留酸棗縣西南有棣城〔音訓〕棣

直許反○季文子卒大夫入斂公在位在阼階西鄉〔音訓〕〔諺〕鄉許亮反宰庀家器為葬備庀具也〔音訓〕庀匹婢反無衣帛之妾無食粟之馬無藏金玉無重器備器備謂珍寶甲兵之物〔音訓〕衣於既反食如字又音嗣重如字又直龍反君子是以知季文子之忠於公室也相三君矣而無私積可不謂忠乎〔音訓〕相息亮反積子賜反

〔經〕六年〔甲午〕春王三月壬午杞伯姑容卒○夏宋華弱来奔華椒孫○秋葬杞桓公無傳○滕子来朝○莒人滅鄫○冬叔孫豹如邾○季孫宿如晉行父之子○十有二月齊侯滅萊書十二月



從告

〔傳〕六年春杞桓公卒始赴以名同盟故也杞人春秋未嘗書名桓公三與成同盟故赴以名○宋華弱與樂轡少相狎長相優又相謗也狎親習也優調戲也〔附註〕林曰華弱樂轡皆宋大夫〔音訓〕少時照反狎戶甲反長丁丈反〔諺〕調徒弔反子蕩怒以弓梏華弱于朝子蕩樂轡也張弓以貫其頸若械之在手故曰梏〔音訓〕梏古毒反平公見之曰司武而梏於朝難以勝矣司武司馬言其懦弱不足以勝敵〔音訓〕〔諺〕懦乃亂反又乃卧反遂逐之夏宋華弱来奔司城子罕曰同罪異罰非刑也專戮於朝罪孰大焉亦逐

子蕩子蕩射子罕之門曰幾日而不我從言我射女門女亦當以不勝任見逐【音訓】射食亦反幾居豈反【註】女音汝勝音升

子罕善之如初言子罕雖見辱不追念所以得安○秋滕

成公來朝始朝公也○莒人滅鄫鄫恃賂

也鄫有貢賦之賂在魯恃之而慢莒故滅之○冬穆叔如邾聘

且修平平四年狐駘戰○晉人以鄫故來討曰何

故亡鄫鄫屬魯恃賂而慢莒魯不致力輔助無何以還晉尋便見滅故晉責

魯季武子如晉見且聽命始代父為卿見大國且謝亡鄫

聽命受罪【音訓】見賢遍反○十一月齊侯滅萊萊恃謀

也賂夙沙衛之謀也事在二年於鄭子國之來聘也四

左傳廿四　二十一

月晏弱城東陽而遂圍萊子國聘在五年二年晏弱城東

陽至五年四月復託治城因遂圍萊【音訓】【註】復扶又反甲寅堙之環

城傅於堞堞女牆也堙土山也周城為土山及女牆【音訓】堙音因環戶關

反又音患傅音附堞音牒及杞桓公卒之月此年三月乙未

王湫帥師及正輿子棠人軍齊師王湫故齊人成

十八年奔萊正輿子萊大夫棠萊邑也北海即墨縣有棠鄉三人帥別邑兵來解圍

【音訓】湫子小反齊師大敗之敗湫等丁未入萊萊共

公浮柔奔棠【附註】林曰浮柔萊共公名【音訓】共音恭正輿子

王湫奔莒莒人殺之【附註】林曰莒附齊故殺正輿子王湫四

月陳無宇獻萊宗器于襄宮無宇桓子陳完玄孫襄宮

齊襄公廟晏弱圍棠十一月丙辰而滅之遷萊

于郳遷萊子于郳國高厚崔杼定其田定其疆界高厚高固

子

【經】七年【乙未】春郯子來朝○夏四月三卜郊

不從乃免牲稱牲既卜日也卜郊又非禮也○小邾子來朝

○城費南遺假事難而城之【音訓】費音祕【註】難乃旦反○秋季孫宿

如衛○八月螽無傳為災故書○冬十月衛侯使孫

林父來聘○壬戌及孫林父盟○楚公子貞

帥師圍陳○十有二月公會晉侯宋公陳侯

衛侯曹伯莒子邾子于鄬謀救陳陳侯逃歸不成救故不書救

左傳廿四　二十二

也鄬鄭地【音訓】鄬音委又音為○鄭伯髡頑如會未見諸侯

丙戌卒于鄵實為子駟所弒以瘧疾赴故不書弒稱名為書卒同盟故也如會會於鄵也未見諸侯未至會所而死鄵鄭地不欲再稱鄭伯故約文上其名於會上【音

訓】鄵七報反字林千消反【註】為于偽反上其時掌反○陳侯逃歸畏楚逃晉

而歸【附註】林曰自是凡會同無陳矣

【傳】七年春郯子來朝始朝公也○夏四月

三卜郊不從乃免牲孟獻子曰吾乃今而

後知有卜筮夫郊祀后稷以祈農事也郊祀

后稷以配天后稷周始祖能播殖者是故啟蟄而郊郊而後

耕今既耕而卜郊宜其不從也啟蟄夏正建寅之月

耕謂春分○南遺為費宰（費季氏邑）叔仲昭伯為隧正（隧正主役徒昭伯叔仲惠伯之孫【音訓】隧音遂）欲善季氏而求媚於南遺謂遺請城費（使遣請城）吾多與而役故季氏城費（傳言祿去公室季氏所以強【附註】林曰而汝也我多與汝徒役）○小邾穆公來朝亦始朝公也（亦鄭子也）○秋季武子如衛報子叔之聘且辭緩報非貳也（子叔聘在元年言國家多難故不時報【音訓】【註】難乃旦反）○冬十月晉韓獻子告老公族穆子有廢疾（穆子韓厥長子成十八年為公族大夫）將立之（代厥為卿）辭曰詩曰豈不夙夜謂行多露（詩言雖欲早夜而行懼多露之濡己義取非禮不可安行）又曰弗躬弗親庶民弗信（詩小雅譏在位者不躬親政事則庶民不奉信其命言己有疾不能躬親政事）無忌不才讓其可乎請立起也（無忌穆子名起無忌弟宣子也）與田蘇游而曰好仁（田蘇晉賢人蘇言起好仁【音訓】好呼報反）詩曰靖共爾位好是正直神之聽之介爾景福（靖安也介助也景大也詩小雅言君子當思不出其位求正直之人與之並立如是則神明順之致大福也【音訓】共音恭）恤民為德（靖共其位所以恤民）正直為正（正己心）正曲為直（正人曲）參和為仁（德正直三者備乃為仁【音訓】參七南反又音三）如是則神聽之介福降之立之不亦可乎（言起有此三德故可立）庚戌使宣



子朝遂老（韓厥致仕）晉侯謂韓無忌仁使掌公族大夫（為之師長【附註】林曰掌主也穆子初為公族大夫令使主之為之師長）○衛孫文子來聘且拜武子之言（謝報非貳之言）而尋孫桓子之盟（盟在成三年）公登亦登（禮登階臣後君一等【音訓】【註】後胡豆反下文不後寡君同）叔孫穆子相趨進曰諸侯之會寡君未嘗後衛君（敵體並登【音訓】相息亮反下子駟相同後如字又胡豆反）今吾子不後寡君寡君未知所過吾子其小安（安徐也）孫子無辭亦無悛容（悛改也【音訓】悛七全反）穆叔曰孫子必亡為臣而君（【附註】林曰為人臣而與國君抗禮）過而不悛亡之本也詩曰退食自公委蛇委蛇（委蛇順貌詩召南言人臣自公門入私門無不順禮【音訓】委於危反蛇以支反）謂從者也（從順也）衡而委蛇必折（衡橫也橫不順道必毀折為十四年林父逐君起本）○楚子囊圍陳會于鄬以救之（晉會諸侯）○鄭僖公之為大子也於成之十六年（魯成公）與子罕適晉不禮焉（【附註】林曰鄭僖公不禮於子罕）又與子豐適楚亦不禮焉（子豐穆公子）及其元年朝于晉（鄭僖元年魯襄三年）子豐欲愬諸晉而廢之子罕止之及將會于鄬子駟相又不禮焉侍者諫不聽又諫殺之及鄬子駟使賊夜

弒僖公而以瘧疾赴于諸侯傳言經所以不書弒簡公生五年奉而立之僖公子○陳人患楚楚圍陳故慶虎慶寅謂楚人曰吾使公子黃往而執之二慶陳執政大夫公子黃哀公弟楚人從之【音訓】為執黃【註】為于偽反二慶使告陳侯于會鄬之會曰楚人執公子黃矣君若不來羣臣不忍社稷宗廟懼有二圖背君屬楚陳侯逃歸鄬會所以不書故

【經】八年【丙申】春王正月公如晉○夏葬鄭僖公無傳○鄭人侵蔡獲蔡公子燮鄭子國稱人剌其無故侵蔡以生國患燮蔡莊公子【音訓】燮悉協反○季孫宿會晉侯鄭伯



齊人宋人衛人邾人于邢丘時公在晉晉悼難勞諸侯唯使大夫聽命故季孫在會而公先歸【音訓】【註】難乃旦反○公至自晉無傳○莒人伐我東鄙○秋九月大雩○冬楚公子貞帥師伐鄭○晉侯使士匄來聘

【傳】八年春公如晉朝且聽朝聘之數晉悼復修霸業故朝而稟其多少【音訓】【註】復扶又反○鄭羣公子以僖公之死也謀子駟子駟先之【音訓】先悉薦反又如字夏四月庚辰辟殺子狐子熙子侯子丁辟罪也加罪以戮之【音訓】辟音闢孫擊孫惡出奔衛二孫子狐之子○庚寅鄭子國子耳侵蔡獲蔡司馬公子燮

鄭侵蔡欲以求媚於晉子耳子良之子不言敗唯以獲告鄭人皆喜唯子產不順子產子國子不順衆而喜曰小國無文德而有武功禍莫大焉楚人來討能勿從乎從之晉師必至晉楚伐鄭自今鄭國不四五年弗得寧矣子國怒之曰爾何知國有大命而有正卿童子言焉將為戮矣大命起師行軍之命○五月甲辰會于邢丘以命朝聘之數使諸侯之大夫聽命季孫宿齊高厚宋向戌衛甯殖邾大夫會之晉難重煩諸侯故使大夫聽命鄭伯獻捷于會故親聽命獻蔡捷也大夫不書尊



晉侯也晉悼復文襄之業制朝聘之節儉而有禮德義可尊故退諸侯大夫以崇之【附註】林曰大夫皆書曰人○莒人伐我東鄙以疆鄫田莒既滅鄫魯侵其西界故伐魯東鄙以正其封疆○秋九月大雩旱也○冬楚子囊伐鄭討其侵蔡也【附註】林曰果如子產之言子駟子國子耳欲從楚子孔子蟜子展欲待晉待晉來救子孔穆公子子蟜子游子子展子罕子【音訓】蟜音嬌子駟曰周詩有之曰俟河之清人壽幾何逸詩也言人壽促而河清遲猶晉之不可待【附註】林曰黃河水濁一千年而一清【音訓】幾居豈反兆云詢多職競作羅兆卜詢謀也職主也言謀之多則競作羅網之難無成功【音訓】【註】難乃旦反謀之

多族民之多違(族家也【附註】林曰鄭之主謀多有族類民各有心多相違戾也)事滋無成(滋益也)民急矣姑從楚以紓吾民(【附註】林曰紓緩也以緩吾民之死【音訓】紓音舒)晉師至吾又從之敬共幣帛以待來者小國之道也【音訓】(共音恭)犧牲玉帛待於二竟(二竟晉楚界上【音訓】竟音境)以待彊者而庇民焉(【音訓】庇音界)寇不為害民不罷病不亦可乎(【音訓】罷音皮)子展曰小所以事大信也小國無信兵亂日至亡無日矣五會之信(謂三年會雞澤五年會戚又會城棣七年會鄬八年會邢丘)今將背之(【音訓】背音佩)雖楚救我將安用之(言失



信得楚不足貴)親我無成(晉親鄭)鄙我是欲(楚欲以鄭為鄙邑而反欲與成)不可從也(言子駟不可從)不如待晉晉君方明四軍無闕八卿和睦必不棄鄭(四軍謂上中下新軍也軍有二卿)楚師遼遠糧食將盡必將速歸何患焉舍之聞之(舍之子展名)杖莫如信【音訓】(杖直亮反)完守以老楚杖信以待晉不亦可乎子駟曰詩云謀夫孔多是用不集(詩小雅孔甚也集就也言人欲為政是非相亂而不成)發言盈庭誰敢執其咎(言謀者多若有不善無適受其咎)如匪行邁謀是用不得于道(匪彼也行邁謀謀於路人也不得于道衆無適從)請從楚

騑也受其咎(騑子駟名【音訓】騑音非)乃及楚平使王子伯駢告于晉(伯駢鄭大夫【音訓】駢扶賢反又扶經反)曰君命敝邑修而車賦(【附註】朱曰而汝也賦兵也)儆而師徒以討亂略蔡人不從敝邑之人不敢寧處悉索敝賦(索盡也【音訓】索悉各反)以討于蔡獲司馬燮獻于邢丘今楚來討曰女何故稱兵于蔡(稱舉也【音訓】女音汝)焚我郊保(郭外曰郊保守也)馮陵我城郭(馮迫也【音訓】馮音憑)敝邑之衆夫婦男女不遑啓處以相救也(皇暇也啓跪也)翦焉傾覆無所控告(翦盡也控引也)民死亡者非其父兄即其子弟



夫人愁痛(【音訓】夫人猶人人也夫音扶)不知所庇民知窮困而受盟于楚孤也與其二三臣不能禁止(孤鄭伯)不敢不告知武子使行人子員對之曰君有楚命(見討之命)亦不使一介行李告于寡君(一介獨使也行李行人也【音訓】个音箇)而即安于楚君之所欲也誰敢違君寡君將帥諸侯以見于城下唯君圖之(為明年晉伐鄭傳【音訓】見賢遍反或如字)○晉范宣子來聘且拜公之辱(謝公此春朝)告將用師于鄭公享之宣子賦摽有梅(摽有梅詩召南摽落也梅盛極則落詩人以興女色盛則有衰衆士求之宜及其時宣子

欲魯及時共討鄭取其汲汲相赴季武子曰誰敢哉言誰敢不從命今譬於草木寡君在君君之臭味也言同類【附註】林曰如草木香氣滋味之同者歡以承命【附註】林曰歡樂以奉承晉之命何時之有遲速無時遲速唯命【附註】林曰何拘於時武子賦角弓角弓詩小雅取其兄弟昏姻無相遠矣賓將出武子賦彤弓彤弓天子賜有功諸侯之詩欲使晉君繼文之業復受彤弓於王【音訓】【註】復扶又反宣子曰城濮之役在僖二十八年我先君文公獻功于衡雍受彤弓于襄王以為子孫蔵蔵之以示子孫【音訓】雍於用反蔵如字又才浪反匄也先君守官之嗣也敢不承命言已嗣其父祖為先君守官不敢廢命欲在晉君君子以為知禮彤弓之義義在晉君故范匄受之所謂知禮



【經】九年【丁酉】春宋災天火曰災來告故書○夏季孫宿如晉○五月辛酉夫人姜氏薨成公母○秋八月癸未葬我小君穆姜無傳四月而葬速○冬公會晉侯宋公衛侯曹伯莒子邾子滕子薛伯杞伯小邾子齊世子光伐鄭○十有二月己亥同盟于戲伐鄭而書同盟則鄭受盟可知傳言十二月己亥以長歷推之十二月無己亥經誤戲鄭地【音訓】戲許宜反楚子伐鄭

【傳】九年春宋災樂喜為司城以為政樂喜子罕也為政卿知將有火災素戒為備火之政使伯氏司里伯氏宋大夫司里里宰火所未至徹小屋塗大屋大屋難徹就塗之陳畚挶具綆缶畚蕢籠挶土輿綆汲索缶汲器【音訓】畚音本挶音掬綆音梗備水器盆罋之屬【註】罋戶暫反【音訓】量輕重計人力所任蓄水潦積土塗【附註】林曰蓄積塗火殺火之土塗巡丈城繕守備巡行也丈度也繕治也行度守備之處恐因災有亂【音訓】守手又反【註】行下孟反下同度待洛反下同表火道火起則從其所趣摽表之【音訓】【註】摽必遥反使華臣具正徒華臣華元子為司徒正徒役徒也司徒之所主也令隧正納郊保奔火所隧正官名也五縣為隧納聚郊野保守之民使隨火所起往救之使華閱討右官官庀其司亦華元子代元為右師討治也庀具也使具其官屬向戌討左亦如之向戌左師使樂遄庀刑器亦如之樂遄司寇刑器刑書【音訓】遄市專反使皇鄖命校正出馬工正出車備甲兵庀武守皇鄖皇父充石之後校正主馬工正主車使各備其官【註】鄖音云校音效【音】使西鉏吾庀府守鉏吾大宰也府六官之典令司宮巷伯儆宮司宮奄臣巷伯寺人皆掌宮內之事二師令四鄉正敬享二師左右師也鄉正鄉大夫享祀也祝宗用馬于四墉祀盤庚于西門之外祝大祝宗宗人墉城也用馬祭于四城以禳火盤庚殷王宋之遠祖城積陰之氣故祀之凡天災有幣無牲用馬祀盤庚皆非禮晉侯問於士弱弱士

渥濁之子莊子曰吾聞之宋災於是乎知有天道何故問宋何故自知天道將災對曰古之火正或食於心或食於咮以出內火是故咮為鶉火心為大火謂火正之官配食於火星建辰之月鶉火星昏在南方則令民放火建戌之月大火星伏在日下夜不得見則令民內火禁放火【附註】林曰古之火正掌火有功封為上公祀為貴神【音訓】咮音晝出如字又音墜內如字又音納鶉音純【註】見如字又賢遍反陶唐氏之火正閼伯居商丘陶唐堯有天下號閼伯高辛氏之子傳曰遷閼伯于商丘主辰辰大火也今為宋星然則商丘在宋地【音訓】閼音遏祀大火而火紀時焉謂出內火時【附註】林曰紀季春出火季秋內火之時相土因之故商主大火



相土契孫商之祖也始代閼伯之後居商丘祀大火【音訓】相息亮反商人閱其禍敗之釁必始於火是以日知其有天道也閱猶數也商人數所更歷恒多火災宋是殷商之後故知天道之災必火【附註】林曰日字不必強為之說朱曰日字不可曉恐是自字之誤【音訓】數所主反更音庚公曰可必乎對曰在道國亂無象不可知也言國無道則災變亦殊故不可必知【附註】林曰國無道則禍亂生殊無一定之象

○夏季武子如晉報宣子之聘也宣子聘在八年

○穆姜薨於東宮大子宮也穆姜淫僑如欲廢成公故徙居東宮事在成十六年始往而筮之遇艮之八䷳艮下艮上周禮大卜掌三易然則雜用連山歸藏周易二易皆以七八為占故言遇艮之八【附註】林曰艮上艮下艮此正卦遇艮之八前後說者皆不通遂強指為連山歸藏之易獨朱文公曰是謂艮之隨蓋五爻皆變惟二得八故不變愚按乾爻七九坤爻六八此其大凡也然乾爻用九而不用七坤爻用六而不用八用九故老陽變而為少陰用六故老陰變而為少陽不用七八故少陰少陽不變此言遇艮之八蓋艮卦六爻三上以九變初四五以六變惟二得八不變文公之說真發明先儒所未到史曰是謂艮之隨䷐震下兌上隨史疑古易遇八為不利故更以周易占變爻得隨卦而論之隨其出也史謂隨非閉固之卦君必速出【附註】林曰君謂穆姜必速出不久居東宮姜曰亡亡猶無也是於周易曰隨元亨利貞無咎易筮皆以變者占遇一爻變義異則論彖故姜亦以彖為占也史據周易故指言周易以折之



元體之長也【音訓】長丁丈反下同亨嘉之會也利義之和也貞事之幹也體仁足以長人嘉德足以合禮利物足以和義貞固足以幹事然故不可誣也是以雖隨無咎言不誣四德乃遇隨無咎明無四德者則為淫而相隨非吉事【附註】林曰然必有此四德不可誣罔也今我婦人而與於亂固在下位婦人卑於丈夫【音訓】與音預而有不仁不可謂元不靖國家不可謂亨【附註】林曰欲廢成公去季孟是不安靖其國家作而害身不可謂利【附註】林曰作亂而自害其身幽廢於東宮棄位而姣姣淫之別名【音訓】姣户交反又如字不可謂貞有四德者隨而

無咎我皆無之豈隨也哉［附註］林曰豈足以盡隨之義哉我則取惡能無咎乎必死於此弗得出矣傳言穆姜辯而不德○秦景公使士雃乞師于楚將以伐晉［附註］林曰士雃秦大夫［音訓］雃音牽楚子許之子囊曰不可當今吾不能與晉爭晉君類能而使之隨所能舉不失選得所選官不易方方猶宜也其卿讓於善讓勝己者其大夫不失守各任其職其士競於教奉上命其庶人力於農穡種曰農收曰穡商工皁隸不知遷業四民不雜［音訓］皁在早反韓厥老矣知罃稟焉以為政代將中軍范匄少於中行偃而上之使佐中軍使匄佐中軍偃將上軍［附註］林曰士匄年少於荀偃而偃遜匄居己上韓起少於欒黶而欒黶士魴上之使佐上軍黶魴讓起起佐上軍黶將下軍魴佐之魏絳多功以趙武為賢而為之佐武將新軍君明臣忠上讓下競尊官相讓勞職力競［附註］朱曰尊官以禮相遜卑職以力相勉當是時也晉不可敵事之而後可君其圖之王曰吾既許之矣雖不及晉必將出師秋楚子師于武城以為秦援［附註］林曰武城楚地秦人侵晉晉饑弗能報也為十年晉伐秦傳○冬十月諸侯伐鄭鄭從楚也庚午季武子齊崔



杼宋皇鄖從荀罃士匄門于鄟門鄟城門也三國從中軍［音訓］鄟音專衛北宮括曹人邾人從荀偃韓起門于師之梁師之梁亦鄭城門三國從上軍滕人薛人從欒黶士魴門于北門二國從下軍杞人郳人從趙武魏絳斬行栗二國從新軍行栗表道樹［音訓］行如字道也甲戌師于汜衆軍還聚汜汜鄭地東汜［音訓］汜音凡令於諸侯曰脩器備兵器戰備盛餱糧餱乾食盛音成［音訓］餱音侯歸老幼示將久師居疾于虎牢諸侯已圍鄭虎牢故使諸軍疾病息其中肆眚圍鄭肆緩也眚過也不書圍鄭逆服不成圍鄭人恐乃行成與晉成也中行獻子曰遂圍之以待楚人之救也而與之戰不然無成獻子荀偃也恐楚救鄭鄭復屬之［音訓］［註］復扶又反知武子曰許之盟而還師以敝楚人敝罷也［音訓］［註］罷音皮吾三分四軍分四軍為三部與諸侯之銳以逆來者來者楚也［附註］林曰與諸侯精銳之兵以迎楚師之來伐鄭者於我未病楚不能矣晉各一動而楚三來故曰不能猶愈於戰勝聚戰暴骨以逞不可以爭言爭當以謀不可以暴骨［音訓］暴蒲卜反大勞未艾君子勞心小人勞力先王之制也艾息也言當從勞心之勞［音訓］艾魚廢反一音五蓋反諸侯皆不欲戰乃許鄭成十一月己亥同盟于戲鄭服也鄭服故言

(同盟)將盟鄭六卿公子騑(子駟)公子發(子國)公子嘉(子孔)公孫輒(子耳)公孫蠆(子蟜)公孫舍之(子展)及其大夫門子皆從鄭伯【音訓】(門子卿之適子從才用反)晉士莊子為載書(莊子士弱載書盟書)曰自今日既盟之後鄭國而不唯晉命是聽而或有異志者有如此盟(如違盟之罰)公子騑趨進曰天禍鄭國使介居二大國之間(介猶間也【註】間音閑【音訓】廁之)(閒又如字)大國不加德音而亂以要之(謂以兵亂之力)(強要鄭【音訓】要一遙反註強要下要人要盟皆同【註】強其丈反)使其鬼神不獲歆其禋祀其民人不獲享其土利夫婦辛苦墊隘無所底告(墊隘猶委頓底至也【音訓】墊音玷隘於懈反底音旨)自今日既盟之後鄭國而不唯有禮與彊可以庇民者是從而敢有異志者亦如之(亦如此盟)荀偃曰改載書(子駟亦以所言載於策故欲改之)公孫舍之曰昭大神要言焉(要誓以告神【附】【註】林曰昭告大神而要結誓言)若可改也大國亦可叛也知武子謂獻子曰我實不德而要人以盟豈禮也哉非禮何以主盟姑盟而退脩德息師而來終必獲鄭何必今日我之不德民將棄我豈唯鄭若能休和(【附註】林曰休以諸侯之力以



和其心)遠人將至何恃於鄭乃盟而還(遂兩用載)(音)晉人不得志於鄭以諸侯復伐之【音訓】(復扶又反)十二月癸亥門其三門(三門鄭門師之梁北門也癸亥月五日晉果三分其軍各攻一門)閏月戊寅濟于陰阪侵鄭(以長歷參校上下此年不得有閏月戊寅是十二月二十日疑閏月當為門五日五字上與門合為閏則後學者自然轉日為月晉人三番四軍更攻鄭門門各五日晉各一攻鄭三受敵欲以苦之癸亥去戊寅十六日以癸亥始攻攻輒五日凡十五日鄭故不服而去明日戊寅濟于陰阪復侵鄭外邑陰阪洧津【音訓】阪音反)次于陰口而還(陰口鄭地名)子孔曰晉師可擊也師老而勞且有歸志必大克之子展曰不可(傳言子展能守信)○公送晉侯晉侯以公宴于河上問公年季武子對曰會于沙隨之歲寡君以生(沙隨在成十六年)晉侯曰十二年矣是謂一終一星終也(歲星十二歲而一周天)國君十五而生子冠而生子禮也(冠成人之服故必冠而後生子)(【音訓】冠古亂反)君可以冠矣大夫盍為冠具武子對曰君冠必以祼享之禮行之(祼謂灌鬯酒也享祭先君也【音訓】祼音貫)以金石之樂節之(以鐘磬為舉動之節)以先君之祧處之(諸侯以始祖之廟為祧【附】【註】林曰必加冠于先君之廟【音訓】祧他彫反)今寡君在行未可具也請及兄

弟之國而假備焉晉侯曰諾公還及衛冠
于成公之廟成公今衛獻公之曾祖從衛所處【附註】林曰所謂以先君
之祧處之假鐘磬焉禮也○楚子伐鄭與晉成故子
駟將及楚平子孔子蟜曰與大國盟口血
未乾而背之可乎子駟子展曰吾盟固云
唯彊是從今楚師至晉不我救則楚彊矣
盟誓之言豈敢背之且要盟無質神弗臨
也質主也【音訓】質音致所臨唯信信者言之瑞也瑞符
也善之主也是故臨之神臨之明神不蠲要
盟蠲絜也背之可也乃及楚平公子罷戎入



盟同盟于中分中分鄭城中里名罷戎楚大夫【音訓】罷音皮中分並
如字楚莊夫人卒共王母王未能定鄭而歸○
晉侯歸謀所以息民魏絳請施舍施恩惠舍勞役
輸積聚以貸輸盡也【音訓】積子賜反自公以下苟有
積者盡出之國無滯積散在民亦無困人不匱
乏公無禁利與民共亦無貪民禮讓行祈以幣
更不用牲【附註】林曰祈禱於神以幣易牲賓以特牲務崇省器
用不作因仍舊車服從給足給事也行之期年國
乃有節三駕而楚不能與爭三駕三與師謂十年師於
牛首十一年師於向其秋觀兵於鄭東門自是鄭遂服

# 春秋經傳集解卷第十四

春秋經傳集解卷第十五

杜氏 盡十五年　諸家註音訓附

襄公二

經 十年 戊戌 春公會晉侯宋公衛侯曹伯莒子邾子滕子薛伯杞伯小邾子齊世子光會吴于柤 吴子在柤晉以諸侯往會之故曰會吴不稱子從所稱也柤楚地 音訓 柤音查 ○夏五月甲午遂滅偪陽 偪陽妘姓國今彭城傳陽縣也因柤會而滅之故曰遂 音訓 偪音福又音逼 囸 妘音云 ○公至自會 無傳 ○楚公子貞鄭公孫輒帥師伐宋○晉師伐秦 荀罃不書不親兵也 ○秋莒人伐我東鄙○公會晉侯宋公衛侯曹伯莒子邾子齊世子光滕子薛伯杞伯小邾子伐鄭 齊世子光先至於師為盟主所尊故在滕上 附註 林曰此三駕之一 ○冬盜殺鄭公子騑公子發公孫輒 非國討當兩稱名氏殺者非卿故稱盜以盜為文故不得言其大夫 附註 林曰盜賊者也以賤者而一日殺三卿鄭之失政甚矣是故書盜自此始 ○戍鄭虎牢 伐鄭諸侯各受晉命戍虎牢不復為告命故獨書魯戍而不叙諸侯 附註 林曰向也曰虎牢今也曰鄭虎牢何不繫之鄭者為天下城之也繫之鄭者為鄭戍之也是故楚丘不繫之衛緣陵不繫之杞梁山沙麓不繫之晉皆非一國之辭也郱鄑郚係之杞彭城係之宋皆一國之辭也 音訓 囸 復扶又反 ○楚公子貞帥師救鄭 附註 林曰楚數救鄭矣宣元年蔿賈二年鬬椒成九年子重十六年楚子十七年子重公子申皆不書於是始書救鄭以為晉悼復伯楚欲救而不能也是故書救陳見晉之終失陳書救鄭見楚之終失鄭云爾 ○公至自伐鄭 無傳

左傳十五　十

傳 十年春會于柤會吴子壽夢也 壽夢吴子乘 音訓 夢莫公反 三月癸丑齊高厚相大子光以先會諸侯于鍾離不敬 吴子未至光從東道與東諸侯會遇非本期地故不書會高厚高固子也癸丑月二十六日 音訓 相息亮反下同 士莊子曰高子相大子以會諸侯將社稷是衛而皆不敬 厚與光吴不敬 棄社稷也其將不免乎 為十九年齊殺高厚二十五年弒其君光傳 ○夏四月戊午會于柤 經書春書始行也戊午月一日 晉荀偃士匄請伐偪陽而封宋向戌焉 以宋常事晉而向戌有賢行故欲封之為附庸 音訓 囸 行下孟反 荀罃曰城小而固勝之不武弗勝為笑固請丙寅圍之弗克 丙寅四月九日 孟氏之臣秦堇父輦重如役 堇父孟獻子家臣步挽重車以從師 音訓 堇音謹 偪陽人啓門諸侯之師門焉 見門開故攻之 縣門發聊人紇抉之以出門者 門者諸侯之士在門內者也紇聊邑大夫仲尼父叔梁紇也聊邑魯縣東南莝城是也言紇多力抉舉縣門出在內者 附註 林曰縣門蓋城門之押縣之以通上下此偪陽人發縣門以閉攻門之士 音訓 縣音玄下同聊音鄒紇音轄抉音決出如字一音尺遂反 狄虒彌建大車之輪而蒙之以甲以為櫓 狄虒

左傳十五　二

獨魯人也蒙覆也櫓大楯車輪蒙甲代大楯之用以示有力【附註】林曰以大【音訓】虒音斯左執之右拔戟以成一隊【訓】百人為隊【音】隊徒對反孟獻子曰詩所謂有力如虎者也詩邶風也主人縣布堇父登之及堞而絕之偪陽人縣布以試外勇者【附註】林曰堞女墻也偪陽人伺其登城欲及女墻則絕斷其布【音訓】堞音牒隊則又縣之【音訓】隊直類反蘇而復上者三主人辭焉乃退主人嘉其勇故辭謝不復縣布【音訓】復扶又反注同上時掌反三息暫反又如字帶其斷以徇於軍三日帶其斷布以示勇諸侯之師久於偪陽荀偃士匄請於荀罃曰水潦將降懼不能歸向夏恐有久雨從丙寅至庚寅

二十五日故曰久【音訓】潦音老請班師班還也知伯怒知伯荀罃投之以機出於其間出偃匄之間曰女成二事而後告余二事伐偪陽封向戌【附註】朱曰言而二子謀伐偪陽封向戌二事已有定議然後以其事告於我【音訓】女音汝下同余恐亂命以不女違既改之為亂命【附註】朱曰我恐亂汝已成之命故從汝請女既勤君而興諸侯牽帥老夫【附註】朱曰老夫荀罃自稱言非我本意被汝牽率而來以至于此既無武守無武功可執守而又欲易余罪【附註】朱曰汝又欲移其罪以加我曰是實班師不然克矣謂偃匄將言爾【附註】朱曰汝必譖我曰是荀罃實欲還兵若不還兵則必克偪陽矣余羸老也可重任乎不任受女

此責【音訓】重直用反任音壬七日不克必爾乎取之言當取女以謝不克之罪五月庚寅月四日荀偃士匄帥卒攻偪陽親受矢石躬在矢石間【訓】卒子忽反【音】甲午滅之月八日書曰遂滅偪陽言自會也言其因會以滅國非之也以與向戌向戌辭【附註】朱曰辭不肯受曰君若猶辱鎮撫宋國而以偪陽光啓寡君羣臣安矣【附註】朱曰以偪陽光昭宋國開其疆埸以賜我君其何貺如之言見賜之厚無過此若專賜臣是臣興諸侯以自封也其何罪大焉敢以死請乃予宋公○宋公享晉侯於楚丘請以桑林桑林殷天子之樂名

【附註】林曰宋請以桑林之樂侑饗荀罃辭辭讓之荀偃士匄曰諸侯宋魯於是觀禮宋王者後魯以周公故皆用天子禮樂故可觀魯有禘樂賓祭用之禘三年大祭則作四代之樂別祭享公則用諸侯樂【附註】林曰賓客祭祀皆用四代之樂宋以桑林享君不亦可乎言俱天子樂也【附註】林曰言魯得以禘樂待賓客而宋得以桑林享晉君舞師題以旌夏師帥也旌夏大旌也題識也以大旌表識其行列【音訓】夏戶雅反【註】帥所類反識申志反又如字下同行戶郎反晉侯懼而退入于房旌夏非常卒見之人心偶有所畏【音訓】【註】卒子忽反去旌卒享而還及著雍疾晉侯疾也著雍晉地【音訓】去起呂反著都慮反雍於用反卜桑林見祟見於卜兆【音】【訓】見賢遍反【註】

祟息遂反荀偃士匄欲奔請禱焉奔走還宋禱謝荀罃不可曰我辭禮矣彼則以之以用也【附註】林曰言我辭桑林之禮矣宋則用之猶有鬼神於彼加之言自當加罪於宋晉侯有間間差也【音訓】差初賣反【註】以偪陽子歸獻于武宮【附註】林曰子爵也謂之夷俘諱俘中國故謂之夷偪陽妘姓也使周內史選其族嗣納諸霍人禮也霍晉邑內史掌爵祿廢置者使選偪陽宗族賢者令居霍奉妘姓之祀善不滅姓故曰禮也使周史者示有王命師歸【附註】林曰魯師有偪陽歸孟獻子以秦堇父為右嘉其勇力生秦丕茲事仲尼言二父以力相尚子事仲尼以德相高○六月楚子囊鄭子耳伐宋師于訾毋宋地【音訓】訾毋音貫無庚午圍宋門于桐門不成圍而攻其城門【附註】林曰桐門宋城門名○晉荀罃伐秦報其侵也侵在九年○衛侯救宋【附註】林曰衛獻公從晉故救宋師于襄牛鄭子展曰必伐衛【附註】林曰言必以師伐衛不然是不與楚也得罪於晉又得罪於楚國將若之何子駟曰國病矣帥數出疲病也【音訓】【註】數所角反子展曰得罪於二大國必亡病不猶愈於亡乎諸大夫皆以為然故鄭皇耳帥師侵衛楚令也亦兼受楚之勑命皇耳皇戌子孫文子卜追之【附註】林曰衛孫林父卜追鄭師獻兆於



定姜姜氏問繇繇兆辭【音訓】繇音胄曰兆如山陵【附註】林曰如山陵之多有夫出征【附註】林曰有大夫出任征討之事而喪其雄【附註】林曰雄大夫之象而喪失其大夫【音訓】喪息浪反下同姜氏曰征者喪雄禦寇之利也【附註】林曰言出征之夫而喪失其雄此禦寇者之所利也大夫圖之衛人追之孫蒯獲鄭皇耳于犬丘蒯孫林父子○秋七月楚子囊鄭子耳侵我西鄙於魯無所恥諱而不書其義未聞還圍蕭八月丙寅克之蕭宋邑九月子耳侵宋北鄙孟獻子曰鄭其有災乎師競已甚競爭競也周猶不堪競況鄭乎周謂天王有災其執政之三士乎鄭簡公幼少子駟子國子耳秉政故知三士任其禍也為下盜殺三大夫傳【音訓】【註】任音壬○莒人間諸侯之有事也故伐我東鄙諸侯有討鄭之事【音訓】間去聲○諸侯伐鄭齊崔杼使大子光先至于師故長于滕大子宜賓之以上卿而令恐悼以一時之宜令在滕侯上故傳從而釋之【音訓】長丁丈反己酉師于牛首鄭地○初子駟與尉止有爭將禦諸侯之師而黜其車禦牛首師也黜減損【附註】林曰子駟以私憾黜尉止之車尉止獲又與之爭獲囚俘【附註】林曰子駟又與尉止爭所獲子駟抑尉止曰爾車非禮也言女車猶多過制遂弗使獻不使獻所獲初子駟為田

洫司氏堵氏侯氏子師氏皆喪田焉洫田畔溝
也子駟為田洫以正封疆而侵四族田【音訓】洫況域反堵音者又音覩喪息浪反
故五族聚羣不逞之人因公子之徒以作
亂八年子駟所殺公子熙等之黨於是子駟當國攝君事也子
國為司馬子耳為司空子孔為司徒冬十
月戊辰尉止司臣侯晉堵女父子師僕帥
賊以入晨攻執政於西宮之朝公宮殺子駟
子國子耳劫鄭伯以如北宮子孔知之故
不死子孔公子嘉也知難不告利得其處為十九年殺公子嘉傳【音訓】【註】難
乃旦反書曰盜言無大夫焉尉止等五人皆士也大夫謂卿

左傳廿五　七

【附註】林曰鄭之失政甚矣書盜自此始子西聞盜不儆而出
子西公孫夏子駟子【附註】林曰不儆戒守備而出尸而追盜先臨尸而
逐賊盜入於北宮乃歸授甲【附註】林曰子西乃歸授甲於其
家衆臣妾多逃器用多喪【附註】林曰其家之臣妾多有逃亡者
器用多有喪失者子產聞盜子國子為門者置守門庀
羣司具衆官【音訓】庀匹婢反閉府庫慎閉藏完守備
【附註】林曰完全守禦之備【音訓】藏才浪反又如字守手又反成列而後
出兵車十七乘千二百七十五人尸而攻盜於北
宮子蟜帥國人助之殺尉止子師僕盜衆
盡死侯晉奔晉堵女父司臣尉翩司齊奔

宋尉翩尉止子司齊司臣子子孔當國代子駟為載書以
位序聽政辟自羣卿諸司各守其職位以受執政之法不得與朝政【附
註】林曰辟法也【音訓】辟音闢【註】與音預下魯不與同大夫諸司門子
弗順將誅之子孔欲誅不順者【附註】林曰鄭之大夫與諸有司及卿之
適子曰門子者不肯順從子產止之請為之焚書既止子孔
又勸令燒除載書【音訓】為于偽反子孔不可曰為書以定
國衆怒而焚之是衆為政也國不亦難乎
難以至治【音訓】【註】治直吏反子產曰衆怒難犯專欲難
成合二難以安國危之道也不如焚書以
安衆子得所欲欲為政也衆亦得安不亦可乎

左傳廿五　八

專欲無成犯衆興禍子必從之乃焚書於
倉門之外衆而後定不於朝內燒欲使遠近見所燒○諸
侯之師城虎牢而戍之晉師城梧及制欲以
偪鄭也不書城魯不與也梧制皆鄭舊地士魴魏絳戍之書曰
戍鄭虎牢非鄭地也言將歸焉二年晉城虎牢而居
之今鄭復叛故修其城而置戍鄭服則欲以還鄭故夫子追書繫之于鄭以見晉志
【音訓】【註】復扶又反見賢遍反下同鄭及晉平○楚子囊救
鄭十一月諸侯之師還鄭而南至於陽陵
還遶也陽陵鄭地【音訓】還戶關反又音患楚師不退知武子欲
退曰今我逃楚楚必驕驕則可與戰矣武子

荀罃欒黶曰逃楚晉之恥也合諸侯以益恥不如死我將獨進師遂進已亥與楚師夾潁而軍潁水出城陽至下蔡入淮【音訓】潁音頴子蟜曰諸侯既有成行必不戰矣言有成去之志從之將退不從亦退從猶服也退【附註】林曰諸侯既退楚必圍我猶將退也【附註】林曰晉雖見楚圍鄭猶將退師而去不如從楚亦以退之以退楚宵涉潁與楚人盟夜渡畏晉知之欒黶欲伐鄭師伐涉潁者荀罃不可曰我實不能禦楚又不能庇鄭鄭何罪不如致怨焉而還致怨為後伐之資今伐其師楚必救之戰而不克



為諸侯笑克不可命勝負難要不可命以必克不如還也丁未諸侯之師還侵鄭北鄙而歸欲以致怨楚人亦還鄭服故也○王叔陳生與伯輿爭政二子王卿士王右伯輿右助也王叔陳生怒而出奔及河王復之欲奔晉殺史狡以說焉說王叔也【音訓】說音悅又如字不入遂處之處叔河上晉侯使士匄平王室王叔與伯輿訟焉爭曲直王叔之宰宰家臣與伯輿之大夫瑕禽瑕禽伯輿屬大夫坐獄於王庭獄訟也周禮命夫命婦不躬坐獄訟故使宰與屬大夫對爭曲直士匄聽之王叔之宰曰篳門閨竇之人而

皆陵其上其難為上矣篳門柴門閨竇小戶穿壁為戶上銳下方狀如圭也言伯輿微賤之家【音訓】篳音必閨音圭竇音豆瑕禽曰昔平王東遷吾七姓從王牲用備具王賴之而賜之騂旄之盟平王從時大臣從者有七姓伯輿之祖皆在其中主為王備犧牲共祭祀王恃其用故與之盟使世守其職騂旄赤牛也舉騂旄者言得重盟不以犬雞【音訓】從才用反又如字騂息營反旄音毛【註】為于偽反共音恭曰世世無失職若篳門閨竇其能來東底乎且王何賴焉言我若貧賤何能來東使王恃其用而與之盟邪底至也【音訓】底音旨今自王叔之相也政以賄成隨財制政【音訓】相息亮反下同而刑放於寵寵臣專刑不任法【附註】林曰親寵臣之厚薄以專其刑



官之師旅不勝其富師旅之長皆受賂【音訓】勝音升【註】長丁丈反吾能無篳門閨竇乎言王叔之屬富故使吾貧唯大國圖之圖猶議也下而無直【附註】林曰在下而無求直之地則何謂正矣正者不失下之直范宣子曰天子所右寡君亦右之所左亦左之宣子知伯輿直不欲自專故推之於王【附註】朱曰蓋人有左右右使而左不使故以助者為右不助者為左使王叔氏與伯輿合要合要辭【附註】林曰乃使王叔氏與伯輿合其要約之辭以相下詰王叔氏不能舉其契要契之辭【附註】林曰王叔氏理曲無以為答故不能舉其要契之辭【音訓】契苦計反王叔奔晉不書不告也單靖公為卿

士以相王室代王叔

經 十有一年己亥春王正月作三軍增立中軍萬二千五百人為軍 附註 林曰此志三家分公室之始 ○夏四月四卜郊不從乃不郊無傳 ○鄭公孫舍之帥師侵宋 ○公會晉侯宋公衛侯曹伯齊世子光莒子邾子滕子薛伯杞伯小邾子伐鄭世子光至復在莒子之先故晉悼亦進之 附註 林曰此悼公三駕之二 音訓 註復扶又反 ○秋七月己未同盟于亳城北亳城鄭地伐鄭而書同盟鄭與盟可知 音訓 亳蒲洛反 ○公至自伐鄭無傳 ○楚子鄭伯伐宋 ○公會晉侯宋公衛侯曹伯齊世子光莒子邾子

左傳十五　十一

滕子薛伯杞伯小邾子伐鄭晉遂尊光 附註 林曰此悼公三駕之三 ○會于蕭魚鄭服而諸侯會蕭魚鄭地 附註 林曰伐鄭而會蕭魚序續也自是鄭不叛晉者二十四年 ○公至自會無傳以會至者觀兵而不果侵伐 ○楚人執鄭行人良霄良霄公孫輒子伯有也 ○冬秦人伐晉

傳 十一年春季武子將作三軍魯本無中軍唯上下二軍皆屬於公有事三卿更帥以征伐季氏欲專其民人故假立中軍因以改作告叔孫穆子曰請為三軍各征其軍征賦稅也三家各征其軍之家屬穆子曰政將及子子必不能政者霸國之政令禮大國三軍魯次國而為大國之制貢賦必重故憂不能堪武

子固請之穆子曰然則盟諸穆子知季氏將復變易故盟之 音訓 註復扶又反 乃盟諸僖閎僖宮之門 音訓 註閎音宏 詛諸五父之衢五父衢道名在魯國東南詛以禍福之言相要 音訓 詛側慮反 正月作三軍三分公室而各有其一三分國民衆 三子各毀其乘壞其軍乘分以足成三軍 音訓 乘繩證反 註及下并同 季氏使其乘之人以其役邑入者無征使軍乘之人率其邑役入季氏者無公征 附註 林曰以其役邑率其私邑之役徒 不入者倍征不入季氏者則使公家倍征之設利病欲驅使入己故昭五年傳曰季氏盡征之民辟倍征故盡屬季氏 孟氏使半為臣若子若弟取其子弟之半也四分其乘之人以三歸公而取其一

左傳十五　十二

叔孫氏使盡為臣盡取子弟以其父兄歸公 不然不舍制軍分民不如是則三家不舍其故而改作也此蓋三家盟詛之本言 音訓 舍音捨 ○鄭人患晉楚之故附註 朱曰自八年以來晉楚更迭伐鄭鄭人患之 諸大夫曰不從晉國幾亡幾近也 音訓 幾音機 楚弱於晉晉不吾疾也疾急也晉不急於爭鄭 附註 林曰 晉疾楚將辟之附註 朱曰若晉急來爭鄭楚必避晉而不敢爭 何為而使晉師致死於我言當作何計 音訓 辟音避 楚弗敢敵而後可固與也固與晉也 子展曰與宋為惡諸侯必至附註 林曰言宋常事晉若鄭與宋交兵相惡諸侯必以宋故來伐鄭 吾從之盟楚師至吾又從之則晉怒

甚矣晉能騷来楚將不能吾乃固與晉大
夫說之【附註】林曰鄭之大夫皆說其謀【音訓】說音悅使疆場之
司惡於宋使守疆場之吏侵犯宋宋向戌侵鄭大獲
【附註】林曰大有所獲子展曰師而伐宋可矣若我伐
宋諸侯之伐我必疾吾乃聽命焉且告於
楚楚師至吾又與之盟而重賂晉師乃免
矣言如此乃免於晉楚之難【附註】林曰重行賂以求服於晉師【音訓】【諺】難乃旦反
夏鄭子展侵宋欲以致諸侯○四月諸侯伐鄭
己亥齊大子光宋向戌先至于鄭門于東
門傳釋齊大子光所以序莒上也向戌不書宋公在會故其莫【音訓】莫音



暮晉荀罃至于西郊東侵舊許許之舊國鄭新邑
衛孫林父侵其北鄙六月諸侯會于北林
師于向向地在潁川長社縣東北右還次于瑣北行而西為右
還滎陽宛陵縣西有瑣侯亭【音訓】【諺】宛於阮反又於元反圍鄭觀兵于
西門觀示也【音訓】觀去聲西濟于濟隧濟隧水名鄭人懼
乃行成秋七月同盟于亳【附註】林曰鄭服故也亳即經書
亳城北范宣子曰不慎必失諸侯慎敬威儀謹辭令
諸侯道敝而無成能無貳乎數伐鄭皆罷於道路【音訓】
數所角反罷音皮乃盟載書曰凡我同盟毋蘊年
蘊藏年穀而不分災【音訓】毋音無下同蘊紆粉反毋壅利專山川之利

毋保姦藏罪人毋留慝速去惡救災患恤禍亂
同好惡獎王室獎助也【音訓】好惡並如字又去聲或間茲
命司慎司盟名山名川二司天神【附註】朱曰司盟主盟誓之
神羣神羣祀羣祀在祀典者先王先公先王諸侯之大祖宋
祖帝乙鄭祖厲王之比也先公始封君七姓十二國之祖七姓
晉魯衛鄭曹滕姬姓邾小邾曹姓宋子姓齊姜姓莒己姓杞姒姓薛任姓實十三國
言十二誤也明神殛之殛誅也俾失其民隊命亡
氏【附註】朱曰隕其天命絕其氏族【音訓】隊直類反踣其國家踣斃也【音
訓】踣蒲北反又斂豆反○楚子囊乞旅于秦乞師旅於秦
秦右大夫詹帥師從楚子將以伐鄭鄭伯



逆之丙子伐宋鄭逆服故更伐宋也秦師不書不與伐宋而還【音訓】
【諺】與音預○九月諸侯悉師以復伐鄭此夏諸侯皆復
来故曰悉師【音訓】復扶又反鄭人使良霄大宰石㚟如
楚【音訓】㚟音綽告將服于晉曰孤以社稷之故
不能懷君君若能以玉帛綏晉不然則武
震以攝威之孤之願也【附註】林曰奮其武師震怒以攝服而
威恐之使不敢爭鄭楚人執之書曰行人言使人也
書行人言非使人之罪古者兵交使在其間所以通命示整或執殺之皆以為譏也
既成而後告故書在蕭魚下石㚟為介故不書【音訓】使所吏反○諸侯之
師觀兵于鄭東門鄭人使王子伯駢行成

甲戌晉趙武入盟鄭伯冬十月丁亥鄭子展出盟晉侯二盟不書不告十二月戊寅會于蕭魚經書秋史失之庚辰赦鄭囚[附註]林曰赦伐鄭所俘獲之囚皆禮而歸之納斥候不相備也禁侵掠[附註]林曰諸侯各止侵掠務相信厚晉侯使叔肸告于諸侯叔肸叔向也告諸侯亦使赦鄭囚[音訓]肸許乙反公使臧孫紇對曰凡我同盟小國有罪大國致討苟有以藉手鮮不赦宥寡君聞命矣言晉討小國有藉手之功則赦其罪人德義如是不敢不承命[附註]朱曰言鄭國昔有赦晉之罪晉國率諸侯而討之苟有成功可以薦藉其手則晉無不赦其罪人者[音訓]藉在夜反鮮息淺反○鄭人



賂晉侯以師悝師觸師蠲悝觸蠲皆樂師名[音訓]悝苦回反廣車軘車淳十五乘甲兵備廣車軘車皆兵車名淳耦也[附註]林曰廣軘車相耦凡十五乘[音訓]廣音曠軘音屯凡兵車百乘他兵車及廣軘共百乘歌鐘二肆肆列也縣鐘十六為一肆二肆三十二枚[音訓]縣音玄及其鎛磬鎛磬皆樂器[附註]朱曰鎛大鐘也磬大磬也鐘磬之大者以一簴特懸之[音訓]鎛音博女樂二八十六人晉侯以樂之半賜魏絳曰子教寡人和諸戎狄以正諸華在四年八年之中九合諸侯[附註]林曰謂五年會戚又會城棣救陳七年會鄬八年會邢丘九年盟于戲十年會祖又伐鄭戍虎牢十一年同盟于亳城北又會蕭魚如樂之和無所不諧諧亦和也請與子樂之共此樂[音訓]樂音洛又音岳辭曰夫和戎狄國之福也八年之中九合諸侯諸侯無慝君之靈也二三子之勞也臣何力之有焉抑臣願君安其樂而思其終也[音訓]樂音洛詩曰樂只君子殿天子之邦詩小雅也謂諸侯有樂美之德可以鎮撫天子之邦殿鎮也[音訓]殿都遍反下同樂只君子福祿攸同攸所也便蕃左右亦是帥從便蕃數也言遠人相帥來服從便蕃然在左右[音訓]便毗連反蕃音煩數所角反夫樂以安德和其心也義以處之處位以義禮以行之行教令信以守之守所行仁以厲之厲風俗



而後可以殿邦國同福祿來遠人所謂樂也言五德皆備乃為樂非但金石書曰居安思危逸書思則有備有備無患敢以此規規正公公曰子之教敢不承命抑微子寡人無以待戎待遇接納不能濟河渡河南服鄭[附註]林曰晉有戎患則日虞四竟之狎聳不餘濟河而南服鄭夫賞國之典也藏在盟府司盟之府有賞功之制不可廢也子其受之魏絳於是乎始有金石之樂禮也禮大夫有功則賜樂○秦庶長鮑庶長武帥師伐晉以救鄭庶長秦爵也不書救鄭已屬晉無所救[音訓]長丁丈反鮑先入晉地士魴禦之少秦

師而弗設備壬午武濟自輔氏從輔氏渡河與鮑交伐晉師己丑秦晉戰于櫟晉師敗績易秦故也不書敗績晉取易秦而敗故不告也櫟晉地【音訓】易以豉反

【經】十有二年【庚子】春王三月莒人伐我東鄙圍台瑯琊費縣南有台亭【音訓】台胎臺怡三音下同○季孫宿帥師救台遂入鄆鄆莒邑○夏晉侯使士魴來聘○秋九月吳子乘卒五年會於戚公不與盟而赴以名【附註】林曰吳始書卒○冬楚公子貞帥師侵宋○公如晉

【傳】十二年春莒人伐我東鄙圍台季武子救台遂入鄆乘勝入鄆報見伐取其鍾以為公盤【附註】林曰盤食器也以鍾之金鑄為襄公之盤器○夏晉士魴來聘且拜師謝前年伐鄭師○秋吳子壽夢卒壽夢吳子之號臨於周廟禮也周廟文王廟也周公出文王故魯立其廟吳始道故曰禮【音訓】臨力蔭反下同凡諸侯之喪異姓臨於外於城外向其國同姓於宗廟所出王之廟同宗於祖廟始封君之廟同族於禰廟父廟也同族謂高祖以下【音訓】禰乃禮反是故魯為諸姬臨於周廟諸姬同姓國【音訓】為于偽反下皆同為邢凡蔣茅胙祭臨於周公之廟卽祖廟也六國皆周公之支子別封為國共祖周公【音訓】邢音刑蔣將丈反胙才故反祭側戒反又如字○冬楚子囊秦庶長無地伐宋師于



楊梁以報晉之取鄭也取鄭在前年梁國睢陽縣東有地名楊梁○靈王求后于齊齊侯問對於晏桓子桓子對曰先王之禮辭有之【附註】林曰先王謚禮之辭令有之天子求后於諸侯諸侯對曰夫婦所生若而人不敢譽亦不敢毀故曰若如人【音訓】譽音餘又如字妾婦之子若而人言非適也無女而有姊妹及姑姊妹【附註】林曰謂諸侯自無所生之女而有女兄女弟及其父之女兄女弟則曰先守某公之遺女若而人【附註】林曰先守某公遺腹之女【音訓】守手又反齊侯許昏王使陰里結之陰里周大夫結成也為十五年劉夏逆王后傳○公如晉朝且拜士魴之辱禮也士魴聘在此年夏嫌君臣不敵故禮之○秦嬴歸于楚秦景公妹為楚共王夫人【附註】林曰歸嫁也楚司馬子庚聘于秦為夫人寧禮也子庚莊王子午也諸侯夫人父母既沒歸寧使卿故曰禮

【經】十有三年【辛丑】春公至自晉○夏取邿小邿國也任城亢父縣有邿亭傳例曰書取言易【音訓】邿音詩任音壬亢苦浪反又音剛易以豉反○秋九月庚辰楚子審卒共王也成二年大夫盟于蜀○冬城防【附註】林曰防臧氏邑

【傳】十三年春公至自晉孟獻子書勞于廟禮也書勳勞於策也桓二年傳曰公至自唐告於廟也凡公行告於宗廟反行

飲至舍爵策勳焉禮也桓十六年傳又曰公至自伐鄭以飲至之禮也然則還告廟及飲至及書勞三事偏行一禮則亦書至悉闕乃不書至傳因獻子之事以發明凡例釋例詳之○夏邿亂分為三國分為三部志力各異師救邿遂取之魯師也經不稱師不滿二千五百人傳通言之凡書取言易也不用師徒及用師徒而不勞雖國亦曰取用大師焉曰滅敵人距戰斬獲俘馘用力難重雖邑亦曰滅【音訓】【註】馘古獲反曰入謂勝其國邑不有其地○荀罃士魴卒晉侯蒐于綿上以治兵為將命軍帥也必蒐而命之所以與衆共【音訓】【註】為于偽反帥所類反使士匄將中軍辭曰伯游長伯游荀偃【音訓】長丁丈反昔臣習於知伯是以佐之非能

左傳十五　十九

賢也七年韓厥老知罃代將中軍士匄佐之匄今將讓故謂爾時之舉不以己賢事見九年請從伯游荀偃將中軍代荀罃士匄佐之位如故使韓起將上軍辭以趙武又使欒黶以武位卑故不聽更命黶辭曰臣不如韓起韓起願上趙武君其聽之使趙武將上軍武自新軍超四等代荀偃韓起佐之位如故欒黶將下軍魏絳佐之黶亦如故絳自新軍佐超一等代士魴新軍無帥將佐皆遷晉侯難其人【音訓】難乃旦反或如字使其什吏率其卒乘官屬以從於下軍禮也得慎舉之禮【音訓】率子忽反乘繩證反晉國之民是以大和諸侯遂睦君

子曰讓禮之主也范宣子讓其下皆讓欒黶為汰弗敢違也【附註】朱曰雖以欒黶之汰侈不遂亦讓韓起將上軍也【音訓】汰音太晉國以平數世賴之刑善也夫刑法也【附註】林曰言士匄以遜讓為羣臣法至善也【音訓】數所主反夫音扶一人刑善百姓休和可不務乎書曰一人有慶兆民賴之其寧惟永其是之謂乎周書呂刑也一人天子也寧安也永長也義取上有好善之慶則下賴其福【音訓】【註】好呼報反周之興也其詩曰儀刑文王萬邦作孚詩大雅言文王善用法故能為萬國所信孚信也言刑善也及其衰也其詩曰大夫不均我從事獨賢詩小雅刺幽王

左傳十五　二十

役使不均故從事者怨恨稱己之勞以為獨賢無讓心言不讓也世之治也君子尚能而讓其下能者在下位則貴尚而讓之【音訓】治直吏反小人農力以事其上是以上下有禮而讒慝黜遠由不爭也謂之懿德【音訓】遠于萬反又如字及其亂也君子稱其功以加小人加陵也君子在位者小人伐其技以馮君子馮亦陵也自稱其能為伐【音訓】馮皮冰反是以上下無禮亂虐並生由爭善也爭自善也謂之昏德國家之敝恒必由之傳言晉之所以興○楚子疾告大夫曰不穀不德少主社稷【音訓】少詩召反生十年而喪先君

【音訓】喪息浪反未及習師保之教訓而應受多福多福謂為君是以不德而亡師于鄢鄢在成十六年以辱社稷為大夫憂其弘多矣弘大也【附註】朱曰為辱為憂既大且多若以大夫之靈獲保首領以沒於地唯是春秋窀穸之事窀厚也穸夜也厚夜猶長夜春秋謂祭祀長夜謂葬埋【音訓】窀張倫徒門二反穸音夕所以從先君於禰廟者從先君代為禰廟請為靈若厲欲受惡謚以歸先君也亂而不損曰靈戮殺不辜曰厲大夫擇焉莫對及五命乃許秋楚共王卒子囊謀謚大夫曰君有命矣子囊曰君命以共若之何毀之【附註】朱曰君之所命其辭甚恭若之何以惡謚而毀辱之【音訓】共音恭赫赫楚國而君臨之撫有蠻夷奄征南海以屬諸夏而知其過可不謂共乎請謚之共大夫從之傳言子囊之善○吳侵楚養由基奔命【附註】林曰奔命以禦吳師子庚以師繼之子庚楚司馬養叔曰吳乘我喪謂我不能師也養叔養由基也必易我而不戒戒備也易以豉反【音訓】子為三覆以待我覆伏兵【音訓】覆扶又反我請誘之子庚從之戰于庸浦庸浦楚地大敗吳師獲公子黨君子以吳為不弔不用天道相弔恤詩曰不弔昊天亂靡有定言不為昊天所

恤則致罪也為明年會向傳○冬城防書事時也土功雖有常節通以事間為時【音訓】間音閑於是將早城臧武仲請俟畢農事禮也○鄭良霄大宰石㚟猶在楚十一年楚人執之至今石㚟言於子囊曰先王卜征五年先征五年而卜吉凶也征謂巡守征行【音訓】先息薦反而歲習其祥祥習則行五年五卜皆同言乃巡守【附註】林曰習同也祥吉也不習則增修德而改卜不習謂卜不吉今楚實不競行人何罪不能修德與晉競止鄭一卿以除其偪卿謂良霄偪令執鄭一卿【附註】朱曰貴者多則勞相乃所以除其國內相偪之患使睦而疾楚以固於晉焉用之位不偪則大臣睦怨疾楚則事晉固【音訓】焉於虔反使歸而廢其使行而見執於楚鄭又遂堅事晉是鄭慶本見使之意【附註】朱曰言往年鄭遣良霄使楚其意正欲楚執良霄而鄭得堅事晉國今遣良霄歸鄭則鄭不得堅事晉乃所以廢其遣使之本意也【音訓】使所吏反怨其君以疾其大夫而相牽引也【附註】朱曰良霄久留於楚今若歸之則必怨恨其君而憎疾其大夫使相牽引令鄭國大臣不和則事晉之心不固不猶愈乎【附註】林曰豈不勝於久執之乎楚人歸之

【經】十有四年【壬寅】春王正月季孫宿叔老會晉士匄齊人宋人衛人鄭公孫蠆曹人莒人邾人滕人薛人杞人小邾人會吳于向叔老聲伯

六九四

于也魯使二卿會晉敬事霸國晉人自是輕魯幣而益敬其使故叔老雖介亦列於會也齊崔杼宋華閱衛北宮括在會惰慢不攝故貶稱人蓋欲以督率諸侯奬成霸功也吳來在向諸侯會之故曰會吳向鄭地○二月乙未朔日有食之無傳○夏四月叔孫豹會晉荀偃齊人宋人衛北宮括鄭公孫蠆曹人莒人邾人滕人薛人杞人小邾人伐秦齊宋大夫不書義與向同附註林曰晉秦兵爭止此○己未衛侯出奔齊諸侯之策書孫甯逐衛侯春秋以其自取奔亡之禍故諸侯失國皆不書逐君之賊也不書名從告○莒人侵我東鄙無傳報入鄆○秋楚公子貞帥師伐吳○冬季孫宿會晉士匄宋華閱衛孫林父鄭公孫蠆莒



人邾人于戚附註林曰戚孫林父邑於是孫林父立公孫剽而晉會于戚以定之襄昭之際大夫無君之禍晉為之也悼公之德衰矣

傳十四年春吳告敗于晉前年為楚所敗會于向為吳謀楚故也謀為吳伐楚音訓為于偽反下註辛不為同范宣子數吳之不德也以退吳人吳伐楚喪故以為不德數而遣之辛不為伐楚執莒公子務婁在會不書非卿音訓務莫侯反又如字婁力侯反或力俱反以其通楚使也莒貳於楚故比年伐魯音訓使所吏反將執戎子駒支駒支戎子名附註朱曰將討戎子之罪而執之范宣子親數諸朝行之所在亦設朝位曰來姜戎氏昔秦人迫逐乃祖吾離于瓜州四嶽之後皆姜姓又別為允姓瓜州地在今燉煌乃祖吾離被苫蓋蓋苫之別名附註林曰爾雅白蓋謂之苫與言汝祖無氈裘可衣所被服者苫蓋也音訓被音披苫式占反蓋音盍蒙荊棘以來歸我先君蒙冒也附註林曰汝祖無主地可居所蒙冒者荊棘也我先君惠公有不腆之田腆厚也與女剖分而食之中分為剖音訓女音汝下同剖普口反註中丁仲反又如字今諸侯之事我寡君不如昔者蓋言語漏洩則職女之由職主也附註朱曰言命令所以漏洩於諸侯者由汝戎實主之音訓洩音泄詰朝之事爾無與焉詰朝明旦不使得與會事音訓與音預下同註復扶又反與將執女對曰昔秦人負恃其



衆貪于土地逐我諸戎惠公蠲其大德蠲明也謂我諸戎是四嶽之裔胄也四嶽堯時方伯姜姓也裔遠也胄後也毋是翦棄翦削也音訓毋音无賜我南鄙之田附註林曰晉南鄙之田狐狸所居豺狼所嘷附註林曰其地僻野皆豺狼所嘷嘯音訓嘷音豪我諸戎除翦其荊棘驅其狐狸豺狼以為先君不侵不叛之臣至于今不貳不內侵亦不外叛昔文公與秦伐鄭秦人竊與鄭盟而舍戍焉在僖三十年於是乎有殽之師在僖三十三年晉禦其上戎亢其下亢猶當也音訓亢苦浪反秦師不復我諸戎實然附註朱曰

殽之敗秦師獲焉無得反者譬如捕鹿晉人角之【附註】林曰角者當其頭也【音訓】捕音步又音賦諸戎掎之掎其足也【音訓】掎居綺反與晉踣之踣僵也戎何以不免【附註】朱曰言我戎盡忠於晉如此何以不免罪也自是以來晉之百役與我諸戎相繼于時言給晉役不曠時以從執政猶殽志也意常如殽無中二也豈敢離逷【附註】林曰豈敢有攜離逷遠之心【音訓】逷音剔今官之師旅無乃實有所闕以攜諸侯而罪我諸戎我諸戎飲食衣服不與華同贄幣不通言語不達何惡之能為不與於會亦無瞢焉瞢悶也【音訓】與音預瞢孟盲蒙三音賦青蠅



而退青蠅詩小雅取其愷悌君子無信讒言宣子辭焉辭謝使即事於會成愷悌也成愷悌不信讒也不書者戎為晉屬不得特達於是子叔齊子為季武子介以會自是晉人輕魯幣而益敬其使齊子叔老字也言晉敬魯使經所以並書二卿【附註】林曰介副也【音訓】使所吏反○吳子諸樊既除喪諸樊吳子乘之長子也乘卒至此春十七月既葬而除喪將立季札札諸樊少弟季札辭曰曹宣公之卒也諸侯與曹人不義曹君曹君公子負芻也殺大子而自立事在成十三年將立子臧子臧去之遂弗為也以成曹君【附註】林曰成十六年晉歸曹伯君子曰能守節【附註】林曰君子

謂子臧能守上下之禮節君義嗣也諸樊適子故曰義嗣【附註】林曰諸樊壽夢之適子義當嗣位誰敢奸君【附註】林曰誰敢奸犯君之定位有國非吾節也札雖不才願附於子臧以無失節固立之棄其室而耕乃舍之傳言季札之讓且明吳兄弟相傳【附註】林曰乃舍季札不立【音訓】舍音捨○夏諸侯之大夫從晉侯伐秦以報櫟之役也櫟役在十一年晉侯待于竟【附註】林曰待于秦晉之竟使六卿帥諸侯之師以進言經所以不稱晉侯及涇不濟諸侯之師不肯渡也涇水出安定朝那縣至京兆高陵縣入渭【音訓】那乃多反叔向見叔孫穆子穆子賦匏有苦葉詩邶風也義取於深則厲淺則



揭言已志在於必濟【音訓】匏白交反叔向退而具舟魯人莒人先濟鄭子蟜見衛北宮懿子曰與人而不固取惡莫甚焉【附註】林曰言與人同伐而持心不固不肯濟水取惡於人莫甚於此若社稷何懿子說【音訓】說音悅二子見諸侯之師而勸之濟濟涇而次傳言北宮括所以書於伐秦【附註】林曰乃濟涇水而次舍其地秦人毒涇上流師人多死飲毒水故鄭司馬子蟜帥鄭師以進師皆從之至于棫林棫林秦地不獲成焉秦不服荀偃令曰雞鳴而駕塞井夷竈示不反【附註】朱曰塡塞其井平夷其竈欲其地平可以布陣唯余馬首是瞻言進退從已

欒黶曰晉國之命未是有也[附註]林曰言從前未嘗有不用人謀而進退從己之命余馬首欲東乃歸黶惡偃自專故棄之歸下軍從之左史謂魏莊子曰不待中行伯乎中行伯荀偃也莊子魏絳也左史晉大夫莊子曰夫子命從帥夫子謂荀偃[附註]林曰荀偃命馬首是瞻是使人各從其帥[音訓]帥所類反欒伯吾帥也吾將從之從帥所以待夫子也以從命為待也欒黶下軍帥莊子為佐故曰吾帥伯游[附註]林曰即荀偃曰吾令實過[附註]朱曰馬首是瞻之令誠為過言悔之何及多遺秦禽軍帥不和恐多為秦所禽獲[音訓]遺唯季反乃命大還[附註]朱曰命諸軍皆歸晉人謂之遷延之



役遷延卻退欒鍼曰此役也報櫟之敗也役又無功晉之恥也吾有二位於戎路欒鍼欒黶弟也敢不恥二位謂黶將下軍鍼是戎右[附註]林曰欒氏兄弟二人俱在戎路乎與士鞅馳秦師死焉士鞅反鞅士匄子欒黶謂士匄曰余弟不欲往而子召之余弟死而子來是而子殺余之弟也弗逐余亦將殺之士鞅奔秦欒黶汰侈誣逐士鞅也而女也於是齊崔杼宋華閱仲江會伐秦不書惰也臨事情慢不修也仲江宋公孫師之子向之會亦如之衛北宮括不書於向亦惰書於伐秦攝也能自攝整從鄭子蟜俱濟涇

秦伯問於士鞅曰晉大夫其誰先亡對曰其欒氏乎秦伯曰以其汰乎對曰然欒黶汰虐已甚猶可以免其在盈乎盈黶之子秦伯曰何故對曰武子之德在民如周人之思召公焉愛其甘棠況其子乎武子欒書黶之父也召公奭聽訟舍於甘棠之下周人思之不害其樹而作勿伐之詩在召南欒黶死盈之善未能及人武子所施沒矣而黶之怨實章將於是乎在秦伯以為知言為之請於晉而復之為傳二十一年晉滅欒氏張本[音訓]為于僞反○



衛獻公戒孫文子寗惠子食勑戒二子欲共宴食皆服而朝服朝服待命於朝日旰不召旰晏也[音訓]旰古旦反而射鴻於囿二子從之從公於囿[音訓]射食亦反不釋皮冠而與之言皮冠田獵之冠也既不釋冠又不與食[附註]朱曰君敬大臣宜釋皮冠二子怒孫文子如戚戚孫文子邑[附註]朱曰林父歸其私邑將以叛也孫蒯入使孫蒯孫文子之子[附註]林曰入使於衛[音訓]使所吏反又如字公飲之酒[音訓]飲於鴆反使大師歌巧言之卒章巧言詩小雅其卒章曰彼何人斯居河之麋無拳無勇職為亂階衛河上邑公欲以喻文子居河上而為亂大師掌樂大夫[音訓][註]麋本或作湄大師辭辭以為不可師曹樂人初公有嬖妾使師曹誨之琴誨教也師曹鞭之

公怒鞭師曹三百故師曹欲歌之以怒孫
子以報公公使歌之遂誦之恐孫蒯不解故〔附註〕林日
師曹既歌恐孫蒯不解故遂誦言之蒯懼告文子文子曰君
忌我矣弗先必死〔訓〕欲先公作亂〔註〕先悉薦反〔音〕并帑於
戚帑子也而入見蘧伯玉曰君之暴虐子所
知也大懼社稷之傾覆將若之何伯玉蘧瑗〔音訓〕
覆芳服反對曰君制其國臣敢奸之奸猶犯也雖奸
之庸知愈乎言逐君更立未知當差否〔註〕林日言逐君更立庸知差〔附〕
勝否乎〔音訓〕〔註〕差初賣反遂行從近關出懼難作欲速出竟公
使子蟜子伯子皮與孫子盟于丘宮孫子

左傳十五　三十九

皆殺之三子衛羣公子疑孫子故盟之丘宮近戚地四月己未
子展奔齊子展衛獻公弟〔附註〕林日見禍作遂奔齊公如鄄鄄衛
地〔音訓〕鄄音絹使子行於孫子孫子又殺之使往請和
也子行羣公子公出奔齊孫氏追之敗公徒于阿
澤濟北東阿縣西南有大澤鄄人執之公徒因敗散還故為公執之〔音〕
〔訓〕為于僞反〔註〕下為孫氏同初尹公佗學射於庾公差
庾公差學射於公孫丁二子追公二子佗與差為
孫氏逐公〔音訓〕佗音駝下同差初佳初宜二反下同公孫丁御公為公
御也子魚曰射為背師不射為戮射為禮乎
子魚庾公差禮射不求中〔附註〕朱日言欲射丁則是叛其所師〔音訓〕射食亦反下及

〔註〕除禮射一字皆同背音佩〔註〕中丁仲反射兩軥而還軥車軛卷者〔音〕
〔訓〕軥其俱反又古豆反〔註〕卷音權尹公佗曰子為師我則
遠矣乃反之佗不從丁學故言遠始與公差俱退悔而獨還射丁〔音訓〕
為于僞反公孫丁授公轡而射之貫臂貫佗臂子
鮮從公子鮮公母弟〔音訓〕鮮音仙及竟公使祝宗告亡
且告無罪告宗廟也定姜曰無神何告若有不
可誣也誣欺也定姜公適母有罪若何告無舍大臣
而與小臣謀一罪也先君有冢卿以為師
保而蔑之二罪也謂不釋皮冠之比余以巾櫛事
先君而暴妾使余三罪也〔附註〕林日巾帨手者櫛理髮者

左傳十五　三十

言我事定公為夫人而暴虐使我如遇婢妾〔音訓〕側乙反告亡而已
無告無罪使時姜在國故不得告無罪公使厚成叔弔
于衛魯襄公〔附註〕林日曰寡君使瘠聞君不撫社
稷而越在他竟越遠也瘠厚成叔名〔音訓〕瘠在亦反若之何
不弔以同盟之故使瘠敢私於執事執事衛諸
大夫曰有君不弔弔恤也〔附註〕朱日言獻公不弔恤其臣有臣
不敏敏達也〔附註〕朱日言孫子不達事君之禮君不赦宥臣亦
不帥職增淫發洩其若之何〔附註〕朱日君臣如此所以
增其淫慝至於發洩以成逐君之害衛人使大叔儀對大叔儀衛
大夫曰羣臣不佞得罪於寡君寡君不以即

刑而悼棄之以為君憂【附註】林曰不以羣臣就於刑戮乃自傷悼違棄之而去君不忘先君之好辱弔羣臣又重恤之重恤謂愍其不違也【音訓】好呼報反重直用反下同敢拜君命之辱重拜大貺謝重恤之賜厚孫歸復命語臧武仲曰衛君其必歸乎有大叔儀以守守於國有母弟鱄以出【附註】朱曰鱄即子鮮也【音訓】鱄市鸞反又音專或撫其內或營其外能無歸乎齊人以郲寄衛侯【音訓】郲齊所滅郲國郲音來及其復也以郲糧歸言其貪右宰穀從而逃歸衛人將殺之穀衛大夫也以其從君故欲殺之【音訓】從才用反又如字辭曰余不說



初矣言初從君非說之不獲已耳【音訓】說音悅下同余狐裘而羔袖言一身盡善唯少有惡已雖從君出其罪不多乃赦之衛人立公孫剽剽穆公孫孫林父甯殖相之【音訓】相息亮反以聽命於諸侯聽盟會之命衛侯在郲臧紇如齊唁衛侯林曰弔失國曰唁【音訓】唁魚變反衛侯與之言虐【附註】林曰與臧武仲言皆暴虐之事退而告其人曰衛侯其不得入矣其言糞土也【附註】林曰其言皆踐踏羣臣如土芥者也亡而不變何以復國武仲不書未為卿子展子鮮聞之見臧紇與之言道順道理臧孫說謂其人曰衛君必入夫二子者或輓之或

推之【音訓】輓音晚推如字又他回反欲無入得乎為二十六年衛侯歸傳○師歸自伐秦晉侯舍新軍禮也成國不過半天子之軍成國大國周為六軍諸侯之大者三軍可也於是知朔生盈而死朔知罃之長子盈朔弟也盈生而朔死盈生六年而武子卒【附註】林曰武子即知罃彘裘亦幼皆未可立也新軍無帥故舍之彘裘士魴子也十三年荀罃士魴卒其子皆幼未任為卿故新軍無帥遂舍之【音訓】帥所類反國任音壬○師曠侍於晉侯師曠晉樂大師子野晉侯曰衛人出其君不亦甚乎【音訓】出如字又音黜對曰或者其君實甚【附註】林曰或者衛君所為



己甚非獨其臣之罪良君將賞善而刑淫養民如子蓋之如天容之如地民奉其君愛之如父母仰之如日月敬之如神明畏之如雷霆其可出乎夫君神之主而民之望也【附註】林曰奉祭祀故為神之主施德惠故繫民之望若困民之主匱神之祀【附註】林曰困苦其民以主其國空匱其神之絕其祀百姓絕望社稷無主【附註】朱曰祭祀不修無以為神之主將安用之弗去何無【音訓】去起呂反天生民而立之君使司牧之勿使失性有君而為之貳貳卿佐使師保之【附註】林曰使為師為保以輔導其君之德業勿使過度【附註】林曰勿使

其君越於法度之外是故天子有公諸侯有卿卿置側室側室支子之官大夫有貳宗貳宗宗子之副貳者士有朋友庶人工商皁隸牧圉皆有親暱【附註】林曰自庶人而下執伎藝曰工通貨賄曰商造成事曰皁屬於吏曰隸養牛曰牧養馬曰圉皆有親信比暱之人【音訓】皁音造圉音語以相輔佐也善則賞之賞謂宣揚過則匡之匡正也患則救之救其難也失則革之革更也自王以下各有父子兄弟以補察其政補其愆過察其得失史為書謂大史君舉則書瞽為詩瞽盲者為詩以風刺【音訓】【諺】風方鳳反工誦箴諫工樂人也誦箴諫之辭大夫規誨規正諫誨其君士傳言士卑不得徑達聞君過失傳告大夫【音訓】傳直專反庶人謗庶人不與政聞君過則誹謗【音訓】與音預【諺】商旅于市旅陳也陳其貨物以示時所貴尚百工獻藝獻其技藝以喻政事故夏書曰遒人以木鐸徇于路逸書遒人行人之官也木鐸木舌金鈴徇於路求歌謠之言【音訓】遒在由反徇似俊反【諺】鈴力丁反官師相規官師大夫自相規正工執藝事以諫所謂獻藝正月孟春於是乎有之諫失常也有遒人徇路之事【附註】林曰恐人君失其常度故諫之也天之愛民甚矣豈其使一人肆於民上肆放也以從其淫而棄天地之性必不然矣傳善師曠能因問盡言【附註】朱曰按師曠此段議論足以儆懼君心與孟子紂為獨夫君為仇讎同

左傳卄五　三十三

意而此語意尤婉也【音訓】從子用反本或作縱○秋楚子為庸浦之役故在前年為于僞反【音訓】子囊師于棠以伐吳吳不出而還子囊殿殿軍後【音訓】殿多練反以吳為不能而不儆吳人自皁舟之隘要而擊之皁舟吳險阨之道【音訓】隘於懈反要一遙反【諺】阨於賣反楚人不能相救吳人敗之獲楚公子宜穀傳言不備不可以師○王使劉定公賜齊侯命將昏於齊故也定公劉夏位賤以能而使之傳稱謚舉其終曰昔伯舅大公右我先王股肱周室師保萬民世胙大師以表東海胙報也表顯也謂顯封東海以報大師之功【附註】林曰大師即大公也王室之不壞繄伯舅是賴繄發聲【音訓】繄烏兮反今余命女環環齊靈公名【音訓】女音汝茲率舅氏之典纂乃祖考無忝乃舊敬之哉無廢朕命纂繼也因昏而加褒顯傳言王室不能有功○晉侯問衛故於中行獻子問逐君當討否獻子荀偃對曰不如因而定之衛有君矣謂剽已立伐之未可以得志而勤諸侯【附註】林曰未可以得志於衛而勤勞諸侯史佚有言曰因重而撫之重不可移就撫安之仲虺有言曰亡者侮之亂者取之推亡固存國之道也仲虺湯左相君其定衛以待時乎待其昏亂之時乃伐之冬會於戚謀定衛

左傳卄五　三十四

也定立剽○范宣子假羽毛於齊而弗歸齊人始貳析羽為旌王者游車之所建齊私有之因謂之羽毛宣子聞而借觀之○楚子囊還自伐吳卒將死遺言謂子庚必城郢楚徙都郢未有城郭公子燮公子儀因築城為亂事未得訖子囊欲訖而未暇故遺言見意【附註】林曰子庚司馬公子午也當代子囊為令尹故子囊遺言令必城郢【音訓】【圖】見賢遍反君子謂子囊忠君薨不忘增其名謂前年諡君為共將死不忘衛社稷可不謂忠乎忠民之望也詩曰行歸于周萬民所望忠也詩小雅忠信為周言德行歸於忠信即為萬民所瞻望【音】【訓】行下孟反



【經】十有五年【癸卯】春宋公使向戌來聘○二月己亥及向戌盟于劉○劉夏逆王后于齊劉采地夏名也天子卿書字劉夏非卿故書名天子無外所命則成故不言逆女○夏齊侯伐我北鄙圍成○公救成至遇無傳遇魯地書至遇公畏齊不敢至成○季孫宿叔孫豹帥師城成郛備齊故夏城非例所譏○秋八月丁巳日有食之無傳八月無丁巳丁巳七月一日也日月必有誤○邾人伐我南鄙○冬十有一月癸亥晉侯周卒四同盟【傳】十五年春宋向戌來聘且尋盟報二年豹之聘尋十一年亳之盟見孟獻子尤其室尤責過也曰子有令聞而美其室非所望也【音訓】聞音問對曰我在晉吾兄為之晉【附註】林曰我以事在國我兄實為此室毀之重勞且不敢間傳言獻子友於兄且不隱其實【音訓】間去聲○官師從單靖公逆王后于齊卿不行非禮也官師劉夏也天子官師非卿也劉夏獨過魯告昏故不書單靖公天子不親昏使上卿逆而公監之故曰卿不行非禮【音訓】【圖】過古禾反監古銜反○楚公子午為令尹代子囊公子罷戎為右尹蒍子馮為大司馬蒍子馮叔敖從子【音訓】罷音皮蒍于委反馮皮冰反【圖】從才用反公子橐師為右司馬公子成為左司馬屈到為莫敖屈到屈蕩子公子追舒為箴尹追舒



莊王子子南屈蕩為連尹養由基為宮廄尹以靖國人君子謂楚於是乎能官人官人國之急也能官人則民無覦心無覦覦以求幸【音訓】覦音俞又音踰【圖】覦音冀詩云嗟我懷人寘彼周行能官人也詩周南也寘置也行列也周徧也詩人嗟歎言我思得賢人置之徧於列位是后妃之志以官人為急【音訓】行戶郎反王及公侯伯子男甸采衛大夫各居其列所謂周行也言自王以下諸侯大夫各任其職則是詩人周行之志也甸采衛五服之名也天子所居千里曰圻其外曰侯服次曰甸服次曰男服次曰采服次曰衛服五百里為一服不言侯男略舉也○鄭尉氏司氏之亂其餘盜在宋亂在

十年鄭人以子西伯有子產之故納賂于宋三子之父皆為尉氏所殺故[註]林曰納賂于宋以請餘盜[附]以馬四十[音]乘百六十匹與師筏師慧[訓]樂師也筏慧其名筏音吠又音伐三月公孫黑為質焉[音訓]公孫黑子晳質音致司城子罕以堵女父尉翩司齊與之良司臣而逸之賢而放之託諸季武子武子寘諸卞子罕以司臣托季氏鄭人醢之三人也三人堵女父尉翩司齊師慧過宋朝將私焉私小便其相曰朝也[訓]相師者[音]相息亮反下皆同慧曰無人焉相曰朝也何故無人慧曰必無人焉若猶有人豈其以千乘之相



易淫樂之矇必無人焉故也千乘相謂子產等也言不為子產殺三盜得賂而歸之是重淫樂而輕相國[附註]林曰矇師慧自謂也[音訓]易以鼓反又輕也矇音蒙為于偽反下為之同[註]子罕聞之固請而歸之言子罕能改過○夏齊侯圍成貳於晉故也不長霸王故敢伐魯於是乎城成郛郛郭也○秋邾人伐我南鄙亦貳於晉故使告于晉晉將為會以討邾莒十二年十四年莒人伐魯未之討也晉侯有疾乃止冬晉悼公卒遂不克會[音訓]為明年會溴梁傳[註]溴古歷反○鄭公孫夏如晉奔喪子蟜送葬夏子西也言諸侯畏晉故卿共葬[附註]林曰子蟜即公孫蠆[音訓][註]共音恭○宋人或

得玉獻諸子罕子罕弗受獻玉者曰以示玉人玉人能治玉者玉人以為寶也故敢獻之子罕曰我以不貪為寶爾以玉為寶若以與我皆喪寶也不若人有其寶[音訓]喪息浪反稽首而告曰小人懷璧不可以越鄉言必為盜所害納此以請死也請免死子罕置諸其里使玉人為之攻之攻治也[附註]朱曰子罕乃留得玉者置諸所居之里富而後使復其所賣玉得富○十二月鄭人奪堵狗之妻而歸諸范氏堵狗堵女父之族狗娶於晉范氏鄭人既誅女父畏狗因范氏而作亂故奪其妻歸范氏先絕之傳言鄭之有謀



春秋經傳集解卷第十五

# 春秋經傳集解卷第十六

杜氏（盡二十二年）

諸家註音訓附

## 魯襄公三

經　十有六年甲辰春王正月葬晉悼公（踰月而葬速也）○三月公會晉侯宋公衛侯鄭伯曹伯莒子邾子薛伯杞伯小邾子于溴梁（不書高厚逃歸故也）（溴水出河內軹縣東南至溫入河　音訓　註　軹之氏反）○戊寅大夫盟（諸大夫本欲盟高厚高厚逃歸故遂自共盟雞澤會重序諸侯今此間無異事即上諸侯大夫可知　附註　林曰凡伯在馬而但曰諸侯者無伯也君在馬而但曰大夫者無君也是故自文而下盟于亳會于亳則有斥言諸侯而不序自襄而下溴梁之盟則有斥言大夫而不序　音訓　註　重直用反）



○晉人執莒子邾子以歸（邾莒二國數侵魯又無道於其民故稱人以執不以歸京師非禮也　附註　林曰執以歸始此）○齊人伐我北鄙（無傳齊貳晉故）○夏公至自會（無傳）○五月甲子地震（無傳）○叔老會鄭伯晉荀偃衛甯殖宋人伐許（荀偃主兵當序鄭上方示叔老可以會鄭伯故荀偃在下　附註　林曰鄭非主兵也則曷爲書鄭伯春秋不以大夫主諸侯則推而屬之鄭也春秋之大義夷夏之下君臣之分而已是故僖十九年盟于齊陳非主盟也不以夷狄主中國則書會陳今年伐許鄭非主兵也不以大夫主諸侯則書會鄭）○秋齊侯伐我北鄙圍郕○大雩（無傳書過）○冬叔孫豹如晉

傳　十六年春葬晉悼公平公即位（平公悼公子彪）羊舌肸為傅（肸叔向也代士渥濁）張君臣為中軍司馬（張老子代其父）祁奚韓襄欒盈士鞅為公族大夫（祁奚去中軍尉為公族大夫去劇就閒官韓襄無忌子也　音訓　註　閒音閑）虞丘書為乘馬御（代程鄭　音訓　乘繩證反）改服修官烝于曲沃（既葬改喪服修官選賢能曲沃晉祖廟烝冬祭也諸侯五月而葬既葬卒哭作主然後烝嘗於廟今晉踰月葬作主而烝祭傳言晉將有溴梁之會故速葬）警守而下會于溴梁（順河東行故曰下　附註　林曰微戒晉國守備　音訓　守手又反）命歸侵田（諸侯相侵取之田）以我故執邾宣公莒犂比公（犂比莒子號也十二年十四年莒人侵魯前年邾人伐魯晉將為魯討之悼公卒不克會故平公終其事　音訓　比音毗　註　為于



偽反下文為夷同）且曰通齊楚之使（邾莒在齊楚往來道中故并以此貴之經書執在大夫盟下既盟而後告　附註　使所吏反）○晉侯與諸侯宴于溫使諸大夫舞曰歌詩必類（歌古詩當使各從義類）齊高厚之詩不類（齊有二心故）荀偃怒且曰諸侯有異志矣（附註　林曰言諸侯不同心以事晉矣）使諸大夫盟高厚高厚逃歸（齊為大國高厚若此知小國必當有從者）於是叔孫豹晉荀偃宋向戌衛甯殖鄭公孫蠆小邾之大夫盟曰同討不庭（自以下大夫不書故傳舉小邾以包之）○許男請遷于晉（許欲叛楚）諸侯遂遷許許大夫不可晉人歸諸侯

唯以其師討許之不肯還鄭子蟜聞將伐許遂相鄭伯以從諸侯之師鄭與許有宿怨故其君親行【音訓】相息亮反穆叔從公從公歸【音訓】從才用反又如字齊子帥師會晉荀偃【附註】林曰齊子即叔老書曰會鄭伯為夷故也夷平也春秋於魯事所記不與外事同者客主之言所以為文固當異也魯卿每會公侯春秋無譏故於此示例不先書主兵之荀偃而書後至之鄭伯特皆諸侯大夫義取皆平故得會鄭伯【附註】林曰義取皆平故得會鄭伯然於義無取次于棫林庚寅伐許次于函氏棫林函氏皆許地晉荀偃欒黶帥師伐楚以報宋揚梁之役晉師獨進揚梁役在十二年○楚公子格帥師及晉師戰

左傳卄六　三

于湛阪襄城昆陽縣北有湛水東入汝【音訓】湛市林反又直斬反楚師敗績晉師遂侵方城之外不書不告復伐許而還許未還故【音訓】復扶又反○秋齊侯圍郕郕魯孟氏邑貳晉故伐魯孟孺子速徼之孟獻子之子莊子速也徼要也【音訓】徼古堯反齊侯曰是好勇去之以為之名【附註】林曰以師去之不與之戰以成其名【音訓】好呼報反速遂塞海陘而還海陘魯隘道○冬穆叔如晉聘且言齊故言齊弃伐魯【附註】林曰穆叔即叔孫豹晉人曰以寡君之未禘祀禘祀三年喪畢之吉祭與民之未息新伐許及楚不然不敢忘穆叔曰以齊人之朝夕釋憾於敝邑之地

是以大請【附註】林曰是以大有請於晉國敝邑之急朝不及夕引領西望曰庶幾乎庶幾晉來救比執事之閒恐無及也【附註】林曰若欲待晉國閒暇之時恐魯已亡無及於事【音訓】比必利反閒音閑見中行獻子賦圻父圻父詩小雅周司馬掌封畿之兵甲故謂之圻父詩人責圻父為王爪牙不修其職使百姓受困苦之憂而無所止居【附註】朱曰獻子荀偃也其父荀林父曾將中軍因號中行氏【音訓】圻音畿獻子曰偃知罪矣敢不從執事以同恤社稷而使魯及此及此憂【附註】朱曰豈敢不從魯國諸臣以同憂恤社稷之難而乃使魯人無所止居乎見范宣子賦鴻鴈之卒章鴻鴈詩小雅卒章曰鴻鴈于飛哀鳴嗸嗸唯此哲人謂我劬勞言魯

左傳卄六　四

憂困嗸嗸然若鴻鴈之失所大曰鴻小曰鴈【附註】朱曰宣子士匄宣子曰匄在此敢使魯無鳩乎鳩集也

【經】十有七年【乙巳】春王二月庚午邾子牼卒無傳宣公也四同盟【音訓】牼音坑○宋人伐陳○夏衛石買帥師伐曹買石稷子○秋齊侯伐我北鄙圍桃高厚帥師伐我北鄙圍防弁縣東南有桃虛【附註】林曰伐我大夫將書大夫始此自隱以來齊伐我皆書人君將書君自文十五年始大夫將書大夫自高厚始○九月大雩無傳書過○宋華臣出奔陳暴亂宗室懼而出奔實以冬出書秋者以始作亂時來告○冬邾人伐我南鄙

【傳】十七年春宋莊朝伐陳獲司徒卬畀宋

也司徒卬陳大夫畢宋不設備【附註】林曰莊朝宋微者生死皆曰獲【音訓】卬音昂○衛孫蒯田于曹隧越竟而獵孫蒯林父之子飲馬于重丘重丘曹邑【音訓】飲於鴆反重直龍反毀其瓶重丘人閉門而詬之詬罵也【附註】林曰或以瓶為飲器但於飲馬義類似不相干未知是否【音訓】詬音候曰親逐而君爾父為厲厲惡鬼林父逐君在十四年【附註】林曰而汝也言孫蒯之父親逐汝君是之不憂而何以田為夏衛石買孫蒯伐曹取重丘孫蒯不書非卿【附註】林曰孫蒯不忍其詬故伐曹攻重丘而取之以報私忿曹人愬于晉為明年晉人執石買傳○齊人以其未得志于我故前年圍郕辟孟孺子秋齊侯伐我北鄙圍桃

左傳十六　五

高厚圍臧紇于防防臧紇邑師自陽關逆臧孫至于旅松陽關在泰山鉅平縣東旅松近防地也魯師畏齊不敢至防郰叔紇臧疇臧賈帥甲三百宵犯齊師送之而復郰叔紇叔梁紇臧疇臧賈臧紇之昆弟也三子與臧紇共在防故夜送臧紇於旅松而復還守防【音訓】郰音鄒復扶又反又音服齊師去之齊人獲臧堅堅臧紇之族失臧紇故齊侯使夙沙衛唁之且曰無死使無自殺堅稽首曰拜命之辱抑君賜不終姑又使其刑臣禮於士以杙抉其傷而死言使賤人來唁已是惠賜不終也夙沙衛奄人故謂之刑臣【附註】林曰杙小木也椽屬臧堅義不受辱乃以杙自抉其所傷而死【音訓】杙音弋

抉音決○冬邾人伐我南鄙為齊故也齊未得志於魯故邾助之【音訓】為于偽反○宋華閱卒華臣弱皐比之室臣閱之弟皐比閱之子弱侵易之【音訓】比音毗易以豉反使賊殺其宰華吳賊六人以鈹殺諸盧門合左師之後盧門宋城門合向戌邑後屋後【附註】林曰鈹刀劍屬合左師向戌也【音訓】鈹音披左師懼曰老夫無罪賊曰皐比私有討於吳遂幽其妻幽吳妻也曰畀余而大璧畀與也【附註】林曰而汝也宋公聞之曰臣也不唯其宗室是暴大亂宋國之政必逐之【附註】林曰華臣與華閱為兄弟故言不唯侵暴其宗室使賊私殺華吳是大亂宋國之政刑左師

左傳十六　六

曰臣也亦卿也大臣不順國之恥也不如蓋之【附註】林曰不如蓋掩其罪勿問乃舍之左師為己短策苟過華臣之門必騁惡之【附註】林曰策馬捶也向戌悔其初謀之失乃作為短馬捶助御鞭馬惡華臣不欲與相見故過其門必馳騁而去十一月甲午國人逐瘈狗【附註】林曰瘈狗狂狗也【音訓】瘈居世反又音制瘈狗入於華臣氏國人從之華臣懼遂奔陳華臣心不自安見逐狗而驚走○宋皇國父為大宰為平公築臺妨於農收周十一月今九月收斂時【音訓】為于偽反收如字又手又反子罕請俟農功之畢公弗許築者謳曰澤門之晳實興我役澤門宋東

城南門也皇國文白晳而居近澤門【音訓】晳星歷反白也邑中之黔實
慰我心【訓】子罕黑色而居邑中黔音琴又其廉反【音】子罕聞之
親執扑扑杖扑普【音訓】卜反以行築者而抶其不勉
者【附註】朱曰以巡行於築臺者之所見有不勉力者以杖擊之【音訓】行下孟反抶
恥乙反曰吾儕小人皆有闔廬以辟燥濕寒
暑【音訓】闔謂門戶閉塞辟音避今君為一臺而不速成
何以為役役事也謳者乃止【附註】朱曰謳者本稱謳子罕令
子罕親自抶之故不謳也或問其故【附註】林曰或問子罕本欲緩役令更
督役何故子罕曰宋國區區而有詛有祝禍之
本也傳善子罕分謗【附註】朱曰譽子罕者為祝謗皇國文者為詛【音訓】詛莊慮



反祝音呪○齊晏桓子卒晏嬰父也林曰晏弱也【附註】晏嬰
麤縗斬斬不緝之也縗在胷前麤三升布苴絰帶杖菅屨
苴麻之有子者取其麤也杖竹杖菅屨草屨【附註】林曰以苴麻為首經及帶【音訓】苴
七徐反菅音奸食鬻居倚廬寢苫枕草此禮與士喪禮畧同
其異唯枕草耳然枕古亦非喪服正文【附註】林曰廬倚東墻而為之故曰倚廬苫編
草也寢於編草之上以草為枕【音訓】鬻音粥苫傷廉反枕去聲【訓】古苦對反一音苦
怪反其老曰非大夫之禮也時之所行反士及大夫縗服各
有不同晏子為大夫而行士禮其家臣不解故譏之曰唯卿為大夫
晏子惡直己以斥時失禮故孫辭略荅家老【附註】林曰諸侯之制降於天子一等故
唯卿然後得用大夫之禮

【經】十有八年【丙午】春白狄来不言朝不餘行朝禮○夏
晉人執衛行人石買石買即是伐曹者宜即懲治本罪而晉因其為
行人之使執之故書行人以罪晉【音訓】【訓】使所吏反○秋齊師伐我北
鄙不書齊侯齊侯不入竟○冬十月公會晉侯宋公衛
侯鄭伯曹伯莒子邾子滕子薛伯杞伯小邾
子同圍齊齊數行不義諸侯同心俱圍之○曹伯負芻卒于
師無傳禮當與許男同三同盟○楚公子午帥師伐鄭
【傳】十八年春白狄始来白狄狄之別名未嘗與魯接故曰始
○夏晉人執衛行人石買于長子執孫蒯
于純留長子純留二縣今皆屬上黨郡孫蒯不書父在位蒯非卿【音訓】長丁



丈反或如字純音屯又如字為曹故也【訓】前年衛伐曹為于偽反【音】
○秋齊侯伐我北鄙中行獻子將伐齊夢
與厲公訟弗勝厲公獻子所弒者公以戈擊之首
隊於前跪而戴之奉之以走見梗陽之巫
皐梗陽晉邑在大原晉陽縣南皐巫名也夢并見之【音訓】隊直位反跪其委反奉
音捧他日見諸道與之言同巫亦夢見獻子與厲公訟巫
曰今兹主必死若有事於東方則可以逞
巫知獻子有死徵故勸使決意伐齊【附註】林曰主大夫之稱獻子許諾
晉侯伐齊將濟河獻子以朱絲繫玉二瑴
雙玉曰瑴【附註】朱曰將以禮神故以朱絲繫玉【音訓】瑴音角而禱曰齊

環怙恃其險負其衆庶環齊靈公名負依也棄好背盟陵虐神主神主民也謂數伐魯殘民人【音訓】好呼報反背音佩曾臣彪將率諸侯以討焉彪晉平公名稱臣者明上有天子以譖告神曾臣猶末臣其官臣偃實先後之守官之臣偃獻子名【附註】林曰實先後而輔佐之【音訓】先後並去聲荀捷有功無作神羞羞恥也【附註】朱曰庶幾勝齊而有成功不至敗事貽神之辱也官臣偃無敢復濟偃信巫言故以死自誓【音訓】復扶又反唯爾有神裁之沈玉而濟【音訓】沈音鴆或如字冬十月會于魯濟【附註】林曰會諸侯于魯之濟地尋湨梁之言同伐齊湨[illegible]在十六年盟曰同討不庭齊侯禦諸平陰塹防門而守之廣里平陰城在濟北盧縣東北其城南有防防有門於門外作塹橫行廣一里故經書圍【附註】朱曰平陰齊邑名【音訓】塹七豔反廣古曠反夙沙衛曰不能戰莫如守險謂防門不足為險弗聽諸侯之士門焉【附註】林曰攻其城門齊人多死范宣子告析文子析文子齊大夫子家曰吾知子敢匿情乎【附註】林曰言我與子相知不敢隱匿其情實魯人莒人皆請以車千乘自其鄉入既許之矣【附註】林曰魯莒在齊之東言自其鄉入並自東道以入齊若入君必失國子盍圖之子家以告公公恐晏嬰聞之曰君固無勇而又聞是【附註】林曰言齊侯固無勇敢又聞此言弗能久矣不能



久敵晉齊侯登巫山以望晉師巫山在盧縣東北晉人使司馬斥山澤之險雖所不至必旆而疏陳之斥候也疏建旌旗以為陳示衆也【音訓】陳直覲反使乘車者左實右偽以旆先偽以衣服為人形也建旆以先驅輿曳柴而從之以揚塵【附註】林曰輿衆也衆曳柴從車後以揚塵朱曰凡此皆詐為兵多以恐齊也齊侯見之畏其衆也乃脫歸脫不張旗幟丙寅晦齊師夜遁師曠告晉侯【附註】朱曰樂師名曠曰鳥烏之聲樂齊師其遁鳥烏得空營故樂也邢伯告中行伯邢伯晉大夫邢侯也中行伯獻子曰有班馬之聲夜遁馬不相見故鳴班別也齊師其遁叔向告晉侯曰城上有烏齊師其遁【附註】朱曰當時齊以夜遁晉未知也故三子因所聞見而知齊師之遁十一月丁卯朔入平陰遂從齊師夙沙衛連大車以塞隧而殿此衛所欲守險【附註】朱曰奔而居後曰殿【音訓】殿丁練反下同殖綽郭最曰子殿國師齊之辱也奄人殿師故以為辱【附註】林曰殖綽郭最齊之勇士子姑先乎乃代之殿衛殺馬於隘以塞道恨二子故塞其道欲使晉得之晉州綽及之射殖綽中肩兩矢夾脰脰頸也【音訓】射食亦反中丁仲反脰音豆曰止將為三軍獲【附註】林曰將生為三軍俘獲不止將取其衷不止復欲射兩矢中央顧曰為私誓州綽

曰有如日（言必不殺汝明如日）乃弛弓而自後縛之（反縛之）其右具丙（州綽之右）亦舍兵而縛郭最皆衿甲面縛（衿甲不解甲〔附註〕林曰反縛襜露其面〔音訓〕衿其鴆反）坐于中軍之鼓下晉人欲逐歸者魯衛請攻險（險固城守者）己卯荀偃士匄以中軍克京茲（在平陰城東南〔附註〕林曰京茲齊邑）乙酉魏絳欒盈以下軍克郜（欒黶死其子盈佐下軍平陰西有郜山〔音訓〕郜音詩）趙武韓起以上軍圍盧弗克（〔附註〕林曰盧齊邑）十二月戊戌及秦周伐雍門之荻（秦周魯大夫趙武及之共伐荻也雍門齊城門〔音訓〕雍於用反荻音狄）范鞅門于雍門其御追喜

左傳十六　十一

以戈殺犬于門中（殺犬示間暇）孟莊子斬其橁以為公琴（莊子孺子速也橁木名〔附註〕林曰斬雍門之橁木以為魯公之琴〔音訓〕橁勑倫反又相綸反）己亥焚雍門及西郭南郭（〔附註〕林曰焚以火攻也城之外為郭）劉難士弱率諸侯之師焚申池之竹木（二子晉大夫〔附註〕林曰申池齊南城西門齊城無池惟此門有池文十八年弒懿公納諸竹中其地多竹木〔音訓〕難乃多反又如字）壬寅焚東郭北郭范鞅門于揚門（齊西門）州綽門于東閭（齊東門）左驂迫還于東門中以枚數闔（枚馬檛也闔門扇也數其板示不恐〔音訓〕迫音百還音旋又音患枚音梅數所主反）齊侯駕將走郵棠（郵棠齊邑〔音訓〕郵音尤）大子與

郭榮扣馬（大子光也榮齊大夫〔音訓〕扣音口）曰師速而疾略也（言欲略其地無久攻意）將退矣君何懼焉且社稷之主不可以輕輕則失衆君必待之（〔音訓〕輕遣政反下同）將犯之（〔附註〕林曰齊侯將犯之而行）大子抽劍斷鞅乃止（〔附註〕林曰在馬腹曰鞅）甲辰東侵及濰南及沂（濰水在東莞東北至北海都昌縣入海沂水出東莞蓋縣至下邳入泗〔音〕〔訓〕濰音維〔註〕莞音官）○鄭子孔欲去諸大夫（欲專權〔附註〕林曰子孔即公子嘉〔音訓〕去起呂反下同）將叛晉而起楚師以去之使告子庚子庚弗許（子庚楚令尹公子午）楚子聞之使揚豚尹宜告子庚（〔附註〕朱曰揚豚邑尹名宜也）

左傳廿六　十二

曰國人謂不穀主社稷而不出師死不從禮（不能承先君之業死將不得從先君之禮）不穀即位於今五年師徒不出人其以不穀為自逸而忘先君之業矣（謂己未嘗統師自出）大夫圖之其若之何子庚歎曰君王其謂午懷安乎吾以利社稷也見使者（〔音訓〕使所吏反）稽首而對曰諸侯方睦於晉臣請嘗之（嘗試其難易也）若可君而繼之不可收師而退（〔附註〕林曰若鄭可攻君以師繼其後若不可攻臣請收兵而歸）可以無害君亦無辱子庚帥師治兵於汾（襄城縣東北有汾丘城〔音訓〕汾扶云反）於是子蟜伯有

七〇八

子張從鄭伯伐齊子張公孫黑肱子孔子展子西
守附註林曰公子嘉公孫舍之公孫夏留守鄭國音訓守手又反下完守同二
子知子孔之謀二子子展子西完守入保完城郭內保守
子孔不敢會楚師附註林曰子孔見二子有備故不敢出會楚師
楚師伐鄭次於魚陵魚陵魚齒山也在南陽犨縣北鄭地右
師城上棘遂涉潁次于旃然[illegible]涉潁故於水邊權築小
城以為進退之備旃然水出滎陽成皋縣東入汴蔿子馮公子格
率銳師侵費滑胥靡獻于雍梁胥靡獻于雍梁皆鄭
邑河南陽翟縣東北有雍氏城音訓雍於用反右回梅山在滎陽密縣東
北附註林曰楚師右回鄭之梅山侵鄭東北至于蟲牢而

左傳十九　十三

反子庚門于純門信于城下而還信再宿也涉
於魚齒之下魚齒山之下有滍水故言涉音訓滍音雉甚雨
及之附註朱曰適有大雨遂及楚兵楚師多凍役徒幾盡
音訓幾音祈晉人聞有楚師師曠曰不害吾驟
歌北風又歌南風南風不競歌者吹律以詠八風南風
音微故曰不競也師曠唯歌南北風者聽晉楚之強弱多死聲楚必
無功附註朱曰多有死喪之聲董叔曰天道多在西北
歲在豕韋月又建亥故曰多在西北附註林曰晉大夫董叔南師不時
必無功不時謂觸歲月叔向曰在其君之德也言天
時地利不如人和

經十有九年丁未春王正月諸侯盟于祝柯
前年圍齊之諸侯也祝柯縣今屬濟南郡晉人執邾子稱人以執惡及民也
公至自伐齊無傳○取邾田自漷水取邾田以漷水為界
也漷水出東海合鄉縣西南經魯國至高平湖陸縣入泗音訓漷好虢反又音郭又虎伯
反○季孫宿如晉○葬曹成公無傳○夏衛孫
林父帥師伐齊○秋七月辛卯齊侯環卒世子
光三與魯同盟○晉士匄帥師侵齊至穀聞齊侯卒
乃還詳錄所至及還者善得禮○八月丙辰仲孫蔑卒無傳
○齊殺其大夫高厚○鄭殺其大夫公子嘉
○冬葬齊靈公無傳○城西郛魯西郭○叔孫豹

左傳十九　十四

會晉士匄于柯魏郡內黃縣東北有柯城○城武城泰山南武城縣
傳十九年春諸侯還自沂上盟于督揚曰
大毋侵小督揚即祝柯也音訓毋音無○執邾悼公以
其伐我故伐魯在十七年遂次于泗上疆我田正邾
魯之界也泗水名取邾田自漷水歸之于我邾田在漷
水北今更以漷為界故曰取邾田晉侯先歸公享晉六卿
于蒲圃六卿過魯音訓過古禾反賜之三命之服軍
尉司馬司空輿尉候奄皆受一命之服如鞶
戰還之賜唯無先輅賄荀偃束錦加璧乘馬先吳壽

夢之鼎荀偃中軍元帥故特賄之五匹為束四馬為乘壽夢吳子乘也獻鼎於魯因以為名古之獻物必有以先今以璧馬為鼎之先【音訓】乘繩證反先悉薦反又如字荀偃癉疽生瘍於頭【附註】林曰癉疽惡創屬在頭曰瘍荀偃既患惡創又生瘍於頭【音訓】癉丁但反瘍音羊濟河及著雍【附註】林曰及著雍之地【音訓】雍於用反病目出【附註】林曰因病而目睛努出大夫先歸者皆反【附註】林曰晉大夫之先歸者皆反見士匄士匄請見弗內請後曰鄭甥可士匄中軍佐故問後也鄭甥荀吳其母鄭女【音訓】見賢遍反內音納二月甲寅卒而視不可含目開口噤不受飯【附註】朱曰目不閉口噤【音訓】含去聲下同噤其蔭反宣子盥而撫之曰事吳敢不如事主猶視大夫稱主不合其心目猶開視【附註】林曰言欒懷子曰其為未卒事於齊故也乎懷子欒盈【音訓】為于偽反乃復撫之【音訓】復扶又反曰主苟終所不嗣事于齊者有如河乃瞑受含嗣續也【附註】林曰言荀偃苟死所有不繼成伐齊之事者有如河水之神朱曰其目始閉其口始合而受飯含【音訓】瞑音冥宣子出曰吾淺之為丈夫也自恨以私待人【附註】朱曰自愧以私心度荀偃謂念其子而不瞑目○晉欒魴帥師從衛孫文子伐齊為懷子之言故也欒魴欒氏族不書兵并林父不別告也經書夏從告○季武子如晉拜師謝討齊晉侯享之范宣子為政代荀偃將中軍賦黍苗黍苗詩小雅美召伯勞來諸侯如陰雨之長黍苗也荀晉君憂勞魯國猶召伯【音訓】勞力報反來力代反長丁丈反季武子興再拜稽首曰小國之仰大國也如百穀之仰膏雨焉【音訓】仰如字又去聲膏如字又去聲若常膏之其天下輯睦豈唯敝邑賦六月六月尹吉甫佐天子征伐之詩以晉侯比吉甫出征以匡王國季武子以所得於齊之兵作林鍾而銘魯功焉林鍾律名鑄鍾聲應林鍾因以為名【註】林曰銘魯國勝齊之功【附】臧武仲謂季孫曰非禮也【附註】朱曰武仲臧孫紇也夫銘天子令德天子銘德不銘功諸侯言時計功舉得時動有功則可銘也大夫稱伐銘其功伐之勞今稱伐則下等也從大夫故計功則借人也借晉力也言時則妨民多矣【附註】朱曰妨民農務何以為銘且夫大伐小取其所得以作彝器彝常也謂鍾鼎為宗廟之常器銘其功烈以示子孫昭明德而懲無禮也【附註】朱曰一則昭吾國之明德一以則以懲敵國之無禮今將借人之力以救其死若之何銘之小國幸於大國以勝大國為幸而昭所獲焉以怒之亡之道也為城西郛武叔傳○齊侯娶于魯曰顏懿姬無子其姪鬷聲姬生光以為大子兄子曰姪顏鬷皆二姬母姓因以為號懿聲皆謚【音訓】鬷子公反諸子仲子戎子戎子嬖諸子諸妾姓子者二子皆宋女仲

子生牙屬諸戎子（屬，託之。【附註】林曰：仲子以戎子嬖幸，故以所生子託之。【音訓】屬，之蜀反。）戎子請以為大子，許之。（齊侯許之。）仲子曰：「不可。廢常，不祥；（廢立嫡之常。）間諸侯，難。（事難成也。【附註】林曰：間諸侯之列，事難成也。【音訓】間，去聲。）光之立也，列於諸侯矣。（列諸侯之會。）今無故而廢之，是專黜諸侯，（謂光已有諸侯之尊。）而以難犯不祥也。君必悔之。」公曰：「在我而已。」遂東大子光。（廢而徙之東鄙。）使高厚傅牙，以為大子，夙沙衛為少傅。齊侯疾，崔杼微逆光。疾病而立之。光殺戎子，（終言之。【附註】林曰：崔杼使微服迎故大子光，靈公疾病而立光以為君，光怨戎子廢己故殺之。）



尸諸朝，非禮也。婦人無刑，（無黥刖之刑。）雖有刑，不在朝市。（謂犯死刑者，猶不暴尸。）夏五月壬辰晦，齊靈公卒。（經書七月辛卯，光定位而後赴。）莊公即位，（大子光也。）執公子牙於句瀆之丘。（【音訓】句音鉤，瀆音豆。）以夙沙衛易己，衛奔高唐以叛。（光謂衛教公易己。高唐在祝柯縣西北。）○晉士匄侵齊，及穀，聞喪而還，禮也。（禮之常，不必待君命。【附註】林曰：禮不伐喪，故善其還師不待君命。）○於四月丁未，（於此年四月。）鄭公孫蠆卒，赴於晉大夫。范宣子言於晉侯，以其善於伐秦也。（十四年，晉伐秦，子蟜見諸侯師而勸之濟涇。）六月，晉侯請於王，王追賜之大路，使以行，禮也。（大路，天子所賜車之揔名。以行葬禮。傳言大夫有功則賜服路。）○秋八月，齊崔杼殺高厚於灑藍而兼其室。（灑藍，齊地。【音訓】灑，色買反，又所綺反。藍，力甘反。）書曰：「齊殺其大夫。」從君於昏也。（傳解經不言崔杼殺而為國討文。【附註】林曰：以高厚從靈公昏謬之政，廢光立牙，不能諫止故也。）○鄭子孔之為政也專，（專權。）國人患之，乃討西宮之難，（十年尉止等作難西宮，子孔知而不言。【音訓】難，乃旦反，下同。）與純門之師。（前年子孔召楚師至純門。）子孔當罪，以其甲及子革、子良氏之甲守。（以自守也。【音訓】守，手又反，下守備同。）甲辰，子展、子西帥國人伐之，殺子孔而分其室。



書曰「鄭殺其大夫」，專也。（亦以國討為文。）子然、子孔，宋子之子也；（子然，子革父。）士子孔，圭嬀之子也。（宋子、圭嬀皆鄭穆公妾。士子孔，子良父。【音訓】嬀，居危反。）圭嬀之班亞宋子，而相親也；（亞，次也。）士子孔亦相親也。（【附註】林曰：二母相愛，故士子孔與子然、子孔亦甚相親愛。）僖之四年，子然卒；（鄭僖四年，魯襄六年。）簡之元年，士子孔卒。（魯襄八年。）司徒孔實相子革、子良之室，（司徒孔與二父相親，故相助其子。【附註】林曰：司徒孔即子孔。【音訓】相，息亮反。）三室如一，（言同心。）故及於難。（故二子弃及難。）子革、子良出奔楚，子革為右尹。（子革即鄭丹。）鄭人使子展當國，子西聽政，立子產為卿（簡公猶幼故大夫當國）○齊慶封圍高唐弗克（夙沙衛以叛故圍之）冬十一月齊侯圍之見衛在城上號之乃下（衛下與齊侯語【音訓】號如字名也又平聲）問守備焉以無備告揖之乃登（齊侯以衛告誠揖而禮之欲生之也衛志於戰死故不順齊侯之揖而還登城）聞師將傳食（【附註】林曰聞齊師將會食【音訓】傳音附食音嗣）高唐人殖綽工僂會夜縋納師（因其會食二子齊大夫【音訓】僂音樓縋音墜）醢衛于軍（之【附註】林曰執夙沙衛醢以為醢【音訓】醢音海）○城西郛懼齊也（前年與晉伐齊又鑄其器為鐘故懼）○齊及晉平盟于大隧（大隧地闕）故穆叔會范宣子于柯（齊晉平魯懼齊



故為柯會以自固）穆叔見叔向賦載馳之四章（四章曰控于大邦誰因誰極控引也取其欲引大國以自救助）叔向曰肸敢不承命（叔向慶齊未肯以盟服故許救齊【音訓】【註】度待洛反）穆叔歸曰齊猶未也（【附註】林曰齊猶未服於晉）不可以不懼乃城武城○衛石共子卒（石買）悼子不哀（買之子石惡）孔成子曰是謂蹶其本（蹶猶拔也【音訓】蹶求月反又居衛反）必不有其宗（為二十八年石惡出奔傳）

【經】二十年【戊申】春王正月辛亥仲孫速會莒人盟于向（向莒邑）○夏六月庚申公會晉侯齊侯宋公衛侯鄭伯曹伯莒子邾子滕子薛伯杞伯小邾子盟于澶淵（澶淵在頓丘縣南今名繁汙此衛地又近戚田【音訓】澶音蟬【註】汙音紆）○秋公至自會（無傳）○仲孫速帥師伐邾○蔡殺其大夫公子燮（莊公子）○蔡公子履出奔楚（燮母弟也）○陳侯之弟黃出奔楚（稱弟明無罪也）○叔老如齊○冬十月丙辰朔日有食之（無傳）○季孫宿如宋

【傳】二十年春及莒平孟莊子會莒人盟于向督揚之盟故也（莒數伐魯前年諸侯盟督揚以和解之故二國自復共盟結其好【音訓】數所角反下同復扶又反【註】）○夏盟于澶淵齊成故也（齊與晉平）○邾人驟至以諸侯之事



弗能報也（驟數也謂十五年十七年伐魯【附註】林曰以魯國前年從諸侯之役不能報伐於邾）秋孟莊子伐邾以報之（既盟而又伐之非）○蔡公子燮欲以蔡之晉（背楚）蔡人殺之公子履其母弟也故出奔楚（與兄同謀故）陳慶虎慶寅畏公子黃之偪（二慶陳卿恐黃偪奪其政）愬諸楚曰與蔡司馬同謀（同欲之晉【附註】林曰蔡司馬即公子燮）楚人以為討（楚責陳）公子黃出奔楚（奔楚自理）初蔡文侯欲事晉曰先君與於踐土之盟（先君文侯莊侯甲午也踐土盟在僖二十八年【音訓】與音預）晉不可棄且兄弟也畏楚不能行而卒（宣十七年文侯卒）楚人

使蔡無常徵裴無准公子燮求從先君以利蔡附註林曰求從先君從晉之言以為蔡國之利不能而死附註林曰與蔡人不相能而死於禍書曰蔡殺其大夫公子燮言不與民同欲也罪其違衆陳侯之弟黄出奔楚言非其罪也稱弟罪陳侯及二慶公子黄將出奔呼於國音訓呼好故反曰慶氏無道求專陳國暴蔑其君而去其親附註林曰去陳侯兄弟之親音訓去起呂反五年不滅是無天也為二十三年陳殺二慶傳○齊子初聘于齊禮也齊魯有怨朝聘禮絶今始復通故曰初繼好息民故曰禮附註林曰齊子即叔老○冬季武子如宋報向戌之聘

左傳廿六

也向戌聘在十五年褚師段逆之以受享段共公子子石也逆以入國受享禮音訓褚張呂反賦常棣之七章以卒武子賦也七章以卒盡八章取其妻子好合如鼓瑟琴宜爾室家樂爾妻帑言二國好合宜其室家相覩如兄弟宋人重賄之歸復命公享之賦魚麗之卒章魚麗詩小雅卒章曰物其有矣維其時矣脩聘宋得其時附註林曰季武子賦公賦南山有臺南山有臺詩小雅取其樂只君子邦家之基邦家之光脩武子奉使能為國光輝音訓註使所吏反武子去所曰臣不堪也去所辟席○衛甯惠子疾召悼子悼子甯喜曰吾得罪於君悔而無及也名藏在諸侯之策曰孫林父甯殖出其君附註林曰逐衛獻公在十四年君入則掩之掩惡名若能掩之則吾子也若不能猶有鬼神附註朱曰言雖死而魂魄猶有知也吾有餒而已不來食矣餒餓也附註林曰不來享食汝之祭祀矣悼子許諾惠子遂卒為二十六年衛侯歸傳

經二十有一年己酉春王正月公如晉附註林曰是年十一月庚子孔子生何休註作己卯歲○邾庶其以漆閭丘來奔二邑在高平南平陽縣東北有漆鄉西北有顯閭亭以邑出為叛適魯而言來奔內外之辭附註林曰於是公猶在晉季孫宿約之也○夏公至自晉無傳○秋晉欒盈出奔楚盈不能防閑其母以取奔亡稱名罪之○九月庚戌朔日有食之無傳○冬十月庚辰

左傳廿六

朔日有食之無傳○曹伯來朝○公會晉侯齊侯宋公衛侯鄭伯曹伯莒子邾子于商任商任地闕音訓任音壬

傳二十一年春公如晉拜師及取邾田也謝十八年伐齊之師漷水之田○邾庶其以漆閭丘來奔庶其邾大夫季武子以公姑姊妻之計公年不得有未嫁姑姊蓋寡者二人音訓妻七計反皆有賜於其從者音訓從才用反於是魯多盜季孫謂臧武仲曰子盍詰盜詰治也音訓詰起吉反武仲曰不可詰也紇又不能附註林曰紇臧武仲名也言紇之才又不能治盜賊音訓紇恨沒反季孫

曰我有四封而詰其盜【附註】朱曰言我魯國有四方封疆而
治其封內之盜何故不可子為司寇將盜是務去
若之何不能【音訓】去起呂反下同武仲曰子召外盜
而大禮焉何以止吾盜吾謂國中子為正卿而
来外盜使紇去之將何以能庶其竊邑於
邾以来子以姬氏妻之而與之邑使食漆閭丘
其從者皆有賜焉若大盜禮焉以君之姑
姊與其大邑其次皁牧輿馬給其賤役從皁至牧凡八
等之人【附註】林曰其次庶其之從者從皁至牧凡八等之人則以輿馬賜之八等之
人謂皁輿隸僚僕臺圉牧也【音訓】皁在早反其小者衣裳劍帶

左傳十六　二十三

是賞盜也【附註】朱曰其小者謂庶其從者之微賤者賞而去之
其或難焉紇也聞之在上位者洒濯其心
【音訓】洒音洗壹以待人軌度其信【附註】林曰軌法也其法皆
一度於信【音訓】度待洛反可明徵也徵驗也而後可以治
人夫上之所為民之歸也上所不為而民
或為之是以加刑罰焉而莫敢不懲若上
之所為而民亦為之乃其所也又可禁乎
夏書曰念茲在茲逸書也茲此也謂行此事當念使可施之於此
釋茲在茲釋除也謂欲有所治除於人亦當顧已得無亦有之名言
茲在茲名此事言此事亦皆當令可施於此允出茲在茲允信

也信出於此則善亦在此惟帝念功言帝念功則功成也將謂由
已壹也信由已壹而後功可念也言非但意念而
已當須信已誠至【附註】朱曰臧孫釋書之意以謂在上者要使信實由已專壹然後
有善功之可念也以譏季孫無信實而責人庶其非卿也以地
来雖賤必書重地也重地故書其人其人書則惡名彰以懲不
義○齊侯使慶佐為大夫慶佐崔杼黨復討公
子牙之黨執公子買于句瀆之丘公子鉏
来奔叔孫還奔燕三子齊公族言莊公斥逐親戚以成崔慶之勢
終有弑殺之禍【附註】林曰句瀆之丘齊地【音訓】復扶又反還音還○夏楚
子庚卒【附註】林曰即公子午楚子使薳子馮為令尹

左傳十六　二十四

訪於申叔豫叔豫叔時孫【附註】林曰薳子馮私問於叔豫叔豫
曰國多寵而王弱弱政教微而貴臣強國不可為也
遂以疾辭方暑闕地下冰而牀焉【附註】林曰闕掘
也闕地下冰其中而安牀其上【音訓】闕音掘重繭衣裘鮮食而
寢繭綿衣【附註】林曰鮮少也少食而寢示其弱【音訓】繭古典反衣於既反楚
子使醫視之復曰瘠則甚矣瘠瘦也【音訓】瘠在亦反
瘦所又反而血氣未動言無疾乃使子南為令尹
子南公子追舒也為二十二年殺追舒傳○欒桓子娶於范宣
子生懷子桓子欒黶懷子盈也范鞅以其亡也怨欒
氏十四年欒黶強逐范鞅使奔秦故與欒盈為公族大夫

而不相能桓子卒【附註】林曰二子同官而不相能下能如字欒祁與其老州賓通欒祁桓子妻范宣子女盈之母也范氏堯後祁姓【附註】朱曰老家宰之長也州賓宰之姓名幾亡室矣言亂甚【音訓】幾其依反懷子患之祁懼其討也愬諸宣子曰盈將為亂以范氏為死桓主而專政矣桓主欒黶【附註】林曰大夫稱主也謂欒盈以范氏欺欒黶為己死而專晉國之政矣曰吾父逐鞅也不怒而以寵報之謂宣子不為黶責怒鞅而反與鞅寵位【音訓】註為于僞反下吾為同又與吾同官而專之同為公族大夫而鞅專其權勢吾父死而益富【附註】林曰自欒黶死而范宣子盈富強死吾父而專於國有死而已



吾蔑從之矣言宣子專政盈欲以死作難其謀如是懼害於主吾不敢不言范鞅為之徵證其有此懷子好施士多歸之【音訓】施式豉反宣子畏其多士也信之【附註】林曰遂信欒祁士鞅之譖懷子為下卿下軍佐宣子使城著而遂逐之著晉邑在外易逐【音訓】著直據反註易以豉反秋欒盈出奔楚宣子殺箕遺黃淵嘉父司空靖邴豫董叔邴師申書羊舌虎叔羆十子皆晉大夫欒盈之黨也羊舌虎叔向弟囚伯華叔向籍偃籍偃上軍司馬人謂叔向曰子離於罪其為不知乎譏其受囚而不能去【附註】朱曰離與罹同言其不能保身不得為智【音訓】知音智下同叔向曰與其死亡若何言雖囚何若於死亡詩曰優哉游哉聊以卒歲知也詩小雅言君子優游於衰世所以辟害卒其壽是亦知也【附註】林曰按今小雅無此專句惟采菽詩云優哉游哉亦是戾矣樂王鮒見叔向曰吾為子請叔向不應出不拜樂王鮒晉大夫樂桓子【音訓】鮒音附其人皆咎叔向【附註】朱曰其人叔向左右之人也叔向曰必祁大夫祁大夫祁奚也食邑於祁因以為氏祁縣今屬大原室老聞之曰樂王鮒言於君無不行其言皆得行求赦吾子吾子不許謂不應出不拜祁大夫所不能也不能動君而曰必由之何也叔向曰樂王鮒從君者



也何能行祁大夫外舉不棄讎【附註】朱曰謂其舉解狐也內舉不失親【附註】朱曰謂舉其子祁午也事在三年其獨遺我乎詩曰有覺德行四國順之詩大雅言德行直則天下順之夫子覺者也覺較然正直【附註】朱曰言祁奚乃先覺之君子也【音訓】覺較音角晉侯問叔向之罪於樂王鮒對曰不棄其親其有焉言叔向篤親親必與叔虎同謀於是祁奚老矣老去公族大夫聞之乘馹而見宣子【附註】林曰馹傳車也【音訓】馹音日曰詩曰惠我無疆子孫保之詩周頌也言文武有惠訓之德加於百姓故子孫保賴之書曰聖有謨勳明徵定保逸書謨謀也勳功也言聖哲有謀功者當明信

宅安之夫謀而鮮過惠訓不倦者叔向有焉
謀鮮過有暮勳也惠訓不倦惠我無疆也音訓鮮上聲社稷之固也
猶將十世宥之以勸能者附註朱曰假使其十世子孫有
罪猶當寬宥之今壹不免其身壹以弟故以棄社稷不
亦惑乎鯀殛而禹興言不以父罪廢其子音訓鯀古本反殛紀
力反伊尹放大甲而相之卒無怨色大甲湯孫也荒
淫失度伊尹放之桐宮三年改悔而復之而無恨心言不以一怨妨大德音訓相息
亮反管蔡為戮周公右王言兄弟罪不相及附註朱曰右王謂
右成王為相也若之何其以虎也棄社稷附註朱曰棄社
稷之臣子為善誰敢不勉多殺何為宣子說

左傳十六　二十七

與之乘以言諸公而免之共載入見公音訓說音悅乘繩
證反註見賢遍反不見叔向而歸言為國非私叔向也音訓註為
于偽反下不為己亦為子皆同叔向亦不告免焉而朝不告
謝之明不為己初叔向之母妬叔虎之母美而不
使不使見叔向父其子皆諫其母其母曰深山大
澤實生龍蛇言非常之地多生非常之物彼美余懼其
生龍蛇以禍女女敝族也敝衰壞也龍蛇喻奇怪音訓女
音汝國多大寵六卿專權不仁人間之不亦難乎
附註林曰閒廁其間音訓閒去聲余何愛焉使往視寢生
叔虎美而有勇力欒懷子嬖之附註朱曰欒盈寵愛

身之守也政存則身安怠禮失政失政不立是
以亂也為二十五年齊弒光二十六年衛弒剽傳知起中行喜
州綽邢蒯出奔齊四子晉大夫音訓知音智行戶郎反蒯苦怪反
皆欒氏之黨也樂王鮒謂范宣子曰盍反
州綽邢蒯勇士也宣子曰彼欒氏之勇也
附註林曰言彼二子乃欒盈所恃以為勇者也余何獲焉言不為已用
王鮒曰子為彼欒氏乃亦子之勇也言子待之
如欒氏亦為子用也○齊莊公朝附註林曰齊莊公朝羣臣指殖
綽郭最曰是寡人之雄也州綽曰君以為
雄誰敢不雄然臣不敏平陰之役先二子

左傳十六　二十八

謂也有所逃避之地若棄書之力而思黶之罪臣戮
餘也罪戮之餘將歸死於尉氏尉氏討姦之官不敢還
矣敢布四體唯大君命焉布四體言無所隱王曰
尤而効之其又甚焉尤晉逐盈而自掠之是効尤使司
徒禁掠欒氏者歸所取焉附註林曰歸其所掠取之財物
使候出諸轘轅候送迎賓客之官也轘轅關在緱氏縣東南音訓轘
音患轅音袁○冬曹武公來朝始見也即位三年始來
見公○會于商任錮欒氏也禁錮欒盈使諸侯不得受音訓
錮音固齊侯衛侯不敬叔向曰二君者必不
免會朝禮之經也禮政之輿也政須禮而行政

身之守也（政存則身安）怠禮失政失政不立是以亂也（為二十五年齊弑光二十六年衛弑剽傳）知起中行喜州綽邢蒯出奔齊（四子晉大夫【音訓】知音智行戶郎反蒯苦怪反）皆欒氏之黨也樂王鮒謂范宣子曰盍反州綽邢蒯勇士也宣子曰彼欒氏之勇也（【附註】林曰言彼二子乃欒盈所恃以為勇者也）余何獲焉（言不為已用）王鮒曰子為彼欒氏乃亦子之勇也（言子待之如欒氏亦為子用也）○齊莊公朝（【附註】林曰齊莊公朝羣臣）指殖綽郭最曰是寡人之雄也州綽曰君以為雄誰敢不雄然臣不敏平陰之役先二子

左傳十六　二十九

鳴（十八年晉伐齊及平陰州綽獲殖綽郭最故自比於雞鬪勝而先鳴【音訓】先悉薦反）莊公為勇爵（設爵位以命勇士）殖綽郭最欲與焉（自以為勇【音訓】與音預下同）州綽曰東閭之役臣左驂迫還於門中識其枚數（識門板數亦在十八年）其可以與於此乎公曰子為晉君也（【附註】林曰言非為齊也【音訓】為于偽反）對曰臣為隸新（言但為僕隸尚新耳【附註】朱曰新為僕臣未得効勇於齊）然二子者譬於禽獸臣食其肉而寢處其皮矣（言嘗射得之【音訓】【註】射食亦反）

【經】二十有二年【庚戌】春王正月公至自會（無傳）○夏四月○秋七月辛酉叔老卒（無傳子叔齊子）○

冬公會晉侯齊侯宋公衛侯鄭伯曹伯莒子邾子薛伯杞伯小邾子于沙隨（【附註】林曰沙隨宋地）○公至自會（無傳）○楚殺其大夫公子追舒（書名者寵近小人貪而多馬為國所患）

【傳】二十二年春臧武仲如晉（公頻與晉侯外會令各將還會之守卿遣武仲為公謝不敏故不書【音訓】【註】守手又反為于偽反）雨過御叔御叔在其邑將飲酒（御叔魯御邑大夫【音訓】過古禾反）曰焉用聖人（武仲多知時人謂之聖【音訓】焉於虔反【註】知音智又如字）我將飲酒而已雨行何以聖為（【附註】林曰武仲出行而遇雨不知晴雨何以為知且聖也）穆叔聞之曰不可使

左傳十六　三十

也而傲使人（言御叔不任使四方【附註】林曰傲慢武仲承命出使之人【音訓】傲五報反使所吏反【註】任音壬）國之蠹也令倍其賦（古者家有國邑故以重賦為罰傳言穆叔能用教）○夏晉人徵朝于鄭（召鄭使朝）鄭人使少正公孫僑對（少正鄭卿官也公孫僑子產）曰在晉先君悼公九年我寡君於是即位（魯襄八年）即位八月（即位年之八月）而我先大夫子駟從寡君以朝于執事執事不禮於寡君（言朝執事謙不敢斥晉侯）寡君懼因是行也我二年六月朝于楚（因朝晉不見禮生朝楚心）晉是以有戲之役（在九年【音訓】戲許宜反）楚人猶競而申禮於敝邑

【附註】林曰競強也是年冬楚伐鄭謂申禮於鄭蓋飾辭敝邑欲從執事而懼為大尤【附註】林曰尤過也曰晉其謂我不共有禮【附註】林曰不恭順於有禮之國是以不敢攜貳於楚我四年三月先大夫子蟜又從寡君以觀釁於楚實朝言覲釁飾辭也言欲往覲楚知可去否【音訓】釁許靳反晉於是乎有蕭魚之役在十一年謂我敝邑邇在晉國譬諸草木吾臭味也晉鄭同姓故【附註】朱曰草木同類則氣味皆同猶晉鄭同姓也而何敢差池差池不齊一【音訓】差初宜初佳七何三反楚亦不競寡君盡其土實土地所有重之以宗器宗廟禮樂之器鐘磬之屬【音訓】重直用反以受齊



盟齊同也遂帥羣臣隨于執事以會歲終朝正貳於楚者子侯石盂歸而討之石盂石臭【附註】林曰言自晉歸討而逐之蓋飾辭也其實鄭使石臭告絕于楚楚人執之【音訓】盂音于【註】臭勑略反溴梁之明年溴梁在十六年子蟜老矣公孫夏從寡君以朝于君見于嘗酎酒之新熟重者為酎嘗新飲酒為嘗酎【附註】朱曰公孫夏子西也酎重釀酒也【音訓】見賢遍反又如字酎直又反與執膰焉助祭【附註】林曰膰祭肉也【音訓】與音預膰音煩間二年聞君將靖東夏謂二十年澶淵盟【音訓】聞去聲四月又朝以聽事期先澶淵二月往朝以聽會期不朝之間無歲不聘無役不從以大國政令之無常

國家罷病不虞荐至荐仍也【附註】林曰不可虞度之事荐仍而至【音訓】罷音皮荐在薦反無日不惕豈敢忘職惕懼也【音訓】惕他歷反大國若安定之其朝夕在廷何辱命焉言自將往不須來名【音訓】朝夕並如字若不恤其患而以為口實口實但有其言而已其無乃不堪任命而翦為仇讎翦削也謂見翦削不堪命則成仇讎【音訓】任音壬敝邑是懼其敢忘君命委諸執事【附註】林曰敢以心腹委諸晉之執事執事實重圖之傳言子產有辭所以免大國之討○秋欒盈自楚適齊晏平仲言於齊侯曰商任之會受命於晉受錮欒氏之命今納欒氏將安用



之小所以事大信也失信不立君其圖之弗聽退告陳文子曰君人執信臣人執共忠信篤敬上下同之天之道也【音訓】共音恭下同君自棄也弗能久矣為二十五年齊弒其君光傳○九月鄭公孫黑肱有疾歸邑于公黑肱子張召室老宗人立段段子石黑肱子而使黜官薄祭黜官無多受職【附註】林曰减黜其官無多受職省薄其祭無多用牲祭以特羊殷以少牢四時祀以一羊三年盛祭以羊豕殷盛也足以共祀盡歸其餘邑【附註】林曰食邑足以共祭祀之外盡歸其餘於公曰吾聞之生於亂世貴而能貧民無求焉【附註】朱曰

民之貧者無所覬望於我可以後亡敬共事君與二三
子【附註】朱曰使段敬共以事鄭君及其二三大臣以生在敬戒不在
富也【附註】林曰人之所以保其生者在於共敬而戒謹不在於極其富有也
已巳伯張卒君子曰善哉【附註】林曰美其善於戒謹詩
曰愼爾侯度用戒不虞鄭子張其有焉詩大
雅侯維也義取慎法度戒未然○冬會于沙隨復錮欒氏
也晉知欒盈在齊故復錮也【音訓】復扶又反下同欒盈猶在齊晏
子曰禍將作矣齊將伐晉不可以不懼為明
年齊伐晉傳○楚觀起有寵於令尹子南【附註】林曰
子南即公子追舒未益祿而有馬數十乘言子南偏寵觀

左傳廿六　三十三

起令富楚人患之王將討焉子南之子棄疾
為王御士御王車者王每見之必泣棄疾曰君
三泣臣矣敢問誰之罪也王曰令尹之不
能爾所知也國將討焉爾其居乎問能止事我否
對曰父戮子居君焉用之【音訓】焉於虔反下焉入同
洩命重刑臣亦不為漏洩君命罪之重王遂殺子
南於朝轘觀起於四竟轘車裂以徇子南之臣
謂棄疾請徙子尸於朝欲紀命取殯【附註】林曰子謂子南【音
訓】殯必刃反曰君臣有禮唯二三子不欲犯命移尸【附註】
林曰言君之殺臣臣之事君皆有禮制唯二三家臣其少忍之三日棄疾

請尸王許之既葬其徒曰行乎行去也曰吾
與殺吾父行將焉入【附註】林曰言我知王欲殺子南而不告是
與殺吾父雖去他國將安所入言無所容【音訓】與音預殺如字一音弒曰然
則臣王乎曰棄父事讎吾弗忍也於事是讎於實
是君故雖謂讎而不敢報遂縊而死傳譏康王與人子謀其父失君臣之
義復使薳子馮為令尹公子齮為司馬屈
建為莫敖【音訓】屈建子木也齮音蟻有寵於薳子者八
人皆無祿而多馬他日朝與申叔豫言弗
應而退從之入於人中申叔辟薳子不欲與語又從
之遂歸退朝見之薳子就申叔家見之曰子三困我

本傳十七　三十四

於朝吾懼不敢不見【附註】朱曰三困我謂弗應也入於人中也
遂歸也【音訓】見賢遍反吾過子姑告我何疾我也【附註】
朱曰我有過失汝且以實告我何惡我之甚而不答我也對曰吾不免
是懼何敢告子言恐與子并罪故不敢與子語曰何故對
曰昔觀起有寵於子南子南得罪觀起車
裂何故不懼自御而歸不能當道薳子惶懼意不
在御【附註】朱曰子馮聞言而懼自御其車而歸意不在御故不能當正道至謂
八人者曰吾見申叔夫子【附註】朱曰謂我適來見申叔豫
所謂生死而肉骨也已死復生白骨更肉知我者如
夫子則可夫子謂申叔也如夫子謂以義匡已不然請止止不

相知偽辭八人者而後王安之辭遣之【附註】朱曰康王不疑子偽○十二月鄭游販將如晉游販公孫蠆子【音訓】販普板反未出竟遭逆妻者奪之以館于邑舍止其邑不復行【音訓】竟音境丁巳其夫攻子明殺之以其妻行十二月無丁巳丁巳十一月十四日也【附註】林曰子明即游販子展廢良而立大叔良游販子大叔販弟曰國卿君之貳也民之主也不可以苟請舍子明之類子明有罪而良又不賢故【音訓】舍音捨求亡妻者使復其所使游氏勿怨鄭國不討專殺之人所以抑強扶弱臨時之宜曰無昭惡也交怨則文之不脩益明也



春秋經傳集解卷第十六

春秋經傳集解卷第十七　**諸家註音訓附**

杜氏盡二十五年

襄公四

【經】十有三年【辛亥】春王二月癸酉朔日有食之無傳○三月己巳杞伯匄卒五同盟○夏邾畀我來奔無傳畀我是庶其之黨同有竊邑叛君之罪來奔故書○葬杞孝公無傳○陳殺其大夫慶虎及慶寅書名皆罪其專國叛君言及史異辭無義例○陳侯之弟黃自楚歸于陳諸侯納之曰歸黃至楚自理得直故為楚所納○晉欒盈復入于晉以惡入曰復入入【音訓】復扶又反入于曲沃兵敗奔曲沃據曲沃衆還與君



爭非欲出附他國故不言叛○秋齊侯伐衛遂伐晉兩事故言遂【附註】林曰此其書遂何齊始伐盟主也自襄以來齊世從晉於是始叛則晉伯衰而諸侯二矣晉之衰諸夏之憂也○八月叔孫豹帥師救晉次于雍榆豹救晉待命于雍榆故書次雍榆晉地汲郡朝歌縣東有雍城【附註】林曰次而後救匿其救之之形也救而先次宣其救之之聲也自救晉而天下益多故矣盟于宋而南北之勢成會于申而淮夷至戰于雞父而吳之敗者六國於越入吳春秋終焉蓋於是焉始故謹而書之也是故自救盟主他救皆不書如昭二十一年晉以諸侯之師救宋三十年楚救徐之類皆不書以為不足書也【音訓】雍於用反○己卯仲孫速卒孟莊子也○冬十月乙亥臧孫紇出奔邾書名者阿順季氏為之廢長立少以取奔亡罪之【音訓】【圖】為于偽反○晉人殺欒

盈○齊侯襲莒輕行掩其不備曰襲因伐晉還襲莒不言遂者間有事【附】【注】林曰春秋書襲者此特筆也【音訓】【註】輕遣政反

【傳】二十三年春杞孝公卒晉悼夫人喪之悼夫人晉平公母杞孝公姊妹【音訓】喪如字平公不徹樂非禮也徹去也【附註】林曰期功之喪不徹去聲樂非遭喪之禮慶禮為鄰國闕禮諸侯絕期故以鄰國責之【音訓】為于僞反下【註】為名下而為並同○陳侯如楚朝也公子黃愬二慶於楚楚人召之二慶虎及寅也二十年二慶譖黃黃奔楚自理今陳侯往楚乃信黃為名二慶使慶樂往殺之慶樂二慶之族二慶畏誅故不敢自往【附註】林曰楚殺慶樂慶氏以陳叛因陳侯在楚而叛之不書叛不以告夏屈建



從陳侯圍陳陳人城治城以距君屈建楚莫敖【音訓】從才用反又如字板隊而殺人役人相命各殺其長慶氏忿其板隊遂殺築人故役人怒而作亂【注】林曰執役之人怨慶氏殺人乃相告作【附】亂【音訓】隊直類反長丁丈反遂殺慶虎慶寅楚人納公子黃君子謂慶氏不義不可肆也肆放也【附註】林曰言不可放在人上故書曰惟命不于常周書康誥言有義則存無義則亡○晉將嫁女于吳齊侯使析歸父媵之以藩載欒盈及其士藩車之有障蔽者使若媵妾在其中【附註】林曰載欒盈及其腹心爪牙之士納諸曲沃欒盈邑也欒盈夜見胥午而告之胥午守曲沃大夫【附】【注】林曰夜見不欲使

人知告以欲襲晉對曰不可天之所廢誰能興之子必不免吾非愛死也知不集也集成也【音訓】知音智又如字盈曰雖然因子而死吾無悔矣我實不天子無咎焉言我雖不為天所祐子無天災故可因許諾伏之而觴曲沃人胥午匿盈而飲其衆【音訓】【註】飲於鴆反樂作午言曰今也得欒孺子何如孺子欒盈對曰得主而為之死猶不死也皆嘆有泣者爵行又言皆曰得主何貳之有盈出徧拜之謝衆之思己【音訓】徧音遍四月欒盈帥曲沃之甲因魏獻子以晝入絳獻子魏舒絳晉國都【注】林曰以晝入絳輕兵【附】



掩晉之不備也朱曰衆皆欒為之用故以晝入焉初欒盈佐魏莊子於下軍莊子魏絳獻子之父獻子私焉故因之私相親愛趙氏以原屏之難怨欒氏成八年莊姬譖之欒郤為徵【音訓】屏平聲難乃旦反韓趙方睦韓起讓趙武故和睦中行氏以伐秦之役怨欒氏十四年晉伐秦欒黶違荀偃命曰余馬首欲東而固與范氏和親范宣子佐中行偃於中軍知悼子少而聽於中行氏悼子知罃之子荀盈也少年十七知氏中行氏同祖故相聽從【音訓】少詩照反程鄭嬖於公鄭亦荀氏宗唯魏氏及七輿大夫與之七輿官名樂王鮒侍坐於范宣子或告曰欒氏至矣宣子懼桓子曰

奉君以走固宮必無害也【訓】桓子樂王鮒走如字又音【音】奏且欒氏多怨子為政欒氏自外子在位其利多矣既有利權又執民柄賞罰為民柄將何懼焉欒氏所得其唯魏氏乎而可強取也【附註】林曰魏獻子雖與欒盈其心未固可以強刼而取之【音訓】強其丈反夫克難在權子無懈矣【附註】林曰無懈急於用權可矣公有姻喪夫人有杞喪王鮒使宣子墨縗冒經晉自殽戰還遂常墨縗【附註】林曰樂王鮒使宣子墨縗以經蒙冒其首一云縗冒經三者皆墨之二婦人輦以如公恐欒氏有內應距之故為婦人服而入奉公以如固宮固宮宮之有臺觀備守者【音訓】【註】觀官喚反范

鞅逆魏舒用王鮒計欲強取之則成列既乘將逆欒氏矣【附註】林曰魏獻子之兵成行列既乘車將迎欒盈與之合師矣【音訓】乘繩證反下驂乘趨乘註并同趨進曰欒氏帥賊以入鞅之父與二三子在君所矣二三子諸大夫使鞅逆吾子鞅請驂乘持帶驂乘必持帶備隋隊【訓】【註】隋待果反隊直類【音】反遂超乘【訓】跳上獻子車【註】上時掌反【音】右撫劍左援帶劫之援音爰【音訓】命驅之出【附註】林曰范鞅命驅車出僕請請所至鞅曰之公【附註】林曰之往也言往公所宣子逆諸階逆獻子也執其手賂之以曲沃恐不與己同心初斐豹隸也著於丹書蓋犯罪沒為官奴以丹書其罪【音訓】斐音非又音匪



欒氏之力臣曰督戎【附註】林曰欒盈有勇力之臣曰督戎國人懼之斐豹謂宣子曰苟焚丹書我殺督戎宣子喜曰而殺之【附註】林曰而汝也所不請於君焚丹書者有如日言不負要明如日乃出豹而閉之閉著門外【註】著陟略反【音訓】督戎從之踰隱而待之隱短牆也【附註】林曰督戎見斐豹出門從之拒戰斐豹乃踰短牆而待其至督戎踰入豹自後擊而殺之范氏之徒在臺後公臺之後欒氏乘公門乘登也【附註】林曰欒氏之兵登公宮之門宣子謂鞅曰矢及君屋死之【附註】林曰令其致死力戰鞅用劍以帥卒用劍短兵接敵欲致死【音訓】卒子忽反欒

氏退攝車從之鞅攝宣子戎車遇欒樂樂盈之族曰樂免之【附註】林曰范鞅呼其名而謂之曰樂免言不免汝死將訟女於天言雖死猶不舍女罪【音訓】女音汝樂射之不中又注注屬矢於弦也【音訓】射食亦反中丁仲反【註】屬之玉反則乘槐本而覆欒樂車轢槐而覆【音訓】槐音懷覆芳服反【註】轢音歷或以戟鉤之斷肘而死【音訓】斷音短肘張九反欒魴傷欒盈奔曲沃晉人圍之魴欒氏族【附註】朱曰戰而中傷○秋齊侯伐衛先驅穀榮御王孫揮召揚為右先驅前鋒軍【附】【註】林曰王孫揮為前鋒帥穀榮為御【音訓】召上照反申驅成秩御莒恒申鮮虞之傅摯為右申驅次前軍傅摯申鮮虞之子【附註】

林曰莒恒為次前軍帥成秩為御【音訓】鮮音仙曹開御戎晏父戎為右公御右也貳廣上之登御邢公盧蒲癸為右貳廣公副車【附註】林曰邢公為二廣帥上之登為御【音訓】廣古曠反啓牢成御襄罷師狼蘧疏為右左翼曰啓【附註】林曰襄罷師為左翼帥牢成為御【音訓】罷音皮一音皮買反肱商子車御侯朝桓跳為右右翼曰肱【附註】林曰侯朝為右翼帥商子車為御【音訓】肱起居反又音賁跳徒彫反大殿商子游御夏之御寇崔如為右大殿後軍【附註】林曰夏之御寇為大殿後軍帥商子游為御【音訓】殿都練反御音禦燭庸之越駟乘四人共乘殿車也傳具載此言莊公廢舊臣任武力【音訓】乘繩證反自衛將遂伐晉晏平仲曰君



恃勇力以伐盟主若不濟國之福也【附註】朱曰若伐晉而不勝則君知恐懼而修德齊之福也不德而有功憂必及君崔杼諫曰不可【音訓】杼直呂反臣聞之小國間大國之敗而毀焉【附註】林曰言齊間晉有釁盈之禍而伐之【音訓】間去聲必受其咎君其圖之弗聽陳文子見崔武子文子陳完之孫須無武子崔杼也曰將如君何【附註】林曰言君將伐晉如之何武子曰吾言於君君弗聽也以為盟主而利其難【附註】林曰以晉為諸侯之盟主反利其國有難而欲伐之【音訓】難乃旦反羣臣若急君於何有言有急不能顧君欲弒之以說晉【音訓】【註】說音悅又如字子姑止之【附註】林曰

且往止君使勿伐晉文子退告其人曰崔子將死乎謂君甚而又過之弒君之惡過於背盟主【附註】朱曰謂君伐盟主其惡已甚而抒欲弒君則其惡又過於背盟主也不得其死【附註】朱曰必不得以善終過君以義猶自抑也況以惡乎自抑損【附註】林曰所行之義有過於君人臣之道猶自抑損不敢求過況欲以惡過其君乎朱曰以義理救其君之過尚當自抑不敢是已非君況欲行弒逆之惡乎齊侯遂伐晉取朝歌朝歌今屬汲郡為二隊入孟門登大行二隊分兵為二部孟門晉隘道大行山在河內郡北【音訓】行戶郎反【註】隘於懈反張武軍於熒庭張武軍謂築壘壁熒庭晉地【音訓】熒戶扃反戍郫邵取晉邑而守之【音訓】郫婢支反封少水封晉尸於



少水以為京觀【音訓】少詩照反【註】觀官渙反以報平陰之役乃還平陰役在十八年趙勝帥東陽之師以追之獲晏氂趙勝趙旃之子東陽晉之山東魏郡廣平以北晏氂齊大夫【音訓】勝音升又如字氂音釐又音來○八月叔孫豹帥師救晉次于雍榆禮也救盟主故曰禮○季武子無適子公彌長而愛悼子欲立之公彌公鉏悼子紇也【附註】朱曰二子皆庶出公彌為兄而季孫獨愛少子欲立悼子為後【音訓】適丁歷反長丁丈反下皆同訪於申豐曰彌與紇吾皆愛之欲擇才焉而立之【附註】林曰難言立少故言欲立有才者申豐趨退歸盡室將行申豐季氏屬大夫他日又訪焉對曰

其然將具敝車而行 其然猶必爾 乃止 止不立紇 訪於臧紇臧紇曰飲我酒吾為子立之 【音訓】飲於鴆反下同為于僞反 季氏飲大夫酒臧紇為客 為上賓 既獻 已獻酒 臧孫命北面重席新樽絜之 樽酒既新復絜滌之 【音訓】重直恭反 召悼子降逆之大夫皆起 臧孫下迎悼子 及旅而召公鉏 獻酬禮畢而通行為旅 【音訓】鉏林魚反 使與之齒 使從庶子之禮列在悼子之下 季孫失色 恐公鉏不從 季氏以公鉏為馬正 馬正家司馬 慍而不出 【附註】朱曰鉏廢而怒不出視事 閔子馬見之 閔子馬閔馬父 曰子無然禍福無門唯人所召為人子者患



不孝不患無所 【註】所位處 【音訓】處昌慮反 敬其父命何常之有 言廢置在父無常位也 【音訓】共音恭下同 若能孝敬富倍季氏可也 父寵之則可富 姦回不軌禍倍下民可也 禍甚於貧賤 公鉏然之敬共朝夕恪居官次 次舍也 季孫喜使飲己酒 【附註】林曰使公鉏為武子設燕禮迎 而以具往盡舍旃 具饗燕之具 【附註】林曰季武子以享燕之具往公鉏家盡棄其具以與公鉏 【音訓】舍音捨 故公鉏氏富又出為公左宰 出季氏家臣仕於公 【附註】林曰公鉏又自季氏家臣出仕於公 為左宰 孟孫惡臧孫 不相善 【音訓】惡烏路反下惡子惡我所惡同 季孫愛之 愛其成己志 孟氏之御騶豐點好羯也 羯孟莊子之庶子孺子秩之弟孝伯也 【附註】林曰豐點孟莊子御騶之官 【音訓】騶音鄒點如字又平聲好呼報反羯居竭反 曰從余言必為孟孫 為孟孫後 再三云 【附註】林曰豐點再三為羯言之 羯從之孟莊子疾豐點謂公鉏茍立羯請讎臧氏 使孟氏與公鉏共憎臧孫 公鉏謂季孫曰孺子秩固其所也 固自當立 若羯立則季氏信有力於臧氏矣 臧氏因季孫之欲而為定之猶為有力今若專立孟氏之少則季氏有力過於臧氏 弗應己卯孟孫卒公鉏奉羯立于戶側 戶側喪主 【附註】朱曰戶側喪主之位 季孫至入哭而出曰秩焉在 【音訓】焉於虔反 公鉏曰羯在此矣季孫曰孺子



長公鉏曰何長之有唯其才也 季孫廢鉏立紇云欲擇才故以此答之 且夫子之命也 遂誣孟孫 遂立羯秩奔邾臧孫入哭甚哀多涕出 【附註】林曰吊畢而出 其御曰孟孫之惡子也而哀如是季孫若死其若之何臧孫曰季孫之愛我疾疢也 常志相順從身之害 【音訓】疢恥刃反 孟孫之惡我藥石也 常志相違 疢猶藥石之療疾 【音訓】【註】療力召反 美疢不如惡石夫石猶生我 愈己疾也 疢之美其毒滋多孟孫死吾亡無日矣 【附註】林曰愚按此乃臧武仲廢鉏立紇作不順於先及見公鉏廢秩立羯則知禍將及己哭甚哀多涕蓋有所感而傷之也其御不解而問故據理以答

之此其所以為多知也孟氏閉門告於季孫曰臧氏將為亂不使我葬欲為公鉏辟臧氏季孫不信臧孫聞之戒戒為備也冬十月孟氏將辟藉除於臧氏辟穿藏也於臧氏借人除葬道【附註】林曰孟氏將葬穿藏【音訓】辟婢亦反又甫亦反藉音借又如字【註】臧才浪反臧孫使正夫助之正夫遂正除於東門甲從己而視之畏孟氏故從甲士視作者【音訓】從才用反一音如字孟氏又告季孫季孫怒命攻臧氏見其有甲故乙亥臧紇斬鹿門之關以出奔邾魯南城東門初臧宣叔娶于鑄生賈及為而死鑄國濟北蛇丘縣所治【音訓】【註】蛇音移治直吏反繼室以其姪女子謂兄弟之子為姪穆姜之姨子也姪穆姜姨母之子與穆姜為姨昆弟生紇長於公宮姜氏愛之故立之立為宣叔嗣【附註】林曰姪與穆姜親故紇長育於公宮臧賈臧為出在鑄還舅氏也臧武仲自邾使告臧賈且致大蔡焉太蔡大龜【附註】林曰大蔡龜名也龜出蔡地因以為名曰紇不佞失守宗祧遠祖廟為祧【附註】林曰近親廟為宗【音訓】祧他彫反敢告不弔不為天所弔恤紇之罪不及不祀言應有後子以大蔡納請其可請為先人立後【附註】林曰子謂臧賈以大蔡納魯請為先人立後其可得立【音訓】【註】為于僞反下為己自為為其下文遂自為同賈曰是家之禍也非子之過也賈聞命矣



再拜受龜使為以納請賈使為為己請遂自為也為自為請臧孫如防防臧孫邑使來告曰紇非能害也知不足也言使甲從己但慮事淺耳【音訓】知音智非敢私請為其先人請也苟守先祀無廢二勳二勳文仲宣叔敢不辟邑據邑請後故孔子以為要君【附註】林曰敢不辟方邑而去乃立臧為【附註】林曰乃立臧為為臧氏後臧紇致防而奔齊【附註】林曰得立後乃致其邑而奔齊其人曰【附註】林曰防邑之人其盟我乎謂陳其罪惡盟諸大夫以為戒臧孫曰無辭廢長立少季孫所忌故謂無辭以罪已將盟臧氏【附註】林曰魯果將盟臧氏以為戒季孫召外史掌惡臣而問盟首焉惡臣諸奔亡者盟首載書之章首【音訓】惡如字對曰盟東門氏也【附註】林曰在宣公十八年曰毋或如東門遂不聽公命殺適立庶文公子惡公子遂殺之立宣公【音訓】毋音無下同盟叔孫氏也【附註】林曰在成公十六年曰毋或如叔孫僑如欲廢國常蕩覆公室謂譖公與季孟於晉季孫曰臧孫之罪皆不及此孟椒曰盍以其犯門斬關季孫用之乃盟臧氏曰無或如臧孫紇干國之紀犯門斬關干亦犯也臧孫聞之曰國有人焉誰居其孟椒乎孟椒孟獻子之孫子服惠伯居猶與也【音訓】居音姬【註】與音餘○晉人克欒盈于曲沃盡殺欒氏之

族黨欒魴出奔宋書曰晉人殺欒盈不言大夫言自外也自外犯君而入非復晉大夫○齊侯還自晉不入不入國遂襲莒門于且于且于莒邑【音訓】且子餘反傷股而退齊侯傷明日將復戰期于壽舒壽舒莒地杞殖華還載甲夜入且于之隧宿於莒郊二子齊大夫且于隧狹路【音訓】還音旋明日先遇莒子於蒲侯氏蒲侯氏近莒之邑莒子重賂之使無死曰請有盟欲以盟要二子無致死戰華周對曰貪貨棄命亦君所惡也華周即華還昬而受命日未中而棄之何以事君莒子親鼓之從而伐



之獲杞梁杞梁即杞殖莒人行成勝大國恐懼故行成齊侯歸遇杞梁之妻于郊梁戰死妻行迎喪使弔之辭曰殖之有罪何辱命焉言若有罪不足弔若免於罪猶有先人之敝廬在下妾不得與郊弔婦人無外事故下猶賤也【音訓】與音預齊侯弔諸其室傳善婦人有禮○齊侯將為臧紇田與之田邑臧孫聞之見【音訓】見賢遍反齊侯與之言伐晉齊侯自道伐晉之功對曰多則多矣【附註】林曰戰功曰多上多字戰功也下多字多少也抑君似鼠夫鼠晝伏夜動不穴於寢廟畏人故也【附註】林曰寢廟人多鼠不即以為窟穴今君聞晉之亂

而後作焉作起兵也寧將事之非鼠如何【附註】朱曰晉寧又將事之猶鼠之晝伏也乃弗與田臧孫知齊侯將敗不欲受其邑故以比鼠欲使怒而止仲尼曰知之難也【附註】林曰用知之難也【音訓】知音智下同有臧武仲之知謂能辟齊禍而不容於魯國抑有由也作不順而施不恕也【附註】朱曰循理之謂順推己之謂恕季氏廢長立少是作不順己所不欲而施之人是施不恕夏書曰念茲在茲逸書也念此事在此身言行事當常念如此在己身也順事恕施也【附註】朱曰釋書之意以為作事必順而施之必恕



【經】二十有四年【壬子】春叔孫豹如晉賀克欒氏○仲孫羯帥師侵齊○夏楚子伐吳○秋七月甲子朔日有食之既無傳○齊崔杼帥師伐莒○大水無傳○八月癸巳朔日有食之無傳○公會晉侯宋公衛侯鄭伯曹伯莒子邾子滕子薛伯杞伯小邾子于夷儀○冬楚子蔡侯陳侯許男伐鄭○公至自會無傳○陳鍼宜咎出奔楚陳鍼子八世孫慶氏之黨書名惡之也○叔孫豹如京師○大饑無傳【附註】林曰大饑者一

【傳】二十四年春穆叔如晉范宣子逆之問焉曰古人有言曰死而不朽何謂也【音訓】朽許

久反穆叔未對宣子曰昔匄之祖自虞以上
為陶唐氏陶唐堯所治地大原晉陽縣也終虞之世以為踊故曰自虞以
上【音訓】上時掌反在夏為御龍氏謂劉累也事見昭二十九年
在商為豕韋氏豕韋國名東郡白馬縣東南有韋城在周為
唐杜氏唐杜二國名殷末豕韋國於唐周成王滅唐遷之於杜為杜伯杜伯
之子隰叔奔晉四世及士會食邑於范復為范氏杜今京兆杜縣【音訓】復扶又反
下同晉主夏盟為范氏其是之謂乎晉為諸夏盟主
范氏復為之佐言己世為興家穆叔曰以豹所聞此之謂
世祿非不朽也魯有先大夫曰臧文仲既
沒其言立立謂不廢絕其是之謂乎豹聞之大

左傳十七　十四

上有立德黃帝堯舜以垂世範【附註】林曰立德【音訓】大音太其次
有立功禹稷立功【附註】林曰以垂世則其次有立言史佚周任
臧文仲立言【附註】林曰以垂世教雖久不廢此之謂不朽
若夫保姓受氏以守宗祊祊廟門【附註】林曰保其始祖之
姓受其先代之氏以守其宗廟【音訓】祊布彭反世不絕祀無國無
之祿之大者不可謂不朽傳善穆叔之知言○范
宣子為政諸侯之幣重鄭人病之二月鄭
伯如晉子產寓書於子西以告宣子寓寄也【附
註】林曰子西相鄭伯如晉【音訓】寓音遇曰子為晉國四鄰諸
侯不聞令德而聞重幣僑也惑之僑聞君

子長國家者【附註】朱曰君子之長益國家者【音訓】長丁丈反非無
賄之患而無令名之難【附註】林曰不以貨賄不足為患而以
美名不立為難夫諸侯之賄聚于公室則諸侯貳
貳離也若吾子賴之則晉國貳賴恃用之諸侯貳
則晉國壞晉國貳則子之家壞何沒沒也
沒沒沈滅之言【附註】林曰言何必沈滅於貨賄如此【音訓】沒如字一音妹將焉
用賄【音訓】焉於虔反夫令名德之輿也德須令名以遠聞【音
訓】聞音問又如字德國家之基也有基無壞無亦
是務乎有德則樂樂則能久【附註】林曰樂與人同則能
久居其位【音訓】樂音洛下同詩云樂只君子邦家之基

左傳十七　十五

有令德也夫詩小雅言君子樂美其道為邦家之基所以濟令德上
帝臨女無貳爾心有令名也夫詩大雅言武王為天
所臨不敢懷貳心所以濟令名【音訓】女音汝恕思以明德則令
名載而行之【附註】林曰忠恕在心而自明其德則令名如輿載美德而
行是以遠至邇安毋寧使人謂子子實生
我無寧寧也【附註】林曰寧可使人謂子言宣子實生養於我朱曰言汝實能生養
我民者【音訓】毋音無而謂子浚我以生乎浚取也言取我財以
自生【音訓】浚音峻象有齒以焚其身賄也焚斃也【附註】林
曰服虔曰焚讀曰僨僵也宣子說乃輕幣【音訓】說音悅是行
也鄭伯朝晉為重幣故【音訓】為于僞反下魯為同且請

伐陳也鄭伯稽首宣子辭【附註】林曰宣子為晉侯辭不敢受稽首子西相【音訓】相息亮反曰以陳國之介恃大國而陵虐於敝邑介因也大國楚也寡君是以請罪焉請得罪於陳也【附註】林曰願請罪于陳敢不稽首為明年鄭入陳傳○孟孝伯侵齊晉故也前年齊伐晉魯為晉報侵○夏楚子為舟師以伐吳舟師水軍不為軍政不設賞罰之差無功而還為下吳名舒鳩起本○齊侯既伐晉而懼將欲見楚子楚子使薳啓彊如齊聘且請期請會期齊社蒐軍實使客觀之祭社因閱數軍器以示薳啓彊【音訓】蒐所求反數所主反陳文子曰齊



將有寇吾聞之兵不戢必取其族戢藏也族類也取其族還自害也○秋齊侯聞將有晉師使陳無宇從薳啓彊如楚辭且乞師夷儀之師辭有晉師不得相見崔杼帥師送之【附註】林曰帥師送陳無宇遂伐莒侵介根介根莒邑今城陽黔陬縣東北計基城是也齊既與莒平因兵出侵之言無信也【音訓】黔其廉反又其今反又耿弁反陬側留反會于夷儀將以伐齊水不克晉合諸侯以報前年見伐【附註】林曰值雨水不克伐○冬楚子伐鄭以救齊門于東門次于棘澤以齊無宇乞師故也諸侯還救鄭夷儀諸侯晉侯使張骼輔躒致楚師【附註】林曰致師挑戰【音訓】骼音格躒音歷又音洛

求御于鄭欲得鄭人自御知其地利故也鄭人卜宛射犬吉射犬鄭公孫【音訓】宛於元反射食亦反子大叔戒之曰大國之人不可與也言不可與等也欲使卑下之大叔游吉【音訓】下遐嫁反對曰無有衆寡其上一也言在己上者有常分大叔曰不然部婁無松柏無大小國之異【音訓】分扶問反部婁小阜松柏大木喻小國異於大國二子在幄坐射犬于外二子張骼輔躒幄帳也既食而後食之【附註】林曰晉二子先食而後食射犬言二子不為之禮【音訓】食音嗣使御廣車而行廣車兵車已皆乘乘車乘車安車【音訓】乘乘上如字下繩證反下皆同將及楚師而後從之乘【附註】林曰將近及楚師而後二子同



射犬乘乘兵車皆踞轉而鼓琴轉衣裝【附註】林曰二子皆箕踞衣裝而鼓琴示閒暇【音訓】踞居慮反轉長戀反近不告而馳之射犬根故近敵不告而馳皆取胄於櫜而胄【附註】林曰胄兜鍪也二子皆取胄於櫜中而加於首【音訓】櫜音羔入壘皆下搏人以投收禽挾囚禽獲也【附註】林曰入楚營壘三子皆下車手搏楚人以投其車收其禽獲挾其囚虜弗待而出射犬又不待二子皆超乘抽弓而射【附註】林曰二子皆超而登車各抽弓而射楚人既免【附註】林曰既脫楚師而歸復踞轉而鼓琴曰公孫同乘兄弟也言同乘義如兄弟胡再不謀謂不告而馳不待而出對曰曩者志入而已今則怯也【附註】林曰不告而馳志於入壘今則

怯敵故不待而出皆笑曰公孫之亟也亟急也言其性急不能受屈【音訓】亟居力反○楚子自棘澤還使薳啓疆帥師送陳無宇傳言齊楚固相結也吳人為楚舟師之役故在此年夏【音訓】為于偽反下註同召舒鳩人舒鳩人叛楚舒鳩楚屬國名欲與共伐楚楚子師于荒浦荒浦舒鳩地使沈尹壽與師祁犂讓之二子楚大夫【附註】林曰楚子先使二子責讓舒鳩人【音訓】犂力兮反又利之反舒鳩子敬逆二子而告無之且請受盟二子復命王欲伐之薳子曰不可令尹薳子馮彼告不叛且請受盟而又伐之伐無罪也姑歸息民以待



其卒卒終也卒而不貳吾又何求若猶叛我無辭有庸乃還彼無辭我有功為明年楚滅舒鳩傳○陳人復討慶氏之黨鍼宜咎出奔楚言宜咎所以稱名○齊人城郟郟王城也於是穀雒鬬毀王宮齊叛晉欲求媚於天子故為王城之【音訓】郟音夾穆叔如周聘且賀城王嘉其有禮也賜之大路大路天子所賜車之揔名為昭四年叔孫以所賜路葬張本○晉侯嬖程鄭使佐下軍代欒盈也鄭行人公孫揮如晉聘揮子羽也程鄭問焉曰敢問降階何由問自降下之道子羽不能對歸以語然明然明鬷蔑【音訓】語魚據反然明曰是將死矣不然將亡貴而知懼懼而思降乃得其階階猶道也下人而已又何問焉言易知不過降下於人而已【附註】林曰此又何必問【音訓】下戶嫁反且夫既登而求降階者知人也【附註】朱曰夫人既登貴位而求降下之道者唯明哲者能之【音訓】知音智不在程鄭其有亡釁乎【附註】林曰若不在程鄭之身其家將有出亡之釁乎朱曰程鄭以嬖幸升卿位夫豈明智之人哉此必身有罪禍懼奔亡之釁而始問降階也不然其有惑疾【附註】林曰若其不亡其必程鄭身有惑易喪志之疾將死而憂也言鄭本小人為明年程鄭卒張本

【經】二十有五年【癸丑】春齊崔杼帥師伐我北鄙○夏五月乙亥齊崔杼弒其君光齊侯雖背盟主



未有無道於民故書臣罪崔杼也○公會晉侯宋公衛侯鄭伯曹伯莒子邾子滕子薛伯杞伯小邾子于夷儀○六月壬子鄭公孫舍之帥師入陳子産之言陳以不義見入故舍之無譏釋例詳之○秋八月己巳諸侯同盟于重丘夷儀之諸侯也重丘齊地己巳七月十二日經誤【音訓】重直龍反○公至自會無傳○衛侯入于夷儀夷儀本邢地衛滅邢而為衛邑晉愍衛衎失國使衛分之一邑書入者自外而入之辭非國逆之例○楚屈建帥師滅舒鳩傳在衛侯入夷儀上經在下從告○冬鄭公孫夏帥師伐陳陳猶未服○十有二月吳子遏伐楚門于巢卒遏諸樊也為巢牛臣所殺不書滅者楚人不獲其尸

吴以辛告未同盟而赴以名

【傳】二十五年春齊崔杼帥師伐我北鄙以郲孝伯之師也前年魯使孟孝伯為晉伐齊【音訓】【諺】為于僞反下為己取同公患之使告于晉孟公綽曰崔子將有大志志在弑君孟公綽魯大夫不在病我必速歸何患焉其來也不寇不為寇害使民不嚴欲得民心異於他日【附註】林曰言崔杼之用師與他日異齊師徒歸徒空也

○齊棠公之妻東郭偃之姊也棠公齊棠邑大夫東郭偃臣崔武子【附註】林曰東郭偃為崔杼家臣棠公死偃御武子以弔焉見棠姜而美之美其色也【附註】



林曰棠姜即棠公之妻使偃取之為己取也【音訓】取如字又音娶下同偃曰男女辨姓辨別也【附註】林曰古者娶妻不娶同姓故男女辨姓今君出自丁齊丁公崔杼之祖臣出自桓不可齊桓公小白東郭偃之祖同姜姓故不可昏武子筮之遇困䷮坎下兌上困之大過䷛巽下兌上大過困六三變為大過史皆曰吉阿崔子示陳文子文子曰夫從風坎為中男故曰夫變而為巽故曰從風風隕妻不可娶也風能隕落物者變而隕落故曰妻不可娶且其繇曰困于石據于蒺藜入于其宮不見其妻凶困六三爻辭【音訓】繇音胄蒺音疾藜力利反困于石往不濟也坎為險為水水之險者石不可以動據于蒺藜所恃傷也坎為險兌為澤澤之生物而險者蒺藜恃之則傷入于其宮不見其妻凶無所歸也易曰非所困而困名必辱非所據而據身必危既辱且危死其將至妻其可得見邪今卜昏而遇此卦六三失位無應則喪其妻失其所歸也崔子曰嫠也何害先夫當之矣寡婦曰嫠言棠公已當此凶【音訓】嫠音釐遂取之莊公通焉驟如崔氏也【附註】林曰驟數【音訓】驟愁又反以崔子之冠賜人侍者曰不可公曰不為崔子其無冠乎言雖不為崔子猶自應有冠【附註】林曰此皆慢辭崔子因是因是怒公又以其間伐晉也間晉之難而伐之【音訓】間去聲下同曰晉必將報欲弑公以說于



晉而不獲間【音訓】說音悅又如字公鞭侍人賈舉而又近之乃為崔子間公伺公間隙【音訓】為于僞反下莒為下【諺】為崔子同夏五月莒為且于之役故莒子朝于齊且于役在二十三年甲戌饗諸北郭崔子稱疾不視事欲使公來乙亥公問崔子問疾遂從姜氏姜入於室與崔子自側户出公拊楹而歌歌以命姜【音訓】拊芳甫反拍也侍人賈舉止衆從者而入閉門為崔子閉公也重言侍人者別下賈舉【附註】林曰止從公之從者于外而入崔子之室【音訓】從才用反【諺】重直用反甲興【附註】林曰崔子伏甲以待莊公至是甲興公登臺而請弗許請免【附註】林曰衆不許請盟

弗許請自刃於廟弗許求還廟自殺也皆曰君之臣杼疾病不能聽命不能親聽公命近於公宮言崔子宮近公宮或淫者詐稱公陪臣干掫有淫者不知二命干掫行夜言行夜得淫人受崔子命討之不知他命【附註】林曰陪臣衆自稱【音訓】干音扞又如字掫音鄒又音徂公踰墻又射之中股反隊遂弑之【音訓】射食亦反中丁仲反隊直類反賈舉州綽邴師公孫敖封具鐸父襄伊僂堙皆死八子皆齊勇力之臣為公所嬖者與公共死於崔子之宮【音訓】僂音摟堙音因祝佗父祭於高堂高堂有齊別廟也【附註】林曰祝佗父齊莊公之嬖至復命不說弁而死於崔氏爵弁祭服【音訓】說他活反申蒯侍漁者侍漁監取漁之官退謂其宰【附註】林曰告其家宰曰爾以帑免帑宰之妻子我將死其宰曰免是反子之義也反死君之義與之皆死崔氏殺鬷蔑于平陰鬷蔑平陰大夫公外嬖傳言莊公所養非國士故其死難皆嬖寵之人晏子立於崔氏之門外聞難而來【附註】林曰晏子即晏平仲其人曰死乎【附註】朱曰晏子左右問曰將為君而死乎曰獨吾君也乎哉吾死也言己與衆臣無異【附註】朱曰我何為獨為君死也曰行乎曰吾罪也乎哉吾亡也自謂無罪曰歸乎曰君死安歸言安可以歸【附註】林曰晏子復言臣以君為天君死矣將安所歸君民者豈以陵民社稷是主



臣君者豈為其口實社稷是養言君不徒居民上臣不徒求祿皆為社稷【附註】林曰口實祿養也【音訓】為于僞反下同故君為社稷死則死之為社稷亡則亡之謂以公義死亡若為己死而為己亡非其私暱誰敢任之私暱所親愛也非所親愛無為當其禍【音訓】任音壬且人有君而弑之【附註】林曰人謂崔子吾焉得死之而焉得亡之言己非正卿見待無異於衆臣故不得死其難也【音訓】焉於虔反將庸何歸將用死亡之義何所歸趣【附註】朱曰君死矣安可歸也門啓而入【附註】林曰佚崔子開門而入枕尸股而哭以公尸枕己股【音訓】枕之鴆反興【附註】林曰既哭而起三踊而出人謂崔子必殺之【附註】林曰必殺晏子以絕後患【音訓】踊羊寵反崔子曰民之望也舍之得民舍置也【附註】林曰言晏子之賢民之所仰望也置而不殺可得民心【音訓】舍音赦下同盧蒲癸奔晉王何奔莒二子莊公黨為二十八年殺慶舍張本叔孫宣伯之在齊也宣伯魯叔孫僑如成十六年奔齊叔孫還納其女於靈公嬖生景公還齊羣公子納宣伯女於靈公【音訓】還音旋丁丑崔杼立而相之【音訓】相息亮反下同慶封為左相盟國人於大宮大宮大公廟曰所不與崔慶者【附註】林曰言不與崔慶同心者如此盟誓之罰晏子仰天歎曰嬰所不唯忠於君利社稷者是與有如上帝乃歃盟書云所

不與崔慶者有如上帝讀書未終晏子必荅易其辭因自歃【附註】宋曰意謂崔慶不忠於君不利於社稷吾不與也辛巳公與大夫及莒子盟莒子朝齊遇崔杼作亂未去故復與景公盟【音訓】闔復扶又反大史書曰崔杼弒其君崔子殺之其弟嗣書而死者二人嗣續也并前有三人死其弟又書乃舍之【附註】林曰不可盡殺乃舍之南史氏聞大史盡死【附註】林曰南史氏齊史之在外者執簡以往【附註】林曰古之書者必以汗青之簡故執簡往欲以書其罪聞既書矣乃還傳言齊有直史崔杼之罪所以聞閭丘嬰以帷縛其妻而載之與申鮮虞乘而出二子從公近臣【音訓】縛直轉反乘繩證反鮮虞推而下之下嬰妻也【音訓】推如字又他回反曰君昏不能匡危不能救死不能死而知匿其暱匿藏也暱親也【附註】林曰匿藏其親暱之妻屬其誰納之行及弇中將舍弇中狹隘【附註】林曰二子將舍止其地【音訓】弇音奄又平聲嬰白崔慶其追我鮮虞曰一與一誰能懼我言道狹雖衆無所用【附註】林曰言道狹一人入與一人戰耳遂舍枕轡而寢恐失馬也食馬而食【附註】林曰先食馬而後食【音訓】食馬音嗣駕而行出弇中謂嬰曰速驅之崔慶之衆不可當也遂來奔道廣衆得用故不可當崔氏側莊公于北郭側瘞埋之不殯於廟丁亥葬諸士孫之里士孫人姓因名里死十三日便葬不

待五月四翣喪車之飾諸侯六翣【音訓】翣所甲反不蹕蹕止行人【音訓】蹕音必下車七乘不以兵甲下車送葬之車齊舊依上公禮九乘又有甲兵今皆降損【音訓】乘繩證反下同○晉侯濟自泮泮闕【附註】林曰泮水名地闕會于夷儀伐齊以報朝歌之役朝歌役在二十三年不書伐齊齊人逆服兵不加齊人以莊公說以弒莊公說晉也【音訓】說如字又音悅使隰鉏請成慶封如師慶封獨使於晉不通諸侯故不書鉏隰朋之曾孫男女以班【附註】林曰班辨也齊之男女各以其辨賂晉侯以宗器樂器宗器祭祀之器樂器鐘磬之屬自六正三軍之六卿五吏三十帥五吏文職三十帥武職皆軍卿之屬官【音訓】帥所類反三軍之大夫百官之正長師旅百官正長羣有司也師旅小將帥【音訓】長丁丈反及慶守者皆有賂皆以男女爲賂慶守守國者【音訓】守手又反國守如字又手又反晉侯許之晉侯受賂不譏者齊有喪師自宜退使叔向告於諸侯告齊服公使子服惠伯對曰君舍有罪以靖小國君之惠也寡君聞命矣【附註】林曰子服惠伯即孟椒○晉侯使魏舒宛沒逆衛侯衛獻公以十四年奔齊【附註】林曰晉平公愍其失國故使二子迎之于齊將使衛與之夷儀【附註】林曰晉將使衛殤公剽割夷儀以與衛獻公崔子止其帑以求五鹿崔杼欲得衛之五鹿故留衛侯妻子於齊以質之○初陳侯會楚子伐鄭

在前年當陳隧者井堙木刊隧徑也堙塞也刊除也鄭人怨之六月鄭子展子產帥車七百乘伐陳宵突陳城突穿也遂入之陳侯扶其大子偃師奔墓欲逃冢間遇司馬桓子曰載余陳之司馬曰將巡城不欲載公以巡城辭遇賈獲賈獲陳大夫載其母妻下之而授公車公曰舍而母〔附註〕林曰謂賈獲置汝之母於車辭曰不祥雖急猶不欲男女無別與其妻扶其母以奔墓亦免子展命師無入公宮與子產親御諸門欲服之而已故禁侵掠陳侯使司馬桓子賂以宗器陳侯免擁社免喪服擁社抱社主示服〔音訓〕免音問使其衆男女別而纍以待於朝纍自囚係以待命子展執縶而見見陳侯〔附註〕林曰縶馬韁也子展執之而見陳哀公修臣僕之禮〔音訓〕見賢遍反再拜稽首承飲而進獻承飲奉觴示不失臣敬子美入數俘而出子美子產也但數其所獲人數不將以歸〔音訓〕數所主反祝祓社司徒致民司馬致節司空致地乃還祓除也節兵符陳亂故正其衆官修其所職以安定之乃還也〔附註〕林曰大祝祓除不祥於社〔音訓〕祓音弗又音廢下同〇秋七月己巳同盟于重丘齊成故也伐齊而稱同盟以明齊亦同盟〇趙文子為政趙武代范匄令薄諸侯之幣而重其禮以重禮待諸侯穆叔見



之〔附註〕林曰魯穆叔見趙文子謂穆叔曰自今以往兵其少弭矣弭止也〔音訓〕弭亡氏反齊崔慶新得政將求善於諸侯〔附註〕林曰將求與諸侯和善不用兵武也知楚令尹令尹屈建〔附註〕林曰言與楚令尹子木相知若敬行其禮道之以文辭〔音訓〕傳道音導以靖諸侯兵可以弭為二十七年晉楚盟于宋傳〇楚薳子馮卒屈建為令尹屈建子木屈蕩為莫敖代屈建宣十二年邲之役楚有屈蕩為左廣之右世本屈蕩屈建之祖父今此屈蕩與之同姓名舒鳩人卒叛前年辭不叛楚令尹子木伐之及離城離城舒鳩城吳人救之子木遽以右師先先至舒鳩子彊息桓子捷子駢子盂帥左師以退五人不及子木與吳相遇而退吳人居其間七日居楚兩軍之間子彊曰久將墊隘隘乃禽也不如速戰墊隘憂水雨〔音訓〕墊音玷隘於懈反請以其私卒誘之〔附註〕林曰自請以其私屬之卒誘吳師簡師陳以待我簡閱精兵駐後為陳〔音訓〕陳直覲反我克則進奔則亦視之視其形勢而救助之乃可以免不然必為吳禽從之五人以其私卒先擊吳師吳師奔登山以望見楚師不繼〔附註〕林曰見楚師少無後繼復逐之傳諸其軍吳還逐五子至其本軍〔音訓〕復扶又反傳音附簡師會之吳師大敗〔附註〕林曰合而擊之遂

圍舒鳩舒鳩潰八月楚滅舒鳩五子既敗吳師遂前及子木共圍滅舒鳩【音訓】潰户內反○衛獻公入于夷儀為下自夷儀與寧喜言張本○鄭子產獻捷于晉獻入陳之功而不獻其俘戎服將事戎服軍旅之衣異於朝服晉人問陳之罪對曰昔虞閼父為周陶正以服事我先王閼父舜之後當周之興閼父為武王陶正我先王賴其利器用也與其神明之後也舜聖故謂之神明庸以元女大姬配胡公庸用也元女武王之長女胡公閼父之子滿也【音訓】長丁丈反而封諸陳以備三恪周得天下封夏殷二王後又封舜後謂之恪并二王後為三國其禮轉降示敬而已故曰三恪則我周

左傳廿七　二十八

之自出至于今是賴言陳周之甥至今賴周德桓公之亂蔡人欲立其出陳桓公鮑卒於是陳亂事在魯桓五年蔡出桓公之子厲公也我先君莊公奉五父而立之五父佗桓公弟殺太子免而代之鄭莊公因就定其位蔡人殺之欲立其出故我又與蔡人奉戴厲公奉戴猶奉事至于莊宣皆我之自立陳莊公宣公皆厲公子夏氏之亂成公播蕩又我之自入君所知也播蕩流移失所宣十一年陳夏徵舒弒靈公靈公之子成公奔晉自晉因鄭而入也今陳忘周之大德蔑我大惠棄我姻親介恃楚衆【附註】朱曰介因也以馮陵我敝邑不可億逞億度也逞盡也【附註】林曰逞快也不可億度其快志【音訓】馮皮冰反度待洛反我是以有往年之告謂鄭伯稽首告晉請伐陳未獲成命未得伐陳命則有我東門之役前年陳從楚伐鄭東門當陳隧者井堙木刊敝邑大懼不競【附註】林曰大恐國勢不強而恥大姬上辱大姬之靈【音訓】大音太天誘其衷啓敝邑心啓開也開道其心故得勝【音訓】道音導陳知其罪授手于我用敢獻功晉人曰何故侵小對曰先王之命唯罪所在各致其辟辟誅也【音訓】辟婢亦反且昔天子之地一圻方千里列國一同方百里自是以衰衰差降【音訓】衰初危反今大國多數圻矣若

左傳廿七　二十九

無侵小何以至焉晉人曰何故戎服對曰我先君武莊為平桓卿士鄭武公莊公為周平王桓王卿士城濮之役文公布命曰各復舊職晉文公命我文公戎服輔王以授楚捷不敢廢王命故也城濮在僖二十八年士莊伯不能詰士莊伯士弱也復於趙文子文子曰其辭順犯順不祥乃受之冬十月子展相鄭伯如晉拜陳之功謝晉受其功【音訓】相息亮反子西復伐陳陳及鄭平前入陳服之而已從故更伐以結成仲尼曰志有之志古書言以足志文以足言足猶成也【音訓】足將住反又如字不言誰

知其志言之無文行而不遠雖得行猶不能及遠晉為伯鄭入陳非文辭不為功附註林曰不能獻其入陳之功慎辭哉樞機之發榮辱之主○楚蔿掩為司馬蔿子馮之子子木使庀賦庀治音訓庀匹婢反數甲兵閱數之甲午蔿掩書土田書土地之所宜度山林度量山林之材以共國用音訓度待洛反共音恭鳩藪澤鳩聚也聚成藪澤使民不得焚燎壞之欲以備田獵之處辨京陵辨別也絕高曰京大阜曰陵別之以為冢墓之地表淳鹵淳鹵埆薄之地表異輕其賦稅附註林曰說文云鹵西方鹹地音訓鹵音魯數疆潦疆界有流潦者計數減其租入規偃豬偃豬下濕之地規度其受水多少音訓偃音堰又如字町原防廣平曰原



防隄也隄防間地不得方正如井田別為小頃町音訓町音挺牧隰皐隰皐水厓下濕為芻牧之地井衍沃衍沃平美之地則如周禮制以為井田六尺為步步百為畝畝百為夫九夫為井量入修賦量九土之所入而治理其賦稅音訓量音良又音亮賦車籍馬籍疏其毛色歲齒以備軍用附註林曰周制六十四井為甸出長轂一乘戎馬四匹牛十二頭甲士三人步卒七十二人楚制雖無可考亦可類推賦車兵車兵甲士徒卒步卒甲楯之數使器杖有常數音訓楯食準反又音尹既成以授子木禮也得治國之禮傳言楚之所以興○十二月吳子諸樊伐楚以報舟師之役舟師在二十四年也門于巢攻巢門巢牛臣曰吳王勇而輕音訓輕遣政反若啓之

將親門啓開門也附註林曰諸樊將親來攻門我獲射之必殪殪死也音訓射食亦反下同殪於計反是君也死疆其少安附註林曰吳之彊盛其可少息從之吳子門焉牛臣隱於短墻以射之卒附註林曰諸樊中矢而死○楚子以滅舒鳩賞子木辭曰先大夫蔿子之功也以與蔿掩往年楚子將伐舒鳩蔿子馮請退師以須其叛楚子從之卒獲舒鳩故子木辭賞以與其子○晉程鄭卒子產始知然明前年然明謂程鄭將死今如其言故知之問為政焉對曰視民如子見不仁者誅之如鷹鸇之逐鳥雀也音訓鸇之然反子產喜以語子大叔音訓語魚據反且



曰他日吾見蔑之面而已蔑然明名今吾見其心矣子大叔問政於子產子產曰政如農功附註林曰政之治民如農之治田日夜思之思其始而成其終附註朱曰既思其始又思所以成其終朝夕而行之行無越思思而後行如農之有畔言有次其過鮮矣○衛獻公自夷儀使與甯喜言求復國也附註朱曰甯喜悼子也甯喜許之大叔文子聞之大叔儀也曰嗚呼詩所謂我躬不說皇恤我後者甯子可謂不恤其後矣皇暇也詩小雅言今我不能自容說何暇念其後乎謂甯子必身受禍不得恤其後也音訓說音悅將可乎哉殆

必不可君子之行思其終也思使終可成思其復也思其可復行書曰慎始而敬終終以不困逸書詩曰夙夜匪懈以事一人一人以喻君今甯子視君不如弈棋弈圍棋也【音訓】弈音亦棋音其其何以免乎弈者舉棋不定不勝其耦而況置君而弗定乎必不免矣九世之卿族一舉而滅之可哀也哉甯氏出自衛武公及喜九世也【附註】林曰明年衛獻歸國二十七年果殺甯喜



春秋經傳集解卷第十七